Collection dirigée par
Georges Décote
Agrégé de l'Université
Docteur ès-Lettres

XVIIe siècle

Robert Horville
Docteur ès-Lettres

Couverture

Le roi Louis XIV en empereur romain, gravure du XVIIe siècle.

Coordination éditoriale : PUBLIPLUS - Maïe Fortin
Conception graphique : Jean-Luc Dusong
Mise en page : Christian Blangez
Recherches iconographiques : Edith Garraud
Couverture : Darjeeling

ISBN 2-218-01684-2

Avant-propos

Ce manuel a une triple fonction : il offre, à la fois, un recueil de textes, une histoire suivie de la littérature et une étude des styles et des formes littéraires. Il a semblé important de faire figurer, de façon équilibrée, ces différents éléments dans un même volume, afin de fournir aux élèves un outil de travail efficace et complet.

Quatre grandes parties ont été ménagées à l'intérieur de l'ouvrage :

La période baroque (1598-1630) ;
Du baroque au classicisme (1630-1661) ;
La période classique (1661-1685) ;
Du classicisme au Siècle des Lumières (1685-1715).

Ces divisions chronologiques, précédées d'introductions qui donnent des repères précis sur la période étudiée, facilitent la mise en perspective historique des textes et permettent aux élèves de mieux situer les auteurs les uns par rapport aux autres, de bien voir, par exemple, la distance temporelle qui sépare Malherbe de La Bruyère ou Pascal de Racine.

Dans le cadre de chacune de ces quatre parties, **des introductions littéraires** regroupent les auteurs dans des mouvements ou des orientations esthétiques. Voilà qui permet de définir et d'expliciter les grandes tendances de la littérature du XVIIe siècle, comme la préciosité, le burlesque, le roman réaliste ou la poésie lyrique.

A l'intérieur de ces regroupements, chaque auteur se trouve au centre d'un dossier complet qui comprend :

– **un portrait biographique** où prennent place les événements marquants d'une vie, les attaches de l'écrivain avec sa famille, son milieu et son temps. L'auteur apparaît ainsi pour le lecteur comme un personnage vivant et proche ;

– **une présentation des œuvres** qui met en relief leurs sources d'inspiration, leur situation par rapport à l'époque et aux mouvements littéraires, leur originalité ;

– **des extraits des textes essentiels** de l'auteur étudié, précédés d'une introduction qui situe chacun d'eux dans son contexte immédiat. Les textes les plus marquants du XVIIe siècle se trouvent en bonne place dans cet ouvrage, et les élèves pourront ainsi lire ce qui leur est indispensable de connaître. Mais y figurent également des auteurs moins connus que les recherches et la sensibilité de notre époque ont remis au goût du jour ;

– **un questionnaire** (sur fond bleu clair) suit chaque texte. Les questions offrent des pistes d'étude s'inscrivant dans les perspectives actuelles de l'analyse littéraire, en conformité avec les instructions publiées dans le Bulletin Officiel de l'Éducation Nationale ;

– **des textes de littérature étrangère** qui permettent d'élargir le champ en offrant des parallèles entre les auteurs français et les grands auteurs de la littérature européenne de leur temps ;

– **des textes critiques** qui donnent la possibilité de présenter quelques appréciations portées sur les œuvres du XVIIe siècle et de montrer la variété des approches des textes ;

– **une synthèse** qui, pour les auteurs les plus importants, propose un aperçu des caractéristiques thématiques et formelles propres à l'écrivain étudié.

Enfin, de nombreuses **mises au point** attirent l'attention, de façon très diversifiée, sur un mouvement (le baroque, le classicisme), sur un genre (le roman historique, la fable), sur des alliances esthétiques intéressantes et révélatrices (peinture et littérature, musique et littérature), sur une donnée de l'histoire de la littérature ou des mœurs (la querelle des Anciens et des Modernes, le statut de la femme, l'« honnête homme »). Elles présentent, de manière précise et structurée, un historique, des éléments d'une problématique littéraire et de nombreux exemples renvoyant aux textes. Sur une page simple ou double, elles sont facilement repérables grâce à leur fond beige clair.

L'iconographie choisie exclusivement parmi la production artistique du XVIIe siècle est donc très homogène. Elle reflète les mouvements esthétiques, souligne leurs spécificités et leur continuité, met en évidence les rapprochements entre la littérature, la peinture, la sculpture et l'architecture. Elle fait comprendre au lecteur qu'il n'existe aucune rupture entre les arts, pas plus qu'il n'en existe entre les différentes formes de création et l'époque qui les voit naître.

Cet ouvrage, par la richesse de l'information liée à la clarté de la présentation et à la facilité d'utilisation, s'adresse à l'élève d'aujourd'hui. Il aura atteint son objectif, si son destinataire le considère et l'emploie comme une véritable introduction aux livres.

SOMMAIRE

SOMMAIRE

Introductions littéraires : regroupement d'auteurs dans un mouvement, une orientation esthétique...

Textes de littérature étrangère ; textes critiques.

Fiche récapitulative sur un mouvement littéraire ou un genre formel ; mise en relief d'aspects spécifiques du XVIIe siècle.

SOMMAIRE

Hyacinthe Rigaud (1659-1743), *Louis XIV en habit de sacre,* Paris, musée du Louvre.

LA LONGUE MARCHE VERS L'UNITÉ ET LE CLASSICISME

Les grands moments du XVIIe siècle

Comme tous les siècles, le XVIIe siècle ne répond pas avec exactitude au rendez-vous du calendrier. Il ne commence pas en 1600, pour s'achever en 1700. Le changement de période est, en fait, soumis aux événements : il est étroitement subordonné à la situation historique qui, par ailleurs, influe sur l'évolution du siècle, et permet de déterminer de grandes étapes dans son déroulement.

Un début : la signature de l'édit de Nantes

En réalité, le XVIIe siècle naît quelques années avant 1600. Lorsque, le 13 avril 1598, le roi de France, Henri IV, signe l'édit de Nantes, il fait entrer le pays dans une ère nouvelle. Cette loi accorde aux protestants la liberté de célébrer leur culte, leur donne le statut de Français à part entière. Elle met ainsi un terme aux guerres de religion, à cette atroce guerre civile qui, de 1562 à 1598, avait opposé les protestants aux catholiques (voir p. 52). Une nouvelle époque semble alors s'ouvrir : apparemment, la haine cède à la tolérance ; la croyance en une vérité religieuse absolue fait place à la reconnaissance de la diversité de pensée ; après de nombreuses années d'anarchie, le roi rétablit et même renforce son autorité.

Une fin : la mort de Louis XIV

De même, la fin effective du XVIIe siècle ne se situe pas en 1700. Elle a lieu en 1715 et coïncide avec la mort de Louis XIV. L'achèvement de ce règne qui a marqué de son empreinte toute cette période — n'appelle-t-on pas le XVIIe siècle le siècle de Louis XIV ? — est comme le point d'aboutissement d'une longue marche. Les frontières de la France sont délimitées de façon presque définitive. L'unité du pays est assurée autour de la puissance royale. L'ordre s'impose. Dans le domaine artistique, c'est le triomphe de la raison, de la modération, de l'harmonie, de la rigueur, de ce que l'on appelle le classicisme.

Mais cette évolution ne va pas sans mutilation, sans aliénation. Elle se fait au détriment de la liberté de pensée : la révocation de l'édit de Nantes, qui intervient en 1685, sonne, en particulier, le glas de la tolérance religieuse. Parallèlement, l'édifice de la monarchie absolue construit par Louis XIV se lézarde, tandis que les valeurs classiques commencent à être contestées. Cette remise en cause est encore timide, mais la Révolution de 1789 pointe déjà à l'horizon.

Un parcours en quatre grandes étapes

Ce parcours, qui conduit de 1598 à 1715, comporte quatre grandes étapes.

De 1598 à 1630, à la fin du règne d'Henri IV (1598-1610), puis sous la régence de Marie de Médicis et durant la première partie du règne de Louis XIII (1610-1630), c'est le temps de l'instabilité. La remise en ordre du pays est longue et difficile. Le conflit religieux, qui continue à couver sous la cendre, est sans cesse prêt à se rallumer. C'est là une situation propice à l'épanouissement du baroque (voir p. 46), au triomphe d'une littérature marquée par la démesure, à l'écoute de la diversité de la vie, telle que la pratiquent le poète Théophile de Viau (1590-1626) ou les romanciers Honoré d'Urfé (1567-1625) et Charles Sorel (1602-1674).

Les années 1630-1661, à la fin du règne de Louis XIII (1630-1643) et sous la régence d'Anne d'Autriche (1643-1661), voient la persistance des troubles. Mais, à partir de 1630, grâce à la consolidation du pouvoir du ministre Richelieu, la situation, malgré de nombreux soubresauts, commence à se rétablir, l'autorité de l'État tend à s'affirmer.

Après la mort de Richelieu, en 1642, son action sera poursuivie par Mazarin. Durant cette période contrastée, le baroque continue à exercer son emprise sur la littérature, notamment par le biais de la préciosité (voir p. 57) et du burlesque (voir p. 84). Mais une aspiration à la raison et une recherche de la perfection cautionnée par la vérité, qui étaient déjà sensibles chez François de Malherbe (1555-1628), se développent, en particulier, dans les œuvres de René Descartes (1596-1650), de Blaise Pascal (1623-1662) et de Pierre Corneille (1606-1684).

De 1661 à 1685, se construit la monarchie absolue. Louis XIV, après la mort de Mazarin (1661), gouverne par lui-même et élabore un système fondé sur l'ordre et la concentration des pouvoirs. C'est alors que fleurit toute une génération d'écrivains — Molière (1622-1673) ; Jean Racine (1639-1699) ; Madame de La Fayette (1634-1693) ; Nicolas Boileau (1636-1711), etc. — qui, sous leur diversité, ont en commun le goût pour une littérature tempérée, équilibrée, reposant sur des règles précises de construction. C'est le triomphe des normes, l'affirmation de ce qu'on appelle le classicisme.

De 1685 à 1715, Louis XIV consolide son édifice. Mais il n'évite pas la rigidité. Elle apparaît, dès le début de la période, avec la révocation de l'édit de Nantes. Elle marque la fin de ce long règne, qui s'achève dans la sclérose. Dans le domaine littéraire, les solutions classiques commencent, elles aussi, à s'user. Le roman, la poésie et le théâtre sont en crise. Mais certains écrivains essaient de faire souffler un vent nouveau : le romancier Robert Challe (1658-1720) remet en cause l'écriture romanesque traditionnelle, tandis que Jean de La Bruyère (1645-1696), Pierre Bayle (1647-1706) ou Fontenelle (1657-1757) soulignent la nécessité de réformes politiques et sociales : le XVIIIe siècle se prépare.

L'écrivain et le livre

La littérature n'est pas atemporelle : elle est influencée par les conditions historiques. Elle n'est pas une abstraction. Elle est vivante. Elle est l'œuvre d'un être de chair, l'écrivain. Elle donne naissance à un objet, le livre. Elle a des lecteurs, des juges. Il n'est pas indifférent, pour bien comprendre la littérature du XVIIe siècle, de connaître les conditions matérielles dans lesquelles elle se développe.

David Bailly (1584-1657), *Nature morte avec un buste de Sénèque,* Panneau, 43 × 68 cm, Collection F.C. Bûtot, St Gilgen.

Qui écrit ?

Nombreux sont les écrivains issus de la bourgeoisie instruite, c'est-à-dire de la bourgeoisie « intellectuelle » et « parlementaire » (voir p. 315), ce qui n'est pas étonnant, puisqu'il s'agit de la classe sociale cultivée par excellence : c'est à ce milieu qu'appartiennent Molière (1622-1673), Jean Racine (1639-1699), Nicolas Boileau (1636-1711) et bien d'autres. En revanche, le peuple, handicapé par un analphabétisme généralisé — les trois quarts environ de la population ne savent alors ni lire ni écrire — est pratiquement exclu de la création. Les ecclésiastiques voient leur importance se réduire. Longtemps, l'Église avait été le siège de la culture et de l'érudition. Mais progressivement, les écrivains ont coupé les attaches qui les liaient à elle. Cette laïcisation est pratiquement achevée au XVIIe siècle, ce qui n'empêche pas les religieux, lorsqu'ils en ont le goût, de se consacrer, souvent avec talent, à l'écriture, comme le cardinal de Retz (1613-1679), Jacques-Bénigne Bossuet (1627-1704) ou Fénelon (1651-1715).

Les nobles qui, au contraire, ne devenaient jusque-là que rarement écrivains, sont de plus en plus attirés par la littérature. Des noms, comme ceux du duc de La Rochefoucauld (1613-1680), du chevalier de Méré (1607-1684), de la marquise de Sévigné (1626-1696), ou de la comtesse de La Fayette (1634-1693), illustrent leur irruption dans le monde littéraire. Les raisons en sont complexes : c'est le renouveau culturel d'une classe sociale qui, accaparée par les occupations guerrières, s'était détournée du savoir durant les guerres de religion ; c'est l'engouement de plus en plus grand pour la lecture dans les milieux de la cour ; c'est l'attrait que représente ce pouvoir de substitution, l'écriture, pour un groupe que la monarchie absolue prive peu à peu de sa puissance (voir p. 266).

Parmi ces écrivains d'origine noble, les femmes sont en grand nombre. L'ampleur de leur participation à la vie littéraire est un fait nouveau. Le rôle politique et culturel qu'elles jouent à la cour et dans les salons (voir p. 75) leur permet d'avoir pleinement accès à la création.

Quels sont les moyens de subsistance de l'écrivain ?

Pour les écrivains qui possèdent une fortune personnelle, les problèmes matériels ne se posent pas. Mais ceux qui n'ont pas cette chance connaissent une situation précaire. Certes, en 1618, un code de la Librairie tente de préciser les conditions de rémunération des auteurs. Mais ils ne perçoivent pas, comme maintenant, un pourcentage sur le chiffre de vente : la somme qui leur est allouée dépend du bon vouloir des éditeurs et elle est, en général, bien modique. Pire encore, l'écrivain, une fois le livre publié, perd tout droit de regard sur son œuvre. La notion de propriété littéraire n'est pas reconnue, ce qui permet, en toute impunité, imitations et plagiats.

D'autres moyens de subsistance s'offrent heureusement aux écrivains, mais c'est souvent au détriment de leur liberté de pensée et d'expression. Des activités accomplies au service des grands et du roi leur permettent de vivre. Ainsi occupent-ils des emplois rémunérés de secrétaire, comme le dramaturge Jean Mairet (1604-1686) auprès du duc de Montmorency ou du comte de Belin, de précepteur, comme Jean de La Bruyère (1645-1696) auprès du petit-fils de Condé, ou d'historiographe du roi, comme Jean Racine (1639-1699) et Nicolas Boileau (1636-1711). Les pensions, que le roi multiplie durant la seconde partie du XVIIe siècle, constituent d'autres ressources appréciables : Molière (1622-1673), en particulier, en bénéficiera durant sa carrière. A ces différentes possibilités, s'ajoute, pour les dramaturges, celle de monnayer leurs pièces auprès des troupes de théâtre.

Quelles sont les conditions de publication et de vente ?

Au XVIIe siècle, les imprimeurs se multiplient. Ils sont particulièrement nombreux à Paris, mais prospèrent aussi en province, notamment à Rouen, ville réputée pour ses éditions de pièces de théâtre. A ces imprimeurs, qui se chargent également de la vente de leurs ouvrages, s'ajoutent bientôt des intermédiaires, ancêtres de nos libraires actuels, qui s'occupent uniquement de la commercialisation. Le tirage reste faible, en moyenne de mille exemplaires par titre.

Quels sont les lecteurs potentiels ?

Le nombre potentiel de lecteurs est réduit. C'est la conséquence de l'analphabétisme et du prix très élevé du livre, qui est encore un objet de luxe. La grande bourgeoisie, le clergé et la noblesse, classes instruites et aisées, ont un accès privilégié à la lecture. Mais une évolution commence à se faire sentir. Le développement des moyens de diffusion de la culture attire progressivement la petite bourgeoisie des villes à la littérature : les libraires se multiplient en province et assurent ainsi le lien avec Paris. Les cabinets de lecture, ancêtres des bibliothèques, permettent aux lecteurs désargentés de venir consulter les livres qu'ils ne pourraient acheter. Parallèlement, le colportage diffuse, à travers les campagnes, almanachs et collections populaires, comme la *Bibliothèque bleue* éditée à Troyes.

Qui juge ?

Avant même d'être lu, l'écrivain doit franchir l'obstacle de la censure. Il est double. Les autorités religieuses peuvent interdire des ouvrages qui leur semblent dangereux pour l'Église. Le pouvoir politique qui, tout au cours du XVIIe siècle, accentue son emprise sur la culture, qui en fait une affaire d'État et restreint ainsi encore davantage la liberté des créateurs, utilise le système commode du « privilège » : cette permission d'imprimer, qui doit être obtenue du roi pour toute édition, constitue une véritable censure préalable qui entraîne, chez les écrivains, la tendance inévitable à l'autocensure.

Une fois l'œuvre publiée, elle est évidemment soumise au verdict des lecteurs. Mais l'auteur est particulièrement dépendant d'un certain nombre de jugements. S'il plaît au roi, il aura des emplois et des pensions. S'il est apprécié de l'Académie française, fondée en 1635, il pourra peut-être un jour faire partie de cette illustre assemblée. S'il intéresse les salons à la mode ou les journaux, comme la *Gazette* de Renaudot (fondée en 1631) ou le *Mercure galant* (créé en 1672), il élargira le cercle de ses lecteurs. De toute manière, il a intérêt à ne pas faire scandale, sinon les sanctions et les condamnations s'abattront sur lui : de 1610 à 1698, quinze écrivains furent condamnés à des peines d'emprisonnement, deux autres aux galères et treize à la mort !

Jean Brueghel dit de Velours (1568-1625), *L'Odorat,* Madrid, musée du Prado.

LA PÉRIODE BAROQUE

(1598-1630)

A L'ÉCOUTE DE LA DIVERSITÉ DE LA VIE

UNE INSTABILITÉ ET UN DÉSORDRE PROPICES AU BAROQUE

La France en 1598

En 1598, la France apparaît différente de ce qu'elle est actuellement. Dimension du territoire, peuplement, organisation politique et sociale, tout concourt à en faire un pays dans lequel le Français d'aujourd'hui serait dépaysé.

Un territoire réduit — Les limites du royaume de France sont loin de correspondre alors aux frontières actuelles. Le territoire paraît bien étriqué (voir carte, ci-dessous). A l'est, sont exclues plusieurs régions, la Flandre, l'Artois, la Lorraine, l'Alsace, la Franche-Comté, la Savoie, le comté de Nice, le comtat Venaissin et la Corse. Au sud, manquent le Roussillon, le comté de Foix, le Béarn. Au centre, le Nivernais, une partie de l'Auvergne et le Limousin sont encore indépendants. Tout au long du XVIIe siècle, une série d'annexions viendront progressivement agrandir ce territoire.

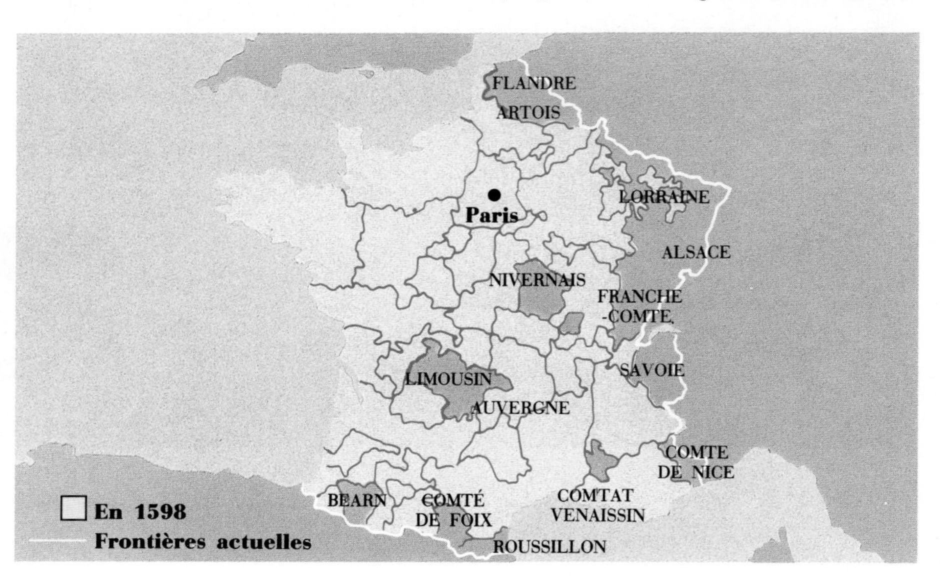

Le territoire français en 1598.

Une population clairsemée et disparate — En 1598, la densité de la population française, quoique supérieure à celle des autres pays d'Europe, est faible par rapport à celle de la France actuelle. A peine vingt millions d'habitants y vivent à la fin des guerres de religion qui, avec leur cortège de massacres, de destructions, de famines et d'épidémies, ont fait des centaines de milliers de morts.

C'est un pays essentiellement rural. Les villes y sont rares et de dimensions réduites : Paris compte alors seulement 200 000 habitants. Les routes, mal entretenues et peu sûres, rendent les communications difficiles. Voyager relève de l'exploit, réclame patience et endurance. Traditionnellement, le contraste est saisissant entre les villes qui bénéficient du développement culturel et économique, et les campagnes où règnent l'analphabétisme et la pauvreté. Mais, en 1598, cette différence est, en partie tout au moins, estompée. La souffrance est générale. Le pays se trouve totalement désorganisé, saigné à blanc par la guerre fratricide, et de nombreuses années seront nécessaires pour redresser la situation.

Une société compartimentée — L'organisation politique et sociale est, elle aussi, bien éloignée de la nôtre.

Au sommet, se trouve le roi, mais un roi qui, en 1598, n'a pas encore de pouvoir absolu. Il règne, mais il doit tenir compte de la puissance des nobles. Ces grands seigneurs détiennent encore de nombreux droits et privilèges. Certes, le temps du servage qui leur donnait tout pouvoir sur les paysans est maintenant révolu, mais ils restent maîtres de vastes territoires et continuent à s'enrichir grâce aux nombreuses redevances qu'ils imposent aux populations. Et ils ont habilement profité des guerres de religion pour renforcer leur autonomie.

Les nobles doivent leur puissance aux titres de duc ou de comte, de vicomte ou de marquis qu'ils ont reçus à leur naissance (voir p. 266). Les bourgeois, eux, disposent de l'argent qu'ils ont acquis par leur propre activité, par leur propre mérite. Durant toute cette période, c'est la bourgeoisie qui représente en fait la classe montante : elle assure, par son travail, le développement et le redressement de la France. Elle joue un rôle politique de plus en plus grand, en participant au gouvernement du roi et en siégeant dans les parlements, sortes d'assemblées régionales aux pouvoirs limités, mais réels. Les rois successifs favoriseront cette ascension dans le but d'affaiblir la noblesse (voir p. 315).

Et puis, en bas de cette échelle sociale, prend place le peuple, peuple des villes, mais surtout peuple des campagnes, soumis à un travail intense et mal rémunéré, enfoncé dans une misère extrême. Dans une France marquée par l'inégalité et l'injustice, une constante unit cependant cette société disparate. C'est la religion. La foi, qu'elle soit catholique ou protestante, est générale. Elle exerce son emprise sur la plupart des esprits. Les athées sont rares.

Une difficile remise en ordre : 1598-1630

Certes, l'édit de Nantes, signé en 1598, en garantissant la liberté de culte aux protestants, a apporté un apaisement relatif. Mais la tâche de réconciliation nationale et de reconstruction sera rude, les soubresauts seront nombreux durant cette période.

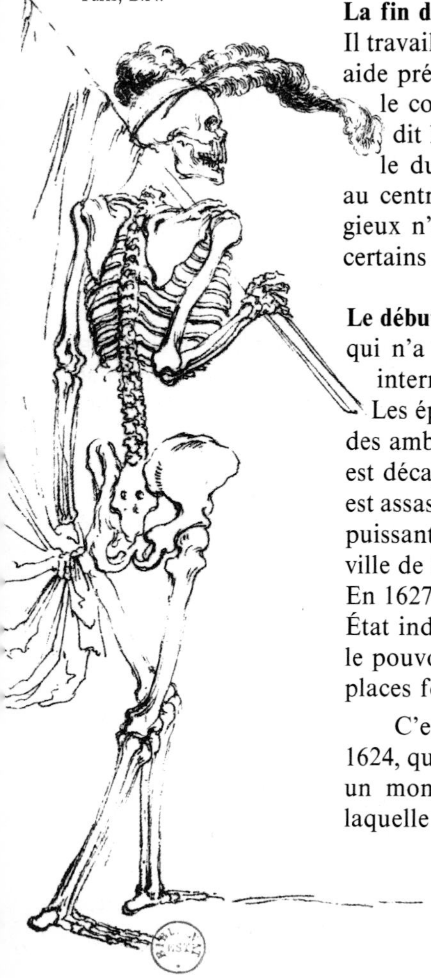

Jacques Callot (1592-1635), *La Mort portant un drapeau,* Paris, B.N.

La fin du règne d'Henri IV (1598-1610) — Henri IV a restauré la paix intérieure. Il travaille maintenant au rétablissement de la prospérité économique. Il trouve une aide précieuse en la personne de son ministre Sully qui encourage l'agriculture et le commerce, fait construire des routes et des canaux. Parallèlement, il agrandit le territoire : il annexe à l'est la Bresse, le Bugey et le Valromey (1601) que le duc de Savoie est contraint de lui céder, au sud le comté de Foix (1607), au centre l'Auvergne (1606) et le Limousin (1607). Cependant, le fanatisme religieux n'est pas mort. En 1610, Ravaillac assassine Henri IV et montre ainsi que certains catholiques ne pardonnent pas au roi la signature de l'édit de Nantes.

Le début du règne de Louis XIII (1610-1630) — Henri IV laisse un fils, Louis XIII, qui n'a que neuf ans. Sa mère, Marie de Médicis, va gouverner à sa place. Cet interrègne affaiblit le pouvoir royal et crée une situation propice au désordre. Les épisodes sanglants se succèdent. Tantôt, ils sont la conséquence de la montée des ambitions personnelles : en 1626, le comte de Chalais, accusé de conspiration, est décapité. En 1617, l'aventurier Concini, devenu le favori de Marie de Médicis, est assassiné sur l'ordre de Louis XIII, qui se débarrasse ainsi d'un homme jugé trop puissant. Tantôt, ce sont des reprises limitées des guerres de religion : en 1621, la ville de Montauban, aux mains des protestants, est assiégée par les troupes royales. En 1627-1628, c'est au tour de La Rochelle, où les protestants avaient constitué un État indépendant, de subir les rigueurs de la guerre civile. L'évolution est claire : le pouvoir accepte de plus en plus difficilement de voir les protestants détenir ces places fortes que l'édit de Nantes leur avait accordées.

C'est sous l'impulsion du cardinal de Richelieu, arrivé au gouvernement dès 1624, que s'opère la remise en ordre. L'entreprise de consolidation de la monarchie, un moment interrompue, reprend alors. L'effort d'unification de la France, à laquelle le Béarn a été rattaché en 1620, va pouvoir se poursuivre.

Francesco Simonini (1669-1753), *Les Pendus,* d'après Jacques Callot, Nancy, musée historique lorrain.

Le temps des contrastes et des excès

Raffinement et cruauté — Que de contradictions dans la vie et la société de cette époque ! Raffinement et cruauté y font bon ménage. Alors qu'on s'entre-tue, les dames de la cour sont passionnées par les romans. Tandis que les conspirations se succèdent, Nicolas Faret, dans *L'Honnête Homme ou l'Art de plaire à la cour* (1630), définit l'idéal raffiné du courtisan. Le goût pour le luxe et les arts s'accommode de la rudesse de la guerre ou de la chasse. La somptuosité qu'affichent les classes privilégiées voisine avec la misère du peuple. La reconnaissance de la diversité de pensée n'élimine pas le fanatisme religieux : en 1619, le philosophe matérialiste italien Vanini, accusé d'athéisme et de pratiques magiques, périt sur le bûcher. En 1623, le poète français Théophile de Viau, dénoncé comme athée, est condamné par le parlement de Paris à être brûlé vif et ne doit son salut qu'à la protection du duc de Montmorency.

L'explosion baroque — Cette période d'instabilité permanente, d'incessantes remises en cause, est tout naturellement marquée par le développement d'une littérature de l'excès, de la démesure, de l'apparence, qui s'exprime en une langue riche parfois jusqu'à la luxuriance. C'est le temps du baroque (voir p. 46). Né, pour une part, en réaction à l'austérité protestante, ce courant se développe, en France, sous l'influence de l'Italie et, dans une moindre mesure, de l'Espagne. Il se nuance, selon les genres et les auteurs considérés.

En poésie, le baroque prend la forme de l'outrance satirique, avec Mathurin Régnier, ou de l'exaltation des sentiments personnels, avec Théophile de Viau, mais commence, avec François de Malherbe, à être dompté par la raison. Il se déchaîne dans le théâtre, avec Alexandre Hardy. Il s'épanouit dans le roman, explosant en un paroxysme réaliste, avec Charles Sorel, ou idéaliste, avec Honoré d'Urfé. S'il est souvent violent dans la littérature engagée, qui accompagne l'opposition entre catholiques et protestants, il reste modéré chez un auteur comme François de Sales, avide de persuader, de convaincre.

UNE POÉSIE À DOMINANTE BAROQUE
RÉGNIER, MALHERBE, VIAU

Nicolas Poussin (1594-1665), *L'Inspiration du poète,* Hanovre, Niedersächsisches Landesmuseum, Landesgalerie.
Apollon, dieu des arts, donne au poète la coupe de l'inspiration.

UNE FLORAISON POÉTIQUE

Chaque période possède une image qui correspond plus ou moins à la réalité. Ainsi, le XVIIe siècle est souvent considéré comme peu propice à la poésie : siècle de la raison, il rejetterait un mode d'expression trop tourné vers l'imagination et l'inspiration.

C'est là une vision stéréotypée et, par conséquent, trompeuse. Elle présente surtout l'inconvénient de ramener le XVIIe siècle à un ensemble homogène, alors qu'il comporte des périodes bien différentes. Or si, de fait, progressivement, la poésie tend à s'étioler au fur et à mesure que s'installe le classicisme, elle est, au contraire, en pleine floraison durant ces années 1598-1630. C'est une grande époque poétique qui voit l'éclosion de nombreux talents.

LA PRÉDOMINANCE DE L'INSPIRATION BAROQUE

L'inspiration baroque apparaît alors dominante. Elle revêt de multiples aspects, mais témoigne toujours des apparences, des changements qui sont au centre du monde et de l'homme (voir p. 46).

Le baroque se prête à la satire. Il lui offre, pour dénoncer les vices du temps, toutes les ressources de ses comparaisons, toute la gamme de ses exagérations : Mathurin Régnier (1573-1613) y a largement puisé, pour rendre compte des contradictions qui divisent l'être humain, des ridicules qui l'affublent.

Mais le baroque donne surtout naissance à une poésie lyrique subtile et émouvante, expression des sentiments personnels face à l'amour, à la nature, à la fuite du temps ou à la mort : François de Malherbe (1555-1628) ou Théophile de Viau (1590-1626) développent, autour de ces thèmes, des accents tour à tour joyeux et tristes, admiratifs et mélancoliques. Durant la période suivante, Saint-Amant (1594 ?-1661) ou Tristan L'Hermite (1601-1655) prolongeront cette inspiration. La foi peut renforcer le lyrisme, en l'élevant, en le sublimant, et le baroque débouche alors, comme chez Malherbe, sur une poésie religieuse qui prend des dimensions cosmiques (voir texte, p. 23).

Parfois, le baroque fait sonner ses trompettes. Il adopte d'amples sonorités, pour évoquer les combats et les gloires guerrières. Il excelle à jouer sur les oppositions, à montrer le calme de la paix succédant au tumulte des troubles civils : Malherbe (voir texte, p. 25) est passé maître dans ce jeu des contrastes qui marque sa poésie d'inspiration politique.

LES TENTATIONS « CLASSIQUES »

Au sortir de la période troublée des guerres de religion, les poètes sont tout naturellement attirés par la diversité et l'instabilité, à la vue de ce monde en pleine évolution, marqué par la complexité. Mais certains d'entre eux sont également tentés par l'unité, par la permanence, qui satisfont leur aspiration à l'ordre, à la sécurité.

François de Malherbe illustre bien les hésitations qui caractérisent cette époque. Au début de sa carrière poétique, il penche vers le baroque, ne recule pas devant les outrances de l'expression, l'incohérence des images. Puis, peu à peu, il est gagné par une conception plus rigoureuse, plus raisonnée de la poésie. Il réfléchit sur son art et ébauche une doctrine qui annonce déjà la doctrine classique. De nombreux poètes, comme François Mainard (1582-1646) ou Racan (1589-1670), suivront son exemple et rompront avec le baroque.

Mathurin Régnier
1573-1613

Portrait de Régnier, gravure, Paris, B.N.

Un ecclésiastique bon vivant

Qui le croirait à lire son œuvre ? Mathurin Régnier est un homme d'Église. Alors qu'il n'a que neuf ans, on le destine déjà à une carrière ecclésiastique et on le tonsure, comme c'était l'usage, pour bien marquer cette vocation. A partir de 1587, il est au service du cardinal de Joyeuse et l'accompagne à Rome. En 1609, le voici chanoine à la cathédrale de Chartres.

Mais ces pieuses occupations ne l'empêchent pas d'être un bon vivant. Comme beaucoup de ses confrères d'alors, il n'a pas toujours un comportement très édifiant. Il fréquente la cour. Il aime bien manger et bien boire. Il ne dédaigne pas les plaisirs de l'amour. Il est un client assidu du célèbre cabaret parisien de la Pomme de Pin, lieu de rencontre des poètes satiriques.

Un adversaire de Malherbe

Il est le neveu du poète Desportes, que Malherbe avait pris comme cible en annotant sévèrement ses œuvres. Est-ce en partie par solidarité familiale ? Régnier n'apprécie guère l'adversaire de son oncle. A lui et à ses disciples, il reproche d'être « faibles d'inventions », « froids à l'imaginer », de manquer de fantaisie, de donner trop d'importance à la perfection de la forme (*Satire* IX). Il préfère le réalisme au sublime. Il aime mieux suivre son naturel plutôt que de polir et repolir ses vers. Et certes, ses *Satires*, qui dénoncent les ridicules et les vices de son temps, plaisent par leur spontanéité. Mais c'est parfois au prix d'un certain laisser-aller, rançon obligée de la facilité.

Satires I à IX et **Satire** XII (1608).
Satires I à XII (1609). → p. 18.
Satires I à XIII (1612).
Satires I à XVI (1613).

Satires
1608-1613

De 1608 à 1613, Mathurin Régnier fait éditer seize satires. Une dix-septième sera publiée plus tard, après sa mort. Régnier a l'art du portrait. Mais il s'agit de portraits en action. Il accumule les détails destinés à ridiculiser aussi bien l'apparence que le comportement de ceux qu'il dépeint. Il montre comment le ridicule est la conséquence de deux travers : d'une part, l'homme, imbu de sa personne, ne pense qu'à lui ; de l'autre, ainsi enfermé dans son égoïsme, il est sans cesse plongé dans des contradictions dont il ne s'aperçoit même pas. Et ce ne sont pas les exemples qui manquent : le poète de cour essaie d'imposer son image d'homme d'esprit, mais c'est par arrivisme, pour faire carrière et, « Méditant un sonnet, médite un évêché » (*Satire* II). Le courtisan ne songe qu'à briller aux dépens des autres et, pour y parvenir, malgré le mépris qu'il a pour tout ce qui n'est pas lui-même, est obligé d'user de la flatterie (*Satire* III). Malherbe et ses disciples veulent donner les apparences d'un talent qu'ils n'ont pas : ils utilisent la technique pour dissimuler les faiblesses de leur art (*Satire* IX). Macette était une séductrice patentée : la voici devenue une dévote reconnue, elle s'adonne à ses nouvelles occupations avec autant de zèle qu'aux précédentes et on parle même de la canoniser (*Satire* XIII) !

« Devant moi justement on plante un grand potage »

Dans la *Satire* XI, dont s'inspirera plus tard Nicolas Boileau (voir p. 357), Régnier décrit un souper ridicule. Ce repas est doublement ridicule, parce qu'il réunit des spécialistes de la littérature grotesques et pédants, et parce qu'il est mal préparé et mal servi. Et l'auteur accumule les détails amusants pour évoquer ce festin manqué.

En forme d'échiquier les plats rangés sur table[1]
N'avaient ni le maintien ni la grâce accostable
Et bien que nos dîneurs mangeassent en sergents,
La viande pourtant ne priait point les gens[2].
5 Mon docteur de menestre[3], en sa mine altérée,
Avait deux fois autant de mains que Briarée[4],
Et n'était, quel qu'il fût, morceau dedans le plat
Qui des yeux et des mains n'eût un échec et mat.
D'où j'appris, en la cuite aussi bien qu'en la crue[5],
10 Que l'âme se laissait piper[6] comme une grue.
Et qu'aux plats comme au lit avec lubricité
Le péché de la chair tentait l'humanité.
Devant moi justement on plante un grand potage,
D'où les mouches à jeun se sauvaient à la nage ;
15 Le brouet[7] était maigre, et n'est Nostradamus[8]
Qui l'astrolabe[9] en main ne demeurât camus[10],
Si par galanterie ou par sottise expresse
Il y pensait trouver une étoile de graisse[11].
Pour moi, si j'eusse été sur la mer du Levant,
20 Où le vieux Louchali fendit si bien le vent,
Quand Saint Marc s'habilla des enseignes de Thrace[12],
Je l'accomparerais[13] au golfe de Patras,
Pour ce qu'on y voyait en mille et mille parts
Les mouches qui flottaient en guise de soldats,
25 Qui, morts, semblaient encor dans les ondes salées
Embrasser les charbons des galères brûlées.

Satire XI,
vers 287 à 312.

D'après Abraham Bosse (1602-1676), *Le Goût*, Tours, musée des Beaux-Arts. L'indispensable mariage du goût et du bon goût.

Pour préparer l'étude du texte

1. Vous dresserez la liste des fautes que Régnier relève dans l'organisation de ce repas.
2. L'exagération volontaire marque ce texte. Quels sont les procédés utilisés ? Quels effets produisent-ils ?
3. En quoi la comparaison entre le brouet et la bataille de Lépante est-elle comique (v. 19 à 26) ?

1. Les plats auraient dû être apportés les uns après les autres et non être mis tous en même temps sur la table.
2. Les convives avaient un solide appétit, et pourtant ils n'avaient guère envie de manger la viande sans se faire prier.
3. Menestre : soupe.
4. Géant qui possédait cent bras.
5. Qu'il s'agisse de nourriture cuite ou crue.
6. Tromper.
7. Le bouillon.
8. Il n'est pas jusqu'à Nostradamus.
9. Instrument servant à déterminer la hauteur des astres au-dessus de l'horizon, l'astrolabe était donc utilisé par le célèbre astrologue Nostradamus.
10. Embarrassé, interdit, comme quelqu'un dont un coup aurait aplati le nez, l'aurait rendu camus.
11. Les étoiles de graisse désignent les yeux du bouillon.
12. Allusion à la bataille navale de Lépante (1571) qui opposa chrétiens et Turcs dans le golfe de Patras. L'armée turque fut vaincue et le célèbre corsaire Louchali s'enfuit. Pour marquer leur victoire, les chrétiens tapissèrent l'église Saint-Marc à Venise des étendards pris à l'ennemi.
13. Je comparerais le brouet.

François de Malherbe
1555-1628

Lucas Vorsterman (1595-1675), Portrait de Malherbe, Chantilly, musée Condé.

Les déchirements des guerres de religion

François de Malherbe a sept ans, lorsque débutent les guerres de religion, en 1562. Il en a quarante-trois, lorsqu'elles s'achèvent, en 1598. Toute une partie de sa vie est donc marquée par cette folie meurtrière qui s'empara de la France. Ce déchirement, il le vivra à l'intérieur même de sa famille. Son père, conseiller au tribunal de Caen, est de religion protestante. François, lui, est bientôt attiré par le catholicisme et rompt avec les siens. Il part alors pour la Provence où il se met au service d'un fils illégitime du roi Henri II, François d'Angoulême. Après la mort de son protecteur, en 1586, il retourne à Caen où ses concitoyens lui confient une charge de magistrat. Il traversera cette période troublée en partageant sa vie entre sa ville normande et Aix-en-Provence où il s'était marié.

L'attente du succès

Dès 1575, il a écrit ses premiers vers. Il aspire à la célébrité, et cette célébrité alors, ce sont les grands qui l'assurent. Son premier protecteur est mort. Il essaie d'en trouver un autre, en dédiant, en 1587, son poème religieux, *Les Larmes de saint Pierre*, au roi Henri III. Mais il joue décidément de malchance. Ce nouveau protecteur est assassiné en 1589. En 1600, il fait une nouvelle tentative : c'est à l'épouse du roi Henri IV qu'il s'adresse, en lui récitant son élogieuse *Ode à Marie de Médicis*, lors d'une réception à Aix-en-Provence. Mais ses efforts ne lui vaudront pas de récompense immédiate.

Une consécration tardive

En 1605, il se décide à venir à Paris. Henri IV l'accueille favorablement. A cinquante ans, il entame ainsi une carrière de poète de cour. Il devient une sorte d'écrivain officiel et compose de nombreuses œuvres de circonstance. Reconnu et admiré, il est considéré comme une autorité littéraire. Il continuera à jouer ce rôle jusqu'à sa mort, malgré le tarissement précoce de son inspiration.

« Enfin Malherbe vint »

« Enfin Malherbe vint » : dans son *Art poétique* (1674), Boileau salua ainsi, à la fin du XVIIe siècle, l'arrivée de Malherbe sur la scène littéraire. Son rôle dans l'évolution de la poésie en France est en effet considérable. Au début de sa carrière, il est proche du baroque. Mais plus tard, en particulier dans les annotations critiques qu'il inscrit, en 1606, sur un exemplaire de l'œuvre d'un poète contemporain, Desportes, il se prononce pour un style plus naturel et plus simple. Selon lui, une œuvre littéraire doit être logiquement pensée, reposer sur la raison, éviter l'incohérence. Il faut, par ailleurs, que l'expression ne laisse place à aucune ambiguïté, que la langue soit débarrassée des mots rares et obscurs, des archaïsmes, des termes techniques, des régionalismes. Il élabore ainsi des règles qui rompent avec le baroque, qui sont déjà classiques.

Les Larmes de saint Pierre (1587), poème religieux. → pp. 23-24.
Consolation à M. du Périer (1598-1599 : rédaction). → pp. 20-21.
Ode à Marie de Médicis (1600 : rédaction).
Prière pour le roi allant en Limousin (1605 : rédaction). → p. 25.
Annotations des **Œuvres** de Desportes (1606).
Ode à la reine sur les heureux succès de sa régence (1611).
Sur la mort du fils de l'auteur (1627-1628). → p. 22.
Chanson (1627), fait partie d'un recueil collectif de poèmes. → pp. 22-23.

La poésie lyrique

Consolation à M. du Périer

Rédigée en 1598-1599

C'est vers 1598-1599 que Malherbe écrit ce beau poème d'amitié. Un de ses amis, M. du Périer, avocat au parlement d'Aix-en-Provence, vient de perdre sa fille. Il essaie de le consoler. Il utilise toutes les ressources de la pensée baroque : l'être humain est marqué par le relatif, la mort n'est qu'un passage, le temps vient à bout des plus cruelles souffrances. La succession d'alexandrins et de demi-alexandrins, l'adoption de rimes croisées, en créant des effets d'alternance, rendent compte de ces revirements qui bouleversent la vie.

Malherbe reprend ainsi les thèmes qu'il avait déjà développés dans la *Consolation à Cléophon* (rédigée vers 1590). La *Consolation à M. du Périer* n'en est, en fait, qu'une seconde version à peine remaniée.

« Et rose elle a vécu ce que vivent les roses »

Ta douleur, du Périer, sera donc éternelle,
Et les tristes discours
Que te met en l'esprit l'amitié[1] paternelle
L'augmenteront toujours ?

5 Le malheur de ta fille au tombeau descendue
Par un commun trépas,
Est-ce quelque dédale, où ta raison perdue
Ne se retrouve pas ?

Je sais de quels appas son enfance était pleine,
10 Et n'ai pas entrepris,
Injurieux ami, de soulager ta peine
Avecque son mépris.

Mais elle était du monde, où les plus belles choses
Ont le pire destin ;
15 Et rose elle a vécu ce que vivent les roses,
L'espace d'un matin.

Puis quand ainsi serait, que selon ta prière
Elle aurait obtenu
D'avoir en cheveux blancs terminé sa carrière,
20 Qu'en fût-il advenu ?

Penses-tu que plus vieille en la maison céleste,
Elle eût eu plus d'accueil[2] ?
Ou qu'elle eût moins senti la poussière funeste,
Et les vers du cercueil ?

1. L'amour.

2. Elle eût eu un meilleur accueil.

25 Non, non, mon du Périer, aussitôt que la Parque[1]
Ote l'âme du corps,
L'âge s'évanouit au-deçà de la barque[2]
Et ne suit point les morts.

Tithon[3] n'a plus les ans qui le firent cigale :
30 Et Pluton[4] aujourd'hui,
Sans égard du passé les mérites égale
D'Archémore[5] et de lui.

Ne te lasse donc plus d'inutiles complaintes :
Mais sage à l'avenir,
35 Aime une ombre comme ombre, et de cendres éteintes
Éteins le souvenir.

Consolation à M. du Périer, vers 1 à 36.

Simon Renard de Saint-André (1613-1677), *Vanité*, France, Collection particulière. Tous les plaisirs terrestres ne sont que vanité face à la mort.

Pour préparer le commentaire composé

1. **Le thème de la fuite du temps.** Vous montrerez qu'il est au centre de ce poème et étudierez la manière dont Malherbe l'évoque. Vous soulignerez la description réaliste de la mort, tout à fait dans la tradition baroque.

2. **La misère de l'homme.** Comment Malherbe exprime-t-il la misère de l'homme et sa faiblesse ? Quelle consolation propose-t-il à son ami ?

3. **Le lyrisme.** Vous essaierez de préciser, à partir de cette analyse, ce qu'est le lyrisme, en insistant plus particulièrement sur les vers 13 à 16, souvent cités parmi les plus beaux vers de la poésie française.

1. Les Parques avaient pour mission de filer la trame de la vie des mortels. En coupant le fil, l'une d'elles, Atropos, leur donnait la mort.
2. La barque dans laquelle Charon transportait les morts.
3. Tithon, parvenu à un âge très avancé, fut, selon la mythologie, transformé en cigale.
4. Le dieu des morts.
5. Prince mort prématurément.

Sur la mort du fils de l'auteur

1627-1628

En 1627, Malherbe reprend le thème lyrique de la disparition de l'être cher. Mais, cette fois-ci, c'est lui-même qui est frappé par le deuil : c'est la mort de son fils tué au cours d'un duel qu'il déplore dans ce sonnet publié en 1628.

Que mon fils ait perdu sa dépouille mortelle,
Ce fils qui fut si brave et que j'aimai si fort,
Je ne l'impute point à l'injure du sort[1],
Puisque finir à l'homme est chose naturelle ;

5 Mais que de deux marauds[2] la surprise infidèle[3]
Ait terminé ses jours d'une tragique mort,
En cela ma douleur n'a point de réconfort,
Et tous mes sentiments sont d'accord avec elle.

O mon Dieu, mon Sauveur, puisque, par la raison
10 Le trouble de mon âme étant sans guérison,
Le vœu de la vengeance est un vœu légitime,

Fais que de ton appui je sois fortifié :
Ta justice t'en prie, et les auteurs du crime
Sont fils de ces bourreaux qui t'ont crucifié.

Sur la mort du fils de l'auteur.

Pour préparer l'étude du texte

1. La douleur de Malherbe apparaît sincère. Vous le montrerez.
2. Malherbe considère que la mort est chose naturelle. Pourquoi est-il alors révolté par la mort de son fils ?
3. Quels arguments Malherbe utilise-t-il pour demander l'aide du Christ ?

« Sus debout la merveille des belles »

1627

Cette chanson, d'inspiration légère, destinée à être mise en musique, a été publiée en 1627 dans un recueil collectif, mais certainement composée quelques années auparavant. De tels ouvrages, qui rassemblaient des œuvres de poètes différents, étaient fréquents durant le XVIIe siècle. Il était indispensable, pour sa réputation, d'y figurer et Malherbe y est toujours en bonne place. Dans ce poème, il pratique un lyrisme aimable, chante la jeunesse, la nature, la joie de vivre, le bonheur d'aimer.

Hendrick Goltzius (1558-1616), *Vénus et Adonis,* Munich, Alte Pinakothek.

Sus[4] debout la merveille des belles.
Allons voir sur les herbes nouvelles
Luire un émail dont la vive peinture
Défend à l'art d'imiter la nature.

5 L'air est plein d'une haleine de roses,
Tous les vents tiennent leurs bouches closes,
Et le soleil semble sortir de l'onde
Pour quelque amour plus que pour luire au monde.

On dirait à lui voir sur la tête
10 Ses rayons comme un chapeau de fête,
Qu'il s'en va suivre en si belle journée,
Encore un coup la fille du Pénée[5].

Toute chose aux délices conspire.
Mettez-vous en votre humeur de rire,
15 Les soins profonds d'où les rides nous viennent,
A d'autres ans qu'aux vôtres appartiennent.

Il fait chaud, mais un feuillage sombre,
Loin du bruit, nous fournira quelque ombre,
Où nous ferons parmi les violettes
20 Mépris de l'ambre[6] et de ses cassolettes[7].

1. A un sort injuste.
2. Êtres méprisables.
3. Attaque à l'improviste, déloyale.
4. Allons.
5. Daphné, fille du fleuve de Thessalie, le Pénée, aimée d'Apollon, refusa ses avances et demanda à son père de la transformer en laurier pour échapper à ses poursuites.
6. Substance d'origine animale dont on tire un parfum.
7. Réchauds servant à brûler les parfums.

Près de nous sur les branches voisines,
Des genêts, des houx, et des épines,
Le rossignol déployant ses merveilles
Jusqu'aux rochers donnera des oreilles.

25 Et peut-être à travers des fougères
Verrons-nous de bergers à bergères,
Sein contre sein, et bouche contre bouche,
Naître et finir quelque douce escarmouche.

C'est chez eux qu'amour est à son aise.
30 Il y saute, il y danse, il y baise,
Et foule aux pieds les contraintes serviles,
De tant de lois qui le gênent aux villes.

O qu'un jour mon âme aurait de gloire
D'obtenir cette heureuse victoire,
35 Si la pitié de mes peines passées
Vous disposait à semblables pensées !

Votre honneur le plus vain des idoles,
Vous remplit de mensonges frivoles,
Mais quel esprit que la raison conseille,
40 S'il est aimé ne rend point de pareille ?

Chanson.

Pour préparer l'étude du texte

1. L'ensemble de ce texte est marqué par la sensualité. Vous le montrerez.
2. Malherbe oppose la vie des villes à celle des campagnes. Quelles différences note-t-il ?
3. Les deux dernières strophes sont d'une autre tonalité que celle des strophes précédentes. Quel sentiment s'y exprime-t-il ?

La poésie religieuse

Les Larmes de saint Pierre

1587

Les Larmes de saint Pierre ont été composées par Malherbe durant les guerres de religion. Ce poème religieux évoque le reniement de saint Pierre qui, pour sauver sa vie, nie être le disciple du Christ. Il s'agit d'une œuvre de tonalité baroque. Elle est baroque par la multiplication d'images somptueuses, par l'excès des sentiments qui s'y expriment, par la complexité de sa construction : dans les quelque 396 alexandrins qui la composent, Malherbe a introduit de nombreux développements annexes et de fréquentes allusions aux événements de son époque.

« Sa lumière pâlit, sa couronne se cache »

Saint Pierre a supplié Jésus de lui pardonner son reniement. Tandis que se prépare le supplice du Christ, les hommes sont indifférents au remords de l'apôtre. Mais la nature se met au diapason de sa douleur et porte le deuil.

En ces propos[1] mourants ses complaintes[2] se meurent,
Mais vivantes sans fin ses angoisses demeurent,
Pour le faire en langueur à jamais consumer :
Tandis la nuit s'en va, ses chandelles s'éteignent,
5 Et déjà devant lui les campagnes se peignent
Du safran[3] que le jour apporte de la mer.

L'Aurore d'une main en sortant de ses portes,
Tient un vase de fleurs languissantes et mortes :
Elle verse de l'autre une cruche de pleurs,
10 Et, d'un voile tissu[4] de vapeur et d'orage
Couvrant ses cheveux d'or, découvre en son visage
Tout ce qu'une âme sent de cruelles douleurs.

Le Soleil qui dédaigne une telle carrière[5],
Puisqu'il faut qu'il déloge, éloigne sa barrière,
15 Mais comme un criminel qui chemine au trépas,
Montrant que dans le cœur ce voyage le fâche,
Il marche lentement, et désire qu'on sache
Que si ce n'était force[6] il ne le ferait pas.

Ses yeux par un dépit en ce monde regardent :
20 Ses chevaux tantôt vont, et tantôt se retardent,
Eux-mêmes ignorants de la course qu'ils font,
Sa lumière pâlit, sa couronne se cache,
Aussi n'en veut-il pas, cependant qu'on attache
A celui qui l'a fait, des épines au front[7].

1. Saint Pierre vient de s'adresser à Jésus.
2. Ses plaintes.
3. Couleur jaune.
4. Tissé.
5. Un tel chemin. Le Soleil voudrait renoncer à se lever, car le jour qu'il fait naître est celui du supplice du Christ.
6. S'il n'y était pas forcé.
7. Allusion au début du supplice du Christ.

25 Au point accoutumé[1] les oiseaux qui sommeillent,
Apprêtés à chanter, dans les bois se réveillent :
Mais voyant ce matin des autres différent,
Remplis d'étonnement[2] ils ne daignent paraître,
Et font à qui les voit ouvertement connaître,
30 De leur peine secrète un regret apparent.

Le jour est déjà grand, et la honte plus claire
De l'Apôtre ennuyé[3], l'avertit de se taire,
Sa parole se lasse, et le quitte au besoin :
Il voit de tous côtés qu'il n'est vu de personne,
35 Toutefois le remords que son âme lui donne,
Témoigne assez le mal qui n'a point de témoin.

Aussi l'homme qui porte une âme belle et haute,
Quand seul en une part il a fait une faute,
S'il n'a de jugement son esprit dépourvu :
40 Il rougit de lui-même, et combien qu'[4]il ne sente
Rien que le Ciel présent et la terre présente,
Pense qu'en se voyant tout le monde l'a vu.

Les Larmes de saint Pierre, v. 355 à 396.

Gerrit van Honthorst (1590-1656), *Le Reniement de saint Pierre*,
Rennes, musée des Beaux-Arts.

Pour préparer l'étude du texte

1. La nature est personnifiée. Elle éprouve des sentiments. Vous relèverez et analyserez les passages où apparaît cette personnification. Comment se manifeste, en particulier, la douleur de la nature ?
2. Malherbe achève son poème sur une constatation générale. Quelle est-elle ?
3. Vous étudierez la versification, en montrant comment elle contribue à souligner la signification du texte.

1. Au moment habituel.
2. De stupeur.
3. Plongé dans un chagrin, dans un tourment intense.
4. Bien que.

La poésie politique

Prière pour le roi allant en Limousin

Rédigée en 1605

1605 : Henri IV se prépare à partir pour le Limousin. Les guerres de religion sont terminées. Mais le calme est encore fragile, après tant d'années de trouble. Dans cette prière qu'il adresse à Dieu pour protéger Henri IV, Malherbe, qui a vécu cette période cruelle, redoute le retour des affrontements et souhaite la poursuite et le succès de l'œuvre pacificatrice du roi.

« Et les fruits passeront la promesse des fleurs »

Dans ces strophes d'une haute inspiration, Malherbe montre comment l'action bénéfique entreprise par Henri IV ne peut être menée à bien qu'avec l'appui de Dieu.

Un malheur inconnu glisse parmi les hommes,
Qui les rend ennemis du repos où nous sommes ;
La plupart de leurs vœux tendent au changement :
Et comme s'ils vivaient des misères publiques,
5 Pour les renouveler ils font tant de pratiques[1],
Que qui n'a point de peur n'a point de jugement.

En ce fâcheux état, ce qui nous réconforte,
C'est que la bonne cause est toujours la plus forte,
Et qu'un bras si puissant t'ayant pour son appui,
10 Quand la rébellion plus qu'une hydre féconde,
Aurait pour le combattre assemblé tout le monde,
Tout le monde assemblé s'enfuirait devant lui.

Conforme donc, Seigneur, ta grâce à nos pensées.
Ôte-nous ces objets, qui des choses passées
15 Ramènent à nos yeux le triste souvenir :
Et comme sa valeur, maîtresse de l'orage,
A nous donner la paix a montré son courage,
Fais luire sa prudence à nous l'entretenir.

Il n'a point son espoir au nombre des armées,
20 Étant bien assuré que ces vaines fumées[2],
N'ajoutent que de l'ombre à nos obscurités.
L'aide qu'il veut avoir, c'est que tu le conseilles :
Si tu le fais, Seigneur, il fera des merveilles,
Et vaincra nos souhaits par nos prospérités.

25 Les fuites des méchants, tant soient-elles secrètes,
Quand il les poursuivra n'auront point de cachettes :
Aux lieux les plus profonds ils seront éclairés[3] :
Il verra sans effet leur honte se produire,
Et rendra les desseins qu'ils feront pour lui nuire,
30 Aussitôt confondus comme délibérés[4].

La rigueur de ses lois, après tant de licence[5],
Redonnera le cœur[6] à la faible innocence,
Que dedans la misère on faisait envieillir[7] :
A ceux qui l'oppressaient, il ôtera l'audace :
35 Et sans distinction de richesse, ou de race,
Tous de peur de la peine auront peur de faillir.

La terreur de son nom rendra nos villes fortes,
On n'en gardera plus ni les murs ni les portes,
Les veilles cesseront aux sommets de nos tours :
40 Le fer mieux employé cultivera la terre,
Et le peuple qui tremble aux frayeurs de la guerre,
Si ce n'est pour danser, n'aura plus de tambours.

Loin des mœurs de son siècle il bannira les vices,
L'oisive nonchalance, et les molles délices
45 Qui nous avaient portés jusqu'aux derniers hasards :
Les vertus reviendront de palmes couronnées,
Et ses justes faveurs aux mérites données
Feront ressusciter l'excellence des arts.

La foi de ses aïeux, ton amour, et ta crainte,
50 Dont il porte dans l'âme une éternelle empreinte,
D'actes de piété ne pourront l'assouvir :
Il étendra ta gloire autant que sa puissance :
Et n'ayant rien si cher que ton obéissance,
Où tu le fais régner il te fera servir.

55 Tu nous rendras alors nos douces destinées :
Nous ne reverrons plus ces fâcheuses années,
Qui pour les plus heureux n'ont produit que des pleurs :
Toute sorte de biens comblera nos familles,
La moisson de nos champs lassera les faucilles,
60 Et les fruits passeront la promesse des fleurs.

Prière pour le roi allant en Limousin, vers 25 à 84.

Pour préparer le commentaire composé

1. **Un hymne à la paix.** Ce poème est un véritable hymne à la paix. Vous indiquerez les vertus que Malherbe lui reconnaît, en soulignant l'opposition entre son évocation et la description des troubles civils.

2. **La puissance de Dieu.** Dieu est omniprésent dans ce texte. Comment se manifeste sa puissance ? Quel est son rôle ?

3. **Les stances.** Vous analyserez la composition de ce poème, en montrant comment les idées s'organisent à l'intérieur des strophes qui constituent des stances, c'est-à-dire des groupes de vers offrant un sens complet. Vous donnerez un titre à chacune de ces strophes.

1. Ils font tant d'actions, ils agissent tellement.
2. Choses insignifiantes, sans importance, sans valeur.
3. Ils seront découverts, reconnus.
4. Confondus aussitôt que décidés.
5. Liberté excessive, désordre.
6. Le courage.
7. Vieillir.

Un baroque outrancier : GÓNGORA

Comparé à d'autres baroques européens, Malherbe apparaît bien modéré, s'adonne, avec une relative discrétion, à la complication de style, à la recherche dans l'expression, à l'exagération. Il est loin de l'outrance de l'Espagnol Luis de Góngora (1561-1627) qui, dans un de ses sonnets, évoque ainsi la femme aimée, en multipliant les images, les comparaisons et les oppositions.

Tandis que pour ternir l'éclat de tes cheveux,
Le soleil, or poli, vainement étincelle ;
Tandis qu'avec mépris au milieu de la plaine
Ton front blanc se compare à la beauté d'un lis ;

5 *Tandis que pour cueillir chacune de tes lèvres*
Vont après toi plus d'yeux qu'après l'œillet précoce
Et tandis que triomphe avec un frais dédain
Sur le luisant cristal ton col délicieux,

Cède à ce col, ce front, ces lèvres, ces cheveux,
10 *Avant que ce qui fut en ton âge radieux*
Or pur, et lis, œillet, cristal luisant,

Non seulement devienne ou argent ou violette
Flétrie, mais avec toi tout cela réuni,
Terre, fumée, poussière, ombre, néant.

Luis de Góngora, Les Solitudes et autres poèmes, *trad. P. Darmangeat, Paris, Seghers, « Autour du Monde », 1982.*

Réalisme et mysticisme baroques

Dans *Le Baroque, profondeurs de l'apparence*, Claude-Gilbert Dubois souligne la double nature du baroque, à la fois porteur de préciosité et de vulgarité, de mysticisme et de sensualité.

Ce réalisme se fera sentir [...] dans le domaine moral et sentimental. La préciosité peut apparaître comme une réaction contre la rudesse des mœurs et la trop verte galanterie des compagnons du Vert Galant[1] *; mais c'est aussi une résurgence : elle contient en elle, en le portant à son point de plus difficile réalisation, le maniérisme qui caractérise* 5 *les poètes de l'amour alangui au siècle précédent. D'un côté, un courant languissant, épris de pureté complexe, qui multiplie les volutes sentimentales, les masques pudiques, les secrets savamment trahis autour d'un amour qu'on s'interdit de réaliser comme d'abandonner ; un langage qui cultive les caresses périphrastiques autour des mots, qui enrobe de secrets plus qu'il ne désigne, dans son refus de toucher et de* 10 *nommer directement les objets, qui joue sur le miroitement et les scintillements du concetto*[2] *et de l'antithèse inattendue : un des avatars du maniérisme de l'amour pur. De l'autre côté, et par réaction contre les tendances précieuses, le paradis des goinfres, des débauchés, des libertins, où la chair est maîtresse, qui est l'aboutissement d'un autre courant, celui de la frénésie charnelle et de la fureur virile, autre incarnation du* 15 *baroque. Ainsi le baroque se divise et se contredit, il change non seulement de nom, mais de nature, ne gardant de son caractère originel que le goût de porter au paroxysme des tendances opposées. Préciosité et vulgarité, mysticisme et sensualité, on retrouve son empreinte partout, mais ce n'est que son empreinte. Il ne laisse en chaque lieu qu'une partie de ce qu'il est.*

Claude-Gilbert Dubois, Le Baroque, profondeurs de l'apparence, *Paris, Larousse, coll. « Thèmes et textes », 1973.*

1. Surnom donné à Henri IV.
2. Pensée exprimée de façon ingénieuse et recherchée.

Synthèse

Poésie lyrique, religieuse, politique, Malherbe a pratiqué de nombreux genres. Son œuvre offre donc un large aperçu des principaux thèmes poétiques de cette époque.

Dieu

En ce début du XVIIe siècle, la poésie est souvent métaphysique. Elle s'interroge sur la destinée de l'homme, sur son rôle dans le monde. Elle donne une place importante à Dieu. Dieu est ainsi au centre de l'œuvre de Malherbe. Il ne cesse de l'invoquer. Dans *Les Larmes de saint Pierre* (p. 23), Dieu est là pour souligner la faiblesse de l'homme, mais aussi pour le soutenir : il est celui qu'on trahit, il est celui qui pardonne. Dans la *Prière pour le roi allant en Limousin* (p. 25), il est présenté comme le garant de la paix, comme le soutien de l'action positive du pouvoir royal. Dans le sonnet sur la mort d'un fils, il apparaît comme le Dieu de justice qui doit appuyer la vengeance du père (p. 22).

La mort

Le thème de Dieu permettait le développement du lyrisme, l'exaltation des sentiments personnels. La mort constitue un autre thème lyrique. Elle apparaît inévitable. Qu'importe alors le moment où elle intervient ? Pour Malherbe, dans la *Consolation à M. du Périer* (p. 20), il faut donc s'y résigner, il faut l'accepter. Les pleurs et le deuil ne servent à rien. Ce n'est qu'un passage, qu'une transition, un moyen de retrouver, au-delà de la destruction du corps, le bonheur spirituel.

L'amour

Le thème de l'amour est le thème lyrique par excellence. C'est un sentiment complexe. Il revêt deux aspects. Il est amour sensuel, exaltation du corps, joie de vivre : en ces temps troublés, Malherbe invite à s'y livrer sans retenue (voir texte, p. 22). Il est aussi amour spirituel, recherche d'un absolu, d'une communion totale. Il peut alors prendre la forme du sacrifice suprême : dans *Les Larmes de saint Pierre* (p. 23), le Christ, pour l'amour de l'humanité, accepte la souffrance et la mort, seules capables de la sauver.

La fuite du temps

La fuite du temps, voilà pour les poètes un autre sujet de méditation : tout passe, le temps file entre les doigts, la jeunesse ne dure pas et fait bien vite place à la vieillesse, puis à la mort. La fille de M. du Périer « a vécu ce que vivent les roses/L'espace d'un matin » (p. 20) ; peu à peu, « les rides nous viennent » (voir texte, p. 22). Dans ces conditions, que faire ? Vivre, profiter de la vie. Le constat pessimiste débouche presque inévitablement sur une conception épicurienne. Malherbe approuve le comportement naturel des bergères et des bergers : « C'est chez eux qu'amour est à son aise » (voir texte, p. 23).

La nature

Le poète lyrique aime la nature. Il y trouve une permanence, un repère, dans ce monde où il se sent dépendant de la fuite du temps : elle est, à la fois, le règne du changement et de la durée, alors qu'il est condamné à ne disposer que du changement.

Le poète entretient avec la nature des rapports complexes. Souvent, au XVIIe siècle, il la personnifie et voit en elle comme une alliée de l'homme, avec lequel elle compatit, elle s'émeut ou se réjouit. Elle reflète, en quelque sorte, les sentiments de celui qui la contemple. Il s'agit déjà de la nature-état d'âme que les romantiques décriront plus tard. Dans *Les Larmes de saint Pierre* (p. 23), la nature participe à la douleur de l'apôtre, les oiseaux ne chantent plus, le soleil lui-même hésite à se lever, parce qu'il sait qu'il va faire naître le jour de la crucifixion de Jésus. Mais si elle est compatissante, elle ne peut guère aider celui qu'elle voit souffrir, elle est impuissante à le soulager de sa douleur.

Compagne des mauvais jours, la nature est aussi, heureusement, l'amie des bons moments. Riante, parsemée de fleurs, ensoleillée, elle accompagne les plaisirs, constitue un environnement harmonieux, propice à l'exaltation des sens, et Malherbe note : « Toute chose aux délices conspire » (voir texte, p. 22).

Associée à la vie de l'homme, la nature offre également un spectacle. Le poète s'y complaît. Il est avide de ces mille impressions qu'il reçoit. Tous ses sens sont en éveil, ouverts aux couleurs, aux sons, aux parfums.

Pierre-Paul Rubens (1577-1640), *La Félicité de la régence,* Paris, musée du Louvre. Après l'assassinat d'Henri IV (1610), c'est à son épouse, Marie de Médicis, qu'échoient les attributs du pouvoir et la sauvegarde de la paix civile, jusqu'à la majorité de Louis XIII (1622).

La guerre et la paix

Il n'est pas surprenant, en ces temps troublés, de constater l'importance des thèmes de la guerre et de la paix. Ils dominent dans la poésie d'inspiration politique. Malherbe les développe longuement dans *Prière pour le roi allant en Limousin* (p. 25) et dans son *Ode à la reine sur les heureux succès de sa régence.*

Ils sont traités sur le mode de l'opposition rigoureuse. D'un côté, la guerre est dépeinte comme cause de toutes les cruautés et de toutes les injustices, comme la source de tous les maux, comme un instrument de mort et de destruction. De l'autre côté, la paix apparaît comme une bénédiction, comme une sorte d'âge d'or où règnent l'entente entre les hommes, la prospérité. Et seul le pouvoir légal, celui du roi ou celui de la régente, avec l'appui de Dieu, est capable d'assurer cette paix souhaitée.

Théophile de Viau
1590-1626

Portrait de Viau, gravure 17e siècle, Paris, B.N.

Une grande indécision religieuse

Théophile de Viau offre un parfait exemple de la confusion religieuse qui caractérise cette époque. Durant sa courte vie de trente-six ans, il adopte en effet trois attitudes différentes face à la foi. Il est d'abord influencé par le protestantisme : il est né près d'Agen en 1590, en pleine guerre de religion, de parents protestants ; de 1615 à 1616, il combat en Guyenne avec l'armée protestante, au côté du comte de Candale, contre les troupes royales. Parallèlement, à partir de 1615, il est attiré par la pensée libertine orientée vers l'athéisme (voir p. 102). Il subit enfin l'influence du catholicisme : en 1621, il rejoint l'armée du roi et lutte contre les protestants ; en 1622, il se convertit au catholicisme et reçoit la communion, avant de mourir, le 25 septembre 1626.

Persécuté...

Son athéisme lui attirera poursuites et persécutions. En 1619, il est exilé pour avoir composé des vers impies. En 1623, il est condamné à être brûlé vif et trouve refuge à Chantilly chez le duc de Montmorency. Il est bientôt arrêté, alors qu'il tente de passer aux Pays-Bas. Emprisonné, il est à nouveau jugé et frappé, en 1625, de bannissement perpétuel. A sa sortie de prison, il est, une fois encore, accueilli par le duc de Montmorency.

... mais apprécié

S'il est persécuté, Théophile de Viau n'en est pas pour autant un écrivain maudit. Ses poèmes, publiés en 1621, 1623 et 1624, connaissent un grand succès. C'est le triomphe pour sa tragédie, *Pyrame et Thisbé*, représentée en 1621. Plus de soixante éditions de ses œuvres paraissent au cours du XVIIe siècle : il est le poète le plus lu de son époque, un poète épris de liberté, désireux de vivre comme il l'entend et d'écrire selon sa fantaisie, poussé par son tempérament et non corseté par les règles.

Pyrame et Thisbé (1621), tragédie. → pp. 32-33.
Œuvres poétiques (1621-1624 et éditions posthumes). → pp. 30 à 32.

Œuvres poétiques
1621-1624 et éditions posthumes

Le sentiment de la nature est au centre des *Œuvres poétiques*. Théophile de Viau est sensible à l'éphémère, au changeant. Il sait apprécier les modifications subtiles qui apparaissent dans un paysage, qui le rendent émouvant, parce que chaque moment est unique, inoubliable. Il est là, ouvert à toutes les impressions, les sens en alerte, avide de profiter de cette vie qui s'offre à lui. Ce bonheur de vivre, de se sentir vivre éclate à chaque vers : il est présent dans la poésie lyrique, mais aussi dans l'humour que Théophile de Viau pratique dans ses *Épigrammes*.

Le sentiment de la nature

Le Matin

Publié en 1621, ce poème évoque, en petites touches délicates, ce moment de la journée où le jour succède à la nuit, où s'opère une lente transformation qui, progressivement, vient modifier paysages, bêtes et gens, tandis que jaillit la lumière du soleil naissant.

L'Aurore sur le front du jour
Sème l'azur, l'or et l'ivoire,
Et le soleil, lassé de boire,
Commence son oblique tour.

5 Ses chevaux, au sortir de l'onde,
De flamme et de clarté couverts,
La bouche et les naseaux ouverts,
Ronflent la lumière du monde.

Ardents ils vont en nos ruisseaux,
10 Altérés de sel et d'écume,
Boire l'humidité qui fume,
Sitôt qu'ils ont touché les eaux.

La lune fuit devant nos yeux,
La nuit a retiré ses voiles :
15 Peu à peu le front des étoiles
S'unit à la couleur des cieux.

Déjà la diligente avette[1]
Boit la marjolaine et le thym,
Et revient riche du butin
20 Qu'elle a pris sur le mont Hymette[2].

Je vois le généreux lion
Qui sort de sa demeure creuse,
Hérissant sa perruque affreuse
Qui fait fuir Endymion.

25 Sa dame entrant dans les bocages
Compte les sangliers qu'elle a pris,
Ou dévale chez les esprits
Errant aux sombres marécages[3].

Je vois les agneaux bondissants
30 Sur ces blés qui ne font que naître ;
Cloris, chantant, les mène paître
Parmi ces coteaux verdissants.

Les oiseaux, d'un joyeux ramage,
En chantant semblent adorer
35 La lumière qui vient dorer
Leur cabinet[4] et leur plumage.

La charrue écorche la plaine ;
Le bouvier, qui suit les sillons,
Presse de voix et d'aiguillons
40 Le couple de bœufs qui l'entraîne.

Alix apprête son fuseau ;
Sa mère, qui lui fait la tâche[5],
Presse le chanvre qu'elle attache
A sa quenouille de roseau.

45 Une confuse violence
Trouble le calme de la nuit,
Et la lumière, avec le bruit,
Dissipe l'ombre et le silence.

Alidor chante à son réveil
50 L'ombre d'Iris qu'il a baisée
Et pleure en son âme abusée
La fuite d'un si doux sommeil.

Les bêtes sont dans leur tanière,
Qui tremblent de voir le Soleil ;
55 L'homme, remis[6] par le sommeil,
Reprend son œuvre coutumière.

Le forgeron est au fourneau :
Ois[7] comme le charbon s'allume !
Le fer rouge, dessus l'enclume,
60 Étincelle sous le marteau.

Cette chandelle semble morte,
Le jour la fait évanouir ;
Le Soleil vient nous éblouir :
Vois qu'il passe au travers la porte.

65 Il est jour : levons-nous, Philis ;
Allons à notre jardinage,
Voir s'il est, comme ton visage,
Semé de roses et de lis.

Œuvres poétiques, 1621, Le Matin.

1. Abeille.
2. Mont de Grèce réputé pour ses abeilles.
3. Diane, déesse de la chasse et des Enfers, était tombée amoureuse du berger Endymion.
4. Leur asile.
5. Qui lui prépare son travail.
6. Reposé.
7. Entends.

Pierre-Paul Rubens (1577-1640), *Paysage,* Valenciennes, musée des Beaux-Arts.

Pour une étude comparée

Vous comparerez *Le Matin* de Théophile de Viau et *La Solitude* de Saint-Amant (voir p. 61), en insistant plus particulièrement sur les points suivants :

1. **Des transformations subtiles.** Vous relèverez et analyserez les modifications subtiles qui, dans les deux textes, transforment le paysage par petites touches délicates.

2. **Une description sensuelle.** Théophile de Viau et Saint-Amant sont envoûtés par la nature qu'ils savourent de tous leurs sens. Ils accumulent, en particulier, les notations visuelles et sonores. Vous soulignerez les ressemblances, mais aussi les différences qui apparaissent, entre les deux textes, dans l'expression de cette sensualité ; vous noterez notamment que, contrairement à Théophile de Viau, Saint-Amant fait peu de place à l'activité humaine, tandis qu'il donne une grande importance au thème de la mort, beaucoup plus discret dans *Le Matin.*

3. **L'expression du baroque.** À partir de cette comparaison, vous essaierez de dégager quelques caractéristiques du baroque, en vous appuyant sur l'analyse qui en est faite aux pages 46-47.

Pour un groupement de textes

Le thème de la nature dans :
Le Matin de Théophile de Viau,
La Solitude de Saint-Amant (voir p. 61),
Le Promenoir des deux amants de François Tristan L'Hermite (voir p. 66),
La Belle Matineuse de Vincent Voiture (voir p. 71),
Sur l'ombre que faisaient les arbres dans l'eau de Cyrano de Bergerac (voir p. 101),
Le Songe d'un habitant du Mogol de Jean de La Fontaine (voir p. 344).

L'humour

Épigrammes

Les épigrammes sont de courts poèmes qui s'achèvent sur un trait d'humour, sur une notation amusante, souvent satirique. Ces trois épigrammes ont été publiées après la mort de Théophile de Viau.

XLV

Tu dis que George est paresseux ;
Ton discours est peu véritable ;
Car il est toujours parmi ceux
Qui sont des premiers à la table.

XLVI

5 Un larron, conduit et mené
Dans la prison où l'on le loge,
Est sur-le-champ examiné ;
Et lui dit comme on l'interroge :
Hélas ! encore ai-je pis fait.
10 Fais-nous donc, dit le juge, entendre
En quoi tu crois avoir méfait.
De m'être, dit-il, laissé prendre.

XLVII

Un certain[1], sans grande raison,
Écrit au-dessus de sa porte :
15 Par cet endroit en nulle sorte
Le fou ne passe en ma maison.
Il faut donc, dis-je, que le maître
Entre chez lui par la fenêtre.

Œuvres poétiques, éditions posthumes, Épigrammes, XLV à XLVII.

Pour préparer l'étude du texte

1. Vous montrerez ce qui fait l'humour de ces trois épigrammes.
2. Les épigrammes s'achèvent sur ce que l'on appelle une pointe, effet de surprise qui prend place dans le dernier vers. Vous relèverez et analyserez ces pointes.
3. Ces trois épigrammes se présentent comme de la prose rimée plutôt que comme de la poésie. Vous expliquerez pourquoi.

Pyrame et Thisbé
1621

Une tragédie romanesque et lyrique

Antonio Tempesta (1555-1630), *Le Suicide de Thisbé,* illustration de l'édition de 1606 des *Métamorphoses* d'Ovide.

La tragédie de *Pyrame et Thisbé* fut vraisemblablement créée en 1621. Éditée pour la première fois en 1623, elle donna lieu à plus de soixante-dix rééditions au cours du XVIIe siècle. Théophile de Viau était décidément un auteur à succès.

La pièce est marquée par le romanesque et le lyrisme. Dans la Babylone antique, Pyrame et Thisbé s'aiment, mais deux obstacles s'opposent à cet amour. Comme dans *Roméo et Juliette* de Shakespeare, les deux familles sont ennemies et ne veulent pas entendre parler de mariage. D'autre part, le roi est éperdument amoureux de Thisbé et utilise son pouvoir pour s'opposer à Pyrame. Devant cette situation, les deux amoureux décident de s'enfuir. Ils doivent se retrouver, la nuit, dans un endroit écarté. Mais Pyrame, arrivé le premier au lieu du rendez-vous, voit du sang et les traces du passage d'un lion. Il croit que Thisbé a été dévorée et se tue. Thisbé, parvenue à son tour à l'endroit fixé, se suicidera sur le corps de son bien-aimé.

1. Quelqu'un.

« Mais mon Pyrame est mort sans espoir qu'il retourne »

La tragédie s'achève sur un dénouement sanglant (acte V, scène 2). Thisbé, dans une belle envolée lyrique, se lamente sur le corps de Pyrame et invoque la nature. Puis, elle se transperce du poignard dont s'est frappé celui qu'elle aime.

Bel arbre, puisque au monde après moi tu demeures,
Pour mieux faire paraître au Ciel tes rouges meures[1]
Et lui montrer le tort qu'il a fait à mes vœux,
Fais comme moi, de grâce, arrache tes cheveux,
5 Ouvre-toi l'estomac[2] et fais couler à force
Cette sanglante humeur par toute ton écorce.
Mais que me sert ton deuil ? rameaux, prés verdissants,
Qu'à soulager mon mal vous êtes impuissants !
Quand bien vous en mourriez, on voit la destinée
10 Ramener votre vie en ramenant l'année :
Une fois tous les ans nous vous voyons mourir,
Une fois tous les ans nous vous voyons fleurir.
Mais mon Pyrame est mort sans espoir qu'il retourne
De ces pâles manoirs où son esprit séjourne.
15 Depuis que le soleil nous voit naître et finir,
Le premier des défunts est encore à venir,
Et quand les dieux demain me le feraient revivre,
Je me suis résolue aujourd'hui de le suivre.
J'ai trop d'impatience, et puisque le destin
20 De nos corps amoureux fait son cruel butin,
Avant que le plaisir que méritaient nos flammes
Dans leurs embrassements ait pu mêler nos âmes,
Nous les joindrons là-bas et par nos saints accords
Ne ferons qu'un esprit de l'ombre de deux corps ;
25 Et puisque à mon sujet sa belle âme sommeille,
Mon esprit innocent lui rendra la pareille.
Toutefois je ne puis sans mourir doublement[3],
Pyrame s'est tué d'un soupçon seulement,
Son amitié[4] fidèle un peu trop violente,
30 D'autant qu'à ce devoir il me voyait trop lente,
Pour avoir soupçonné que je ne l'aimais pas,
Il ne s'est pu guérir de moins que du trépas.
Que donc ton bras sur moi davantage demeure,
O mort ! et, s'il se peut, que plus que lui je meure !
35 Que je sente à la fois poison, flammes et fers !
Sus[5] ! qui me vient ouvrir la porte des Enfers ?
Ha ! voici le poignard qui du sang de son maître
S'est souillé lâchement ; il en rougit, le traître !
Exécrable bourreau, si tu te veux laver
40 Du crime commencé, tu n'as qu'à l'achever ;
Enfonce là-dedans, rend-toi plus rude, et pousse
Des feux avec ta lame ! Hélas ! elle est trop douce.
Je ne pouvais mourir d'un coup plus gracieux,
Ni pour un autre objet haïr celui des Cieux.

[Elle meurt.]

Pyrame et Thisbé, acte V, scène 2, vers 1191 à 1234.

Pour préparer l'étude du texte

1. Thisbé, transportée de douleur, passe d'une réflexion à une autre. Vous reconstituerez le cheminement de sa pensée et établirez, par là même, le plan de cet extrait.

2. Théophile de Viau utilise, à plusieurs reprises, le procédé de la personnification. Vous relèverez et analyserez les passages où il se manifeste. Quelles différences Thisbé marque-t-elle entre la nature et l'homme ?

3. « Il en rougit, le traître ! » (v. 38) : ce vers a été tour à tour admiré et ridiculisé. Pourquoi, à votre avis ?

La démesure des personnages shakespeariens

Les passions des personnages de *Pyrame et Thisbé* apparaissent exacerbées. Mais comparées à celles qui éclatent dans le théâtre de Shakespeare, elles sont bien mesurées. Les pièces de ce dramaturge anglais de la fin du XVIe siècle et du début du XVIIe siècle (1564-1616), l'un des plus grands auteurs de théâtre de tous les temps, atteignent le paroxysme dans la cruauté et dans l'horreur. Marquées par la complexité de l'action, elles sont servies par une expression luxuriante qui fait une large place au lyrisme.

Joué pour la première fois vers 1601, *Hamlet* se présente comme la tragédie de la vengeance et de la difficulté d'être. Claudius, après avoir assassiné le roi du Danemark, a épousé la reine, sa belle-sœur, complice du meurtre. Le spectre du roi mort apparaît à son fils, Hamlet, et lui demande de punir les deux coupables. Hamlet, en jouant la folie pour donner le change et mieux préparer son plan, aggrave encore la fragilité qui le caractérise. En plein désarroi, il délaisse celle qu'il aime, Ophélie, et la pousse au suicide. Il tuera finalement sa mère et son oncle et trouvera lui-même le repos dans la mort.

1. Tes rouges mûres.
2. La poitrine.
3. Je suis amenée à mourir doublement.
4. Son amour.
5. Allons !

Léonard Bramer (1596-1674), *Allégorie de la fragilité humaine,* Vienne, Kunsthistorisches Museum.

La scène 1 de l'acte III se déroule dans un cimetière. Développant des thèmes voisins de ceux exprimés par Thisbé dans la pièce de Théophile de Viau, Hamlet, dans une tirade célèbre, médite sur la mort, sur la vie, sur la relativité des choses humaines.

Hamlet.

Être, ou ne pas être, c'est là la question. Y a-t-il plus de noblesse d'âme à subir la fronde et les flèches de la fortune outrageante, ou bien à s'armer contre une mer de douleurs et à l'arrêter par une révolte ? Mourir,... dormir, rien de plus ; ... et dire que par ce sommeil nous mettons fin aux maux du cœur et aux mille tortures naturels qui sont le legs de la chair[1] *: c'est là un dénouement qu'on doit souhaiter avec ferveur. Mourir,... dormir, dormir ! peut-être rêver ! Oui, là est l'embarras. Car quels rêves peut-il nous venir dans ce sommeil de la mort, quand nous sommes débarrassés de l'étreinte de cette vie ? Voilà qui doit nous arrêter. C'est cette réflexion-là qui nous vaut la calamité d'une si longue existence. Qui, en effet, voudrait supporter les flagellations et les dédains du monde, l'injure de l'oppresseur, l'humiliation de la pauvreté, les angoisses de l'amour méprisé, les lenteurs de la loi, l'insolence du pouvoir, et les rebuffades que le mérite résigné reçoit d'hommes indignes, s'il pouvait en être quitte avec un simple poinçon*[2] *? Qui voudrait porter ces fardeaux, grogner et suer sous une vie accablante, si la crainte de quelque chose après la mort, de cette région inexplorée, d'où nul voyageur ne revient, ne troublait la volonté, et ne nous faisait supporter les maux que nous avons par peur de nous lancer dans ceux que nous ne connaissons pas ? Ainsi la conscience fait de nous tous des lâches ; ainsi les couleurs natives de la résolution blêmissent sous les pâles reflets de la pensée ; ainsi les entreprises les plus énergiques et les plus importantes, se détournent de leurs cours, à cette idée, et perdent le nom d'action...*

William Shakespeare, Hamlet, *acte III, scène 1, trad. Francis-Victor Hugo, Paris, Éd. Sociales, « Classiques du Peuple », 1964.*

1. Que nous lègue la chair.

2. Un simple poignard.

LE THÉÂTRE ET L'OUTRANCE BAROQUE

Une inspiration débridée

En ce début du XVIIe siècle, le théâtre apparaît comme le domaine privilégié de l'outrance baroque. Les partisans de la liberté totale d'inspiration et de composition l'emportent alors largement. Cette tendance à l'excès n'est pas surprenante dans un pays qui retrouve difficilement son calme et son équilibre après les troubles des guerres de religion. Tout naturellement, les thèmes développés s'inspirent des faits de la vie quotidienne : la mode des épisodes guerriers et romanesques rappelle combien l'existence était semée d'embûches et de dangers, tandis que l'horreur et la cruauté, réalités malheureusement courantes, deviennent matières à spectacles.

Peut-être un peu injustement, à cause de cette outrance, l'histoire de la littérature ne fait guère de place à ces auteurs dramatiques qui sont pourtant en grand nombre. Il est vrai que le style aussi bien que la complication des intrigues rendent la lecture de leurs œuvres bien difficile : *Pyrame et Thisbé* (voir p. 32) de Théophile de Viau apparaît comme une pièce pleine de modération, si on la compare à l'ensemble de la production de l'époque ! Quel nom retenir plus particulièrement ? Certainement celui d'Alexandre Hardy (1570-1632). C'est alors l'auteur à succès, auteur fertile, s'il en est, puisqu'il aurait composé quelque six cents pièces, dont seulement trente-quatre nous sont parvenues.

Deux genres peu représentés : la comédie et la tragédie

Ces deux genres théâtraux caractérisés par l'unité de ton sont alors peu pratiqués. La comédie est en pleine léthargie. Un petit nombre de pièces qui s'en réclament reprennent le schéma traditionnel mis au point par les Italiens : le jeune premier et la jeune première s'aiment, mais leurs parents mettent des obstacles à leur mariage ; ils en triompheront à l'issue d'une action animée, mais dépourvue de véritable tension, avec l'aide de serviteurs rusés.

La tragédie, un peu moins délaissée que la comédie, se situe à l'autre extrémité de l'éventail théâtral : elle met en œuvre une grande tension dramatique et s'achève sur l'échec et, la plupart du temps, sur la mort des personnages sympathiques.

La grande mode de la tragi-comédie

C'est alors la tragi-comédie qui domine. Comme la comédie et la tragédie de l'époque, elle multiplie les péripéties, elle est marquée par un éclatement de l'action, du lieu et du temps. Son originalité réside dans le traitement du ton qui lui fait occuper une place intermédiaire entre les deux autres genres : comme la tragédie, elle connaît une tension dramatique, mais s'achève, comme la comédie, sur une fin heureuse pour les personnages sympathiques. Par ailleurs, l'intrigue est souvent romanesque et empreinte de cruauté : dans *La Force du sang* d'Alexandre Hardy, éditée en 1625, le spectateur assiste ainsi aux efforts d'une jeune femme pour recouvrer l'honneur et retrouver le bonheur après avoir subi le traumatisme d'un viol.

Illustration de l'édition de 1624 du *Théâtre* d'Alexandre Hardy.

Les tragi-comédies pastorales connaissent une grande vogue. Elles s'inspirent des modèles italiens. Elles doivent aussi beaucoup au succès du roman-fleuve d'Honoré d'Urfé, *L'Astrée* (voir p. 39). Mais, dès les années 1630, leur triomphe causera leur perte, parce qu'il les conduira à se figer, à répéter inlassablement les mêmes schémas.

La pastorale se déroule dans un cadre champêtre. Elle met en scène des bergers et des bergères. Elle repose sur un système d'amours d'une complexité baroque : un personnage aime un autre personnage, mais n'en est pas aimé. Ce second personnage en aime en effet un troisième qui ne l'aime pas, car lui-même éprouve une passion pour un quatrième qui, pour sa part, est épris du premier. Tout se terminera au mieux, après de nombreux rebondissements, sur une constitution harmonieuse des couples.

Dans ce canevas, sont souvent inclus des personnages et des procédés obligés : le satyre mythologique, être sensuel et amoureux éconduit, apporte une tonalité comique. L'écho, intelligent et compréhensif, qui vient donner des réponses aux préoccupations amoureuses des bergers ou des bergères, permet le développement de la virtuosité technique, mais aussi du lyrisme :

« FOSSINDE. — Est-il vrai que je puisse obtenir mon attente ?
L'ÉCHO. — Tente.
FOSSINDE. — Quel[1] le verrai-je enfin, si j'aime constamment ?
L'ÉCHO. — Amant. » (Honoré d'Urfé, *Silvanire*, édité en 1627, II, 7).

1. Comment.

LES DEUX ASPECTS DU ROMAN BAROQUE L'IDÉALISME (HONORÉ D'URFÉ) ET LE RÉALISME (CHARLES SOREL)

L'OPPOSITION ENTRE IDÉALISME ET RÉALISME

Certes, il est des écrivains qui peuvent être tour à tour influencés par l'idéalisme et par le réalisme. Néanmoins, la ligne de démarcation qui sépare ces deux notions est généralement nette, tranchée. Les uns croient en la suprématie de l'esprit, expliquent le comportement humain par une aspiration à un absolu, donnent à l'amour une signification essentiellement spirituelle, l'interprètent comme une communion des âmes. Les autres accordent la plus grande importance au corps, considèrent que l'homme agit en fonction de réalités matérielles, soulignent l'aspect sensuel de l'amour. Les premiers se livrent à une description idéalisée de l'homme, qui le sublime, qui dépasse sa véritable nature, tandis que les seconds le peignent de façon réaliste tel qu'il est, avec ses défauts, ses insuffisances, ses ridicules.

Cette opposition, qui correspond aux deux aspects antithétiques du baroque, était déjà présente dans la poésie : d'un côté, les poètes lyriques, comme François de Malherbe ou Théophile de Viau, exaltaient la sensibilité et la grandeur de l'homme. De l'autre, les poètes satiriques, comme Mathurin Régnier, soulignaient son attachement aux valeurs matérielles et ses imperfections.

Dans le roman, cette frontière entre idéalisme et réalisme s'impose particulièrement. Déjà, au Moyen Age, elle séparait le roman de chevalerie du conte. D'un

D'après Abraham Bosse (1602-1676), *L'Ouïe,* Tours, musée des Beaux-Arts.

Judith Leyster (1609-1660), *La Joyeuse compagnie,* Paris, musée du Louvre.

Deux regards portés sur le monde : la recherche de l'idéal et la jouissance de la réalité.

côté, prenait place le récit des aventures d'un héros qui, pour mériter celle qu'il aime, accomplit les plus grands exploits. D'un autre côté, se développait, en termes souvent crus, la relation d'intrigues amoureuses plus ou moins licencieuses. Ces deux genres narratifs n'ont pas disparu. Ils connaissent même encore le succès durant ce premier tiers du XVIIe siècle. Mais ils sont progressivement remplacés par d'autres genres qui, sous l'influence baroque, accentuent l'orientation idéaliste ou réaliste.

L'IDÉALISME DU ROMAN HÉROÏQUE ET DU ROMAN PASTORAL

L'idéalisme s'affirme dans le roman héroïque. Ces romans-fleuves, qui atteignent parfois plusieurs milliers de pages, s'appuient sur des données tirées de l'histoire. Ils se déroulent dans des contrées et à des époques les plus diverses, souvent durant l'Antiquité romaine. Mais l'exactitude historique n'y est que relative. Les auteurs ont tendance à projeter les réalités de leur temps et à faire parler leur imagination. Ce qui leur importe surtout, c'est la description de la passion amoureuse. Il s'agit d'un amour éthéré qui est présenté comme le moteur des actions humaines, qui incite les héros à se livrer à de hauts faits pour plaire à la femme aimée. Voilà qui, par ailleurs, donne l'occasion de multiplier les aventures, de faire se succéder les rebondissements, de créer un univers romanesque, où la surprise est sans cesse au rendez-vous, où l'inattendu est roi.

Marin Le Roy de Gomberville (1600 ?-1674) se posa alors comme le maître incontesté du genre : sa *Carithée* (1621), en particulier, qui met en scène Agrippine et Germanicus, fut fort appréciée de ses contemporains. Le roman historique, présent tout au long du XVIIe siècle, évoluera, avec Madeleine de Scudéry (1607-1701), pour aboutir au chef-d'œuvre de Madame de La Fayette (1634-1693), *La Princesse de Clèves* (1678).

Cette conception idéalisée du monde se retrouve dans *L'Astrée* (1607-1627) d'Honoré d'Urfé (1567-1625). Ce roman pastoral, qui se déroule dans un cadre champêtre de fantaisie, mais introduit aussi des épisodes guerriers, connut un succès prodigieux : le lecteur était attiré par cet univers fictif qui, tout en reflétant sa vie et ses préoccupations, lui permettait de s'évader des dures réalités du moment.

LE RÉALISME DU ROMAN COMIQUE

A cette inspiration idéaliste s'oppose résolument une manière réaliste venue d'Espagne. Elle donne naissance à la tradition du roman comique qui traverse tout le XVIIe siècle et marque notamment Paul Scarron (1610-1660), Savinien de Cyrano de Bergerac (1619-1655), Antoine Furetière (1619-1688), Robert Challe (1658-1720).

C'est Charles Sorel (1602-1674) qui, durant cette période, est le représentant de ce courant. *Francion* (1623) en offre toutes les caractéristiques : il s'agit, à travers des aventures pittoresques et amusantes, de décrire la société, sans oublier les classes défavorisées et les marginaux, en soulignant l'importance des réalités quotidiennes, en éclairant d'une lumière crue tout ce qui est prosaïque dans la vie humaine. Cette lucidité des romanciers réalistes apparaît comme une condamnation des écrivains idéalistes qui, selon eux, refuseraient de regarder la vérité en face.

Honoré d'Urfé
1567-1625

D'après Antoon van Dyck (1599-1641), Portrait d'Honoré d'Urfé, château de la Bastie d'Urfé.

Une enfance champêtre

Honoré d'Urfé naît en pleine guerre de religion. Mais son enfance est paisible. Il est en effet élevé dans la région champêtre du Forez, au sud-est du Massif central. Il parcourt les bois et les prés de ce pays riant et verdoyant qui servira de cadre à son roman, *L'Astrée*. Il apprend à aimer cette contrée, à apprécier la nature. Son œuvre le montre, il est plus attiré par la vie campagnarde que par l'existence de la cour.

L'engagement militaire

Mais la guerre civile ravage la France. Il est bien difficile de ne pas prendre parti. Après des études accomplies au collège de Tournon, ville située au sud de la vallée du Rhône, Honoré d'Urfé, fervent catholique, s'engage dans le conflit. En 1590, il rejoint la Ligue. Sous la direction du duc de Guise, cette confédération réunit les catholiques qui s'opposent au roi Henri III, auquel ils reprochent d'avoir pactisé avec les protestants.

De 1590 à 1600, il mène une dangereuse vie d'aventures. A deux reprises, il est fait prisonnier par les troupes royales, puis relâché, et finit par se mettre au service du duc de Savoie, adversaire résolu du roi de France. La réconciliation de la France et de la Savoie le rapproche d'Henri IV. Après plusieurs campagnes militaires, il mourra finalement d'une pneumonie, à Villefranche-sur-Mer, au cours de la guerre engagée par la Savoie et la France contre l'Espagne et Gênes. *L'Astrée* est toute bruissante du fracas des combats qui marquèrent sa vie.

Une sensibilité romanesque

Guerrier, Honoré d'Urfé est également un être à la sensibilité romanesque. Dans cette *Astrée* qui sera publiée de 1607 à 1627, il met un peu de sa vie sentimentale. Elle est toute de nostalgie et de désenchantement. A l'âge de dix-sept ans, il tombe éperdument amoureux de sa belle-sœur, Diane de Chateaumorand. Est-ce un amour impossible ? Le destin en décide autrement. Seize ans plus tard, en 1600, son frère se consacre à la vie religieuse et fait annuler son mariage. Honoré d'Urfé peut enfin épouser celle qu'il aime. Serait-ce le bonheur ? Ce sera plutôt la désillusion, il ne s'entend pas avec sa nouvelle épouse et ils se séparent en 1613 : dans son roman pastoral, les bergères et les bergers, les princes et les princesses connaissent, eux aussi, les difficultés et les revirements de la passion.

L'Astrée, partie I (1607). → pp. 39-40.
L'Astrée, partie II (1610).
L'Astrée, partie III (1619). → p. 41.
L'Astrée, parties IV et V (1627).

Claude Deruet (1588-1662), *Portrait de Julie d'Angennes en costume d'Astrée,* Strasbourg, musée des Beaux-Arts.
C'est à Julie d'Angennes (1607-1671), fille de la marquise de Rambouillet, que fut dédié le recueil collectif de poèmes, la *Guirlande de Julie* (1633-1634).

L'Astrée

1607-1627

Cinq tomes, en comptant le tome V que rédigea le secrétaire d'Honoré d'Urfé après sa mort, plus de cinq mille pages, *L'Astrée* est une œuvre colossale, un roman-fleuve dont la lecture demande des dizaines d'heures. Sa dimension ne découragea pourtant pas les lecteurs de l'époque : ils attendaient avec impatience la suite de ces aventures passionnantes dont la publication s'étala sur plus de vingt ans. Ils s'y plongeaient avec délectation, comme on se plonge dans un feuilleton. Ils y retrouvaient leur vie, faite à la fois de combats et d'intrigues amoureuses, pleine de cruautés et de sentiments. Longtemps durant le XVIIe siècle, cette œuvre monumentale devait servir de référence au comportement amoureux et exercer une influence sur la littérature.

L'action se déroule au Ve siècle, à l'époque des druides, dans la région du Forez. La bergère Astrée et le berger Céladon s'aiment. Mais leurs familles, qui se haïssent, s'opposent à leur amour. Pour brouiller les pistes, Céladon fait semblant d'aimer Aminthe. Sémire, épris d'Astrée, exploite la situation en faisant croire à la jeune bergère que Céladon lui est réellement infidèle. Devant les reproches d'Astrée, Céladon, désespéré, se jette dans la rivière.

Évidemment, il ne se noie pas. Il est recueilli par trois nymphes qui tombent amoureuses de lui. Aidé par le druide Adamas, il parvient à leur échapper et se réfugie dans la forêt. Astrée lui a en effet défendu de revenir auprès d'elle sans son ordre et il se soumet à cette volonté, en amant obéissant. La situation semble donc sans issue. Adamas va trouver une solution. Céladon, déguisé en jeune fille, rejoint Astrée. Ils se lient d'amitié et deviennent bientôt inséparables. Mais Céladon est bien résolu à ne pas révéler sa véritable identité, tant qu'Astrée n'aura pas décidé de le rappeler. C'est dans cette position inconfortable qu'Honoré d'Urfé laisse ses deux héros.

Heureusement, le secrétaire d'Honoré d'Urfé, Baro, qui achève le roman, les sort de cette situation impossible. Astrée se décide à appeler le fantôme de Céladon, qu'elle croit mort. C'est Céladon en chair et en os qu'elle aperçoit alors, stupéfaite. Mais, au lieu de tomber dans ses bras — ce serait trop simple et trop peu romanesque —, elle le chasse à nouveau. Ils se retrouveront enfin, définitivement unis, devant la miraculeuse fontaine de la vérité d'Amour.

C'est là une histoire bien romanesque et bien compliquée. Ce n'est pourtant que l'intrigue centrale, et de nombreuses intrigues secondaires s'y ajoutent, qui, souvent, introduisent une atmosphère d'aventure et de guerre. Mais l'amour demeure essentiel. Il est décrit dans toute sa complexité. Sous les bergères et les bergers, se cachent en fait les gens de la cour, avides de subtilités amoureuses, attirés par une conception de l'amour qui repose sur le mérite, sur les valeurs morales, sur ce précepte cornélien avant la lettre : « Il est impossible d'aimer ce que l'on n'estime pas ».

« La magicienne Mandrague contemplant le berger en son bain »

Dans le Livre onzième de la première partie, le druide Adamas décrit une série d'œuvres picturales, qui apparaissent comme des reflets stylisés de la réalité. Le troisième tableau assemble le beau et le laid, montre, sur fond de paysage riant, que l'amour n'a pas d'âge.

Lors[1] Adamas continua : voici votre belle rivière de Lignon. Voyez comme elle prend une double source, l'une venant des montagnes de Cervières, et l'autre de Chalmasel, qui viennent se joindre un peu par-dessus la marchande ville de Boing[2].

Que tout ce paysage est bien fait, et les bords tortueux de cette rivière avec ces petits aulnes qui 5 la bornent ordinairement ! Ne connaissez-vous point ici le bois qui confine ce grand pré, où le plus souvent les bergers paresseux paissent[3] leurs troupeaux ? Il me semble que cette grosse touffe d'arbres à main gauche, ce petit biais qui serpente sur le côté droit, et cette demi-lune que fait la rivière en cet endroit, vous le doit bien remettre devant les yeux. Que s'il n'est à cette heure du tout[4] semblable, ce n'est que le tableau soit faux, mais c'est que quelques arbres depuis ce temps-là sont 10 morts, et d'autres creux, que la rivière en des lieux s'est avancée, et reculée en d'autres, et toutefois il n'y a guère de changement.

Or regardez un peu plus bas le long de Lignon. Voici une troupe de brebis qui est à l'ombre, voyez comme les unes ruminent lâchement[5] et les autres tiennent le nez en terre pour en tirer la fraîcheur : c'est le troupeau de Damon, que vous verrez si vous tournez la vue en çà[6] dans l'eau jusqu'à la 15 ceinture. Considérez comme ces jeunes arbres courbés le couvrent des rayons du soleil, et semblent presque être joyeux qu'autre qu'eux ne le voie. Et toutefois la curiosité du soleil est si grande, qu'encore entre les diverses feuilles, il trouve passage à quelques-uns de ses rayons. Prenez garde comme cette ombre et cette clarté y sont bien représentées. Mais certes il faut aussi avouer que ce berger ne peut être surpassé en beauté. Considérez les traits délicats et proportionnés de son visage, 20 sa taille droite et longue, ce flanc arrondi, cet estomac relevé[7], et voyez s'il y a rien qui ne soit en perfection. Et encore qu'il soit un peu courbé pour mieux se servir de l'eau, et que de la main droite il frotte le bras gauche, si est-ce qu'il ne fasse action qui empêche de reconnaître sa parfaite beauté.

Or jetez l'œil de l'autre côté du rivage, si vous ne craignez d'y voir le laid en sa perfection, comme en la sienne vous avez vu le beau, car entre ces ronces effroyables vous verrez la magicienne 25 Mandrague contemplant le berger en son bain. La voici vêtue presque en dépit de ceux qui la regardent[8], échevelée, un bras nu, et la robe d'un côté retroussée plus haut que le genou. Je crois qu'elle vient de faire quelques sortilèges, mais jugez ici l'effet d'une beauté.

Cette vieille que vous voyez si ridée qu'il semble que chaque moment de sa vie ait mis un sillon en son visage, maigre, petite, toute chenue[9], les cheveux à moitié tondus, tout accroupie, et selon son 30 âge plus propre pour le cercueil que pour la vie, n'a honte de s'éprendre de ce jeune berger. Si l'amour vient de la sympathie, comme on dit, je ne sais pas bien où l'on la pourra trouver entre Damon et elle. Voyez quelle mine elle fait en son extase. Elle étend la tête, allonge le cou, serre les épaules, tient les bras joints le long des côtés, et les mains assemblées en son giron[10] ; et le meilleur est que, pensant sourire, elle fait la moue. Si est-ce que telle qu'elle est, elle ne laisse[11] de rechercher l'amour 35 du beau berger.

L'Astrée, Partie I, Livre XI.

Pour préparer l'étude du texte

1. Honoré d'Urfé décrit avec minutie le paysage peint sur le tableau. Vous relèverez et analyserez les traits qui le caractérisent, en essayant, d'après cette description, de dégager la conception de l'œuvre picturale à cette époque (voir p. 42).
2. Vous montrerez comment les deux portraits, celui du berger et celui de la magicienne, sont construits tout en oppositions.
3. En quoi la réalité décrite reçoit-elle une signification symbolique qui la dépasse ?

1. Alors.
2. Il s'agit de noms de lieux réels du Forez.
3. Font paître.
4. En tout.
5. Sans énergie, mollement.
6. De ce côté.
7. Cette poitrine haute.
8. Sans tenir compte de ceux qui la regardent, dans le dessein de les dépiter, de les choquer.
9. Blanchie par la vieillesse.
10. Partie du corps comprise entre la ceinture et les genoux.
11. Elle ne cesse pas, elle ne manque pas.

« Tout fut à la discrétion du soldat »

Le Livre septième de la troisième partie de *L'Astrée* est consacré à l'épisode secondaire des amours de Chryséide et d'Arimant. Chryséide raconte au berger Hylas comment le roi Gondebaut s'empara de la ville où elle s'était réfugiée avec Arimant. A la tendresse de l'amour vient se mêler la cruauté de la guerre.

Mais ne voilà pas le malheur qui voulut qu'en ce même temps Gondebaut, le roi des Bourguignons, ayant passé les Alpes avec une puissante armée, s'était jeté par le côté des Coties dans le territoire des Taurinois et des Caturges[1], tellement à l'imprévu, qu'il les trouva tous sans défenses, et sans soupçon de devoir être attaqués ? Et par fortune[2], le lendemain que nous fûmes arrivés, il donna[3] lui-même en cette ville, où tout ce que l'on put faire, ce fut de fermer les portes contre la surprise des premiers. Mais, incontinent après[4], toute l'armée arrivant, ce que purent faire les habitants, ce fut de se rendre à quelques conditions si peu avantageuses, qu'ils n'amendèrent[5] leur marché en rien, sinon que les femmes, encore que prisonnières, ne furent point forcées[6], ni les temples pillés comme on avait fait ailleurs ; mais pour le reste tout fut à la discrétion du soldat. O dieux ! Hylas, quelle cruauté de voir les filles emmenées captives d'entre les bras de leurs mères, leur tendre les bras en pleurant ! Mais, ô dieux ! quelle extrême et plus qu'extrême inhumanité, voir les femmes arrachées violemment des mains de leurs maris, sans que les prières, les supplications, les larmes, ni les offres de tous leurs biens les pût racheter !

Nicolas Poussin (1594-1665), *L'Enlèvement des Sabines*, Paris, musée du Louvre.
Cet épisode légendaire de la construction de la Rome antique fournit un thème fréquemment développé dans la littérature de l'époque.

Je ressentis ce malheur, c'est pourquoi j'en puis parler comme expérimentée, car de fortune[7], ce jour-là, je m'étais vêtue en femme[8], et me semblait bien que je n'étais point trop mal, encore que mes cheveux un peu courts m'empêchassent de me pouvoir si bien coiffer que j'eusse désiré, et le pauvre Arimant ne se pouvait lasser de me caresser, comme s'il prévoyait que ce serait la dernière fois. La ville incontinent[9] fut distribuée en quartiers, et chacun assigné à quelque troupe, laquelle, non point en foule, mais peu à peu, mettait hors des maisons qui lui étaient échues en partage tout ce qu'il y avait de bon, fût meuble, chevaux, ou personnes[10].

Arimant, sachant cette honteuse capitulation, criait par la ville qu'il valait mieux mourir que de faire un acte si lâche, que les murs étaient encore debout, que les ennemis n'avaient pas des ailes pour voler par-dessus, que nos flèches n'étaient point encore faillies[11], ni nos arcs rompus. Qu'il leur promettait, lui seul, de conserver la ville, jusqu'à ce que Rithimer[12] les vînt secourir, qu'il était déjà en chemin, et que cette lâcheté leur serait à jamais reprochée. Bref, voyant qu'il n'y avait plus de remède, et que personne ne s'émouvait à ses paroles, il met la main à l'épée, et crie en pleine rue que les principaux[13] avaient trahi, et vendu le peuple ; que quant à eux, ils n'auraient point de mal, et que tout tomberait sur les plus faibles, qu'il valait mieux les offrir à l'ennemi et sauver tout le reste.

L'Astrée, Partie III, Livre VII

Pour préparer l'étude du texte

1. Ce texte est distribué en trois paragraphes. Vous donnerez un titre à chacune de ces parties et montrerez l'enchaînement des faits.
2. Vous relèverez et analyserez les termes qui évoquent les horreurs de la guerre.
3. L'action se déroule au VIe siècle. Honoré d'Urfé a-t-il introduit des détails propres à cette époque ?

1. Honoré d'Urfé, pour créer la couleur locale, nomme ici d'anciennes peuplades des Alpes.
2. Par hasard.
3. Il se porta.
4. Aussitôt après.
5. Qu'ils ne rendirent meilleur.
6. Violées.
7. Par hasard.
8. Pour ne pas être reconnue, Chryséide avait l'habitude de se déguiser en homme.
9. Immédiatement.
10. Que ce fût meuble, chevaux, ou personnes.
11. Ne manquaient pas encore.
12. Gouverneur de la Gaule cisalpine, Rithimer était amoureux de Chryséide.
13. Les dirigeants de la ville.

LA PEINTURE AU XVIIE SIÈCLE

Charles Le Brun (1619-1690), *L'Adoration des bergers*, Paris, musée du Louvre. Mesure et harmonie de la peinture classique.

Littérature et peinture

Les arts ne sont pas cloisonnés. Ils ne vivent pas repliés sur eux-mêmes, mais s'influencent mutuellement. Entre la littérature et la peinture, il existe, en particulier, de nombreux points de convergence. Par exemple, l'une comme l'autre pratiquent la description de paysages et le portrait. Certes, elles ne le font pas de la même manière : là où le romancier suggère et laisse travailler l'imagination du lecteur, le peintre montre. Le romancier utilise des mots abstraits, le peintre se sert de couleurs qui sollicitent concrètement un des cinq sens de l'homme, la vue.

Mais l'un et l'autre sont également amenés à faire un choix esthétique, notamment à privilégier une conception idéaliste ou une conception réaliste : alors qu'Honoré d'Urfé, lorsqu'il décrit le tableau représentant, sur fond de paysage, le berger Damon et la magicienne Mandrague, s'inscrit dans la perspective idéaliste de la peinture mythologique de son époque (voir texte, p. 40), Charles Sorel, lorsqu'il campe le personnage de l'arracheur de dents (voir texte, p. 44), rejoint la tradition des peintres réalistes.

Les grands peintres français du XVIIe siècle

Une double évolution, un peu comparable à celle de la littérature, marque la peinture du XVIIe siècle. Une certaine stylisation de caractère classique tend à remplacer la recherche des détails qui relève du goût baroque, tandis que, parallèlement, le réalisme tend à céder la place à une vision du monde plus éthérée, plus sublimée.

Le désir de rendre compte du réel s'impose à une époque où n'existe pas la reproduction photographique. Le rôle du peintre est alors de fixer la réalité. C'est, tout au long du siècle, le souci des portraitistes, comme Philippe de Champaigne (1602-1674), qui peignit notamment Richelieu, ou celui de Hyacinthe Rigaud (1659-1743), qui fit les portraits de Louis XIV et de Bossuet. Ils doivent être fidèles à leurs modèles que leurs œuvres ont pour but d'immortaliser, tout en constituant, pour les contemporains, des moyens de se souvenir de proches absents, d'en conserver en quelque sorte, une trace : cette signification sentimentale apparaît nettement dans *La Princesse de Clèves* (1678), lorsque le duc de Nemours dérobe le portrait de celle qu'il aime (voir texte, p. 326).

Le réalisme a un autre domaine d'élection : la peinture de la société. Ce sont de véritables documents qu'ont laissés sur leur époque un certain nombre de peintres, soucieux d'accumuler les détails, de rendre compte, de façon baroque, de la richesse de la vie. Jacques Callot (1592-1635) a ainsi élaboré une série de gravures sur les *Malheurs de la guerre*. Le graveur Abraham Bosse (1602-1676) a livré un véritable panorama de la société française, qu'il a peinte avec minutie et finesse. Louis Le Nain (1593-1648), notamment dans *Le Repas des paysans*, s'est attaché à faire revivre la vie pauvre et laborieuse des campagnes.

Face à ce réalisme, un style plus solennel, plus épuré, moins attaché aux détails, au pittoresque, tend à s'affirmer. Il marque les paysages, les tableaux d'histoire aux sujets romains ou grecs, les compositions mythologiques, les scènes religieuses tirées de l'Ancien et du Nouveau Testament. Nicolas Poussin (1594-1665), avec *La Mort de Germanicus* ou *Le Massacre des Innocents*, Claude Lorrain (1600-1682), Charles Le Brun (1619-1690), qui assura la décoration de la galerie des Glaces au château de Versailles, sont parmi les principaux représentants de cet art classique, que l'Académie de peinture et de sculpture, fondée en 1655, contribue à imposer.

La peinture dans les autres pays européens

Dans les autres pays d'Europe, c'est plutôt le réalisme qui l'emporte. Tandis que Caravage (1560-1609) donne une nouvelle impulsion à la peinture italienne en jouant sur la violence des contrastes, l'Espagnol Vélasquez (1599-1660) s'efforce lui aussi de cerner la réalité. La peinture flamande est en plein rayonnement : Rubens (1577-1640) baigne d'une grande sensualité ses tableaux d'histoire et ses compositions religieuses. Rembrandt (1606-1669) utilise les effets de lumière, le clair-obscur, dans ses peintures qui excellent à restituer l'atmosphère de la vie des bourgeois de son pays.

Charles Sorel
1602-1674

Portrait de Sorel,
gravure,
Paris, B.N.

Un écrivain sans fortune

Charles Sorel offre l'exemple même de la difficulté de vivre pour un écrivain sans fortune. Il naît à Paris d'une famille bourgeoise. Après avoir reçu une solide instruction, il est très tôt attiré par la littérature : ne compose-t-il pas des vers dès l'âge de quatorze ans ?

Mais il n'est alors guère possible de vivre de sa plume. Charles Sorel, pour mener sa carrière d'écrivain, est conduit, comme beaucoup de ses confrères, à devenir le secrétaire de personnages fortunés, membres de la noblesse. Il y gagne ainsi ses moyens de subsistance, mais y laisse une partie de sa liberté. Il pense avoir trouvé la solution à ses soucis matériels, lorsqu'il obtient la charge d'historiographe de France : c'était un emploi envié qui consistait à relever et à consigner les hauts faits du souverain. Mais là encore, il faut savoir faire preuve d'une certaine servilité. Charles Sorel n'a pas suffisamment de souplesse d'esprit : il perd son poste en 1663 et terminera sa vie dans la pauvreté.

Un observateur ironique

Un de ses contemporains, Furetière (1619-1688), écrit de lui : « Il y en a qui ont cru que, comme on se met sur des balcons en saillie hors des fenêtres pour découvrir de plus loin, ainsi la nature lui avait mis des yeux en dehors, pour découvrir ce qui se faisait de mal chez ses voisins ». Ses yeux qui sortaient de leur orbite concrétisent bien cette acuité du regard qui le caractérisait. C'est un observateur ironique, qui refuse de se prendre au sérieux. Il a pratiqué les genres les plus divers, en se livrant souvent à de véritables exercices de style et révèle ainsi qu'il sait garder un certain détachement, un certain recul par rapport à son œuvre : il a écrit successivement une « histoire amoureuse » dans le style de *L'Astrée, Cléagénor et Doristée* (1621), riche d'aventures et de rebondissements, un roman réaliste, l'*Histoire comique de Francion* (1623), une parodie de la pastorale, *Le Berger extravagant* (1627).

Histoire amoureuse de Cléagénor et Doristée (1620).
Histoire comique de Francion (1623). → pp. 44-45.
Le Berger extravagant (1627).

Histoire comique de Francion

1623

L'*Histoire comique de Francion*, l'œuvre principale de Sorel, raconte la vie du jeune Francion plongé dans les milieux marginaux de la ville et de la campagne. Il observe ce qui se passe autour de lui, connaît de multiples aventures, vit de nombreuses expériences. Sorel reprend ainsi du roman espagnol (voir p. 313) la tradition du *picaro*, cet être en marge de la société.

Ce roman s'oppose radicalement à *L'Astrée* (voir p. 39). La pastorale d'Honoré d'Urfé évoquait tout un univers idéal, *Francion* donne une vision sordide des préoccupations quotidiennes. Elle exaltait la suprématie de l'esprit, il affirme la domination du corps. Elle croyait dans les actes désintéressés, il se résigne à la nécessité de la lutte pour l'existence. Elle espérait en l'harmonie de la nature, il montre un homme profondément aliéné par son environnement. Elle peignait des figures épurées de bergères et de bergers, il compose une véritable galerie de portraits réalistes, présente un défilé de figures grotesques et de personnages pittoresques.

Gerrit van Honthorst (1590-1656), *L'Arracheur de dents*, Paris, musée du Louvre.

Un « arracheur de dents »

« Menteur comme un arracheur de dents », dit le proverbe populaire. Au Livre X de *Francion*, paraît un de ces charlatans qui prodiguaient leur talent dans villes et campagnes. Voilà qui donne l'occasion à Sorel de camper un personnage de bonimenteur au bagout intarissable et de peindre ce Paris pittoresque du XVIIe siècle où le spectacle de la rue était permanent.

Un jour, me promenant sur le Pont Neuf, je vis arriver un homme à cheval vers les Augustins[1] qui avait une casaque[2] fourrée, un manteau de taffetas par-dessus, une épée pendue au côté droit, et un cordon de chapeau fait avec des dents enfilées ensemble. Sa mine était grotesque comme son habit, si bien que je me mis à le regarder. Il s'arrêta au bout du pont ; et, encore que personne ne fût autour de
5 lui, il se mit à parler ainsi, interrogeant son cheval à faute d'autre compagnie. Viens ça ! dis, mon

1. Quartier de la rive gauche de la Seine.
2. Un manteau.

cheval, pourquoi est-ce que nous venons en cette place ? Si tu savais parler, tu me répondrais que c'est pour faire service aux honnêtes gens. Mais, ce me dira quelqu'un, gentilhomme italien, à quoi est-ce que tu nous peux servir ? A vous arracher les dents, messieurs, sans vous faire aucune douleur, et à vous en remettre d'autres, avec lesquelles vous pourrez manger comme avec les naturelles. Et
10 avec quoi les ôtes-tu ? avec la pointe d'une épée ? Non, messieurs, cela est trop vieil : c'est avec ce que je tiens dans ma main. Et que tiens-tu dans ta main, seigneur italien ? La bride de mon cheval. Cet arracheur de dents n'eut pas sitôt commencé cette belle harangue, qu'un crocheteur[1], un laquais, une vendeuse de cerises, trois maquereaux[2], deux filous, une garce[3] et un vendeur d'almanachs s'arrêtèrent pour l'ouïr.

15 Pour moi faisant semblant de regarder de ces vieux bouquins de livres que les libraires mettent là ordinairement à l'étalage, j'écoutai aussi bien comme les autres. Ayant tant de vénérables auditeurs, il renforça son bien dire et continua ainsi : Qui est-ce qui arrache les dents aux princes et aux rois ? Est-ce Carmeline ? Est-ce l'Anglais à la fraise jaune ? Est-ce maître Arnaut[4], qui, pour faire croire qu'il arrache les dents aux potentats[5], a fait peindre autour de son portrait le pape et tout le consistoire des
20 cardinaux, avec chacun un emplâtre sur la tempe, montrant qu'ils ne sont pas exempts du mal des dents ? Non, ce n'est pas lui. Qui est-ce donc qui arrache les dents à ces grands princes ? C'est le gentilhomme italien que vous voyez, messieurs : moi, moi, ma personne ! Il disait ceci en se montrant et en se frappant la poitrine ; et il enfila après beaucoup d'autres sottises, s'interrogeant toujours soi-même et tâchant à parler italien écorché, encore qu'il fût un franc Normand. A l'ouïr dire, si l'on
25 l'eût cru, personne n'eût plus voulu avoir aucune dent en bouche. Aussi se présenta-t-il un gueux auquel il en ôta plus de six, car il les lui avait mises auparavant ; et, tenant un peu de peinture rouge dans sa bouche, il semblait qu'il crachait du sang. Messieurs, ce dit après le charlatan, je guéris les soldats par courtoisie, les pauvres pour l'honneur de Dieu, et les riches marchands pour de l'argent. Voyez que c'est d'avoir une dent gâtée, viciée et corrompue, et à quoi cela nuit : vous irez recomman-
30 der un procès chez un sénateur : penserez-vous parler à lui, il se détournera et dira : Ah ! la putréfaction ! tirez-vous de là, mon ami ; que vous sentez mauvais ! Ainsi il ne vous entendra point, et voilà votre cause perdue. Mais vous me direz : N'as-tu point quelque autre remède ? Oui-da[6] ! j'ai d'une pommade pour blanchir le teint ; elle est blanche comme neige, odoriférante comme baume et comme musc ; voilà les boîtes : la grande vaut huit sols, la petite cinq avec l'écrit. J'ai encore d'un
35 onguent[7] excellent pour les plaies ; si quelqu'un est blessé, je le guérirai. Je ne suis ni docteur, ni médecin, ni philosophe ; mais mon onguent fait autant que les philosophes, les docteurs et les médecins. L'expérience vaut mieux que la science, et la pratique vaut mieux que la théorie.

Histoire comique de Francion, Livre X.

Pour préparer l'étude du texte

1. Vous relèverez et analyserez les différents arguments utilisés par l'arracheur de dents. Sont-ils convaincants ?
2. Comment Sorel rend-il compte de l'ambiance pittoresque de Paris ?
3. Quel effet produit le choix des métiers énumérés des lignes 12 à 14 ?

Pour un groupement de textes

Le réalisme dans :
Francion de Charles Sorel,
Le Roman comique de Paul Scarron (voir texte, p. 91),
Les États et Empires du Soleil de Cyrano de Bergerac (voir texte, p. 96),
Le Roman bourgeois d'Antoine Furetière (voir texte, p. 312),
Les Illustres Françaises de Robert Challe (voir texte, p. 424).

1. Un portefaix.
2. Hommes vivant de la prostitution des femmes.
3. Prostituée.
4. Allusions à des dentistes célèbres.
5. Monarques, souverains.
6. Oui certes !
7. Pommade.

LE SOUFFLE BAROQUE

Une période à dominante baroque : 1598-1630

Le mot baroque, comme la plupart des termes qui servent à définir la création artistique, a un double champ d'application. Il est utilisé, de façon générale, pour rendre compte d'une forme d'esprit qui peut apparaître à n'importe quelle époque. Le baroque peut ainsi se manifester au XXe siècle, et l'on dira de tel auteur contemporain, de Céline, par exemple, qu'il s'en inspire.

Mais cette notion renvoie, plus précisément, à une période limitée dans le temps : bien qu'elle n'ait été utilisée que beaucoup plus tard par la critique littéraire, elle s'applique particulièrement à ces années 1598-1630, elle réunit une série de données qui caractérisent cette partie du XVIIe siècle. Cependant, une réalité n'existe jamais à l'état pur : une autre tendance, encore très minoritaire, commence à poindre, déjà visible, par exemple, chez le poète François de Malherbe. Elle donnera, par la suite, naissance au classicisme (voir p. 369). Mais, incontestablement, c'est le baroque qui, alors, domine. Attaché à une conception d'un monde en transformation permanente, avide de liberté, conscient de la force des apparences, ouvert à la complexité de la vie, il concerne l'ensemble du domaine artistique de cette époque.

Une conception d'un monde en transformation permanente

Le triomphe du mouvement — L'homme du début du XVIIe siècle connaît une situation perturbée, bouleversée par des transformations incessantes. C'est cette agitation permanente qui explique une des idées forces de la pensée baroque : le monde est en train de se construire. Rien n'est définitif. Rien n'est figé. Tout se modifie sans cesse. Tout change. Tout bouge. Le mouvement est roi : il triomphe dans les réalisations de l'architecte italien Bernin (1598-1680) (voir p. 402) ; il marque la musique de Monteverdi (1567-1643) (voir p. 248) aux multiples arabesques ; il est présent dans le déchaînement des récits de combats de *L'Astrée* d'Honoré d'Urfé (voir p. 41).

Le goût pour le provisoire — Cette conception détermine les goûts de l'homme baroque. Il est attiré par l'eau, image même de l'écoulement, de l'insaisissable, ou par le feu aux formes étranges et éphémères. Il aime se déguiser, se travestir : la tragi-comédie de l'époque (voir p. 35) utilise fréquemment ce jeu du déguisement qui, par convention, assure le complet incognito à celui qui s'y livre, le transforme fondamentalement. C'est l'apparence qui compte, c'est « l'habit qui fait le moine ».

De même, l'homme baroque est très sensible à la nature, parce que, pour lui, les modifications qu'elle subit, au fil des saisons, sont des signes concrets, palpables, de ces transformations incessantes : poète, il exalte volontiers, comme Théophile de Viau, les charmes de la campagne. Il est séduit par l'aventure qui, en cette période troublée, marque sa vie : il lit avec délectation *L'Astrée* d'Honoré d'Urfé, roman tout vibrant de passion, de bruit, de fureur et de péripéties.

Le sens de la complexité — Ces changements incessants conduisent l'homme baroque à développer un sens aigu de la complexité. Une réalité n'est jamais simple. Pour la définir de façon satisfaisante, il faut tenir compte de tout ce qui la constitue. Afin d'exprimer cette complexité, les écrivains baroques utilisent souvent les images dont la fonction est d'établir des liens entre des données apparemment différentes. Ils ont, en particulier, une prédilection pour la métaphore qui supprime le second terme de la comparaison ; Malherbe, évoquant la fille de M. du Périer, écrit, par exemple : « Et rose elle a vécu ce que vivent les roses » (voir p. 20). En prêtant la vie à l'inanimé, la personnification contribue, elle aussi, à réunir des domaines habituellement séparés ; dans *L'Astrée*, Honoré d'Urfé prête ainsi au soleil des sentiments humains : « Et toutefois la curiosité du soleil est si grande, qu'encore entre les diverses feuilles, il trouve passage à quelques-uns de ses rayons » (voir p. 40).

Une réalité peut être contradictoire. L'antithèse, qui consiste à rapprocher des termes ou des notions de significations contraires, est particulièrement apte à rendre compte de ces contradictions ; dans *Pyrame et Thisbé* de Théophile de Viau, Thisbé s'écrie en se poignardant : « Je ne pouvais mourir d'un coup plus gracieux » (voir p. 33). Dans un autre registre, Charles Sorel et, plus tard, les écrivains burlesques (voir p. 84), s'efforcent de montrer les contradictions qui divisent l'être humain.

Une telle approche permet de saisir la diversité des choses. Elle évite également l'intolérance. Personne n'est détenteur d'une vérité absolue. Chacun possède sa vérité qui ne condamne pas pour autant la vérité des autres. N'est-ce pas à cette conclusion qu'a abouti l'édit de Nantes, en permettant qu'en France coexistent deux religions ?

Une aspiration à la liberté

Une certaine maîtrise des événements — Rien n'est plus aliénant que les règles. Or, dans ce monde ouvert, en évolution, Dieu ne montre pas à l'homme de voies toutes tracées, il n'existe pas de lois intangibles. L'être humain dispose, dans ces conditions, d'une liberté d'action. Il peut lutter, avec chance de succès, contre les forces extérieures qu'il doit affronter. Les dures conditions de sa vie lui ont montré que certes il pouvait être vaincu, mais qu'il pouvait aussi triompher. La complexité de la situation politique, le renversement des alliances, l'atmosphère de conspiration l'ont également convaincu que son avenir lui appartenait, qu'il dépendait de ses choix et que l'irréversible n'existait pas. Le hasard même qui marque le monde lui est favorable, parce qu'il lui offre, sans cesse, des chances nouvelles : la confusion des événements souffle tantôt le froid, tantôt le chaud, fait succéder le bien au mal, il suffit d'attendre. Quant à la mort, elle n'est qu'une transition dans cette incessante transformation que connaît la matière.

Aussi les héros des romans de l'époque ne sont pas dépendants d'une fatalité qui les dépasse, mais, au contraire, apparaissent maîtres de leur choix. Il en est de même pour les personnages de la première partie de la carrière théâtrale de Corneille (voir p. 142) : dans *Le Cid* (1637), par exemple, Rodrigue peut choisir, en connaissance de cause, entre l'honneur de sa famille et son amour pour Chimène.

Une ouverture sur l'extérieur — L'homme baroque refuse de se laisser dominer par les événements. Il ne veut pas non plus être la propre cause de son aliénation. Il n'est donc pas de ceux qui s'enferment à l'intérieur d'eux-mêmes. Au contraire, il aspire à s'emparer de toutes les expériences qui s'offrent à lui. Il est avant tout homme d'action. Ouvert sur l'extérieur, il exerce sa curiosité sur tout ce qui l'entoure, sans cesse avide de nouveautés. Les héros des romans de l'époque lui ressemblent ; ils sont confrontés à une multiplicité d'événements, en déplacement permanent, fréquentent les lieux et les êtres les plus divers.

L'inconstance amoureuse — La conception de l'amour des baroques est particulièrement significative de ce comportement. Le sentiment amoureux n'est jamais suffisamment puissant pour enfermer le héros baroque dans une passion indestructible et exclusive. La fidélité n'est pas son fort. L'inconstance lui sied mieux. Le héros baroque peut être désespéré. Il meurt rarement d'amour.

La force des apparences

Cette interprétation du monde conduit l'homme baroque à rejeter l'absolu. Il ne croit pas en l'existence de vérités définitives. Il pense, au contraire, que tout est apparence. Ce qui compte pour lui, ce n'est pas ce qui est, mais ce qui paraît être. Dans le domaine artistique, ce rejet de l'absolu explique le développement du décoratif. En architecture, les grandes lignes de la construction sont dissimulées sous les éléments de décor, les apparences recouvrent la « vérité » de l'édifice, les structures essentielles qui lui permettent de tenir debout. Les décorateurs baroques sont passés maîtres dans l'art du trompe-l'œil. A l'intérieur des édifices, ils excellent à peindre des fenêtres, des colonnes qui ont toute l'apparence de la réalité, à donner l'illusion du volume ou de la profondeur.

Les auteurs dramatiques jouent avec la fiction et la réalité, en intégrant, grâce au procédé du théâtre dans le théâtre, une seconde pièce à l'intérieur de leur pièce principale (voir *L'Illusion comique* de Corneille, p. 153). Cette floraison décorative est en liaison avec la volonté des créateurs de laisser s'exprimer leur fantaisie, de ne pas soumettre leur art à des règles, de revendiquer la pleine liberté d'expression.

Un art de la vie

Ainsi plongé dans un monde complexe et divers, l'homme baroque entend profiter de cette richesse de la vie. Il est attiré par le pittoresque, par l'anecdotique, par ces mille détails qui font la saveur des choses, par tout ce qui bouge, par tout ce qui vit. Il recherche les effets de surprise. Lorsqu'il écrit, il excelle à les créer dans la pointe qui achève les poèmes de façon brillante et inattendue ; Malherbe, après avoir stigmatisé les meurtriers de son fils et évoqué le Christ, termine son sonnet sur ce vers saisissant : « Sont fils de ces bourreaux qui t'ont crucifié » (voir texte, p. 22).

L'homme baroque aime le concret. Il est ouvert aux sensations. Il est fasciné par l'ornement, voire la surcharge qui s'exprime en particulier dans l'hyperbole, forme d'exagération ; Mathurin Régnier, décrivant le comportement d'un convive, note :

> « Mon docteur de menestre, en sa mine altérée,
> Avait deux fois autant de mains que Briarée » (voir texte, p. 18).

L'homme baroque est obsédé par le mouvement, préfère la ligne courbe à la ligne droite, les sentiers sinueux aux chemins rectilignes, la périphrase qui développe au mot qui précise ; dans la *Consolation à M. du Périer*, Malherbe, au lieu de parler de la mort de la fille de son ami, évoque : « Le malheur de ta fille au tombeau descendue » (voir texte p. 20). L'homme baroque, comme Malherbe ou Théophile de Viau, a le culte du lyrisme et du pathétique qui le satisfont, parce qu'ils lui permettent d'exprimer avec force ses sensations, son individualité. Il n'en dédaigne pas, pour autant, le réalisme dont il se sert, comme Régnier ou Sorel, pour cerner la complexité des réalités humaines, parfois pour décrire les ravages de la mort. Il est attiré par le fantastique, par tout cet inconnu auquel sa curiosité aspire.

Bref, le baroque, c'est la vie,
c'est l'art de la vie,
parfois outrancier et théâtral,
mais séduisant par sa
capacité à adhérer
pleinement au monde.

Gian Lorenzo Bernini dit le Bernin (1598-1680), *Apollon et Daphné*, Rome, galerie Borghèse.
Le triomphe du mouvement et la recherche de l'expression.

UN EXEMPLE DE L'HUMANISME CHRÉTIEN
FRANÇOIS DE SALES

LES MULTIPLES VISAGES DE LA LITTÉRATURE D'IDÉES

En ces temps troublés, traversés de contradictions, marqués par la diversité de pensée, la littérature d'idées revêt de multiples visages. Lorsqu'elle participe aux affrontements religieux, elle prend souvent le ton violent de la polémique et donne alors dans l'outrance baroque. Mais lorsqu'elle expose une philosophie, propose un art de vie, est l'expression d'une sagesse, elle sait aussi être raisonnable, modérée.

La religion occupe une place essentielle dans cette littérature d'idées. C'est par rapport aux problèmes de la foi que se définissent les trois grands courants qui la traversent. Le militantisme religieux témoigne du conflit qui continue à opposer les catholiques et les protestants. L'humanisme chrétien montre une recherche de l'universalité qui s'inscrit dans un souci d'apaisement, de réconciliation. Le libertinage revendique le droit à la libre pensée, fournit une interprétation du monde qui échappe aux schémas religieux traditionnels.

Simon Vouet (1590-1649), *Vierge à l'Enfant,* détail Marseille, musée du Palais de Longchamp.

La littérature militante

Les divergences qui existent entre catholiques et protestants (voir p. 52) ne se règlent pas seulement par les armes, elles s'expriment aussi par les mots. Elles donnent lieu à une littérature militante marquée par la passion. Du côté protestant, elles produisent ce chef-d'œuvre d'Agrippa d'Aubigné, *Les Tragiques* (voir *Itinéraires littéraires, XVIe siècle*) : publié seulement en 1616, mais commencé dès 1577, ce long poème, animé d'un souffle baroque, évoque, en une langue luxuriante, le combat sans merci entre protestants et catholiques, manifestation de la lutte entre le bien et le mal qui se déroule sous le regard d'un Dieu inexorablement juste.

Du côté catholique, Pierre Charron (1541-1603) fait éditer, en 1593, un ouvrage moins lyrique et plus modéré, les *Trois vérités*, essentiellement dirigé contre la doctrine protestante. Il essaie de démontrer comment la vie de l'homme doit s'organiser autour de trois données fondamentales : Dieu, le christianisme et, à l'intérieur du christianisme, le catholicisme qui est posé comme supérieur au protestantisme.

L'humanisme chrétien

Avec les *Trois vérités*, Pierre Charron s'inscrivait déjà dans un humanisme chrétien, essayait de proposer à l'homme des guides sûrs susceptibles de régir sa vie. Dans *Sagesse* (1601), il tente d'établir les règles de la sagesse chrétienne. Après avoir dressé un tableau pessimiste de l'imperfection de l'homme, il détermine trois sortes de sagesse. Il passe très rapidement sur la sagesse théologique que donne la révélation de Dieu, montre les limites de la sagesse mondaine qui s'apparente à la recherche du plaisir. Il insiste, par contre, longuement, sur la sagesse humaine faite d'honnêteté et de prudence.

C'est dans la même perspective que se multiplient les traités moraux dont le but est d'analyser les passions, pour en montrer les dangers et en tirer des enseignements : en 1614, Jean-Pierre Camus (1583-1652) publie un *Traité des passions de l'âme* ; en 1620, Nicolas Coeffeteau (1574-1623) fait éditer un *Tableau des passions humaines*.

Mais c'est surtout François de Sales (1567-1622) qui apparaît comme le modèle de cet humanisme chrétien. Rejetant l'impassibilité stoïcienne, il fait de l'amour la valeur suprême. Sa confiance en l'homme est infinie et, dans une vision optimiste, il est convaincu qu'il est facile d'avoir accès à Dieu. Il est l'exemple même d'un engagement tolérant, de cette conviction que le véritable militantisme religieux doit exclure la violence et le fanatisme.

La voie de l'athéisme : les libertins

Parallèlement à cette réflexion religieuse, la libre pensée libertine, qui traversera tout le XVIIe siècle (voir p. 102), occupe une place non négligeable. S'inspirant du philosophe grec Epicure, elle développe une conception matérialiste du monde, qu'exprime notamment Gassendi (1592-1655) dans son *De vita et moribus Epicuri* (publié en 1647). Sensibles à la complexité et à la diversité, les libertins combattent souvent le fanatisme, comme Gabriel Naudé (1600-1653) dans l'*Apologie pour les grands personnages soupçonnés de magie* (1625) : le mot tolérance est décidément le maître mot des penseurs « raisonnables » de cette époque.

François de Sales
1567-1622

Anonyme, *Saint François de Sales en gloire,* retable (1677) de la chapelle de Sales.

Un catholique militant

Toute sa vie, François de Sales mène un combat pour la défense du catholicisme. C'est, à cette époque, un rude combat face à la diversité des croyances qu'il est conduit à côtoyer. Il est né en Savoie, devient évêque de Genève, tout en résidant à Annecy et vit ainsi dans une région partagée entre le catholicisme et le protestantisme. De 1586 à 1591, il étudie le droit à Padoue, dans une université italienne où s'affirme la pensée athée.

Dans son action quotidienne comme dans son œuvre, il essaie de convaincre, de persuader. Ses armes, ce sont la douceur et la patience : lorsque on le charge d'amener au catholicisme les protestants du Chablais, dans la Haute-Savoie, il se livre à un véritable travail de porte-à-porte, s'adresse individuellement à ceux qu'il veut convertir. Mais sa grande œuvre, c'est, en 1610, la fondation, à Annecy, avec Mme de Chantal, de l'ordre de la Visitation : dans cet établissement consacré au culte de la Vierge, François de Sales, de façon significative, établit, pour les religieuses, des règles de vie beaucoup plus douces que dans les autres couvents. C'est pour ce dévouement tranquille au catholicisme qu'il sera canonisé en 1665, moins de cinquante ans après sa mort qui l'emportera, en pleine activité, en 1622.

Un bon sens paysan

François de Sales aime la nature. C'est un homme de la campagne, un homme des montagnes. C'est un terrien qui a le sens des réalités, le goût du concret. Il sait la complexité des choses, la difficulté de parvenir aux résultats souhaités, la rudesse de la vie. Tout cela se voit dans son œuvre. Il émaille constamment ses raisonnements d'exemples. Il évite les jugements sans nuances, les condamnations abruptes.

Un talent de vulgarisateur

A cette époque, les théologiens avaient l'habitude d'écrire en un langage réservé à des initiés, pour aborder les problèmes religieux. François de Sales, au contraire, a la volonté de se faire comprendre du plus grand nombre, d'adopter un vocabulaire proche du quotidien. C'est un vulgarisateur né qui aimait prononcer des sermons familiers, notamment lors de ses séjours à Paris. Il essaya d'utiliser cette arme de la simplicité dans ses deux œuvres majeures, l'*Introduction à la vie dévote* (1608) et le *Traité de l'amour de Dieu* (1616).

Introduction à la vie dévote (1608). → p. 51.
Traité de l'amour de Dieu (1616).

Introduction à la vie dévote

1608

Dans son *Introduction à la vie dévote*, François de Sales reprend le contenu des conseils qu'il avait eu l'occasion d'adresser à Madame de Charmoisy dont il était le guide spirituel. En humaniste chrétien, il essaie d'exprimer les principes d'action nécessaires pour se conformer à la piété, dans la vie de tous les jours. Il s'interroge notamment sur les vertus. Sont-elles désintéressées ? Répondent-elles, au contraire, à des raisons peu avouables ? Il note qu'elles sont souvent des apparences destinées à satisfaire l'amour-propre. Plus tard, La Rochefoucauld fera une analyse identique (voir p. 263).

Cette *Introduction à la vie dévote* sera le livre de chevet des croyants. De 1608 à 1620, elle connaîtra une quarantaine d'éditions. De sa parution jusqu'en 1660, elle sera traduite dans une vingtaine de langues.

Qu'il se faut purger de l'affection aux choses inutiles et dangereuses[1]

Il n'est pas condamnable de se divertir. Mais il faut le faire modérément, ne pas y prendre trop de goût. Sinon, c'est la dévotion qui en souffre.

Les jeux, les bals, les festins, les pompes[2], les comédies, en leur substance[3] ne sont nullement choses mauvaises, mais indifférentes, pouvant être bien et mal exercées ; toujours néanmoins ces choses-là sont dangereuses, et de s'y affectionner[4], cela est encore plus dangereux. Je dis donc, Philothée, qu'encore qu'il soit loisible de jouer, danser, se parer, ouïr des honnêtes comédies, banqueter, si est-ce que d'avoir de l'affection à cela, c'est chose contraire à la dévotion et extrêmement nuisible et périlleuse. Ce n'est pas mal de le faire, mais oui bien de s'y affectionner. C'est dommage de semer en la terre de notre cœur des affections si vaines et sottes : cela occupe le lieu des bonnes impressions, et empêche que le suc de notre âme ne soit employé en bonnes inclinations.

Ainsi les anciens Nazaréens[5] s'abstenaient non seulement de tout ce qui pouvait enivrer, mais aussi des raisins et du verjus[6] ; non point que le raisin et le verjus enivrent, mais parce qu'il y avait danger en mangeant du verjus d'exciter le désir de manger des raisins, et, en mangeant des raisins, de provoquer l'appétit à boire du moût[7] et du vin. Or, je ne dis pas que nous ne puissions user de ces choses dangereuses ; mais je dis bien pourtant que nous ne pouvons jamais y mettre de l'affection sans intéresser la dévotion[8]. Les cerfs ayant pris trop de venaison[9] s'écartent et retirent dedans leurs buissons, connaissant que leur graisse les charge en sorte qu'ils ne sont pas habiles à courir, si d'aventure ils étaient attaqués : le cœur de l'homme se chargeant de ces affections inutiles, superflues et dangereuses, ne peut sans doute promptement, aisément et facilement courir après Dieu, qui est le vrai point de la dévotion. Les petits enfants s'affectionnent et s'échauffent après les papillons ; nul ne le trouve mauvais, parce qu'ils sont enfants. Mais n'est-ce pas une chose ridicule et même plutôt lamentable, de voir des hommes faits s'empresser et s'affectionner après des bagatelles[10] si indignes, comme sont les choses que j'ai nommées, lesquelles, outre leur inutilité, nous mettent en péril de nous dérégler et désordonner à leur poursuite ? C'est pourquoi, ma chère Philothée, je vous dis qu'il se faut purger de ces affections ; et, bien que les actes ne soient pas toujours contraires à la dévotion, les affections néanmoins lui sont toujours dommageables.

Introduction à la vie dévote, Partie I, ch. XXIII.

Pour préparer l'étude du texte

1. Bien que François de Sales considère que les plaisirs peuvent être dangereux, il porte sur eux des jugements nuancés. Vous le montrerez.
2. Vous étudierez les comparaisons établies entre la vie du corps et la vie de l'esprit.
3. François de Sales utilise de nombreux exemples tirés de la campagne. Vous les relèverez et les analyserez.

1. Il faut se débarrasser de l'attachement pour les choses inutiles et dangereuses.
2. Les plaisirs frivoles.
3. En eux-mêmes.
4. S'y attacher.
5. Habitants de Nazareth. Cette appellation désigne les chrétiens en général.
6. Suc acide extrait du raisin.
7. Vin doux non fermenté.
8. Nous ne pouvons jamais nous y attacher sans que la dévotion soit concernée.
9. Ayant pris trop de chair, ayant engraissé.
10. Choses futiles, sans importance.

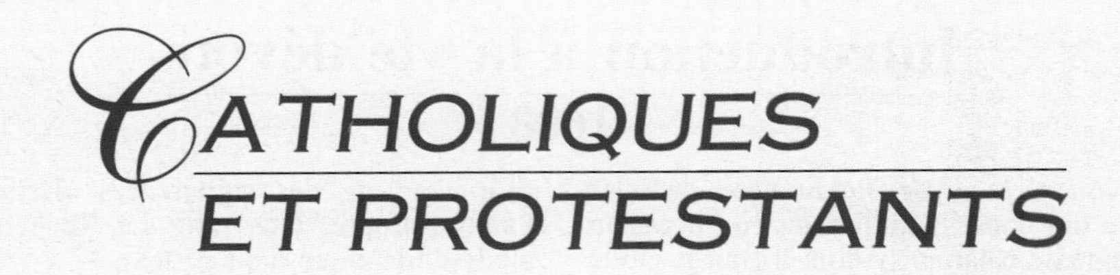

Catholiques et protestants

Une religion contestataire : le protestantisme

Au XVIIe siècle, le protestantisme est encore une religion récente. Il est l'aboutissement d'un mouvement de contestation qui a débuté au XVe siècle : l'Église catholique connaît alors une crise, elle est usée par des siècles de routine. Certains pensent donc qu'il est indispensable de la rénover, de procéder à une réforme, de lui rendre sa pureté première. Mais les responsables de l'Église refusent de s'adapter, de se remettre en cause, de tenir compte des critiques. Aussi cette revendication réformiste des contestataires aboutit à un véritable schisme, à une rupture avec la hiérarchie et, en particulier, avec la papauté : l'Allemand Luther (1483-1546) accomplit ce pas décisif en 1520, bientôt suivi du Français Calvin (1509-1564).

La nouvelle doctrine s'impose peu à peu dans le centre et le nord de l'Europe. En France, sa diffusion est plus limitée, elle n'est adoptée que par un million d'habitants sur les vingt millions que compte alors le pays et elle est surtout implantée au sud de la Loire.

Les catholiques, qui restent de loin les plus nombreux, essaient de s'opposer à la montée de cette nouvelle religion concurrente. Mais les protestants réagissent, ce qui entraîne la terrible guerre civile des années 1562-1598. L'édit de Nantes, signé par Henri IV, en 1598, y mettra un terme, en accordant des droits égaux aux protestants et aux catholiques.

Ce qui sépare les protestants des catholiques

Catholiques et protestants se réclament du christianisme. Mais ils vivent alors leur religion bien différemment. Les protestants cherchent leur voie personnelle en lisant et interprétant la Bible. Ce qu'ils demandent donc aux ministres du culte, ce n'est pas de leur imposer leur autorité, mais de jouer le rôle de conseillers. Ils élisent leurs pasteurs, qui sont des fidèles comme les autres, qui ne font pas partie d'une hiérarchie, mais vivent la vie de tous les jours aux côtés des membres de leur communauté, et peuvent, en particulier, se marier. Ils ne pratiquent pas la confession, chacun devant s'adresser directement à Dieu.

Les catholiques sont beaucoup plus dépendants d'une doctrine. Élaborée à partir d'une interprétation des textes sacrés, elle est placée sous le contrôle des ecclésiastiques : ces hommes d'Église ont une place à part, font partie d'une organisation pyramidale, centralisée, au sommet de laquelle se trouve le pape ; détenteurs de pouvoirs particuliers, ils ne peuvent pas se marier et servent, notamment par le biais de la confession, d'intermédiaires entre Dieu et les fidèles.

Les protestants, surtout ceux proches de Calvin, accordent une grande importance à la prédestination : ils

Nicolas Poussin (1594-1665), *Le Massacre des Innocents,* Chantilly, musée Condé. Un épisode sanglant de l'histoire du christianisme : le roi des Juifs Hérode, pour être sûr de tuer Jésus, ordonne le massacre de tous les petits enfants de Bethléem.

pensent que Dieu a fixé, avant même leur naissance, le sort de chacune de ses créatures, les a vouées au bien ou au mal, à la vie éternelle ou à la damnation. Les catholiques croient, au contraire, que c'est à chacun de mériter son salut par ses actes. Les protestants ne vouent un culte qu'à Dieu, et refusent donc la dévotion que les catholiques rendent à la Vierge et aux Saints. De même, des sept sacrements reconnus par les catholiques, ils n'en gardent que deux, ceux institués par le Christ, le baptême et la communion.

Une opposition lourde de conséquences

L'entente entre deux idéologies différentes est toujours difficile, surtout lorsqu'elles se réclament de la même origine religieuse, lorsque, des deux côtés, l'on est persuadé de détenir la vérité. A cela, s'ajoutent les considérations politiques et les intérêts personnels. Comme toujours en pareil cas, l'on assiste alors, à la fois, au déchaînement du fanatisme et à l'épanouissement des compromissions.

Le fanatisme ? Il se manifeste dans la continuation larvée des guerres de religion, avec, en particulier, les épisodes sanglants des sièges de Montauban (1621) et de La Rochelle (1627-1628), villes détenues par les protestants. Les compromissions ? C'est bien sûr la conversion d'Henri IV au catholicisme, qui abjure le protestantisme pour devenir roi ; c'est sa déclaration cynique : « Paris vaut bien une messe ». Et que dire de ces fréquents revirements, comme celui de Théophile de Viau qui, d'abord protestant, combat contre les armées royales, puis, devenu catholique, s'oppose aux armées protestantes ?

Claude Deruet (1588-1662), *La Terre* (détail), Orléans, musée des Beaux-Arts. Cybèle, la déesse de la terre figurée sous les traits d'Anne d'Autriche la mère de Louis XIV, devant le château de Saint-Germain-en-Laye. Une allégorie et un foisonnement baroque, devant un château à l'ordonnancement classique.

Du baroque au classicisme (1630-1661)

UN LENT RETOUR À L'ORDRE : UNE LITTÉRATURE CONTRASTÉE

Heurts et soubresauts

1630 : le rôle du ministre Richelieu dans l'État devient prépondérant. Il représente un facteur de stabilité dans une France encore convalescente, qui se remet difficilement de la longue maladie des guerres de religion. Durant les quelque trente années qui suivent, de 1630 à 1661, le pays n'est pas guéri de ses divisions. Si l'opposition religieuse paraît moins âpre, il s'y ajoute le jeu des ambitions individuelles. Le temps du calme et de la sérénité n'est pas revenu, loin s'en faut. Qui vit durant la seconde partie du règne de Louis XIII et sous la régence d'Anne d'Autriche doit s'habituer aux heurts et aux soubresauts, aux épisodes sanglants qui continuent à se succéder.

Philippe de Champaigne (1602-1674), *Louis XIII couronné par la Victoire*, Paris, musée du Louvre.

Philippe de Champaigne (1602-1674), *Le Cardinal de Richelieu*, Paris, musée du Louvre.

La fin du règne de Louis XIII (1630-1643)

La poursuite des conspirations — La noblesse contestataire n'a pas encore abandonné la lutte, n'a pas renoncé à reconquérir ses pouvoirs. Les conspirations se poursuivent et entraînent le cycle infernal de la répression. En 1632, le duc de Montmorency, celui qui avait sauvé Théophile de Viau (voir p. 29) d'une mort atroce, participe à la révolte armée que Gaston d'Orléans, le propre frère du roi, a déclenchée contre l'autorité de Richelieu qu'il juge abusive. Il est bientôt arrêté et décapité, tandis que Gaston d'Orléans doit prendre le chemin de l'exil. En 1642, c'est au tour de Cinq-Mars et de Thou d'être exécutés : eux aussi avaient comploté contre le puissant ministre. Ce n'est décidément pas pour le pouvoir l'heure du pardon et de la mansuétude.

La puissance française — Louis XIII et Richelieu ne limitent pas leurs efforts à renforcer l'autorité royale. Ils continuent l'œuvre de reconstruction de l'économie. Ils assurent, par ailleurs, la présence de la France à l'extérieur : en 1635, ils décident de s'engager dans ce qui sera appelé plus tard la guerre de Trente Ans, pour combattre la puissance rivale de l'Autriche qui, en 1648, reconnaîtra sa défaite par la signature des traités de Westphalie. La mise en valeur du Canada, où, en 1608, Champlain avait fondé la ville de Québec, s'intensifie, menée par la Compagnie de la Nouvelle-France que créa Richelieu en 1627. La France affirme ainsi sa volonté d'intervenir sur le continent américain.

La régence d'Anne d'Autriche (1643-1661)

Les dangers de l'interrègne — A la mort de Louis XIII, se reproduit la même situation qu'à la mort d'Henri IV. Son fils, Louis XIV, qui doit lui succéder, n'a que cinq ans. Sa mère, Anne d'Autriche, va donc assurer le pouvoir. La situation est d'autant plus délicate que Richelieu, l'homme fort du régime, est mort, l'année précédente, en 1642. Anne d'Autriche fait appel à un autre cardinal, Mazarin. Mais il n'a ni la fermeté ni le réalisme politique de son prédécesseur. Et la France va bientôt être secouée par une crise majeure.

Les événements de la Fronde (1648-1652) — A ces événements, les contemporains ont donné, par dérision, le nom de Fronde. En utilisant ce terme qui désigne le jouet dont se servent les enfants pour lancer des pierres, ils ont voulu souligner le peu de sérieux du mouvement. Pourtant, il s'agit d'une véritable guerre civile, pleine de péripéties, parfois sanglante. Elle joue un rôle important, parce qu'elle est la dernière tentative sérieuse d'opposition à la construction de la monarchie absolue.

C'est une double révolte qui, en fait, éclata. Les bourgeois furent les premiers à se soulever : ils protestaient ainsi contre les tentatives des autorités de réduire les pouvoirs des parlements qui avaient notamment pour fonction d'entériner les décisions royales. Ce soulèvement fut marqué par l'édification de barricades à Paris et par la fuite du roi et de la cour à Saint-Germain. Il s'acheva, en 1649, par la signature de la paix de Rueil. Ce sont ensuite les nobles qui, pour enrayer leur décadence et freiner la montée en puissance de la monarchie, prirent les armes. Ce fut alors, de 1649 à 1652, une véritable guerre entre les troupes royales et les armées rebelles commandées par Condé et soutenues par l'Espagne. La victoire resta au pouvoir.

Ces événements auxquels participèrent de nombreux écrivains, notamment La Rochefoucauld et le cardinal de Retz, marquèrent profondément les esprits et laissèrent des traces durables dans les mentalités : en 1664, dans sa comédie *Tartuffe*, Molière fait encore une allusion précise à cette période troublée. C'est un tournant décisif que vit la France. Après la Fronde, il n'est plus possible d'envisager la situation politique de la même manière. Les deux contre-pouvoirs, celui des parlements bourgeois et celui des nobles, ont connu une défaite irréversible. La voie vers la monarchie absolue et le centralisme est ouverte.

La consolidation économique et territoriale — Sous la régence d'Anne d'Autriche, la consolidation économique se poursuit. Les fabriques se multiplient, le commerce se développe. La bourgeoisie joue un rôle de plus en plus important dans l'élaboration d'une France prospère. Mais les inégalités demeurent considérables. Sur ce point, la situation n'évolue guère tout au long du XVIIe siècle. Naître bourgeois ou noble assure l'aisance et l'accès à la culture. Naître, au contraire, dans le peuple des villes ou, à plus forte raison, des campagnes, c'est avoir devant soi un avenir de dur labeur, de pauvreté, d'analphabétisme.

En politique extérieure, la puissance de la France s'affirme. Après avoir imposé à l'Autriche les traités de Westphalie (1648), le pouvoir royal vient à bout de l'Espagne, qui doit signer le traité des Pyrénées (1659).

Enfin, peu à peu, le territoire de la France se rapproche du territoire actuel, avec le rattachement de l'Alsace (1648), de l'Artois et du Roussillon (1659).

Louis Le Nain (1593-1648), *Repas de paysans*, Paris, musée du Louvre.

Les contrastes du baroque et du classicisme

Ces années qui vont de 1630 à 1661 constituent comme une période de transition. Un tel qualificatif n'est en rien péjoratif : la transition, c'est le moment où se croisent les chemins, où une tendance cède progressivement la place à une autre, où tout se mêle, où la richesse naît de l'addition des contraires. La monarchie et le centralisme s'installent, mais laissent encore les différences s'exprimer. Le baroque recule, mais il demeure bien présent, même s'il est peu à peu supplanté par un classicisme en gestation.

Le maintien des tendances baroques — Si un vent nouveau commence à souffler, il mettra du temps à éliminer les influences antérieures. C'est ce qui fait le charme de cette période marquée par la diversité. Le baroque continue à jouer son rôle. Il est présent dans le courant précieux, illustré par les poètes Saint-Amant, François Tristan L'Hermite et Vincent Voiture ainsi que par la romancière Madeleine de Scudéry. Il marque le burlesque pratiqué par Saint-Amant, Paul Scarron et Savinien de Cyrano de Bergerac. Il imprègne la pensée libertine, sensible au relatif et au hasard, avide de saisir la complexité du monde (voir p. 102).

La recherche de la vérité — Les deux grands penseurs du XVIIe siècle, Descartes et Pascal, représentent l'un et l'autre cette aspiration à la vérité qui annonce une époque classique éprise de certitude. La vérité est conçue comme un absolu. Dans chaque domaine de la connaissance et de la vie, il ne peut exister qu'une seule vérité, cautionnée par Dieu, située hors de l'homme qui, pour se réaliser pleinement, doit s'efforcer de l'atteindre. Cette vérité permet à l'être humain d'échapper au relatif, de se dépasser : une telle conception se retrouve chez les héros du théâtre de Corneille, tout dévoués aux valeurs auxquelles ils croient sans réserve.

La codification de la création : la naissance des académies — Le début de la création des académies montre bien, dans le domaine esthétique, cette volonté de se donner le repère d'une vérité. Le but de ces académies est en effet de déterminer ce que doit être la création artistique, d'en fixer les règles et d'amener les artistes à les respecter. En 1635, Richelieu fonde l'Académie française qui doit, à la fois, veiller à la correction de la langue et porter jugement sur les œuvres littéraires : dans le cadre de la querelle qui oppose les partisans d'un théâtre irrégulier à ceux du théâtre régulier (voir p. 138), Corneille verra ainsi, en 1637, les foudres de cette institution s'abattre sur *Le Cid* (voir p. 142), que la vénérable assemblée ne trouvait pas conforme aux « règles ». Faire partie de l'Académie française est bientôt une consécration pour les écrivains. En 1655, l'Académie de peinture et de sculpture est créée selon les mêmes principes. Bien d'autres suivront. Voilà qui permet au pouvoir politique d'exercer son contrôle sur la culture.

La préciosité et ses chatoiements

Saint-Amant, Tristan L'Hermite, Voiture, Madeleine de Scudéry

Un idéal de raffinement

D'après Abraham Bosse (1602-1676), *L'Odorat* (détail), Tours, musée des Beaux-Arts.

Au mot préciosité s'attache, de nos jours, une signification péjorative. Il évoque l'affectation dans les manières, la subtilité excessive, le manque de naturel. Ce regard défavorable porté sur eux, les précieux le doivent à l'exagération qui, peu à peu, marquera leur comportement ; c'est elle qui prêtera à rire et fera notamment de la préciosité la cible de Molière (voir *Les Précieuses ridicules*, p. 179).

Mais, à son apparition, la préciosité ne revêt pas cet aspect négatif. Elle constitue un idéal de raffinement auquel aspirent les femmes et les hommes à la mode, elle triomphe dans les salons mondains de Paris (voir p. 75). Être précieux, c'est savoir parler d'amour, c'est connaître toute la subtilité des sentiments, c'est apprécier la beauté, mais aussi l'esprit de la personne aimée. Être précieux, c'est pratiquer un langage choisi, capable de rendre compte de la gamme infinie des impressions ressenties.

Le grand jeu de l'amour

L'amour est le thème essentiel de la préciosité. Il est au centre de la poésie de Saint-Amant, de Tristan L'Hermite ou de Vincent Voiture, au centre des interminables romans de Madeleine de Scudéry. Il est également la grande préoccupation de la vie quotidienne des précieux, êtres oisifs, habitués de la cour et des salons, qui essaient ainsi de tromper leur oisiveté.

L'amour précieux est un amour éthéré, spirituel. Le corps en est résolument exclu. C'est une communion des esprits qui rejette l'exaltation des sens. Comme dans les romans de chevalerie du Moyen Age, la femme y joue un rôle privilégié. Elle est l'être parfait, idéalisé, dont la beauté témoigne de la perfection morale (voir le texte de Madeleine de Scudéry, p. 78). Mais, comme la femme représente un absolu, elle est inaccessible et, malgré elle, cruelle. La poésie précieuse ne cesse de développer ces deux thèmes conjoints de la perfection et de l'inaccessibilité.

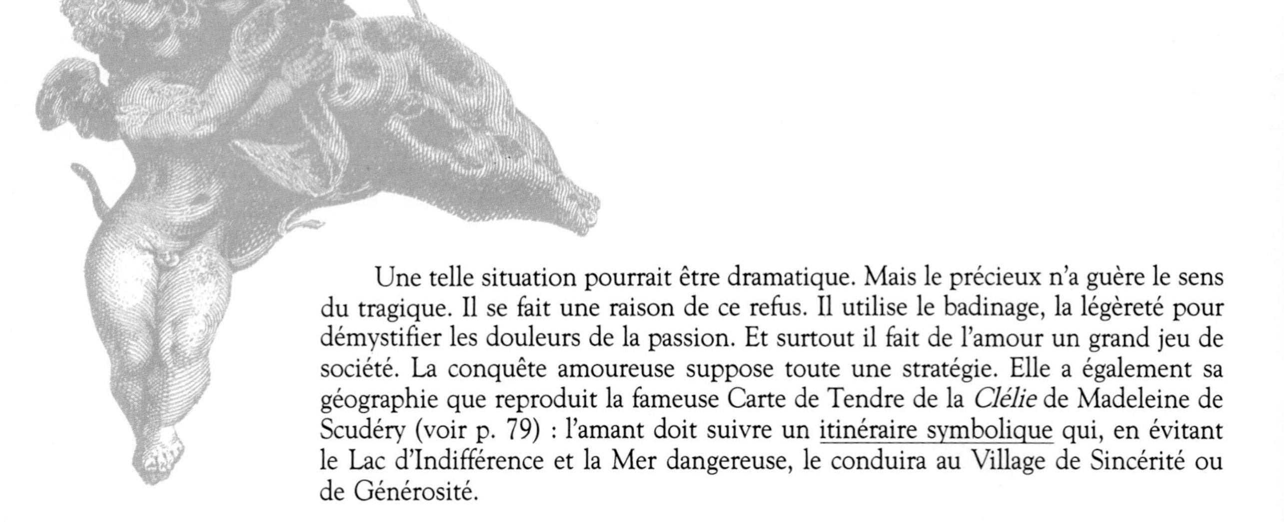

Une telle situation pourrait être dramatique. Mais le précieux n'a guère le sens du tragique. Il se fait une raison de ce refus. Il utilise le badinage, la légèreté pour démystifier les douleurs de la passion. Et surtout il fait de l'amour un grand jeu de société. La conquête amoureuse suppose toute une stratégie. Elle a également sa géographie que reproduit la fameuse Carte de Tendre de la *Clélie* de Madeleine de Scudéry (voir p. 79) : l'amant doit suivre un itinéraire symbolique qui, en évitant le Lac d'Indifférence et la Mer dangereuse, le conduira au Village de Sincérité ou de Générosité.

UN LANGAGE CHOISI

Pour exprimer cette subtilité des sentiments, les précieux utilisent largement les ressources stylistiques des baroques. Ils raffolent de l'hyperbole, qui consiste à accentuer le caractère d'une réalité, à l'exagérer et, en particulier, à multiplier les appréciations portées sur la perfection de l'être aimé : ainsi, dans *La Belle Matineuse*, Voiture nomme celle qu'il aime « la Nymphe divine », l'évoque parée « de tant d'attraits divers », la considère comme « l'astre du jour » (voir texte, p. 71). Les précieux recherchent l'effet, le paradoxe, s'efforcent de créer la surprise, en usant notamment de la pointe qui achève le poème sur une notation brillante : à la fin du *Dépit corrigé*, Tristan L'Hermite conclut ses réflexions sur l'indifférence de l'objet de son amour en s'écriant :

« Et toute autre beauté n'est pas même capable
De faire des faveurs qui vaillent ses mépris » (voir texte p. 67).

Ils jouent sur les oppositions et notamment sur les antithèses qui rapprochent, de façon inattendue, des expressions, des idées contraires : dans *Le Dépit corrigé*, Tristan L'Hermite, parlant de celle qu'il aime, montre « la témérité / De vouloir aborder ce roc inaccessible » (voir texte, p. 67). Ils accumulent les images, utilisent à satiété la métaphore qui consiste à supprimer le second terme d'une comparaison : dans *Le Promenoir des deux amants*, Tristan L'Hermite, pour désigner la poitrine de la femme aimée, parle de « ces deux monts d'albâtre » (voir texte, p. 66). A l'expression simple et directe, ils préfèrent la périphrase : dans *Le Grand Cyrus* de Madeleine de Scudéry, Timocrate, au lieu de nommer Télésile dont il est tombé amoureux, évoque « ce merveilleux objet dont mes yeux étaient enchantés » (voir texte, p. 78).

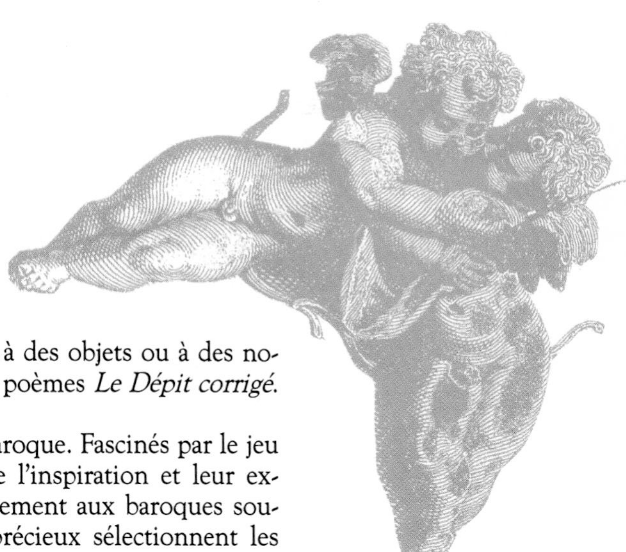

Ils utilisent volontiers la personnification qui donne vie à des objets ou à des notions : Tristan L'Hermite choisit comme titre d'un de ses poèmes *Le Dépit corrigé.*

La préciosité ne se confond cependant pas avec le baroque. Fascinés par le jeu stylistique, les précieux manquent parfois du souffle de l'inspiration et leur expression apparaît souvent apprêtée. Par ailleurs, contrairement aux baroques soucieux de saisir toute la complexité de l'existence, les précieux sélectionnent les réalités qu'ils décrivent, et donc éliminent. Attirés par l'idéalisme, ils sont partisans d'un langage subtil, choisi, ce qui les amène à rejeter systématiquement les mots crus, à refuser d'aborder les sujets vulgaires.

Les genres précieux

La préciosité se retrouve dans le roman, particulièrement apte à décrire les subtilités de l'amour (voir Madeleine de Scudéry). Elle rencontre également un terrain privilégié dans la lettre littéraire favorable au développement d'un badinage gratuit (voir texte de Cyrano de Bergerac, p. 101).

La poésie est son domaine d'élection. La préciosité reste encore modérée chez Saint-Amant, qui subit, par ailleurs, l'influence baroque de Théophile de Viau et celle du burlesque naissant (voir p. 84), ou chez Tristan L'Hermite. Elle s'épanouit chez Vincent Voiture.

Les poètes précieux ont su mettre à leur service le sonnet, en accentuant encore la subtilité de la pointe qui l'achève (voir textes de Tristan L'Hermite, p. 67 et de Voiture, pp. 71 et 72). Ils ont aussi redonné vie à des genres légers, comme le madrigal, petit poème amoureux (voir texte de Saint-Amant, p. 63), le blason, qui consiste à décrire en détail le corps féminin en le magnifiant (voir texte de Saint-Amant, p. 63), et surtout le rondeau : Voiture pratique fréquemment cette forme qui doit comporter une strophe de quatre ou cinq vers, une strophe de deux ou trois vers suivis du refrain et une strophe de quatre ou cinq vers terminée par le refrain (voir texte, p. 72).

Abraham Bosse (1602-1676), *Figures de petits Amours*, Paris, B.N.

Saint-Amant
1594-1661

Un aventurier haut en couleur

Saint-Amant n'est pas un personnage terne, à la vie monotone. C'est un être truculent, haut en couleur, séduit par la richesse de l'existence, qui aime l'aventure, les honneurs, les plaisirs. Une anecdote le décrit bien : né vers 1594 près de Rouen, il se nommait tout simplement Antoine Girard. Ce nom lui paraissant trop commun, il se fait appeler Marc-Antoine de Gérard, sieur de Saint-Amant.

Comment évoquer cette vie tout en contraste, riche de sa diversité ? Voici le marin : avide de voyages et d'aventures, il s'embarque dès sa jeunesse, sillonne les mers, fait escale en Amérique, aux Canaries, aux Açores, au Sénégal, en Inde. Voici le familier des grands de ce monde : il fréquente la cour, suit le duc de Retz à Belle-Ile en 1617, est secrétaire d'ambassadeurs à Madrid (1629), Rome (1633), Londres (1643-1644), fait partie de la suite de la reine de Pologne (1649-1650), séjourne à la cour de la reine Christine de Suède (1650). Voici le soldat : en 1628, il est au siège de La Rochelle ; en 1637, au côté du comte d'Harcourt, il combat pour reprendre aux Espagnols les îles de Lérins situées au large de la côte française méditerranéenne, puis participe à la campagne du Piémont. Voici le Parisien bon vivant : gros, obèse même, c'est un pilier de cabaret. Son appétit est énorme, sa soif inextinguible. C'est un grand amateur d'amours passagères. Voici l'homme de lettres, le raffiné : il joue à merveille du luth, dit les vers avec talent, est membre de l'Académie française dont il devait égayer les austères séances. A l'image de Théophile de Viau, la diversité marque même sa conception religieuse. Il naît protestant, se convertit au catholicisme, mène une vie influencée par l'athéisme et connaît une fin édifiante.

Une œuvre diverse

Cette variété et ces contradictions se retrouvent largement dans l'œuvre de Saint-Amant. Ses poèmes, qui paraîtront de 1623 à 1661, suivent en effet quatre inspirations différentes. Poète baroque de la nature, il la décrit avec bonheur, avec lyrisme, il sait en saisir la richesse et la diversité. Poète de l'amour, il l'évoque avec cette subtilité un peu artificielle, cette préciosité qui caractérise son époque. Il est aussi le poète burlesque, qui manie l'humour et l'excès dans des peintures réalistes et prosaïques de la vie. Il est enfin le poète de la spiritualité, qui chante l'âme humaine ou même la religion, en particulier dans son long poème, *Moïse sauvé* (1653).

Frontispice de l'édition de 1653 de *Moïse sauvé*, Paris, B.N.

Œuvres poétiques (1629). → pp. 61-62.
Œuvres poétiques (1631). → pp. 62-63.
Œuvres poétiques (1643). → p. 63.
Œuvres poétiques (1649). → p. 64.

Chacun des recueils des poèmes de Saint-Amant regroupe des œuvres qui ont été composées à des moments différents de sa vie. Leur contenu est donc disparate. Il ne faut pas y chercher de constantes dans l'inspiration. Néanmoins, une certaine évolution apparaît au fil des éditions. Le thème de la nature domine dans les premiers recueils. Le réalisme burlesque l'emporte ensuite, tandis que la préciosité amoureuse marque surtout les dernières compositions.

Une nature baroque

La Solitude

1629

Écrit avant 1620, mais publié seulement en 1629, ce long poème reprend le thème baroque traditionnel de la méditation solitaire face au spectacle de la nature : l'empreinte de la mort marque, de façon contrastée, le charme du paysage.

Oh ! que j'aime la solitude !
Que ces lieux sacrés[1] à la nuit,
Éloignés du monde et du bruit,
Plaisent à mon inquiétude !
Mon Dieu ! que mes yeux sont contents
De voir ces bois, qui se trouvèrent
A la nativité[2] du temps
Et que tous les siècles révèrent,
Être encore aussi beaux et verts
Qu'aux premiers jours de l'univers !

Un gai zéphyr les caresse
D'un mouvement doux et flatteur.
Rien que leur extrême hauteur
Ne fait remarquer leur vieillesse[3].
Jadis Pan[4] et ses demi-dieux
Y vinrent chercher du refuge,
Quand Jupiter ouvrit les cieux
Pour nous envoyer le déluge,
Et, se sauvant sur leurs rameaux,
A peine virent-ils les eaux.

Que sur cette épine fleurie,
Dont le printemps est amoureux,
Philomèle[5], au chant langoureux,
Entretient bien ma rêverie !
Que je prends de plaisir à voir
Ces monts pendant en précipices,
Qui, pour les coups du désespoir,
Sont aux malheureux si propices,
Quand la cruauté de leur sort
Les force à rechercher la mort !

Que je trouve doux le ravage
De ces fiers[6] torrents vagabonds,
Qui se précipitent par bonds
Dans ce vallon vert et sauvage !
Puis, glissant sous les arbrisseaux,
Ainsi que des serpents sur l'herbe,
Se changent en plaisants ruisseaux,
Où quelque Naïade[7] superbe
Règne comme en son lit natal
Dessus un trône de cristal !

Que j'aime ce marais paisible !
Il est tout bordé d'aliziers[8],
D'aulnes, de saules et d'osiers,
A qui le fer n'est point nuisible[9] !
Les Nymphes y cherchant le frais,
S'y viennent fournir de quenouilles[10],
De pipeaux, de joncs et de glais[11],
Où l'on voit sauter les grenouilles,
Qui de frayeur s'y vont cacher
Sitôt qu'on veut s'en approcher.

Là, cent mille oiseaux aquatiques
Vivent, sans craindre en leur repos,
Le giboyeur fin et dispos
Avec ses mortelles pratiques ;
L'un, tout joyeux d'un si beau jour,
S'amuse à becqueter sa plume ;
L'autre alentit[12] le feu d'Amour
Qui dans l'eau même le consume,
Et prennent tous innocemment
Leur plaisir en cet élément.

Jamais l'été ni la froidure
N'ont vu passer dessus cette eau
Nulle charrette ni bateau
Depuis que l'un et l'autre dure.
Jamais voyageur altéré
N'y fit servir sa main de tasse ;
Jamais chevreuil désespéré
N'y finit la vie à la chasse ;
Et jamais le traître hameçon
N'en fit sortir aucun poisson.

1. Consacrés.
2. A la naissance.
3. Seule leur extrême hauteur fait remarquer leur vieillesse.
4. Dieu champêtre qui avait les jambes, les cornes et le poil d'un bouc. Il était accompagné par les satyres.
5. Philomèle avait été transformée en hirondelle.
6. Indomptables, farouches, sauvages.
7. Divinité des fontaines et des rivières.
8. Petits arbres épineux.
9. On ne les coupe jamais.
10. Roseaux.
11. Glaïeuls.
12. Calme.

Que j'aime à voir la décadence
De ces vieux châteaux ruinés,
Contre qui les ans mutinés
Ont déployé leur insolence !
75 Les sorciers y font leur sabbat[1] ;
Les démons follets s'y retirent,
Qui, d'un malicieux ébat,
Trompent nos sens et nous martyrent[2] ;
Là se nichent en mille trous
80 Les couleuvres et les hiboux.

L'orfraie[3], avec ses cris funèbres,
Mortels augures des destins,
Fait rire et danser les lutins
Dans ces lieux remplis de ténèbres.
85 Sous un chevron de bois maudit
Y branle le squelette horrible
D'un pauvre amant qui se pendit
Pour une bergère insensible,
Qui d'un seul regard de pitié
90 Ne daigna voir son amitié[4].

Aussi le Ciel, juge équitable,
Qui maintient les lois en vigueur,
Prononça, contre sa rigueur
Une sentence épouvantable :
95 Autour de ces vieux ossements
Son ombre, aux peines condamnée,
Lamente[5] en longs gémissements
Sa malheureuse destinée,
Ayant, pour croître son effroi,
100 Toujours son crime devant soi.

Là, se trouvent sur quelques marbres
Des devises du temps passé ;
Ici, l'âge a presque effacé
Des chiffres taillés sur les arbres.
105 Le plancher du lieu le plus haut
Est tombé jusque dans la cave,
Que la limace et le crapaud
Souillent de venin et de bave ;
Le lierre y croît au foyer[6],
110 A l'ombrage d'un grand noyer.

Œuvres poétiques, 1629, *La Solitude*, vers 1 à 110.

Pour préparer l'étude du texte

1. Vous relèverez, classerez et analyserez les formulations qui, de façon contrastée, évoquent la vie et la mort et suggèrent l'accord profond entre le paysage et la sensibilité du poète. Vous montrerez la progression des sentiments qui vont de l'enthousiasme à l'angoisse.

2. Vous étudierez les autres thèmes d'inspiration qui contribuent à cette progression des sentiments (nature, mythologie, goût des ruines, fantastique).

3. En l'absence de l'homme, les animaux vivent dans la paix et le bonheur. Vous noterez les passages où Saint-Amant exprime cette idée. Quelle conclusion en tire-t-il ?

Paresse, amour et exotisme

Un éloge de la paresse marqué par le prosaïsme burlesque ; une évocation de la femme aimée au lyrisme précieux ; une description de paysage d'un exotisme sensuel : les trois poèmes qui suivent soulignent la variété de l'inspiration de Saint-Amant.

Le Paresseux

1631

Ce véritable hymne à la paresse, qui exalte la volupté du repos, révèle aussi l'humour de Saint-Amant.

Accablé de paresse et de mélancolie,
Je rêve dans un lit, où je suis fagoté[7]
Comme un lièvre sans os qui dort dans un pâté,
Ou comme un Don Quichotte en sa morne folie.

5 Là, sans me soucier des guerres d'Italie,
Du comte Palatin ni de sa royauté[8],
Je consacre un bel hymne à cette oisiveté,
Où mon âme en langueur est comme ensevelie.

Je trouve ce plaisir si doux et si charmant,
10 Que je crois que les biens me viendront en dormant,
Puisque je vois déjà s'en enfler ma bedaine.

Et hais tant le travail que, les yeux entrouverts,
Une main hors des draps, cher Baudoin, à peine
Ai-je pu me résoudre à t'écrire ces vers.

Œuvres poétiques, 1631.

1. Assemblée de sorciers et de sorcières.
2. Nous martyrisent.
3. Oiseau de proie.
4. Son amour.
5. Pleure.
6. A l'emplacement qu'occupait le foyer de la maison en ruines.
7. Empaqueté.
8. Le comte Palatin, Frédéric V, roi de Bohême, avait perdu son trône en 1620.

Pour préparer l'étude du texte

1. Vous relèverez et analyserez les passages qui donnent à ce poème une coloration prosaïque. Comment se manifeste le réalisme de Saint-Amant ?
2. Vous analyserez les procédés comiques, en montrant comment Saint-Amant utilise, à la fois, l'humour subtil et des procédés plus grossiers.
3. Vous dégagerez l'art de vivre exprimé ici par Saint-Amant.

Madrigal
1643

Le madrigal désigne un petit poème qui exprime une pensée amoureuse de façon subtile. Saint-Amant y développe tout l'esprit précieux, en élaborant un blason qui magnifie le corps féminin et en jouant sur le nom, de Roche, de la femme qu'il décrit.

Cette fière beauté que mon âme idolâtre
A les bras et les mains et la gorge d'albâtre ;
D'un cinabre[1] vivant son teint est embelli ;
Sa bouche est d'un corail où des perles éclatent ;
5 Son visage et son corps, faits d'un marbre poli,
Le prix de la blancheur à la neige débattent ;
Et ses yeux si charmants,
Aussi bien que son cœur, sont de vrais diamants ;
Dois-je donc m'étonner de la trouver si dure
10 Aux peines que j'endure,
Puisque, pour mon malheur, le Ciel qui la forma
La fit toute de pierre, et Roche la nomma ?

Œuvres poétiques, 1643.

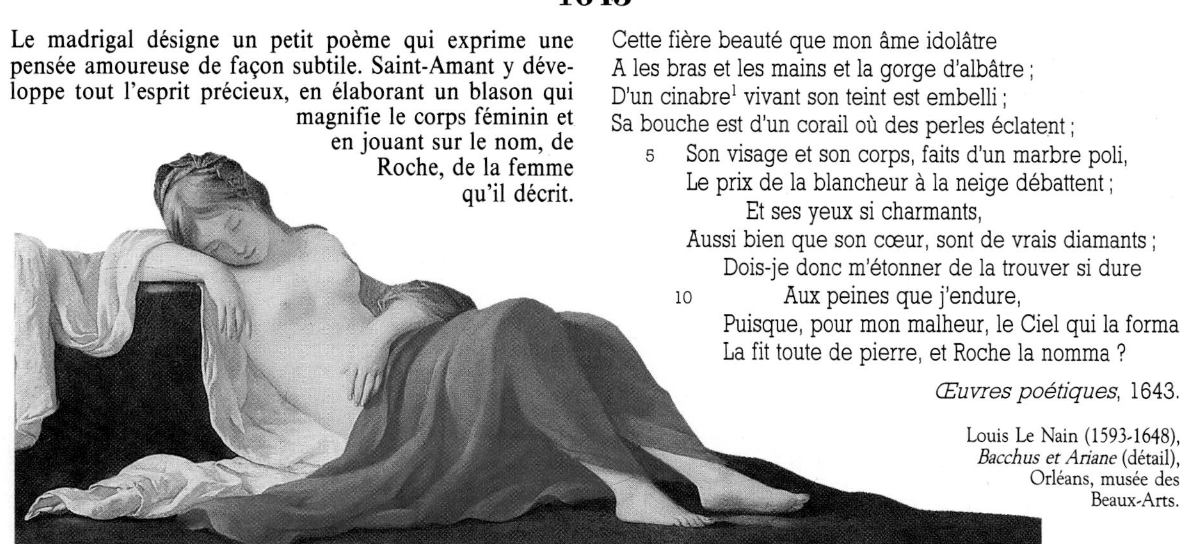

Louis Le Nain (1593-1648), *Bacchus et Ariane* (détail), Orléans, musée des Beaux-Arts.

Pour préparer l'étude du texte

1. Vous étudierez les comparaisons successives auxquelles se livre Saint-Amant, en montrant comment elles préparent la pointe contenue dans le dernier vers.
2. Les hyperboles, les exagérations sont fréquentes dans ce poème. Vous les analyserez.
3. Comme les précieux, Saint-Amant exprime son amour avec un certain détachement. Vous déterminerez la place occupée par l'humour dans l'expression des sentiments.

« Le corail de ses yeux et l'azur de sa bouche »

Ce style précieux, alors à la mode, ne faisait pas néanmoins l'unanimité. On le pastichait, on le parodiait volontiers. Dans une pièce de théâtre intitulée *Les Visionnaires* (1637), Desmarets de Saint-Sorlin prête ainsi au poète Amidor ce contre-blason savoureux du corps féminin :

Le corail de ses yeux et l'azur de sa bouche,
L'or bruni de son teint, l'argent de ses cheveux,
L'ébène de ses dents digne de mille vœux,
Ses regards, sans arrêt, sans nulles étincelles,
5 *Ses beaux tétins longuets cachés sous ses aisselles [...].*

J. Desmarets de Saint-Sorlin, Les Visionnaires, *acte I, scène 4, vers 122 à 126.*

Des yeux rouges et sans expression, une bouche bleue, un teint brun à une époque où la blancheur de la peau était de rigueur, des cheveux blancs, des dents noires, une poitrine tombante, quelle charmante vision, digne d'attirer le poète !

1. Substance de couleur vermillon, qui servait aux dames à rehausser le teint de leur visage.

L'Automne des Canaries
1649

Dans ce sonnet, Saint-Amant évoque les paysages exotiques des îles Canaries où il avait fait escale au cours de ses voyages.

Voici les seuls coteaux, voici les seuls vallons
Où Bacchus[1] et Pomone[2] ont établi leur gloire ;
Jamais le riche honneur de ce beau territoire
Ne ressentit l'effort des rudes aquilons[3].

5 Les figues, les muscats, les pêches, les melons
Y couronnent ce dieu qui se délecte à boire ;
Et les nobles palmiers, sacrés[4] à la victoire,
S'y courbent sous des fruits qu'au miel nous égalons.

Les cannes au doux suc, non dans les marécages,
10 Mais sur des flancs de roche, y forment des bocages
Dont l'or plein d'ambroisie[5] éclate et monte aux cieux.

L'orange en même jour y mûrit et boutonne,
Et durant tous les mois on peut voir en ces lieux
Le printemps et l'été confondus en l'automne.

Œuvres poétiques, 1649.

Hendrick van Balen (1575-1632), *Les Quatre éléments*, Valenciennes, musée des Beaux-Arts.

Le thème des quatre éléments (terre, eau, air, feu) permet aux peintres de satisfaire le goût de l'époque pour l'exotisme ; ici chacune des femmes tient le symbole d'un de ces éléments.

Pour préparer l'étude du texte

1. Dans ce poème, Saint-Amant exploite les prestiges de l'exotisme, source de dépaysement. Vous relèverez et analyserez les termes qui concourent à créer cet exotisme.

2. Une grande sensualité se dégage de ce texte. Elle est notamment suscitée par l'éclatement des couleurs, marques d'une nature exubérante. Vous le montrerez.

3. La mythologie est souvent mise à contribution. Vous noterez comment Saint-Amant a su éviter de la plaquer artificiellement sur sa description du paysage, en faisant participer les divinités à cette explosion de la vie qui caractérise le poème.

1. Dieu de la vigne et du vin.
2. Divinité des fruits et des jardins.
3. Vents du nord.
4. Consacrés.
5. Nourriture des dieux au goût de miel.

François Tristan L'Hermite
1601-1655

Portrait de Tristan L'Hermite, gravure, XVIIe siècle.

Enfant perdu

Né vers 1601 dans le Calvados, François Tristan L'Hermite, de son vrai nom François L'Hermite, connaît un début d'existence plutôt mouvementé. A treize ans, alors qu'il est page à la cour, il règle une affaire d'honneur en provoquant son offenseur en duel. Il tue son adversaire et doit s'enfuir pour échapper à la justice. Plusieurs années durant, il erre en France et peut-être à l'étranger. Enfant perdu, vagabond, il vit d'expédients.

Être instable

Sa vie commence comme un mauvais roman. Il restera, toute son existence, un être instable. Sorti de son exil en 1620, il est, comme bon nombre d'écrivains de cette époque, à la recherche de protecteurs. Mais, en général, il ne demeure pas longtemps auprès d'eux : il les décourage en effet rapidement, car il est joueur, amateur de plaisirs. En 1621, il entre notamment au service du frère de Louis XIII, Gaston d'Orléans : lorsque son protecteur échoue dans sa révolte contre Richelieu, il le suit dans son exil, en Lorraine et à Bruxelles. Son existence mouvementée s'achève dans le drame : atteint de phtisie, nom donné alors à la tuberculose, il meurt en 1655, à l'âge de cinquante-quatre ans.

Écrivain apprécié

Comme Théophile de Viau, Tristan L'Hermite, s'il fut malheureux dans sa vie, connut le succès littéraire. Son roman, *Le Page disgrâcié* (1643), dans lequel il raconte son enfance aventureuse, fut apprécié. Sa tragédie, *Mariamne*, créée en 1636, fit un triomphe. Son œuvre poétique, publiée de 1633 à 1648, rencontra, elle aussi, l'adhésion des lecteurs.

Les Plaintes d'Acante (1633), recueil poétique. → pp. 66 à 68.
Mariamne (1636), tragédie.
La Lyre (1641), recueil poétique.
Le Page disgrâcié (1643), roman.
Vers héroïques (1648). → p. 69.

L'œuvre poétique de Tristan L'Hermite est considérable. Dans les recueils qui se succédèrent de 1633 à 1648, deux sources d'inspiration dominent.

Tristan L'Hermite, c'est d'abord le poète de la nature. Avant les romantiques, il évoque des paysages qui sont comme les reflets de ses états d'âme, riants, lorsqu'il est gai, sombres, lorsqu'il est plongé dans la tristesse. Il exprime ainsi sa sensualité, son désir de s'ouvrir à la richesse du monde. Mais il clame également son mal de vivre, l'angoisse qu'il éprouve devant la mort.

Tristan L'Hermite, c'est ensuite le poète de l'amour précieux. Avec une subtilité souvent artificielle, mais parfois avec une sincérité touchante, il dit sa passion, son attachement à la beauté de la femme, sa jalousie, sa souffrance face à une séparation momentanée ou à la séparation définitive de la mort.

Amour et nature

Le Promenoir des deux amants

1633

Que faut-il admirer le plus ? La nature ? L'être aimé ? En fait, la beauté de ce paysage calme et solitaire et la beauté de la femme se conjuguent en une harmonie parfaite.

Dans ce bois ni dans ces montagnes
Jamais chasseur ne vint encor :
Si quelqu'un y sonne du cor,
C'est Diane[1] avec ses compagnes.

5 Ce vieux chêne a des marques saintes[2] ;
Sans doute qui le couperait,
Le sang chaud en découlerait
Et l'arbre pousserait des plaintes.

Ce rossignol mélancolique[3]
10 Du souvenir de son malheur
Tâche de charmer sa douleur,
Mettant son histoire en musique.

Il reprend sa note première
Pour chanter d'un art sans pareil
15 Sous ce rameau que le soleil
A doré d'un trait de lumière.

Sur ce frêne deux tourterelles
S'entretiennent de leurs tourments,
Et font les doux appointements[4]
20 De leurs amoureuses querelles.

Un jour Vénus avec Anchise[5]
Parmi ses forts[6] s'allait perdant
Et deux Amours en l'attendant
Disputaient pour une cerise.

25 Dans toutes ces routes divines
Les Nymphes dansent aux chansons,
Et donnent la grâce aux buissons
De porter des fleurs sans épines.

Jamais les vents ni le tonnerre
30 N'ont troublé la paix en ces lieux ;
Et la complaisance des cieux
Y sourit toujours à la terre.

Crois mon conseil, chère Climène,
Pour laisser arriver le soir,
35 Je te prie, allons nous asseoir
Sur le bord de cette fontaine.

N'ois-tu pas[7] soupirer le zéphyr[8]
De merveille et d'amour atteint,
Voyant des roses sur ton teint
40 Qui ne sont pas de son empire[9] ?

Claude Deruet (1588-1662),
La Duchesse de Chevreuse en Diane chasseresse,
Versailles, musée du château.

1. Déesse de la chasse.
2. Il est sacré, à cause des offrandes suspendues à ses branches.
3. Allusion à Procné qui avait été transformée en rossignol.
4. Se réconcilient.
5. Le chef troyen Anchise était aimé de Vénus, la déesse de l'Amour.
6. Dans les profondeurs du bois.
7. N'entends-tu pas.
8. Vent doux et léger.
9. Qui ne dépendent pas de lui.

Sa bouche d'odeurs toute pleine
A soufflé sur notre chemin,
Mêlant un esprit de jasmin[1]
A l'ambre de ta douce haleine.

45 Penche la tête sur cette onde
Dont le cristal paraît si noir ;
Je t'y veux faire apercevoir
L'objet le plus charmant du monde.

Tu ne dois pas être étonnée
50 Si, vivant sous tes douces lois,
J'appelle ces beaux yeux mes rois,
Mes astres et ma destinée.

Bien que ta froideur soit extrême,
Si dessous l'habit d'un garçon
55 Tu te voyais de la façon,
Tu mourrais d'amour pour toi-même.

Vois mille Amours qui se vont prendre
Dans les filets de tes cheveux ;
Et d'autres qui cachent leurs feux
60 Dessous une si belle cendre[2].

Cette troupe jeune et folâtre
Si tu pensais la dépiter,
S'irait soudain précipiter
Du haut de ces deux monts d'albâtre.

65 Je tremble en voyant ton visage
Flotter avecque mes désirs,
Tant j'ai de peur que mes soupirs
Ne lui fassent faire naufrage.

De crainte de cette aventure,
70 Ne commets pas[3] si librement
A cet infidèle élément
Tous les trésors de la nature.

Les Plaintes d'Acante, Le Promenoir des deux amants, vers 21 à 92.

Pour préparer le commentaire composé

1. **La tranquillité du paysage.** Vous étudierez de quelle manière (images, rythmes, rimes, descriptions) l'auteur sait rendre la sérénité et le calme du paysage.

2. **La nature et la femme.** Vous mettrez en relief les différentes analogies établies entre la beauté de la nature et la beauté de la femme.

3. **L'art du compliment précieux.** Vous analyserez l'art du compliment précieux, en montrant son originalité, son charme et en soulignant comment il excelle à célébrer indirectement la beauté de la femme.

Quatre sonnets amoureux

Quatre sonnets amoureux, quatre thèmes, sources de quatre développements d'une préciosité modérée : après la tentation vite refrénée de répondre au dédain par le dédain, c'est l'inquiétude éprouvée au départ de l'être aimé, c'est l'évocation nostalgique d'une femme disparue, c'est enfin un hymne à la beauté.

Le Dépit corrigé

1633

C'est trop longtemps combattre un orgueil invincible,
Qui brave ma constance et ma fidélité ;
Ne nous obstinons plus dans la témérité
De vouloir aborder ce roc inaccessible.

5 Tournons ailleurs la voile et s'il nous est possible
Oublions tout à fait cette ingrate beauté,
Ne pouvant concevoir qu'avecque lâcheté
Tant de ressentiments pour une âme insensible.

Mais que dis-tu, mon cœur ? Aurais-tu consenti
10 Au perfide dessein de changer de parti,
Servant, comme tu fais, un objet adorable ?

Non, non, celle que j'aime est d'un trop digne prix,
Et toute autre beauté n'est pas même capable
De faire des faveurs qui vaillent ses mépris.

Les Plaintes d'Acante.

Pour préparer l'étude du texte

1. Comme le titre du poème le suggère, l'auteur passe du dépit que lui cause l'indifférence de l'être aimé à la soumission. Vous noterez cette évolution des sentiments.

2. Vous analyserez les termes qui décrivent l'insensibilité de « cette ingrate beauté », en montrant que Tristan L'Hermite les oppose à ceux qui évoquent, au contraire, sa propre constance.

3. Vous étudierez l'effet provoqué par la pointe contenue dans le deuxième tercet du sonnet.

1. Une essence, une odeur de jasmin.
2. Sous les cheveux noirs.
3. Ne confie pas.

Appréhension d'un départ

1633

On me vient d'avertir que tu t'en vas d'ici,
Iris, divin objet dont mon âme est ravie ;
Qu'une aïeule est malade et qu'un pieux souci
A te rendre auprès d'elle aujourd'hui te convie.

5 Peux-tu bien consentir à me laisser ainsi ?
S'il faut que ce départ soit selon ton envie,
Comme il est résolu, mon trépas l'est aussi
Et le mal de l'absence achèvera ma vie.

Quoi, tu ne dis rien dans ces extrémités ?
10 Ah ! par cette froideur mes jours sont limités,
Adieu donc, ô beauté d'insensible courage[1].

Puisque ma passion ne t'en peut divertir,
Nous ferons, à même heure, un différent voyage,
Mon âme est comme toi toute prête à partir.

Les Plaintes d'Acante.

Pour préparer l'étude du texte

1. Vous étudierez le parallèle que Tristan L'Hermite établit entre l'absence momentanée et la séparation définitive de la mort.
2. Vous analyserez le pathétique qui marque ce poème (choix des termes, interrogations et exclamations, sonorités, rythmes).
3. Vous montrerez qu'un certain réalisme créé par l'évocation du quotidien vient contraster avec ce pathétique, notamment dans le premier quatrain.

Sur un tombeau

1633

Celle dont la dépouille en ce marbre est enclose
Fut le digne sujet de mes saintes amours :
Las ! depuis qu'elle y dort, jamais je ne repose,
Et s'il faut[2] en veillant que j'y songe toujours.

5 Ce fut une si rare et si parfaite chose
Qu'on ne peut la dépeindre avec l'humain discours ;
Elle passa pourtant de même qu'une rose,
Et sa beauté plus vive eut des termes plus courts.

La mort qui par mes pleurs ne fut point divertie
10 Enleva de mes bras cette chère partie
D'un agréable tout qu'avait fait l'amitié[3].

Mais, ô divin esprit qui gouvernait mon âme,
La Parque[4] n'a coupé notre fil qu'à moitié,
Car je meurs en ta cendre et tu vis dans ma flamme.

Les Plaintes d'Acante.

Pour préparer l'étude du texte

1. Vie et mort apparaissent intimement liées dans ce poème. Vous montrerez comment Tristan L'Hermite, en utilisant tout un jeu d'oppositions ou d'antithèses, gomme la frontière qui sépare la mort de la vie.
2. Vous relèverez les termes qui évoquent la fidélité inébranlable de l'auteur.
3. Le second quatrain est consacré à l'évocation de la perfection de l'être aimé. Vous noterez le caractère abstrait de cette évocation et étudierez les nombreuses hyperboles qu'elle contient.

1. Au cœur insensible.
2. Aussi faut-il.
3. L'amour.
4. Déesse qui décidait de la mort des mortels en coupant la trame de leur vie.

« Votre maîtresse a plus d'appas que vous »

1648

Logement non pareil[1], superbe appartement
Où tout l'art d'Italie est passé dans la France,
Lambris qui paraissez faits par enchantement,
Où partout l'or éclate avec magnificence,

5 Tableaux que l'on regarde avec étonnement,
Où de savants pinceaux marquent leur excellence,
Cabinets de cristal dont l'aimable ornement
Des beautés d'alentour redouble l'abondance,

Riche diversité de meubles précieux,
10 Bain, volière, orangers, quartier délicieux
Où loin des bruits confus la vertu se repose,

Beaux objets, vous donnez de la merveille à tous ;
Mais sans vous faire tort on peut dire une chose,
C'est que votre maîtresse a plus d'appas que vous.

Vers héroïques.

Harmensz Rembrandt (1606-1669), *Danaé*, Léningrad, musée de l'Ermitage. Sa beauté rehaussée par la somptuosité du décor, Danaé attend Jupiter qui se manifestera sous la forme d'une pluie d'or.

Pour préparer l'étude du texte

1. Vous ferez le plan de ce poème, en soulignant le déséquilibre voulu entre l'évocation du « logement non pareil » et celle de la « maîtresse » des lieux. Vous montrerez qu'il accentue l'effet de la pointe finale.

2. Vous étudierez la technique de la description (énumération, précision des termes, évocation de la magnificence).

3. Tristan L'Hermite s'adresse à ce « superbe appartement » qu'il personnifie. Dans quel but procède-t-il ainsi ?

Pour un groupement de textes

La femme idéale dans :
Madrigal (p. 63) de Saint-Amant,
Le Promenoir des deux amants (p. 66) et *« Votre maîtresse a plus d'appas que vous »* (p. 69) de Tristan L'Hermite,
La Belle Matineuse (p. 71) de Voiture,
Le Grand Cyrus (p. 78) de Madeleine de Scudéry,
La Princesse de Clèves (p. 323) de Madame de La Fayette.

1. Sans pareil, hors du commun.

Vincent Voiture
1597-1648

Anonyme, XVIIe siècle, Portrait de Vincent Voiture, Le Mans, musée de Tessé.

Le temps de la disgrâce et de l'exil

Né à Amiens, où son père est un riche marchand de comestibles, Vincent Voiture, durant la première partie de son existence, fait la cruelle expérience de la disgrâce et de l'exil.

Comme Tristan L'Hermite, il s'attache en effet à Gaston d'Orléans. Ce frère de Louis XIII, comploteur incorrigible, est bientôt obligé de s'exiler. Voiture juge plus prudent de partir lui aussi. Il va mettre à profit cet éloignement volontaire pour voyager, pour visiter l'Espagne et l'Afrique. Mais il est habile courtisan. Après avoir été admis, en 1634, à l'Académie française, il compose, en 1636, un vibrant éloge de Richelieu et peut rentrer à Paris.

Un bourgeois dans un salon aristocratique

Dans son hôtel particulier, la marquise de Rambouillet reçoit l'élite aristocratique et intellectuelle de la France. Voiture s'y fait adopter. Dans la Chambre bleue, où ont lieu ces réunions, il devient bientôt l'« âme du rond », le centre de ce cercle choisi. Il est l'animateur des conversations, l'organisateur des jeux dont ces oisifs étaient friands. Il est l'arbitre des modes. Il possède sur le bout des doigts l'art de briller, le talent de parler galamment et subtilement d'amour. C'est la consécration pour ce fils de commerçant qui peut même se permettre de tomber amoureux de la fille de Madame de Rambouillet.

Le maître de la préciosité

Vincent Voiture a écrit des lettres et des poèmes qui ne parurent qu'en 1649 et furent réédités, à de nombreuses reprises, au cours du XVIIe siècle. Il est le maître de la préciosité. Il excelle à démystifier le sérieux ou, au contraire, à magnifier plaisamment le quotidien et l'insignifiant. Sa légèreté est plaisante, mais peut aussi indisposer par sa trop grande subtilité, par la recherche systématique de l'effet, du brillant.

Œuvres (1649-1658), lettres et poésies. → pp. 71 à 73.

J.B. de Champaigne (1631-1681), *L'Aurore*, Paris, musée du Louvre.
« Et l'on crut que Philis était l'astre de jour. »

Une poésie de la préciosité amoureuse

Les œuvres poétiques de Voiture ont été, comme ses lettres, publiées après sa mort. Ce sont, pour la plupart, des poèmes d'amour. Voiture n'a pas le goût de l'amour grave, passionné. Pour lui, il s'agit d'un jeu de salon, d'un prétexte aux exercices de style. Il accentue encore sa tendance au badinage déjà visible dans ses lettres. Il veut, à toute force, briller. Pour y arriver, il n'économise pas ses efforts, il ne ménage pas ses effets. Il pousse l'exagération jusqu'à son extrême. Il manie le paradoxe. Il aime provoquer la surprise, en introduisant, notamment à la fin de ses poèmes, dans ce qu'on appelle la pointe, une remarque inattendue, un détail qui frappe.

Voici quatre poèmes d'amour : deux sonnets exaltant la beauté de la femme aimée, qui surpasse la splendeur du soleil, dans l'éblouissement de l'aurore ou dans les derniers éclats du crépuscule ; un rondeau, qui évoque la douleur de la séparation ; une chanson sur les amours faciles.

La Belle Matineuse[1]

1649

Des portes du matin l'amante de Céphale[2]
Ses roses épandait dans le milieu des airs,
Et jetait sur les cieux nouvellement ouverts
Ces traits d'or et d'azur qu'en naissant elle étale,

5 Quand la Nymphe divine, à mon repos fatale,
Apparut et brilla de tant d'attraits divers
Qu'il semblait qu'elle seule éclairait l'univers
Et remplissait de feux la rive orientale.

Le soleil se hâtant pour la gloire des cieux
10 Vint opposer sa flamme à l'éclat de ses yeux
Et prit tous les rayons dont l'Olympe[3] se dore.

L'onde, la terre et l'air s'allumaient à l'entour,
Mais auprès de Philis[4] on le prit pour l'aurore,
Et l'on crut que Philis était l'astre du jour.

Poésies, 1649

Pour préparer l'étude du texte

1. Vous étudierez la composition de ce poème, en prenant comme fil directeur la comparaison sans cesse établie entre l'aurore et la femme aimée.

2. Les effets de lumière jouent un grand rôle dans ce texte. Vous les relèverez et les analyserez (évocation des couleurs, modification progressive de l'éclairage, utilisation des adjectifs et des verbes).

3. Ce poème contient de nombreuses images et comparaisons. Vous en dresserez la liste et les classerez en grandes catégories.

1. Qui est matinale, qui se lève tôt.
2. L'Aurore.
3. Montagne grecque où habitaient les dieux.
4. Nom que Voiture donne à la femme aimée.

« Tout le monde la prit pour la naissante aurore »

1649

Sous un habit de fleurs, la Nymphe que j'adore
L'autre soir apparut si brillante en ces lieux,
Qu'à l'éclat de son teint et celui de ses yeux,
Tout le monde la prit pour la naissante aurore.

5 La terre en la voyant fit mille fleurs éclore,
L'air fut partout rempli de chants mélodieux,
Et les feux de la nuit pâlirent dans les cieux,
Et crurent que le jour recommençait encore.

Le soleil qui tombait dans le sein de Thétis[1],
10 Rallumant tout à coup ses rayons amortis,
Fit tourner ses chevaux pour aller après elle,

Et l'empire des flots ne l'eût su retenir ;
Mais la regardant mieux, et la voyant si belle,
Il se cacha sous l'onde et n'osa revenir.

Poésies, 1649

Pour préparer l'étude du texte

1. Vous ferez le plan de ce poème, en montrant qu'il est construit autour de l'opposition entre la « femme-aurore » et le soleil couchant.
2. Vous relèverez et analyserez les manifestations de curiosité et d'admiration que provoque l'apparition de la femme aimée (accumulation des verbes, utilisation de l'hyperbole, recours à la mythologie).
3. Vous noterez que l'évocation de la femme aimée reste abstraite, Voiture ne fournissant aucun détail concret susceptible de la caractériser.

« Trois jours entiers »

1649

Trois jours entiers, et trois entières nuits,
Bien lentement se sont passés depuis
Que j'ai perdu la clarté souveraine
De deux soleils, les beaux yeux de ma reine,
5 Par qui les miens soulaient[2] être conduits.

Sans leur objet je pleure, et je ne puis
Trouver remède au tourment où je suis,
Et chaque instant me dure, en cette peine,
Trois jours entiers.

10 Triste et rêveur, du penser je la suis,
Pour la chercher moi-même je me fuis,
Et si le sort bientôt ne me ramène
Les doux appas de ma belle inhumaine,
Je ne saurais plus vivre en ces ennuis
15 Trois jours entiers.

Poésies, 1649

Claude Gelée dit Le Lorrain (1602-1682), *Paysage avec Écho et Narcisse*,
Londres, The National Gallery © Reproducted by Courtesy of the trustees The National Gallery, London.

1. Divinité marine.

2. Avaient l'habitude.

Pour préparer l'étude du texte

1. Ce poème est construit autour du leitmotiv « Trois jours entiers ». Vous montrerez que cette référence au temps se trouve reprise dans le contenu de chacune des trois strophes.

2. Chaque strophe développe, par ailleurs, une idée bien spécifique. Vous dégagerez ces idées et indiquerez selon quelle progression elles se succèdent.

3. Vous relèverez et analyserez ce qui contribue à créer, dans ce texte, une atmosphère de mélancolie (rythmes, sonorités, vocabulaire).

« Les demoiselles de ce temps »

1649

Les demoiselles de ce temps
Ont depuis peu beaucoup d'amants ;
On dit qu'il n'en manque à personne,
L'année est bonne.

5 Nous avons vu les ans passés
Que les galants étaient glacés ;
Mais maintenant tant en foisonne,
L'année est bonne.

Le temps n'est pas bien loin encor
10 Qu'ils se vendaient au poids de l'or,
Et pour le présent on les donne,
L'année est bonne.

Le soleil de nous rapproché
Rend le monde plus échauffé ;
15 L'amour règne, le sang bouillonne,
L'année est bonne.

Poésies, 1649

Pour une étude comparée

Vous comparerez *« Les demoiselles de ce temps »* de Voiture et *« Sus debout la merveille des belles »* de Malherbe (voir p. 22), en insistant plus particulièrement sur les points suivants :

1. **Le refus des contraintes.** Vous étudierez comment se manifestent, dans ces deux poèmes, le refus des contraintes, la revendication de la liberté, la sensualité.

2. **L'expression de l'amertume.** Sous la légèreté de l'inspiration, se fait jour une certaine amertume. Vous analyserez ses causes et son expression.

3. **La complexité de l'amour.** Vous montrerez comment, chacun à sa manière, les deux poètes soulignent la complexité qui caractérise le sentiment amoureux.

Une préciosité à dimension européenne

La France n'a pas le monopole de la préciosité. C'est, au contraire, un phénomène européen et les poètes précieux français pratiquent cette écriture avec beaucoup plus de mesure et de modération que ceux des pays voisins. En Italie, par exemple, Giovanni Battista Marino (1569-1625) élabore une œuvre caractérisée par la complication, l'outrance et la fantaisie. Exilé en France, où il se fait connaître sous le nom romanesque de Cavalier Marin, il exerce une grande influence sur les poètes de notre pays.

Madrigal

O mon soleil pâlot,
Devant tes douces pâleurs,
L'aube vermeille perd ses couleurs.
O ma mort pâlotte,
5 *Devant tes pâles, douces violettes,*
La rose perd, vaincue,
Son amoureuse pourpre[1].
Oh, fasse mon destin
Qu'avec toi doucement je pâlisse aussi,
10 *O mon amour pâlot.*

1. Étoffe d'un rouge foncé.

Dangereux grain de beauté

Ce grain, ce charmant grain de beauté
Qui, de ses poils aimés, fait une ombre coquine
Sur la joue amoureuse,
C'est un petit bois de l'Amour.
5 *Ah, fuis, cœur imprudent,*
Si tu brûles d'y cueillir lis ou rose !
C'est là que le cruel[1] *se cache,*
C'est là qu'il tend ses filets et son arc,
Blessant et capturant les âmes.

Le Lierre

Ce lierre, ce serpent qui lie ses mille nœuds
Autour du torse de cet orme qu'il étreint,
Et secouant, si douce au vent sa chevelure,
Répand l'ombre qui tombe et invite au sommeil,

5 *Il t'enseigne à aimer et à cueillir souvent*
Avec l'aimé la rare fleur de ta beauté,
Avant qu'elle ne tombe, ô ma belle Elpinie[2],
Et meure la clarté de la saison des rires.

G.B. Marino, Poésies, *trad. A. Monjo, dans* La Poésie italienne, *Paris, Seghers, 1964.*

Ambrosius Bosschaert (1573-1621), *Vase de fleurs*, La Haye, Mauritshuis.

1. L'Amour.
2. Nom que donne Marino à la femme aimée.

La vie brillante des salons

La multiplication des salons

L'amateur de mondanités et de vie brillante a le choix durant ces années 1630-1661. Le nombre de salons susceptibles de l'accueillir se multiplie. Encore faut-il, il est vrai, qu'il soit accepté, et la sélection est rigoureuse. Y être admis, c'est faire partie de l'élite de ce Paris mondain.

Pour la femme ou l'homme à la mode, il est indispensable d'avoir ses entrées à l'hôtel de Rambouillet. Dans cette somptueuse demeure située tout près du Louvre, la marquise de Rambouillet, bientôt assistée de ses deux filles, y reçoit ses nombreux invités. De 1610 à 1665, ce cercle devient une véritable institution. Les réunions qui s'y tiennent revêtent une grande importance dans l'évolution des idées : elles permettent de vulgariser dans les milieux de la cour l'esthétique classique qui est en train de se développer. Elles amènent à se côtoyer des grands, comme le cardinal de La Valette ou Condé et des écrivains, comme Voiture, Vaugelas, La Rochefoucauld, Madame de Sévigné ou Madame de La Fayette.

A partir de 1650, le rayonnement de ce salon tend à être progressivement éclipsé par celui de Madeleine de Scudéry (voir p. 76). D'abord habituée de l'hôtel de Rambouillet, elle fonde son propre cercle dans sa demeure du Marais. Elle y entraîne des familiers du salon concurrent et y réunit des grands bourgeois et des écrivains. C'est là que se développera l'esprit précieux.

Ces deux centres de la vie mondaine sont de loin les plus importants. Mais bien d'autres cercles s'ouvrent aux amateurs. Dans le salon de Ninon de Lenclos, se réunissent les libertins (voir p. 102). Chez Françoise d'Aubigné, l'épouse de Scarron (voir p. 87) et la future Madame de Maintenon (voir p. 408), se presse une assistance essentiellement bourgeoise. Durant la période suivante, d'autres salons verront le jour, en particulier celui de Madame de La Fayette (voir p. 320).

Le raffinement féminin

Le développement des salons constitue un phénomène de société qui s'organise autour de la femme. C'est elle qui règne sur ces cercles, c'est autour d'elle que s'élabore un véritable cérémonial fait de raffinement et de subtilité.

Voici un habitué qui arrive au jour et à l'heure de la réception à l'entrée d'un de ces lieux d'élection. Il heurte la porte avec le heurtoir soigneusement entouré d'un linge pour que le bruit ne gêne pas la conversation. Un valet lui ouvre et l'annonce à la maîtresse de maison. Il monte un étage et entre dans la chambre où se déroule la réunion. L'hôtesse est étendue ou assise au pied du lit. D'un côté, dans ce que l'on appelle une ruelle, s'empressent les serviteurs. Dans l'autre ruelle, prennent place les invités. Le nouvel arrivant présente ses hommages, fait ses civilités, puis se mêle au cercle.

On parle des grands problèmes de l'heure. Les précieuses revendiquent hautement l'égalité de la femme, son droit à la culture, sa liberté de choix, en particulier dans le mariage. On évoque les subtilités de l'amour, on discute longuement sur les comportements qu'il convient d'adopter. La littérature est un des sujets privilégiés. On juge des ouvrages. On entend des auteurs réputés lire leurs œuvres. On donne connaissance des lettres brillantes que l'on a reçues. On organise des concours de poésie.

Les jeux

Dans ce monde d'oisifs, les jeux de société occupent une place importante. On prend comme surnoms les noms des héros des romans à la mode. Le jeu du portrait consiste à faire deviner l'identité d'un familier du salon. Dans le jeu du corbillon, il s'agit, en réponse à la question : « Que met-on dans mon corbillon[1] ? », de nommer un défaut ou une qualité de la personne à reconnaître, en utilisant un mot finissant par « on ». Des plaisanteries, parfois douteuses, pimentent la vie de ces oisifs : après avoir raccourci ses habits, on fait croire, par exemple, au comte de Guiche que son corps a enflé parce qu'il a consommé des champignons vénéneux ; et l'on rit de son effroi lorsqu'il essaie de mettre ses vêtements. On ne s'ennuyait décidément pas dans les salons à la mode...

Anonyme, XVIIe siècle, *Appartement d'une grande dame*, Reims, musée des Beaux-Arts.

1. Petite corbeille.

Madeleine de Scudéry
1607-1701

Portrait de Madeleine de Scudéry, gravure, XVIIe siècle, Paris, B.N.

Une femme savante

Apprendre, toujours apprendre, telle est l'obsession qui marque la jeunesse de Madeleine de Scudéry. Cet appétit de savoir constitua peut-être pour elle, privée très jeune de ses parents, une sorte de compensation à son enfance orpheline. Ce vif attrait pour la connaissance ne la quittera pas durant toute sa vie. Son oncle ecclésiastique, qui la recueille, l'encourage dans ce penchant et lui donne un enseignement approfondi, exceptionnel pour une jeune fille de cette époque. Cette éducation orientera toute son existence. C'est elle qui, en particulier, la poussera à participer aux activités de l'hôtel de Rambouillet, l'un des centres culturels de cette période.

La reine de la préciosité

A partir de 1650, elle décide d'animer son propre cercle littéraire. La Rochefoucauld, Madame de Sévigné et Madame de La Fayette le fréquenteront. Il deviendra bientôt le centre de la préciosité. Madeleine de Scudéry y assure une royauté incontestée. Durant sa longue vie — elle traverse tout le siècle et meurt en 1701 à l'âge de quatre-vingt-quatorze ans —, elle reste fidèle à ses règles de conduite. Militante féministe avant la lettre, elle lutte pour l'égalité de la femme : elle revendique son accès à l'instruction, rejette la domination de l'homme, refuse le mariage. Face à l'amour, elle adopte une position contrastée, contradictoire peut-être : elle le craint et le souhaite en même temps. Elle a peur de l'engagement, fuit la sensualité qu'elle considère comme aliénante, mais a besoin de tendresse. Le jeu de l'amour précieux lui convient donc à merveille. Et son attachement pour son frère, Georges de Scudéry, la console des désillusions de la passion.

L'auteur à succès

L'égale de l'homme, elle veut l'être aussi en écrivant. Souvent en collaboration avec son frère, elle a élaboré une œuvre romanesque importante. C'est un auteur à succès dont on lit avec délectation les romans-fleuves qu'elle met plusieurs années à composer : *Le Grand Cyrus*, en dix volumes, paraît de 1649 à 1653 ; *Clélie*, également en dix volumes, est publié de 1654 à 1660. Elle y fait évoluer des personnages généralement tirés de l'histoire antique. Mais, sous la période décrite qu'elle tente de reconstituer, elle fait en réalité apparaître la période où elle vit, décrit les comportements de son temps, développe sa conception de la vie marquée par la préciosité : c'est ce qui explique l'engouement des lecteurs. Ils se retrouvent, ils se reconnaissent dans les êtres fictifs qu'on leur présente comme des reflets d'eux-mêmes.

Le Grand Cyrus (1649-1653), roman. → pp. 77-78.
Clélie (1654-1660), roman. → pp. 78 à 81.
Célamire (1669), roman.

Le Grand Cyrus
1649-1653

Dix volumes, 13 095 pages, *Le Grand Cyrus* détient un record de longueur difficilement égalable. Il fallut cinq ans, de 1649 à 1653, pour que ce roman-fleuve paraisse dans sa totalité. Et le lecteur attendait à chaque fois la suite avec une impatience renouvelée.

L'action du *Grand Cyrus* se déroule dans la Perse du Ve siècle av. J.-C. et crée un exotisme né du double décalage du temps et du lieu. Cyrus, amoureux de la belle Mandane, est à la recherche de sa bien-aimée. Mais elle est convoitée et enlevée par des rivaux successifs, ce qui contraint le héros à des poursuites et à des combats incessants.

Aventures militaires et amoureuses dans des contrées diverses, rebondissements, mais aussi portraits et fines descriptions psychologiques alternent dans ce roman dont l'intérêt était encore renforcé par ce qu'on appelle les clefs. Les personnages fictifs évoquaient en effet des êtres bien réels de l'époque de Madeleine de Scudéry : sous Cyrus, se cache le grand homme de guerre, Condé, sous Mandane, la duchesse de Longueville, célèbre pour ses nombreux complots contre le pouvoir royal, sous la sage Sapho, Madeleine de Scudéry elle-même.

Jan van Kessel (1626-1679), *L'Asie*, détail, Munich, Alte Pinakothek.
Les pays lointains sont une source intarissable pour l'imagination des artistes.

« Ce merveilleux objet dont mes yeux étaient enchantés »

Dans le livre I de la partie III, se développe une de ces nombreuses intrigues annexes qui prennent place habituellement dans les romans-fleuves. Timocrate raconte à Martésie dans quelles conditions il a fait connaissance de Télésile. Voilà qui donne l'occasion à Madeleine de Scudéry de traiter le thème de l'amour coup de foudre et d'introduire un de ces portraits dont les lecteurs étaient friands.

Mais comme la cérémonie fut achevée[1] et que pour voir encore mieux toutes les dames, Mélésandre[2] et moi fûmes allés nous mettre près de la porte à parler à deux ou trois de ses amis qui nous vinrent joindre[3], je vis sortir d'entre des colonnes de marbre qui soutiennent la voûte du temple une personne que ces colonnes m'avaient sans doute cachée tant que la cérémonie avait duré, mais une personne 5 si admirablement belle que j'en fus ébloui tant elle avait d'éclat dans les yeux et dans le teint. Je ne la vis pas plutôt que, cessant d'écouter ceux qui parlaient, je tirai Mélésandre par le bras et, sans cesser de regarder ce merveilleux objet dont mes yeux étaient enchantés, « Mélésandre », lui dis-je en la lui montrant, « apprenez-moi le nom de cette miraculeuse personne ». « Elle s'appelle Télésile », me répliqua-t-il, « de qui le nom n'est pas moins célèbre par les charmes de son esprit 10 et par la complaisance de son humeur que par les attraits de son visage ».

Au nom de Télésile, ceux avec qui nous étions interrompirent leur conversation et, la regardant passer auprès de nous, nous la saluâmes et la suivîmes afin de la voir plus longtemps. Comme elle connaissait fort Mélésandre et qu'elle l'estimait même beaucoup, elle lui rendit son salut avec un sourire si agréable et avec un air si aimable et si obligeant que la beauté, en augmentant encore mon 15 admiration, s'en augmenta aussi et je sentis dans mon cœur je ne sais quelle joie inquiète et je ne sais quel tumulte intérieur dans mon âme que je ne connaissais point du tout, ne l'ayant jamais senti jusqu'alors. Et certes, je suis obligé de dire, pour excuser ma faiblesse en cette rencontre[4], que peu de cœurs ont jamais été attaqués avec de plus belles ni de plus fortes armes que celles qui blessèrent le mien.

20 Télésile était dans sa dix-septième année : elle avait la taille noble et bien faite, le port[5] agréable et quelque chose dans l'action[6] de si libre, de si naturel et qui sentait si fort sa personne de qualité qu'elle ne laissait pas lieu de douter de sa condition dès qu'on la voyait. Elle avait les cheveux du plus beau noir du monde et le teint d'une blancheur si vive et si surprenante que l'on ne pouvait la voir sans avoir l'imagination toute remplie de neige et de cinabre[7], de lis et de roses, tant il est certain 25 que la nature a mis sur son visage de belles et d'éclatantes couleurs. De sorte que, joignant à ce que je dis des yeux doux et brillants tout ensemble, une bouche admirable, de belles dents et une fort belle gorge, il n'y a pas lieu de s'étonner si mon cœur en fut surpris[8].

Le Grand Cyrus, partie III, livre I.

Pour préparer l'étude du texte

1. Ce récit est mené à la première personne. Vous montrerez comment cette technique permet de faire alterner la narration et les commentaires.
2. Vous étudierez les manifestations du coup de foudre qui marque la naissance de l'amour (importance du regard, choc ressenti, confusion des sentiments).
3. Vous noterez le caractère très élogieux de la description de l'être aimé qui permet de définir un idéal de beauté.

Clélie
1654-1660

L'action de *Clélie* se déroule au cours de la révolution qui renversa le roi de Rome, Tarquin, en 509 av. J.-C. Clélie, jeune Romaine fille du noble Clélius et Aronce, fils du roi des Étrusques Porsenna, sont amoureux l'un de l'autre. Mais Clélie est enlevée par Tarquin dont Porsenna est l'allié. Un double obstacle, celui du rival et celui du père, s'oppose donc à l'amour d'Aronce, parti délivrer Clélie. Tout finira bien : le roi des Étrusques rompra son alliance avec Tarquin, tandis qu'Aronce retrouvera Clélie.

Comme dans *Le Grand Cyrus*, ce sujet n'est qu'un prétexte pour accumuler les rebondissements romanesques, pour multiplier les intrigues amoureuses et pour évoquer des personnages célèbres de l'époque.

---

1. Timocrate se trouve à la porte du temple où vient de s'achever une cérémonie religieuse.
2. Un ami de Timocrate.
3. Qui vinrent nous rejoindre.
4. En cette occasion.
5. La manière de se présenter, l'air.
6. Dans les gestes, lorsqu'elle agissait.
7. Substance de couleur rouge que les dames mettaient sur leur visage.
8. Fortement impressionné, décontenancé.

Jacques Stella (1596-1657), *Clélie passant le Tibre*, Paris, musée du Louvre.

« Ces trois villes de Tendre »

Dans le livre I de la première partie, Célère conte à une princesse l'histoire du prince étrusque Aronce et de la jeune Romaine Clélie. Il décrit la fameuse Carte de Tendre élaborée par Clélie. Il s'agit de l'itinéraire symbolique que les parfaits amants doivent suivre, en évitant les embûches et les obstacles.

Afin que vous compreniez mieux le dessein de Clélie, vous verrez qu'elle a imaginé qu'on peut avoir de la tendresse par trois causes différentes : ou par une grande estime, ou par reconnaissance, ou par inclination ; et c'est ce qui l'a obligée d'établir ces trois villes de Tendre, sur trois rivières qui portent ces trois noms, et de faire aussi trois routes différentes pour y aller. Si bien que, comme on
5 dit Cumes sur la mer d'Ionie et Cumes sur la mer Tyrrhène[1], elle fait qu'on dit Tendre sur Inclination, Tendre sur Estime, et Tendre sur Reconnaissance. Cependant, comme elle a présumé que la tendresse qui naît par inclination n'a besoin de rien autre chose pour être ce qu'elle est, Clélie, comme vous le voyez, Madame, n'a mis nul village le long des bords de cette rivière, qui va si vite qu'on n'a que faire de logement le long de ses rives, pour aller de Nouvelle Amitié à Tendre. Mais pour aller
10 à Tendre sur Estime, il n'en est pas de même : car Clélie a ingénieusement mis autant de villages qu'il y a de petites et de grandes choses qui peuvent contribuer à faire naître, par estime, cette tendresse dont elle entend parler.

En effet vous voyez que de Nouvelle Amitié on passe à un lieu qu'elle appelle Grand Esprit, parce que c'est ce qui commence ordinairement l'estime[2] ; ensuite vous voyez ces agréables villages de
15 Jolis Vers, de Billet Galant et de Billet Doux, qui sont les opérations les plus ordinaires du grand esprit

1. Allusion à deux villes italiennes, l'une située sur la mer Ionienne et l'autre sur la mer Tyrrhénienne.

2. C'est l'élévation de l'esprit qui suscite l'estime.

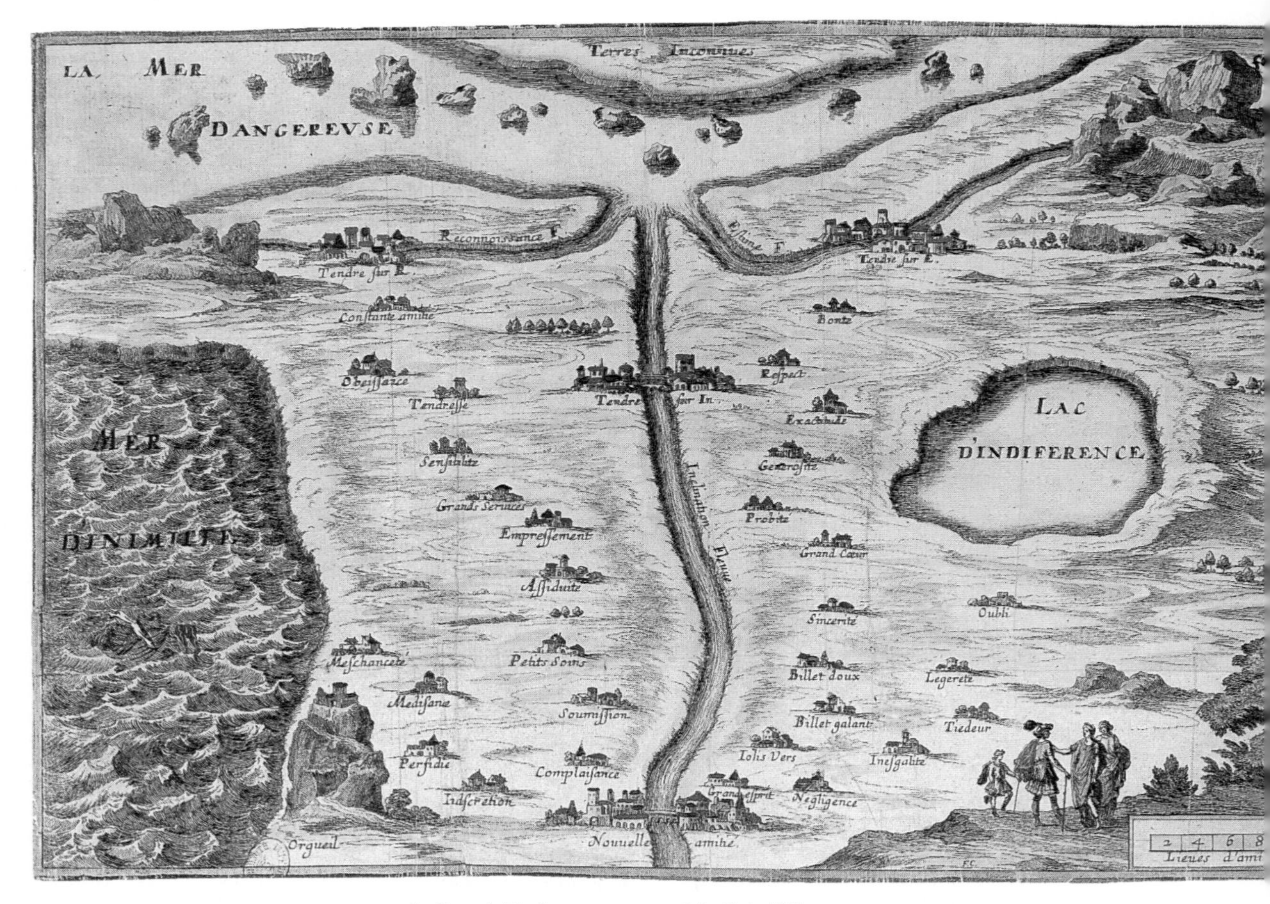

La Carte de Tendre, gravure, XVIIe siècle, Paris, B.N.
L'itinéraire complexe de l'amour précieux.

dans les commencements d'une amitié. Ensuite, pour faire un plus grand progrès dans cette route, vous voyez Sincérité, Grand Cœur, Probité, Générosité, Respect, Exactitude et Bonté, qui est tout contre Tendre, pour faire connaître qu'il ne peut y avoir de véritable estime sans bonté, et qu'on ne peut arriver à Tendre de ce côté-là sans avoir cette précieuse qualité. Après cela, Madame, il faut, s'il vous plaît, retourner à Nouvelle Amitié, pour voir par quelle route on va de là à Tendre sur Reconnaissance. Voyez donc, je vous prie, comment il faut aller d'abord de Nouvelle Amitié à Complaisance, ensuite à ce petit village qui se nomme Soumission, et qui en touche un autre fort agréable, qui s'appelle Petits Soins. Voyez, dis-je, que de là il faut passer par Assiduité, pour faire entendre que ce n'est pas assez d'avoir durant quelques jours tous ces petits soins obligeants, qui donnent tant de reconnaissance, si on ne les a assidûment. Ensuite vous voyez qu'il faut passer à un autre village qui s'appelle Empressement et ne faire pas comme certaines gens tranquilles, qui ne se hâtent pas d'un moment, quelque prière qu'on leur fasse, et qui sont incapables d'avoir cet empressement qui oblige[1] quelquefois si fort. Après cela, vous voyez qu'il faut passer à Grands Services, et que, pour marquer qu'il y a peu de gens qui en rendent de tels, ce village est plus petit que les autres. Ensuite il faut passer à Sensibilité, pour faire connaître qu'il faut sentir jusqu'aux plus petites douleurs de ceux qu'on aime. Après, il faut, pour arriver à Tendre, passer par Tendresse, car l'amitié[2] attire l'amitié. Ensuite, il faut aller à Obéissance, n'y ayant presque rien qui engage plus le cœur de ceux à qui on obéit, que de le faire aveuglément ; et pour arriver enfin où l'on veut aller, il faut passer à Constante Amitié, qui est sans doute le chemin le plus sûr, pour arriver à Tendre sur Reconnaissance.

Mais, Madame, comme il n'y a point de chemins où l'on ne se puisse égarer, Clélie a fait, comme vous le pouvez voir, que si ceux qui sont à Nouvelle Amitié prenaient un peu plus à droite ou un peu plus à gauche, ils s'égareraient aussi : car si au partir[3] de Grand Esprit, on allait à Négligence, que vous voyez tout contre sur cette carte, qu'ensuite, continuant cet égarement, on allât à Inégalité, de là à Tiédeur, à Légèreté et à Oubli, au lieu de se trouver à Tendre sur Estime, on se trouverait au Lac d'Indifférence que vous voyez marqué sur cette carte, et qui, par ses eaux tranquilles, représente sans doute fort juste[4] la chose dont il porte le nom en cet endroit. De l'autre côté, si, au partir de Nouvelle

1. Qui provoque la reconnaissance.
2. L'amour.
3. En partant.
4. Fort justement.

Amitié, on prenait un peu trop à gauche, et qu'on allât à Indiscrétion, à Perfidie, à Orgueil, à Médisance ou à Méchanceté, au lieu de se trouver à Tendre sur Reconnaissance, on se trouverait à la Mer
45 d'Inimitié, où tous les vaisseaux font naufrage, et qui, par l'agitation de ses vagues, convient sans doute fort juste avec cette impétueuse passion que Clélie veut représenter.

Clélie, partie I, livre I.

Pour préparer l'étude du texte

1. Chaque lieu indiqué a une signification symbolique. Vous le montrerez, en essayant de retrouver sur la Carte de Tendre l'itinéraire ici décrit.
2. Tout un univers champêtre apparaît dans ce texte. Quelle est sa nature et comment est-il créé ?
3. Vous relèverez et analyserez les procédés précieux utilisés (métaphores, hyperboles, antithèses, etc.).

Les trois modèles de l'homme à la mode

Trois écrivains exercent alors une influence considérable sur l'homme de cour et de salon, sur l'homme à la mode, représentent des références, des modèles. Vaugelas exprime les règles du bien parler, Guez de Balzac celles du bien écrire, Faret celles de se bien comporter.

PARLER COMME VAUGELAS

Dans ses *Remarques sur la langue française*, succession de réflexions qu'il publie en 1647, Claude Favre, seigneur de Vaugelas (1585-1650), exprime la nécessité d'épurer le français, de forger une langue simple, précise, efficace. Pour parvenir à ce résultat, cet homme de cour, un des proches du frère de Louis XIII, Gaston d'Orléans, s'appuie sur l'usage cautionné par une élite sociale : les solutions à retenir ne doivent pas venir du peuple ni d'une réflexion savante, mais des gens de la cour et des salons, garants du bon goût et de l'expression correcte.

1. Pour le mieux faire entendre, il est nécessaire d'expliquer ce que c'est que cet Usage, dont on parle tant, et que tout le monde appelle le roi, ou le tyran, l'arbitre, ou le maître des langues. Car si ce n'est autre chose, comme quelques-uns se l'imaginent, que la façon ordinaire de parler d'une nation dans le siège de son empire[1], ceux qui
5 y sont nés et élevés n'auront qu'à parler le langage de leurs nourrices et de leurs domestiques pour bien parler la langue de leur pays, et les provinciaux et les étrangers, pour la bien savoir, n'auront aussi qu'à les imiter. Mais cette opinion choque tellement l'expérience générale qu'elle se réfute[2] d'elle-même, et je n'ai jamais pu comprendre comme un des plus célèbres auteurs[3] de notre temps a été infecté de
10 cette erreur.

2. Il y a sans doute deux sortes d'usages, un bon et un mauvais. Le mauvais se forme du plus grand nombre de personnes, qui presque en toutes choses n'est pas le meilleur, et le bon au contraire est composé non pas de la pluralité, mais de l'élite des voix, et c'est véritablement celui que l'on nomme le maître des langues, celui qu'il faut
15 suivre pour bien parler et pour bien écrire en toutes sortes de styles, si vous en exceptez la satire, le comique [...] et le burlesque[4], qui sont d'aussi peu d'étendue que peu de gens s'y adonnent[5]. Voici donc comme on définit le bon usage.

3. C'est la façon de parler de la plus saine partie de la cour, conformément à la façon d'écrire de la plus saine partie des auteurs du temps. Quand je dis la cour, j'y
20 comprends les femmes comme les hommes, et plusieurs personnes de la ville où le Prince réside[6], qui par la communication qu'elles ont avec les gens de la cour participent à sa politesse. Il est certain que la cour est comme un magasin, d'où notre langue tire quantité de beaux termes pour exprimer nos pensées et que l'éloquence de la chaire ni du barreau[7] n'aurait pas les grâces qu'elle demande.

Vaugelas, Remarques sur la langue française, *Préface.*

1. Sur son territoire.
2. Qu'elle se détruit.
3. Allusion à Malherbe.
4. Ce sont là trois tonalités « populaires » : c'est pour cette raison qu'elles échappent à la règle.
5. Qui sont d'autant moins importants que peu de gens les pratiquent.
6. C'est-à-dire Paris.
7. L'éloquence religieuse et judiciaire.

Écrire comme Guez de Balzac

Très influencé par la culture de l'Italie, où, en charge des intérêts du cardinal de La Valette, il séjourna plusieurs années, Jean-Louis Guez de Balzac (1595-1654) acquit une grande réputation grâce à ses lettres. De nombreuses éditions se succédèrent de son vivant, à partir de 1624, mais il fallut attendre 1665 pour que sa correspondance paraisse dans sa totalité. On admirait chez lui la fermeté et la pureté de sa langue, son humour, son sens de la dédramatisation. Toutes ces qualités éclatent dans cette lettre, qu'il adresse de Rome le 10 décembre 1621 au cardinal de La Valette et où il évoque les souffrances dont l'accable une sciatique.

Monseigneur,

Ni dans les déserts de l'Afrique, ni dans les abîmes de la mer, il n'y eut jamais un si furieux monstre que la sciatique ; et si les tyrans, dont la mémoire nous est odieuse, avaient eu de tels instruments de leur cruauté, c'eût été la sciatique que les martyrs eussent endurée pour la religion et non pas le feu et les morsures des bêtes. A chaque pointe[1] qu'elle donne, elle porte un pauvre malade jusque sur les bornes de l'autre monde, et lui fait toucher sensiblement les extrémités de sa vie. Et certes, pour la supporter longtemps, il faudrait une plus grande vertu que la patience et d'autres forces que celles des hommes. A la fin, Dieu m'a envoyé quelque relâche[2], après avoir essayé une infinité de remèdes, dont les uns aigrissaient[3] mon mal et les autres ne le soulageaient pas. Maintenant que la violence de la douleur cesse, je commence à jouir de ce repos que la lassitude et la faiblesse apportent aux corps qui ont été travaillés[4] ; et quoique je sois en un état de santé beaucoup moins parfait que ne sont ceux qui se portent bien, toutefois le mesurant par la proximité du mal que j'ai eu et la comparaison des peines que j'ai souffertes, je me loue bien fort de ma fortune[5] présente, et je ne suis pas si hardi que j'ose encore me plaindre de la grande débilité[6] qui m'est demeurée. Il est vrai pourtant que je n'ai plus de jambes que par bienséance et que, si je voulais entreprendre de cheminer, j'aurais autant de peine d'aller d'un bout de ma chambre à l'autre que s'il fallait passer des montagnes et traverser des rivières par les chemins. Mais avec cela je vous dirai une chose de laquelle vous vous étonneriez, si je ne vous avais rien dit, c'est qu'en cet état-là, qui vous fera pitié de quatre cents lieues, je suis d'un côté devenu si vaillant que je ne fuirais pas si j'étais poursuivi d'une armée et de l'autre si glorieux[7] que, quand le pape me viendrait voir, je ne l'irais pas conduire jusqu'à la porte[8]. Voilà l'avantage que je tire de mes mauvaises jambes et les remèdes qui naissent en mon lit dont je tâche de me soulager sans le secours de la médecine.

Jean-Louis Guez de Balzac, Lettre XXI, *1624.*

Vivre comme Faret

Édité en 1630, *L'Honnête Homme, ou L'Art de plaire à la cour* connaît un succès considérable. Il devient pour les gens à la mode une sorte de bible des bonnes manières. Avocat de formation, son auteur, Nicolas Faret (1596 ?-1646), qui fut l'un des fondateurs de l'Académie française, se propose deux buts : définir des méthodes pour faire bonne figure à la cour et dans les salons, mais aussi dégager un idéal de conduite fondé sur la modération, la simplicité et le respect des autres. Il précise ainsi l'attitude de l'homme envers la femme. Elle est le centre, le soleil de la vie sociale. Il doit la respecter et se soumettre à ses volontés.

Combien les femmes sont nécessaires dans les cours

A cela il faut ajouter que sans elles[9] les plus belles cours du monde demeureraient tristes et languissantes, sans ornement, sans splendeur, sans joie et sans aucune sorte de galanterie[10]. Et il faut avouer que c'est leur seule présence qui réveille les esprits et pique la générosité de tous ceux qui en ont quelques sentiments[11]. Cela étant véritable, comme certainement il est, quels hommes assez stupides pourraient refuser des respects et des honneurs à celles qui leur donnent de la gloire, ou du moins qui leur inspirent le désir d'en acquérir ? Or ces respects consistent en une certaine expression d'humilité et de révérence[12] par gestes ou par paroles, qui témoignent une extraordinaire estime que nous faisons des personnes envers qui nous en usons.

1. A chaque accès de souffrance.
2. Quelque répit.
3. Irritaient, aggravaient.
4. Qui ont été tourmentés.
5. De mon sort.
6. Faiblesse.
7. Si vaniteux.
8. Balzac attribue plaisamment à une volonté réfléchie ce qui serait en fait la conséquence d'une incapacité physique.
9. Sans les femmes.
10. Politesse raffinée, manières délicates.
11. Qui ressentent cette générosité.
12. Profond respect.

La Cour de Louis XIV, gravure, XVIIe siècle, Paris, B.N.

Des soins qu'il faut rendre aux femmes

10 *Ils[1] s'expriment encore par les actions, et il y a mille petits soins et mille petits services à rendre aux femmes qui, étant rendus à temps et souvent réitérés[2], font à la fin sur leurs esprits de plus fortes impressions que les plus importants mêmes, dont les occasions ne s'offrent que rarement. Ceux qui sont amoureux n'ont que faire ici de mes préceptes, puisqu'ils n'ont déjà que trop de pernicieux[3] maîtres en cet art et ne sont* 15 *que trop inventifs d'eux-mêmes à cultiver leur folie.*

Contre les vains[4] et les indiscrets

Mais combien est à plaindre une honnête femme de qui la beauté a eu le malheur de faire naître cette passion dans une âme mal composée[5] et pleine d'indiscrétion et de vanité, qui sont aujourd'hui les deux grandes pestes dont la jeunesse de la cour est infectée ! Les yeux des basilics[6] sont moins mortels et moins à craindre à la vie des 20 *hommes que les regards des hommes vains et indiscrets ne sont à redouter à l'honneur des honnêtes femmes.*

Faret, L'Honnête Homme ou L'Art de plaire à la cour.

1. Les respects.
2. Répétés.
3. Dangereux.
4. Les vaniteux.
5. Mal disposée, mal faite.
6. Serpents mythiques dont le regard provoquait la mort.

LE BURLESQUE ET SES JEUX D'OPPOSITIONS
SCARRON ET CYRANO DE BERGERAC

UNE EXPLOITATION BOUFFONNE DES CONTRADICTIONS HUMAINES

Le burlesque se développe parallèlement à la préciosité. Ces deux courants sont d'inspiration baroque. Précieux et burlesques sont attirés par l'outrance, par les apparences, par l'inattendu, par le jeu. Mais chacun apporte sa version originale du baroque, en développant, de façon privilégiée, un de ses aspects. Les précieux essaient de tout ramener à l'esprit et de reconstituer ainsi une unité harmonieuse à partir de la complexité du monde. Les burlesques, comme Paul Scarron ou Savinien de Cyrano de Bergerac, rendent compte de la diversité de l'homme, en révélant les contradictions qui le divisent, en montrant l'emprise de son corps sur son esprit.

Pour dégager ces contradictions, les burlesques utilisent différents procédés. Ils emploient, par exemple, un style bouffon pour évoquer un sujet réputé sublime (voir *Virgile travesti* de Scarron, p. 87). Ils se servent, au contraire, dans une perspective que l'on appelle héroï-comique, d'une expression élevée, pour rendre compte de sujets prosaïques (voir texte de Scarron, p. 91). Ils montrent l'abîme qui se creuse souvent entre ce que souhaite paraître un personnage et ce qu'il est réellement, comme le fait Scarron, lorsqu'il met en scène Ragotin, être à la fois ridicule et plein de suffisance (voir texte de Scarron, p. 91). Ils mettent en parallèle les efforts déployés pour parvenir à un but et les résultats dérisoires obtenus (voir texte de Scarron, p. 91). Ils soulignent la relativité des coutumes, en décrivant des techniques ou des mœurs étranges au regard de celles qui s'imposaient alors en France (voir textes de Cyrano de Bergerac, p. 96). Ils révèlent l'importance du hasard, dans un monde où rien n'est sûr, et où tout peut arriver (voir textes de Scarron, p. 90 et de Cyrano de Bergerac, p. 94).

Diego Vélasquez (1599-1660), *Démocrite*, Rouen, musée des Beaux-Arts. Une interprétation prosaïque du grand philosophe de la Grèce antique.

Un réalisme parfois excessif

Pour révéler ces oppositions qui divisent l'homme, les burlesques s'appuient vigoureusement sur le réel. Les précieux étaient des idéalistes. Ils sont des réalistes. Ils accordent une grande importance à ce qui relève de la matière, à ce qui appartient au corps humain. Ils s'intéressent aux réalités quotidiennes qu'ils décrivent dans tous leurs détails. Il n'est pas question, pour eux, de se livrer à une autocensure. Dans leurs descriptions, ils incluent, sans hésiter, les éléments les plus prosaïques, les réalités les plus crues. Leur vocabulaire est celui du quotidien : il énumère les objets familiers (voir texte de Scarron, p. 91) ou les fonctions corporelles (voir texte de Scarron, p. 88).

Mais une outrance, une exagération volontaire vient quelque peu perturber ce réalisme. Pour mieux rendre compte de ces contradictions humaines, les écrivains burlesques pratiquent l'excès avec délectation et humour : ils introduisent ainsi une dimension comique.

Développement et permanence du burlesque

Le burlesque a gagné tous les genres. Il est présent dans le roman, qui, dans la tradition du *Francion* de Sorel, montre les contradictions de l'être humain, qui démonte aussi les artifices du roman idéaliste (voir les romans de Scarron et de Cyrano de Bergerac). Il s'introduit dans la poésie, où il prend la forme d'une parodie de l'épopée (voir *Virgile travesti* de Scarron, p. 87). Il s'impose dans le théâtre : Scarron l'a exploité avec bonheur, en opposant, comme dans *Don Japhet d'Arménie*, des personnages issus de milieux sociaux différents et en construisant des êtres dont les contradictions éclatent sous les lumières crues de la scène.

La place occupée par les écrivains burlesques au XVIIe siècle est considérable. Leur souci d'embrasser l'ensemble des réalités et leur attirance pour le jeu stylistique les conduisent parfois à pratiquer la préciosité, comme Cyrano de Bergerac (voir texte, p. 101), tandis que certains précieux, comme Saint-Amant, cultivent volontiers le burlesque (voir texte, p. 62). Bien plus, le burlesque pénètre les œuvres des plus grands écrivains du XVIIe siècle : Pierre Corneille, dans *L'Illusion comique* (voir p. 153), a construit le personnage burlesque de Matamore, ce lâche qui essaie, en vain, de paraître courageux. Molière, dans *Dom Juan* (voir p. 199), a, dans la tradition burlesque, réuni sur scène un personnage de tragédie, Dom Juan et un personnage de comédie, Sganarelle, qui se contestent mutuellement.

José de Ribera (1591-1652), *Le Pied-bot*, Paris, musée du Louvre.
Un regard humain sur une disgrâce physique traitée avec réalisme.

Paul Scarron
1610-1660

Anonyme, XVIIᵉ siècle, *Portrait de Scarron*, Le Mans, musée de Tessé.

Une jeunesse insouciante

Pour Paul Scarron, la vie s'annonce sous les couleurs les plus riantes. Il est né en 1610, dans un Paris avide de vivre, de se divertir, d'oublier dans les plaisirs les épisodes sanglants des guerres de religion. Il est beau, charmant, spirituel. Il plaît, il le sait et en profite. Il mène une existence insouciante, papillonnante, de jeune homme à la mode. Attiré par la philosophie libertine (voir p. 102), il est un des habitués du salon de Marion Delorme, jeune femme d'une grande beauté dont les aventures galantes défraient alors la chronique.

Son avenir ? Il est tout tracé. Il a choisi la carrière ecclésiastique ; mais, en ce temps-là, ce n'était pas renoncer au monde et à ses plaisirs : il était possible de trouver des accommodements avec la religion. Il se met donc, sans changer ses habitudes de vie, au service de l'évêque du Mans qu'il accompagne à Rome en 1635, et devient, l'année suivante, chanoine, un joyeux chanoine en vérité.

Une vie de souffrance

Mais en 1640, tout brusquement bascule, le rêve se transforme en cauchemar. Une mystérieuse maladie le rend paralysé et difforme. Sa vie ne va plus être qu'une vie de souffrance. Son état pitoyable, lui-même l'évoque dans cette épitaphe émouvante et ironique :

« Celui qui ci maintenant dort
Fit plus de pitié que d'envie,
Et souffrit mille fois la mort
Avant que de perdre la vie.

Passant, ne fais ici de bruit,
Prends garde qu'aucun ne l'éveille ;
Car voici la première nuit
Que le pauvre Scarron sommeille. »

De façon cruelle, Cyrano de Bergerac, qui avait à se venger de ses attaques, écrit dans une lettre intitulée *Contre Scarron* :

« On ajoute à sa description qu'il y a plus de dix ans que la Parque lui a tordu le cou sans le pouvoir étrangler ; et, ces jours passés, un de ses amis m'assura qu'après avoir contemplé ses bras torts et pétrifiés sur ses hanches, il avait pris son corps pour un gibet où le Diable avait pendu une âme et se persuada même qu'il pouvait être arrivé que le Ciel, animant ce cadavre infect et pourri, avait voulu, pour le punir des crimes qu'il n'avait pas commis encore, jeter par avance son âme à la voirie. »

C'est durant cette période atroce de sa vie qu'il écrit son œuvre. Il prend sa situation avec philosophie, adopte le parti d'en rire et d'en faire rire : il assure ainsi sa subsistance, tout en oubliant ses souffrances. Il devient le maître du style burlesque (voir p. 84), fait de dérision, de caricature, d'outrance, de contradictions.

Les adoucissements de la vie mondaine

Durant la Fronde (1648-1652), il échappe à une nouvelle menace. Il a violemment pris parti contre Mazarin et songe, pour éviter sa vengeance, à s'exiler en Amérique. Mais le cardinal se montre magnanime. Scarron peut donc rester en France. Durant ses dernières années, il connaît les adoucissements de la vie mondaine. En 1652, il fait en effet un mariage de convenance avec la petite-fille du poète Agrippa d'Aubigné, Françoise d'Aubigné, la future marquise de Maintenon qui, plus tard, sera la maîtresse, puis l'épouse de Louis XIV. Il devient le centre d'intérêt des réceptions de sa femme, entouré, choyé, apprécié pour ses bons mots et pour sa verve intarissable. Piètre consolation, mais consolation quand même pour cet être que le sort n'a pas ménagé !

Don Japhet d'Arménie (1647), comédie.
Virgile travesti (1648-1652), poème burlesque. → pp. 87-88.
Le Roman comique (1651-1657), roman. → pp. 89 à 91.

Virgile travesti
1648-1652

François Chauveau (1613-1676), *La Fuite d'Énée*, illustration de l'édition de 1648 du *Virgile travesti*, Paris, B.N.

Il fallut quelque cinq ans pour que paraisse la totalité de ce long poème en huit livres. Ce n'est pas seulement par amusement que Scarron écrivit cette parodie. Des raisons financières — nécessité fait loi — l'y poussèrent aussi : son éditeur, le libraire Quinet, lui avait en effet promis mille livres pour la rédaction de chaque partie.

Le titre de ce poème indique clairement le projet de Scarron : il « travestit » Virgile, ce poète de l'antiquité latine (70 ?-19 av. J.-C.). Il déguise, il transforme son *Énéide*. Les héros sublimes de cette épopée, qui raconte la fuite du prince troyen Énée après la prise de Troie par les Grecs, et son installation en Italie, deviennent des bourgeois grotesques uniquement attachés aux choses matérielles. Il oppose ainsi sujet élevé et style bas. Il projette l'univers tragique dans un monde de farce et démystifie l'emphase et l'enflure. Il fait naître un comique, parfois un peu facile, de l'excès et des contrastes.

Il a, en particulier, souvent recours à l'anachronisme : les personnages ont un comportement, des habitudes et un environnement qui ne sont pas ceux de leur époque, mais bien ceux du temps de Scarron.

« Des moindres bruits épouvantés »

Énée, après avoir échappé à l'incendie de Troie, trouve refuge chez Didon, la fondatrice de Carthage. Il lui raconte, en détail, ce qu'il a vécu depuis cet événement tragique. Dans le Livre II, il décrit la panique générale qui l'amena à fuir avec les siens.

A tout cela point de remède,
Sinon gagner vite les champs,
Et laisser faire ces méchants.
Quoique j'eusse l'échine forte,
5 Mon bon père à la chèvre morte[1]
Ne put sur mon dos s'ajuster,
Ni je n'eusse pu le porter ;
Par bonheur, je vis une hotte :
Mon père dedans on fagote[2],
10 Et tous nos dieux avecque lui ;
Puis, un banc me servant d'appui,
On charge sa lourde personne
Sur la mienne, qui s'en étonne,
Et fait des pas mal arrangés,
15 Comme font les gens trop chargés.
Mais qui diable ne s'évertue,
Quand il a bien peur qu'on le tue ?
Nous voilà tous sur le pavé ;
Sur mon dos mon père élevé
20 Nous éclairait de sa lanterne,
Qui n'était pas à la moderne :
Elle venait du bisaïeul
De l'aïeul de son trisaïeul.
Ma Créuse[3] venait derrière.
25 Chaque valet et chambrière,
De crainte d'être découverts,
Allèrent par chemins divers.
Je menais mon cher fils en laisse,
Pour lequel je tremblais sans cesse.
30 Enfin, par chemins écartés,
Des moindres bruits épouvantés,
Nous marchâmes devers la porte.
Quoique j'aie l'âme assez forte
Et que, dans le fer et le feu,
35 D'ordinaire je tremble peu,
Chargé de si chères personnes,
Je fis cent actions poltronnes :
Au moindre bruit que j'entendais,
Humble quartier je demandais[4].
40 Mon bon père en faisait de même,
Et crois qu'en cette peur extrême,
Dans la hotte un autre que lui
Aurait fait ce que par autrui
Roi ni reine ne pourrait faire.
45 Le feu, qui notre troupe éclaire,
Forme des ombres devant nous,
Qui nous effraient à tous coups.
Enfin, après plusieurs alarmes,
Un grand bruit de chevaux et d'armes
50 Se fit entendre auprès de nous ;
Mais, Madame[5], le croirez-vous ?
Ce bruit que nous crûmes entendre,
Puisque vous désirez l'apprendre,
Était ce qu'on appelle rien :
55 J'en rougis quand je m'en souviens.
Mon père, en cette peur panique,
Mille coups sur mon corps applique
Pour me faire aller au galop,
Et certes il n'en fit que trop.

Virgile travesti, Livre II, vers 2772 à 2830.

Pour préparer l'étude du texte

1. Vous relèverez et analyserez les termes appartenant à un registre de langue familier, voire vulgaire.
2. En quoi le comportement d'Énée est-il incompatible avec son statut de héros ? Vous recherchez, pour le montrer, les données essentielles de la biographie du personnage.
3. Vous établirez la liste des anachronismes contenus dans ce passage.
4. A partir de ces trois axes de recherche, vous essaierez de déduire les caractères de la parodie burlesque.

1. Lourd comme une chèvre morte.
2. On l'empaquette.
3. Femme d'Énée.
4. Je demandais humblement la vie sauve.
5. Énée s'adresse à Didon.

« Tous les bruits me font sursauter dans l'angoisse »

Voici le texte de l'*Énéide* de Virgile que Scarron parodie. On pourra ainsi constater comment s'opère le passage de l'héroïque au prosaïque.

« Allons[1], père chéri, place-toi sur notre cou ; c'est moi qui te soutiendrai de mes épaules et cette charge ne me sera point lourde. Quoi qu'il advienne, les mêmes périls, le même salut nous seront communs à tous deux. Que le petit Iule[2] m'accompagne et qu'un peu plus loin mon épouse suive bien notre marche. Vous, mes amis, écoutez-moi, de toute votre attention. Quand on sort de la ville, on trouve à l'écart le tertre et le vieux temple de Cérès[3] ; auprès, un antique cyprès conservé à travers les âges par la religion de nos pères. C'est là que par des chemins différents nous nous réunirons tous. Toi, père, prends dans tes mains les objets sacrés, les Pénates[4] de nos ancêtres ; moi qui sors à peine d'une guerre si rude et de ses carnages je ne peux les toucher avant de m'être purifié dans une eau vive. » Ayant ainsi parlé, je jette sur mes larges épaules, sur ma nuque inclinée un manteau, la peau d'un lion fauve ; je me courbe sous mon fardeau, le petit Iule a serré sa main dans ma droite, il suit son père de ses pas d'enfant ; ma femme vient derrière. Nous allons à travers l'obscurité des lieux et moi que ne troublaient naguère ni les traits dardés contre moi, ni les Grecs jaillissant en essaims de leurs bataillons meurtriers, maintenant tous les souffles m'effraient, tous les bruits me font sursauter dans l'angoisse, craignant à la fois pour mon compagnon et pour mon fardeau.

Déjà je touchais aux portes, je me croyais assuré du terme de notre route, quand soudain je crus entendre un bruit pressé de pas et mon père, regardant à travers l'ombre, s'écrie : « Mon fils, fuis, mon fils ; ils approchent. Je vois les boucliers brillants, le bronze qui scintille. » Ici dans mon émoi je ne sais quelle puissance maligne égara mon esprit en désordre. Tandis que dans ma course je me jette hors des chemins et à l'écart des routes familières, à ce moment, ah ! malheur ! Créuse mon épouse, est-ce un cruel destin qui arrêta ses pas et nous l'a ravie, ou s'est-elle trompée de route, est-elle tombée de lassitude ? On ne sait, mais depuis elle ne reparut pas à nos yeux.

Virgile, Énéide, *Livre II, vers 707 à 740, trad. J. Perret, Paris, Les Belles Lettres, 1977.*

Le Roman comique

1651-1657

La première partie du *Roman comique* parut en 1651, la deuxième en 1657. Un écrivain obscur devait lui donner une suite, en rédigeant une troisième partie.

Comme Sorel dans *Francion*, Scarron prend le contre-pied du roman idéaliste pratiqué par Honoré d'Urfé ou par Madeleine de Scudéry. Son but est de décrire la réalité toute crue. Mais ce réalisme n'empêche pas la fantaisie, l'imagination. Influencé par les romanciers espagnols, il élabore une œuvre d'une grande complexité, pleine d'imprévu et de péripéties.

L'intrigue principale est constituée par l'histoire du Destin et de L'Étoile. Persécutés dans leur amour, ces deux personnages se sont engagés, sous ces noms d'emprunt, comme comédiens dans une troupe de théâtre. Ce premier sujet est raconté au présent, mais donne lieu également à des retours en arrière. A cette intrigue, déjà complexe, s'ajoutent, en contrepoints, plusieurs actions secondaires : Scarron développe les histoires de personnages qui font partie de l'entourage du Destin et de L'Étoile. Pour com-

Jean-Baptiste Coulom (fin du XVIIe siècle-début du XVIIIe siècle), *Une représentation de la troupe du Roman comique*, Le Mans, musée de Tessé.

1. Comme dans la version de Scarron, Énée conte à Didon sa fuite de Troie.
2. Le fils d'Énée.
3. Déesse de l'agriculture.
4. Dieux domestiques, protecteurs de la famille.

pliquer encore l'ensemble, prennent place, enfin, des récits racontés par les acteurs du roman. Et tous ces éléments sont liés par le fil conducteur que constitue l'existence mouvementée d'une troupe de théâtre itinérante au XVIIe siècle : *Le Roman comique*, c'est le roman d'une troupe comique, c'est-à-dire d'une troupe de comédiens. Scarron met à profit cette complexité pour faire la peinture réaliste des milieux sociaux de son époque. Il y utilise le procédé burlesque de l'outrance et les effets d'opposition. Il remet également en cause la construction romanesque, en révélant avec humour au lecteur les procédés de fabrication dont se sert le romancier.

« Il se sentit sauter en croupe quelque homme ou quelque diable »

La comédienne Angélique, fille de La Caverne, a été enlevée. Le Destin est parti à sa recherche. C'est la nuit. Il chevauche dans un chemin désert dans la région du Mans, lorsqu'il fait une rencontre étrange.

Le soleil donnait à plomb sur nos antipodes et ne prêtait à sa sœur[1] qu'autant de lumière qu'il lui en fallait pour se conduire dans une nuit fort obscure. Le silence régnait sur toute la terre, si ce n'était dans les lieux où se rencontraient des grillons, des hiboux et des donneurs de sérénades. Enfin, tout dormait dans la nature, ou du moins tout devait dormir, à la réserve de quelques poètes qui avaient dans la tête des vers difficiles à tourner, de quelques malheureux amants, de ceux qu'on appelle âmes damnées[2], et de tous les animaux, tant raisonnables que brutes, qui, cette nuit-là, avaient quelque chose à faire. Il n'est pas nécessaire de vous dire que Le Destin était de ceux qui ne dormaient pas, non plus que les ravisseurs de Mademoiselle Angélique, qu'il poursuivait autant que pouvait galoper un cheval à qui les nuages dérobaient souvent la faible clarté de la lune. Il aimait tendrement Mademoiselle de La Caverne parce qu'elle était fort aimable et qu'il était assuré d'en être aimé, et sa fille ne lui était pas moins chère ; outre que sa Mademoiselle de L'Étoile, ayant de nécessité à faire la comédie[3], n'eût pu trouver en toutes les caravanes des comédiens de campagne deux comédiennes qui eussent plus de vertu que ces deux-là. Ce n'est pas à dire qu'il n'y en ait de la profession qui n'en manquent point, mais dans l'opinion du monde, qui se trompe peut-être, elles en sont moins chargées que de vieille broderie et de fard. Notre généreux comédien courait donc après ces ravisseurs plus fort et avec plus d'animosité que les Lapithes ne coururent après les Centaures[4].

Il suivit d'abord une longue allée sur laquelle répondait la porte du jardin par où Angélique avait été enlevée, et, après avoir galopé quelque temps, il enfila au hasard un chemin creux, comme le sont la plupart de ceux du Maine. Ce chemin était plein d'ornières et de pierres, et, bien qu'il fît clair de lune, l'obscurité y était si grande que Le Destin ne pouvait faire aller son cheval plus vite que le pas. Il maudissait intérieurement un si méchant chemin quand il se sentit sauter en croupe quelque homme ou quelque diable qui lui passa les bras à l'entour du col. Le Destin eut grand-peur et son cheval en fut si fort effrayé qu'il l'eût jeté par terre si le fantôme qui l'avait investi[5] et qui le tenait embrassé ne l'eût affermi dans la selle. Son cheval s'emporta comme un cheval qui avait peur, et Le Destin le hâta[6] à coups d'éperons, sans savoir ce qu'il faisait, fort mal satisfait de sentir deux bras nus à l'entour de son col et contre sa joue un visage froid, qui soufflait à reprises à la cadence du galop du cheval. La carrière[7] fut longue parce que le chemin n'était pas court. Enfin, à l'entrée d'une lande, le cheval modéra sa course impétueuse, et Le Destin sa peur : car on s'accoutume à la longue aux maux les plus insupportables. La lune luisait alors assez pour lui faire voir qu'il avait un grand homme nu en croupe et un vilain visage auprès du sien. Il ne lui demanda point qui il était (je ne sais si ce fut par discrétion). Il fit toujours continuer le galop à son cheval, qui était fort essoufflé, et, lorsqu'il l'espérait le moins, le chevaucheur croupier[8] se laissa tomber à terre et se mit à rire. Le Destin repoussa son cheval de plus belle et, regardant derrière lui, il vit son fantôme qui courait à toutes jambes vers le lieu d'où il était venu.

Le Roman comique, partie II, chapitre I.

Pour préparer l'étude du texte

1. Le suspense règne dans ce récit. Vous en ferez le plan, en montrant la savante progression des faits.
2. L'atmosphère est marquée par le fantastique. Quels procédés utilise Scarron pour créer une telle impression ?
3. Le burlesque est également présent, dans le recours à un vocabulaire prosaïque et dans les interventions de l'auteur qui vient ainsi rompre volontairement le charme. Vous analyserez cette technique burlesque.

1. La lune.
2. Misérables qui endurent de grandes souffrances comme les damnés.
3. Étant obligée de jouer la comédie.
4. D'après la légende, les Centaures, êtres moitié hommes, moitié chevaux, furent exterminés par les Lapithes.
5. Qui l'avait assiégé, qui avait pris possession de lui.
6. Le fit se hâter.
7. L'espace à parcourir, la route.
8. Celui qui chevauchait en croupe.

« Son pied entra dans un pot de chambre »

Ragotin, être de petite taille et prétentieux, apparaît comme le souffre-douleur du roman. Il est accablé par le mauvais sort et se trouve, sans cesse, sous le coup d'une contradiction burlesque : alors qu'il accumule tous les moyens nécessaires pour atteindre ses buts, il échoue toujours lamentablement. Accourus à ses cris, les clients de l'auberge où s'est installée la troupe de théâtre vont être les témoins de nouvelles mésaventures.

Mais la Discorde aux crins de couleuvre n'avait pas encore fait dans cette maison-là tout ce qu'elle avait envie d'y faire. On ouït[1] dans la chambre haute des hurlements non guère différents de ceux que fait un pourceau qu'on égorge : et celui qui les faisait n'était autre que le petit Ragotin. Le curé, les comédiens et plusieurs autres coururent à lui et le trouvèrent tout le corps, à la réserve de la tête[2], 5 enfoncé dans un grand coffre de bois qui servait à serrer[3] le linge de l'hôtellerie, et, ce qui était de plus fâcheux pour le pauvre encoffré, le dessus du coffre, fort pesant et massif, était tombé sur ses jambes et les pressait d'une manière fort douloureuse à voir. Une puissante servante, qui n'était pas loin du coffre quand ils entrèrent et qui leur paraissait fort émue[4], fut soupçonnée d'avoir si mal placé Ragotin. Il était vrai, et elle en était toute fière, si bien que, s'occupant à faire un des lits de la chambre, 10 elle ne daigna pas regarder de quelle façon on tirait Ragotin du coffre, ni même répondre à ceux qui lui demandèrent d'où venait le bruit qu'on avait entendu. Cependant, le demi-homme fut tiré de sa chausse-trape et ne fut pas plus tôt sur ses pieds qu'il courut à une épée. On l'empêcha de la prendre, mais on ne put l'empêcher de joindre la grande servante, qu'il ne put aussi empêcher qu'elle ne lui donnât un si grand coup sur la tête que tout le vaste siège de son étroite raison en fut ébranlé. Il en 15 fit trois pas en arrière, mais c'eût été reculer pour mieux sauter si L'Olive[5] ne l'eût retenu par ses chausses[6], comme il s'allait élancer comme un serpent contre sa redoutable ennemie. L'effort qu'il fit, quoique vain, fut fort violent : la ceinture de ses chausses s'en rompit, et le silence aussi de l'assistance, qui se mit à rire. Le curé en oublia sa gravité, et le frère de l'hôte d'en faire le triste. Le seul Ragotin n'avait pas envie de rire, et sa colère s'était tournée contre L'Olive qui, s'en sentant injurié, 20 le porta tout brandi[7], comme l'on dit à Paris, sur le lit que faisait la servante et là, d'une force d'Hercule, il acheva de faire tomber ses chausses, dont la ceinture était déjà rompue, et haussant et baissant les mains dru et menu sur ses cuisses et sur les lieux voisins, en moins de rien les rendit rouges comme de l'écarlate. Le hasardeux Ragotin se précipita courageusement du lit en bas, mais un coup si hardi n'eut pas le succès qu'il méritait. Son pied entra dans un pot de chambre que l'on avait laissé dans 25 la ruelle du lit[8] pour son grand malheur, et y entra si avant que, ne l'en pouvant retirer à l'aide de son autre pied, il n'osa sortir de la ruelle du lit où il était de peur de divertir davantage la compagnie et d'en attirer sur soi la raillerie, qu'il entendait moins que personne du monde. Chacun s'étonnait fort de le voir si tranquille après avoir été si ému. La Rancune[9] se douta que ce n'était pas sans cause. Il le fit sortir de la ruelle du lit, moitié bon gré, moitié par force ; et lors tout le monde vit où était 30 l'enclouûre[10], et personne ne se put empêcher de rire, voyant le pied de métal que s'était fait le petit homme. Nous le laisserons foulant l'étain d'un pied superbe pour aller recevoir un train[11] qui entra au même temps dans l'hôtellerie.

Le Roman comique, partie II, chapitre VII.

Pour préparer le commentaire composé

1. **Le comique de mots.** Vous montrerez comment le comique de mots vient à la fois de la nature des termes utilisés (exemple : « encoffré », l. 6) et du recours volontaire à un style élevé pour développer un sujet prosaïque (exemple : « le pied de métal que s'était fait le petit homme », l. 30-31).
2. **Le comique de situation.** Vous analyserez le comique de situation créé par la position ridicule de Ragotin et par le comportement des spectateurs.
3. **Le burlesque.** Vous essaierez de caractériser le burlesque de Scarron, en comparant éventuellement les procédés dont il se sert dans *Le Roman comique* et dans *Virgile travesti* (voir p. 88).

1. On entendit.
2. Sauf la tête.
3. A ranger.
4. Fort agitée.
5. Un des comédiens de la troupe.
6. Vêtement qui couvrait le corps de la ceinture jusqu'aux genoux ou jusqu'aux pieds.
7. Tout d'une pièce.
8. Espace situé entre le lit et le mur.
9. Un autre comédien de la troupe.
10. Blessure provoquée par un clou, lorsqu'un cheval a été mal ferré.
11. Un équipage, des voyageurs.

Savinien de Cyrano de Bergerac
1619-1655

Portrait de Cyrano de Bergerac, gravure, XVIIe siècle, Paris, musée Carnavalet.

Un mythe

Si l'œuvre de Cyrano de Bergerac n'est guère connue du grand public, le personnage est célèbre. Il est devenu un véritable mythe, grâce à la pièce de théâtre qu'Edmond Rostand lui consacra à la fin du XIXe siècle : mousquetaire gascon, duelliste incorrigible, amoureux transi, cible de la fatalité, être malheureux complexé par un nez proéminent, poète délicat et sensible, tel est le portrait romantique ancré dans les esprits. Mais du mythe à la réalité, la distance est considérable...

Enfance campagnarde et adolescence parisienne

Contrairement à la légende, Cyrano n'est pas d'origine gasconne. Né à Paris, en 1619, dans une famille bourgeoise, il vient habiter, dès l'âge de trois ans, avec ses parents, à Mauvières, dans la vallée de Chevreuse. Son enfance est donc campagnarde et c'est d'un curé de village qu'il reçoit le début de son instruction. A dix ans, il regagne Paris et entre au collège de Beauvais, dont il se moquera dans sa comédie, *Le Pédant joué*.

Adolescent, il ne correspond guère à cette image d'amant éploré que l'on a donnée de lui. Il mène, au contraire, une vie agitée, recherche les plaisirs, fréquente assidûment les cabarets de la capitale. Souffre-t-il de cet appendice volumineux bien réel, tel que le montre le portrait que l'on conserve de lui ? Toujours est-il qu'il sait en plaisanter. A la scène 2 de l'acte III du *Pédant joué*, il fait dire à la belle Genevote à propos du professeur Granger : « Pour son nez, il mérite bien une égratignure particulière. Cet authentique nez arrive partout un quart d'heure devant son maître ; dix savetiers de raisonnable rondeur vont travailler dessous à couvert de la pluie. »

Une brève carrière militaire

Il se destine au métier des armes et, à l'âge de vingt ans, s'engage comme mousquetaire dans la célèbre compagnie des gardes commandée par Casteljaloux. Véritable d'Artagnan, il se distingue par son courage, ce qui lui vaut le surnom de « démon de la bravoure ». Son intrépidité deviendra bientôt légendaire. On rapporte que, seul contre cent, il triompha, en tuant deux de ses adversaires, en en blessant sept et en faisant fuir les autres ! Mais cette carrière militaire est brève. Blessé en 1639, puis en 1640, il quitte l'armée et regagne Paris en 1641.

Jacques Callot (1592-1635), *Mousquetaire*, Nancy, musée historique lorrain.

Les déboires d'un écrivain libertin

Il suit alors les leçons du philosophe libertin Gassendi (voir p. 102), dont Molière, semble-t-il, fut aussi le disciple. Vient l'époque troublée de la Fronde (1648-1652). Ses positions politiques ne sont pas claires. Il est convaincu de la relativité des choses et navigue au gré de ses intérêts du moment : il prend tour à tour parti contre Mazarin qu'il attaque, en 1649, dans un poème satirique d'une rare violence, *Le Ministre d'État flambé*, puis contre les frondeurs.

Il écrit depuis 1645. Mais il ne parvient pas à vivre de sa plume. Il subsiste quelque temps grâce à l'héritage de son père mort en 1648 et doit bientôt chercher un protecteur, un de ces riches mécènes, soutiens obligés des créateurs. Il entre donc, en 1652, au service du duc d'Arpajon.

Ses idées libertines, son athéisme, lui attirent de nombreuses inimitiés et compliquent sa carrière littéraire. Un de ses manuscrits, l'*Histoire de l'étincelle*, lui est volé. Il ne parvient pas à faire publier, de son vivant, ses deux romans d'anticipation. Tout est fait pour l'empêcher de s'exprimer.

En 1654, il est victime d'un accident plus que suspect et qui ressemble fort à un attentat : en passant sous un échafaudage, il reçoit une poutre sur la tête. Grièvement blessé, il meurt l'année suivante, certainement des suites de cette blessure. Il n'a que trente-six ans et laisse une œuvre inachevée.

Burlesque et humour

Cyrano de Bergerac, comme Scarron, pratique le style burlesque, fait éclater les contradictions du monde, en jouant sur des effets d'opposition. Il donne une importance particulière à un humour décapant, démystifiant, notamment dans ses *Lettres* (1654) où il s'amuse à accumuler les procédés précieux. Il se fait également l'interprète de la pensée libertine (voir p. 102), dont il expose les grandes idées dans sa tragédie, *La Mort d'Agrippine* (1653) et dans ses deux romans d'anticipation, les *États et Empires de la Lune* (1657) et les *États et Empires du Soleil* (1662).

Les États et Empires de la Lune (1657 ; rédaction : 1649), roman d'anticipation. → pp. 94 à 96.
Les États et Empires du Soleil (1662 ; rédaction : 1652), roman d'anticipation. → pp. 96-97.
La Mort d'Agrippine (1653), tragédie. → pp. 98-99.
Lettres (1654). → p. 101.

La contestation burlesque

Les États et Empires de la Lune et du Soleil

1657-1662

Voyages sur la lune et sur le soleil : les explorations spatiales, les romans, les bandes dessinées et les films d'anticipation nous ont habitués à de telles expéditions. Elles sont plus inattendues au cours de cette première partie du XVIIe siècle. Pourtant, Cyrano n'innove pas : en 1648, paraît, dans une traduction française, le roman de l'Anglais Godwin, *L'Homme dans la Lune*. Et durant cette période, les discussions sur l'existence d'autres mondes sont à la mode.

Dans ses deux romans, *Les États et Empires de la Lune*, qu'il achève en 1649 et *Les États et Empires du Soleil*, qu'il termine en 1652, Cyrano rapporte le récit d'un voyageur débarqué sur la lune, puis sur le soleil. Pour donner l'impression qu'il s'agit de la relation d'un véritable voyage, il le fait parler à la première personne. Cyrano ne pourra apprécier le succès de ces deux ouvrages, puisqu'ils ne paraîtront qu'après sa mort, le premier en 1657 et le second en 1662.

C'est que ce qu'il dit par voyageur interposé n'est pas inoffensif. Il expose en effet une conception libertine du monde reposant sur le matérialisme. Ses propos sont d'autant plus dangereux pour les défenseurs de la religion et de l'ordre social qu'il sait plaire et amuser. Il connaît déjà ces recettes qui feront le succès du roman et du conte philosophiques du XVIIIe siècle. Il se sert des procédés burlesques, en jouant sur les effets d'opposition et de contraste : il montre la relativité des coutumes françaises, en décrivant les coutumes souvent plus cohérentes des habitants de la lune et du soleil. Il se moque des conventions avec humour. Il marie habilement la fantaisie et le réalisme. Il s'appuie, en particulier, sur l'exotisme, sur un dépaysement créé par les lieux étranges où se déroule l'action ou par la description de techniques et de découvertes nées d'une imagination débridée : il « invente » notamment la fusée à étages et le phonographe.

« Comment le hasard peut-il avoir assemblé en un lieu toutes les choses qui étaient nécessaires à produire ce chêne ? »

Accusé par les quadrupèdes lunaires de ne pas être un homme, mais un animal, parce qu'il ne marche que sur deux pieds, le narrateur est enfermé dans une cage. Un bon génie le prend sous sa protection et le fait libérer. Au cours d'une des nombreuses conversations qu'ils ont ensemble, ce démon lui explique comment le monde, formé d'atomes, dépend à la fois du hasard et de la nécessité.

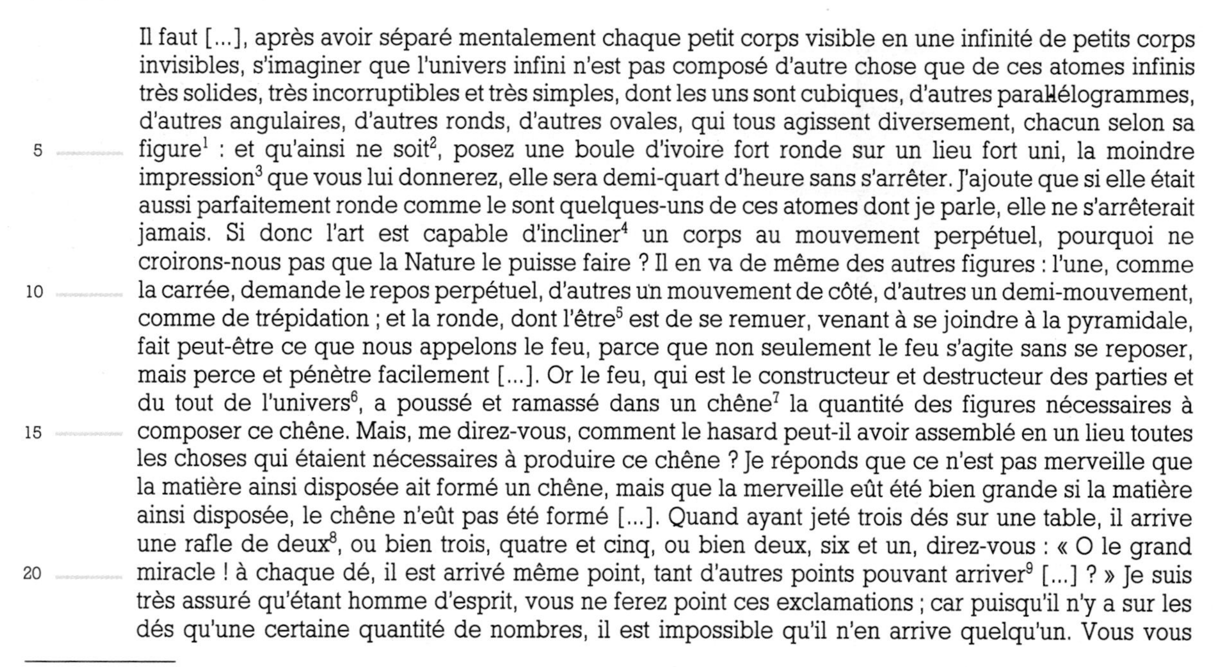

Il faut [...], après avoir séparé mentalement chaque petit corps visible en une infinité de petits corps invisibles, s'imaginer que l'univers infini n'est pas composé d'autre chose que de ces atomes infinis très solides, très incorruptibles et très simples, dont les uns sont cubiques, d'autres parallélogrammes, d'autres angulaires, d'autres ronds, d'autres ovales, qui tous agissent diversement, chacun selon sa figure[1] : et qu'ainsi ne soit[2], posez une boule d'ivoire fort ronde sur un lieu fort uni, la moindre impression[3] que vous lui donnerez, elle sera demi-quart d'heure sans s'arrêter. J'ajoute que si elle était aussi parfaitement ronde comme le sont quelques-uns de ces atomes dont je parle, elle ne s'arrêterait jamais. Si donc l'art est capable d'incliner[4] un corps au mouvement perpétuel, pourquoi ne croirons-nous pas que la Nature le puisse faire ? Il en va de même des autres figures : l'une, comme la carrée, demande le repos perpétuel, d'autres un mouvement de côté, d'autres un demi-mouvement, comme de trépidation ; et la ronde, dont l'être[5] est de se remuer, venant à se joindre à la pyramidale, fait peut-être ce que nous appelons le feu, parce que non seulement le feu s'agite sans se reposer, mais perce et pénètre facilement [...]. Or le feu, qui est le constructeur et destructeur des parties et du tout de l'univers[6], a poussé et ramassé dans un chêne[7] la quantité des figures nécessaires à composer ce chêne. Mais, me direz-vous, comment le hasard peut-il avoir assemblé en un lieu toutes les choses qui étaient nécessaires à produire ce chêne ? Je réponds que ce n'est pas merveille que la matière ainsi disposée ait formé un chêne, mais que la merveille eût été bien grande si la matière ainsi disposée, le chêne n'eût pas été formé [...]. Quand ayant jeté trois dés sur une table, il arrive une rafle de deux[8], ou bien trois, quatre et cinq, ou bien deux, six et un, direz-vous : « O le grand miracle ! à chaque dé, il est arrivé même point, tant d'autres points pouvant arriver[9] [...] ? » Je suis très assuré qu'étant homme d'esprit, vous ne ferez point ces exclamations ; car puisqu'il n'y a sur les dés qu'une certaine quantité de nombres, il est impossible qu'il n'en arrive quelqu'un. Vous vous

1. Selon sa forme.
2. Et la preuve que cela est ainsi.
3. Impulsion.
4. D'amener.
5. La nature.
6. L'énergie du feu est ambivalente : elle est nécessaire au développement de la vie, mais peut aussi la détruire.
7. Cyrano, dans ce texte, prend des exemples tirés du monde végétal, animal et minéral.
8. Coup de dés qui fait apparaître trois fois le chiffre 2.
9. Alors que tant d'autres points pouvaient arriver.

étonnez comment cette matière, brouillée pêle-mêle au gré du hasard, peut avoir constitué un homme, vu qu'il y avait tant de choses nécessaires à la construction de son être ? Mais vous ne savez
25 pas que cent millions de fois cette matière, s'acheminant au dessein d'un homme[1], s'est arrêtée à former tantôt une pierre, tantôt du plomb, tantôt du corail, tantôt une fleur, tantôt une comète, pour le trop ou le trop peu de certaines figures qu'il fallait ou ne fallait pas à désigner un homme, si bien que ce n'est pas merveille qu'entre une infinie quantité de matière qui change et se remue incessamment, elle ait rencontré à faire le peu d'animaux, de végétaux que nous voyons, non plus que ce n'est
30 pas merveille qu'en cent coups de dés, il arrive une rafle.

Les États et Empires de la Lune.

◄ Claude Mellan (1598-1688), *La Lune, dernier quartier*, Paris, B.N.

Jan van Kessel (1626-1679), *Les Quatre éléments*, Strasbourg, musée des Beaux-Arts.
Les quatre éléments (terre, eau, air, feu) dans une vision poétique de l'extrême richesse de l'univers.

Pour préparer l'étude du texte

1. Vous déterminerez les caractères attribués aux atomes et le rôle joué par le feu.
2. Le hasard et la nécessité occupent une place prépondérante dans le système élaboré par Cyrano. Comment se combinent-ils pour former le monde ?
3. Cyrano s'efforce ici de vulgariser sa théorie. Vous montrerez comment il allie rigueur du raisonnement et illustration destinée à concrétiser sa démonstration, à la rendre plus vivante.

1. Poursuivant le dessein de fabriquer un homme.

« Puis il tourne l'aiguille sur le chapitre qu'il désire écouter »

Le démon a offert au voyageur des livres qui s'écoutent. Le narrateur fait, dans ce texte, l'expérience de cet appareil qui annonce, de manière stupéfiante, le phonographe.

Mais il fut à peine sorti, que je mis à considérer attentivement mes livres, et leurs boîtes, c'est-à-dire leurs couvertures, qui me semblaient admirables pour leurs richesses ; l'une était taillée d'un seul diamant, sans comparaison plus brillant que les nôtres ; la seconde ne paraissait qu'une monstrueuse perle fendue de ce monde-là ; mais parce que je n'en ai point de leur imprimerie, je m'en vais
5 expliquer la façon de ces deux volumes[1].

A l'ouverture de la boîte, je trouvai dedans un je ne sais quoi de métal presque semblable à nos horloges, plein de je ne sais quelques petits ressorts et de machines imperceptibles. C'est un livre à la vérité, mais c'est un livre miraculeux qui n'a ni feuillets ni caractères ; enfin c'est un livre où pour apprendre, les yeux sont inutiles ; on n'a besoin que des oreilles. Quand quelqu'un donc souhaite lire,
10 il bande[2] avec grande quantité de toutes sortes de petits nerfs[3] cette machine, puis il tourne l'aiguille sur le chapitre qu'il désire écouter, et au même temps il en sort comme de la bouche d'un homme, ou d'un instrument de musique, tous les sons distincts et différents qui servent, entre les grands lunaires, à l'expression du langage.

Lorsque j'ai depuis réfléchi sur cette miraculeuse invention de faire des livres, je ne m'étonne
15 plus de voir que les jeunes hommes de ce pays-là possédaient plus de connaissance, à seize et dix-huit ans, que les barbes grises du nôtre ; car, sachant lire aussitôt que parler, ils ne sont jamais sans lecture ; à la chambre, à la promenade, en ville, en voyage, ils peuvent avoir dans la poche, ou pendus à la ceinture, une trentaine de ces livres dont ils n'ont qu'à bander un ressort pour en ouïr[4] un chapitre seulement, ou bien plusieurs, s'ils sont en humeur d'écouter tout un livre : ainsi vous avez
20 éternellement autour de vous tous les grands hommes, et morts et vivants, qui vous entretiennent de vive voix. Ce présent m'occupe plus d'une heure ; enfin, me les[5] étant attachés en forme de pendants d'oreilles, je sortis pour me promener.

Les États et Empires de la Lune.

Pour préparer l'étude du texte

1. Vous montrerez l'étonnante précision de la description de cet ancêtre du phonographe et analyserez les termes qui soulignent l'émerveillement du voyageur devant cette technique révolutionnaire.
2. Cyrano insiste, au début de ce texte, sur la somptuosité de la boîte. Dans quel but ?
3. Quels avantages le narrateur attribue-t-il à cette invention ?

« Nous ne choisissons pour notre roi que le plus faible »

Notre voyageur est maintenant sur le soleil. Il va être jugé par les oiseaux civilisés qui habitent cet astre. En tant qu'homme, il est en effet pour eux l'ennemi juré. Une pie compatissante, qui a séjourné sur terre, prend sa défense. Mais voici qu'arrive un aigle. Le narrateur croit que c'est le roi. Il n'en est rien : ce peuple plein de sagesse préfère des dirigeants faibles et inoffensifs.

Elle achevait ceci, quand nous fûmes interrompus par l'arrivée d'un aigle qui se vint asseoir entre les rameaux d'un arbre assez proche du mien. Je voulus me lever pour me mettre à genoux devant lui, croyant que ce fût le roi, si ma pie de sa patte ne m'eût contenu en mon assiette[6]. « Pensiez-vous donc, me dit-elle, que ce grand aigle fût notre souverain ? C'est une imagination de vous autres
5 hommes, qui à cause que vous laissez commander aux plus grands, aux plus forts et aux plus cruels de vos compagnons, avez sottement cru, jugeant de toutes choses par vous, que l'aigle nous devait commander.

1. Je vais expliquer comment se présentent ces deux volumes.
2. Il tend.
3. Petits ligaments.
4. En écouter.
5. Les livres.
6. Ne m'eût fait conserver ma position.

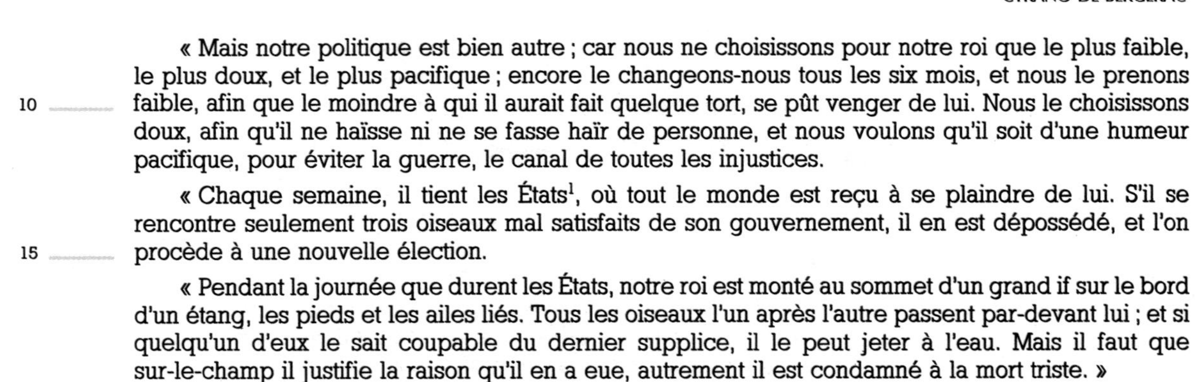

« Mais notre politique est bien autre ; car nous ne choisissons pour notre roi que le plus faible, le plus doux, et le plus pacifique ; encore le changeons-nous tous les six mois, et nous le prenons faible, afin que le moindre à qui il aurait fait quelque tort, se pût venger de lui. Nous le choisissons doux, afin qu'il ne haïsse ni ne se fasse haïr de personne, et nous voulons qu'il soit d'une humeur pacifique, pour éviter la guerre, le canal de toutes les injustices.

« Chaque semaine, il tient les États[1], où tout le monde est reçu à se plaindre de lui. S'il se rencontre seulement trois oiseaux mal satisfaits de son gouvernement, il en est dépossédé, et l'on procède à une nouvelle élection.

« Pendant la journée que durent les États, notre roi est monté au sommet d'un grand if sur le bord d'un étang, les pieds et les ailes liés. Tous les oiseaux l'un après l'autre passent par-devant lui ; et si quelqu'un d'eux le sait coupable du dernier supplice, il le peut jeter à l'eau. Mais il faut que sur-le-champ il justifie la raison qu'il en a eue, autrement il est condamné à la mort triste. »

Je ne pus m'empêcher de l'interrompre pour lui demander ce qu'elle entendait par le mot triste et voici ce qu'elle me répliqua :

« Quand le crime d'un coupable est jugé si énorme, que la mort est trop peu de chose pour l'expier, on tâche d'en choisir une qui contienne la douleur de plusieurs, et l'on y procède de cette façon :

« Ceux d'entre nous qui ont la voix la plus mélancolique et la plus funèbre, sont délégués vers le coupable qu'on porte sur un funeste cyprès. Là ces tristes musiciens s'amassent autour de lui, et lui remplissent l'âme par l'oreille de chansons si lugubres et si tragiques, que l'amertume de son chagrin désordonnant l'économie de ses organes et lui pressant le cœur, il se consume à vue d'œil, et meurt suffoqué de tristesse.

« Toutefois un tel spectacle n'arrive guère ; car comme nos rois sont fort doux, ils n'obligent jamais personne à vouloir pour se venger encourir une mort si cruelle.

« Celui qui règne à présent est une colombe dont l'humeur est si pacifique, que l'autre jour qu'il fallait accorder[2] deux moineaux, on eut toutes les peines du monde à lui faire comprendre ce que c'était qu'inimitié[3]. »

Les États et Empires du Soleil.

Pour préparer le commentaire composé

1. **Les procédés de dépaysement.** Vous montrerez comment Cyrano suscite intérêt et surprise, en décrivant une situation paradoxale au regard de celle dont les habitants de la terre ont l'habitude (critères radicalement différents des critères humains, paradoxe du roi faible, la « mort triste »).

2. **Une sage organisation des pouvoirs.** Vous relèverez les caractères qui font l'originalité et la sagesse de ce système politique.

3. **La contestation politique.** Vous dégagerez la critique implicite du système politique humain que suggère ce texte.

Pour un groupement de textes

Le thème du pouvoir dans :
Les États et Empires du Soleil (p. 96) et *La Mort d'Agrippine* (p. 98) de Cyrano de Bergerac.
Sophonisbe (p. 136) de Mairet,
Cinna (p. 148) de Corneille,
Tartuffe (p. 197) de Molière,
Bajazet (p. 234) de Racine,
Le Paysan du Danube (p. 351) de La Fontaine.

1. Il tient une assemblée.
2. Mettre d'accord, réconcilier.
3. Haine.

L'athéisme

La Mort d'Agrippine

1653

Cyrano de Bergerac a écrit deux pièces de théâtre, une comédie, *Le Pédant joué*, achevée en 1645, qui ne fut certainement jamais représentée du vivant de son auteur et une tragédie, *La Mort d'Agrippine*, créée en 1653 au théâtre de l'Hôtel de Bourgogne (voir p. 220).

La Mort d'Agrippine met en scène une conspiration dirigée contre l'empereur romain Tibère (42 av. J.-C. ?-37 ap. J.-C.). Un peu comme plus tard, dans *Bajazet* de Racine (voir p. 232), si les conspirateurs poursuivent le même but, tuer Tibère, ils sont animés par des motifs différents : Agrippine — dont Néron sera le petit-fils — veut venger l'assassinat de son mari, Germanicus ; Séjanus, le ministre et le favori de Tibère, agit, à la fois, par ambition et par amour pour Agrippine ; Livilla, enfin, est poussée par la volonté de défendre la mémoire de son père, autre victime de l'empereur, et par la passion qu'elle éprouve pour Séjanus. La conspiration sera finalement découverte ; les conjurés seront exécutés, à l'exception d'Agrippine que Tibère maintiendra cruellement en vie, afin de la « voir nourrir/Un trépas éternel, dans la peur de mourir ».

L'intérêt de *La Mort d'Agrippine* réside dans l'efficacité de la construction dramatique et dans la violence des passions. Mais ce qui surprend surtout, c'est l'expression exacerbée d'une pensée libertine (voir p. 102), c'est la revendication de l'athéisme. Voilà qui fit scandale et qui fut la cause de l'interdiction de la pièce après quelques représentations.

« Ces dieux que l'homme a faits, et qui n'ont point fait l'homme »

Séjanus dévoile à son confident Térentius la volonté de puissance qui l'anime et son refus de croire en l'existence des dieux.

SÉJANUS.
Mon sang n'est point royal, mais l'héritier d'un roi
Porte-t-il un visage autrement fait que moi ?
Encor qu'un toit de chaume eût couvert ma naissance,
Et qu'un palais de marbre eût logé son enfance,
5 Qu'il fût né d'un grand roi, moi d'un simple pasteur,
Son sang auprès du mien est-il d'autre couleur ?
Mon nom serait au rang des héros qu'on renomme,
Si mes prédécesseurs avaient saccagé Rome ;
Mais je suis regardé comme un homme de rien,
10 Car mes prédécesseurs se nommaient gens de bien.
Un César[1], cependant, n'a guère bonne vue :
Dix degrés sur sa tête en bornent l'étendue[2] ;
Il ne saurait au plus faire monter ses yeux
Que depuis son berceau jusques à dix aïeux.
15 Mais moi, je rétrograde[3] aux cabanes de Rome,
Et depuis Séjanus jusques au premier homme[4] :
Là, n'étant pas borné du nombre ni du choix,
Pour quatre dictateurs[5], j'y rencontre cent rois[6].

TÉRENTIUS.
Mais le crime est affreux de massacrer son maître !

SÉJANUS.
20 Mais on devient au moins un magnifique traître.
Quel plaisir sous ses pieds de tenir aux abois
Celui qui sous les siens fait gémir tant de rois !
Fouler impunément des têtes couronnées,

1. Un empereur.
2. Ses origines ne remontent que jusqu'à dix générations.
3. Je remonte, je tire mon origine.
4. En partant de Séjanus, je remonte jusqu'au premier homme.
5. Magistrats investis de l'autorité suprême.
6. Comme il n'est pas illustre, il n'a pas à « sélectionner » ses ancêtres et peut, par conséquent, remonter plus loin dans le temps qu'un empereur.

Faire du genre humain toutes les destinées[1],
25 Mettre aux fers un César, et penser dans son cœur :
« Cet esclave jadis était mon empereur ! »

TÉRENTIUS.
Peut-être, en l'abattant, tomberas-tu toi-même.

SÉJANUS.
Pourvu que je l'entraîne avec son diadème.
Je mourrai satisfait, me voyant terrassé
30 Sous le pompeux débris d'un trône renversé.
Et puis, mourir n'est rien, c'est achever de naître !
Un esclave hier mourut pour divertir son maître :
Aux malheurs de la vie on n'est point enchaîné,
Et l'âme est dans la main du plus infortuné[2] [...].

TÉRENTIUS.
35 Respecte et crains des dieux l'effroyable tonnerre !

SÉJANUS.
Il ne tombe jamais en hiver sur la terre.
J'ai six mois pour le moins à me moquer des dieux,
Ensuite je ferai ma paix avec les cieux.

TÉRENTIUS.
Ces dieux renverseront tout ce que tu proposes.

SÉJANUS.
40 Un peu d'encens brûlé rajuste bien des choses.

TÉRENTIUS.
Qui les craint ne craint rien.

SÉJANUS.
Ces enfants de l'effroi,
Ces beaux riens qu'on adore, et sans savoir pourquoi,
Ces altérés du sang des bêtes qu'on assomme,
Ces dieux que l'homme a faits, et qui n'ont point fait l'homme,
45 Des plus fermes États ce fantasque[3] soutien,
Va, va, Térentius, qui les craint ne craint rien.

TÉRENTIUS.
Mais, s'il n'en était point, cette machine ronde[4]...

SÉJANUS.
Oui, mais s'il en était, serais-je encore au monde ?

La Mort d'Agrippine, acte II, scène 4, vers 579 à 612 ; 629 à 642.

Pour préparer l'étude du texte

1. Séjanus exprime, avec exaltation, sa volonté de puissance. Vous l'analyserez et la définirez (admiration du pouvoir, goût de la domination, assimilation aux dieux).
2. Cette volonté de puissance s'accompagne de la négation de la puissance divine. Vous étudierez son expression et les arguments qui la justifient.
3. Vous dégagerez le caractère cynique et provocateur du personnage de Séjanus.

1. Être maître du destin de tout le genre humain.
2. Même le plus infortuné peut disposer de sa vie.
3. Capricieux.
4. La terre.

Nicolas Poussin (1594-1665), *La Mort de Germanicus*, Minneapolis, the Minneapolis Institute of Arts. Agrippine pleure la mort de son mari Germanicus empoisonné sur l'ordre de Tibère.

L'influence d'Épicure

Comme beaucoup de libertins (voir p. 102), Cyrano de Bergerac est influencé par le philosophe grec Épicure (341-270 av. J.-C.). Il s'inspire de sa conception matérialiste du monde. En s'assemblant ou en se séparant, les atomes qui constituent les plus petites parties de la matière forment ou détruisent tout ce qui existe dans l'univers. Le monde est ainsi, à la fois éternel, parce que les atomes demeurent toujours identiques, et en perpétuel changement, puisque les formes évoluent sans cesse (voir texte, p. 94). De l'épicurisme, Cyrano de Bergerac reprend aussi la morale. La conception de la mort qu'exprime Séjanus (voir texte, p. 98) est, en particulier, fort proche de celle d'Épicure dans la *Lettre à Ménécée*.

Habitue-toi à penser que la mort n'est rien par rapport à nous ; car tout bien — et tout mal — est dans la sensation : or la mort est privation de sensation. Par suite la droite connaissance que la mort n'est rien par rapport à nous, rend joyeuse la condition mortelle de la vie, non en ajoutant un temps infini, mais en ôtant le désir de l'immortalité. Car il n'y a rien de redoutable dans la vie pour qui a vraiment compris qu'il n'y a rien de redoutable dans la non-vie. Sot est donc celui qui dit craindre la mort, non parce qu'il souffrira lorsqu'elle sera là, mais parce qu'il souffre de ce qu'elle doit arriver. Car ce dont la présence ne nous cause aucun trouble, à l'attendre fait souffrir pour rien. Ainsi le plus terrifiant des maux, la mort, n'est rien par rapport à nous, puisque, quand nous sommes, la mort n'est pas là, et, quand la mort est là, nous ne sommes plus. Elle n'est donc en rapport ni avec les vivants ni avec les morts, puisque, pour les uns, elle n'est pas, et que les autres ne sont plus. Mais la foule fuit la mort tantôt comme le plus grand des maux, tantôt comme la cessation des choses de la vie. Le sage, au contraire, ne craint pas de ne pas vivre : car ni vivre ne lui pèse ni il ne considère comme un mal de ne pas vivre. Et comme il ne choisit pas du tout la nourriture la plus abondante mais la plus agréable, de même ce n'est pas le temps le plus long dont il jouit mais le plus agréable. Celui qui exhorte le jeune à bien vivre et le vieillard à bien mourir est niais, non seulement à cause de l'agrément de la vie, mais aussi parce que c'est une même étude que celle de bien vivre et celle de bien mourir. Bien pire encore celui qui dit qu'il est beau de « n'être pas né », mais, « si l'on naît, de franchir au plus tôt les portes de l'Hadès[1] ». Car, s'il est convaincu de ce qu'il dit, comment se fait-il qu'il ne quitte pas la vie ? Cela est tout à fait en son pouvoir, s'il y est fermement décidé. Mais s'il plaisante, il montre de la frivolité en des choses qui n'en comportent pas.

Épicure, Lettre à Ménécée, Lettres et Maximes, *trad. M. Conche, Paris, Éditions du Mégare, 1977.*

1. Lieu où règne Hadès, dieu des Enfers, l'au-delà.

La préciosité

Lettres
1654

Publiées en 1654, les *Lettres* sont classées en *Lettres diverses, Lettres amoureuses* et *Lettres satiriques.* Cyrano s'y livre à de véritables exercices de style. Il s'amuse, par exemple, à défendre successivement deux positions contraires dans la *Lettre pour les sorciers* et dans la *Lettre contre les sorciers.* Il pousse jusqu'à leur extrême les procédés précieux et évolue à la limite de la parodie. D'une virtuosité verbale extraordinaire, il hésite sans cesse entre le sérieux et la dérision : il semble ainsi se moquer beaucoup des modes de son temps et un peu de lui-même.

Adam Elsheimer (1578-1610), *La Fuite en Égypte* (détail), Munich. Alte Pinakothek.
« Mais que dirai-je de ce miroir fluide, de ce petit monde renversé(...) ? »

Sur l'ombre que faisaient des arbres dans l'eau

Dans cette *Lettre diverse,* Cyrano, couché au bord d'une rivière, décrit un monde à l'envers, un monde baroque reflété par l'eau.

MONSIEUR,

Le ventre couché sur le gazon d'une rivière et le dos étendu sous les branches d'un saule, qui se mire dedans, je vois renouveler aux arbres l'histoire de Narcisse[1] : cent peupliers précipitent dans l'onde cent autres peupliers, et ces aquatiques ont été tellement épouvantés de leur chute, qu'ils tremblent encore tous les jours du vent qui ne les touche pas. Je m'imagine que, la nuit ayant noirci toutes choses, le soleil les plonge dans l'eau pour les laver. Mais que dirai-je de ce miroir fluide, de ce petit monde renversé, qui place les chênes au-dessous de la mousse, et le ciel plus bas que les chênes ? Ne sont-ce point de ces vierges de jadis métamorphosées en arbres, qui, désespérées de sentir violer leur pudeur par les baisers d'Apollon[2], se précipitent dans ce fleuve la tête en bas ? Ou n'est-ce point qu'Apollon lui-même, offensé qu'elles aient osé protéger contre lui la fraîcheur, les ait ainsi pendues par les pieds ? Aujourd'hui, le poisson se promène dans les bois, et des forêts entières sont au milieu des eaux sans se mouiller ; un vieil orme, entre autres, vous ferait rire, qui s'est quasi couché jusque dessus l'autre bord, afin que, son image prenant la même posture, il fît de son corps et de son portrait un hameçon pour la pêche [...]. Le rossignol, qui du haut d'une branche se regarde dedans, croit être tombé dans la rivière : il est au sommet d'un chêne, et toutefois il a peur de se noyer ; mais lorsque, après s'être affermi de l'œil et des pieds, il a dissipé la frayeur, son portrait ne lui paraissant plus qu'un rival à combattre, il gazouille, il éclate, il s'égosille en apparence comme lui, et trompe l'âme avec tant de charmes, qu'on se figure qu'il ne chante que pour se faire ouïr de nos yeux ; je pense même qu'il gazouille du geste, et ne pousse aucun son dans l'oreille, afin de répondre en même temps à son ennemi, et pour n'enfreindre pas les lois du pays, dont le peuple est muet ; la perche, la daurade et la truite qui le voient ne savent si c'est un poisson vêtu de plumes, ou si c'est un oiseau dépouillé de son corps : elles s'amassent autour de lui, le considèrent comme un monstre ; et le brochet, ce tyran des rivières, jaloux de rencontrer un étranger sur son trône, le cherche en le trouvant, le touche et ne le peut sentir, court après lui, au milieu de lui-même, et s'étonne de l'avoir tant de fois traversé sans le blesser.

Lettre diverse VII.

Pour préparer l'étude du texte

1. Vous analyserez les images qui rendent compte d'un monde renversé, à la fois statique et en évolution.
2. Vous noterez la confusion des perceptions, des sentiments et des certitudes.
3. Vous relèverez et étudierez les procédés précieux utilisés dans ce texte, en montrant que Cyrano évolue à la limite de la parodie.

1. Narcisse tomba amoureux de sa propre image en se regardant dans l'eau et fut transformé en fleur.

2. Daphné, poursuivie par le dieu Apollon, fut changée en laurier.

DES CONTESTATAIRES : LES LIBERTINS

Une conception matérialiste du monde

Le mot libertinage a pris une signification péjorative. Il sert, de nos jours, à désigner la pratique de mœurs dissolues. A l'origine, il n'a pas ce sens négatif. « Libertin » signifie « affranchi », affranchi des conventions, et le libertinage s'applique à un mouvement de contestation des idées traditionnelles. C'est une vision du monde, une conception philosophique.

Reprenant les théories du philosophe grec Épicure (341-270 av. J.-C.) (voir p. 100), les libertins adhèrent au matérialisme : ils considèrent que tout, dans l'univers, est matière (voir texte de Cyrano, p. 94). Dans ces conditions, le fonctionnement du monde obéit aux lois de la matière. Pour comprendre l'univers, l'homme doit donc s'efforcer, grâce à l'outil exclusif de sa raison, de saisir ces lois, sans qu'il soit besoin, pour les expliquer, de faire appel à un Dieu, à un créateur tout-puissant : les libertins sont donc souvent athées (voir texte de Cyrano, p. 98).

La Mort, gravure, XVIIe siècle, Paris, B.N.

Une remise en cause de l'organisation politique et sociale

Les libertins remettent ainsi en cause la validité d'une société et d'une monarchie dont le pilier principal est la religion. Ils s'élèvent contre les privilèges dus à la naissance. Ils expriment le désir d'une société fondée sur le respect du mérite (voir texte de Cyrano, p. 98). Ils rêvent d'une entente sociale. Ils pensent que, pour la réaliser, il faut remplacer les valeurs de convention par de véritables valeurs reposant sur les lois naturelles et sur le consentement mutuel. Ils expriment un idéal de liberté et de justice (voir texte de Cyrano, p. 96).

Une morale du plaisir

Le rejet de la morale traditionnelle fondée sur la vertu, qui a été si souvent reproché aux libertins, n'est que la conséquence de leur philosophie. Comme Dieu n'existe pas, il faut profiter de la seule existence dont dispose l'homme, l'existence terrestre. L'être humain doit donc s'efforcer de trouver son épanouissement sur cette terre. Dans ces conditions, son but, son devoir d'homme est de rechercher les plaisirs. Mais il doit néanmoins adopter une certaine modération dictée par la raison et respecter les autres. Le libertin est constamment ouvert aux satisfactions de l'esprit et du corps. Il apprécie les beautés de la nature et de l'art. Il aime boire, manger, dormir. Il est sensible à l'amour (voir textes de Théophile de Viau, p. 30 et de Saint-Amant, p. 62).

La force du courant libertin

Le courant libertin s'exprime, tout au long du XVIIe siècle, avec une grande force et une grande diversité. Il a ses penseurs : Gassendi (1592-1655), dans *De vita et moribus Epicuri* (1647), se livre à une étude approfondie de la pensée matérialiste d'Épicure ; Gabriel Naudé (1600-1653), dans son *Apologie pour les grands personnages soupçonnés de magie* (1625), au constat de la relativité des choses, se prononce pour la tolérance ; La Mothe Le Vayer (1588-1672), dans ses *Discours, Traités* et *Dialogues* (1654, 1662, 1669), se livre à une contestation raisonnée des pratiques religieuses.

Il a ses poètes et ses romanciers, comme Théophile de Viau, Saint-Amant, Tristan L'Hermite ou Cyrano de Bergerac, qui, souvent, utilisent le burlesque, arme de contestation de la littérature traditionnelle.

Il a ses originaux, comme Damien Miton (1618-1690), qui est possédé par la passion du jeu ; comme l'auteur de chansons anticonformistes, le baron de Blot (1605-1655) ou le poète Claude Le Petit (1638 ?-1662), grand spécialiste des sujets scabreux.

Il a ses lieux de réunion, les cabarets bien sûr, mais aussi le salon des frères Dupuy, celui de Ninon de Lenclos ou celui de Marion Delorme.

Les dangers d'être libertin

Être libertin, c'est remettre en cause la religion, c'est souvent contester le pouvoir royal. Aussi n'est-il pas sans danger de défendre de telles positions. Les risques sont grands. Pour les écrivains, c'est la difficulté de se faire éditer, Cyrano de Bergerac en a fait la cruelle expérience. Ce peut être aussi l'arrestation, le jugement et la condamnation. La prison guette les libertins : c'est là un moindre mal. Plus grave, la mort les menace. Théophile de Viau (voir p. 29) y échappa de justesse. En 1619, le philosophe italien Vanini périt sur le bûcher à Toulouse. Et, de 1610 à 1698, cinq écrivains furent exécutés pour hérésie et libertinage.

Les autorités religieuses veillent. Elles multiplient les ouvrages qui dénoncent les idées libertines. Elles essaient, par tous les moyens, de dénigrer, de dénaturer cette conception philosophique, en la réduisant notamment à un comportement moral dépravé, en attribuant au mot libertin une étiquette résolument péjorative.

DE DESCARTES À PASCAL
LA QUÊTE DE LA VÉRITÉ

LES MULTIPLES CHEMINS DE LA VÉRITÉ

D'après Georges de La Tour (1593-1652),
Saint Jérôme lisant (détail),
Paris, musée du Louvre.

La Renaissance s'était caractérisée par la volonté grandissante de l'homme de connaître l'univers où il vit, par la remise en cause des idées reçues, par le développement de l'esprit scientifique. Le XVIIe siècle prolonge et accentue cette tendance : elle s'affirme dans l'aspiration à la connaissance, dans le désir de déchiffrer le monde, dans la quête passionnée de la vérité. C'est alors que se précise la méthode des sciences expérimentales : reposant sur l'observation, l'analyse et l'interprétation raisonnée des faits, elle ouvre de nouveaux espaces à la connaissance. Francis Bacon (1561-1626), en Angleterre, Galilée (1564-1642), en Italie, René Descartes (1596-1650) et Blaise Pascal (1623-1662), en France, s'engagent, entre autres, sur cette voie pleine de promesses.

La démarche scientifique est alors inséparable de la démarche philosophique. Elle ne peut, en particulier, faire abstraction d'une religion toute-puissante : Galilée dut, par exemple, renoncer à son interprétation de la terre tournant autour du soleil, parce qu'elle allait à l'encontre de la conception de l'Église selon laquelle notre monde était au centre de la création. La plupart des savants sont également des philosophes et participent aux querelles philosophiques. Si la recherche de la vérité apparaît comme une constante, les chemins utilisés pour l'atteindre sont en effet multiples. Un large fossé sépare d'abord les libertins qui tentent de tout ramener à la matière (voir p. 102) de ceux qui croient en une force spirituelle représentée par Dieu. Mais entre les croyants eux-mêmes que de divergences ! Elles divisent les chrétiens en catholiques et protestants (voir p. 52). Elles déchirent également le camp catholique : les jansénistes, dont Blaise Pascal, qui pensent que Dieu est entièrement maître du destin des individus, s'opposent violemment aux jésuites, qui laissent à l'homme une certaine liberté d'action (voir p. 110).

Qu'ils soient croyants ou athées, les philosophes sont, par ailleurs, partagés quant aux réponses à donner à ces deux questions fondamentales : le monde est-il marqué par une diversité disparate ou, au contraire, par une unité cohérente ? Pour le saisir, faut-il faire appel à la subjectivité ou à la raison ?

Un monde éclaté ou un monde unifié ?

Durant cette période, l'aspiration à l'unité est certaine. Chacun s'efforce de donner une interprétation cohérente du monde. Les libertins expliquent tout par la matière, les croyants ramènent tout à un être spirituel, Dieu. Pour les uns, comme pour les autres, il convient de se référer à une source unique d'explication.

Mais chacun est conscient de partir d'une réalité complexe. Comment dépasser, résoudre une telle diversité ? C'est là qu'apparaît le clivage, c'est là que passe comme une ligne de démarcation. D'un côté, les libertins et les jésuites pensent qu'il faut éviter de trop réduire cette complexité, qu'il faut, au contraire, l'accepter et en assumer, au besoin, les contradictions, parce qu'elles sont la marque même de la richesse du monde. De l'autre, René Descartes ou Blaise Pascal considèrent que cette diversité n'est qu'apparente, que l'homme est, en fait, victime de faux-semblants, parce qu'il ne parvient pas à avoir accès à cette connaissance suprême et une qu'est la connaissance de Dieu.

Deux outils de la connaissance : la subjectivité et la raison

Cette importance accordée à la recherche de la vérité entraîne une montée de la raison. Une certitude se fait jour : il est possible d'élaborer une méthode rigoureuse pour atteindre une vérité qui, en quelque sorte, est à la portée de l'homme. S'appuyant ou non sur Dieu, la raison devient la source de toute connaissance, une arme efficace pour saisir la réalité.

Certes, l'emprise de la raison est plus ou moins forte, plus ou moins exclusive. Triomphante chez René Descartes, elle laisse souvent la place, chez Blaise Pascal, à une vision plus subjective qui permet l'exaltation, l'expression du lyrisme. Mais l'évolution est d'importance : les prestiges de l'imagination chères aux baroques tendent de plus en plus à être concurrencées par les attraits de la cohérence, de la rigueur, valeurs classiques par excellence.

René Descartes
1596-1650

Sébastien Bourdon (1616-1671), *René Descartes*, Paris, musée du Louvre.

Le temps de l'apprentissage

Descartes apparaît comme un penseur qui a voué une partie de sa vie à la réflexion, à la méditation. Mais c'est aussi un homme d'action qui a mené une existence d'où l'aventure ne fut pas absente.

Il naît en Touraine au cours des dernières années des guerres de religion. Jusqu'en 1618, il se consacre à des études couronnées par une licence en droit. Mais il rompt bientôt avec cette existence studieuse et songe à une carrière militaire : jusqu'en 1628, il parcourt l'Europe pour faire l'apprentissage des armes. Il visite les pays qu'il traverse, fréquente les milieux de cour, rencontre savants et artistes. Sa fortune personnelle lui permet de mener cette vie d'errance, pleine d'imprévu et riche d'expériences. C'est durant cette période, le 10 novembre 1619, qu'il a, au cours de la nuit, la brusque révélation de sa destinée : découvrir les règles d'une science parfaite.

L'élaboration d'une œuvre

En 1628, il s'installe en Hollande, pays qu'il juge plus propice que la France à l'exercice de sa liberté d'expression. Il y écrira l'essentiel de son œuvre. Ces occupations studieuses ne l'amènent pas à vivre en solitaire replié sur lui-même. Il continue à voyager. Il entretient une correspondance suivie avec les savants. Mais il connaît bientôt des difficultés avec les autorités religieuses qui trouvent ses idées dangereuses.

Aussi, après quelques hésitations, accepte-t-il l'invitation de la reine de Suède, Christine (voir p. 286). Elle est passionnée par la science et fort savante, mais aussi bien capricieuse. Descartes doit être constamment à sa disposition. Il doit se lever à cinq heures du matin, lorsque la souveraine éprouve le besoin de parler philosophie. Il supporte difficilement le climat rigoureux. Sa chambre est mal chauffée. Il contracte une pneumonie, dont il meurt le 11 février 1650.

La Dioptrique, Les Météores et **La Géométrie** que précède le **Discours de la méthode** (1637). → pp. 106 à 108.
Méditations métaphysiques (1641).
Principes de la philosophie (1644).
Les Passions de l'âme (1649).

Discours de la méthode

1637

Le *Discours de la méthode* constitue l'œuvre majeure de Descartes. Comme le titre l'indique, il s'y emploie à dégager une méthode, à définir les règles qu'il convient d'appliquer pour avoir accès à la connaissance. Il entend ainsi, de façon raisonnée et cohérente, englober l'ensemble du savoir humain, l'unifier, en le subordonnant à l'existence d'un créateur, d'un être de perfection, Dieu.

D'une haute tenue philosophique et scientifique, le *Discours de la méthode* n'est pas un traité ennuyeux et abstrait. Descartes fait preuve d'un talent certain de vulgarisateur. Ses explications sont toujours d'une grande clarté. Ce n'est pas seulement un savant, mais aussi un écrivain, parfaitement maître de sa langue, sachant illustrer ses démonstrations de nombreux exemples parlants.

« Je pense, donc je suis »

Dans un premier temps, pour éviter d'être victime des préjugés, d'accepter des idées préconçues, il faut commencer par faire le vide, par tout refuser, par mettre tout en doute : il faut faire table rase. Mais, à partir du moment où l'on nie, on pense : la négation même suppose la reconnaissance d'une pensée. Et si l'on pense, c'est que l'on existe : Descartes conclut cette réflexion par son fameux « Je pense, donc je suis » qui revient à admettre l'existence d'une raison.

Je ne sais si je dois vous entretenir des premières méditations que j'y ai faites ; car elles sont si métaphysiques[1] et si peu communes, qu'elles ne seront peut-être pas au goût de tout le monde. Et, toutefois, afin qu'on puisse juger si les fondements que j'ai pris sont assez fermes, je me trouve en quelque façon contraint d'en parler. J'avais dès longtemps remarqué que, pour les mœurs, il est besoin quelquefois de suivre des opinions qu'on sait être fort incertaines, tout de même que si elles étaient indubitables, ainsi qu'il a été dit ci-dessus ; mais pour ce qu'alors je désirais vaquer[2] seulement à la recherche de la vérité, je pensai qu'il fallait que je fisse tout le contraire, et que je rejetasse comme absolument faux tout ce en quoi je pourrais imaginer le moindre doute, afin de voir s'il ne resterait point, après cela, quelque chose en ma créance[3] qui fût entièrement indubitable. Ainsi, à cause que nos sens nous trompent quelquefois, je voulus supposer qu'il n'y avait aucune chose qui fût telle qu'ils nous la font imaginer. Et, parce qu'il y a des hommes qui se méprennent en raisonnant, même touchant les plus simples matières de géométrie, et y font des paralogismes[4], jugeant que j'étais sujet à faillir[5] autant qu'aucun autre, je rejetai comme fausses toutes les raisons que j'avais prises auparavant pour démonstrations. Et enfin, considérant que toutes les mêmes pensées que nous avons étant éveillés, nous peuvent aussi venir quand nous dormons, sans qu'il y en ait aucune pour lors qui soit vraie, je me résolus de feindre que toutes les choses qui m'étaient jamais entrées en l'esprit n'étaient non plus vraies que les illusions de mes songes. Mais, aussitôt après, je pris garde que, pendant que je voulais ainsi penser que tout était faux, il fallait nécessairement que moi, qui le pensais, fusse quelque chose. Et remarquant que cette vérité : *Je pense, donc je suis*, était si ferme et si assurée que toutes les plus extravagantes suppositions des sceptiques[6] n'étaient pas capables de l'ébranler, je jugeai que je pouvais la recevoir sans scrupule pour le premier principe de la philosophie que je cherchais.

Discours de la méthode, partie IV.

Pour préparer l'étude du texte

1. Vous ferez le plan de ce passage, en reconstituant les différentes étapes du raisonnement et en montrant comment Descartes sait donner un ton familier à un sujet pourtant austère.
2. Quelles sont les causes d'erreur relevées par Descartes ?
3. Pourquoi Descartes, à la fin du texte, condamne-t-il la position des sceptiques ? En quoi sa propre position s'en distingue-t-elle ?

1. Si abstraites.
2. M'appliquer.
3. En ma croyance.
4. Raisonnements faux.
5. Commettre une erreur.
6. Personnes qui doutent de tout, qui pratiquent le doute systématique.

Frans Francken II (1581-1642), *Cabinet de curiosités*, Vienne, Kunsthistoriches Museum.
Les cabinets de curiosités illustrent l'appétit de savoir qui se développe à cette époque.

« Je me formai une morale par provision »

Dans le système cartésien, la morale qui règle le comportement humain doit être construite en dernier, doit être l'aboutissement de la connaissance. Mais, en attendant, Descartes doit vivre, agir. Il est donc amené à établir une morale provisoire. Parmi les règles qu'il dégage, la première consiste à obéir aux lois et aux coutumes de son pays.

Et enfin, comme ce n'est pas assez, avant de commencer à rebâtir le logis où on demeure, que de l'abattre et de faire provision de matériaux et d'architectes, ou s'exercer soi-même à l'architecture, et outre cela d'en avoir soigneusement tracé le dessin, mais qu'il faut aussi s'être pourvu de[1] quelque autre où on puisse être logé commodément pendant le temps qu'on y travaillera ; ainsi, afin que je
5 ne demeurasse point irrésolu en mes actions, pendant que la raison m'obligerait de l'être en mes jugements, et que je ne laissasse pas de vivre dès lors le plus heureusement que je pourrais, je me formai une morale par provision[2], qui ne consistait qu'en trois ou quatre maximes dont je veux bien vous faire part.

La première était d'obéir aux lois et aux coutumes de mon pays, retenant constamment la religion
10 en laquelle Dieu m'a fait la grâce d'être instruit dès mon enfance, et me gouvernant en toute autre chose suivant les opinions les plus modérées et les plus éloignées de l'excès, qui fussent communément reçues en pratique par les mieux sensés de ceux avec lesquels j'aurais à vivre. Car, commençant dès lors à ne compter pour rien les miennes propres[3], à cause que je les voulais remettre toutes à l'examen, j'étais assuré de ne pouvoir mieux que de suivre celles des mieux sensés. Et encore

1. Faire en sorte de posséder.
2. Une morale provisoire.
3. Mes propres opinions.

15 qu'il y en ait peut-être d'aussi bien sensés parmi les Perses ou les Chinois que parmi nous, il me semblait que le plus utile était de me régler selon ceux avec lesquels j'aurais à vivre ; et que, pour savoir quelles étaient véritablement leurs opinions, je devais plutôt prendre garde à ce qu'ils pratiquaient qu'à ce qu'ils disaient ; non seulement à cause qu'en la corruption de nos mœurs il y a peu de gens qui veuillent dire tout ce qu'ils croient, mais aussi à cause que plusieurs l'ignorent
20 eux-mêmes ; car l'action de la pensée par laquelle on croit une chose, étant différente de celle par laquelle on connaît qu'on la croit, elles sont souvent l'une sans l'autre. Et, entre plusieurs opinions également reçues, je ne choisissais que les plus modérées, tant à cause que ce sont toujours les plus commodes pour la pratique, et vraisemblablement les meilleures, tous excès ayant coutume d'être mauvais ; comme aussi afin de me détourner moins du vrai chemin, en cas que je faillisse[1], que si,
25 ayant choisi l'un des extrêmes, c'eût été l'autre qu'il eût fallu suivre. Et, particulièrement, je mettais entre les excès toutes les promesses par lesquelles on retranche quelque chose de sa liberté. Non que je désapprouvasse les lois qui, pour remédier à l'inconstance des esprits faibles, permettent, lorsqu'on a quelque bon dessein, ou même pour la sûreté du commerce, quelque dessein qui n'est qu'indifférent, qu'on fasse des vœux ou des contrats qui obligent à y persévérer ; mais à cause que
30 je ne voyais au monde aucune chose qui demeurât toujours en même état, et que, pour mon particulier, je me promettais de perfectionner de plus en plus mes jugements, et non point de les rendre pires, j'eusse pensé commettre une grande faute contre le bon sens, si, pour ce que j'approuvais alors quelque chose, je me fusse obligé de la prendre pour bonne encore après, lorsqu'elle aurait peut-être cessé de l'être, ou que j'aurais cessé de l'estimer telle.

Discours de la méthode, partie III.

Pour préparer l'étude du texte

1. Au début de ce texte, Descartes évoque l'exemple de celui qui fait reconstruire sa maison. Vous étudierez ce développement, en soulignant le souci de vulgarisation de l'auteur (choix du vocabulaire, ton familier, clarté) et en exprimant ce qu'il essaie ainsi de montrer.
2. Vous analyserez les termes qui rendent compte de la notion de modération. Quels avantages Descartes trouve-t-il dans la pratique de cette modération ?
3. Pourquoi est-il préférable, selon Descartes, de suivre les coutumes de son pays ? Fait-il preuve de conformisme ?

Synthèse

Un système cohérent : l'arbre de la science

Le système cartésien, le cartésianisme, qui marquera toute la pensée occidentale, apparaît d'une grande rigueur. L'image même qu'utilise Descartes dans les *Principes de la philosophie* (1644) en souligne la cohérence : il précise en effet que la connaissance, la science « est comme un arbre ».

Les racines sont constituées, selon lui, par la métaphysique : comme il l'indique dans les *Méditations métaphysiques* (1641), toute la connaissance est subordonnée à l'existence de Dieu, parce que c'est Dieu qui a créé les vérités et qui les révèle à l'homme. L'homme doit donc partir de Dieu pour dégager les règles indispensables à la compréhension du monde : c'est le but que se propose Descartes dans son *Discours de la méthode* (1637).

La physique, qui envisage les principes auxquels obéit l'univers, forme le tronc de l'arbre de la science. Quant aux branches, elles sont constituées par les autres sciences qui découlent des règles de la physique, qui sont subordonnées à l'organisation du monde. La morale est

1. Que je commette une faute, une erreur.

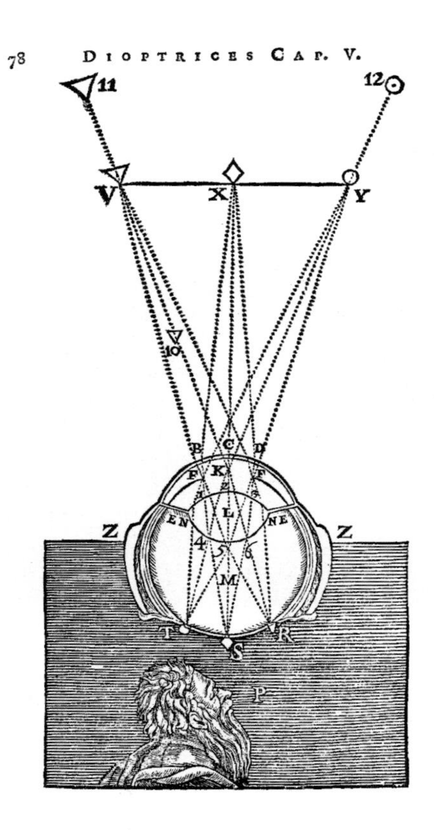

une de ces branches : elle établit les règles du comportement de l'homme et apparaît ainsi comme l'aboutissement, le couronnement, le fruit de la démarche de la connaissance. Cependant, en attendant l'achèvement de l'édifice, Descartes propose, dans le *Discours de la méthode*, une morale provisoire (voir texte, p. 107), avant de revenir sur ce problème essentiel dans *Les Passions de l'âme* (1649).

Descartes, *Principes de la philosophie*, formation d'une image sur le fond de l'œil.

Une méthode rigoureuse

Descartes a élaboré une méthode rigoureuse, guide sûr du savoir. Après avoir utilisé le doute méthodique qui consiste à faire table rase de toutes les certitudes, à tout nier, Descartes conclut à l'existence d'une raison (voir texte, p. 106), puis se demande comment cette raison peut amener l'homme à la vérité. C'est alors qu'il fait intervenir Dieu. C'est parce que Dieu existe, parce qu'il a créé à la fois le monde et l'outil nécessaire pour le comprendre, c'est-à-dire l'esprit humain, que l'homme est susceptible de saisir la vérité.

Mais encore faut-il que cette raison fonctionne correctement. Et Descartes dégage quatre moments principaux dans son fonctionnement. Tout d'abord, qu'elle soit atteinte par l'intuition ou par la déduction, la vérité est garantie, à partir du moment où Dieu la fait paraître claire, évidente. Dès lors, la raison doit mettre en œuvre l'analyse, qui consiste à décomposer les faits complexes en une série de données simples. Intervient ensuite la synthèse, qui vise à reconstruire une complexité cohérente à partir des éléments isolés. Enfin, prend place la vérification destinée à réparer des erreurs et des oublis éventuels.

Une morale de la liberté

Dans ce système cartésien, l'être humain conserve sa liberté : il peut refuser ou accepter cette vérité offerte par Dieu. L'homme est également libre de son comportement moral : pour Descartes, les passions ne sont pas, en elles-mêmes, bonnes ou mauvaises. C'est leur usage qui en fait des qualités ou des défauts. Dès lors, l'expérience et la volonté jouent un rôle déterminant pour orienter, de façon positive, l'action humaine.

Néanmoins, Descartes propose quatre principes fondamentaux auxquels l'homme se doit d'obéir : la croyance en un Dieu tout-puissant, la certitude de l'immortalité de l'âme, la conscience de l'immensité de l'univers, le sentiment de n'être qu'un élément d'un tout.

A ces règles essentielles, il ajoute des impératifs plus quotidiens qui constituent la morale provisoire exposée dans le *Discours de la méthode* : obéir aux lois et aux coutumes de son pays ; modifier ses désirs plutôt que le monde ; se vaincre soi-même au lieu d'essayer de dominer les événements ; agir toujours avec fermeté et résolution.

JÉSUITES ET JANSÉNISTES : UN COMBAT FRATRICIDE

Les forces en présence

La seconde partie du XVIIe siècle est profondément marquée par la lutte qui oppose les jésuites et les jansénistes : elle est, en particulier, au centre de la vie et de l'œuvre de Blaise Pascal. Il s'agit, en fait, d'une nouvelle guerre de religion, mais d'une guerre larvée. Son enjeu est d'importance : qui dominera idéologiquement l'Église ?

Les jésuites, jusque-là, y exerçaient une influence prépondérante. Fondée en 1540 par l'Espagnol Ignace de Loyola, la Compagnie de Jésus est puissante. Elle dispose d'une organisation structurée, quasi militaire. Elle fournit de nombreux conseillers aux grands de ce monde, tel le père La Chaise, confesseur de Louis XIV. Elle dispose de collèges réputés pour leur enseignement.

Le jansénisme est de création plus récente. Il doit son nom au théologien hollandais Jansénius (1585-1638) qui en expose les principes dans un ouvrage, *Augustinus*, qui ne paraît qu'après sa mort, en 1640. C'est l'abbé de Saint-Cyran (1581-1643) qui répand la doctrine en France à partir de l'abbaye de femmes de Port-Royal située dans la vallée de Chevreuse. Des laïcs, que l'on appelle « les solitaires » ou « les messieurs », viennent y faire retraite. Pour concurrencer les collèges jésuites, les Petites Écoles, dont Jean Racine fut l'élève, dispensent un enseignement de qualité.

La lutte d'influence qui s'engage ainsi tournera bientôt en faveur des jésuites. Le pape et le pouvoir royal prennent parti contre la doctrine janséniste. Les persécutions se multiplient. En 1709, les religieuses seront finalement chassées de l'abbaye de Port-Royal, qui sera démolie en 1710.

Deux conceptions opposées de la grâce

Le problème de la grâce a toujours été au centre des discussions théologiques. Une grande question se pose : l'homme est-il maître de son destin ? A-t-il entre ses mains son salut ou sa damnation ? Jésuites et jansénistes s'opposent sur ce point.

Pour les jésuites, c'est à chacun de construire, d'orienter sa vie. Dieu a accordé à tous sa grâce. L'homme dispose donc de la liberté. Il détermine lui-même son destin, qui dépend de ses actions et qui constitue ainsi la sanction de son mérite, de ses vertus ou de ses vices.

Anonyme, XVIIe siècle, *Portrait de saint Ignace de Loyola*, Castiglione delle Stiviere, musée historique aloisien.

Anonyme, XVIIe siècle, *Portrait de Jansénius*, Versailles, musée du Château.

Pour les jansénistes, Dieu n'accorde sa grâce qu'à ceux dont il sait, par avance, qu'ils la mériteront. Certes, la liberté de l'homme peut encore s'exercer, il peut s'opposer à la volonté divine. Mais ce libre arbitre est limité : celui qui est l'objet de la grâce en éprouve une joie si profonde qu'il ne peut y résister. Celui qui, au contraire, est habité par les forces du mal ne peut être sauvé, parce qu'il ne dispose pas de cette impulsion vers le bien que donne la grâce divine.

Deux visions différentes du péché

Les deux camps s'opposent également quant à l'interprétation à donner au péché. Les jansénistes expriment une conception pessimiste : pour eux, les forces du mal constituent une puissance redoutable face aux forces du bien.

Les jésuites, quant à eux, s'efforcent d'atténuer la notion même de péché. Pour qu'il y ait péché, il faut qu'il y ait conscience du péché. Et ils ont un grand talent pour mettre au point des techniques très élaborées destinées à gommer la faute. La casuistique répond à cette idée selon laquelle les actions humaines sont porteuses à la fois de données positives et de données négatives : elle vise à faire la part du bien et du mal. La direction d'intention consiste à envisager, pour éliminer le péché, l'aspect positif d'une action et à en oublier l'aspect négatif : ainsi, dans un duel, il suffira de penser à la défense de son honneur pour être lavé du péché d'homicide.

Deux attitudes sociales et politiques

Dans la vie quotidienne, les oppositions s'affirment aussi. Les jésuites accordent une importance essentielle à l'action. Les jansénistes sont plus contemplatifs. Cette différence de comportement fait qu'ils ne recrutent pas leurs adeptes dans les mêmes milieux. Les jésuites exercent surtout leur influence sur les classes sociales dynamiques : l'aristocratie qui aspire aux plaisirs et qui est satisfaite des accomodements offerts par cette conception religieuse ; la bourgeoisie d'argent qui croit en la force de la volonté. Les jansénistes séduisent la bourgeoisie parlementaire qui, désenchantée, progressivement privée de ses pouvoirs, sombre dans la morosité et le pessimisme (voir p. 315). Voilà peut-être qui explique la défaite des jansénistes à l'issue de cette lutte impitoyable.

Blaise Pascal
1623-1662

Anonyme, XVIIe siècle, *Portrait de Blaise Pascal*, Toulouse, Archevêché.

Un enfant précoce

Blaise Pascal offre un de ces exemples relativement rares d'enfant prodige, dont la précocité est admirable, surprenante, un peu inquiétante aussi peut-être. C'est un surdoué, en quelque sorte. Sa sœur Gilberte se souviendra : « Dès que mon frère fut en âge qu'on lui pût parler, il donna des marques d'un esprit extraordinaire par les petites reparties qu'il faisait fort à propos, mais encore plus par les questions qu'il faisait sur la nature des choses, qui surprenaient tout le monde. » Et, dès l'âge de douze ans, il aurait redécouvert la trente-deuxième proposition d'Euclide, selon laquelle la somme des angles d'un triangle est égale à deux angles droits !

Une tête bien pleine et bien faite

Sa mère est morte alors qu'il avait trois ans. A Clermont-Ferrand où il est né, puis à Paris, son père, magistrat et mathématicien réputé, a pris en charge son éducation. Blaise est de santé fragile et le restera toute sa vie. Il reçoit un enseignement à domicile, il est élevé aux côtés de ses deux sœurs. Elles joueront un rôle important dans sa vie : Jacqueline, en se retirant à l'abbaye de Port-Royal, contribuera à lui montrer le chemin de la foi. Gilberte, après la mort de son frère, s'opposera à un projet d'édition des jansénistes, qui aurait gravement dénaturé son œuvre principale, les *Pensées*.

Quelle formation lui donne-t-on alors ? On ne l'enferme pas dans une spécialité. On essaie de l'ouvrir à une grande diversité de connaissances. Ce que l'on souhaite, c'est un enfant à la tête bien pleine, mais aussi à la tête bien faite. Dans cette optique, littérature, mathématiques, sciences expérimentales, plus tard théologie, lui fournissent un vaste éventail de données et de réflexions.

C'est un enfant studieux. Mais il n'est pas renfermé, replié sur lui-même. Aux études, il ajoute l'expérience de la vie, le contact avec les autres. Dès son adolescence, il mène une vie mondaine. On le voit dans les cercles scientifiques. Il fréquente les salons. Il est familier des milieux de la cour. Cette harmonieuse combinaison des lettres et des sciences, de la théorie et de la pratique, de la réflexion et de l'action marquera profondément son œuvre.

Anonyme, XVIIᵉ siècle, *Vue de Port-Royal des Champs*, Utrecht, musée des vieux catholiques.

Un esprit curieux de tout

Ses débuts scientifiques sont, on l'a vu, prometteurs. A Rouen, où il a suivi son père qui a été nommé commissaire pour la levée des impôts, il intensifie cette activité. A dix-sept ans, en 1640, il rédige un traité de géométrie, l'*Essai sur les coniques.* Toute sa vie, il poursuivra cette recherche théorique. Il ouvrira les portes de la science moderne, en posant les principes du calcul des probabilités, du calcul infinitésimal, de l'analyse combinatoire.

Mais c'est aussi un esprit pratique. Il est attiré par l'expérimentation et travaille sur la pression atmosphérique. Vers 1642, il commence à mettre au point ce qu'il appelle la machine arithmétique, l'ancêtre de la machine à calculer. Il organise à Paris un service de transports en commun, les « carrosses à cinq sols ».

Il s'intéresse enfin aux arts et à la littérature. Son œuvre en témoigne et il se plaît à fréquenter les écrivains. N'a-t-il pas eu, en particulier, l'occasion de rencontrer à Rouen Corneille, que son père recevait régulièrement ? Concerné par tout ce qui est humain, Pascal correspond ainsi à l'idéal de l'« honnête homme » qui s'affirme à cette époque (voir p. 269).

La révélation de la foi

La religion n'avait pas jusque-là occupé une place essentielle dans l'existence de Pascal. En 1646, un événement inattendu va transformer sa vie. Son père, qui s'était démis la cuisse à la suite d'une chute, est soigné par deux gentilshommes acquis aux idées jansénistes de Port-Royal (voir p. 110). Blaise Pascal, qui a de fréquentes conversations avec eux, est ébranlé.

Mais il n'est pas encore totalement gagné par la foi. De retour à Paris en 1650, il reprend sa vie mondaine et n'hésite pas à fréquenter les milieux libertins. Parallèlement, il poursuit avec une grande intensité son activité scientifique.

La « nuit de feu »

Le 23 novembre 1654, au sortir d'un sermon, Pascal connaît une illumination qui va bouleverser son existence. Après l'éveil à la vie spirituelle, c'est maintenant la grâce qui se révèle, le plongeant dans une véritable extase. Au cours de ce qu'il appellera la « nuit de feu », il a la révélation sensible de Dieu. Il consigne cette expérience dans un court texte, le *Mémorial.* Il le portera désormais sur lui comme souvenir de ce moment exceptionnel, comme preuve et gage de sa foi nouvelle.

La littérature au service de la religion

A la suite de cet événement bouleversant, Blaise Pascal va, pendant plusieurs années, se mettre au service des jansénistes. Il effectue de fréquentes retraites à l'abbaye de Port-Royal, centre d'où rayonne la pensée janséniste. En 1656-1657, il intervient dans la querelle théologique qui oppose les jansénistes et les jésuites sur le problème de la grâce (voir p. 110) : il écrit alors les *Lettres à un provincial,* où il donne libre cours à son talent de polémiste et à son humour. Parallèlement, il rédige sur le même sujet les *Écrits sur la grâce* (1656-1658).

Sa foi, déjà intense, se trouve encore confirmée par un miracle : le 24 mars 1656, une de ses nièces est guérie au contact d'une relique de Port-Royal. Voilà qui le renforce dans son dessein de construire une vaste apologie, une défense de la religion chrétienne. En 1658, il élabore le plan de cet ouvrage de sa vie qui, laissé inachevé, resté à l'état fragmentaire, deviendra immortel, sous le titre des *Pensées.*

Une fin tragique

Au début de l'année 1659, l'état de santé de Pascal se détériore rapidement. Il souffre d'insupportables maux de tête qui l'empêchent de travailler. Il ne peut se consacrer qu'épisodiquement à son grand projet. Peut-on imaginer plus grande souffrance pour un créateur, pour un penseur que d'avoir ainsi une œuvre en lui et de ne pouvoir l'élaborer, de posséder les ressources intellectuelles, mais de ne plus disposer des forces physiques pour la mettre à jour ?

A cette impuissance, s'ajoutent les désaccords qui l'opposent alors à ses amis de Port-Royal. Le pape est excédé par une doctrine qu'il estime contraire au dogme catholique. Il exige des jansénistes la signature d'un texte qui porte condamnation d'un certain nombre de leurs principes. La plupart d'entre eux acceptent de céder, au grand scandale de Blaise Pascal qui s'élève contre ce qu'il considère comme une véritable trahison. C'est donc en plein désarroi et dans une grande solitude morale qu'il achève sa vie, au milieu des souffrances physiques. Il est encore jeune, il n'a que trente-neuf ans. Il laisse une œuvre littéraire brève, mais fulgurante.

Lettres à un provincial (1656-1657). → pp. 113-114.
Écrits sur la grâce (1656-1658).
Pensées (1670), première édition. → pp. 115 à 128.

Le polémiste

Lettres à un provincial

1656-1657

Ce que l'on appelle plus simplement *Les Provinciales* se présente sous forme de lettres. Pascal les a rédigées en 1656 et en 1657, pour défendre ses amis jansénistes dans la querelle qui les opposait aux jésuites et qui portait sur le problème de la grâce (voir p. 110).

Cette œuvre de Pascal est donc une œuvre militante. Deux thèmes essentiels y sont abordés. Les Lettres I, II, III, XVII et XVIII traitent de la grâce qui était au centre de la dispute. Les treize autres critiquent le relâchement qui marque la pratique religieuse des jésuites.

Cette querelle semble aujourd'hui bien dépassée. Mais l'intérêt littéraire des *Provinciales* demeure. C'est que Pascal n'a pas voulu se livrer à une dénonciation érudite et pesante. Il sait manier l'art de la persuasion. Il utilise une expression pleine de vivacité. Et surtout, il a recours à l'arme redoutable de l'ironie : il fait éclater l'incohérence d'une idée, en la poussant jusqu'au bout, en en montrant les extrêmes conséquences.

« La vie des hommes est trop importante »

Dans la XIVe Lettre, Pascal s'indigne de la position des jésuites qui permet la vengeance personnelle en réponse à une offense. A une telle conception, il oppose le respect de la vie, qu'exigent le christianisme et l'institution de la justice, indispensable dans un pays civilisé.

Supposez donc, mes Pères, que ces personnes publiques demandent la mort de celui qui a commis tous ces crimes, que fera-t-on là-dessus[1] ? Lui portera-t-on incontinent[2] le poignard dans le sein ? Non, mes Pères ; la vie des hommes est trop importante, on y agit avec plus de respect : les lois ne l'ont pas soumise à toutes sortes de personnes, mais seulement aux juges dont on a examiné la probité
5 et la suffisance[3]. Et croyez-vous qu'un seul suffise pour condamner un homme à mort ? Il en faut sept pour le moins, mes Pères. Il faut que de ces sept il n'y en ait aucun qui ait été offensé par le criminel, de peur que la passion n'altère ou ne corrompe son jugement. Et vous savez, mes Pères, qu'afin que leur esprit soit aussi plus pur, on observe encore de donner les heures du matin à ces fonctions : tant on apporte de soin pour les préparer à une action si grande, où ils tiennent la place de Dieu, dont
10 ils sont les ministres, pour ne condamner que ceux qu'il condamne lui-même.

C'est pourquoi, afin d'y agir comme fidèles dispensateurs de cette puissance divine, d'ôter la vie aux hommes, ils n'ont la liberté de juger que selon les dépositions des témoins, et selon toutes les autres formes qui leur sont prescrites ; ensuite desquelles[4] ils ne peuvent en conscience prononcer[5] que selon les lois, ni juger dignes de mort que ceux que les lois y condamnent. Et alors, mes Pères,
15 si l'ordre de Dieu les oblige d'abandonner au supplice le corps de ces misérables, le même ordre de Dieu les oblige de prendre soin de leurs âmes criminelles ; et c'est même parce qu'elles sont criminelles qu'ils sont plus obligés à en prendre soin ; de sorte qu'on ne les envoie à la mort qu'après leur avoir donné moyen de pourvoir à leur conscience[6]. Tout cela est bien pur et bien innocent ; et néanmoins l'Église abhorre[7] tellement le sang, qu'elle juge encore incapables du ministère de ses
20 autels ceux qui auraient assisté à un arrêt de mort[8], quoique accompagné de toutes ces circonstances si religieuses : par où il est aisé de concevoir quelle idée l'Église a de l'homicide.

Voilà, mes Pères, de quelle sorte, dans l'ordre de la justice, on dispose de la vie des hommes. Voyons maintenant comment vous en disposez. Dans vos nouvelles lois, il n'y a qu'un juge, et ce juge est celui-là même qui est offensé. Il est tout ensemble le juge, la partie[9] et le bourreau. Il se demande
25 à lui-même la mort de son ennemi, il l'ordonne, il l'exécute sur-le-champ ; et sans respect ni du corps, ni de l'âme de son frère, il tue et damne celui pour qui Jésus-Christ est mort ; et tout cela pour éviter un soufflet ou une médisance, ou une parole outrageuse, ou d'autres offenses semblables pour lesquelles un juge, qui a l'autorité légitime, serait criminel d'avoir condamné à la mort ceux qui les auraient commises, parce que les lois sont très éloignées de les y condamner. Et enfin, pour comble
30 de ces excès, on ne contracte ni péché, ni irrégularité[10], en tuant de cette sorte sans autorité et contre les lois, quoiqu'on soit religieux et même prêtre. Où en sommes-nous, mes Pères ? Sont-ce des religieux et des prêtres qui parlent de cette sorte ? sont-ce des Chrétiens ? sont-ce des Turcs ? sont-ce des hommes ? sont-ce des démons ? et sont-ce là des *mystères révélés par l'Agneau à ceux de sa Société*[11], ou des abominations suggérées par le Dragon[12] à ceux qui suivent son parti ?

Lettres à un provincial, Lettre XIV.

Pour préparer l'étude du texte

1. Vous ferez une étude comparée des deux mouvements que comporte ce texte. Vous montrerez que, s'opposant à la fois dans l'argumentation et dans le ton, ils développent deux conceptions de la justice, la conception légale et celle des jésuites.

2. Vous définirez les principes au nom desquels Pascal défend la conception légale de la justice et stigmatise, au contraire, celle des jésuites.

3. Pour Pascal, la justice est cautionnée par Dieu. Vous relèverez et expliquerez les passages où s'exprime cette idée.

1. Pascal, qui s'adresse aux pères jésuites, examine d'abord comment procède la justice pour juger des criminels particulièrement odieux.
2. Immédiatement.
3. L'honnêteté et la compétence.
4. En conséquence de ces formes.
5. Se prononcer.
6. A faire le nécessaire pour leur conscience.
7. Déteste.
8. Ceux qui auraient assisté à une condamnation à mort.
9. Personne concernée par un procès.
10. Manquement aux règles.
11. Allusion au passage d'un ouvrage d'Escobar évoquant les mystères révélés par le Christ (« l'Agneau ») aux membres de la Société des jésuites.
12. Le dragon est une des représentations de Satan.

Philippe de Champaigne (1602-1674), *Robert Arnauld d'Andilly*, Paris, musée du Louvre.
Un des maîtres à penser du jansénisme français dont Philippe de Champaigne subit l'influence spirituelle.

Le philosophe lyrique

Pensées

1670

Les *Pensées* ont toujours exercé une sorte de fascination. Elle est due, en partie, à cette étrange séduction qui vient du caractère inachevé de l'œuvre. Les huit à neuf cents feuilles ou fragments de papier laissés par Pascal, ce puzzle composé d'une série de notes et de passages rédigés, ne représentent, en effet, que quelques-uns des matériaux qui devaient constituer un ensemble ample et ambitieux.

C'est à partir de 1656 que Pascal, semble-t-il, travaille à la grande œuvre de sa vie, *Apologie de la religion chrétienne*, défense et illustration de sa foi. Ce n'est qu'en 1658 qu'il en élabore le plan détaillé. L'ouvrage comporte quatre grands mouvements : le tableau de la misère et de la grandeur de l'homme et des sociétés ; le constat de l'ignorance du vrai bonheur, qui caractérise l'homme ; la nécessité de la recherche de Dieu ; les preuves de l'existence de Dieu.

Après la mort de Pascal, les *Pensées* connaîtront un destin mouvementé. En 1670, Port-Royal, qui avait d'abord envisagé de compléter l'œuvre inachevée, y renonce sous la pression de Gilberte, la sœur de l'auteur, et se décide à publier une édition plus fidèle. Mais cette fidélité est bien relative : les responsables de la publication n'hésitent pas à supprimer des passages, à réécrire des développements et adoptent un classement contestable. Il faudra attendre l'édition Brunschvicg (1897), puis l'édition Lafuma (1951), enfin l'édition Sellier[1] (1976), pour disposer d'un texte plus fidèle, pour mieux apprécier cette œuvre qui marie, avec bonheur, la puissance de la conviction et le génie du raisonnement.

Fac-similé d'une page du manuscrit des *Pensées* de Pascal, Paris, B.N.

1. C'est le texte et le classement établis par cette édition (Blaise PASCAL, *Pensées*, édition Philippe Sellier, Paris, Mercure de France, 1976) qui ont été retenus pour les extraits donnés dans cet ouvrage.

« Cette maîtresse d'erreur et de fausseté »

L'homme est trompé par son imagination. Prisonnier de son corps, il ne parvient pas à faire triompher la raison. Les impressions, les données subjectives que lui fournissent ses sens ne cessent de lui jouer de mauvais tours, de privilégier les apparences au détriment de la vérité, de sacrifier l'essentiel au profit des détails.

78 Imagination.

C'est cette partie dominante dans l'homme, cette maîtresse d'erreur et de fausseté, et d'autant plus fourbe qu'elle ne l'est pas toujours, car elle serait règle infaillible de vérité si elle l'était infaillible du mensonge[1]. Mais étant le plus souvent fausse, elle ne donne aucune marque de sa qualité, marquant du même caractère le vrai et le faux. Je ne parle pas des fous, je parle des plus sages et c'est parmi eux que l'imagination a le grand droit de persuader les hommes. La raison a beau crier, elle ne peut mettre le prix aux choses.

Cette superbe[2] puissance ennemie de la raison, qui se plaît à la contrôler et à la dominer, pour montrer combien elle peut en toutes choses, a établi dans l'homme une seconde nature. Elle a ses heureux, ses malheureux, ses sains, ses malades, ses riches, ses pauvres. Elle fait croire, douter, nier la raison. Elle suspend les sens, elle les fait sentir. Elle a ses fous et ses sages, et rien ne nous dépite davantage que de voir qu'elle remplit ses hôtes d'une satisfaction bien autrement pleine et entière que la raison. Les habiles par imagination se plaisent tout autrement à eux-mêmes que les prudents ne se peuvent raisonnablement plaire. Ils regardent les gens avec empire[3], ils disputent avec hardiesse et confiance, les autres avec crainte et défiance. Et cette gaieté de visage leur donne souvent l'avantage dans l'opinion des écoutants, tant les sages imaginaires ont de faveur auprès de leurs juges de même nature.

Elle ne peut rendre sages les fous, mais elle les rend heureux, à l'envi de la raison, qui ne peut rendre ses amis que misérables, l'une les couvrant de gloire, l'autre de honte.

Qui dispense la réputation, qui donne le respect et la vénération aux personnes, aux ouvrages, aux lois, aux grands, sinon cette faculté imaginante[4] ? Combien toutes les richesses de la terre insuffisantes sans son consentement.

Ne diriez-vous pas que ce magistrat dont la vieillesse vénérable impose le respect à tout un peuple se gouverne par une raison pure et sublime et qu'il juge des choses par leur nature sans s'arrêter à ces vaines circonstances qui ne blessent que l'imagination des faibles ? Voyez-le entrer dans un sermon où il apporte un zèle tout dévot, renforçant la solidité de sa raison par l'ardeur de sa charité. Le voilà prêt à l'ouïr[5] avec un respect exemplaire. Que le prédicateur vienne à paraître, si la nature lui a donné une voix enrouée et un tour de visage bizarre, que son barbier l'ait mal rasé, si le hasard l'a encore barbouillé[6] de surcroît, quelques grandes vérités qu'il annonce, je parie la perte de la gravité de notre sénateur.

Le plus grand philosophe du monde sur une planche plus large qu'il ne faut, s'il y a au-dessous un précipice, quoique sa raison le convainque de sa sûreté, son imagination prévaudra. Plusieurs n'en sauraient soutenir la pensée sans pâlir et suer.

Je ne veux pas rapporter tous ses effets. Qui ne sait que la vue des chats, des rats, l'écrasement d'un charbon, etc. emportent la raison hors des gonds. Le ton de voix impose aux plus sages et change un discours et un poème de force. L'affection ou la haine changent la justice de face. Et combien un avocat bien payé par avance trouve-t-il plus juste la cause qu'il plaide ! Combien son geste hardi la fait-il paraître meilleure aux juges dupés par cette apparence ! Plaisante raison qu'un vent manie et à tout sens !

Pensées, 78.

Pour préparer le commentaire composé

1. **« Une seconde nature ».** Vous dégagerez la signification de l'expression « une seconde nature » (l. 8), en récapitulant les différents domaines humains dans lesquels s'exerce l'imagination.

2. **L'opposition imagination/raison.** Vous montrerez comment s'exprime, tout au long du texte, l'opposition entre imagination et raison, en mettant en évidence les pouvoirs de chacune de ces facultés et leur combat constant.

3. **Le triomphe de l'imagination.** Vous soulignerez l'importance que revêt l'imagination dans le texte. Vous noterez, en particulier, les charmes qu'elle exerce et l'utilisation qui en est faite dans l'art de persuader et de démontrer.

1. Si elle était infaillible du mensonge, si elle était toujours signe de fausseté.
2. Orgueilleuse.
3. D'un air dominateur.
4. Faculté qui consiste à imaginer.
5. A l'entendre.
6. Si, par hasard, il s'est taché, il s'est sali. Autre interprétation possible : si, par hasard, il a l'esprit embrouillé, confus.

Philippe de Champaigne (1602-1674), *Omer II Talon*, Washington, National Gallery of Art.
Janséniste, cet avocat général (1595-1652) défendit avec vigueur les prérogatives du parlement face au roi.

« La coutume ne doit être suivie que parce qu'elle est coutume »

Dans son comportement individuel, l'homme est soumis aux apparences. Les apparences sont tout aussi triomphantes dans la vie sociale. Les lois apparaissent en effet relatives, varient selon les pays et les peuples. Elles devraient être garanties par la justice et appuyées par la force. Mais comme la notion de justice est discutable, c'est la force qui l'emporte et qui impose ce qui devient ainsi coutume immuable.

100 Injustice.

Il est dangereux de dire au peuple que les lois ne sont pas justes, car il n'y obéit qu'à cause qu'il les croit justes. C'est pourquoi il lui faut dire en même temps qu'il y faut obéir parce qu'elles sont lois comme il faut obéir aux supérieurs non pas parce qu'ils sont justes, mais parce qu'ils sont supérieurs. Par là voilà toute sédition[1] prévenue si on peut faire entendre cela et que proprement c'est la définition
5 de la justice.

135 Justice force.

Il est juste que ce qui est juste soit suivi. Il est nécessaire que ce qui est le plus fort soit suivi.

La justice sans la force est impuissante. La force sans la justice est tyrannique.

La justice sans force est contredite parce qu'il y a toujours des méchants. La force sans la justice est accusée. Il faut donc mettre ensemble la justice et la force, et pour cela faire que ce qui est juste
10 soit fort ou que ce qui est fort soit juste.

La justice est sujette à dispute[2]. La force est très reconnaissable et sans dispute. Ainsi on n'a pu donner la force à la justice, parce que la force a contredit la justice, et a dit qu'elle était injuste, et a dit que c'était elle qui était juste.

Et ainsi ne pouvant faire que ce qui est juste fût fort, on a fait que ce qui est fort fût juste.

1. Toute révolte.

2. Est discutable.

454

15 Montaigne a tort : la coutume ne doit être suivie que parce qu'elle est coutume, et non parce qu'elle soit raisonnable ou juste. Mais le peuple la suit par cette seule raison qu'il la croit juste. Sinon il ne la suivrait plus, quoiqu'elle fût coutume. Car on ne veut être assujetti qu'à la raison ou à la justice. La coutume sans cela passerait pour tyrannie, mais l'empire de la raison et de la justice n'est non plus tyrannique que celui de la délectation[1]. Ce sont les principes naturels à l'homme.

20 Il serait donc bon qu'on obéît aux lois et coutumes parce qu'elles sont lois, qu'on sût qu'il n'y en a aucune vraie et juste à introduire, que nous n'y connaissons rien et qu'ainsi il faut seulement suivre les reçues[2] : par ce moyen on ne les quitterait jamais. Mais le peuple n'est pas susceptible de cette doctrine[3]. Et ainsi, comme il croit que la vérité se peut trouver et qu'elle est dans les lois et coutumes, il les croit et prend leur antiquité[4] comme une preuve de leur vérité (et non de leur seule autorité, 25 sans vérité)[5]. Ainsi il y obéit, mais il est sujet à se révolter dès qu'on lui montre qu'elles ne valent rien, ce qui se peut faire voir de toutes en les regardant d'un certain côté.

647

C'est une plaisante chose à considérer, de ce qu'il y a des gens dans le monde qui, ayant renoncé à toutes les lois de Dieu et de la nature, s'en sont fait eux-mêmes auxquelles ils obéissent exactement, comme par exemple les soldats de Mahomet[6], les voleurs, les hérétiques, etc. Et ainsi les logiciens.

30 Il semble que leur licence[7] doive être sans aucunes bornes ni barrières, voyant qu'ils en ont franchi tant de si justes et de si saintes.

Pensées, 100, 135, 454, 647.

Pour préparer l'étude du texte

1. Ce texte est construit autour de trois notions : la justice, la force et la loi. Vous les analyserez, en montrant quels rapports Pascal établit entre la force et la justice et en dégageant les conditions que, selon lui, la loi doit remplir pour qu'elle soit acceptée par le peuple.
2. Vous relèverez les éléments de l'analyse qui apparaissent surprenants à notre époque et expliquerez pourquoi.
3. Pascal oppose constamment la réalité et les apparences. Vous étudierez ces jeux d'oppositions.

« Le cœur a ses raisons, que la raison ne connaît point »

Comment l'homme, ainsi égaré par les apparences, peut-il avoir accès à la connaissance ? Lorsque Pascal opère une distinction entre le cœur et la raison, il fait intervenir les rapports entre l'homme et Dieu, il adopte une perspective morale et métaphysique. Pour lui, c'est le cœur qui importe avant tout. C'est le cœur qui permet de saisir les véritables connaissances, les connaissances intuitives et non démontrables. La raison ne vient qu'ensuite et travaille à partir de ces données de base. Le cœur sent, la raison démontre. Le cœur fournit les principes, la raison opère ses démonstrations à partir de ces principes. Dans ces conditions, le cœur intervient de façon privilégiée dans l'amour et la foi, deux domaines de la subjectivité par excellence.

142

Nous connaissons la vérité non seulement par la raison, mais encore par le cœur. C'est de cette dernière sorte que nous connaissons les premiers principes, et c'est en vain que le raisonnement, qui n'y a point de part, essaie de les combattre. Les pyrrhoniens[8], qui n'ont que cela pour objet, y travaillent inutilement. Nous savons que nous ne rêvons point, quelque impuissance où nous soyons[9] 5 de le prouver par raison. Cette impuissance ne conclut autre chose que la faiblesse[10] de notre raison, mais non pas l'incertitude de toutes nos connaissances, comme ils le prétendent.

Car la connaissance des premiers principes comme qu'il y a espace, temps, mouvement, nombres, est aussi ferme qu'aucune de celles que nos raisonnements nous donnent, Et c'est sur ces connaissances du cœur et de l'instinct qu'il faut que la raison s'appuie et qu'elle y fonde tout son

1. Du plaisir.
2. Les lois et les coutumes reçues, adoptées.
3. N'est pas susceptible, capable d'adopter cette doctrine.
4. Leur ancienneté.
5. Alors qu'il s'agit seulement d'une preuve de leur autorité, sans qu'il y ait preuve de leur vérité.
6. Les musulmans.
7. Leur liberté excessive, leur dérèglement.
8. Les sceptiques qui refusent la certitude.
9. Dans quelque impuissance où nous soyons.
10. Ne montre rien d'autre que la faiblesse.

10 discours. Le cœur sent qu'il y a trois dimensions dans l'espace et que les nombres sont infinis, et la raison démontre ensuite qu'il n'y a point deux nombres carrés dont l'un soit double de l'autre. Les principes se sentent, les propositions se concluent, et le tout avec certitude, quoique par différentes voies, et il est aussi inutile et aussi ridicule que la raison demande au cœur des preuves de ses premiers principes pour vouloir y consentir qu'il serait ridicule que le cœur demandât à la raison un
15 sentiment de toutes les propositions qu'elle démontre pour vouloir les recevoir[1].

Cette impuissance ne doit donc servir qu'à humilier la raison, qui voudrait juger de tout, mais non pas à combattre notre certitude. Comme s'il n'y avait que la raison capable de nous instruire. Plût à Dieu que nous n'en eussions au contraire jamais besoin et que nous connussions toutes choses par instinct et par sentiment ! Mais la nature nous a refusé ce bien, elle ne nous a au contraire donné que
20 très peu de connaissances de cette sorte. Toutes les autres ne peuvent être acquises que par raisonnement.

Et c'est pourquoi ceux à qui Dieu a donné la religion par sentiment du cœur sont bien heureux et bien légitimement persuadés. Mais à ceux qui ne l'ont pas nous ne pouvons la donner que par raisonnement, en attendant que Dieu la leur donne par sentiment du cœur. Sans quoi la foi n'est
25 qu'humaine et inutile pour le salut.

680
C'est le cœur qui sent Dieu, et non la raison : voilà ce que c'est que la foi. Dieu sensible au cœur, non à la raison.

Le cœur a ses raisons, que la raison ne connaît point : on le sait en mille choses.

Je dis que le cœur aime l'être universel[2] naturellement, et soi-même naturellement, selon qu'il
30 s'y adonne. Et il se durcit contre l'un ou l'autre[3], à son choix. Vous avez rejeté l'un et conservé l'autre : est-ce par raison que vous vous aimez ?

La seule science qui est contre le sens commun et la nature des hommes, est la seule qui ait toujours subsisté parmi les hommes.

Pensées, 142, 680.

Pour préparer l'étude du texte

1. « C'est le cœur qui sent Dieu, et non la raison » (l. 26) ; « Le cœur a ses raisons, que la raison ne connaît point » (l. 28). Ces deux formules célèbres soulignent que l'amour ne peut être révélé que par le cœur. Vous ferez le plan de la Pensée 142, en montrant qu'elle développe longuement cette idée, alors que la Pensée 680 l'exprime de façon brève et saisissante.
2. Vous déterminerez les domaines spécifiques du cœur et de la raison.
3. Vous montrerez comment Pascal allie, dans ce texte, la rigueur du raisonnement et le lyrisme de l'expression.

« L'homme [...] est un roseau pensant »

C'est parce que l'être humain possède les facultés du cœur et de la raison que, malgré sa misère physique, il manifeste sa grandeur : l'homme est l'être le plus faible de la nature, mais c'est un être pensant. Il est grand, parce qu'il a conscience de ce qu'il est, parce qu'il dispose de la pensée, même si cette pensée est imparfaite.

143
Je puis bien concevoir un homme sans mains, pieds, tête, car ce n'est que l'expérience qui nous apprend que la tête est plus nécessaire que les pieds. Mais je ne puis concevoir l'homme sans pensée. Ce serait une pierre ou une brute[4].

145 Roseau pensant.
Ce n'est point de l'espace que je dois chercher ma dignité, mais c'est du règlement de ma pensée.
5 Je n'aurai point d'avantage en possédant des terres. Par l'espace l'univers me comprend[5] et m'engloutit comme un point, par la pensée je le comprends.

1. Les accepter.
2. Dieu.
3. Il se montre insensible envers Dieu ou envers lui-même.
4. Être privé de raison, de conscience.
5. M'englobe.

146
La grandeur de l'homme est grande en ce qu'il se connaît misérable.
Un arbre ne se connaît pas misérable.
C'est donc être misérable que de se connaître misérable, mais c'est être grand que de connaître
10 qu'on est misérable.

149 La grandeur de l'homme.
La grandeur de l'homme est si visible qu'elle se tire même de sa misère. Car ce qui est nature aux animaux, nous l'appelons misère en l'homme. Par où nous reconnaissons que, sa nature étant aujourd'hui pareille à celle des animaux, il est déchu d'une meilleure nature qui lui était propre autrefois.

15 Car qui se trouve malheureux de n'être pas roi, sinon un roi dépossédé ? Trouvait-on Paul-Émile[1] malheureux de n'être pas consul ? Au contraire, tout le monde trouvait qu'il était heureux de l'avoir été, parce que sa condition n'était pas de l'être toujours. Mais on trouvait Persée[2] si malheureux de n'être plus roi, parce que sa condition était de l'être toujours, qu'on trouvait étrange de ce qu'il supportait la vie. Qui se trouve malheureux de n'avoir qu'une bouche ? Et qui ne se trouverait
20 malheureux de n'avoir qu'un œil ? On ne s'est peut-être jamais avisé de s'affliger de n'avoir pas trois yeux, mais on est inconsolable de n'en point avoir.

231
L'homme n'est qu'un roseau, le plus faible de la nature, mais c'est un roseau pensant. Il ne faut pas que l'univers entier s'arme pour l'écraser, une vapeur[3], une goutte d'eau suffit pour le tuer. Mais quand l'univers l'écraserait, l'homme serait encore plus noble que ce qui le tue, puisqu'il sait qu'il meurt et
25 l'avantage que l'univers a sur lui. L'univers n'en sait rien.

232
Toute notre dignité consiste donc en la pensée. C'est de là qu'il faut nous relever, et non de l'espace et de la durée, que nous ne saurions remplir.
Travaillons donc à bien penser. Voilà le principe de la morale.

Pensées, 143, 145, 146, 149, 231, 232.

Pour préparer l'étude du texte

1. Vous montrerez en quoi ce texte composé de fragments, très morcelé, procède par juxtaposition.
2. Vous ferez apparaître le thème qui sert de « fil conducteur » à ces différents fragments et étudierez la diversité des formulations utilisées.
3. Vous récapitulerez les fonctions et les qualités que Pascal attribue à la pensée.

Pascal, les athées et le « roseau pensant »

Dans l'ouvrage qu'il lui consacre, Jean Steinmann montre que, pour Pascal, la pensée est la seule fonction vraiment humaine. Pascal offre la pensée en exemple aux athées, à ces libertins cultivés, raffinés, « honnêtes gens », qui ont joué un rôle essentiel dans l'élaboration de son œuvre.

Aussi Pascal imagine-t-il son athée, son personnage comme un parfait homme du monde, aimant rire, converser, plaisanter, fréquentant les salons où il sait faire goûter son esprit vif et brillant. Affable, instruit des mathématiques, mais pas trop, ou du moins sachant les oublier, auteur peut-être, mais n'en parlant jamais. Artiste, habile à cacher
5 *son tourment sous un voile d'humour, joueur, sans passions. Amoureux détaché, modeste, humain, ennemi de l'excès, sans fatuité[4]. Intelligent surtout, goûtant le régal*

1. Il fut consul de Rome en 216 av. J.-C.
2. Dernier roi de Macédoine, il perdit son trône en 168 av. J.-C.
3. Un brouillard.
4. Sans prétention.

d'une langue délectable et imprégnée de poésie jusqu'à la moelle. Capable d'émotion et de conviction. Prêt à suivre qui connaît l'art de persuader. Assez libre pour oser se mettre à genoux et tremper ses doigts dans l'eau bénite s'il a découvert dans ces gestes,
10 *en apparence absurdes, des moyens d'accéder à la vérité. Un bel homme vraiment, droit, fort de sa lucidité, courageux, douteur quand il le faut, croyant s'il le doit, jamais dupe surtout de lui-même, jamais esclave de l'opinion, libre au contraire, mais d'une liberté capable de se plier devant la grandeur de Dieu si on la lui présente comme elle doit l'être, d'une manière digne d'elle et de lui.*

15 *Cet homme pense. Son unique fonction vraiment humaine, sa seule noblesse est de penser. Pascal lui fait voir en l'homme « un roseau pensant ». Définition lapidaire*[1] *qui, dans sa contraction, gagne en acuité*[2] *et en profondeur ce qu'elle perd en diversité et en étendue, car l'homme est aussi un roseau aimant, un roseau agissant, un roseau souffrant. Mais quand il s'agit de réfléchir à l'essence de l'homme, Pascal dépouille son*
20 *athée de tout : philosophie, poésie, peinture, science, sport, conversation, politique, amour, tout cède pour lui et son interlocuteur devant la fonction pensante. Personne n'a donné une si simple et si haute définition de l'homme.*

Pascal ignore tout des origines biologiques de l'humanité, de sa probable évolution. Que lui eût importé ? S'il les avait connues, il eût rejeté les séductions de l'élan
25 *vital*[3]*. Cartésien, en ce sens, il est mécaniste. Le corps humain est, à ses yeux, une machine, plus compliquée que la machine arithmétique, mais du même ordre. Il ne serait pas de ceux qu'émerveillent sans fin la biologie, la botanique. Ce qui l'intéresserait passionnément, s'il regardait un instant à l'oculaire de nos microscopes, ce ne seraient pas les ruses et les mystères de la vie, mais le mystère de l'homme qui a*
30 *inventé le microscope, la tragédie du savant qui cherche, interroge. Il est intrigué moins par les résultats de la géométrie que par l'existence du géomètre, cette ultime réussite de la grandeur humaine. L'homme est machine pensante. On aura beau vanter le plaisir de se divertir, Pascal se rit de l'importance attachée à ces moments qui ne comptent pas au nombre des exercices de son pouvoir de réflexion.*

Jean STEINMANN, Pascal, *Paris, Éditions du Cerf, 1954.*

Le « divertissement »

Malgré la force et le soutien de la pensée, la vérité est pour l'homme comme un soleil aveuglant que son regard ne peut supporter. Tout son comportement se ressent de cette impuissance. Pour tenter d'échapper à sa condition misérable, il a recours au divertissement, c'est-à-dire à la fuite dans l'activité, dans l'agitation. Il n'a qu'une idée : remplir le vide de sa vie, échapper, par tous les moyens, à la conscience de sa faiblesse et de son néant.

168 Divertissement.
Quand je m'y suis mis quelquefois à considérer les diverses agitations des hommes et les périls et les peines où ils s'exposent dans la cour, dans la guerre, d'où naissent tant de querelles, de passions, d'entreprises hardies et souvent mauvaises, etc., j'ai dit souvent que tout le malheur des hommes vient d'une seule chose, qui est de ne savoir pas demeurer en repos dans une chambre. Un homme qui
5 a assez de bien pour vivre, s'il savait demeurer chez soi avec plaisir, n'en sortirait pas pour aller sur la mer ou au siège d'une place[4]. On n'achète une charge à l'armée, si chère, que parce qu'on trouverait insupportable de ne bouger de la ville. Et on ne recherche les conversations et les divertissements des jeux que parce qu'on ne peut demeurer chez soi avec plaisir. Etc.

Mais quand j'ai pensé de plus près et qu'après avoir trouvé la cause de tous nos malheurs j'ai
10 voulu en découvrir la raison, j'ai trouvé qu'il y en a une bien effective et qui consiste dans le malheur naturel de notre condition faible et mortelle, et si misérable que rien ne peut nous consoler lorsque nous y pensons de près.

Quelque condition qu'on se figure[5], où l'on assemble tous les biens qui peuvent nous appartenir, la royauté est le plus beau poste du monde. Et cependant, qu'on s'en imagine un accompagné de
15 toutes les satisfactions qui peuvent le toucher. S'il est sans divertissement et qu'on le laisse considérer

1. Définition concise, brève.
2. En finesse, en pénétration.
3. Allusion aux théories biologiques modernes que Pascal, bien sûr, ignorait.
4. Au siège d'une place forte.
5. Quelle que soit la condition qu'on imagine, de toutes les conditions qu'on puisse imaginer.

Frans Snyders (1579-1657), *Chasse au sanglier*, Lille, musée des Beaux-Arts.
« (...) il est tout occupé à voir par où passera ce sanglier que les chiens poursuivent avec tant d'ardeur depuis six heures ».

et faire réflexion sur ce qu'il est, cette félicité languissante ne le soutiendra point. Il tombera par nécessité dans les vues qui le menacent des révoltes qui
20 peuvent arriver et enfin de la mort et des maladies, qui sont inévitables. De sorte que s'il est sans ce qu'on appelle divertissement, le voilà malheureux, et plus malheureux que le moindre de ses
25 sujets qui joue et qui se divertit.

De là vient que le jeu et la conversation des femmes, la guerre, les grands emplois sont si recherchés. Ce n'est pas qu'il y ait en effet[1] du bonheur, ni qu'on s'imagine que la vraie béatitude[2] soit d'avoir l'argent qu'on peut gagner au jeu ou dans le lièvre qu'on court[3], on n'en voudrait pas s'il était offert. Ce n'est pas cet usage mol et paisible et qui nous laisse penser à notre malheureuse
30 condition qu'on recherche ni les dangers de la guerre ni la peine des emplois, mais c'est le tracas qui nous détourne d'y penser[4] et nous divertit. [...]

D'où vient que cet homme, qui a perdu depuis peu de mois son fils unique et qui accablé de procès et de querelles était ce matin si troublé, n'y pense plus maintenant ? Ne vous en étonnez pas, il est tout occupé à voir par où passera ce sanglier que les chiens poursuivent avec tant d'ardeur
35 depuis six heures. Il n'en faut pas davantage. L'homme, quelque plein de tristesse qu'il soit, si on peut gagner sur lui de le faire entrer en quelque divertissement, le voilà heureux pendant ce temps-là. Et l'homme, quelque heureux qu'il soit, s'il n'est diverti et occupé par quelque passion ou quelque amusement qui empêche l'ennui de se répandre, sera bientôt chagrin[5] et malheureux. Sans divertissement il n'y a point de joie. Avec le divertissement il n'y a point de tristesse. Et c'est aussi ce qui
40 forme le bonheur des personnes de grande condition qu'ils ont un nombre de personnes qui les divertissent, et qu'ils ont le pouvoir de se maintenir en cet état[6].

Pensées, 168.

Pour préparer l'étude du texte

1. Vous ferez apparaître, dans une étude de la structure du texte, les différentes étapes de la démonstration : observation, découverte, approfondissement, exemple de la condition royale, exemples de divertissements, un cas particulier généralisable, « le bonheur des personnes de grande condition ».
2. Vous dégagerez le rôle que joue chaque mouvement du texte par rapport au précédent, en menant une étude minutieuse des mots de liaison.
3. Vous montrerez comment cette évocation de la condition humaine s'inscrit dans une conception d'un homme faible et misérable.

Pour un groupement de textes

Le thème du divertissement dans :
L'Introduction à la vie dévote (p. 51) de François de Sales,
Les Pensées (p. 121) de Pascal,
Les Femmes savantes (p. 185) de Molière,
Des coquettes et des vieillards (p. 261) de La Rochefoucauld,
La Princesse de Clèves (p. 323) de Madame de La Fayette,
Les Caractères (p. 379) de La Bruyère.

1. En réalité, réellement.
2. Le vrai bonheur.
3. Le lièvre qu'on chasse.
4. De penser à notre malheureuse condition.
5. Triste.
6. En cet état de divertissement.

« Ces deux abîmes de l'infini et du néant »

Cette misère à laquelle l'homme tente d'échapper en recourant au divertissement s'explique par sa situation dans l'univers. Et Pascal souligne la faiblesse de l'être humain qui est la conséquence de sa position inconfortable entre l'infiniment petit et l'infiniment grand.

230

Que l'homme étant revenu à soi considère ce qu'il est au prix de ce qui est[1], qu'il se regarde comme égaré dans ce canton[2] détourné de la nature, et que de ce petit cachot où il se trouve logé, j'entends l'univers, il apprenne à estimer la terre, les royaumes, les villes et soi-même, son juste prix.

Qu'est-ce qu'un homme, dans l'infini ?

5 Mais pour lui présenter un autre prodige aussi étonnant, qu'il recherche dans ce qu'il connaît les choses les plus délicates[3], qu'un ciron[4] lui offre dans la petitesse de son corps des parties incomparablement plus petites, des jambes avec des jointures, des veines dans ses jambes, du sang dans ses veines, des humeurs dans ce sang, des gouttes dans ses humeurs, des vapeurs dans ces gouttes, que divisant encore ces dernières choses il épuise ses forces en ces conceptions, et que le dernier 10 objet où il peut arriver soit maintenant celui de notre discours. Il pensera peut-être que c'est là l'extrême petitesse de la nature.

Je veux lui faire voir là-dedans un abîme nouveau, je lui veux peindre non seulement l'univers visible, mais l'immensité qu'on peut concevoir de la nature dans l'enceinte de ce raccourci d'atome[5]. Qu'il y voie une infinité d'univers, dont chacun a son firmament, ses planètes, sa terre, en la même 15 proportion que le monde visible, dans cette terre des animaux, et enfin des cirons, dans lesquels il retrouvera ce que les premiers ont donné, et trouvant encore dans les autres la même chose sans fin et sans repos, qu'il se perde dans ces merveilles aussi étonnantes dans leur petitesse, que les autres par leur étendue ! Car qui n'admirera que notre corps, qui tantôt[6] n'était pas perceptible dans l'univers imperceptible lui-même dans le sein du tout, soit à présent un colosse, un monde ou plutôt un tout 20 à l'égard du néant où l'on ne peut arriver ?

Qui se considérera de la sorte s'effraiera de soi-même et se considérant soutenu dans la masse que la nature lui a donnée entre ces deux abîmes de l'infini et du néant, il tremblera dans la vue de ses merveilles, et je crois que sa curiosité se changeant en admiration, il sera plus disposé à les contempler en silence qu'à les rechercher avec présomption[7]. Car enfin qu'est-ce que l'homme dans 25 la nature ? Un néant à l'égard de l'infini, un tout à l'égard du néant, un milieu entre rien et tout, infiniment éloigné de comprendre les extrêmes, la fin des choses et leur principe sont pour lui invinciblement cachés dans un secret impénétrable *(que pourra-t-il donc concevoir ? il est)*, également incapable de voir le néant d'où il est tiré et l'infini, où il est englouti.

Que fera-t-il donc sinon d'apercevoir quelque apparence du milieu des choses, dans un 30 désespoir éternel de connaître ni leur principe ni leur fin ? Toutes choses sont sorties du néant et portées jusqu'à l'infini. Qui suivra ces étonnantes démarches ? L'auteur de ces merveilles les comprend. Tout autre ne le peut faire.

Manque d'avoir contemplé[8] ces infinis, les hommes se sont portés témérairement à la recherche de la nature, comme s'ils avaient quelque proportion avec elle.

35 C'est une chose étrange qu'ils ont voulu comprendre les principes des choses, et de là arriver jusqu'à connaître tout, par une présomption aussi infinie que leur objet. Car il est sans doute[9] qu'on ne peut former ce dessein sans une présomption ou sans une capacité infinie, comme la nature.

Pensées, 230.

Pour préparer le commentaire composé

1. **Une démonstration cohérente.** Vous étudierez la structure du texte et mettrez en relief la logique de la démonstration.

2. **L'appel à l'émotion et à la sensibilité.** Vous montrerez comment, dans l'étude du ciron et dans celle de l'univers, Pascal joue sur les effets contrastés provoqués par l'infiniment petit et par l'infiniment grand. Vous noterez que Pascal fait appel à l'émotion et à l'imagination du lecteur. Vous définirez la situation inconfortable de l'homme et vous soulignerez en quoi elle est génératrice d'angoisse.

3. **La présomption humaine.** En quoi consiste-t-elle ?

1. Par rapport à ce qui existe, à la création, à l'univers.
2. Dans cette petite partie, dans ce coin.
3. Les plus fines, les plus petites.
4. Le plus petit des êtres vivants.
5. La plus petite partie de la matière.
6. Tout à l'heure.
7. Avec vanité.
8. Faute d'avoir contemplé.
9. Car il est certain.

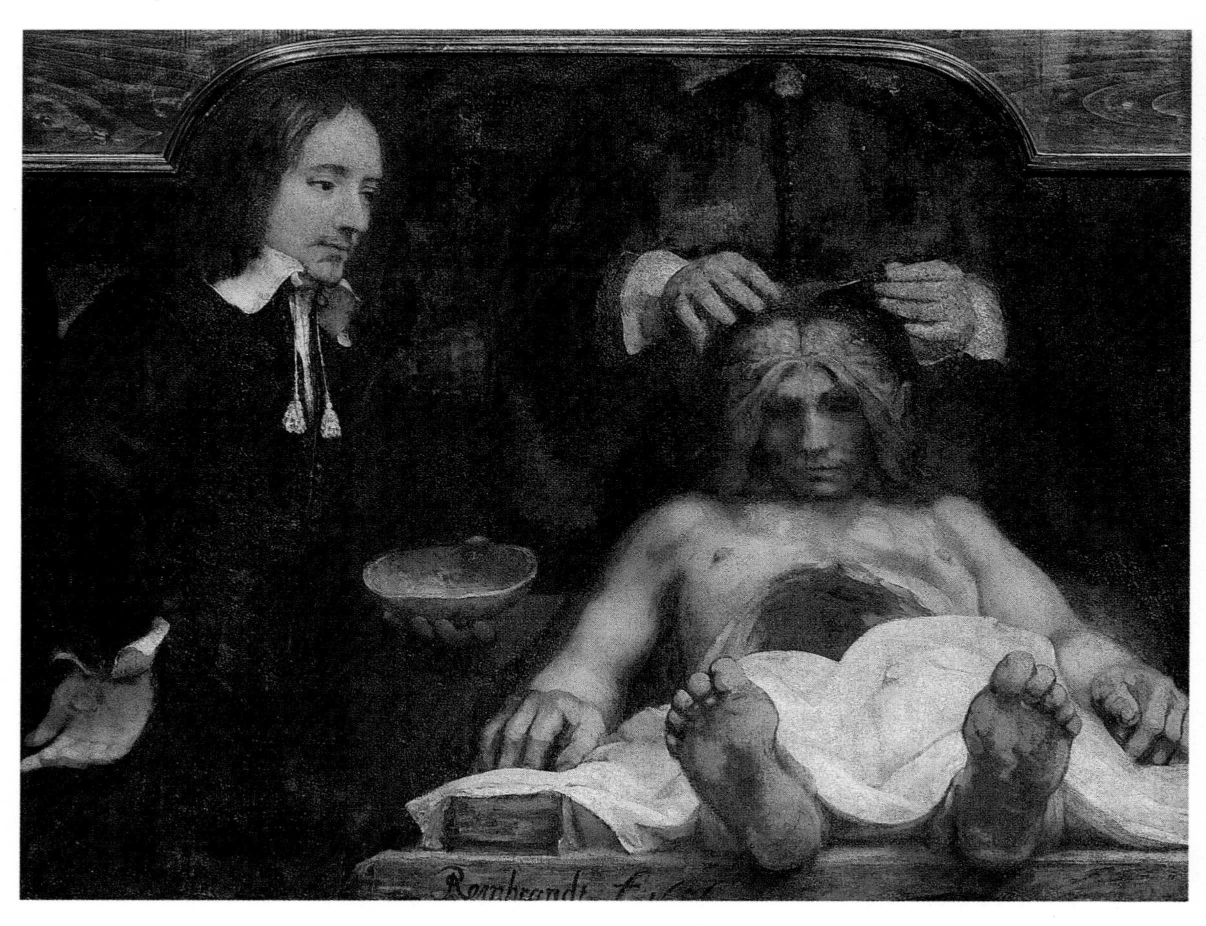

Harmensz Rembrandt (1606-1669), *La Leçon d'anatomie du docteur Deyman*, Amsterdam, Rijksmuseum.
« Qu'est-ce qu'un homme, dans l'infini ? »

Spinoza : Dieu, l'homme et la création

Nombreux sont les philosophes qui, comme Pascal, s'interrogent, à cette époque, sur la place de l'homme dans l'univers, sur les liens que Dieu noue avec sa création et, en particulier, avec l'être humain. Deux courants de pensée s'affrontent : les uns attribuent au créateur un comportement humain, considèrent que, doué de désir, il organise le monde en vue de la réalisation d'un but précis. Les autres rejettent cette interprétation, parce qu'elle rabaisse Dieu et parce que, en expliquant tout par la volonté divine, elle permet de se réfugier dans la solution facile de l'ignorance : ils pensent donc que l'homme doit se garder de rechercher indéfiniment « les causes des causes » des phénomènes qu'il observe, mais trouver la vérité directement en Dieu.

C'est ce second point de vue que défend le philosophe hollandais Baruch de Spinoza (1632-1677) dans l'appendice du Livre I de l'*Éthique*, ouvrage qui ne sera publié qu'en 1677, peu de temps après la mort de son auteur.

J'ajouterai cependant encore ceci : cette doctrine finaliste[1] met la Nature à l'envers. Car ce qui, en réalité, est cause, elle le considère comme effet, et inversement. Ce qui par nature est antérieur, elle le rend postérieur. Enfin, ce qui est le plus élevé et le plus parfait, elle le rend le plus imparfait[2]. Car (laissons de côté les deux premiers points qui sont évidents par eux-mêmes) [...], l'effet le plus parfait est celui qui est produit immédiatement par Dieu, et plus une chose nécessite, pour être produite, un plus grand nombre de causes intermédiaires, plus elle est imparfaite. Mais si les choses qui ont été produites immédiatement par Dieu avaient été faites pour que Dieu atteignît sa

1. Doctrine selon laquelle tout s'explique par la volonté divine.

2. Si Dieu poursuit un but, c'est ce but et non Dieu lui-même qui est la cause de la création : Dieu se trouve ainsi dépouillé de son privilège d'antériorité, puisque le but existe avant lui, et donc de sa perfection.

fin[1]*, alors nécessairement les dernières — les premières ayant été faites pour elles —*
10 *seraient les plus excellentes de toutes. Ensuite, cette doctrine détruit la perfection de Dieu : car, si Dieu agit en vue d'une fin, il désire (appétit) nécessairement quelque chose dont il est privé. Et, sans doute, les théologiens et les métaphysiciens distinguent bien entre une fin de besoin*[2] *(indigentiae) et une fin d'assimilation*[3]*, mais ils avouent néanmoins que Dieu a tout fait pour lui-même, et non pour les choses à créer, car, avant*
15 *la création, ils ne peuvent, en dehors de Dieu, rien assigner*[4] *pour quoi Dieu eût agi ; par conséquent, ils sont nécessairement contraints d'avouer que Dieu était privé des choses à créer (et c'est pour elles qu'il a voulu préparer des moyens*[5]*) et qu'il désirait ces choses, comme il est clair de soi-même.*

Et il ne faut pas oublier ici que les partisans de cette doctrine qui ont voulu faire
20 *étalage de leur talent en assignant des fins aux choses, ont, pour prouver leur doctrine, apporté un nouveau mode d'argumentation : la réduction, non à l'impossible, mais à l'ignorance*[6]*, ce qui montre qu'il n'y avait aucun autre moyen d'argumenter en faveur de cette doctrine. Si, par exemple, une pierre est tombée d'un toit sur la tête de quelqu'un et l'a tué, ils démontreront que la pierre est tombée pour tuer l'homme, de*
25 *la façon suivante : si en effet, elle n'est pas tombée à cette fin par la volonté de Dieu, comment tant de circonstances (souvent, en effet, il faut un grand concours de circonstances simultanées) ont-elles pu concourir*[7] *par hasard ? Vous répondrez peut-être que c'est arrivé parce que le vent soufflait à ce moment-là ? Pourquoi l'homme passait-il par là à ce même moment ? Si vous répondez de nouveau que le*
30 *vent s'est levé parce que la veille, par un temps encore calme, la mer avait commencé à s'agiter, et que l'homme avait été invité par un ami, ils insisteront de nouveau, car ils ne sont jamais à court de questions : pourquoi donc la mer était-elle agitée ? pourquoi l'homme a-t-il été invité à ce moment-là et ils ne cesseront ainsi de vous interroger sur les causes des causes, jusqu'à ce que vous vous soyez réfugié dans la volonté de Dieu,*
35 *cet asile de l'ignorance.*

SPINOZA, L'Éthique, *Livre I, Appendice, trad. R. Caillois, Paris, Gallimard, 1964.*

« Le moi est haïssable »

L'homme devrait avoir conscience de sa misère et proscrire tout orgueil, toute présomption. Pourtant à la lucidité il préfère l'aveuglement. Il est sans cesse égaré par son amour-propre qui perturbe son jugement. Il devrait considérer que « le moi est haïssable ». Bien au contraire, il ramène tout à soi, interprète tout en fonction de soi, refuse de reconnaître ses insuffisances et n'accepte pas de les voir démasquées par les autres.

494

Le moi est haïssable. Vous, Miton[8], le couvrez, vous ne l'ôtez point pour cela : vous êtes donc toujours haïssable.

« Point. Car en agissant, comme nous faisons, obligeamment pour tout le monde, on n'a plus sujet de nous haïr. » — Cela est vrai, si on ne haïssait dans le moi que le déplaisir qui nous en revient.

5 Mais si je le hais parce qu'il est injuste, qu'il se fait centre de tout, je le haïrai toujours.

En un mot le moi a deux qualités[9]. Il est injuste en soi, en ce qu'il se fait centre de tout ; il est incommode aux autres, en ce qu'il les veut asservir, car chaque moi est l'ennemi et voudrait être le tyran de tous les autres. Vous en ôtez l'incommodité, mais non pas l'injustice.

Et ainsi vous ne le rendez pas aimable à ceux qui en haïssent l'injustice. Vous ne le rendez
10 aimable qu'aux injustes, qui n'y trouvent plus leur ennemi. Et ainsi vous demeurez injuste, et ne pouvez plaire qu'aux injustes.

743

La nature de l'amour-propre et de ce moi humain est de n'aimer que soi et de ne considérer que soi. Mais que fera-t-il ? Il ne saurait empêcher que cet objet qu'il aime ne soit plein de défauts et de misère ; il veut être grand, et il se voit petit ; il veut être heureux, et il se voit misérable ; il veut être
15 parfait, et il se voit plein d'imperfections ; il veut être l'objet de l'amour et de l'estime des hommes, et il voit que ses défauts ne méritent que leur aversion[10] et leur mépris. Cet embarras où

---

1. Son but.
2. Dieu agirait pour réaliser ses désirs.
3. Dieu s'assimilerait sa création et serait sa propre fin, son propre but.
4. Rien déterminer.
5. Ce qui lui sert pour parvenir à ses fins, c'est-à-dire à créer l'univers.
6. Le fait de ramener l'argumentation non à l'impossible, mais à l'ignorance, c'est-à-dire de s'enfermer dans l'ignorance.
7. Venir ensemble, se produire en même temps.
8. Joueur et libertin célèbre (voir p. 102).
9. Deux caractères, deux propriétés.
10. Leur haine.

il se trouve produit en lui la plus injuste et la plus criminelle passion qu'il soit possible de s'imaginer ; car il conçoit une haine mortelle contre cette vérité qui le reprend, et qui le convainc de ses défauts. Il désirerait de l'anéantir, et, ne pouvant la détruire en elle-même il la détruit, autant qu'il peut, dans
20 sa connaissance et dans celle des autres ; c'est-à-dire qu'il met tout son soin à couvrir ses défauts et aux autres et à soi-même, et qu'il ne peut souffrir qu'on les lui fasse voir ni qu'on les voie.

C'est sans doute un mal que d'être plein de défauts ; mais c'est encore un plus grand mal que d'en être plein et de ne les vouloir pas reconnaître, puisque c'est y ajouter encore celui d'une illusion volontaire. Nous ne voulons pas que les autres nous trompent ; et nous ne trouvons pas juste qu'ils
25 veuillent être estimés de nous plus qu'ils ne méritent : il n'est donc pas juste aussi que nous les trompions et que nous voulions qu'ils nous estiment plus que nous ne méritons.

Ainsi, lorsqu'ils ne nous découvrent que des imperfections et des vices que nous avons en effet[1], il est visible qu'ils ne nous font point de tort, puisque ce ne sont pas eux qui en sont cause, et qu'ils nous font un bien, puisqu'ils nous aident à nous délivrer d'un mal, qui est l'ignorance de ces
30 imperfections. Nous ne devons point être fâchés qu'ils les connaissent et qu'ils nous méprisent, étant juste et qu'ils nous connaissent pour ce que nous sommes, et qu'ils nous méprisent, si nous sommes méprisables.

Voilà les sentiments qui naîtraient d'un cœur qui serait plein d'équité[2] et de justice. Que devons-nous donc dire du nôtre, en y voyant une disposition toute contraire ? Car n'est-il pas vrai que
35 nous haïssions et la vérité et ceux qui nous la disent, et que nous aimions qu'ils se trompent à notre avantage, et que nous voulions être estimés d'eux autres que nous ne sommes en effet ?

Pensées, 494, 743.

Pour préparer l'étude du texte

1. Vous étudierez l'expression de la haine (l. 1 à 11) et expliquerez la formule « le moi est haïssable ».
2. Vous ferez apparaître et vous analyserez les étapes du raisonnement qui permettent de passer, en énonçant de nombreuses contradictions, d'une définition à une conclusion (l. 12 à 21).
3. Vous montrerez en quoi la deuxième partie de la Pensée 743 (l. 22 à 36) constitue une illustration et un prolongement de la première partie. Vous noterez les conséquences de la dissimulation sur les relations sociales.

Pour une étude comparée

Vous comparerez ce texte de Pascal *« Le moi est haïssable »* et la Maxime 563 de La Rochefoucauld (p. 254), en insistant plus particulièrement sur les points suivants :

1. **Les manifestations de l'amour-propre.** Vous dresserez la liste des manifestations de l'amour-propre décrites par Pascal et par La Rochefoucauld, en distinguant celles qui apparaissent communes aux deux auteurs de celles qui sont spécifiques à chaucun d'eux.
2. **Amour-propre et imagination.** Vous analyserez les liens que les deux auteurs établissent entre l'amour-propre et l'imagination.
3. **Deux conceptions différentes.** Vous montrerez que les conceptions exprimées par Pascal et par La Rochefoucauld sont sensiblement différentes, en insistant notamment sur la place qu'accorde le premier à Dieu, alors que le second n'y fait pas référence.

« Oui, mais il faut parier »

Dans la recherche de la vérité, le but suprême à atteindre, c'est Dieu. Le seul salut de l'homme est en Dieu. Seule la religion chrétienne peut lui faire dépasser sa condition misérable. Des preuves de l'existence de Dieu, il en existe en grand nombre. Mais elles ne suffisent pas pour susciter la foi qui dépend du cœur, qui est subjective. Pour les athées, pour ceux qui n'ont pas la chance de connaître cette adhésion, Pascal propose la solution du pari. Il faut parier sur Dieu, miser sa vie terrestre et physique limitée contre la vie céleste et spirituelle illimitée.

1. En réalité, réellement.
2. Plein de droiture, d'impartialité.

Georges de La Tour (1593-1652), *Le Tricheur à l'as de carreau*, Paris, musée du Louvre.
Le jeu, occupation très prisée des libertins auxquels s'adresse l'argument du pari.

680

Oui, mais il faut parier. Cela n'est pas volontaire, vous êtes embarqué. Lequel prendrez-vous donc[1] ? Voyons. Puisqu'il faut choisir, voyons ce qui vous intéresse le moins. Vous avez deux choses à perdre : le vrai et le bien, et deux choses à engager[2] : votre raison et votre volonté, votre connaissance et votre béatitude[3] ; et votre nature a deux choses à fuir : l'erreur et la misère. Votre raison n'est pas plus blessée, puisqu'il faut nécessairement choisir, en choisissant l'un que l'autre. Voilà un point vidé[4]. Mais votre béatitude ? Pesons le gain et la perte, en prenant croix que Dieu est[5]. Estimons ces deux cas : si vous gagnez, vous gagnez tout ; si vous perdez, vous ne perdez rien. Gagez donc qu'il est, sans hésiter ! — « Cela est admirable. Oui, il faut gager. Mais je gage peut-être trop. » — Voyons. Puisqu'il y a pareil hasard de gain et de perte, si vous n'aviez qu'à gagner deux vies pour une, vous pourriez encore gager. Mais s'il y en avait trois à gagner, il faudrait jouer (puisque vous êtes dans la nécessité de jouer), et vous seriez imprudent, lorsque vous êtes forcé à jouer, de ne pas hasarder votre vie pour en gagner trois à un jeu où il y a pareil hasard de perte et de gain. Mais il y a une éternité de vie et de bonheur. Et cela étant, quand il y aurait une infinité de hasards dont un seul serait pour vous, vous auriez encore raison de gager un pour avoir deux, et vous agiriez de mauvais sens, étant obligé à jouer, de refuser de jouer une vie contre trois à un jeu où d'une infinité de hasards il y en a un pour vous, s'il y avait une infinité de vie infiniment heureuse à gagner : mais il y a ici une infinité de vie infiniment heureuse à gagner, un hasard de gain contre un nombre fini[6] de hasards de perte, et ce que vous jouez est fini. Cela ôte tout parti[7] : partout où est l'infini et où il n'y a pas infinité de hasards de perte contre celui de gain, il n'y a point à balancer[8], il faut tout donner. Et ainsi, quand on est forcé à jouer, il faut renoncer à la raison pour garder la vie plutôt que de la hasarder pour le gain infini aussi prêt à arriver que la perte du néant. [...]

1. Quel pari prendrez-vous donc ?
2. A donner en gage.
3. Bonheur extrême.
4. Voilà un point réglé.
5. Allusion au jeu de pile ou face. Il s'agit alors de parier que Dieu existe, en jouant la face de la pièce, c'est-à-dire la partie où se trouve gravée une croix.
6. Un nombre limité.
7. Cela ôte tout choix, le choix s'impose.
8. A hésiter.

« O ce discours me transporte, me ravit », etc. — Si ce discours vous plaît et vous semble fort, sachez qu'il est fait par un homme qui s'est mis à genoux auparavant et après, pour prier cet Être infini et sans parties, auquel il soumet tout le sien[1], de se soumettre aussi le vôtre, pour votre propre bien
25 et pour sa gloire, et qu'ainsi la force s'accorde avec cette bassesse[2].

Fin de ce discours.
Or quel mal vous arrivera-t-il en prenant ce parti ? Vous serez fidèle, honnête, humble, reconnaissant, bienfaisant, ami sincère, véritable. A la vérité, vous ne serez point dans les plaisirs empestés, dans la gloire, dans les délices. Mais n'en aurez-vous point d'autres[3] ?

Je vous dis que vous y gagnerez en cette vie, et qu'à chaque pas que vous ferez dans ce chemin,
30 vous verrez tant de certitude de gain, et tant de néant de ce que vous hasardez, que vous connaîtrez à la fin que vous avez parié pour une chose certaine, infinie, pour laquelle vous n'avez rien donné.

Pensées, 680.

Pour préparer le commentaire composé

1. **L'argument du pari.** L'argument de fond utilisé par Pascal est que le pari proposé vaut la peine, parce qu'il revient à miser quelque chose de limité contre quelque chose d'infini. Vous étudierez les différents moments de cette démonstration. Vous vous demanderez si elle est convaincante et vous montrerez que Pascal éprouve le besoin d'ajouter des raisons supplémentaires pour justifier la foi (l. 26 à 31).
2. **Une forme bien adaptée.** Le raisonnement s'adresse à un joueur, peut-être au libertin Miton (voir p. 102). Vous noterez qu'il est bien adapté à son destinataire. Vous montrerez, par ailleurs, comment la forme du dialogue adoptée par Pascal donne du mouvement et de la vie au texte.
3. **Le cœur et la raison.** Vous éclairerez ce passage en faisant intervenir les notions pascaliennes de cœur et de raison (voir p. 118).

Synthèse

La grande misère de l'homme

Pascal part d'un constat pessimiste. L'homme, de par sa nature même, est un être faible et misérable. Jeté sur cette terre, il n'a pas lieu de se réjouir, d'adopter une position triomphaliste, d'affirmer sa supériorité. Physiquement, il est terriblement limité : sa place, c'est en quelque sorte une place moyenne dans la création, entre ces deux extrêmes, ces deux absolus que sont l'infiniment petit et l'infiniment grand (voir texte, p. 123). Cette infériorité physique se trouve encore aggravée par les forces de destruction qui s'acharnent sur son corps, qui l'accablent sous les coups de la maladie, de la vieillesse et de la mort.

Intellectuellement, il n'est guère mieux partagé. Il est tellement soumis à son corps, il en est tellement dépendant qu'il voit sans cesse la vérité se dérober. Les puissances trompeuses le dominent. Son imagination brouille toutes ses sensations, ne cesse de l'égarer sur des chemins de traverse, sur des voies sans issue (voir texte, p. 116). Dans sa vie sociale, il trouve commode d'obéir à des coutumes, fruits des conventions, de confondre force et justice (voir texte, p. 117). Son amour-propre le pousse à tout ramener à lui, à tout interpréter en fonction de ses intérêts (voir texte, p. 125).

Quant à sa situation morale, elle est tout aussi inconfortable. Il est incapable de regarder sa misère en face. Ni ange, ni bête, il ne parvient pas à l'accepter, à l'assumer. Dans un sursaut désespéré, il tente d'y échapper : il refuse la vérité et se réfugie dans un comportement de fuite, dans des activités qui favorisent l'oubli (voir texte, p. 121).

1. Tout son être.
2. La bassesse de s'agenouiller.
3. D'autres plaisirs.

La recherche d'un faux bonheur

Ainsi limité, l'homme ne renonce pas à chercher le bonheur. Mais ce bonheur auquel il aspire est un bonheur borné, un bonheur d'apparences. Il essaie de le trouver dans les satisfactions de son amour-propre ; il se construit un monde ouaté, où il se persuade et amène les autres à dire qu'il est le meilleur (voir texte, p. 125).

Pour tromper son angoisse, il fuit dans le divertissement. Demeurer au repos lui est insupportable, parce qu'alors il est bien obligé de songer à ce qu'il est, à ses insuffisances, à ses limites. Il s'efforce donc de s'étourdir, dans l'action, dans les plaisirs, dans les jeux. Il se donne des buts futiles et met toute son énergie, toute sa pensée à les atteindre. Il a ainsi, de surcroît, l'illusion de la puissance, l'impression d'être maître des événements, de leur imprimer sa marque (voir texte, p. 121).

Cette recherche du faux bonheur, cet aveuglement, n'est-ce pas d'ailleurs ce que Pascal reproche aux jésuites d'encourager ? La conception de la grâce qu'ils défendent lui semble pernicieuse, parce qu'elle a pour résultat d'inciter l'homme à refuser sa condition misérable, à se croire maître de son destin, libre de ses choix, et à estimer alors qu'il occupe une place éminente dans cet univers, qu'il peut y exercer sa volonté (voir p. 110 ; et *Les Provinciales*, p. 113). Bien plus, toute cette technique qui permet de faire reculer la notion de péché, cette casuistique et cette direction d'intention, constituent des ruses, des artifices qui donnent libre cours aux puissances trompeuses de l'amour-propre et de l'imagination (voir p. 110 ; et texte, p. 114).

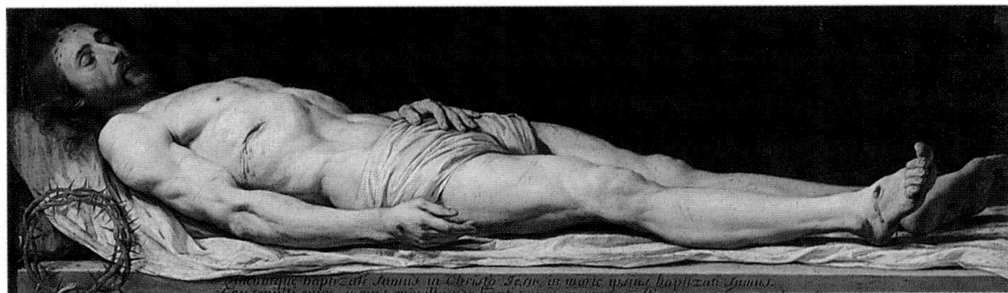

Philippe de Champaigne (1602-1674), *Le Christ mort couché sur son linceul*, Paris, musée du Louvre.

Le vrai bonheur est en Dieu

Où sont donc le vrai bonheur et la grandeur de l'homme ? Pour Pascal, la réponse est claire : si la condition de l'homme fait de lui un être misérable, la conscience de sa condition le rend grand. L'homme est grand, parce qu'il est conscient, parce qu'il pense (voir texte, p. 119).

Pascal classe les hommes en trois grandes catégories : ceux qui s'intéressent au corps, à la matière, les puissants, qui recherchent la possession et la domination ; ceux qui privilégient l'esprit, les penseurs, qui tentent de déchiffrer l'univers ; ceux qui se vouent à la charité, les saints, qui aspirent à l'amour de Dieu. Pour affirmer sa grandeur, pour remplir sa vocation, l'homme doit s'efforcer d'échapper à l'« ordre des corps ». Son but ? Avoir accès à l'« ordre des esprits », au domaine de la pensée et de la raison. Mais sa réalisation suprême, il la trouve dans l'« ordre de la charité », qui relève du cœur (voir texte, p. 118).

C'est que le seul espoir, le vrai bonheur de l'homme est en Dieu. C'est en se vouant pleinement à lui qu'il pourra vivre pleinement et assurer son salut. Pascal défend l'idée janséniste selon laquelle ce salut dépend de la grâce que Dieu accorde ou refuse à ses créatures (voir *Les Provinciales*, p. 113 ; et.p. 110). Mais l'homme, plongé dans l'angoisse que suscite l'incertitude de cette grâce, doit accompagner la volonté divine. Il conserve donc une part de liberté. C'est pourquoi Pascal fait appel à la volonté, à la détermination et à la raison de son lecteur qui lui permettront de répondre à une grâce éventuelle et d'être gagné par la foi. A ceux qui ne parviennent pas à saisir intuitivement Dieu par le cœur, il fournit des arguments pour prouver son existence. Aux athées, il conseille d'avoir recours au pari, de miser sur la vie éternelle en échange de quelques sacrifices durant la vie terrestre éphémère (voir texte, p. 127). Ou encore, il propose la méthode de la prière intensive, susceptible de déclencher le mécanisme de la foi : à partir du moment où l'on répète inlassablement les gestes, la foi se manifestera.

Comment saisir la vérité

Dans sa quête de la connaissance, Pascal s'efforce de répondre à cette question cruciale : « comment saisir la vérité ? », en proposant une méthodologie souple, adaptée à la nature des domaines abordés.

La vérité de Dieu, les principes qui règlent le monde ne peuvent être saisis que par le cœur. La raison les utilise ensuite pour en faire les matériaux de base de ses démonstrations. De façon plus pratique, passant du domaine métaphysique au domaine méthodologique, Pascal montre qu'il existe deux manières d'aborder le vaste domaine de la connaissance. L'esprit de géométrie, apte à la déduction, habile à raisonner logiquement en partant de quelques principes généraux, convient, plus particulièrement, aux sciences exactes. L'esprit de finesse, tourné vers l'intuition, doué pour comprendre des données complexes, est l'instrument privilégié des sciences humaines.

La persuasion

Il ne suffit pas d'analyser, d'élaborer des méthodes susceptibles de cerner la vérité ; il faut diffuser cette vérité, la faire comprendre. Cela suppose tout un art de la persuasion. Pour convaincre et persuader, Pascal utilise une gamme très étendue de moyens. Cette variété même est indispensable : comme le savant, l'écrivain doit en effet adapter son expression au sujet qu'il traite. Il lui faut aussi tenir compte des personnes auxquelles il s'adresse, savoir exploiter leurs goûts ou leurs faiblesses.

Ainsi Pascal passe-t-il du lyrisme, lorsqu'il évoque l'homme perdu dans l'univers (voir texte, p. 123) au raisonnement logique, lorsqu'il s'efforce d'amener les athées à faire le pari de la foi (voir texte, p. 127). Il donne tour à tour dans l'abstrait et dans le concret pour mieux faire comprendre les différentes conceptions de la grâce (voir *Les Provinciales*, p. 113). Ou encore il utilise l'ironie et, poussant jusqu'au bout le raisonnement de ses adversaires, en montre les contradictions, le ridiculise, le détruit (voir texte, p. 114).

L'art d'écrire

L'art de persuader, c'est aussi l'art d'écrire. Dans les *Pensées*, Pascal expose et applique des règles d'écriture dont l'ensemble constitue une véritable doctrine littéraire. Ce qui est le plus important pour lui dans un ouvrage, c'est, davantage que ce que l'on dit, la façon dont on le dit, la manière dont on organise des mots et des pensées qui existaient déjà, c'est l'art de rajeunir des idées anciennes : « Qu'on ne dise pas que je n'ai rien dit de nouveau : la disposition des matières est nouvelle ; quand on joue à la paume, c'est une même balle dont joue l'un et l'autre, mais l'un la place mieux. »

Pascal est, dans la pratique, constamment guidé par ce souci de renouvellement : il innove, par exemple, en utilisant une prose poétique, rythmée, ou encore, lorsqu'il s'inspire de Montaigne pour montrer l'influence qu'exerce l'imagination sur l'homme, il change la perspective de cette évocation : il en fait un argument pour souligner que le salut est en Dieu (voir texte, p. 116).

L'expression, dont la qualité essentielle est donc l'originalité, doit éviter de tomber dans le procédé : « La vraie éloquence se moque de l'éloquence ». Le style sera naturel, et ainsi transparaîtra à travers lui la personnalité de celui qui écrit : « Quand on voit le style naturel, on est tout étonné et ravi, car on s'attendait de voir un auteur, et on trouve un homme ». C'est donc l'homme qui compte avant tout. Il ne doit pas être masqué par le spécialiste : « Il faut qu'on n'en puisse dire, ni : il est mathématicien, ni prédicateur, ni éloquent, mais il est honnête homme ». Aussi Pascal évite-t-il de donner trop de place au philosophe et au théologien, s'efforce-t-il de faire se succéder la démonstration logique et l'épanchement lyrique qui révèle son angoisse, sa sensibilité ou sa foi (voir textes, pp. 119, 123 et 126).

Une subtile alliance entre ce qui relève du réel et ce qui est destiné à plaire est enfin indispensable : « Il faut de l'agréable et du réel, mais il faut que cet agréable soit lui-même pris du vrai ». Pascal applique, en particulier, ce précepte dans *Les Provinciales*, lorsqu'il met en œuvre son ironie en partant de la réalité même des théories de ses adversaires (voir p. 114).

UN THÉÂTRE EN ÉVOLUTION
DE L'IRRÉGULARITÉ BAROQUE À LA RÉGULARITÉ CLASSIQUE MAIRET, CORNEILLE

Abraham Bosse (1602-1676), *Représentation au château de Grosbois au XVIIe siècle*, Château de Grosbois.

UNE PÉRIODE DE TRANSITION

Au début du XVIIe siècle, triomphait un théâtre de l'outrance, qui échappait à toute mesure, à toute règle, qui méritait bien son nom de théâtre irrégulier (voir p. 35). Durant la période qui va de 1630 à 1661, une évolution importante se produit. La montée des valeurs de modération, de raison et d'unité (voir p. 56), jointe à la double influence exercée par les auteurs de l'Antiquité et par les théoriciens italiens, impose un effort de modération, une nécessité de déterminer des règles claires de fonctionnement : ainsi naît ce que l'on appelle le théâtre régulier ou théâtre classique (voir p. 138). Mais il s'agit d'un mouvement progressif. Les partisans de l'irrégularité essaient encore d'imposer leurs vues. Cette génération d'auteurs de théâtre apparaît donc comme une génération de transition : beaucoup d'entre eux et, en particulier, les plus grands, comme Jean Mairet (1604-1686), Jean Rotrou (1609-1650) et surtout Pierre Corneille (1606-1684), ont pratiqué, à la fois, le théâtre irrégulier et le théâtre régulier.

LA RÉPARTITION DES GENRES THÉÂTRAUX

La répartition des genres théâtraux montre bien que l'on se trouve dans une période de transition. La tragi-comédie, ce genre privilégié du théâtre irrégulier qui mêle le tragique et le comique et rejette donc l'unité de ton (voir p. 35), qui joue sur un romanesque inspiré des auteurs espagnols, est certes en recul, mais elle reste encore le premier genre théâtral et inspire l'un des chefs-d'œuvre de Corneille, *Le Cid*. Le nombre des tragédies augmente, ce qui souligne les progrès de l'unité de ton : durant la seconde partie de sa carrière, Corneille n'écrira pratiquement plus que des tragédies. Quant à la comédie, si elle demeure le genre le moins pratiqué, elle s'affirme peu à peu au détriment de la tragi-comédie, confirmant ainsi cette radicalisation des genres propre au théâtre régulier. Elle sort lentement de sa léthargie sous l'impulsion de Mairet, de Rotrou et de Corneille qui lui donnent ses lettres de noblesse, en introduisant un comique plus léger, en l'éloignant des grossièretés de la farce.

Le rôle social et politique du théâtre

Durant cette période, le théâtre joue un rôle social et politique de plus en plus important. Il étend son audience, en gagnant les milieux de la cour et des salons, plus particulièrement le public féminin rebuté jusque-là par ses excès : c'est, en partie, sous la pression de ces couches sociales que les dramaturges se rallient à la modération.

L'Académie française, garante de l'orthodoxie de la langue et de la littérature, s'intéresse au théâtre : en 1638, elle publie *Les Sentiments de l'Académie française sur la tragi-comédie du Cid*, où elle reproche à Corneille de ne pas avoir respecté les règles qui doivent s'imposer dans l'œuvre théâtrale (voir p. 138). Le pouvoir politique lui-même, conscient de l'importance du théâtre, ne reste pas inactif : Richelieu organise une sorte d'équipe de travail, le groupe des Cinq auteurs, dont Corneille fait partie, et leur propose des sujets, des canevas de pièces qui donnent lieu à une rédaction collective. Il participe à la polémique qui éclate autour du *Cid* (voir p. 142). Quant aux autorités religieuses, si elles sont encore relativement discrètes, elles interviendront bientôt vivement, Molière en fera la cruelle expérience (voir pp. 196 et 199).

Une dure concurrence théâtrale

Cette situation engendre une dure concurrence théâtrale. La rivalité est forte entre les auteurs et se manifestera au grand jour durant la querelle du *Cid* (voir p. 142). Elle oppose aussi les troupes de théâtre. Il n'existe alors à Paris que deux grands théâtres : le théâtre de l'Hôtel de Bourgogne et le théâtre du Marais. Mairet confie ses pièces au premier, Corneille au second. Mais les tentatives de débauchage sont fréquentes : en 1647, Corneille quittera le Marais pour l'Hôtel de Bourgogne. Chacune des deux salles essaie aussi de s'approprier les comédiens particulièrement populaires : en 1647, le célèbre Floridor passera également du Marais à l'Hôtel de Bourgogne.

La concurrence va encore plus loin : lorsqu'une troupe connaît un succès avec une pièce, l'autre troupe suscite une pièce rivale traitant du même sujet. C'est ainsi que l'on a le *Pyrame et Thisbé* de Théophile de Viau et le *Pyrame* de La Serre, *Coriolan* de Chevreau et *Le Véritable Coriolan* de Chapoton, plus tard, *Tite et Bérénice* de Corneille créé par la troupe de Molière et *Bérénice* de Racine jouée à l'Hôtel de Bourgogne (voir p. 229). Faut-il le déplorer, faut-il s'en réjouir ? Les auteurs de théâtre ne sont pas de purs esprits coupés des réalités matérielles, mais sont, au contraire, confrontés à des contingences commerciales.

Jean Mairet
1604-1686

Portrait de Mairet, gravure, XVIIe siècle, B.N.

Les difficultés d'un auteur de théâtre

Jean Mairet n'a pas eu une vie paisible. Né en 1604 à Besançon, il prend conscience, dès son enfance, des effets néfastes de l'intolérance religieuse : ses grands-parents, des catholiques d'origine allemande, se sont en effet réfugiés dans cette ville pour échapper à la persécution des protestants. A l'âge de seize ans, il vient à Paris : il y poursuit ses études et subit bientôt l'attirance du théâtre. Mais il lui faut vivre. Le duc de Montmorency, cet amateur d'art qui accueillit Théophile de Viau (voir p. 29), le prend comme secrétaire en 1625. En 1632, l'exécution dramatique de son protecteur compromis dans un complot contre Richelieu met dans sa vie comme un air de tragédie. Il entre alors au service du comte de Belin et partage son existence entre Le Mans et Paris. Après la mort de ce nouveau mécène, il devient le secrétaire de l'évêque du Mans, de 1638 à 1645.

Triomphe et désillusions

Sa carrière dramatique est relativement brève. Il fait jouer sa première pièce, *Chryséide et Arimand,* en 1625 et sa dernière, *Sidonie,* en 1642. Jusqu'en 1637, il apparaît, avec Jean Rotrou et Pierre Corneille, comme l'un des chefs de file de la nouvelle génération des dramaturges. Ses pièces connaissent un succès considérable. Il a le grand mérite de ne pas s'enfermer dans un système. Il explore toutes les possibilités de l'art dramatique. Il pratique aussi bien le théâtre irrégulier que le théâtre régulier. Il ne cesse d'innover. Avec *Les Galanteries du duc d'Ossonne* (1632), c'est lui qui contribue à sortir la comédie de sa léthargie. Avec *Sophonisbe* (1634), c'est encore lui qui, parmi les premiers, s'engage sur le chemin de la tragédie classique. Mais il a sur sa route un redoutable concurrent, Pierre Corneille. Le succès du *Cid,* en 1637, sonne le début des désillusions. Il écrit encore trois pièces, puis, découragé par la consécration de cette nouvelle idole, il quitte définitivement le théâtre.

Abraham Bosse (1602-1676), *L'Hôtel de Bourgogne en 1630,* gravure, Paris, B.N.

Une carrière diplomatique mouvementée

Il n'écrit plus. Il se consacre maintenant à la diplomatie. Il joue un rôle essentiel dans la négociation qui s'engage entre la France, l'Espagne et l'Autriche sur le statut de Besançon et de la Franche-Comté. Mais, soupçonné par Mazarin de trahir les intérêts français, il est exilé à Besançon en 1653. Après être rentré en grâce en 1665, c'est là qu'il mourra en 1686, à l'âge de quatre-vingt-deux ans. Peut-être avait-il ressenti l'amère satisfaction de voir Corneille supplanté, à son tour, par Racine ?

Sylvie (1626), tragi-comédie pastorale.
Les Galanteries du duc d'Ossonne (1632), comédie. → pp. 134-135.
Sophonisbe (1634), tragédie. → pp. 136-137.

Les Galanteries du duc d'Ossonne

1632

Dans *Les Galanteries du duc d'Ossonne*, Jean Mairet s'inspire de la tradition du théâtre espagnol. Le romanesque y joue un grand rôle, avec les déguisements, les fausses morts, les escalades de balcons. Le sujet est complexe et scabreux. Émilie, la jeune femme du vieux Paulin, aime Camille. Elle est elle-même aimée du duc d'Ossonne, le vice-roi de Naples. Paulin, qui a essayé de faire assassiner Camille, se réfugie, heureuse coïncidence, chez le duc d'Ossonne. Ce dernier profite de cette aubaine et l'envoie dans une de ses maisons de campagne, puis, une nuit, s'introduit, grâce à une échelle de corde, dans la maison d'Émilie. Il la trouve prête à aller rejoindre Camille et rencontre Flavie, sœur de Paulin, qui est amoureuse de lui. Ces personnages, Émilie, Flavie, Camille et Ossonne, n'ont guère le sens de la fidélité, ce qui provoque de savoureux rebondissements. Ils se retrouveront finalement tous les quatre et organiseront un festin.

« N'est-ce pas témoigner qu'on aime aveuglément »

Par une froide nuit d'hiver, Ossonne et son confident Almédor se dirigent vers la maison d'Émilie. Ils parlent de l'amour qui aveugle et rend déraisonnable.

ALMÉDOR.
Et quand au lieu du fruit on ne prend que la feuille,
Comme vous allez faire assez visiblement,
N'est-ce pas témoigner qu'on aime aveuglément ?
Certes il fait bon voir ces Dom Guichots[1] nocturnes,
5 Le manteau sur le nez, craintifs et taciturnes[2],
Au pied d'une fenêtre exposés bien souvent
Aux injures du froid, de la pluie et du vent
Sans que personne daigne, ou leur ose répondre,
Que font ces messieurs-là, que plaindre et se morfondre[3] ?

LE DUC.
10 Je crois qu'ils sont contents.

ALMÉDOR.
En voudriez-vous répondre[4] ?

LE DUC.
Oui ; car s'ils n'y trouvaient quelque chose de doux,
Ils ne le feraient pas.

ALMÉDOR.
C'est ma foi qu'ils sont fous,
Et n'ont pas seulement l'esprit de le connaître[5].

1. Allusion au célèbre Don Quichotte du roman espagnol de Cervantès.
2. Qui parlent peu, mornes, tristes.
3. Se plaindre et se geler à attendre.
4. Voudriez-vous le garantir ?
5. Le reconnaître.

LE DUC.
Et moi par conséquent...

ALMÉDOR.
Cela pourrait bien être.
15 En effet s'ils sont fous, comme vous le voyez,
Il est bien malaisé que vous ne le soyez.
Je dis vous, plus que tous, qui sans sujet du monde
De fortune apparente, où votre espoir se fonde[1],
Hasardez sans besoin un voyage amoureux,
20 Au temps qui de l'année est le plus rigoureux.
Car je ne pense pas depuis que l'hiver dure,
Qu'il ait fait en Pologne une telle froidure.
Il gèle à pierre fendre, et malgré la saison
Vous allez discourir avec une maison.
25 Encore à la Saint-Jean[2], ou sous la canicule,
Ce bel exploit d'amour serait moins ridicule.
Mais se mettre au hasard de se faire geler,
Sans être vu, sans voir, et sans pouvoir parler
A l'ombre seulement de la personne aimée,
30 Trouver pour toute dame une porte fermée,
En baiser mille fois la serrure et les clous,
Si l'on pouvait encor, les gonds et les verrous,
Adorer à genoux ses planches verglacées,
Avoir sur ce sujet plusieurs belles pensées :
35 Que c'est un ciel d'amour[3], que ses clous bien fichés
Sont de ce firmament les astres attachés,
Astres durs et malins, dont le regard influe[4]
L'impuissance d'entrer qui le tient à la rue,
Et mille autres beaux traits heureusement conçus,
40 Que suivant sa figure[5] il trouve là-dessus,
Pendant que d'autre part sur mon amant timide
Il pleut de sa fenêtre une influence humide,
Dont l'odeur, qui partout embaume le chemin,
Ne sent jamais rien moins que l'ambre et le jasmin[6].
45 Enfin ces incidents pris seuls, ou tous ensemble,
Font d'un fol amoureux l'histoire, ce me semble.

LE DUC.
A ton compte, marquis, le sage n'aime rien.

ALMÉDOR.
Quand le mal en amour est plus grand que le bien,
Ou qu'on est abusé d'un espoir inutile,
50 Si le sage aime encore, il cesse d'être habile.

Les Galanteries du duc d'Ossonne, acte II, scène 1, vers 392 à 441.

Pour préparer l'étude du texte

1. Vous relèverez toutes les avanies que l'amoureux est amené à subir, en analysant les détails qui permettent de reconstituer la vie quotidienne au XVIIe siècle.
2. Vous montrerez que le dialogue est construit autour des propos contradictoires que le duc d'Ossonne et Almédor tiennent sur l'amour.
3. Vous étudierez la parodie du langage précieux à laquelle se livre Almédor.

1. Sans que rien au monde ne vous garantisse une chance apparente où vous puissiez mettre votre espoir.
2. La Saint-Jean se fête le 24 juin.
3. Que la porte est un ciel d'amour.
4. Exerce une influence sur, provoque.
5. Selon la figure, l'aspect de la porte.
6. Les eaux sales ou l'urine qu'on lui lance, pour le faire fuir, semblent à l'amoureux, décidément d'une constance inébranlable, avoir l'odeur de l'ambre et du jasmin !

Sophonisbe
1634

Créée en 1634, *Sophonisbe* constitue une étape importante dans la construction de la tragédie régulière. Ce n'est pas cependant encore une tragédie classique. La régularité n'est que relative : l'action s'étend sur deux journées. Elle se déroule en Numidie, pays d'Afrique du Nord, dans deux salles du palais royal et sur une place située devant le palais. Elle est encore relativement complexe. Surtout, elle laisse aux personnages une certaine liberté et limite la puissance de la fatalité, source essentielle du tragique.

La reine de Numidie, Sophonisbe, est mariée au vieux roi Syphax. Mais elle aime Massinisse. Or Massinisse, qui a rejoint le camp des ennemis romains, assiège la capitale de la Numidie. La reine, face à cette situation, ne sait que souhaiter, la victoire ou la défaite, son peuple ou son amour. Les faits choisissent pour elle : son mari est tué et Massinisse triomphe. Mais elle tremble à nouveau. Son amour est-il partagé par Massinisse ? Elle est bientôt rassurée : le jeune vainqueur lui dit sa passion. Tout est pour le mieux alors ? C'est sans compter avec les Romains qui entendent faire de Sophonisbe une esclave. Le dénouement ne peut être que sanglant : il ne reste plus à Sophonisbe qu'à s'empoisonner et à Massinisse à se poignarder sur son corps.

Nicolas Régnier (1590?-1667), *Sophonisbe*, Cassel, Staatliche Kunstsammlungen.

« Venez-vous m'annoncer le naufrage ou le port ? »

Le dénouement est proche. Au nom du consul Scipion, Lélie vient annoncer à son ami Massinisse la décision irrévocable : il doit abandonner Sophonisbe au peuple romain.

MASSINISSE.
Eh bien, mon cher Lélie, irons-nous à la mort ?
Venez-vous m'annoncer le naufrage ou le port ?

LÉLIE.
Sire, c'est à regret que je suis le ministre
Et le triste porteur d'un mandement[1] sinistre ;
5 J'ai charge de vous dire et de vous ordonner

1. D'un ordre.

De rendre Sophonisbe ou de l'abandonner
Comme chose au public utile et nécessaire.
Avisez maintenant ce que vous voulez faire.

Massinisse.
Me perdre, et par ma mort apprendre à tous les rois
10 A ne suivre jamais ni vos mœurs ni vos lois,
Cruels qui, sous le nom de la chose publique,
Usez impunément d'un pouvoir tyrannique,
Et qui pour témoigner que tout vous est permis,
Traitez vos alliés comme vos ennemis.

Lélie.
15 Ne lui répliquons rien, que[1] toutes ces fumées[2]
En semblables transports[3] ne se soient consumées ;
La fureur diminue à force de parler.

Massinisse.
Ha ! que si le passé se pouvait rappeler,
Je m'empêcherais bien de servir de matière
20 A la sévérité de ton humeur altière,
Peuple vain[4], qui croirais n'avoir pas triomphé,
A moins d'un pauvre roi sous ses fers étouffé.
C'est par cette raison, ou publique, ou privée,
Puisqu'un particulier l'a possible[5] trouvée,
25 Que de force absolue on me fait rendre un bien
Sans lequel je ne veux, ni n'espère plus rien.
Oui, Lélie, il importe à la gloire d'un homme
Que ma femme elle-même aille esclave dans Rome,
Et que sa vanité seule semblable à soi
30 Triomphe à même temps[6] de Syphax et de moi.
O bienheureux vieillard dont la trame est finie
Sur le point qu'il tombait sous votre tyrannie !
Et moi très malheureux d'éprouver à présent
Combien même aux vainqueurs votre joug est pesant.
35 Qu'il s'en saisisse donc, qu'il l'enlève et l'entraîne,
Cette désespérée et pitoyable reine ;
Il faut que son triomphe ait tout son ornement ;
Je n'y contredis plus[7], je l'ai fait vainement ;
Suffit, si je ne puis y faire plus d'obstacle,
40 Que ma mort préviendra cet indigne spectacle[8] !

Sophonisbe, acte V, scène 2, vers 1429 à 1468.

Pour préparer l'étude du texte

1. Vous étudierez l'expression de la détermination et celle du respect chez Lélie.
2. Vous répertorierez et analyserez les accusations que Massinisse porte contre le peuple romain.
3. Vous dégagerez les différentes fonctions de la tirade dans la tragédie.

1. Avant que.
2. Choses vaines.
3. Sentiments violents.
4. Vaniteux.
5. Peut-être.
6. En même temps.
7. Je ne m'y oppose plus.
8. Ma mort viendra avant cet indigne spectacle, le précédera.

LES GRANDES RÈGLES DU THÉÂTRE CLASSIQUE

C'est durant cette période 1630-1661 que se précisent les grandes règles du théâtre classique. Déjà pratiqué notamment par Mairet et par Corneille, ce théâtre régulier connaîtra tout son développement au cours de la période suivante, avec Molière et Racine. Il repose sur un certain nombre d'impératifs, de contraintes : l'application des unités d'action, de temps, de lieu et de ton, le respect des bienséances et des vraisemblances, le sens de la mesure.

L'unité d'action : une exigence de concentration

L'unité d'action ne s'est pas imposée de façon abstraite. Elle est la conséquence des conditions mêmes de la représentation théâtrale. L'action d'une pièce de théâtre doit être plus concentrée, plus ramassée que celle d'un roman. A partir du moment où elle est représentée, elle a en effet obligatoirement une dimension limitée qui dépend de la durée de la représentation. Il peut exister des romans-fleuves, comme *Le Grand Cyrus* de Madeleine de Scudéry (voir p. 77), dont la lecture nécessite plusieurs dizaines d'heures. Il n'est pas possible, par contre, de maintenir durant un temps comparable le spectateur assis dans son fauteuil. La conséquence de cette limitation obligatoire est évidente : le nombre des événements mis en scène se trouve lui aussi limité.

Une autre raison impose cette concentration. La pièce de théâtre n'est pas lue, mais vue et entendue par le spectateur. Or, il est beaucoup plus difficile de saisir et d'assimiler ce qui relève de l'oral et, par ailleurs, il est impossible de revenir en arrière si une donnée importante a échappé à l'attention. Dans ces conditions, il est préférable de réduire la complexité de l'action et des événements, sous peine de voir toute une partie du texte et de l'intrigue ne pas être comprise.

L'unité d'action classique ne fait qu'accentuer, au nom de la concentration, ces nécessités inhérentes au spectacle théâtral : la pièce doit être unifiée autour d'un sujet principal qui ne doit jamais être perdu de vue. Si des sujets secondaires apparaissent, ils doivent être étroitement liés au sujet principal. Le théâtre de Corneille souligne bien l'évolution qui intervient dans ce domaine : alors que *L'Illusion comique* (1636) contient trois niveaux différents d'actions (voir p. 153), *Polyeucte* (1642) est entièrement centré autour du conflit entre l'amour divin et l'amour humain (voir p. 150). Racine accentuera cette tendance, en écrivant des pièces marquées, comme *Bérénice* (1670) (voir p. 227) ou *Phèdre* (1677) (voir p. 235), par une lumineuse simplicité.

L'unité de temps : une limitation de la durée de la fiction

Pourquoi les auteurs dramatiques de cette époque ont-ils également souhaité limiter la durée de l'action de leurs pièces ? C'est d'abord une conséquence directe de la concentration. S'il y a peu d'événements, il y a également peu de temps occupé par ces événements. Mais il est une autre raison : le spectateur, au cours de la représentation, vit, en quelque sorte, un temps obligé. Contrairement au lecteur, il ne peut choisir le moment où il contemple le spectacle, ni la vitesse de déroulement de ce spectacle. S'il s'absente, s'il est distrait, les comédiens ne s'interrompent pas pour l'attendre, le spectacle continue sans lui. Il se pose donc le problème de la coïncidence entre le temps de l'action fictive et le temps réel vécu par le spectateur.

Les partisans du théâtre irrégulier, acquis à la diversité, à la complexité baroque, ne voyaient pas d'inconvénient à ce que le temps de la fiction dépasse largement le temps de la représentation. Les adeptes du théâtre régulier, du théâtre classique, estiment que les spectateurs trouveraient ce dépassement invraisemblable, ne comprendraient pas qu'ils puissent assister, au cours de deux ou trois heures de représentation, à plusieurs jours ou plusieurs mois de fiction. C'est donc un souci tout classique de vraisemblance qui guide leur choix : le temps de la fiction qui se déroule au cours de chacun des actes de la pièce correspond à la durée réelle de ces actes. Mais la représentation s'arrête après chaque acte, pour une raison bien matérielle : il faut moucher les chandelles qui assurent l'éclairage de la scène, sous peine de les voir enfumer l'assistance. Durant ces entractes, l'action fictive est censée continuer. Comme elle n'est pas vue des spectateurs, sa durée peut alors dépasser la véritable durée des entractes. Mais ce dépassement ne doit pas être excessif, et l'action, dans son ensemble, ne doit pas excéder vingt-quatre heures. Corneille, là encore, marque la transition : alors que l'action de *L'Illusion comique* (1636) se déroule sur plusieurs mois (voir p. 153), la plupart de ses tragédies, en particulier *Horace* (1640) (voir p. 146), appliquent la règle des vingt-quatre heures. Racine poussera cette exigence jusqu'à son extrême, en réduisant, dans un grand nombre de ses pièces, notamment dans *Bérénice* (1670) (voir p. 227), la durée de l'action à moins de six heures.

L'unité de lieu : une seule scène, un seul lieu fictif

L'action théâtrale possède une durée. Elle se situe également dans un lieu. Alors que, pour le lecteur de roman, le lieu demeure abstrait, soumis à la représentation de son imagination, pour le spectateur, il est bien réel, bien concret, inscrit dans un décor qui est là, sous ses yeux. Ce décor prend lui-même place dans un espace précis, celui de la scène. Comme pour le temps, se pose donc le problème de la coïncidence entre le lieu fictif à représenter et le lieu réel de la scène.

Contrairement au théâtre irrégulier, le théâtre régulier, au nom de la vraisemblance, choisit la coïncidence, l'unité de lieu. Une seule scène, un seul lieu, un seul décor, tel est l'impératif qui s'affirme peu à peu : si en 1637 Corneille situe *Le Cid* dans quatre lieux différents, le palais du roi, la maison de Chimène, la maison de Rodrigue et une place publique (voir p. 142), en 1640, il fait se dérouler toute l'action d'*Horace* dans une salle de la maison du personnage principal (voir p. 146) et adopte donc la formule du lieu unique qui s'imposera, par la suite, dans le théâtre de Racine (voir p. 244).

L'unité de ton : un seul registre par pièce

A ces trois unités, s'ajoute une quatrième, l'unité de ton. Dans un souci de concentration, pour mieux dégager l'essentiel, pour caractériser nettement la tonalité de la pièce, les auteurs dramatiques vont progressivement refuser le mélange des genres, ne plus reconnaître que deux grands genres.

D'un côté, se place la tragédie ; elle met en scène des personnages éminents dont le sort personnel influe généralement sur le destin de leur peuple, parce que l'action mêle intimement intrigue sentimentale et intrigue politique ; elle connaît un déroulement tendu ; elle s'achève le plus souvent sur une fin malheureuse pour les personnages positifs qui ont à affronter des obstacles redoutables, qui doivent lutter contre une fatalité plus ou moins aliénante (voir le sort de Sertorius dans la tragédie de Corneille, par exemple, p. 158 ou celui de Bajazet dans la tragédie de Racine, p. 232).

De l'autre, s'affirme la comédie : elle représente des gens de moyenne ou petite condition saisis dans leur vie quotidienne ; elle est marquée par un développement dépourvu de tension ; elle se termine par un dénouement heureux pour les personnages sympathiques, pour la jeune première et le jeune premier qui parviennent facilement à triompher des obstacles à leur bonheur (voir Lucile et Cléonte du *Bourgeois gentilhomme* de Molière, p. 184).

Le théâtre régulier rejette donc la tragi-comédie, ce genre intermédiaire à l'action tendue et à la fin heureuse. Elle triomphait durant la période précédente. Elle ne disparaît que progressivement : Corneille la pratique, notamment avec *Le Cid* (voir p. 142), avant de l'abandonner au profit de la tragédie. Plus proche de la complexité de la vie, elle conservera encore de nombreux partisans, même à l'époque de Racine où elle se maintiendra, de façon déguisée, sous l'appellation de tragédie, avec des auteurs comme Thomas Corneille (voir p. 216) ou Philippe Quinault (voir p. 245).

Bienséances et vraisemblances : les conventions sociales

Le théâtre est un mode d'expression concret. C'est également un art social par excellence : les spectateurs assistent collectivement à la représentation. Dans ces conditions, il est beaucoup plus difficile que dans un roman d'aller à l'encontre des conventions, de choquer le public. Cette nécessité de ne pas tomber dans la provocation va se révéler de plus en plus impérieuse au fur et à mesure que le spectacle théâtral attirera les gens de la cour et des salons, deviendra la distraction de l'élite, tout en continuant d'ailleurs à intéresser le peuple.

L'exigence toute classique de la modération et du juste milieu contribue aussi à établir ces impératifs sociaux. Il convient d'éviter de représenter des faits qui pourraient paraître invraisemblables aux spectateurs : il faut proscrire les rebondissements romanesques de la tragi-comédie, mettre fin au règne des apparences trompeuses.

De même, le théâtre doit exclure tout ce qui pourrait blesser les conceptions morales du public, éliminer les spectacles sanglants, les duels, les scènes de torture, les propos indécents. Les bienséances imposent peu à peu leur voile pudique. Et les auteurs qui refusent de s'y soumettre sont rappelés à l'ordre par la censure : Cyrano de Bergerac (voir p. 98) ou Molière (voir pp. 196 et 199) l'apprendront à leurs dépens.

Un théâtre de la mesure

Le théâtre classique apparaît ainsi comme le théâtre de la mesure et de la concentration. Voilà qui entraîne des conséquences importantes pour le fonctionnement même des pièces. Le nombre des personnages tend à diminuer et l'action à s'organiser autour d'un héros central dont les desseins se trouvent combattus par des adversaires qui jouent le rôle d'obstacles : dans la comédie, par exemple, le père s'oppose au mariage du jeune premier et de la jeune première (voir le schéma de *Tartuffe* de Molière, p. 196).

La situation que développent les pièces classiques est une situation de crise : une série d'événements l'ont provoquée, mais l'action débute alors que cette crise a éclaté. Les données en sont fournies au spectateur dans l'exposition, il en suit les rebondissements qui conduisent au dénouement. L'unité de temps et l'unité de lieu font que toute une partie de l'action se déroule en dehors du public, hors scène : le fameux récit de la tragédie classique a pour fonction de relater ces événements (voir notamment le récit de Théramène dans *Phèdre* de Racine, p. 236).

Tel est le système dramatique que les théoriciens et les praticiens du théâtre construisent peu à peu et que Jean Racine portera à son point de perfection. Mais il s'agit là d'une aspiration, d'un idéal auquel les auteurs dramatiques, même parmi les plus grands comme Pierre Corneille et Molière, n'ont pas adhéré totalement. Il y a la théorie. Il y a aussi les nécessités de la pratique.

Les principales caractéristiques des genres

La notion de genre théâtral, qui s'est estompée à notre époque, est très vivace au XVIIe siècle. Cinq données principales permettent alors de distinguer les différents genres : l'origine sociale des personnages, la possibilité qu'ils ont d'exercer leur liberté (rôle de la fatalité, du hasard, force des obstacles), le ton général de la pièce, le ton du dénouement, les réactions des spectateurs sollicitées.

Genres	Origine des personnages	Exercice de la liberté	Ton de la pièce	Ton du dénouement	Réactions des spectateurs
Tragédie	Haute noblesse de gouvernement	Force de la fatalité	Tendu	Malheureux, parfois heureux	Pitié et admiration
Tragi-comédie	Noblesse ou haute bourgeoisie	Liberté et hasard	Tendu	Heureux	Sympathie
Comédie d'intrigue	Noblesse ou bourgeoisie	Obstacles individuels facilement surmontables	Enlevé, parfois tendu	Heureux	Curiosité, sympathie
Comédie de mœurs	Bourgeoisie	Emprise de la société	Gai, parfois tendu	Heureux	Intérêt, moquerie envers les ridicules
Comédie de caractère	Bourgeoisie	Emprise du caractère	Gai, parfois tendu	Heureux	Intérêt, moquerie envers les ridicules
Farce	Peuple	Obstacles insignifiants	Gros comique (de gestes)	Heureux	Gros rire

Pierre Corneille
1606-1684

Anonyme, XVIIe siècle, *Pierre Corneille*, musée national du Château de Versailles.

Un bourgeois bien tranquille

Incontestablement, la vie de Pierre Corneille contraste avec celle de la plupart des écrivains de cette époque. Leur existence était souvent un véritable roman. Ils épousaient leur temps, dont ils partageaient l'agitation. Au contraire, rien de plus lisse, de plus transparent, de plus rangé que la vie de Corneille. Il apparaît comme un bourgeois bien tranquille. Il est aux antipodes de l'héroïsme et de l'exaltation qui caractérisent ses personnages.

De sa vie privée, que retenir, sinon des banalités ? Né à Rouen dans une famille de magistrats, il accomplit ses études secondaires chez les jésuites et se destine à une carrière d'avocat. Mais timide et peu doué pour l'éloquence — et pourtant, comme il sera éloquent lorsqu'il fera parler ses héros ! —, il renonce à plaider. Il se marie en 1640 et aura sept enfants. Reçu à l'Académie française en 1647, même en pleine gloire, il continue à vivre, la plupart du temps, dans sa maison de Rouen qu'il partage avec son frère Thomas Corneille (voir p. 216), dramaturge comme lui.

Innover, toujours innover

Rien ne semble donc destiner Corneille au théâtre. Et pourtant, il en fera le but de sa vie. A-t-il été influencé par l'éducation des jésuites qui utilisaient la représentation théâtrale à des fins pédagogiques ? S'est-il déterminé, en fréquentant les nombreuses maisons d'édition de Rouen qui étaient spécialisées dans le théâtre ? A-t-il voulu réaliser, par personnages interposés, tout ce qu'il contenait en lui de grandeur et qu'il ne pouvait ou ne savait manifester ? Toujours est-il qu'il devient un prodigieux auteur dramatique, l'un des plus grands que la France ait eus. Il travaillera pour la scène quarante-cinq ans durant, écrira trente-trois pièces.

Mais son œuvre n'est pas seulement riche par sa quantité, elle l'est également par sa variété. Corneille a eu la chance de commencer sa carrière durant cette période de transition qui précède le théâtre classique. Il fait donc souvent figure de précurseur, d'explorateur, ouvre des voies successives. Innover, toujours innover, tel semble être son mot d'ordre, sa préoccupation.

La réhabilitation de la comédie

Son coup d'essai, il l'entreprend avec une comédie, *Mélite*. C'est la troupe du théâtre du Marais qui la crée en 1629. Corneille a alors vingt-trois ans. Ce n'est pas encore un coup de maître, mais c'est un succès certain. Jusqu'en 1644, il écrira huit comédies. Il participe ainsi

Charles de Beaubrun (1604-1692), *Le comédien Floridor*, musée de la Comédie-Française. Floridor (1608-1671) joua successivement au théâtre du Marais et au théâtre de l'Hôtel de Bourgogne.

à cet effort de réhabilitation du genre comique qui est mené à cette époque. Alors qu'on reproche à la comédie ses outrances et sa grossièreté, Corneille met au point une formule qui refuse les gros effets comiques, qui accorde une place importante à la peinture des caractères et des mœurs, qui, comme la tragi-comédie, montre toutes les nuances de l'amour, ce sentiment oscillant sans cesse entre le plaisir et le drame.

La révélation du *Cid* (1637)

1637 : la création du *Cid* éclate comme un coup de tonnerre dans le ciel théâtral. C'est un de ces événements qui font date dans l'histoire du théâtre. Avec cette tragi-comédie, Corneille connaît un véritable triomphe. Tout Paris ne parle plus que de Rodrigue et de Chimène. Le cas de conscience de ce jeune homme, partagé entre son amour et sa volonté de venger son père offensé par le père de celle qu'il aime, est en train de devenir légendaire. Corneille se pose ainsi comme le maître incontesté de la scène, éclipse tous ses concurrents. Mais ce n'est pas sans résistance. Ses adversaires l'attaquent violemment. On l'accuse d'avoir copié servilement l'auteur espagnol dont il s'est inspiré (voir p. 145). Les partisans du théâtre régulier lui reprochent d'avoir écrit une tragi-comédie, de ne pas avoir respecté les règles qui sont en train de s'imposer. Ce que l'on a appelé la querelle du *Cid* va se poursuivre pendant plus d'un an (voir p. 142).

Il faut dire que Corneille est attiré par le mélange des genres : il écrira huit pièces d'inspiration tragi-comique, dont trois (*Andromède*, 1650, *La Toison d'or*, 1660 et *Psyché*, 1671) utilisent une mise en scène complexe.

L'heure de la tragédie

Quelque peu désorienté par les remous que provoque *Le Cid*, Corneille, pendant trois ans, garde un prudent silence. Puis il renoue avec la scène, en écrivant, peut-être sous la pression des partisans du théâtre régulier, une tragédie, *Horace*, qui est créée en 1640. L'heure de la tragédie a désormais sonné pour lui. Il écrira dix-sept pièces se réclamant de ce genre.

Mais ces dix-sept pièces sont loin de représenter un tout homogène. S'il applique généralement les règles classiques, il passe d'une action simple (*Horace*, 1640, *Cinna*, 1641) à une action plus complexe (*Rodogune*, 1645, *Suréna*, 1674). Il construit des personnages tantôt maîtres de leur destin (*Cinna*, 1641), tantôt dépendants d'une force qui les dépasse (*Polyeucte*, 1642). Une évolution se fait également sentir en ce qui concerne les sujets adoptés : après avoir privilégié l'Antiquité latine (*Horace*, 1640, *Cinna*, 1641, *Polyeucte*, 1642), il met de plus en plus souvent en scène des personnages originaires de pays réputés barbares, en particulier les Goths, les Parthes et les Huns (*Rodogune*, 1645, *Attila*, 1667), ce qui lui permet d'exploiter les effets de la terreur et de la cruauté.

Fausse sortie et retraite

Comme pour Mairet, après les succès viennent les désillusions. L'échec de *Pertharite*, en 1651, l'incite à renoncer à écrire pour la scène. Ce n'est qu'une fausse sortie qui dure, il est vrai, huit ans. Il revient au théâtre, en 1659, avec *Œdipe*. Mais il est bientôt sévèrement concurrencé par Racine qui oppose, avec succès, la simplicité de ses pièces à la plus grande complexité de celles d'un rival qui passe de mode. En 1670, il subit un terrible affront : sa tragédie *Tite et Bérénice* est moins appréciée que la *Bérénice* de Racine (voir p. 229). Il écrira néanmoins encore onze pièces après son retour à la scène et prendra une définitive retraite en 1674. Il ne mourra que dix ans plus tard, deux ans avant Mairet, ce concurrent dont, jeune, il avait su triompher.

Mélite (1629), comédie.
La Galerie du palais (1632), comédie.
L'Illusion comique (1636), comédie. → pp. 153 à 155.
Le Cid (1637), tragi-comédie. → pp. 142 à 144.
Horace (1640), tragédie. →pp. 146-147.
Cinna (1641), tragédie. → pp. 148-149.
Polyeucte (1642), tragédie. → pp. 150 à 153.
Rodogune (1645), tragédie. → pp. 155 à 157.
Nicomède (1651), tragédie.
Œdipe (1659), tragédie.
Sertorius (1662), tragédie. → pp. 158-159.
Suréna (1674), tragédie.

L'irrésistible appel de l'honneur

Le héros cornélien est confronté à un choix : se laissera-t-il dominer par ses sentiments « faibles », par ses impulsions immédiates et médiocres ? Ou doit-il, au contraire, s'engager sur le chemin de l'honneur, c'est-à-dire mettre ses actions en conformité avec des aspirations élevées, s'efforcer de correspondre à l'image positive qu'il a de lui-même ?

Souvent, cet appel de l'honneur apparaît irrésistible : dans *Le Cid*, Rodrigue sacrifie son amour pour Chimène à l'honneur de sa famille ; dans la pièce qui porte son nom, Horace fait taire ses sentiments au nom de son patriotisme ; dans *Cinna*, Auguste préfère le pardon à la vengeance mesquine ; dans *Polyeucte*, Pauline privilégie la fidélité conjugale au détriment de sa tendresse pour Sévère, tandis que son mari, Polyeucte, se donne tout entier à sa nouvelle foi chrétienne.

Le Cid

1637

Tragi-comédie, *Le Cid* est une pièce romanesque. L'action reprend le schéma traditionnel des amours contrariées. Rodrigue, jeune noble espagnol, est aimé de l'infante, aime Chimène et a pour rival Don Sanche. Une violente altercation se produit entre le père de Chimène, Don Gormas et le père de Rodrigue, Don Diègue : Don Gormas, dépité de ne pas avoir été choisi par le roi pour devenir le précepteur du prince de Castille, donne un soufflet à Don Diègue qui a eu la préférence. De retour chez lui, Don Diègue demande à son fils de le venger. Rodrigue se trouve ainsi face au fameux dilemme cornélien : doit-il choisir son bonheur personnel ou l'honneur de sa famille ? Il choisit finalement l'honneur, provoque Don Gormas en duel et le tue.

Il part ensuite combattre les Arabes, les Maures, qui occupaient alors une partie de l'Espagne, et remporte une victoire éclatante sur eux. Le voici de retour. Chimène a exigé du roi qu'il punisse le meurtrier de son père. Le souverain accepte alors que soit organisé un duel entre Rodrigue et Don Sanche chargé de combattre pour Chimène. Rodrigue est vainqueur et, plein de générosité, laisse la vie sauve à son adversaire. La pièce s'achève sur la promesse d'un mariage entre Rodrigue et Chimène, après le délai de rigueur qu'impose la décence.

Tout au long de l'année 1637, *Le Cid* donne naissance à une violente querelle. Il ne faut pas se méprendre : ceux qui critiquent la pièce, ceux qui s'opposent à Corneille ne sont pas animés par des sentiments très purs. Des auteurs dramatiques, comme Jean Mairet ou Georges de Scudéry, le frère de Madeleine de Scudéry, partent en guerre, parce qu'ils craignent de voir leur gloire éclipsée par ce redoutable concurrent.

Mais, pour attaquer Corneille, ils s'appuient sur les exigences du théâtre régulier naissant (voir p. 138). Ils reprochent d'abord au *Cid* d'être une tragi-comédie et donc de refuser l'unité de ton. Ils notent ensuite que la pièce ne respecte qu'imparfaitement les autres unités. L'unité de temps ? Apparemment, l'action ne dépasse pas les vingt-quatre heures, mais Corneille a tellement accumulé d'événements que cette enveloppe temporelle trop remplie éclate et que la vraisemblance n'y trouve plus son compte. L'unité de lieu ? Corneille n'en a cure et situe sa pièce dans tout un quartier de la ville, fait appel à quatre décors bien distincts : une place, le palais royal où réside l'infante, la maison de Chimène et celle de Rodrigue. L'unité d'action ? L'intrigue secondaire qui concerne l'infante et Rodrigue n'est pas, en fait, indispensable au déroulement du sujet principal. Enfin, ses adversaires accusent Corneille d'aller à l'encontre des bienséances : comment, en particulier, admettre, selon eux, que Chimène puisse envisager d'épouser le meurtrier de son père ?

Témoignage de la lutte entre le théâtre irrégulier et le théâtre régulier, *Le Cid* est également un bon révélateur de la situation politique de l'époque et de l'importance que le pouvoir reconnaît à la culture, de sa volonté grandissante de l'orienter. Richelieu intervient, en effet, dans la querelle. Il accorde d'abord un soutien discret aux adversaires de Corneille, pousse l'Académie française à publier un texte fort critique contre la tragi-comédie. C'est que *Le Cid* tend à remettre en cause sa politique de renforcement du pouvoir royal : tout au long de la pièce, les nobles montrent en effet leur puissance face à un pouvoir central, qui, certes, commence à s'affirmer, mais qui doit encore tenir compte de leur volonté, et soulignent ainsi combien, en ces années 1630, l'autorité de l'État est encore faible. Mais bientôt, Richelieu joue l'apaisement et ordonne à Corneille et à Mairet, l'un des artisans de cette campagne, de se réconcilier : cette polémique est devenue une véritable affaire d'État.

Si Richelieu modifie ainsi sa position, c'est que le succès du *Cid* est énorme et qu'il ne veut pas paraître agir à contre-courant. Le triomphe de la pièce constitue, par ailleurs, un exemple de ce divorce fréquent entre un public qui réagit intuitivement et la critique plus attentive au respect de règles de fonctionnement. La querelle du *Cid* révèle enfin que le théâtre est alors à la croisée des chemins. Les règles, encore mal acceptées par le public, obtiendront peu à peu ses faveurs. Les mentalités commenceront bientôt à évoluer, avec l'affirmation des valeurs de raison et de modération. Corneille lui-même devra se soumettre à ces règles. D'ailleurs, lorsqu'en 1660 il fait publier l'ensemble des pièces qu'il a écrites jusque-là, il revoit le texte du *Cid* et remplace l'appellation de tragi-comédie par celle plus orthodoxe de tragédie.

Illustration de l'édition de 1644 du *Cid*, Paris, B.N.

« Il faut venger un père, et perdre une maîtresse »

A la scène 5 de l'acte I, Don Diègue, après avoir été offensé par Don Gormas, met sa vengeance entre les mains de son fils. A la scène 6, Rodrigue, resté seul, s'interroge : doit-il choisir son honneur ou son amour, son père ou celle qu'il aime ?

DON RODRIGUE, seul.

Percé jusques au fond du cœur
D'une atteinte imprévue aussi bien que mortelle,
Misérable vengeur d'une juste querelle,
Et malheureux objet d'une injuste rigueur,
5 Je demeure immobile, et mon âme abattue
Cède au coup qui me tue.
Si près de voir mon feu récompensé,
Ô Dieu ! l'étrange peine !
En cet affront mon père est l'offensé,
10 Et l'offenseur le père de Chimène !

Que je sens de rudes combats !
Contre mon propre honneur mon amour s'intéresse :
Il faut venger un père, et perdre une maîtresse :
L'un m'anime le cœur, l'autre retient mon bras.
15 Réduit au triste choix ou de trahir ma flamme,

Ou de vivre en infâme[1],
Des deux côtés mon mal est infini.
Ô Dieu, l'étrange peine !
Faut-il laisser un affront impuni ?
20 Faut-il punir le père de Chimène ?

Père, maîtresse, honneur, amour,
Noble et dure contrainte, aimable tyrannie,
Tous mes plaisirs sont morts, ou ma gloire ternie.
L'un me rend malheureux, l'autre indigne du jour.
25 Cher et cruel espoir d'une âme généreuse,
Mais ensemble amoureuse,
Digne ennemi de mon plus grand bonheur,
Fer[2] qui causes ma peine,
M'es-tu donné pour venger mon honneur ?
30 M'es-tu donné pour perdre ma Chimène ?

Il vaut mieux courir au trépas.
Je dois à ma maîtresse aussi bien qu'à mon père :
J'attire en me vengeant sa haine et sa colère ;
J'attire ses mépris en ne me vengeant pas.
35 A mon plus doux espoir l'un me rend infidèle,
Et l'autre indigne d'elle.
Mon mal augmente à le vouloir guérir ;
Tout redouble ma peine.
Allons, mon âme ; et puisqu'il faut mourir,
40 Mourons du moins sans offenser Chimène,

Mourir sans tirer ma raison[3] !
Rechercher un trépas si mortel à ma gloire !
Endurer que l'Espagne impute à ma mémoire
D'avoir mal soutenu l'honneur de ma maison !
45 Respecter un amour dont mon âme égarée
Voit la perte assurée !
N'écoutons plus ce penser suborneur[4],
Qui ne sert qu'à ma peine.
Allons, mon bras, sauvons du moins l'honneur,
50 Puisqu'après tout il faut perdre Chimène.

Oui, mon esprit s'était déçu[5].
Je dois tout à mon père avant qu'à ma maîtresse :
Que je meure au combat, ou meure de tristesse,
Je rendrai mon sang pur comme je l'ai reçu.
55 Je m'accuse déjà de trop de négligence ;
Courons à la vengeance ;
Et tout honteux d'avoir tant balancé[6],
Ne soyons plus en peine,
Puisqu'aujourd'hui mon père est l'offensé,
60 Si l'offenseur est père de Chimène.

Le Cid, acte I, scène 6, vers 291 à 350.

Anton van Dyck (1599-1641), *Portrait équestre d'Albert de Ligne*, Holkham Hall, collection Earl of Leicester.
Au XVIIe siècle, de nombreux chefs de guerre européens furent sensibles au modèle offert par le Cid.

Pour préparer le commentaire composé

1. **Un douloureux problème de choix.** Vous montrerez que le texte fait apparaître (dans sa structure, dans sa formulation et dans son rythme) un jeu constant de balancement entre les deux choix auxquels Rodrigue se trouve confronté.

2. **L'évolution de la réflexion.** Vous étudierez la façon dont se dégage progressivement l'orientation finalement choisie par Rodrigue.

3. **Le rôle du monologue dans la tragédie.** Vous analyserez les différentes fonctions du monologue tragique (présentation de la situation, analyse, exhortation, encouragements, passage de l'incertitude à la décision).

1. Comme quelqu'un de bas, de vil, sans réputation.
2. Épée.
3. Sans tirer ma vengeance, sans obtenir justice.
4. Cette pensée qui détourne du devoir.
5. S'était abusé, s'était égaré.
6. D'avoir tant hésité.

L'influence du théâtre espagnol

Durant ces années 1630 à 1661, la littérature espagnole exerce une influence considérable sur la littérature française. Elle est manifeste dans le roman (voir p. 313). Elle est aussi présente dans le théâtre. Ce n'est par surprenant : le jeu des alliances, des guerres, des successions, fait de la France et de l'Espagne des pays à la fois proches et rivaux. Le romanesque, le pittoresque, l'atmosphère de cape et d'épée qui caractérisent alors le théâtre espagnol correspondent, par ailleurs, tout à fait à la sensibilité française de l'époque. Scarron devra beaucoup à cette influence (voir p. 85). Corneille, dans ses comédies et ses tragi-comédies, est lui aussi très ouvert à cette inspiration.

Les grands noms à retenir parmi les nombreux auteurs dramatiques dont les pièces sont alors jouées en Espagne ? Cervantès (1547-1616) qui, en dehors de son célèbre *Don Quichotte* (voir p. 313), a laissé une œuvre théâtrale importante ; Lope de Vega (1562-1635) ; Tirso de Molina (1583-1648) (voir p. 204) ; Calderón (1600-1681) (voir p. 238). Il faut également citer Guillén de Castro (1569-1631), dont Pierre Corneille s'est inspiré pour la rédaction de son *Cid.*

A cette époque, l'inspiration est souvent proche de l'imitation. Et Mairet ne se fera pas faute de dénoncer les points de rencontre entre l'œuvre de Corneille et celle de Castro. Non sans drôlerie, il fera s'exclamer le modèle à l'adresse de l'imitateur :

« Donc fier de mon plumage, en Corneille d'Horace[1],
Ne prétends plus voler plus haut que le Parnasse[2],
Ingrat, rends-moi mon *Cid* jusques au dernier mot ;
Après tu connaîtras, Corneille déplumée,
Que l'esprit le plus vain est souvent le plus sot,
Et qu'enfin tu me dois toute ma renommée. »

Propos excessifs ? Au lecteur de juger, en comparant cet extrait de la scène 2 de la Première journée de *La Jeunesse du Cid* de Castro avec la scène 6 de l'acte I du *Cid* de Corneille (voir p. 143).

RODRIGUE, seul.
Interdit[3] par la peine, ô fortune ! ce que je vois peut-il être vrai ? Ce changement, qui te convient si bien, puisqu'il détruit mon bonheur, j'ai peine encore à le croire. Ta barbarie a-t-elle pu permettre (ô douleur !) que mon père fût l'offensé, et l'offenseur le père de Chimène ?

5 *Que deviendrai-je ? sort cruel ! c'est lui qui m'a donné la vie ! Que ferai-je ? doute affreux ! c'est elle pour qui je vis ! Moi qui voulais, heureux de ton affection, unir mon sang avec le tien, je dois verser ce sang qui t'a donné l'être ; je dois, peine déchirante ! je dois tuer le père de Chimène.*

Mais ce doute seul offense l'honneur sacré qui fait ma renommée. Je dois 10 *secouer le joug de l'amour, et, la tête haute, libre de chaînes, remplir tous mes devoirs. Puisque mon père a été l'offensé, peu m'importe (amère souffrance !) que l'offenseur soit père de Chimène.*

Qui me retient ! N'ai-je pas plus de valeur que d'années ? C'est assez pour venger mon père et frapper le comte. Que m'importe le parti puissant de mon 15 *redoutable adversaire ? que m'importe que dans les montagnes, il ait mille amis asturiens[4] ? que m'importe qu'au conseil du roi de Léon[5], Ferdinand, son vote soit le premier ; que sur le champ de bataille sa lance soit la meilleure ? Tout est peu, tout est moins que rien lorsqu'il s'agit d'un affront, du premier qu'ait essuyé le lignage de Laïn Calvo[6]. Qu'importe que ce soit pour la première fois que* 20 *j'éprouve la valeur de mon bras ? Que la terre me donne champ[7], le ciel me donnera fortune. Je prendrai cette vieille épée de Mudarra le Castillan[8]. Elle est émoussée et rouillée depuis la mort de son bon maître ; mais, si je lui manque de respect, je veux qu'elle pardonne ma hardiesse au trouble d'un homme offensé.*

1. Le poète latin Horace conte l'histoire de la corneille qui fait illusion en se parant des plumes d'un autre oiseau.
2. Montagne grecque consacrée aux Muses, symbole de la gloire artistique.
3. Déconcerté.
4. Les Asturies sont situées dans la partie nord de l'Espagne.
5. Région du nord-ouest de l'Espagne.
6. Famille dont Rodrigue est le descendant.
7. Me donne l'espace pour combattre.
8. Personnage au courage légendaire.

25 *Imagine, vaillante épée, qu'un autre Mudarra t'a ceinte, et qu'il combat avec mon bras en faveur de son honneur maltraité. Tu t'indigneras peut-être d'être tombée en mes mains ; mais tu ne me reprocheras jamais d'avoir fait un pas en arrière. Tu me verras au champ d'honneur aussi ferme que ton acier. Oui, je le sens, ton nouveau maître est aussi bon que le premier ; et si pourtant j'étais*
30 *vaincu, alors, pour mieux cacher ta honte, je t'enfoncerais dans mon sein.*

Guillén de Castro, La Jeunesse du Cid, *Première journée, scène 2, vers 518 à 585, trad. V. Angliviel de La Beaumelle, dans Chefs-d'œuvre des théâtres étrangers, Paris, Ladvocat, 1823.*

Horace

1640

Représenté pour la première fois en 1640 au théâtre du Marais, *Horace* est la deuxième tragédie de Corneille après *Médée* (1635). Comme dans beaucoup de ses pièces tragiques, l'action se déroule durant l'Antiquité romaine. Elle est d'une grande simplicité et débute dans la paix et le bonheur. Les Horaces et les Curiaces, deux familles de deux cités voisines, Rome et Albe, sont intimement liés : l'un des trois fils de la famille des Horaces a épousé Sabine, une Curiace, tandis qu'un des trois fils de la famille des Curiaces est fiancé à Camille, une Horace. Pour enrichir ce schéma, apparaît un rival, Valère, qui est amoureux de Camille. Mais cette belle harmonie est bientôt rompue : les deux cités entrent en guerre et il est décidé que l'issue de ce conflit dépendra d'un combat organisé entre les trois frères Horaces et les trois frères Curiaces. Face à ce cas de conscience, les combattants ont des réactions bien différentes : Horace, enfermé dans son patriotisme, laisse de côté tout sentiment humain, tandis que Curiace est déchiré. Finalement, Horace, l'époux de Sabine, seul des six champions à survivre, l'emporte. Sa sœur Camille l'accable de reproches. Il la tue. Il est jugé pour meurtre, mais est acquitté après un vibrant plaidoyer de son père et malgré le réquisitoire de Valère : l'honneur est ainsi reconnu comme la valeur suprême.

« Suis moins ta passion, règle mieux tes désirs »

Revenu en vainqueur, Horace doit subir les reproches et les imprécations de sa sœur Camille dont il a tué le fiancé. C'en est trop pour ce défenseur intolérant du patriotisme.

Horace.
Ô d'une indigne sœur insupportable audace !
D'un ennemi public dont je reviens vainqueur
Le nom est dans ta bouche, et l'amour dans ton cœur !
Ton ardeur criminelle à la vengeance aspire !
5 Ta bouche la demande, et ton cœur la respire !
Suis moins ta passion, règle[1] mieux tes désirs ;
Ne me fais plus rougir d'entendre tes soupirs ;
Tes flammes désormais doivent être étouffées ;
Bannis-les[2] de ton âme, et songe à mes trophées[3] ;
10 Qu'ils soient dorénavant ton unique entretien.

Camille.
Donne-moi donc, barbare, un cœur comme le tien,
Et si tu veux enfin que je t'ouvre mon âme,
Rends-moi mon Curiace, ou laisse agir ma flamme.
Ma joie et mes douleurs dépendaient de son sort,
15 Je l'adorais vivant, et je le pleure mort.
Ne cherche plus ta sœur où tu l'avais laissée,
Tu ne revois en moi qu'une amante offensée,
Qui comme une Furie[4] attachée à tes pas
Te veut incessamment reprocher son trépas.
20 Tigre altéré de sang, qui me défends les larmes,

1. Mesure, modère, domine.
2. Chasse-les.
3. Dépouilles des ennemis. Horace est revenu avec les trois épées des Curiaces.
4. Les Furies étaient les déesses de la vengeance.

D'après Charles Le Brun (1619-1690), frontispice de l'édition de 1641 d'*Horace*, Paris, B.N.

Qui veux que dans sa mort je trouve encor des charmes,
Et que jusques au Ciel élevant tes exploits
Moi-même je le tue une seconde fois !
Puissent tant de malheurs accompagner ta vie
25 Que tu tombes au point de me porter envie,
Et toi, bientôt souiller par quelque lâcheté[1]
Cette gloire si chère à ta brutalité !

HORACE.
Ô Ciel, qui vit jamais une pareille rage !
Crois-tu donc que je sois insensible à l'outrage,
30 Que je souffre en mon sang ce mortel déshonneur ?
Aime, aime cette mort qui fait notre bonheur,
Et préfère du moins au souvenir d'un homme
Ce que doit ta naissance aux intérêts de Rome.

CAMILLE.
Rome, l'unique objet de mon ressentiment !
35 Rome, à qui vient ton bras d'immoler mon amant !
Rome, qui t'a vu naître et que ton cœur adore !
Rome, enfin que je hais parce qu'elle t'honore !
Puissent tous ses voisins ensemble conjurés
Saper ses fondements encor mal assurés !
40 Et si ce n'est assez de toute l'Italie,
Que l'Orient contre elle à l'Occident s'allie,
Que cent peuples unis des bouts de l'univers
Passent pour la détruire, et les monts, et les mers !
Qu'elle-même sur soi renverse ses murailles,
45 Et de ses propres mains déchire ses entrailles !
Que le courroux du Ciel allumé par mes vœux
Fasse pleuvoir sur elle un déluge de feux !
Puissé-je de mes yeux y voir tomber ce foudre[2],
Voir ses maisons en cendre, et tes lauriers en poudre[3],
50 Voir le dernier Romain à son dernier soupir,
Moi seule en être cause, et mourir de plaisir !

HORACE, mettant la main à l'épée, et poursuivant sa sœur qui s'enfuit.
C'est trop, ma patience à la raison fait place.
Va dedans les Enfers plaindre ton Curiace !

CAMILLE, blessée derrière le théâtre.
Ah ! traître !

HORACE, revenant sur le théâtre.
Ainsi reçoive un châtiment soudain[4]
55 Quiconque ose pleurer un ennemi romain[5] !

Horace, acte IV, scène 5, vers 1268 à 1322.

Pour préparer l'étude du texte

1. Cet extrait est une scène de confrontation. Vous montrerez que le frère et la sœur s'opposent sur le plan familial, sur le plan affectif et sur le plan idéologique.
2. Vous étudierez la tirade de Camille (v. 34-51) et, en particulier, l'expression de la fureur, du désespoir et de la malédiction ainsi que la progression vers l'ultime provocation.
3. Vous analyserez la montée de l'exaspération chez Horace.

1. Puisses-tu bientôt souiller par quelque lâcheté.
2. Ce tonnerre.
3. En poussière.
4. Immédiat.
5. Un ennemi de Rome.

Cinna

1641

Encore une tragédie à sujet romain. Encore une pièce dont l'action est marquée par la simplicité. Encore des personnages qui, avec sincérité, avec honnêteté, cherchent leur voie, essaient d'agir en fonction de leur honneur, en fonction de ce qu'ils pensent de leur devoir.

Cinna met en scène une conspiration manquée traversée par une intrigue amoureuse. Un complot se trame contre l'empereur Auguste. La conjuration regroupe sa fille adoptive, Émilie, qui veut venger l'assassinat de son père, ainsi que Cinna et Maxime, des proches d'Auguste qui agissent par amour pour Émilie et par haine de la tyrannie. La conspiration est découverte, mais celui qui aurait dû en être victime, au lieu de se venger, pardonne et donne son approbation au mariage entre Cinna et Émilie, se réalisant ainsi dans la maîtrise de soi et la générosité.

« Je suis maître de moi comme de l'univers »

C'est la dernière scène de la pièce, la scène 3 de l'acte V, la scène du dénouement. Sur les conseils de son confident Euphorbe, Maxime, par dépit de voir Émilie lui préférer Cinna, a dénoncé les conjurés. Auguste pense que c'est sous l'effet du remords. Maxime lui avoue que c'est sous le coup de la jalousie. L'empereur va-t-il se venger ? Maître de lui, il fait au contraire preuve de magnanimité et accorde son pardon à tous les comploteurs.

AUGUSTE.

En est-ce assez, ô Ciel ! et le sort pour me nuire
A-t-il quelqu'un des miens qu'il veuille encor séduire ?
Qu'il joigne à ses efforts le secours des Enfers ;
Je suis maître de moi comme de l'univers ;
5 Je le suis, je veux l'être. Ô siècles, ô mémoire,
Conservez à jamais ma dernière victoire !
Je triomphe aujourd'hui du plus juste courroux[1]
De qui le souvenir puisse aller jusqu'à vous.
Soyons amis, Cinna, c'est moi qui t'en convie :
10 Comme à mon ennemi je t'ai donné la vie,
Et malgré la fureur de ton lâche destin[2],
Je te la donne encor comme à mon assassin.
Commençons un combat qui montre par l'issue
Qui l'aura mieux de nous, ou donnée, ou reçue.
15 Tu trahis mes bienfaits, je les veux redoubler ;
Je t'en avais comblé, je t'en veux accabler.
Avec cette beauté que je t'avais donnée
Reçois le consulat[3] pour la prochaine année.
Aime Cinna, ma fille, en cet illustre rang,
20 Préfères-en la pourpre à celle de mon sang ;
Apprends sur mon exemple à vaincre ta colère :
Te rendant un époux, je te rends plus qu'un père.

ÉMILIE.

Et je me rends, Seigneur, à ces hautes bontés ;
Je recouvre la vue auprès de leurs clartés ;
25 Je connais[4] mon forfait qui me semblait justice ;
Et ce que n'avait pu la terreur du supplice,
Je sens naître en mon âme un repentir puissant,
Et mon cœur en secret me dit qu'il y consent.
Le Ciel a résolu[5] votre grandeur suprême,
30 Et pour preuve, Seigneur, je n'en veux que moi-même ;
J'ose avec vanité me donner cet éclat,
Puisqu'il change mon cœur, qu'il veut changer l'État[6].

1. Colère.
2. De ton lâche projet.
3. Charge qui, sous l'Empire, n'avait plus qu'une valeur honorifique.
4. Je reconnais.
5. A décidé.
6. J'ose avec vanité m'attribuer cette gloire de lui faire changer l'État, puisqu'il change mon cœur.

Ma haine va mourir, que j'ai crue immortelle ;
Elle est morte, et ce cœur devient sujet fidèle,
35 Et prenant désormais cette haine en horreur,
L'ardeur de vous servir succède à sa fureur.

CINNA.
Seigneur, que vous dirai-je après que nos offenses
Au lieu de châtiments trouvent des récompenses ?
Ô vertu sans exemple ! ô clémence qui rend
40 Votre pouvoir plus juste et mon crime plus grand !

AUGUSTE.
Cesse d'en retarder un oubli magnanime[1],
Et tous deux avec moi faites grâce à Maxime :
Il nous a trahis tous, mais ce qu'il a commis
Vous conserve innocents et me rend mes amis.

A MAXIME.
45 Reprends auprès de moi ta place accoutumée ;
Rentre dans ton crédit et dans ta renommée ;
Qu'Euphorbe de tous trois ait sa grâce à son tour ;
Et que demain l'hymen[2] couronne leur amour.
Si tu l'aimes encor, ce sera ton supplice.

Cinna, acte V, scène 3, vers 1693 à 1741.

Anonyme, XVIIe siècle, *Portrait de l'empereur Auguste*,
Le Mans, musée de Tessé.
Auguste, image de la gloire, de la puissance et de la justice de Rome, sera souvent mis en parallèle, au XVIIe siècle, avec Louis XIV.

Pour préparer le commentaire composé

1. **La maîtrise de soi.** Le vers 4, « Je suis maître de moi comme de l'univers », est le vers clef de cette scène. Vous montrerez comment se manifeste cette maîtrise de soi.
2. **Le pardon.** Auguste pardonne aux conjurés. Quelle est leur réaction devant la générosité de l'empereur ? Ce dénouement est-il tragique ?
3. **Le héros cornélien.** Auguste apparaît comme le véritable héros de la pièce. Vous essaierez, à travers lui, de préciser ce qu'est un héros cornélien.

Pour un groupement de textes

La notion d'héroïsme dans :
La Mort d'Agrippine (p. 98) de Cyrano de Bergerac,
Sophonisbe (p. 136) de Mairet,
Le Cid (p. 143) et *Cinna* (p. 148) de Corneille,
Britannicus (p. 226) et *Bajazet* (p. 234) de Racine.

1. Cesse de retarder cet oubli, ce pardon que ma grandeur d'âme est décidée à accorder.
2. Le mariage.

Polyeucte
1642

Polyeucte se déroule en Arménie sous l'empire romain, à l'époque de la persécution des chrétiens. Avec cette tragédie, Corneille aborde un sujet religieux : Polyeucte, noble arménien, touché par la grâce, s'est converti au christianisme, au grand désespoir de sa femme, Pauline et de son beau-père, Félix. Malgré leurs supplications, il refuse de renier sa nouvelle religion et accepte le martyre. Après sa mort, entraînés par son exemple, Pauline et Félix deviennent, à leur tour, chrétiens.

Une intrigue amoureuse s'ajoute à ce thème religieux et apporte sa note romanesque : Sévère, qui aime Pauline, met tout son espoir dans la situation créée par la conversion de Polyeucte. La jeune femme, autrefois éprise de Sévère, n'est pas insensible à cet amour. Mais son sentiment de l'honneur l'amène à choisir son devoir, sa fidélité envers son mari : comment pourrait-elle l'abandonner, alors qu'il court à la mort ? Les trois personnages feront assaut de générosité et Polyeucte, après avoir trouvé l'harmonie spirituelle avec son épouse, la confiera, avant de mourir, à son rival, Sévère.

Charles Le Brun (1619-1690), *Martyre de saint Jean l'évangéliste*, Paris, église Saint-Nicolas-du-Chardonnet.
« C'est peu d'aller au Ciel, je vous y veux conduire ». La voie du martyre fut souvent celle des premiers chrétiens.

« Ma raison, il est vrai, dompte mes sentiments »

Sévère, de retour en Arménie, revoit Pauline après une longue absence. Ils se sont aimés. Cet amour est désormais impossible : Pauline entend faire taire sa passion et rester fidèle à son mari Polyeucte.

PAULINE.
Oui, je l'[1]aime, Seigneur, et n'en fais point d'excuse.
Que toute autre que moi vous flatte, et vous abuse,
Pauline a l'âme noble, et parle à cœur ouvert.
Le bruit de votre mort n'est point ce qui vous perd.
5 Si le Ciel en mon choix eût mis mon hyménée[2],
A vos seules vertus je me serais donnée,
Et toute la rigueur de votre premier sort
Contre votre mérite eût fait un vain effort.
Je découvrais en vous d'assez illustres marques,
10 Pour vous préférer même aux plus heureux monarques ;
Mais puisque mon devoir m'imposait d'autres lois,
De quelque amant[3] pour moi que mon père eût fait choix,
Quand à ce grand pouvoir que la valeur vous donne
Vous auriez ajouté l'éclat d'une couronne,
15 Quand je vous aurais vu, quand je l'aurais haï,
J'en aurais soupiré, mais j'aurais obéi,
Et sur mes passions ma raison souveraine
Eût blâmé mes soupirs et dissipé ma haine.

1. Polyeucte.
2. Mon mariage.
3. Désigne ici celui qui aime, le prétendant au mariage.

SÉVÈRE.

Que vous êtes heureuse, et qu'un peu de soupirs
20 Fait un aisé remède à tous vos déplaisirs !
Ainsi de vos désirs toujours reine absolue,
Les plus grands changements vous trouvent résolue,
De la plus forte ardeur vous portez vos esprits[1]
Jusqu'à l'indifférence, et peut-être au mépris,
25 Et votre fermeté fait succéder sans peine
La faveur au dédain, et l'amour à la haine.
Qu'un peu de votre humeur, ou de votre vertu,
Soulagerait les maux de ce cœur abattu !
Un soupir, une larme à regret épandue[2]
30 M'aurait déjà guéri de vous avoir perdue,
Ma raison pourrait tout sur l'amour affaibli,
Et de l'indifférence irait jusqu'à l'oubli,
Et mon feu[3] désormais se réglant sur le vôtre,
Je me tiendrais heureux entre les bras d'une autre.
35 Ô trop aimable objet qui m'avez trop charmé,
Est-ce là comme on aime, et m'avez-vous aimé ?

PAULINE.

Je vous l'ai trop fait voir, Seigneur, et si mon âme
Pouvait bien étouffer les restes de sa flamme[4],
Dieux, que j'éviterais de rigoureux tourments !
40 Ma raison, il est vrai, dompte mes sentiments,
Mais quelque autorité[5] que sur eux elle ait prise,
Elle n'y règne pas, elle les tyrannise,
Et quoique le dehors soit sans émotion,
Le dedans n'est que trouble, et que sédition[6].
45 Un je ne sais quel charme encor vers vous m'emporte,
Votre mérite est grand, si ma raison est forte ;
Je le vois encor tel qu'il alluma mes feux
D'autant plus puissamment solliciter mes vœux,
Qu'il est environné de puissance, et de gloire,
50 Qu'en tous lieux après vous il traîne la victoire,
Que j'en sais mieux le prix, et qu'il n'a point déçu
Le généreux espoir que j'en avais conçu.
Mais ce même devoir qui le vainquit dans Rome,
Et qui me range ici dessous les lois d'un homme,
55 Repousse encor si bien l'effort de tant d'appas[7],
Qu'il déchire mon âme, et ne l'ébranle pas.
C'est cette vertu même à nos désirs cruelle
Que vous louiez alors, en blasphémant contre elle ;
Plaignez-vous-en encor, mais louez sa rigueur
60 Qui triomphe à la fois de vous, et de mon cœur,
Et voyez qu'un devoir moins ferme et moins sincère
N'aurait pas mérité l'amour du grand Sévère.

Polyeucte, acte II, scène 2, vers 461 à 522.

Pour préparer l'étude du texte

1. Vous étudierez comment se manifestent, dans cet extrait, les deux ressorts de la tragédie cornélienne, l'amour et le devoir, en soulignant, en particulier, leur opposition.
2. Vous analyserez le pathétique qui marque cette scène, en montrant notamment la cruauté de la situation pour Sévère.
3. Vous préciserez les traits caractéristiques du conflit cornélien.

1. Vos sentiments.
2. Répandue.
3. Mon amour.
4. Son amour.
5. Quelque pouvoir.
6. Révolte.
7. Attraits, charmes.

« Elle a trop de vertus pour n'être pas chrétienne »

Un dramatique entretien se déroule entre Pauline et Polyeucte. Pauline supplie son mari de penser à ses devoirs terrestres, à son amour pour elle et de ne pas l'abandonner. Polyeucte lui oppose la force de sa foi, la puissance de l'amour céleste.

PAULINE.
Cruel, car il est temps que ma douleur éclate,
Et qu'un juste reproche accable une âme ingrate,
Est-ce là ce beau feu[1] ? sont-ce là tes serments ?
Témoignes-tu pour moi les moindres sentiments ?
5 Je ne te parlais point de l'état déplorable
Où ta mort va laisser ta femme inconsolable ;
Je croyais que l'amour t'en parlerait assez,
Et je ne voulais pas de sentiments forcés.
Mais cette amour si ferme et si bien méritée
10 Que tu m'avais promise et que je t'ai portée,
Quand tu me veux quitter, quand tu me fais mourir,
Te peut-elle arracher une larme, un soupir ?
Tu me quittes, ingrat, et le fais avec joie,
Tu ne la caches pas, tu veux que je la voie,
15 Et ton cœur insensible à ces tristes appas[2]
Se figure un bonheur où je ne serai pas !
C'est donc là le dégoût qu'apporte l'hyménée[3] !
Je te suis odieuse après m'être donnée !

POLYEUCTE.
Hélas !

PAULINE.
Que cet hélas a de peine à sortir !
20 Encor s'il commençait un heureux repentir,
Que tout forcé qu'il est, j'y trouverais de charmes !
Mais courage, il s'émeut, je vois couler des larmes.

POLYEUCTE.
J'en verse, et plût à Dieu qu'à force d'en verser
Ce cœur trop endurci se pût enfin percer.
25 Le déplorable état où je vous abandonne
Est bien digne des pleurs que mon amour vous donne,
Et si l'on peut au Ciel sentir quelques douleurs,
J'y pleurerai pour vous l'excès de vos malheurs.
Mais si dans ce séjour de gloire et de lumière
30 Ce Dieu tout juste et bon peut souffrir ma prière,
S'il y daigne écouter un conjugal amour,
Sur votre aveuglement il répandra le jour.
Seigneur, de vos bontés il faut que je l'obtienne,
Elle a trop de vertus pour n'être pas chrétienne,
35 Avec trop de mérite il vous plut la former,
Pour ne vous pas connaître, et ne vous pas aimer,
Pour vivre des Enfers esclave infortunée,
Et sous leur triste joug mourir, comme elle est née.

PAULINE.
Que dis-tu, malheureux ? qu'oses-tu souhaiter ?

POLYEUCTE.
40 Ce que de tout mon sang je voudrais acheter.

PAULINE.
Que plutôt...

POLYEUCTE.
C'est en vain qu'on se met en défense[4],
Ce Dieu touche les cœurs lorsque moins on y pense,

1. Ce bel amour.
2. Ces tristes attraits.
3. Le mariage.
4. Qu'on se défend.

Ce bienheureux moment n'est pas encor venu,
Il viendra, mais le temps ne m'en est pas connu.

PAULINE.
45 Quittez cette chimère[1], et m'aimez.

POLYEUCTE.
Je vous aime,
Beaucoup moins que mon Dieu, mais bien plus que moi-même.

PAULINE.
Au nom de cet amour ne m'abandonnez pas.

POLYEUCTE.
Au nom de cet amour daignez suivre mes pas.

PAULINE.
C'est peu de me quitter, tu veux donc me séduire ?

POLYEUCTE.
50 C'est peu d'aller au Ciel, je vous y veux conduire.

Polyeucte, acte IV, scène 3, vers 1235 à 1284.

Pour préparer l'étude du texte

1. Vous étudierez la structure de cet extrait et en noterez l'évolution, en soulignant et en expliquant les modifications qui s'y manifestent (succession de longues tirades et de courtes répliques, alternance du « tu » et du « vous », etc.).
2. Les deux personnages ne se placent pas sur le même plan et n'utilisent pas les mêmes arguments. Vous ferez apparaître les différences des points de vue, des sentiments, du vocabulaire.
3. Vous analyserez l'expression de la souffrance chez Pauline.

Les limites de l'héroïsme

Cette tension, cette recherche d'un absolu ont leurs limites. Corneille a aussi construit des personnages imparfaits qui ne parviennent pas à réaliser leurs rêves de grandeur. Ils apparaissent dans les comédies de la première partie de sa carrière : Matamore, le faux brave de *L'Illusion comique*, en offre un exemple caricatural. De façon plus nuancée, certaines de ses tragédies, comme *Rodogune* ou *Sertorius*, mettent en scène des personnages contraints de composer avec les événements, englués dans la complexité des faits, obligés d'accepter les compromissions, d'utiliser des moyens contestables. Et ce désenchantement ne fera que s'accentuer dans les dernières pièces de Corneille.

L'Illusion comique
1636

Curieuse comédie que *L'Illusion comique*, comédie des apparences, des faux-semblants ! Pridamant est à la recherche de son fils, Clindor, qui a fui le domicile paternel. Le magicien Alcandre lui propose de contempler, à l'intérieur d'une grotte enchantée, des épisodes de l'existence du disparu. Il fait défiler devant ses yeux le film de la vie de son fils, où prend place, en particulier, une intrigue amoureuse complexe : Clindor aime la jeune Isabelle, elle-même courtisée par le faux brave Matamore et par Adraste. Clindor, de son côté, est aimé de la servante Lyse. Provoqué par son rival Adraste, il le blesse mortellement. Il est arrêté, condamné à mort, mais réussit à s'évader avec la complicité du geolier. Le spectacle auquel assiste le père s'achève bientôt sur une méprise : le magicien lui montre l'assassinat de Clindor. Mais, heureusement, il s'agit de la représentation d'une pièce : Clindor est devenu comédien. Rassuré, Pridamant est décidé à lui pardonner.

1. Cette illusion.

« Tu connais ma valeur, éprouve ma clémence »

Cette scène est marquée par la présence grotesque de Matamore : ce personnage de *L'Illusion comique* a donné son nom au faux brave, au fanfaron, courageux en paroles, mais qui, lorsqu'il doit agir, craint même son ombre. Il vient d'entendre Clindor tenir à Isabelle des propos amoureux, alors qu'il l'avait chargé de se faire l'interprète de son propre amour. Il commence à demander des comptes, mais fait rapidement marche arrière.

MATAMORE.
Ah ! traître !

CLINDOR.
Parlez bas : ces valets...

MATAMORE.
Eh bien ! quoi ?

CLINDOR.
Ils fondront tout à l'heure et sur vous et sur moi.

MATAMORE le tire à un coin du théâtre.
Viens çà. Tu sais ton crime, et qu'à l'objet que j'aime,
Loin de parler pour moi, tu parlais pour toi-même ?

CLINDOR.
5 Oui, pour me rendre heureux j'ai fait quelques efforts.

MATAMORE.
Je te donne le choix de trois ou quatre morts :
Je vais, d'un coup de poing, te briser comme verre,
Ou t'enfoncer tout vif au centre de la terre,
Ou te fendre en dix parts d'un seul coup de revers[1],
10 Ou te jeter si haut au-dessus des éclairs,
Que tu sois dévoré des feux élémentaires.
Choisis donc promptement, et pense à tes affaires.

CLINDOR.
Vous-même choisissez.

MATAMORE.
Quel choix proposes-tu ?

CLINDOR.
De fuir en diligence, ou d'être bien battu.

MATAMORE.
15 Me menacer encore ! Ah, ventre[2] ! quelle audace !
Au lieu d'être à genoux, et d'implorer ma grâce !...
Il a donné le mot, ces valets vont sortir...
Je m'en vais commander aux mers de t'engloutir.

CLINDOR.
Sans vous chercher si loin un si grand cimetière,
20 Je vous vais, de ce pas, jeter dans la rivière.

MATAMORE.
Ils sont d'intelligence. Ah, tête[3] !

CLINDOR.
Point de bruit :
J'ai déjà massacré dix hommes, cette nuit ;
Et si vous me fâchez, vous en croîtrez le nombre.

MATAMORE.
Cadédiou[4] ! ce coquin a marché dans mon ombre ;
25 Il s'est fait vaillant d'avoir suivi tous mes pas :
S'il avait du respect, j'en voudrais faire cas.
Écoute : je suis bon, et ce serait dommage
De priver l'univers d'un homme de courage.
Demande-moi pardon, et cesse par tes feux

D'après Grégoire Huret (1606-1670), *Le Capitan Matamore*, gravure, XVIIe siècle, Paris, B.N.
Un personnage pittoresque souvent mis en scène dans la comédie de la première partie du XVIIe siècle : le matamore, militaire ridicule, vaniteux et lâche.

1. Coup d'épée donné du côté opposé à la main qui la manie.
2. Juron pour « ventredieu », ventre de Dieu.
3. Juron pour « têtedieu », tête de Dieu.
4. Juron gascon : « têtedieu ».

30 De profaner l'objet digne seul de mes vœux ;
Tu connais ma valeur, éprouve ma clémence.

CLINDOR.
Plutôt, si votre amour a tant de véhémence,
Faisons deux coups d'épée au nom de sa beauté.

MATAMORE.
Parbleu, tu me ravis de générosité.
35 Va, pour la conquérir n'use plus d'artifices ;
Je te la veux donner pour prix de tes services :
Plains-toi dorénavant d'avoir un maître ingrat !

CLINDOR.
A ce rare présent d'aise le cœur me bat.
Protecteur des grands rois, guerrier trop magnanime[1],
40 Puisse tout l'univers bruire de votre estime !

L'Illusion comique, acte III, scène 9, vers 911 à 950.

Pour préparer l'étude du texte

1. Vous ferez le plan de ce passage, en prenant comme fils directeurs ces trois questions, auxquelles vous essaierez, par ailleurs, de donner une réponse : comment Clindor procède-t-il pour mettre Matamore en difficulté ? Comment Matamore essaie-t-il de sauver la face ? Comment Clindor contribue-t-il finalement à sortir Matamore de sa situation inconfortable ?
2. Les vantardises de Matamore s'expriment en termes imagés, marqués par l'excès. Vous le montrerez.
3. En quoi le comique qui apparaît dans ce texte est-il un comique outrancier ?

Pour une étude comparée

Vous comparerez cet extrait de *L'Illusion comique* de Corneille avec la scène 2 de l'acte I d'*Amphitryon* de Molière (voir p. 174), en insistant plus particulièrement sur les points suivants :
1. **L'expression de la peur.** Vous étudierez l'expression de la peur dans les deux textes (vocabulaire, comportement, contradictions).
2. **Le comique.** Vous montrerez que Corneille et Molière utilisent essentiellement, l'un et l'autre, le comique de situation, le comique de gestes et le comique de mots.
3. **Des personnages outranciers.** Vous relèverez et analyserez les éléments qui font de Matamore et de Sosie des personnages marqués par une outrance burlesque.

Rodogune
1645

Dans les tragédies précédentes, Corneille avait développé des sujets relativement simples. L'action de *Rodogune* apparaît beaucoup plus complexe. Pleine d'imprévu et de revirements, emplie de fureur et de cruauté, c'est une pièce romanesque dans laquelle Corneille revient à ses premières amours baroques.

La reine de Syrie, Cléopâtre, a assassiné son mari Nicanor par jalousie : il était en effet tombé amoureux de Rodogune, la sœur du roi des Parthes. Devenue régente, Cléopâtre doit donner le pouvoir à un de ses deux fils, Antiochus ou Séleucus. Elle leur fait savoir qu'elle choisira celui qui tuera Rodogune. Or, ils sont l'un et l'autre éperdument amoureux de Rodogune qui, avertie de cette rancune tenace, impose, à son tour, ses conditions : elle épousera celui des deux frères qui assassinera Cléopâtre.

La reine de Syrie, décidément bien machiavélique, change alors de stratégie. Elle feint de soutenir Antiochus et d'accepter son mariage avec Rodogune, de façon à dresser Séleucus contre lui. C'est de nouveau l'échec, ce qui la pousse aux solutions les plus sanglantes. Elle fait mettre à mort Séleucus, puis, au cours de la cérémonie qui doit sceller le mariage entre Antiochus et Rodogune, elle présente aux deux fiancés une coupe de poison. On vient alors annoncer la mort de Séleucus. Cléopâtre, prête à tout pour assouvir sa haine, trempe ses lèvres dans la coupe et la tend ensuite à Antiochus. Mais elle défaille avant que son fils ait commencé à boire.

1. Généreux.

« Je me donne à ce prix : osez me mériter »

Rodogune répond aux déclarations d'amour d'Antiochus et de Séleucus par une cruelle condition : elle épousera celui des deux qui tuera Cléopâtre. Elle exige de son futur mari qu'il venge son père en devenant le meurtrier de sa mère.

Rodogune.
Ce beau feu vous aveugle autant comme il vous brûle ;
Et, tâchant d'avancer, son effort vous recule.
Vous croyez que ce choix que l'un et l'autre attend
Pourra faire un heureux sans faire un mécontent ;
5 Et moi, quelque vertu que votre cœur prépare,
Je crains d'en faire deux si le mien se déclare ;
Non que de l'un et l'autre il dédaigne les vœux :
Je tiendrais à bonheur[1] d'être à l'un de vous deux ;
Mais souffrez que je suive enfin ce qu'on m'ordonne :
10 Je me mettrai trop haut s'il faut que je me donne ;
Quoique aisément je cède aux ordres de mon roi,
Il n'est pas bien aisé de m'obtenir de moi.
Savez-vous quels devoirs, quels travaux, quels services,
Voudront de mon orgueil exiger les caprices ?
15 Par quels degrés de gloire on me peut mériter ?
En quels affreux périls il faudra vous jeter ?
Ce cœur vous est acquis après le diadème[2],
Princes ; mais gardez-vous de le rendre à lui-même.
Vous y renoncerez peut-être pour jamais,
20 Quand je vous aurai dit à quel prix je le mets.

Séleucus.
Quels seront les devoirs, quels travaux, quels services
Dont nous ne vous fassions d'amoureux sacrifices ?
Et quels affreux périls pourrons-nous redouter,
Si c'est par ces degrés qu'on peut vous mériter ?

Antiochus.
25 Princesse, ouvrez ce cœur, et jugez mieux du nôtre ;
Jugez mieux du beau feu qui brûle l'un et l'autre,
Et dites hautement à quel prix votre choix
Veut faire l'un de nous le plus heureux des rois.

Rodogune.
Princes, le voulez-vous ?

Antiochus.
C'est notre unique envie.

Rodogune.
30 Je verrai cette ardeur d'un repentir suivie.

Séleucus.
Avant ce repentir tous deux nous périrons.

Rodogune.
Enfin vous le voulez ?

Séleucus.
Nous vous en conjurons[3].

Rodogune.
Eh bien donc ! il est temps de me faire connaître.
J'obéis à mon roi, puisqu'un de vous doit l'être ;
35 Mais quand j'aurai parlé, si vous vous en plaignez,
J'atteste tous les dieux que vous m'y contraignez,
Et que c'est malgré moi qu'à moi-même rendue
J'écoute une chaleur qui m'était défendue ;
Qu'un devoir rappelé me rend un souvenir
40 Que la foi des traités ne doit plus retenir.

1. Je considérerais comme un bonheur.
2. Bandeau mis autour de la tête, marque du pouvoir royal.
3. Nous vous en supplions.

Valentin de Boulogne (1591-1632), *Judith et Holopherne*, La Valette (Malte), musée national.
En effectuant son geste horrible, Judith, l'héroïne biblique paraît aussi déterminée et impassible que Rodogune face à ses prétendants.

Tremblez, Princes, tremblez au nom de votre père :
Il est mort, et pour moi, par les mains d'une mère.
Je l'avais oublié, sujette à d'autres lois ;
Mais libre, je lui rends enfin ce que je dois.
45 C'est à vous de choisir mon amour ou ma haine.
J'aime les fils du roi, je hais ceux de la reine :
Réglez-vous là-dessus ; et sans plus me presser[1],
Voyez auquel des deux vous voulez renoncer.
Il faut prendre parti, mon choix suivra le vôtre :
50 Je respecte autant l'un que je déteste l'autre ;
Mais ce que j'aime en vous du sang de ce grand roi,
S'il n'est digne de lui, n'est pas digne de moi.
Ce sang que vous portez, ce trône qu'il vous laisse,
Valent bien que pour lui votre cœur s'intéresse :
55 Votre gloire le veut, l'amour vous le prescrit[2].
Qui peut contre elle et lui soulever votre esprit ?
Si vous leur préférez une mère cruelle,
Soyez cruels, ingrats, parricides comme elle.
Vous devez la punir, si vous la condamnez ;
60 Vous devez l'imiter, si vous la soutenez.
Quoi ? cette ardeur s'éteint ! l'un et l'autre soupire !
J'avais su le prévoir, j'avais su le prédire...

ANTIOCHUS.
Princesse...

RODOGUNE.
Il n'est plus temps, le mot en est lâché.
Quand j'ai voulu me taire, en vain je l'ai tâché.
65 Appelez ce devoir haine, rigueur, colère :
Pour gagner Rodogune il faut venger un père ;
Je me donne à ce prix : osez me mériter,
Et voyez qui de vous daignera m'accepter.
Adieu, Princes.

Rodogune, acte III, scène 4, vers 979 à 1047.

Pour préparer l'étude du texte

1. Vous dégagerez les grands mouvements de ce texte, en prenant comme guide la révélation progressive des conditions de Rodogune.

2. Antiochus et Séleucus apparaissent soumis à la volonté de Rodogune qui joue avec leur amour. Vous montrerez comment est exposée cette situation et comment en est soulignée la cruauté.

3. Des vers 41 à 62, Rodogune oppose vigoureusement le père et la mère de ses deux prétendants. Vous relèverez et analyserez les termes qui marquent cette opposition.

1. Sans plus me harceler, me pousser à prendre une décision.
2. L'amour vous l'ordonne.

Sertorius

1662

Cette tragédie se déroule durant la guerre qui opposa, au Ier siècle av. J.-C., deux factions romaines rivales, l'une commandée par Sylla, l'autre dirigée par Marius. Appuyé par Viriate, reine de Lusitanie (l'actuel Portugal), Sertorius, allié de Marius, s'apprête à marcher de l'Espagne où il se trouve sur Rome.

L'inévitable intrigue amoureuse vient pimenter le sujet politique. Viriate, qui veut épouser Sertorius, est aimée d'un proche de Sertorius, Perpenna. Sertorius hésite : il abandonnerait volontiers Viriate à Perpenna, pour se marier avec Aristie que Pompée a répudiée sous la pression de Sylla, dont il est l'allié. Après avoir en vain essayé d'amener Pompée à sa cause, Sertorius se décide finalement à prendre Viriate pour épouse. Dépité, Perpenna le fait assassiner, avant d'être vaincu par Pompée qui le livrera au peuple, offrira à Viriate une paix honorable et considérera, à nouveau, Aristie comme sa femme.

« Rome n'est plus dans Rome, elle est toute où je suis »

Une entrevue décisive réunit Sertorius et Pompée. Sertorius rejette les propositions de réconciliation qui lui sont faites. Il ne peut accepter aucun compromis avec Sylla dont Pompée est l'allié : Sylla est un tyran sanguinaire, et Sertorius place l'amour de la liberté avant tout.

SERTORIUS.
Si je commande ici, le sénat me l'ordonne,
Mes ordres n'ont encore assassiné personne.
Je n'ai pour ennemis que ceux du bien commun ;
Je leur fais bonne guerre, et n'en proscris[1] pas un.
5 C'est un asile ouvert que mon pouvoir suprême ;
Et si l'on m'obéit, ce n'est qu'autant qu'on m'aime.

POMPÉE.
Et votre empire[2] en est d'autant plus dangereux,
Qu'il rend de vos vertus les peuples amoureux,
Qu'en assujettissant vous avez l'art de plaire,
10 Qu'on croit n'être en vos fers qu'esclave volontaire,
Et que la liberté trouvera peu de jour[3]
A détruire un pouvoir que fait régner l'amour.
Ainsi parlent, Seigneur, les âmes soupçonneuses ;
Mais n'examinons point ces questions fâcheuses,
15 Ni si c'est un sénat qu'un amas de bannis
Que cet asile ouvert sous vous a réunis.
Une seconde fois, n'est-il aucune voie
Par où je puisse à Rome emporter quelque joie ?
Elle serait extrême à trouver les moyens
20 De rendre un si grand homme à ses concitoyens.
Il est doux de revoir les murs de la patrie[4] :
C'est elle par ma voix, Seigneur, qui vous en prie ;
C'est Rome...

SERTORIUS.
Le séjour de votre potentat[5],
Qui n'a que ses fureurs pour maximes d'État ?
25 Je n'appelle plus Rome un enclos de murailles
Que ses proscriptions[6] comblent de funérailles :
Ces murs, dont le destin fut autrefois si beau,
N'en sont que la prison, ou plutôt le tombeau ;
Mais pour revivre ailleurs dans sa première force,
30 Avec les faux Romains elle a fait plein divorce ;
Et comme autour de moi j'ai tous ses vrais appuis,
Rome n'est plus dans Rome, elle est toute où je suis.
Parlons pourtant d'accord. Je ne sais qu'une voie
Qui puisse avec honneur nous donner cette joie.

1. Et n'en mets hors la loi.
2. Votre pouvoir.
3. Aura peu d'occasion, de possibilité.
4. Pour Sertorius qui est loin de Rome.
5. Désigne Sylla, détenteur d'un pouvoir absolu.
6. Ces mises hors la loi.

35 Unissons-nous ensemble, et le tyran est bas[1] :
Rome à ce grand dessein ouvrira tous ses bras.
Ainsi nous ferons voir l'amour de la patrie,
Pour qui vont les grands cœurs jusqu'à l'idolâtrie ;
Et nous épargnerons ces flots de sang romain
40 Que versent tous les ans votre bras et ma main[2].

POMPÉE.
Ce projet, qui pour vous est tout brillant de gloire,
N'aurait-il rien pour moi d'une action trop noire ?
Moi qui commande ailleurs, puis-je servir sous vous[3] ?

SERTORIUS.
Du droit de commander je ne suis point jaloux ;
45 Je ne l'ai qu'en dépôt, et je vous l'abandonne,
Non jusqu'à vous servir de ma seule personne :
Je prétends un peu plus ; mais dans cette union
De votre lieutenant m'envierez-vous le nom ?

POMPÉE.
De pareils lieutenants n'ont des chefs qu'en idée :
50 Leur nom retient pour eux l'autorité cédée ;
Ils n'en quittent que l'ombre ; et l'on ne sait que c'est
De suivre ou d'obéir que suivant qu'il leur plaît[4].
Je sais une autre voie, et plus noble et plus sûre.
Sylla, si vous voulez, quitte sa dictature[5],
55 Et déjà de lui-même il s'en serait démis,
S'il voyait qu'en ces lieux il n'eût plus d'ennemis.
Mettez les armes bas, je réponds de l'issue[6] :
J'en donne ma parole après l'avoir reçue.
Si vous êtes Romain, prenez l'occasion[7].

Sertorius, acte III, scène 1, vers 905 à 963.

Jean Lemaire (1598-1659), *Vue de Rome*, Rouen, musée des Beaux-Arts.
« Ces murs, dont le destin fut autrefois si beau. »

Pour préparer le commentaire composé

1. **L'art de la confrontation.** Vous relèverez et étudierez les points de désaccord entre Pompée et Sertorius.
2. **Un respect mutuel.** Vous montrerez que les deux personnages se respectent malgré leur antagonisme.
3. **Images et fonctions de Rome.** Vous récapitulerez les images et les fonctions de Rome dans ce passage. Vous en déduirez l'importance du contexte historique dans le déroulement de l'action.

1. Est mis à bas.
2. Au cours des combats de cette guerre civile qui les oppose.
3. Pompée est l'allié de Sylla.
4. Et ils ne savent ce que c'est de suivre et d'obéir que dans la mesure où cela leur plaît.
5. Magistrature qui donnait un pouvoir illimité.
6. Je réponds du résultat.
7. Si vous êtes un vrai Romain, saisissez l'occasion offerte.

Naissance et mérite

Dans son étude, *Sur Corneille*, Jean Starobinski souligne que le héros cornélien se construit à partir de deux notions, la naissance et le mérite. Mais les rapports qui s'établissent entre ces deux données varient. Ou bien, comme chez Rodrigue, la gloire, consentie par la naissance, liée à l'origine noble, doit être méritée, concrétisée par les exploits. Ou bien, comme pour Sertorius, ce sont les exploits qui créent la gloire, qui permettent au héros d'acquérir un nom.

Selon la psychologie de Corneille, nous l'avons vu, le « grand nom » résulte des actes : le héros crée sa renommée à partir de ses hauts faits. Le nom glorieux vient unifier les exploits discontinus, les rassemblant à la cime de leur trajectoire. Ainsi l'élan de la décision précède l'éclat du nom, la conscience de l'effort se trouve au cœur même du plaisir d'éblouir. Et si tout s'achève dans la gloire, tout commence par les coups de force de la volonté. Mais, selon l'idéologie que Corneille partage avec les nobles, qui seront son meilleur public, tout commence par un grand nom : les grands actes résultent infailliblement. L'ordre suivi par la psychologie se trouve exactement renversé. Il suffit d'être prince ou d'être né en haut lieu : le nom anticipe et détermine à l'avance tous les exploits, il en est le garant. La grandeur et la générosité, qui préexistent dans la race, sont un apanage[1] reçu par droit de naissance. Le nom, en ce cas, commande tout, et l'on peut dire que l'essence[2] glorieuse, qui a sa source dans un passé immémorial[3], précède l'existence[4] à la façon d'une idée platonicienne. Elle n'est pas conquise, mais héritée. Aucun acte, dès lors, n'a de valeur inaugurale[5] ; le courage n'est pas un surgissement originel de la volonté libre, mais la preuve d'une continuité ancestrale qui se transmet par le sang. Aussi le héros ne choisit pas son destin, il est élu par une destinée que lui annonce à l'avance le blason de sa race : élection qui est à la fois la plus haute responsabilité et la plus complète irresponsabilité. En face d'une telle idéologie, de structure typiquement féodale, la psychologie cornélienne semble définir au contraire l'attitude des grands bourgeois qui se font un nom *à force d'exploits et de services rendus au roi et à la France. Ces bourgeois, loin d'abord de refuser la notion aristocratique de la gloire, n'ont qu'une seule ambition : s'installer dans la gloire, se la faire octroyer en récompense de leurs mérites. Corneille, ne l'oublions pas, appartient à une famille où l'on recherche ardemment l'anoblissement, où l'on est impatient de quitter l'obscurité bourgeoise. L'on ne s'oppose pas de front à l'idéologie féodale, dont on envie le prestige. Le bourgeois veut sa part de gloire. Il entend, lui aussi, perpétuer son nom, vivre par lui d'une existence qui dépasse la durée exiguë de la vie humaine, et prolonger au-delà de toute mesure les pouvoirs de la présence agissante. Sertorius, héros solitaire, général « sorti du rang », a conquis cette sorte d'éternité, qui fait dire à son amante :*

Sa mort me laissera, pour ma protection,
La splendeur de son ombre et l'éclat de son nom.

Jean Starobinski, Sur Corneille, L'Œil vivant, *Paris, Gallimard, 1970.*

Synthèse

L'héroïsme

Que l'appel de l'honneur apparaisse irrésistible ou que ses effets se trouvent limités par un certain désenchantement, l'héroïsme est au centre du théâtre de Corneille : ses pièces sont construites autour d'un ou plusieurs personnages qui se distinguent par leur recherche d'un absolu, qui se veulent parés de qualités exceptionnelles, qui font tout pour apparaître comme des héros. Le but suprême de leur vie, c'est de veiller à leur « gloire », c'est de défendre, en toute occasion, leur honneur. Défendre son honneur, c'est, pour le héros cornélien, correspon-

1. Désigne un territoire attribué par les souverains à leur fils cadet et donc, plus généralement, un bien qui revient par droit de naissance.
2. Ce qui constitue la nature d'un être, ce qui lui est donné à l'origine.
3. Très ancien, dont la mémoire ne peut se souvenir.
4. Le fait d'exister, la manifestation, la concrétisation de l'essence.
5. Qui inaugure, qui consacre, qui débute.

dre à l'image qu'il a de lui-même. Il s'agit donc d'abord d'un comportement personnel, individuel : Rodrigue se voit comme un brave (voir texte, p. 143) ; Horace se considère comme un patriote (voir texte, p. 146) ; Auguste s'estime généreux (voir texte, p. 148) ; Pauline sublime sa foi conjugale (voir texte, p. 150) et Polyeucte sa foi religieuse (voir texte, p. 152) ; Sertorius exalte la liberté (voir texte, p. 158). Tous, même Matamore qui, sur le mode dérisoire, se veut un surhomme au courage sans limites (voir texte, p. 154), mettent toute leur énergie pour correspondre à cet idéal qu'ils se sont donné.

Dans cette conception de l'honneur, interviennent aussi des valeurs qui dépassent l'individu, qui viennent de l'histoire ou de la société, qui rendent chaque héros dépendant d'une communauté, responsable devant elle : ainsi, en vengeant son père, Rodrigue ne défend pas seulement son honneur personnel, mais aussi l'honneur de sa caste ; Horace lutte pour la survie de sa patrie ; Polyeucte entend rester fidèle à sa foi chrétienne, mais aussi à l'ensemble des croyants dont il fait partie ; Sertorius, dans son amour pour la liberté, poursuit l'idéal républicain de tous les Romains.

Le dilemme cornélien : l'amour ou l'honneur

Face à l'honneur, se dresse souvent l'amour. Ce dont là deux impulsions contradictoires. L'honneur, qui relève du devoir, de la raison, est considéré à l'époque comme un sentiment fort. L'amour, qui est désir, spontanéité, passe au contraire pour un sentiment faible. Lorsque ces deux forces s'affrontent, lorsqu'elles se combattent, elles provoquent chez le héros des cas de conscience : c'est ce qu'on appelle le dilemme cornélien. Le héros pourrait en être mutilé, meurtri, aliéné. En fait, le traumatisme qu'il ressent ne laisse guère de traces, parce que l'honneur lui apparaît beaucoup plus important que l'amour. Le devoir finit généralement par triompher : Rodrigue s'engage résolument sur la voie de la vengeance ; Horace choisit le patriotisme au détriment de ses liens familiaux ; Polyeucte préfère, sans hésitation, sa foi chrétienne à son amour pour sa femme, sa vie spirituelle à sa vie corporelle ; Séleucus et Antiochus se refusent à satisfaire les vœux de Rodogune et à tuer leur mère (voir texte, p. 156).

Les héros cornéliens, contrairement aux héros raciniens (voir p. 243), sont donc souvent dominés par une impulsion tellement forte qu'elle réduit l'autre impulsion au silence. Bien plus, il arrive parfois que l'honneur assimile en quelque sorte l'amour, se conjugue avec lui. Rodrigue, par exemple, sait que, s'il renonce à venger son père, loin de conserver l'amour de Chimène, il le perdra irrémédiablement, car celle qu'il aime ne lui pardonnera pas ce manquement à l'honneur. Cette absence réelle de contradictions fait du théâtre de Corneille un théâtre beaucoup moins tragique que celui de Racine. Ce qui est en effet fondamentalement tragique, c'est d'avoir à lutter contre soi-même. Or cette lutte intérieure ne dure guère et c'est, en définitive, contre des obstacles extérieurs que les héros cornéliens ont à combattre.

Se dominer soi-même et dominer les autres

La démarche du héros cornélien suppose donc une grande maîtrise de ses impulsions. Elle exige aussi de dominer les autres. Ce comportement, qui explique l'importance du thème du pouvoir, ne va pas sans égoïsme. Le héros cornélien, enfermé dans ses convictions, fait souvent bon marché de ceux qui l'entourent. Il est marqué par le sectarisme. Horace ne tient nullement compte de la souffrance de sa femme et de sa sœur. Polyeucte a renoncé à la vie terrestre, sans considérer que son épouse continue à s'y débattre. Sertorius utilise Viriate et Aristie comme des pièces sur l'échiquier politique.

Qu'importe ? Ils ont choisi la voie de l'honneur ; ils assument leur condition ; ils rejettent l'aliénation ; même si leurs actes sont largement déterminés par ce qu'ils sont, ils pensent être des hommes libres, ils estiment avoir réussi à faire reculer la fatalité. Dans ces conditions, savoir s'ils font le bonheur des autres ou s'ils les plongent dans le malheur ne les préoccupe guère. Ce qui compte pour eux, c'est leur volonté inébranlable une fois la décision prise. L'empereur Auguste le montre bien, lorsque, après avoir hésité un moment entre le pardon et le châtiment des comploteurs, il s'écrie :

> « Je suis maître de moi comme de l'univers ;
> Je le suis, je veux l'être. » (voir p. 148).

Un système dramatique de transition

Le système dramatique de Corneille se rapproche du système classique (voir p. 138). Mais il en diffère encore : une partie importante de sa carrière se situe en effet durant la période de transition qui précède l'instauration du théâtre régulier.

Corneille assigne à l'auteur dramatique les deux buts qui seront constamment affirmés par les classiques, plaire et instruire. Plaire ? En séduisant le spectateur par l'intérêt de l'action et par la beauté du style. Instruire ? Il convient de fournir des exemples, non pas en faisant en sorte que les bons soient récompensés et les méchants punis, c'est là une solution trop élémentaire, mais en peignant les caractères de manière à ce que le public soit attiré par les qualités et que les défauts suscitent en lui de la répulsion : ainsi il admirera l'honnête Sertorius et rejettera le traître Perpenna.

Antoine Coysevox (1640-1720), *Buste du Grand Condé*, Paris, musée du Louvre. Condé (1621-1686), le symbole de l'héroïsme au XVIIe siècle.

Pour être exemplaires, significatifs, les personnages doivent avoir un comportement excessif : « J'estime », écrit Corneille dans le deuxième *Discours sur l'art dramatique*, « qu'il ne faut point faire de difficulté d'exposer[1] sur la scène des hommes très vertueux ou très méchants [...]. » C'est parce qu'Horace exprime avec démesure son patriotisme qu'il devient le modèle à la fois admirable et inquiétant de ce patriotisme. C'est parce qu'Auguste pousse jusqu'au bout le sens du pardon qu'il est l'exemple de la générosité. C'est parce que Cléopâtre ne connaît aucune limite dans sa cruauté et son désir de vengeance qu'elle est la cruauté même, la vengeance incarnée. On est loin alors de la modération classique et des vraisemblances. Corneille ne s'en soucie guère, à partir du moment où les faits, les comportements sont cautionnés par l'histoire : pour lui, la vérité historique passe avant la vraisemblance.

C'est que Corneille a une conception très large des fameuses règles classiques qui sont en train de s'établir (voir p. 138). Il refuse d'en être esclave. S'il les respecte souvent dans la lettre, il n'est pas toujours fidèle à leur esprit. On a vu comment il les appliquait dans *Le Cid* (p. 142). Ce qu'il en dit dans l'Épître qui précède l'édition de *La Suivante* rend tout à fait compte de cette position souple, ancrée dans la pratique : ces règles, il conviendrait, écrit-il, de « les apprivoiser adroitement avec notre théâtre ».

La rigueur et la tension du style

Corneille met son style, fait de rigueur et de tension, au service de ce système dramatique. Son vocabulaire, où les termes de « gloire », d'« honneur », de « devoir », de « vertu » reviennent constamment, révèle l'importance du thème de l'héroïsme. Le recours fréquent à l'antithèse souligne les hésitations, les cas de conscience qui, malgré leur détermination, marquent les personnages. La structure de l'alexandrin, martelé, aux coupes régulières, montre la volonté qui les anime.

La construction de ses personnages répond, par ailleurs, à une double préoccupation. D'un côté, il évite d'en faire des êtres abstraits, sans chair, des symboles desséchés. Mais, parallèlement, il a le goût des vérités générales. Son désir de démontrer, de dégager des réalités valables pour tous se concrétise dans le recours à la maxime, à la sentence : il a le génie de la formule concise ; il a multiplié dans son œuvre des vers qui sont devenus comme des proverbes, des citations obligées, manifestations d'un idéal à atteindre, de règles morales à suivre :

« Pour grands que soient les rois, ils sont ce que nous sommes. »
(*Le Cid*, acte I, scène 3).

« C'est aux rois, c'est aux grands, c'est aux esprits bien faits,
A voir la vertu pleine en ses moindres effets.[2] »
(*Horace*, acte V, scène 3).

« C'est une lâcheté que de remettre à d'autres
Les intérêts publics qui s'attachent aux nôtres.[3] »
(*Cinna*, acte I, scène 2).

« Il est doux de périr après ses ennemis. »
(*Rodogune*, acte V, scène 1).

« La tendresse n'est point de l'amour d'un héros.[4] »
(*Suréna*, acte V, scène 3).

1. Qu'il ne faut point hésiter à exposer.
2. A voir apparaître pleinement la vertu dans ses manifestations les plus insignifiantes.
3. Les intérêts publics qui sont liés à nos propres intérêts.
4. La tendresse ne fait pas partie de l'amour d'un héros.

Charles Le Brun (1619-1690), *Apothéose de Louis XIV*, Montauban, musée Ingres.

LA PÉRIODE CLASSIQUE (1661-1685)

LE TRIOMPHE DES NORMES

L'AFFIRMATION DE LA MONARCHIE ABSOLUE ET DU CLASSICISME

Vingt-cinq années cruciales

1661-1685 : ces quelque vingt-cinq années occupent une place essentielle dans l'ensemble du XVIIe siècle. Durant cette brève période, la monarchie absolue se consolide : ainsi s'affirme cette forme de pouvoir centralisé et fort qui laissera des traces durables, encore apparentes dans la France d'aujourd'hui.

C'est aussi un certain retour à l'ordre qui se produit alors ; c'est l'apparition d'un état d'esprit qui vise à tout régler, à tout régenter, à établir des normes dans tous les domaines ; c'est le développement d'un État tentaculaire qui envahit tout. Cette époque, c'est enfin un moment privilégié où fleurit une multitude d'auteurs et de créateurs de talent, où s'impose une littérature d'ordre attachée aux règles, à la concision, à la clarté, la littérature classique.

L'irrésistible montée de la puissance de Louis XIV

Après la mort de Mazarin en 1661, Louis XIV a les mains libres. A vingt-trois ans, il peut assumer lui-même les responsabilités du pouvoir. Pendant ces vingt-cinq premières années de son long règne, il travaille patiemment à imposer sa toute-puissance, à assurer l'unité et la force de son royaume. Il poursuit quatre objectifs principaux.

Concentrer tous les pouvoirs — Son premier but est de concentrer entre ses mains tous les pouvoirs. Pour y parvenir, il veille à ce qu'aucun de ses ministres ne prenne une trop grande importance. Le temps où Richelieu, puis Mazarin, déterminaient la politique de la France est bien révolu. C'est le roi qui maintenant décide. Le sort déplorable de Fouquet va bientôt servir d'exemple.

Ce puissant ministre des Finances avait amassé une immense fortune. Il ne cessait de renforcer son influence. Il avait constitué autour de lui une véritable cour rivale de celle du roi et avait notamment pris sous sa protection Molière et La Fontaine. Il avait fait construire un somptueux château près de Paris, à Vaux-le-Vicomte. En 1661, il donne des fêtes magnifiques pour son inauguration en présence du roi. Il ne profitera pas longtemps de ce luxe étalé. Arrêté peu de temps après, accusé de dilapider l'argent de l'État, il est condamné, en 1664, à la prison à perpétuité.

Empêcher le développement de pouvoirs concurrents, cela suppose aussi l'abaissement de la noblesse. Louis XIV accentue l'habile politique de ses prédécesseurs. Il s'appuie sur la bourgeoisie pour affaiblir la noblesse. Ce sont des bourgeois (voir p. 316) qu'il appelle à son gouvernement. Les nobles (voir p. 266), coupés des réalités économiques et politiques, ne sont plus que des figurants dans ce théâtre prestigieux de la cour royale, dont l'isolement s'aggrave lorsqu'elle s'installe définitivement à Versailles, en 1682. Louis XIV, enfin, continue à réduire le rôle des parlements provinciaux auxquels il ne laisse que des miettes de pouvoir (voir p. 316).

Assurer l'unité religieuse et idéologique — Exercer un pouvoir fort, cela suppose régner sur un pays uni, tous les hommes d'État le savent et usent habilement de l'appel à l'unité nationale. Cette unité nationale, au XVIIe siècle, est directement liée à l'unité religieuse. Louis XIV en est conscient.

Au début de son règne, c'est la raison d'État qui le pousse à agir : il n'est en effet alors guère attiré par la foi. Mais à partir des années 1680, il évolue : impressionné par l'Affaire des Poisons (1670-1680), sordide fait divers dans lequel la cour est gravement compromise (voir p. 217), influencé par Madame de Maintenon qu'il épouse secrètement en 1683, il devient peu à peu d'une piété méticuleuse et agit alors par conviction.

Stefano della Bella (1610-1664), *Louis XIV en Apollon dans le ballet de la Nuit*, le 23 février 1653, dessin, Paris, B.N.

Son action se développe dans plusieurs directions. Il essaie de diminuer l'emprise du pape sur le clergé, de donner à l'Église une orientation plus nationale. Il combat le jansénisme (voir p. 110), parce qu'il est source de division. Mais surtout, il tente de réduire l'idéologie protestante. Si Louis XIV lutte plus particulièrement contre le protestantisme, c'est parce qu'il rompt l'unité nationale en suscitant un genre de vie différent de celui de la majorité de la population, c'est parce qu'il risque de constituer une force au service des pays qui, comme l'Angleterre ou la Hollande, s'en réclament, c'est parce que, fondé sur une organisation plus démocratique, il déshabitue de l'obéissance hiérarchique et jette de dangereux ferments d'anarchie et de libre discussion. Louis XIV restreint d'abord les droits des protestants en appliquant l'édit de Nantes dans un sens restrictif. Puis, vient le temps des brimades, des persécutions, de la répression sanglante (1681-1685). Enfin, il commet la grave erreur de révoquer l'édit de Nantes (1685), ce qui poussera les protestants à l'exil, pour le grand dommage économique de la France.

A cette normalisation religieuse s'ajoute une normalisation sociale. Tout jugement sur les comportements tend à s'opérer autour des notions de normalité et d'anormalité. Des règles de conduite s'imposent, dont la cour, avec son étiquette rigide, donne un exemple presque caricatural.

Construire la prospérité — La puissance d'un pays est liée à sa prospérité économique. Louis XIV, qui y attache une grande importance, charge son ministre Colbert de prendre les mesures nécessaires au développement de la France. Ses réalisations, dans ce domaine, sont considérables : il encourage l'industrie, le commerce, l'agriculture, il fait construire des routes et des canaux, réorganise les finances, fonde de nombreuses manufactures d'État, comme la Manufacture de meubles et de tapis des Gobelins, entreprises nationales avant la lettre.

Affirmer la présence française à l'extérieur — Une grande puissance doit aussi affirmer sa présence à l'extérieur. Louis XIV poursuit l'agrandissement du territoire, en annexant au nord la Flandre (1668) et à l'est la Franche-Comté (1678). Il confie à Vauban le soin de fortifier les frontières. En 1663, les possessions canadiennes qui, depuis 1627, étaient la propriété de la

Compagnie de la Nouvelle-France, chargée de les faire fructifier, sont rattachées au domaine royal. Mais cette volonté d'expansion ne va pas sans guerres. Des conflits incessants et coûteux opposent la France à l'Espagne, à l'Autriche, à la Hollande, à l'Angleterre, à la Suède. Cette période troublée sur le plan extérieur s'achève en 1678 avec la paix de Nimègue qui consacre, pour un temps, la suprématie française.

Henri Testelin (1616-1695), *Établissement de l'Académie des sciences*, musée national du Château de Versailles.

Un grand rayonnement culturel

Une culture d'État — Le rayonnement culturel fait naturellement partie de cette politique de grandeur. Le pouvoir renforce sa mainmise sur la culture. Il encourage, par sa protection ou par l'octroi de pensions, les artistes qui lui conviennent : Molière bénéficiera ainsi largement des faveurs de Louis XIV. Le roi poursuit la politique de création d'académies destinées à surveiller tous les domaines de l'activité artistique et intellectuelle : en 1663, l'Académie des inscriptions et belles-lettres est créée ; en 1666, l'Académie des sciences voit le jour. Louis XIV souligne l'intérêt qu'il porte à ces problèmes, lorsque, en 1663, il déclare à une équipe de travail qu'il a constituée pour veiller à l'orthodoxie de la création artistique : « Vous pouvez, Messieurs, juger de l'estime que je fais de vous, puisque je vous confie la chose du monde qui m'est la plus précieuse, qui est ma gloire. »

Une génération d'écrivains : constantes et originalités — C'est durant cette période de dirigisme intellectuel qu'apparaissent ces grands noms d'écrivains qu'a retenus l'histoire de la littérature. Des traits communs unissent cette génération d'auteurs associés à la gloire de Louis XIV. Attachés à des règles d'écriture, ils sont attirés par l'absolu, par la vérité, même s'ils s'aperçoivent, avec quelque désenchantement, de l'écart qui sépare leur idéal des exigences de la vie quotidienne soumise au relatif, aux compromissions.

Mais cette communauté d'esprit que l'on appelle le classicisme (voir p. 369) ne débouche pas sur une homogénéité appauvrissante, n'empêche pas la multiplication de solutions originales et variées : que de nuances se font en effet jour aussi bien dans les genres cultivés que dans les approches adoptées ! Molière (1622-1673) qui, dans ses comédies, utilise la dérision pour montrer les dangers de la démesure, diffère sensiblement de Jean Racine (1639-1699) qui, dans ses tragédies, met en scène des personnages excessifs au comportement pathétique. François de La Rochefoucauld (1613-1680) qui, dans ses *Maximes*, mène une réflexion pessimiste sur le comportement humain, ne ressemble guère à la marquise de Sévigné (1626-1696) qui, dans ses *Lettres*, fait souvent preuve d'enthousiasme et d'exaltation. Les romans de Madame de La Fayette (1634-1693) marqués par l'idéalisme contrastent avec *Le Roman bourgeois* (1666) d'Antoine Furetière (1619-1688) qui continue la tradition réaliste. Le lyrisme poétique d'un Jean de La Fontaine (1621-1695) s'oppose au prosaïsme d'un Nicolas Boileau (1636-1711).

UNE COMÉDIE TRIOMPHANTE ET MULTIPLE

MOLIÈRE, THOMAS CORNEILLE

Anonyme, XVIIe siècle, *Farceurs français et italiens en 1670*, Paris, Comédie-Française.
Molière figure à l'extrême gauche du tableau.

LA SPECTACULAIRE PROGRESSION DE LA COMÉDIE

Au début du XVIIe siècle, la comédie est en pleine crise. Vers 1630, des auteurs de théâtre, comme Jean Mairet ou Pierre Corneille, commencent à la sortir de sa léthargie. Mais il faut attendre cette période 1661-1685 pour assister à son irrésistible montée. Elle devient alors dominante, conquérante, l'emporte sur tous les autres genres dramatiques. Les chiffres sont éloquents et montrent bien cette progression : de 1610 à 1630, les comédies représentent moins de 7 % du total de la production théâtrale ; de 1631 à 1652, leur part dépasse 18 % ; de 1653 à 1669, elle atteint 51 % ; de 1670 à 1700, elle s'élève à près de 70 %.

C'est donc à une véritable explosion que l'on asssiste. Molière joue un rôle certain dans ce développement du genre : la progression de la comédie est surtout sensible au cours de sa carrière. Mais l'évolution du public est également un facteur important. De plus en plus, le peuple s'intéresse au théâtre, et le genre comique est particulièrement adapté à sa sensibilité. Enfin l'évolution de la comédie elle-même entre également en ligne de compte : elle devient plus modérée, plus policée, plus élaborée, et conquiert ainsi les courtisans et les habitués des salons, gens raffinés qui étaient jusque-là rebutés par ses excès.

DES SOLUTIONS VARIÉES

Une certaine diversité caractérise alors la comédie. Si, en général, les auteurs y appliquent les règles du théâtre régulier (voir p. 138), des exceptions notables apparaissent : *Dom Juan* de Molière, par exemple, se déroule sur trente-six heures, nécessite plusieurs décors, introduit des développements marqués par la tension dramatique (voir p. 199).

L'intrigue traditionnelle est, la plupart du temps, de rigueur : une jeune première et un jeune premier, aidés par des serviteurs et des servantes rusés, luttent pour leur bonheur ; ils s'aiment et ont à combattre des parents qui s'oppposent à leur mariage, parce qu'ils souhaitent un gendre ou une belle-fille qui corresponde à leurs vœux. Ce schéma donne lieu à des types différents de comédies, dont Molière, offre, dans son œuvre, un large éventail. Tantôt, comme dans *Le Dépit amoureux* (voir p. 172), ce sont les rebondissements de l'action qui sont privilégiés, les effets de surprise qui sont exploités. Tantôt, comme dans *Les Fourberies de Scapin* (voir p. 175), c'est la farce et son gros comique qui se développent. Tantôt, comme dans *Les Femmes savantes* (voir p. 185), l'accent est mis sur le caractère des personnages. Tantôt, encore, comme dans *Tartuffe* (voir p. 196), sont évoqués les problèmes sociaux de fond, les rapports de pouvoir à l'intérieur de la société.

A cette gamme déjà étendue vient s'ajouter un type de comédie qui, comme *Amphitryon* (voir p. 173), privilégie le spectacle, accorde une place importante à la mise en scène, utilise toute une machinerie complexe, introduit le merveilleux. Ces divertissements qui, souvent, comme *Le Bourgeois gentilhomme* (voir p. 184), intègrent musique, chants et danses, connaissent un grand essor, avec le développement de la vie de cour.

MOLIÈRE ET LES AUTRES AUTEURS DE COMÉDIES

Molière est évidemment au centre de la comédie de cette époque. Il occupe une place à part, à la fois grâce à la variété des sujets qu'il développe, à la diversité des styles qu'il pratique, à la perfection de sa technique dramatique et de son expression. Mais il n'est pas le seul. Le succès grandissant de la comédie provoque une véritable éclosion d'auteurs. Beaucoup d'entre eux ont du savoir-faire. Quelques-uns ont un talent certain.

Mis à part Jean Racine, qui a écrit une comédie, *Les Plaideurs* (1668), proche de la farce, on peut retenir deux noms. Philippe Quinault, connu surtout pour être un des inventeurs de l'opéra français (voir p. 245), a écrit quelques comédies, dont *La Mère coquette* (1665), à l'intrigue pleine de vivacité. Thomas Corneille, le frère de Pierre Corneille, auteur dramatique fécond, a composé des tragédies, mais aussi des comédies : parmi elles, *La Devineresse* (1679) (voir p. 217) évoque la vogue de la voyance et souligne le développement de la comédie de mœurs.

Molière
1622-1673

Charles-Antoine Coypel (1694-1752), *Molière*, Paris, Comédie-Française.

Un bourgeois attiré par le théâtre

Lorsqu'il naît en 1622, Molière semble avoir devant lui une vie toute tracée : une existence bourgeoise de commerçant aisé s'ouvre à lui. De son vrai nom Jean-Baptiste Poquelin, il est en effet le fils de Jean Poquelin, riche tapissier parisien de la rue Saint-Honoré qui connaît, en 1631, la consécration, en devenant « tapissier ordinaire de la maison du roi » et « valet de chambre du roi », titres honorifiques, sources de prestige et de considération. Le futur Molière devrait donc succéder à son père. En attendant, de 1636 à 1642, il fait de solides études au collège de Clermont à Paris, puis s'initie au droit à Orléans.

Mais d'autres préoccupations vont le détourner du commerce. Il est tout d'abord attiré par la philosophie libertine (voir p. 102) et fait la connaissance de Gassendi et de Cyrano de Bergerac. Mais surtout, c'est un passionné de théâtre et il fréquente assidûment les salles parisiennes de l'Hôtel de Bourgogne et du Marais. Il aurait pu se contenter d'être un amateur éclairé. Mais en 1643, il décide de pratiquer cet art qui l'attire : il signe avec les comédiens Béjart le contrat de constitution de l'Illustre Théâtre qui s'installe à Paris. Cette première expérience est de courte durée. Les spectateurs font défaut, l'entreprise est mise en faillite et Molière est incarcéré pour dettes.

La vie de comédien ambulant

Molière ne se décourage pas. Bientôt libéré, dès l'automne 1645 il part pour la province comme membre d'une troupe itinérante. Pendant plus de treize ans, jusqu'en 1658, il parcourt la France, donne des représentations dans des lieux scéniques de fortune, mène une existence mouvementée, riche d'expériences humaines et techniques, mais aussi pleine de dangers et d'impondérables : on peut facilement s'imaginer ce que fut alors sa vie, en lisant *Le Roman comique* dans lequel Scarron évoque avec tant de pittoresque ces dures conditions que connaissent alors les comédiens ambulants (voir p. 89).

Il fait ainsi, en quelque sorte, ses classes. Il joue des rôles comiques. Il interprète également des rôles tragiques. C'était là le lot des acteurs qui, indifféremment, devaient incarner des personnages de comédies, de tragi-comédies ou de tragédies. Il commence alors à écrire, mais ce n'est qu'accessoirement. Il compose de courtes pièces qui reprennent la tradition du gros comique, comme *La Jalousie du Barbouillé*, ou élabore des œuvres d'une plus haute tenue inspirées d'auteurs italiens, comme *Le Dépit amoureux*.

L'installation à Paris

La notoriété de la troupe de Molière s'affirme peu à peu. En 1658, le moment lui semble venu de conquérir Paris. Il s'assure la protection du duc d'Orléans et remporte un grand succès lorsqu'il joue devant la cour, le 24 octobre 1658 : des deux pièces qu'il représente, la plus appréciée n'est pas *Nicomède* de Corneille, mais *Le Docteur amoureux*, farce sans nuances. Dès leur arrivée à Paris, une image de Molière et de sa troupe s'impose : on vante leur sens du comique, on n'aime guère leur jeu tragique. Ce malentendu entre le public et Molière persistera durant toute sa carrière, et il ressentira une grande amertume à voir ainsi méconnaître sa vocation et sa sensibilité tragiques.

Néanmoins, ce succès lui permet de s'installer à Paris. Il partage d'abord avec une troupe de comédiens italiens la salle du Petit-Bourbon, puis, en 1661, prend possession du théâtre du Palais-Royal bientôt rejoint par les comédiens italiens. Il y mènera jusqu'à sa mort une triple activité : celles de comédien, de directeur de troupe et d'auteur de théâtre. Sa vocation d'écrivain se précise. Habilement, il fait se succéder des pièces d'inspiration différente, de manière à satisfaire tout l'éventail des goûts : il exploite la farce et ses procédés grossiers, comme dans *Sganarelle* (1660) ; il élabore des spectacles divertissements qui font intervenir la musique, la danse et le chant, comme dans *Les Fâcheux* (1661) ; il pratique une forme d'inspiration plus élevée, en se livrant à une critique des ridicules et des vices, comme dans *Les Précieuses ridicules* (1659).

Les années de crise

1662 : Molière représente *L'École des femmes*. Ainsi commence le temps de ses chefs-d'œuvre ; mais c'est aussi celui des difficultés, le début d'une période de crise. Avec cette pièce, il innove. Il aborde la grande comédie. Il pose de graves problèmes de société, en développant le thème du mariage. Son succès et son refus des conventions avaient déjà suscité de violentes oppositions contre lui, celle de ses confrères qui, jaloux de ses triomphes, le haïssent et celle des théoriciens du théâtre qui lui reprochent de ne pas respecter les règles. Voici maintenant qu'il provoque l'hostilité des bien-pensants sincères ou non, qui l'accusent, avec indignation, de ridiculiser le sacrement du mariage. Une violente polémique éclate à laquelle Molière répond par *La Critique de L'École des femmes* et par *L'Impromptu de Versailles* (1663) où il tourne ses détracteurs en dérision.

Les adversaires de Molière avaient essayé en vain d'obtenir l'interdiction de *L'École des femmes*. Ils ne désarment pas et reviennent bientôt à la charge. En 1664, Molière s'élève, dans *Tartuffe*, contre l'hypocrisie religieuse. La pièce est aussitôt interdite et, après une nouvelle tentative avortée en 1667, ne sera autorisée qu'en 1669. En 1665, Molière met en scène, dans *Dom Juan*, un personnage de libertin séducteur et athée. Après seulement treize représentations, la comédie est suspendue et ne sera plus jamais jouée du vivant de son auteur.

Nicolas Mignard (1606-1668), *Molière et Madeleine Béjart en Mars et Vénus*, Aix-en-Provence, musée Granet.

Certes, Molière a des motifs de satisfaction : le public lui reste fidèle, Louis XIV lui manifeste son soutien, en lui accordant de fréquentes gratifications, en acceptant d'être le parrain de son fils, en lui permettant d'appeler sa troupe « Troupe du roi ». Mais bientôt, les soucis personnels s'accumulent : il commence à ressentir les effets de cette maladie complexe, de cette affection à la fois pulmonaire et cardiaque qui l'emportera. Par ailleurs, la comédienne Armande Béjart, qu'il a épousée en 1662, a vingt ans de moins que lui, et est de plus une redoutable coquette, ce qui rend la vie commune bien agitée. Enfin, en 1664, il a la douleur de perdre son fils qui meurt peu de temps après sa naissance. Devant ces épreuves, son caractère s'aigrit peu à peu.

Karel Dujardin (1622?-1678), *Les Charlatans italiens*, Paris, musée du Louvre.

Un certain renoncement

En 1666, avec *Le Misanthrope*, Molière aborde encore un grand problème social : il s'en prend, cette fois, au manque de sincérité, aux conventions, aux apparences. Mais c'est la dernière affirmation de cette comédie « politique » qu'il avait inaugurée avec *L'École des femmes*. Il a un théâtre à gérer et ne peut se permettre de le mettre en danger par des interdictions répétées de ses pièces. En conséquence, il tend à mettre l'accent sur la farce, qu'il n'a jamais abandonnée, comme dans *Les Fourberies de Scapin* (1671) ; ou bien, comme dans *Le Bourgeois gentilhomme* (1670), il pratique la comédie-ballet, qui fait de lui un des maîtres des divertissements de la cour. Ou bien encore il met en scène les ridicules et les vices de ses contemporains, comme l'avarice dans *L'Avare* (1668), les prétentions à l'érudition des femmes dans *Les Femmes savantes* (1672), la maladie imaginaire dans *Le Malade imaginaire* (1673).

C'est au cours de la quatrième représentation de cette dernière pièce qu'il meurt d'une hémorragie interne, le 17 février 1673. Cette mort, survenue en pleine activité, deviendra bientôt mythique, sera souvent évoquée, donnée en exemple et parfois souhaitée par de nombreux comédiens, comme le symbole du courage de l'acteur qui continue jusqu'au bout son métier.

La Jalousie du Barbouillé (entre 1645 et 1658).
Le Dépit amoureux (1656). → pp. 172-173.
Les Précieuses ridicules (1659). → pp. 179 à 181.
Les Fâcheux (1661). → pp. 182-183.
L'École des femmes (1662). → pp. 191 à 193.
L'Impromptu de Versailles (1663). → pp. 194-195.
Tartuffe (1664). → pp. 196 à 198.
Dom Juan (1665). → pp. 199 à 203.
Le Misanthrope (1666). → pp. 205 à 209.
Amphitryon (1668). → pp. 173 à 175.
L'Avare (1668).
Monsieur de Pourceaugnac (1669).
Le Bourgeois gentilhomme (1670). → pp. 184 à 185.
Les Fourberies de Scapin (1671). → pp. 175 à 177.
Les Femmes savantes (1672). → pp. 185 à 187.
Le Malade imaginaire (1673). → pp. 187 à 190.

L'art du divertissement

Durant toute sa carrière, Molière poursuit un objectif pour lui primordial : distraire ses contemporains. Pour parvenir à ce but, il utilise, plus particulièrement, trois procédés, qu'il intègre souvent à d'autres types d'écriture, mais développe parfois de façon plus spécifique. Ces trois procédés apparaissent avec une grande netteté dans trois pièces : *Le Dépit amoureux* exploite la complication et les imprévus d'une intrigue complexe ; *Amphitryon* s'appuie sur les raffinements d'une mise en scène qui se pare des attraits du merveilleux ; *Les Fourberies de Scapin* jouent sur le registre de la farce.

Le Dépit amoureux
1656

Dans *Le Dépit amoureux*, Molière mise sur le caractère divertissant, surprenant, des complications de l'intrigue, en élaborant un scénario complexe, riche en coups de théâtre. Un problème compliqué d'héritage a amené Dorothée à se faire passer pour un garçon. D'autre part, elle a épousé Valère dont elle est amoureuse, en prenant l'identité de sa sœur Lucile aimée de Valère. Éraste qui, de son côté, aime Lucile d'un amour partagé, est averti par le valet Mascarille de ce mariage inattendu. Il croit que c'est réellement Lucile qui a épousé Valère et en éprouve un grand dépit, à l'étonnement indigné de la véritable Lucile. Tout finira naturellement par s'arranger, et, après bien des rebondissements, les deux couples, Dorothée-Valère et Éraste-Lucile, pourront connaître le bonheur.

« Non, Lucile, jamais vous ne m'avez aimé »

Molière développe ici un épisode traditionnel de la comédie, celui du dépit amoureux qui a donné son titre à la pièce. Éraste, persuadé que Lucile a épousé Valère, lui fait de véhéments reproches. Le malentendu les conduit au bord de la rupture : partagé entre son amour et son amour-propre, aucun des deux ne se décide en effet à prendre l'initiative de la réconciliation.

LUCILE.
Quand on aime les gens, on les traite autrement ;
On fait de leur personne un meilleur jugement.

ÉRASTE.
Quand on aime les gens, on peut, de jalousie,
Sur beaucoup d'apparence, avoir l'âme saisie ;
5 Mais alors qu'on les aime, on ne peut en effet[1]
Se résoudre à les perdre, et vous, vous l'avez fait.

LUCILE.
La pure jalousie est plus respectueuse.

ÉRASTE.
On voit d'un œil plus doux une offense amoureuse.

LUCILE.
Non, votre cœur, Éraste, était mal enflammé.

ÉRASTE.
10 Non, Lucile, jamais vous ne m'avez aimé.

LUCILE.
Eh ! je crois que cela faiblement vous soucie.
Peut-être en serait-il beaucoup mieux pour ma vie.
Si je... Mais laissons là ces discours superflus :
Je ne dis point quels sont mes pensers là-dessus.

ÉRASTE.
15 Pourquoi ?

LUCILE.
Par la raison que nous rompons ensemble.
Et que cela n'est plus de saison, ce me semble.

ÉRASTE.
Nous rompons ?

1. En réalité, effectivement.

LUCILE.
Oui, vraiment : quoi ? n'en est-ce pas fait ?
ÉRASTE.
Et vous voyez cela d'un esprit satisfait ?
LUCILE.
Comme vous.
ÉRASTE.
Comme moi ?
LUCILE.
Sans doute[1] : c'est faiblesse
20 De faire voir aux gens que leur perte nous blesse.
ÉRASTE.
Mais, cruelle, c'est vous qui l'avez bien voulu.
LUCILE.
Moi ? Point du tout ; c'est vous qui l'avez résolu.
ÉRASTE.
Moi ? Je vous ai cru là faire un plaisir extrême.
LUCILE.
Point : vous avez voulu vous contenter vous-même.
ÉRASTE.
25 Mais si mon cœur encor revoulait sa prison...
Si, tout fâché qu'il est, il demandait pardon ?...
LUCILE.
Non, non, n'en faites rien : ma faiblesse est trop grande,
J'aurais peur d'accorder trop tôt votre demande.
ÉRASTE.
Ha ! vous ne pouvez pas trop tôt me l'accorder,
30 Ni moi sur cette peur trop tôt le demander.
Consentez-y, Madame : une flamme si belle
Doit, pour votre intérêt, demeurer immortelle.
Je le demande enfin : me l'accorderez-vous,
Ce pardon obligeant ?
LUCILE.
Remenez-moi[2] chez nous.

Le Dépit amoureux, acte IV, scène 3, vers 1379 à 1412.

Pour préparer l'étude du texte

1. Vous mettrez en évidence les deux mouvements du texte : la montée du malentendu et l'annonce de la réconciliation. Vous préciserez à quel moment se situe le passage de l'un à l'autre.
2. Cette scène est constituée d'une succession rapide de répliques. Quel effet une telle organisation des vers produit-elle ?
3. La situation est, à la fois, comique et dramatique. Vous le montrerez.

Amphitryon
1668

Amphitryon, qui reprend le sujet d'une pièce de l'auteur latin Plaute, joue sur les méprises, sur les quiproquos provoqués par la présence de personnages doubles : le dieu Jupiter, pour séduire Alcmène, a pris la forme de son mari, Amphitryon, tandis que le dieu Mercure a adopté les traits du valet, Sosie, époux de la suivante d'Alcmène, Cléanthis.

A cet aspect comique de l'intrigue, s'ajoute donc un autre registre, celui du merveilleux créé par les interventions divines. Molière a enfin introduit une mise en scène élaborée, riche en effets, qui prévoit, par exemple, de faire descendre les dieux des nuages.

1. Certainement.
2. Ramenez-moi.

« Et puis-je cesser d'être moi ? »

Mercure essaie, par la force, de faire renoncer à sa propre identité le valet Sosie dont il a revêtu l'apparence.

SOSIE.
Qui te jette, dis-moi, dans cette fantaisie ?
Que te reviendra-t-il de m'enlever mon nom[1] ?
Et peux-tu faire enfin, quand tu serais démon,
Que je ne sois pas moi ? que je ne sois Sosie ?

MERCURE.
5 Comment, tu peux...

SOSIE.
Ah ! tout doux :
Nous avons fait trêve aux coups.

MERCURE.
Quoi ? pendard[2], imposteur, coquin...

SOSIE.
Pour des injures,
Dis-m'en tant que tu voudras :
Ce sont légères blessures,
10 Et je ne m'en fâche pas.

MERCURE.
Tu te dis Sosie ?

SOSIE.
Oui. Quelque conte frivole[3]...

MERCURE.
Sus[4], je romps notre trêve, et reprends ma parole.

SOSIE.
N'importe, je ne puis m'anéantir pour toi,
Et souffrir un discours si loin de l'apparence.
15 Être ce que je suis est-il en ta puissance ?
Et puis-je cesser d'être moi ?
S'avisa-t-on jamais d'une chose pareille ?
Et peut-on démentir cent indices pressants ?
Rêvé-je ? est-ce que je sommeille ?
20 Ai-je l'esprit troublé par des transports puissants[5] ?
Ne sens-je pas bien que je veille ?
Ne suis-je pas dans mon bon sens ?
Mon maître Amphitryon ne m'a-t-il pas commis[6]
A venir en ces lieux vers Alcmène sa femme ?
25 Ne lui dois-je pas faire, en lui vantant sa flamme,
Un récit de ses faits[7] contre nos ennemis[8] ?
Ne suis-je pas du port arrivé tout à l'heure ?
Ne tiens-je pas une lanterne en main ?
Ne te trouvé-je pas devant notre demeure ?
30 Ne t'y parlé-je pas d'un esprit tout humain ?
Ne te tiens-tu pas fort de ma poltronnerie
Pour m'empêcher d'entrer chez nous ?
N'as-tu pas sur mon dos exercé ta furie ?
Ne m'as-tu pas roué de coups ?
35 Ah ! tout cela n'est que trop véritable,
Et plût au Ciel le fût-il moins !
Cesse donc d'insulter au sort d'un misérable,
Et laisse à mon devoir s'acquitter de ses soins.

Illustration de l'édition de 1682 d'*Amphitryon*, Paris, B.N.
Déjà au XVIIe siècle, des machineries complexes permettaient d'inclure des « effets spéciaux » dans les mises en scène.

Amphitryon, acte I, scène 2, vers 412 à 449.

---

1. Que gagneras-tu à m'enlever mon nom ?
2. Qui mérite d'être pendu, vaurien.
3. Quelque conte frivole a pu prétendre le contraire.
4. Allons.
5. Agitation puissante, délire.
6. Ne m'a-t-il pas chargé.
7. Hauts faits.
8. Amphitryon est un général de Thèbes, ville de l'antique Grèce.

Pour préparer l'étude du texte

1. « Et puis-je cesser d'être moi ? » (v. 16) : vous étudierez comment s'exprime, dans ce passage, le problème de l'identité.
2. Cette situation pourrait être tragique. Comment Molière la rend-il comique ?
3. Vous mettrez en évidence les effets créés par l'alternance de vers de longueur différente.
4. Vous analyserez le merveilleux et le prosaïsme, en montrant qu'ils se mêlent intimement dans ce texte.

Les Fourberies de Scapin

1671

Dans *Les Fourberies de Scapin*, Molière utilise de nombreux procédés comiques : comme dans la farce, il multiplie les poursuites, les coups, les chutes ou joue, plus subtilement, sur les situations et les mots. Il y ajoute aussi une certaine tonalité romanesque. L'action est relativement complexe : en l'absence de leurs pères respectifs, Octave a épousé en secret Hyacinthe, jeune fille pauvre, tandis que Léandre est tombé amoureux d'une bohémienne, Zerbinette. Mais voici les deux pères de retour avec, naturellement, d'autres projets de mariage pour leurs fils. Le valet Scapin va, en accumulant les ruses et les mauvais tours, prendre en mains les intérêts des deux jeunes gens, essayer de les sortir de leur situation délicate. Tout s'arrangera au mieux par un double mariage après cette révélation romanesque : Hyacinthe est en fait la sœur de Léandre et Zerbinette celle d'Octave, donc les filles des deux pères amis, Géronte et Argante, qui ne peuvent qu'approuver les unions souhaitées par leurs enfants.

« Que diable allait-il faire dans cette galère ? »

Léandre a besoin d'argent, pour payer la somme que lui réclament, en échange de Zerbinette, les Bohémiens chez lesquels elle habite. Voici le subterfuge que trouve Scapin pour escroquer Géronte.

SCAPIN.
Je l'ai[1] trouvé tantôt[2] tout triste, de je ne sais quoi que vous lui avez dit, où vous m'avez mêlé assez mal à propos ; et cherchant à divertir cette tristesse, nous nous sommes allés promener sur le port. Là, entre
5 autres plusieurs choses, nous avons arrêté nos yeux sur une galère turque assez bien équipée. Un jeune Turc de bonne mine nous a invités d'y entrer, et nous a présenté la main. Nous y avons passé ; il nous a fait mille civilités, nous a donné la collation,
10 où nous avons mangé des fruits les plus excellents qui se puissent voir, et bu du vin que nous avons trouvé le meilleur du monde.

GÉRONTE.
Qu'y a-t-il de si affligeant à tout cela ?

SCAPIN.
Attendez, Monsieur, nous y voici. Pendant que nous
15 mangions, il a fait mettre la galère en mer, et, se voyant éloigné du port, il m'a fait mettre dans un esquif, et m'envoie vous dire que, si vous ne lui envoyez par moi tout à l'heure cinq cents écus, il va vous emmener votre fils en Alger.

GÉRONTE.
20 Comment, diantre[3] ! cinq cents écus ?

SCAPIN.
Oui, Monsieur ; et de plus, il ne m'a donné pour cela que deux heures.

GÉRONTE.
Ah ! le pendard[4] de Turc, m'assassiner de la façon !

SCAPIN.
C'est à vous, Monsieur, d'aviser promptement aux
25 moyens de sauver des fers un fils que vous aimez avec tant de tendresse.

GÉRONTE.
Que diable allait-il faire dans cette galère ?

SCAPIN.
Il ne songeait pas à ce qui est arrivé.

GÉRONTE.
Va-t'en, Scapin, va-t'en vite dire à ce Turc que je
30 vais envoyer la justice après lui.

SCAPIN.
La justice en pleine mer ! Vous moquez-vous des gens ?

GÉRONTE.
Que diable allait-il faire dans cette galère ?

SCAPIN.
Une méchante destinée conduit quelquefois les
35 personnes.

GÉRONTE.
Il faut, Scapin, il faut que tu fasses ici l'action d'un serviteur fidèle.

SCAPIN.
Quoi, Monsieur ?

1. Le fils de Géronte, Léandre.
2. Tout à l'heure.
3. Diable.
4. Qui mérite d'être pendu, vaurien.

Claude Gelée dit le Lorrain (1600-1682), *Port de mer au soleil couchant* (détail), Paris, musée du Louvre.
Une rixe sur les quais.

GÉRONTE.
Que tu ailles dire à ce Turc qu'il me renvoie mon
40 fils, et que tu te mets à sa place jusqu'à ce que j'aie amassé la somme qu'il demande.

SCAPIN.
Eh ! Monsieur, songez-vous à ce que vous dites ? et vous figurez-vous que ce Turc ait si peu de sens, que d'aller recevoir un misérable comme moi à la
45 place de votre fils ?

GÉRONTE.
Que diable allait-il faire dans cette galère ?

SCAPIN.
Il ne devinait pas ce malheur. Songez, Monsieur, qu'il ne m'a donné que deux heures.

GÉRONTE.
Tu dis qu'il demande...

SCAPIN.
50 Cinq cents écus.

GÉRONTE.
Cinq cents écus ! N'a-t-il point de conscience ?

SCAPIN.
Vraiment oui, de la conscience à un Turc.

GÉRONTE.
Sait-il bien ce que c'est que cinq cents écus ?

SCAPIN.
Oui, Monsieur, il sait que c'est mille cinq cents
55 livres.

GÉRONTE.
Croit-il, le traître, que mille cinq cents livres se trouvent dans le pas d'un cheval ?

SCAPIN.
Ce sont des gens qui n'entendent point de raison.

GÉRONTE.
Mais que diable allait-il faire à cette galère ?

SCAPIN.
60 Il est vrai ; mais quoi ? on ne prévoyait pas les choses. De grâce, Monsieur, dépêchez.

GÉRONTE.
Tiens, voilà la clef de mon armoire.

SCAPIN.
Bon.

GÉRONTE.
Tu l'ouvriras.

SCAPIN.
65 Fort bien.

GÉRONTE.
Tu trouveras une grosse clef du côté gauche, qui est celle de mon grenier.

SCAPIN.
Oui.

GÉRONTE.
Tu iras prendre toutes les hardes qui sont dans cette
70 grande manne[1], et tu les vendras aux fripiers, pour
aller racheter mon fils.

SCAPIN. en lui rendant la clef
Eh ! Monsieur, rêvez-vous ? Je n'aurais pas cent
francs de tout ce que vous dites ; et de plus, vous
savez le peu de temps qu'on m'a donné.

GÉRONTE.
75 Mais que diable allait-il faire à cette galère ?

Les Fourberies de Scapin, acte II, scène 7.

Pour préparer le commentaire composé

1. **Le comique de situation.** Géronte est partagé entre son avarice et son désir de sauver son fils. Vous montrerez comment se manifeste cette contradiction et ce qu'elle a de comique. D'autre part, l'histoire inventée par Scapin est bien peu vraisemblable, malgré ses efforts pour donner à ses mensonges les apparences de la vérité. Vous étudierez les procédés utilisés par le valet et essaierez d'expliquer pourquoi Géronte croit à ses élucubrations.
2. **Le comique de répétition.** Géronte ne cesse de regretter que son fils soit allé dans la galère turque. Il le répète comme un leitmotiv. Vous relèverez ces répétitions et en dégagerez le comique.
3. **L'analyse des comportements humains.** Un valet rusé et habile, un père partagé entre son avarice et son affection pour son fils : vous soulignerez comment, sous les effets comiques, apparaît une fine analyse des comportements humains.

Molière, l'inspiration et l'imitation

Tout écrivain s'inscrit dans une continuité. Il est l'aboutissement des générations d'auteurs qui l'ont précédé. Sa culture l'amène à tenir compte des œuvres antérieures, à s'en inspirer. Molière n'échappe pas à cette règle. La construction de ses comédies est influencée par la tradition de son époque : un grand nombre de ses pièces suit, en particulier, le schéma de la comédie d'intrigue.

Mais au XVIIe siècle, les frontières entre inspiration et imitation sont bien floues. La notion de propriété littéraire est encore vague. On a déjà vu comment *Le Cid* de Corneille devait beaucoup à Guillén de Castro (voir p. 145). Molière, lui aussi, a souvent suivi de près ses modèles. La fameuse scène de la galère des *Fourberies de Scapin* est, par exemple, fort proche de la scène 4 de l'acte II du *Pédant joué* (1646) de Cyrano de Bergerac : comme Scapin, le valet Corbinelli se sert d'un conte à dormir debout pour escroquer de l'argent au pédant Granger, en présence du cuistre Paquier.

CORBINELLI.
Mais ils ne se sont pas contentés de ceci, ils ont voulu poignarder votre fils...

PAQUIER.
Quoi ! sans confession ?

CORBINELLI.
S'il ne se rachetait par de l'argent.

GRANGER.
Ah ! les misérables ; c'était pour incuter[2] la peur dans cette jeune poitrine.

PAQUIER.
5 *En effet, les Turcs n'ont garde de toucher l'argent des chrétiens, à cause qu'il a une croix.*

CORBINELLI.
Mon maître ne m'a jamais pu dire autre chose, sinon : va-t'en trouver mon père, et lui dis... Ses larmes aussitôt suffoquant sa parole, m'ont bien mieux expliqué qu'il n'eût su le faire, les tendresses qu'il a pour vous.

1. Grand panier d'osier.

2. Introduire.

GRANGER.
10 *Que diable aller faire aussi dans la galère d'un Turc ? D'un Turc !* Perge[1].

CORBINELLI.
Ces écumeurs impitoyables ne me voulaient pas accorder la liberté de vous venir trouver, si je ne me fusse jeté aux genoux du plus apparent d'entre eux. Hé ! Monsieur le Turc, lui ai-je dit, permettez-moi d'aller avertir son père, qui vous enverra tout à l'heure sa rançon.

GRANGER.
15 *Tu ne devais pas parler de rançon ; ils se seront moqués de toi.*

CORBINELLI.
Au contraire ; à ce mot, il a un peu rasséréné sa face. Va, m'a-t-il dit, mais si tu n'es ici de retour dans un moment, j'irai prendre ton maître dans son collège, et vous étranglerai tous trois aux antennes de notre navire. J'avais si peur d'entendre quelque chose de plus fâcheux, ou que le diable ne me vînt emporter étant en
20 *la compagnie de ces excommuniés, que je me suis promptement jeté dans un esquif, pour vous avertir des funestes particularités de cette rencontre.*

GRANGER.
Que diable aller faire dans la galère d'un Turc ?

PAQUIER.
Qui n'a peut-être pas été à confesse depuis dix ans.

GRANGER.
Mais penses-tu qu'il soit bien résolu d'aller à Venise ?

CORBINELLI.
25 *Il ne respire autre chose.*

GRANGER.
Le mal n'est donc pas sans remède. Paquier, donne-moi le réceptacle des instruments de l'immortalité, Scriptorium scilicet[2].

CORBINELLI.
Qu'en désirez-vous faire ?

GRANGER.
Écrire une lettre à ces Turcs.

CORBINELLI.
30 *Touchant quoi ?*

GRANGER.
Qu'ils me renvoient mon fils, parce que j'en ai affaire ; qu'au reste, ils doivent excuser sa jeunesse, qui est sujette à beaucoup de fautes, et que, s'il lui arrive une autre fois de se laisser prendre, je leur promets, foi de docteur, de ne leur en plus obtunder la faculté auditive[3].

CORBINELLI.
35 *Ils se moqueront, par ma foi, de vous.*

GRANGER.
Va-t'en donc leur dire, de ma part, que je suis tout prêt à leur répondre par devant notaire, que le premier des leurs qui me tombera entre les mains, je le leur renverrai pour rien. (Ah ! que diable, que diable aller faire en cette galère ?) Ou dis-leur qu'autrement je vais m'en plaindre à la justice. Sitôt qu'ils l'auront remis
40 *en liberté, ne vous amusez ni l'un ni l'autre, car j'ai affaire de vous.*

CORBINELLI.
Tout cela s'appelle dormir les yeux ouverts.

GRANGER.
Mon Dieu, faut-il être ruiné à l'âge où je suis ? Va-t'en Paquier, prends le reste du teston[4] *que je lui donnai pour la dépense, il n'y a que huit jours. (Aller sans dessein dans une galère !) Prends tout le reliquat de cette pièce. (Ah ! malheu-*
45 *reuse géniture, tu me coûtes plus d'or que tu n'es pesant.) Paye la rançon, et ce*

1. Continue (formule latine).
2. C'est-à-dire ce qui sert à écrire.
3. De ne plus leur fatiguer les oreilles, de ne plus les importuner avec cela.
4. Monnaie d'argent valant de dix à douze sous.

qui restera, emploie-le aux œuvres pies[1]. *(Dans la galère d'un Turc !) Bien, va-t'en. (Mais, misérable, dis-moi, que diable allais-tu faire dans cette galère ?) Va prendre dans mes armoires ce pourpoint découpé que quitta feu mon père l'année du grand hiver.*

CORBINELLI.

50 *A quoi bon ces fariboles ? Vous n'y êtes pas. Il faut tout au moins cent pistoles pour sa rançon.*

GRANGER.

Cent pistoles ! Ah ! mon fils, ne tient-il qu'à ma vie pour conserver la tienne ? mais cent pistoles ! Corbinelli, va-t'en lui dire qu'il se laisse pendre sans dire mot ; cependant qu'il ne s'afflige point, car je les en ferai bien repentir.

Cyrano de Bergerac, Le Pédant joué, *acte II, scène 4.*

Pour une étude comparée

Vous comparerez le texte des *Fourberies de Scapin* de Molière et celui du *Pédant joué* de Cyrano de Bergerac, en insistant plus particulièrement sur les points suivants :

1. **Fourbes et dupes.** L'histoire inventée par les deux valets apparaît bien peu vraisemblable. Et pourtant, les deux pères y croient. Vous analyserez les moyens utilisés par Scapin et par Corbinelli pour donner à leurs mensonges des apparences de vérité et vous vous interrogerez sur les raisons de la crédulité de leurs dupes.
2. **Deux avares.** Les pères hésitent longuement avant de fournir l'argent demandé. Vous étudierez la manifestation de leur avarice et montrerez en quoi les faux-fuyants qu'ils utilisent sont, à la fois, inefficaces et odieux, contrastant ainsi avec l'habileté de la stratégie des serviteurs.
3. **L'imitation.** Ces deux scènes, malgré leur ressemblance, ne sont pas tout à fait conduites de la même manière. Vous le soulignerez, en posant les problèmes de l'imitation et de l'efficacité théâtrale.

Le comique des caractères

Dès le début de sa carrière, Molière prend plaisir à bien cerner les caractères de ses personnages. Cette volonté ne fait que s'affirmer au fil des années. Sans exclure pour autant les autres modes de divertissement qu'il avait pratiqués auparavant, il suscite le rire en se livrant à une critique de la société de son époque, en construisant des personnages hauts en couleur. Il met plaisamment en évidence les contradictions et les excès des comportements : ainsi dénonce-t-il les outrances de la préciosité dans *Les Précieuses ridicules*, le déchaînement du sans-gêne dans *Les Fâcheux*, la recherche obsédante de la promotion sociale dans *Le Bourgeois gentilhomme*, l'aspiration jugée excessive des femmes au savoir dans *Les Femmes savantes*, l'attirance maniaque suscitée par la médecine dans *Le Malade imaginaire*.

Les Précieuses ridicules

1659

Avec *Les Précieuses ridicules*, Molière commence, encore timidement il est vrai, à aborder les problèmes de société. Il dénonce le comportement et le langage apprêtés adoptés par les précieuses et les précieux (voir p. 57). C'est de l'excès de la préciosité plutôt que de la préciosité elle-même qu'il donne à rire. Il utilise deux registres comiques : le comique de mots créé par l'abus du langage précieux et un comique né des caractères que vient révéler la situation ridicule dans laquelle se mettent les deux précieuses : Magdelon et Cathos repoussent La Grange et du Croisy, prétendants soutenus par Gorgibus, père de Magdelon et oncle de Cathos. Elles trouvent en effet qu'ils ne sont pas des amoureux suffisamment romanesques. Pour se venger, ils envoient leurs valets, Mascarille et Jodelet, déguisés en petits marquis : leur cour empressée sera bien accueillie par les deux précieuses, fort dépitées lorsqu'elles apprendront la vérité.

1. Aux œuvres pieuses.

« Vite, voiturez-nous ici les commodités de la conversation »

A la scène 9 de cette comédie en un acte, Magdelon, Cathos et Mascarille font assaut de préciosité et de subtilité.

Anonyme, XVIIe siècle, *Madeleine Béjart dans le rôle de Magdelon*, peinture sur marbre, Paris, B.N.

MASCARILLE, après avoir salué.
Mesdames, vous serez surprises, sans doute, de l'audace de ma visite ; mais votre réputation vous attire cette méchante affaire, et le mérite a pour moi des charmes si puissants, que je cours partout
5 après lui.

MAGDELON.
Si vous poursuivez le mérite, ce n'est pas sur nos terres que vous devez chasser.

CATHOS.
Pour voir chez nous le mérite, il a fallu que vous l'y ayez amené.

MASCARILLE.
10 Ah ! je m'inscris en faux contre vos paroles. La renommée accuse juste en contant ce que vous valez ; et vous allez faire pic, repic et capot[1] tout ce qu'il y a de galant dans Paris.

MAGDELON.
Votre complaisance pousse un peu trop avant la
15 libéralité de ses louanges ; et nous n'avons garde, ma cousine et moi, de donner de notre sérieux dans le doux de votre flatterie.

CATHOS.
Ma chère, il faudrait faire donner des sièges.

MAGDELON.
Holà, Almanzor[2] !

ALMANZOR.
20 Madame.

MAGDELON.
Vite, voiturez-nous ici les commodités de la conversation.

MASCARILLE.
Mais au moins, y a-t-il sûreté ici pour moi ?

CATHOS.
Que craignez-vous ?

MASCARILLE.
25 Quelque vol de mon cœur, quelque assassinat de ma franchise[3]. Je vois ici des yeux qui ont la mine d'être de fort mauvais garçons, de faire insulte aux libertés, et de traiter une âme de Turc à More[4]. Comment diable, d'abord qu'on les approche, ils se
30 mettent sur leur garde meurtrière ? Ah ! par ma foi, je m'en défie, et je m'en vais gagner au pied[5], ou je veux caution bourgeoise[6] qu'ils ne me feront point de mal.

MAGDELON.
Ma chère, c'est le caractère enjoué.

CATHOS.
35 Je vois bien que c'est un Amilcar[7].

1. Marquer un grand nombre de points au jeu de cartes du piquet.
2. Les précieuses ont donné à leur laquais le nom du personnage d'un roman à la mode de l'époque.
3. Ma liberté.
4. Agir envers quelqu'un avec la dernière rigueur, comme les Turcs traitent les Mores.
5. Je m'en vais prendre la fuite.
6. Je veux la garantie.
7. Personnage du roman *Clélie* de Madeleine de Scudéry (voir p. 78).

MAGDELON.
Ne craignez rien : nos yeux n'ont point de mauvais desseins, et votre cœur peut dormir en assurance sur leur prud'homie[1].

CATHOS.
Mais de grâce, Monsieur, ne soyez pas inexorable
40 à ce fauteuil qui vous tend les bras il y a un quart d'heure ; contentez un peu l'envie qu'il a de vous embrasser.

MASCARILLE, après s'être peigné et avoir ajusté ses canons[2] :
Eh bien, Mesdames, que dites-vous de Paris ?

MAGDELON.
Hélas ! qu'en pourrions-nous dire ? Il faudrait être
45 l'antipode de la raison, pour ne pas confesser que Paris est le grand bureau[3] des merveilles, le centre du bon goût, du bel esprit et de la galanterie.

MASCARILLE.
Pour moi, je tiens que hors de Paris, il n'y a point de salut pour les honnêtes gens.

CATHOS.
50 C'est une vérité incontestable.

MASCARILLE.
Il y fait un peu crotté ; mais nous avons la chaise[4].

MAGDELON.
Il est vrai que la chaise est un retranchement merveilleux contre les insultes de la boue et du mauvais temps.

MASCARILLE.
55 Vous recevez beaucoup de visites : quel bel esprit est des vôtres ?

MAGDELON.
Hélas ! nous ne sommes pas encore connues ; mais nous sommes en passe de l'être, et nous avons une amie particulière qui nous a promis d'amener ici
60 tous ces Messieurs du *Recueil des pièces choisies*[5].

CATHOS.
Et certains autres qu'on nous a nommés aussi pour être les arbitres souverains des belles choses.

MASCARILLE.
C'est moi qui ferai votre affaire mieux que personne : ils me rendent tous visite ; et je puis dire que
65 je ne me lève jamais sans une demi-douzaine de beaux esprits.

Anonyme, XVIIe siècle, *Molière dans le rôle de Mascarille*, peinture sur marbre, Paris, B.N.

Les Précieuses ridicules, scène 9.

Pour préparer l'étude du texte

1. Vous relèverez et analyserez les différentes figures de style caractéristiques de la préciosité (métaphores, hyperboles, périphrases).
2. Vous ferez apparaître le caractère social de la préciosité (volonté d'être à la mode, de recevoir, de s'entourer de « beaux esprits »).
3. En rapprochant cet extrait de textes écrits par des auteurs précieux (Vincent Voiture, p. 71 ; Madeleine de Scudéry, p. 78), vous montrerez en quoi Molière se livre — ou non — à une dénonciation de la préciosité.

1. Sur leur honnêteté, leur loyauté.
2. Ornements fixés au-dessous du genou.
3. La grande agence, le grand siège.
4. La chaise à porteurs.
5. Recueil collectif de vers.

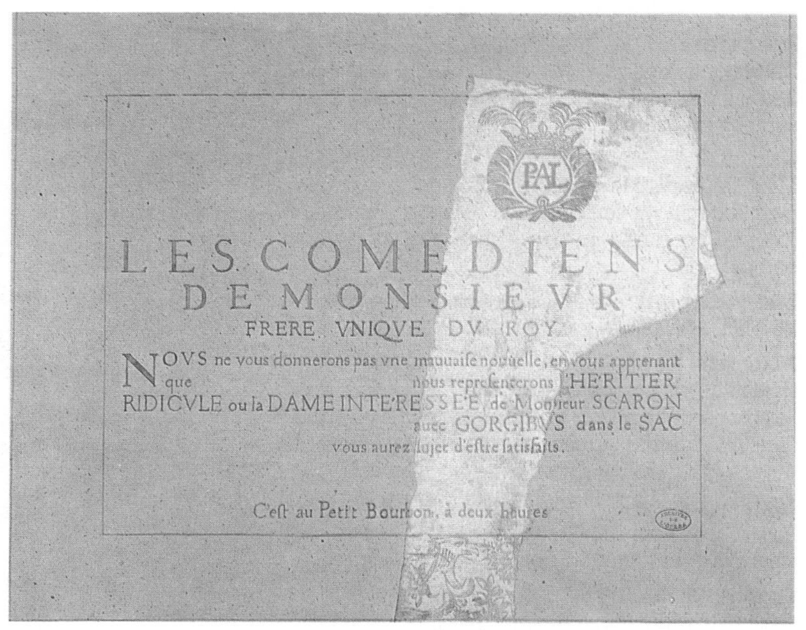

Affiche du théâtre du Petit-Bourbon, Paris, bibliothèque de l'Opéra.

Les Fâcheux

1661

Les Fâcheux est une comédie-ballet qui comporte des passages chantés et dansés. Elle fut créée en 1661, au cours des somptueuses fêtes que donna Fouquet pour l'inauguration de son château de Vaux-le-Vicomte et que devait suivre son arrestation retentissante (voir p. 164). Le sujet de cette pièce en trois actes est simple : Éraste et Orphise s'aiment, mais le tuteur de la jeune fille, Damis, s'oppose à leur amour et paie des hommes de mains pour assassiner Éraste. La tentative échoue et Éraste sauve la vie de Damis, en empêchant ses valets, furieux, de le tuer. Damis, reconnaissant, consentira au mariage. Cette intrigue tragi-comique n'est en fait qu'un prétexte pour mettre en scène des fâcheux, c'est-à-dire des importuns qui, totalement accaparés par leur manie, se montrent d'un sans-gêne insupportable et ne cessent de déranger les deux amoureux. Ainsi défile, en une sorte de revue, un cortège de personnages pittoresques : Lysandre, amateur de chansons, Alcandre, qui ne pense qu'à se battre en duel, Alcipe le joueur, ou Orante, le chasseur.

« Aux trois quarts du parterre a caché les acteurs »

Dès la première scène, Éraste fait, à l'intention du valet La Montagne, le portrait d'un fâcheux particulièrement redoutable, celui qui sévit dans les salles de théâtre et perturbe le spectacle par son sans-gêne.

ÉRASTE.
Sous quel astre, bon Dieu, faut-il que je sois né,
Pour être de fâcheux toujours assassiné !
Il semble que partout le sort me les adresse,
Et j'en vois chaque jour quelque nouvelle espèce ;
5 Mais il n'est rien d'égal au fâcheux d'aujourd'hui ;
J'ai cru n'être jamais débarrassé de lui,
Et cent fois j'ai maudit cette innocente envie
Qui m'a pris à dîner de voir la comédie,
Où, pensant m'égayer, j'ai misérablement
10 Trouvé de mes péchés le rude châtiment.
Il faut que je te fasse un récit de l'affaire,
Car je m'en sens encor tout ému de colère.
J'étais sur le théâtre[1], en humeur d'écouter
La pièce, qu'à plusieurs j'avais ouï vanter ;

1. Les amateurs de théâtre prenaient place sur la scène même.

15 Les acteurs commençaient, chacun prêtait silence,
Lorsque d'un air bruyant et plein d'extravagance,
Un homme à grands canons[1] est entré brusquement,
En criant : « Holà ho ! un siège promptement ! »
Et de son grand fracas surprenant l'assemblée,
20 Dans le plus bel endroit[2] a la pièce troublée.
Hé ! mon Dieu ! nos Français, si souvent redressés[3],
Ne prendront-ils jamais un air de gens sensés,
Ai-je dit, et faut-il sur nos défauts extrêmes
Qu'en théâtre public nous nous jouions nous-mêmes,
25 Et confirmions ainsi par des éclats de fous
Ce que chez nos voisins on dit partout de nous ?
Tandis que là-dessus je haussais les épaules,
Les acteurs ont voulu continuer leurs rôles ;
Mais l'homme pour s'asseoir a fait nouveau fracas,
30 Et traversant encor le théâtre à grands pas,
Bien que dans les côtés il pût être à son aise,
Au milieu du devant il a planté sa chaise,
Et de son large dos morguant[4] les spectateurs,
Aux trois quarts du parterre[5] a caché les acteurs.
35 Un bruit s'est élevé, dont un autre eût eu honte ;
Mais lui, ferme et constant, n'en a fait aucun compte,
Et se serait tenu comme il s'était posé,
Si, pour mon infortune, il ne m'eût avisé.
« Ha ! Marquis, m'a-t-il dit, prenant près de moi place,
40 Comment te portes-tu ? Souffre que je t'embrasse. »
Au visage sur l'heure un rouge m'est monté
Que l'on me vît connu d'un pareil éventé[6].
Je l'étais peu pourtant ; mais on en voit paraître,
De ces gens qui de rien[7] veulent fort vous connaître,
45 Dont il faut au salut les baisers essuyer,
Et qui sont familiers jusqu'à vous tutoyer.
Il m'a fait à l'abord[8] cent questions frivoles,
Plus haut que les acteurs élevant ses paroles.
Chacun le maudissait ; et moi, pour l'arrêter :
50 « Je serais, ai-je dit, bien aise d'écouter.
— Tu n'as point vu ceci, Marquis ? Ah ! Dieu me damne,
Je le trouve assez drôle, et je n'y suis pas âne ;
Je sais par quelles lois un ouvrage est parfait,
Et Corneille me vient lire tout ce qu'il fait. »
55 Là-dessus de la pièce il m'a fait un sommaire[9],
Scène à scène averti de ce qui s'allait faire ;
Et jusques à des vers qu'il en savait par cœur,
Il me les récitait tout haut avant l'acteur.

Illustrations de l'édition de 1661 des *Fâcheux*, Paris, B.N.

Les Fâcheux, acte I, scène 1, vers 1 à 58.

Pour préparer l'étude du texte

1. Cet extrait se présente comme un récit. Vous en ferez le plan, en en dégageant bien les différents moments.
2. Vous récapitulerez les différentes manifestations du sans-gêne de ce fâcheux.
3. Quels renseignements ce passage fournit-il sur les conditions des représentations théâtrales de l'époque (voir p. 220) ?

1. Pour être à la mode, il convenait de porter des canons (ornements attachés au-dessous des genoux) particulièrement volumineux.
2. Au plus bel endroit, au plus beau moment de la pièce.
3. Si souvent corrigés, critiqués.
4. Bravant, narguant.
5. Public populaire qui assistait au spectacle debout dans la partie du théâtre située au rez-de-chaussée, le parterre.
6. A la tête légère, irréfléchi.
7. Alors qu'ils ne vous connaissent pas du tout ou qu'ils vous connaissent à peine.
8. En m'abordant, tout de suite.
9. Un résumé.

Le Bourgeois gentilhomme

1670

Monsieur Jourdain, le bourgeois gentilhomme, est un riche marchand qui veut se faire passer pour noble, qui s'efforce d'acquérir les manières et la culture des nobles. Molière ne se moque pas de son désir de s'élever socialement et de s'instruire. Il le ridiculise, parce qu'il procède avec excès et surtout parce qu'il cherche à sortir de sa condition, à échapper à sa naissance. Les richesses qu'il a accumulées ne l'empêchent pas de rester un bourgeois et d'être considéré par les gens de la cour comme un parvenu (voir p. 315).

Les deux intrigues de la comédie tournent autour de ce thème. D'une part, Monsieur Jourdain est tombé amoureux de la marquise Dorimène qui, aimée du comte Dorante, se moque du bourgeois et profite avec cynisme de ses libéralités. D'autre part, il refuse sa fille Lucile à Cléonte, sous le prétexte qu'il n'est pas noble. Il l'acceptera, avec plaisir, pour gendre, lorsqu'on lui fera croire qu'il est le fils du Grand Turc : après la réussite de ce stratagème, monté par le valet Covielle, la pièce s'achève sur un intermède chanté et dansé, dont la musique avait été composée par Lulli (voir p. 248). Ainsi Monsieur Jourdain subit-il un double échec.

« Vous n'êtes point gentilhomme, vous n'aurez pas ma fille »

En présence de sa femme, de Lucile, du valet Covielle et de la servante Nicole, Monsieur Jourdain oppose un refus catégorique à Cléonte qui lui demande la main de sa fille : il veut un noble pour gendre.

CLÉONTE.
Monsieur, je n'ai voulu prendre personne pour vous faire une demande que je médite il y a longtemps. Elle me touche assez pour m'en charger moi-même ; et, sans autre détour, je vous dirai que
5 l'honneur d'être votre gendre est une faveur glorieuse que je vous prie de m'accorder.

MONSIEUR JOURDAIN.
Avant que de vous rendre réponse, Monsieur, je vous prie de me dire si vous êtes gentilhomme.

CLÉONTE.
Monsieur, la plupart des gens sur cette question
10 n'hésitent pas beaucoup. On tranche le mot aisément. Ce nom ne fait aucun scrupule à prendre[1], et l'usage aujourd'hui semble en autoriser le vol. Pour moi, je vous l'avoue, j'ai les sentiments sur cette manière un peu plus délicats : je trouve que toute
15 imposture est indigne d'un honnête homme, et qu'il y a de la lâcheté à déguiser ce que le Ciel nous a fait naître, à se parer aux yeux du monde d'un titre dérobé, à se vouloir donner pour ce qu'on n'est pas. Je suis né de parents, sans doute, qui ont tenu des
20 charges honorables. Je me suis acquis dans les armes l'honneur de six ans de services, et je me trouve assez de bien pour tenir dans le monde un rang assez passable. Mais, avec tout cela, je ne veux point me donner un nom où d'autres en ma
25 place croiraient pouvoir prétendre, et je vous dirai franchement que je ne suis point gentilhomme.

MONSIEUR JOURDAIN.
Touchez là[2], Monsieur : ma fille n'est pas pour vous.

CLÉONTE.
Comment ?

MONSIEUR JOURDAIN.
Vous n'êtes point gentilhomme, vous n'aurez pas
30 ma fille.

MADAME JOURDAIN.
Que voulez-vous donc dire avec votre gentilhomme ? est-ce que nous sommes, nous autres, de la côte de saint Louis[3] ?

MONSIEUR JOURDAIN.
Taisez-vous, ma femme : je vous vois venir.

MADAME JOURDAIN.
35 Descendons-nous tous deux que de bonne bourgeoisie ?

MONSIEUR JOURDAIN.
Voilà pas le coup de langue.

MADAME JOURDAIN.
Et votre père n'était-il pas marchand aussi bien que le mien ?

MONSIEUR JOURDAIN.
40 Peste soit de la femme ! Elle n'y a jamais manqué. Si votre père a été marchand, tant pis pour lui ; mais pour le mien, ce sont des malavisés qui disent cela. Tout ce que j'ai à vous dire, moi, c'est que je veux avoir un gendre gentilhomme.

MADAME JOURDAIN.
45 Il faut à votre fille un mari qui lui soit propre[4], et il vaut mieux pour elle un honnête homme riche et bien fait, qu'un gentilhomme gueux et mal bâti.

NICOLE.
Cela est vrai. Nous avons le fils du gentilhomme de notre village, qui est le plus grand malitorne[5] et le
50 plus sot dadais que j'aie jamais vu.

MONSIEUR JOURDAIN.
Taisez-vous, impertinente. Vous vous fourrez toujours dans la conversation. J'ai du bien assez pour ma fille, je n'ai besoin que d'honneur, et je la veux faire marquise.

MADAME JOURDAIN.
55 Marquise ?

1. On n'a aucun scrupule à prendre le nom de noble.
2. Expression employée généralement pour exprimer un accord. Monsieur Jourdain l'utilise ici ironiquement.
3. De la race de saint Louis.
4. Qui lui convienne.
5. Mal fait, laid, malpropre.

MONSIEUR JOURDAIN.
Oui, marquise.

MADAME JOURDAIN.
Hélas ! Dieu m'en garde !

MONSIEUR JOURDAIN.
C'est une chose que j'ai résolue.

MADAME JOURDAIN.
C'est une chose, moi, où je ne consentirai point. Les
60 alliances avec plus grand que soi sont sujettes toujours à de fâcheux inconvénients. Je ne veux point qu'un gendre puisse à ma fille reprocher ses parents, et qu'elle ait des enfants qui aient honte de m'appeler leur grand-maman. S'il fallait qu'elle me
65 vînt visiter en équipage de grand-dame, et qu'elle manquât par mégarde à saluer quelqu'un du quartier, on ne manquerait pas aussitôt de dire cent sottises. « Voyez-vous, dirait-on, cette Madame la Marquise qui fait tant la glorieuse ? c'est la fille de
70 Monsieur Jourdain, qui était trop heureuse, étant petite, de jouer à la madame avec nous. Elle n'a pas toujours été si relevée que la voilà, et ses deux grands-pères vendaient du drap auprès de la porte Saint-Innocent. Ils ont amassé du bien à leurs en-
75 fants, qu'ils payent maintenant peut-être bien cher en l'autre monde, et l'on ne devient guère si riches à être honnêtes gens. » Je ne veux point tous ces caquets[1], et je veux un homme, en un mot, qui m'ait obligation de ma fille, et à qui je puisse dire :
80 « Mettez-vous là, mon gendre, et dînez avec moi. »

MONSIEUR JOURDAIN.
Voilà bien les sentiments d'un petit esprit, de vouloir demeurer toujours dans la bassesse. Ne me répliquez pas davantage : ma fille sera marquise en dépit de tout le monde ; et si vous me mettez en
85 colère, je la ferai duchesse.

MADAME JOURDAIN.
Cléonte, ne perdez point courage encore. Suivez-moi, ma fille, et venez dire résolument à votre père que si vous ne l'avez, vous ne voulez épouser personne.

Le Bourgeois gentilhomme, acte III, scène 12.

Pour préparer l'étude du texte

1. Vous analyserez les arguments développés par Madame Jourdain et montrerez en quoi ils sont raisonnables et modérés.
2. Vous étudierez le comportement de Monsieur Jourdain, en en dégageant les principales caractéristiques (le parvenu, l'égoïste, l'homme buté et de mauvaise foi).
3. Vous noterez les qualités de Cléonte faites d'honnêteté et de mesure.

Les Femmes savantes

1672

Chrysale, bourgeois plein de bon sens, a une femme, Philaminte, une fille, Armande, et une sœur, Bélise, avides de savoir, fières de leur érudition. Sa seconde fille, Henriette, a heureusement échappé à cette obsession qui marque la famille. Elle aime Clitandre d'un amour partagé et a pour rivales Armande et Bélise. Chrysale accepterait volontiers Clitandre pour gendre, mais la mère préférerait le bel esprit Trissotin. Finalement, Henriette et Clitandre se marieront, à l'issue de cette intrigue qui ridiculise non pas la volonté des femmes de s'instruire, mais ses excès.

« J'aime la poésie avec entêtement »

Les trois femmes savantes, Philaminte, Bélise et Armande, sont les dignes héritières des précieuses ridicules (voir p. 179) : les voici éblouies par le sonnet insipide du bel esprit Trissotin, le trois fois sot.

PHILAMINTE.
Allons, petit garçon, vite de quoi s'asseoir.
Le laquais tombe avec la chaise.
Voyez l'impertinent ! Est-ce que l'on doit choir[2],
Après avoir appris l'équilibre des choses ?

BÉLISE.
De ta chute, ignorant, ne vois-tu pas les causes,
5 Et qu'elle vient d'avoir du point fixe écarté
Ce que nous appelons centre de gravité ?

1. Bavardage indiscret.
2. Est-ce que l'on doit tomber.

L'ÉPINE.
Je m'en suis aperçu, Madame, étant par terre.

PHILAMINTE.
Le lourdaud !

TRISSOTIN.
Bien lui prend de n'être pas de verre.

ARMANDE.
Ah ! de l'esprit partout !

BÉLISE.
Cela ne tarit pas.

PHILAMINTE.
10 Servez-nous promptement votre aimable repas.

TRISSOTIN.
Pour cette grande faim qu'à mes yeux on expose,
Un plat seul de huit vers me semble peu de chose,
Et je pense qu'ici je ne ferai pas mal
De joindre à l'épigramme[1], ou bien au madrigal[2],
15 Le ragoût d'un sonnet, qui chez une princesse
A passé pour avoir quelque délicatesse.
Il est de sel attique[3] assaisonné partout,
Et vous le trouverez, je crois, d'assez bon goût.

ARMANDE.
Ah ! je n'en doute point.

PHILAMINTE.
Donnons vite audience[4].

BÉLISE. *A chaque fois qu'il veut lire, elle l'interrompt.*
20 Je sens d'aise mon cœur tressaillir par avance.
J'aime la poésie avec entêtement,
Et surtout quand les vers sont tournés galamment.

PHILAMINTE.
Si nous parlons toujours, il ne pourra rien dire.

TRISSOTIN.
SO...

BÉLISE.
Silence ! ma nièce.

TRISSOTIN.

Sonnet à la princesse Uranie sur sa fièvre

25 *Votre prudence est endormie,*
De traiter magnifiquement,
Et de loger superbement
Votre plus cruelle ennemie.

BÉLISE.
Ah ! le joli début !

D'après Abraham Bosse (1602-1676), *Conversation de dames en l'absence de leurs maris*, Écouen, musée de la Renaissance.

1. Court poème de caractère satirique.
2. Poème galant.
3. De finesse.
4. Écoutons.

ARMANDE.
Qu'il a le tour galant !

PHILAMINTE.
30 Lui seul des vers aisés possède le talent !

ARMANDE.
A *prudence endormie* il faut rendre les armes.

BÉLISE.
Loger son ennemie est pour moi plein de charmes.

PHILAMINTE.
J'aime *superbement* et *magnifiquement* :
Ces deux adverbes joints font admirablement.

BÉLISE.
35 Prêtons l'oreille au reste.

TRISSOTIN.
Votre prudence est endormie,
De traiter magnifiquement,
Et de loger superbement
Votre plus cruelle ennemie.

ARMANDE.
40 *Prudence endormie !*

BÉLISE.
Loger son ennemie !

PHILAMINTE.
Superbement et *magnifiquement !*

TRISSOTIN.
Faites-la sortir, quoi qu'on die,
De votre riche appartement,
45 *Où cette ingrate insolemment*
Attaque votre belle vie.

BÉLISE.
Ah ! tout doux, laissez-moi, de grâce, respirer.

ARMANDE.
Donnez-nous, s'il vous plaît, le loisir d'admirer.

PHILAMINTE.
On se sent à ces vers, jusques au fond de l'âme,
50 Couler je ne sais quoi qui fait que l'on se pâme[1].

Les Femmes savantes, acte III, scène 2, vers 737 à 786.

Pour préparer le commentaire composé

1. **Le comique de l'expression.** Vous étudierez le comique du langage, celui des femmes savantes (expression d'une admiration excessive, outrance des formulations) et celui de Trissotin (images, métaphores). Vous montrerez le ridicule des deux quatrains du sonnet de Trissotin et en rechercherez les caractères précieux.
2. **Le comique de gestes.** Vous relèverez et analyserez les passages où s'exprime le comique de gestes.
3. **L'esthétique classique.** Vous montrerez ce que ce texte révèle des conceptions littéraires de Molière et, plus généralement, de l'esthétique classique (voir p. 369).

Le Malade imaginaire

1673

Argan offre un autre exemple de ces nombreux originaux que Molière se plaît à ridiculiser. C'est un malade imaginaire que la pièce prend pour cible, un personnage obsédé par la maladie et par la médecine dont il a fait l'essentiel de ses préoccupations. Molière jette également en pâture au public les médecins du XVIIe siècle qui, détenteurs d'une fausse science, impuissants à guérir, abritent leur ignorance derrière leurs termes latins et leur longue robe, se servent de leur prétendu savoir pour imposer leur pouvoir. Ironie du sort, Molière lui-même mourra victime de leur incompétence, au cours d'une représentation de cette pièce où il les ridiculise.

Le schéma du *Malade imaginaire*, qui comporte des intermèdes chantés et dansés, est proche de celui du *Bourgeois gentilhomme* : Angélique aime Cléante. Mais Argan, son père, la destine au médecin Thomas Diafoirus dont il espère ainsi des secours quotidiens. Après bien des péripéties suscitées par la servante Toinette, Argan acceptera le mariage souhaité par les deux jeunes gens, après avoir décidé de devenir médecin.

« *Dico* que le pouls de Monsieur est le pouls d'un homme qui ne se porte point bien »

Le médecin Thomas Diafoirus, accompagné de son père, offre un double exemple comique de son pédantisme, d'abord en faisant sa cour à Angélique, ensuite en donnant une consultation à Argan.

1. Que l'on défaille, que l'on se trouve mal.

Un médecin, gravure, XVIIe siècle,
Paris, bibliothèque du musée des Arts décoratifs.

ARGAN.
Allons, ma fille, touchez dans la main de Monsieur, et lui donnez votre foi, comme à votre mari.

ANGÉLIQUE.
Mon père.

ARGAN.
Hé bien ! « Mon père ? » Qu'est-ce que cela veut
5 dire ?

ANGÉLIQUE.
De grâce, ne précipitez pas les choses. Donnez-nous au moins le temps de nous connaître, et de voir naître en nous l'un pour l'autre cette inclination si nécessaire à composer une union parfaite.

THOMAS DIAFOIRUS.
10 Quant à moi, Mademoiselle, elle est déjà toute née en moi, et je n'ai pas besoin d'attendre davantage.

ANGÉLIQUE.
Si vous êtes si prompt, Monsieur, il n'en est pas de même de moi, et je vous avoue que votre mérite n'a pas encore fait assez d'impression dans mon âme.

ARGAN.
15 Ho bien, bien ! cela aura tout le loisir de se faire, quand vous serez mariés ensemble.

ANGÉLIQUE.
Eh ! mon père, donnez-moi du temps, je vous prie. Le mariage est une chaîne où l'on ne doit jamais soumettre un cœur par force ; et si Monsieur est
20 honnête homme, il ne doit point vouloir accepter une personne qui serait à lui par contrainte.

THOMAS DIAFOIRUS.
Nego consequentiam[1], Mademoiselle, et je puis être honnête homme et vouloir bien vous accepter des mains de Monsieur votre père.

ANGÉLIQUE.
25 C'est un méchant moyen de se faire aimer de quelqu'un que de lui faire violence.

THOMAS DIAFOIRUS.
Nous lisons des Anciens, Mademoiselle, que leur coutume était d'enlever par force de la maison des pères les filles qu'on menait marier, afin qu'il ne
30 semblât pas que ce fût de leur consentement qu'elles convolaient dans les bras d'un homme[2].

ANGÉLIQUE.
Les Anciens, Monsieur, sont les Anciens, et nous sommes les gens de maintenant. Les grimaces ne sont point nécessaires dans notre siècle ; et quand
35 un mariage nous plaît, nous savons fort bien y aller, sans qu'on nous y traîne. Donnez-vous patience : si vous m'aimez, Monsieur, vous devez vouloir tout ce que je veux.

THOMAS DIAFOIRUS.
Oui, Mademoiselle, jusqu'aux intérêts de mon
40 amour exclusivement.

ANGÉLIQUE.
Mais la grande marque d'amour, c'est d'être soumis aux volontés de celle qu'on aime.

1. Je nie la conséquence.

2. Qu'elles allaient dans les bras d'un homme, qu'elles se mariaient.

Jan Steen (1626-1679), *Malade et médecin*, Prague, Galerie nationale.

THOMAS DIAFOIRUS.
Distinguo[1], Mademoiselle : dans ce qui ne regarde point sa possession, *concedo*[1] ; mais dans ce qui la
45 regarde, *nego*[1].

TOINETTE.
Vous avez beau raisonner : Monsieur est frais émoulu du collège, et il vous donnera toujours votre reste[2]. Pourquoi tant hésiter, et refuser la gloire d'être attachée au corps de la Faculté ?
[...]

MONSIEUR DIAFOIRUS.
50 Nous allons, Monsieur, prendre congé de vous.

ARGAN.
Je vous prie, Monsieur, de me dire un peu comment je suis.

MONSIEUR DIAFOIRUS lui tâte le pouls.
Allons, Thomas, prenez l'autre bras de Monsieur, pour voir si vous saurez porter un bon jugement de
55 son pouls. *Quid dicis*[3] ?

THOMAS DIAFOIRUS.
Dico[4] que le pouls de Monsieur est le pouls d'un homme qui ne se porte point bien.

MONSIEUR DIAFOIRUS.
Bon.

THOMAS DIAFOIRUS.
Qu'il est duriuscule[5], pour ne pas dire dur.

MONSIEUR DIAFOIRUS.
60 Fort bien.

THOMAS DIAFOIRUS.
Repoussant[6].

MONSIEUR DIAFOIRUS.
Bene[7].

THOMAS DIAFOIRUS.
Et même un peu caprisant[8].

MONSIEUR DIAFOIRUS.
Optime[9].

1. Je distingue, je concède, je nie.
2. Il aura toujours raison sur vous.
3. Que dis-tu ?
4. Je dis.
5. Un peu dur.
6. Pouls si fort qu'il repousse le doigt qui le tâte.
7. Bien.
8. Pouls qui s'interrrompt, puis s'accélère.
9. Très bien.

THOMAS DIAFOIRUS.
65 Ce qui marque une intempérie[1] dans le *parenchyme*[2] *splénique*, c'est-à-dire la rate.

MONSIEUR DIAFOIRUS.
Fort bien.

ARGAN.
Non : Monsieur Purgon[3] dit que c'est mon foie qui est malade.

MONSIEUR DIAFOIRUS.
70 Eh ! oui : qui dit *parenchyme*, dit l'un et l'autre, à cause de l'étroite sympathie qu'ils ont ensemble, par le moyen du *vas breve du pylore*[4], et souvent des *méats cholidoques*[5]. Il vous ordonne sans doute de manger force rôti ?

ARGAN.
75 Non, rien que du bouilli.

MONSIEUR DIAFOIRUS.
Eh ! oui : rôti, bouilli, même chose. Il vous ordonne fort prudemment, et vous ne pouvez être en de meilleures mains.

ARGAN.
Monsieur, combien est-ce qu'il faut mettre de
80 grains de sel dans un œuf ?

MONSIEUR DIAFOIRUS.
Six, huit, dix, par les nombres pairs ; comme dans les médicaments, par les nombres impairs.

ARGAN.
Jusqu'au revoir, Monsieur.

Le Malade imaginaire, acte II, scène 6.

Pour préparer l'étude du texte

1. Vous montrerez en quoi consiste le ridicule des deux Diafoirus (langage savant utilisé par Thomas aussi bien pour faire sa déclaration d'amour que pour énoncer un diagnostic, « jargon » spécialisé de Diafoirus père).
2. Vous étudierez l'art de gagner du temps que pratique Angélique. En quoi ses arguments reflètent-ils le bon sens et la raison ?
3. Vous mettrez en évidence ce que Molière veut dénoncer à travers le personnage d'Argan.

Pour un groupement de textes

Originaux et personnages pittoresques dans :
Francion de Charles Sorel (voir p. 44),
Le Roman comique de Paul Scarron (voir p. 91),
L'Illusion comique de Pierre Corneille (voir p. 154),
Le Bourgeois gentilhomme (voir p. 184), *Les Femmes savantes* (voir p. 185) et *Le Malade imaginaire* (voir p. 187) de Molière,
Le Roman bourgeois d'Antoine Furetière (voir p. 312),
Don Quichotte de la Manche de Miguel de Cervantès (voir p. 314),
Les Caractères (« De l'homme », 7 ; « De la mode », 2 ; « De la société », 9) de Jean de La Bruyère (voir pp. 377, 379 et 380).

La mise en scène des problèmes fondamentaux de la société

Lorsqu'il joue sur le comique des caractères, Molière porte témoignage sur l'organisation sociale de son temps. Les comportements des précieuses ridicules (voir p. 179), des fâcheux (voir p. 182), du bourgeois gentilhomme (voir p. 184), des femmes savantes (voir p. 185) ou du malade imaginaire (voir p. 187) révèlent le fonctionnement de la société du XVIIe siècle. L'attitude des pères de famille envers leur enfants amène le spectateur à réfléchir sur l'autorité paternelle.

Dans quatre de ses comédies, qui se situent au centre de sa carrière, Molière s'engage plus avant dans cette direction : il pose les problèmes fondamentaux de la société, réfléchit sur les rapports de pouvoir. Sans renoncer aux effets comiques, il aborde ainsi la grande comédie. Dans *L'École des femmes*, il démystifie l'institution du mariage. Dans *Tartuffe*, il montre les effets de la fausse dévotion. Dans *Dom Juan*, il met en scène le conflit entre la position libertine et une conception du monde fondée sur la religion. Dans *Le Misanthrope* enfin, il évoque les dangers de la sincérité absolue dans une société d'apparences. Menacé par la censure, il renoncera à cette inspiration qui lui permet d'atteindre le sommet de son art.

1. Un manque de juste mesure.
2. Le parenchyme est un organe où afflue le sang, comme les poumons ou les reins.
3. Autre médecin d'Argan.
4. Éléments situés à la base de l'estomac.
5. Conduits qui amènent la bile dans le duodénum.

L'École des femmes

1662

Dans *L'École des femmes*, Molière se penche sur une institution essentielle, le mariage. Il exploite un schéma apparemment anodin. Arnolphe a élevé Agnès qu'il a recueillie dans l'intention de l'épouser. C'est maintenant une jeune fille, et l'heure est venue pour lui de mettre son projet à exécution. Mais il se heurte à un rival inattendu, Horace : le jeune homme aime Agnès et est aimé de la jeune fille qui, élevée dans l'ignorance des choses de la vie, réagit spontanément à cet amour. Le tuteur cherchera en vain à déjouer les plans d'Horace en profitant d'une méprise du jeune homme qui, ne connaissant pas sa véritable identité, fait de lui son confident. L'amour, évidemment, finira par triompher.

Sous ce schéma, apparaît une réflexion profonde. L'action et le comportement des personnages ont pour résultat de dénoncer l'exercice dévoyé du pouvoir et de montrer la force de la nature face à la contrainte. Si Arnolphe échoue dans son entreprise, c'est parce qu'il utilise son autorité de tuteur de façon pervertie, c'est parce qu'il est prêt à devenir un mari tyrannique, c'est enfin parce qu'Agnès, dans son innocence, révèle que l'instinct, la nature, l'amour finissent toujours par l'emporter.

Dès sa création, en 1662, *L'École des femmes* suscite une violente polémique qui se poursuit tout au long de l'année 1663. Les attaques portent sur la forme : on reproche à Molière de ne pas respecter les règles du théâtre classique (voir p. 138) et d'écrire en un style relâché. Elles visent également le fond de la comédie : on accuse son auteur d'avoir introduit des passages scabreux et surtout de porter atteinte au sacrement du mariage.

« Certain je ne sais quoi dont je suis toute émue »

La scène 5 de l'acte II est à la fois comique et pathétique. Elle est comique, parce qu'Arnolphe est pris à son propre piège : l'innocence d'Agnès, loin de protéger sa vertu, la pousse dans les bras d'Horace. Elle est pathétique, parce que, dans son ingénuité, tout à sa découverte de l'amour, Agnès, par ses révélations, impose à Arnolphe une insoutenable souffrance.

ARNOLPHE.
La promenade est belle.

AGNÈS.
Fort belle.

ARNOLPHE.
Le beau jour !

AGNÈS.
Fort beau.

ARNOLPHE.
Quelle nouvelle ?

AGNÈS.
Le petit chat est mort.

ARNOLPHE.
C'est dommage ; mais quoi ?
Nous sommes tous mortels, et chacun est pour soi.
5 Lorsque j'étais aux champs, n'a-t-il point fait de pluie ?

AGNÈS.
Non.

ARNOLPHE.
Vous ennuyait-il[1] ?

AGNÈS.
Jamais je ne m'ennuie.

ARNOLPHE.
Qu'avez-vous fait encor ces neuf ou dix jours-ci ?

AGNÈS.
Six chemises, je pense, et six coiffes aussi.

ARNOLPHE ayant un peu rêvé.
Le monde, chère Agnès, est une étrange chose.
10 Voyez la médisance, et comme chacun cause :
Quelques voisins m'ont dit qu'un jeune homme inconnu
Était en mon absence à la maison venu,
Que vous aviez souffert sa vue et ses harangues[2] ;
Mais je n'ai point pris foi sur ces méchantes langues[3],
15 Et j'ai voulu gager[4] que c'était faussement...

AGNÈS.
Mon Dieu, ne gagez pas : vous perdriez vraiment.

ARNOLPHE.
Quoi ? c'est la vérité qu'un homme... ?

AGNÈS.
Chose sûre.
Il n'a presque bougé de chez nous, je vous jure.
[...]

AGNÈS.
Qu'avez-vous ? Vous grondez, ce me semble, un petit[5] ?
20 Est-ce que c'est mal fait ce que je vous ai dit ?

ARNOLPHE.
Non. Mais de cette vue apprenez-moi les suites,
Et comme le jeune homme a passé ses visites.

1. Éprouviez-vous de l'ennui ?
2. Que vous aviez supporté, accepté sa présence et ses discours.
3. Je n'ai pas cru ces méchantes langues.
4. Parier.
5. Un petit peu.

Samuel van Hoogstraten (1626-1678), *Les Pantoufles*, Paris, musée du Louvre. L'aspiration bourgeoise à l'ordre et à la tranquillité.

AGNÈS.
Hélas ! si vous saviez comme il était ravi,
Comme il perdit son mal sitôt que je le vis,
25 Le présent qu'il m'a fait d'une belle cassette,
Et l'argent qu'en ont eu notre Alain et Georgette,
Vous l'aimeriez sans doute et diriez comme nous...

ARNOLPHE.
Oui. Mais que faisait-il étant seul avec vous ?

AGNÈS.
Il jurait qu'il m'aimait d'une amour sans seconde,
30 Et me disait des mots les plus gentils du monde,
Des choses que jamais rien ne peut égaler,
Et dont, toutes les fois que je l'entends parler,
La douceur me chatouille et là-dedans remue
Certain je ne sais quoi dont je suis toute émue.

ARNOLPHE à part.
35 Ô fâcheux examen d'un mystère fatal,
Où l'examinateur souffre seul tout le mal !

À Agnès.

Outre tous ces discours, toutes ces gentillesses,
Ne vous faisait-il point aussi quelques caresses ?

AGNÈS.
Oh tant ! Il me prenait et les mains et les bras,
40 Et de me les baiser il n'était jamais las.

ARNOLPHE.
Ne vous a-t-il point pris, Agnès, quelque autre chose ?

La voyant interdite.

Ouf !

AGNÈS.
Hé ! il m'a...

ARNOLPHE.
Quoi ?

AGNÈS.
Pris...

ARNOLPHE.
Euh !

AGNÈS.
Le...

ARNOLPHE.
Plaît-il ?

AGNÈS.
Je n'ose,
Et vous vous fâcherez peut-être contre moi.

ARNOLPHE.
Non.

AGNÈS.
Si fait.

ARNOLPHE.
Mon Dieu, non !

AGNÈS.
Jurez donc votre foi.

ARNOLPHE.
45 Ma foi, soit.

AGNÈS.
Il m'a pris... Vous serez en colère.

ARNOLPHE.
Non.

AGNÈS.
Si.

ARNOLPHE.
Non, non, non, non. Diantre[1], que de mystère !
Qu'est-ce qu'il vous a pris ?

AGNÈS.
Il...

ARNOLPHE, à part.
Je souffre en damné.

AGNÈS.
Il m'a pris le ruban que vous m'aviez donné.
A vous dire le vrai, je n'ai pu m'en défendre.

L'École des femmes, acte II, scène 5, vers 459 à 476 ; 549 à 579.

Anonyme, XVIIe siècle, *Armande Béjart*, Paris, bibliothèque du musée des Arts décoratifs.
En 1662, l'année même de la création de *L'École des femmes*, Molière épouse Armande Béjart de vingt ans sa cadette. Bien qu'Agnès ne soit pas interprétée par sa jeune femme, Molière pose, dans cette pièce, les difficultés que peut provoquer, à l'intérieur du couple, la différence d'âge.

Pour préparer l'étude du texte

1. Vous noterez comment s'exprime l'innocence d'Agnès (la sincérité, les effets d'attente, l'habileté involontaire consistant à détourner les questions posées).
2. Vous montrerez que les deux personnages ne sont pas situés sur le même plan, ce qui produit un décalage comique que vous analyserez.
3. Vous étudierez le personnage d'Arnolphe (sa perspicacité, les manifestations de sa souffrance, les réactions des spectateurs).

1. Diable.

L'Impromptu de Versailles

1663

La polémique suscitée par *L'École des femmes* devait connaître de nombreux rebondissements. Pour répondre aux multiples reproches qui lui sont adressés, Molière fait jouer *La Critique de L'École des femmes.* Un de ses rivaux, l'auteur de comédies Jean Donneau de Visé (voir p. 217), riposte avec *Zélinde.* Molière réplique avec *L'Impromptu de Versailles.* Donneau de Visé réagit avec *La Vengeance des marquis.* Attaques et contre-attaques se succèdent. *L'Impromptu de Versailles* se présente comme une comédie pamphlet. Molière se met en scène en train de donner des conseils à ses comédiens, ce qui lui permet de se défendre contre les attaques dont il a été victime et d'exprimer sa conception du théâtre.

« Tâchez donc de bien prendre, tous, le caractère de vos rôles »

Dans la première scène de cette comédie en un acte, Molière informe ses comédiens d'un projet de pièce nouvelle et leur distribue les rôles, ce qui l'amène à évoquer un certain nombre de personnages de son théâtre.

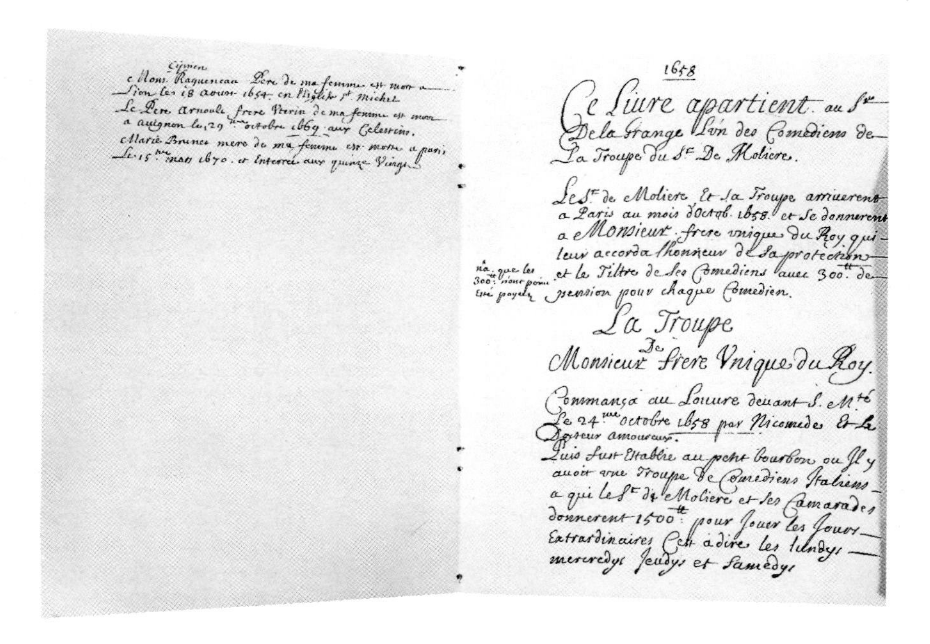

Mons. Raguenea Pere de ma femme est mort a Lion les 18 aoust 1654. en l'Eglise St. Michel
Le Pere Arnoult frere Uterin de ma femme est mort a Auignon le 29me octobre 1669 aux Celestins.
Marie Brunet mere de ma femme est morte a Paris le 15me mars 1670. et Enterrée aux quinze Vingts

1658

Ce Liure apartient au Sr De la Grange l'vn des Comediens de La Troupe du Sr De Moliere.

Le Sr de Moliere Et sa Troupe arriuerent a Paris au mois d'Octob. 1658. et se donnerent a Monsieur frere vnique du Roy qui leur accorda l'honneur de sa protection et le Tiltre de ses Comediens auec 300.tt de pension pour chaque Comedien.

La Troupe de Monsieur Frere Vnique du Roy.

Commança au Louure deuant S. Mté le 24me octobre 1658 par Nicomede Et le Docteur amoureux.

Puis fust Etablie au petit bourbon ou Il y auoit vne Troupe de Comediens Italiens a qui le Sr de Moliere et ses Camarades donnerent 1500.tt pour Jouer les Jours Extrardinaires C'est a dire les lundys mercredys Jeudys et Samedys

Registre La Grange, Paris, Comédie-Française.
Sur ce registre, le comédien La Grange consignait tous les détails matériels concernant la troupe de Molière.

MOLIÈRE.
(Parlant à de La Grange.) Vous, prenez garde à bien représenter avec moi votre rôle de marquis[1].

MADEMOISELLE MOLIÈRE[2]**.**
Toujours des marquis !

MOLIÈRE.
Oui, toujours des marquis. Que diable voulez-vous
5 qu'on prenne pour un caractère agréable de théâtre ? Le marquis aujourd'hui est le plaisant de la comédie ; et. comme dans toutes les comédies anciennes on voit toujours un valet bouffon qui fait rire les auditeurs, de même, dans toutes nos pièces
10 de maintenant, il faut toujours un marquis ridicule qui divertisse la compagnie.

MADEMOISELLE BÉJART[3]**.**
Il est vrai, on ne s'en saurait passer.

MOLIÈRE.
Pour vous, Mademoiselle...

MADEMOISELLE DU PARC.
Mon Dieu, pour moi, je m'acquitterai fort mal de
15 mon personnage, et je ne sais pas pourquoi vous m'avez donné ce rôle de façonnière[4].

1. Le petit marquis, jeune homme à la mode ridicule, était une des cibles favorites de Molière. La Grange, auquel ce rôle est confié, jouait aussi souvent les jeunes premiers sympathiques.
2. Armande Béjart, la femme de Molière, coquette, aussi bien dans la vie courante que sur scène.
3. Madeleine Béjart, la sœur aînée d'Armande Béjart, se chargera du rôle de la fausse prude.
4. La façonnière, jouée par Mademoiselle du Parc, est une femme aux manières, au comportement affectés.

MOLIÈRE.
Mon Dieu, Mademoiselle, voilà comme vous disiez lorsque l'on vous donna celui de *La Critique de l'École des femmes*[1] ; cependant vous vous en êtes acquittée à merveille, et tout le monde est demeuré d'accord qu'on ne peut pas mieux faire que vous avez fait. Croyez-moi, celui-ci sera de même ; et vous le jouerez mieux que vous ne pensez.

MADEMOISELLE DU PARC.
Comment cela se pourrait-il faire ? car il n'y a point de personne au monde qui soit moins façonnière que moi.

MOLIÈRE.
Cela est vrai ; et c'est en quoi vous faites mieux voir que vous êtes excellente comédienne, de bien représenter un personnage qui est si contraire à votre humeur. Tâchez donc de bien prendre, tous, le caractère de vos rôles, et de vous figurer que vous êtes ce que vous représentez.

(A du Croisy.)[2] Vous faites le poète, vous, et vous devez vous remplir de ce personnage, marquer cet air pédant qui se conserve parmi le commerce du beau monde, ce ton de voix sentencieux, et cette exactitude de prononciation qui appuie sur toutes les syllabes, et ne laisse échapper aucune lettre de la plus sévère orthographe.

(A Brécourt.) Pour vous, vous faites un honnête homme de cour, comme vous avez déjà fait dans *La Critique de l'École des femmes*[3], c'est-à-dire que vous devez prendre un air posé, un ton de voix naturel, et gesticuler le moins qu'il vous sera possible.

(A de la Grange.) Pour vous, je n'ai rien à vous dire.

(A Mademoiselle Béjart.) Vous, vous représentez une de ces femmes qui, pourvu qu'elles ne fassent point l'amour[4], croient que tout le reste leur est permis, de ces femmes qui se retranchent toujours fièrement sur leur pruderie, regardent un chacun de haut en bas, et veulent que toutes les plus belles qualités que possèdent les autres ne soient rien en comparaison d'un misérable honneur dont personne ne se soucie. Ayez toujours ce caractère devant les yeux, pour en bien faire les grimaces[5].

(A Mademoiselle de Brie[6]*.)* Pour vous, vous faites une de ces femmes qui pensent être les plus vertueuses personnes du monde pourvu qu'elles sauvent les apparences, de ces femmes qui croient que le péché n'est que dans le scandale, qui veulent conduire doucement les affaires qu'elles ont sur le pied d'attachement honnête[7] et appellent amis ce que les autres nomment galants. Entrez bien dans ce caractère.

(A Mademoiselle Molière.) Vous, vous faites le même personnage que dans *La Critique*[8], et je n'ai rien à vous dire, non plus qu'à Mademoiselle du Parc.

(A Mademoiselle du Croisy[9]*.)* Pour vous, vous représentez une de ces personnes qui prêtent doucement des charités à tout le monde, de ces femmes qui donnent toujours le petit coup de langue en passant, et seraient bien fâchées d'avoir souffert qu'on eût dit du bien du prochain. Je crois que vous ne vous acquitterez pas mal de ce rôle.

(A Mademoiselle Hervé.) Et pour vous, vous êtes la soubrette de la précieuse[10], qui se mêle de temps en temps dans la conversation, et attrape, comme elle peut, tous les termes de sa maîtresse. Je vous dis tous vos caractères, afin que vous vous les imprimiez fortement dans l'esprit. Commençons maintenant à répéter, et voyons comme cela ira. Ah ! voici justement un fâcheux ! Il ne nous fallait plus que cela.

L'Impromptu de Versailles, scène I.

Pour préparer l'étude du texte

1. Molière passe en revue un certain nombre de rôles de comédie. Vous en dresserez la liste, en préciserez les caractéristiques et en trouverez des illustrations dans son théâtre.
2. Vous récapitulerez les recommandations que fait Molière aux acteurs. Vous en déduirez les qualités que, selon lui, doit posséder le bon comédien.
3. Que révèle ce passage sur :
   — le choix de Molière et la manière dont il concevait la direction d'une troupe ;
   — les orientations de la comédie au XVIIe siècle (personnages et thèmes) ?

1. Dans cette autre comédie pamphlet de Molière, Mademoiselle du Parc interprétait le rôle comparable de Climène.
2. Molière confie à du Croisy le rôle du poète ridicule.
3. Brécourt y interprétait déjà le rôle de l'honnête homme, Dorante.
4. Pourvu qu'elles ne s'occupent pas d'amour.
5. Pour bien rendre les mines affectées et trompeuses de la fausse prude.
6. A Mademoiselle de Brie le rôle de la femme à la vie amoureuse agitée, mais attachée à sauver les apparences.
7. Qui veulent mener leurs intrigues amoureuses en les faisant passer pour des attachements honnêtes.
8. Elle y jouait le rôle d'Élise.
9. Mademoiselle du Croisy est chargée du rôle de la femme médisante.
10. Mademoiselle Hervé interprétera le rôle de la suivante de la précieuse.

Tartuffe ou L'Imposteur

1664

Apparemment, Molière utilise, dans *Tartuffe*, le schéma traditionnel de la comédie d'intrigue que l'on trouve dans un grand nombre de ses pièces : la jeune première, Mariane et le jeune premier, Valère, s'aiment. Mais le père de Mariane, Orgon, s'oppose à leur mariage, car, obsédé par la religion, il souhaite comme gendre le dévot Tartuffe. Aidés par la servante Dorine, les deux personnages sympathiques essaieront de venir à bout de l'obstacle qui contrarie leur bonheur.

Sous cette intrigue conventionnelle, se précise une dénonciation de la fausse piété et des excès de la religion. Comme le titre de la pièce l'indique, Tartuffe est un imposteur. Orgon, totalement sous son influence, est prêt à tout lui céder. Le faux dévot profite largement de la situation : il veut non seulement épouser Mariane, mais encore séduire Elmire, la jeune femme qu'Orgon a épousée en secondes noces, et s'emparer des biens du bourgeois. Percé à jour, il n'hésitera pas à dénoncer Orgon qui avait eu l'imprudence de garder des papiers d'un ami compromis durant la Fronde. Mais le traître sera finalement arrêté.

Alors que la querelle de *L'École des femmes* semblait s'apaiser, *Tartuffe* relance les attaques des adversaires de Molière. Il est la cible des bien-pensants. Parmi eux, se trouvent, certes, des gens sincères qui considèrent que la pièce porte atteinte à la foi. Mais les plus acharnés, ce sont les arrivistes qui utilisent une piété d'apparence pour faire carrière : la dénonciation de l'hypocrisie religieuse les dérange, parce qu'elle les concerne directement, parce qu'elle les montre du doigt.

Dans ce combat, Molière doit affronter de redoutables forces religieuses. La Compagnie du Saint-Sacrement, société occulte puissante qui s'est donné comme tâche de défendre la pureté de la religion, se déchaîne contre lui. Il provoque l'hostilité des directeurs de conscience qui, comme Tartuffe, avaient pour fonction de donner des conseils spirituels et s'immisçaient ainsi dans les affaires familiales. De plus, les autorités religieuses ne sont pas mécontentes, en s'en prenant à Molière, d'attaquer indirectement son protecteur, Louis XIV, auquel ils reprochent sa vie licencieuse. Dès lors, une véritable haine se déclenche contre Molière. Tous les moyens sont bons pour l'abattre. On le soupçonne d'être libertin. On prétend que sa jeune épouse, Armande Béjart, est sa propre fille. On ridiculise son jeu d'acteur ; Montfleury, par exemple, le dépeint ainsi à la scène 3 de *L'Impromptu de l'hôtel de Condé* (1664) :

> « [...] ; il vient, le nez au vent,
> Les pieds en parenthèses, et l'épaule en avant,
> Sa perruque, qui suit le côté qu'il avance,
> Plus pleine de lauriers qu'un jambon de Mayence,
> Les mains sur les côtés d'un air peu négligé,
> La tête sur le dos comme un mulet chargé,
> Les yeux fort égarés, puis débitant ses rôles,
> D'un hoquet éternel sépare ses paroles. »

Cette campagne de dénigrement portera ses fruits. La première version de la pièce en trois actes est interdite. Molière remanie sa comédie en 1667 : cette seconde version édulcorée en cinq actes subit le même sort, après une seule représentation. Ce n'est qu'en 1669 que la troisième version encore remaniée, la seule à nous être parvenue, est enfin autorisée. Molière la fera publier la même année, avec les trois placets qu'il avait adressés au roi pour solliciter son intervention en faveur de la pièce et le remercier de sa protection, et une préface fort importante où il expose ses conceptions de la comédie (voir p. 214).

Allégorie de *L'Hypocrisie* dans Cesare Ripa, *Iconologie*, édition Baudouin, 1635.

« Ah ! pour être dévot, je n'en suis pas moins homme »

Tartuffe se livre à une entreprise de séduction en règle d'Elmire, la jeune femme de son bienfaiteur Orgon, en mêlant langage amoureux et langage religieux.

TARTUFFE.

L'amour qui nous attache aux beautés éternelles
N'étouffe pas en nous l'amour des temporelles[1].
Nos sens facilement peuvent être charmés
Des ouvrages parfaits que le ciel a formés.
5 Ses attraits réfléchis brillent dans vos pareilles,
Mais il étale en vous ses plus rares merveilles.
Il a sur votre face épanché des beautés
Dont les yeux sont surpris et les cœurs transportés ;
Et je n'ai pu vous voir, parfaite créature,
10 Sans admirer en vous l'auteur de la nature,
Et d'une ardente amour sentir mon cœur atteint
Au plus beau des portraits où lui-même il s'est peint.
D'abord j'appréhendai que cette ardeur secrète
Ne fût du noir esprit[2] une surprise adroite,
15 Et même à fuir vos yeux mon cœur se résolut,
Vous croyant un obstacle à faire mon salut.
Mais enfin je connus, ô beauté toute aimable,
Que cette passion peut n'être point coupable ;
Que je puis l'ajuster avecque la pudeur,

1. Des beautés temporelles.

2. Du diable.

20 Et c'est ce qui m'y fait abandonner mon cœur.
Ce m'est, je le confesse, une audace bien grande
Que d'oser de ce cœur vous adresser l'offrande ;
Mais j'attends en mes vœux tout de votre bonté,
Et rien des vains efforts de mon infirmité[1].
25 En vous est mon espoir, mon bien, ma quiétude[2] :
De vous dépend ma peine ou ma béatitude[3] :
Et je vais être enfin, par votre seul arrêt,
Heureux, si vous voulez, malheureux, s'il vous plaît.

ELMIRE.
La déclaration est tout à fait galante ;
30 Mais elle est, à vrai dire, un peu bien surprenante.
Vous deviez, ce me semble, armer mieux votre sein[4]
Et raisonner un peu sur un pareil dessein.
Un dévot comme vous, et que partout on nomme...

TARTUFFE.
Ah ! pour être dévot, je n'en suis pas moins homme ;
35 Et lorsqu'on vient à voir vos célestes appas,
Un cœur se laisse prendre et ne raisonne pas.
Je sais qu'un tel discours de moi paraît étrange ;
Mais, Madame, après tout, je ne suis pas un ange,
Et, si vous condamnez l'aveu que je vous fais,
40 Vous devez vous en prendre à vos charmants attraits.
Dès que j'en vis briller la splendeur plus qu'humaine,
De mon intérieur[5] vous fûtes souveraine.
De vos regards divins l'ineffable douceur
Força la résistance où s'obstinait mon cœur ;
45 Elle surmonta tout, jeûnes, prières, larmes,
Et tourna tous mes vœux du côté de vos charmes.
Mes yeux et mes soupirs vous l'ont dit mille fois,
Et pour mieux m'expliquer j'emploie ici la voix.
Que si vous contemplez d'une âme un peu bénigne[6]
50 Les tribulations[7] de votre esclave indigne,
S'il faut que vos bontés veuillent me consoler
Et jusqu'à mon néant daignent se ravaler[8],
J'aurai toujours pour vous, ô suave merveille[9],
Une dévotion à nulle autre pareille.
55 Votre honneur avec moi ne court point de hasard
Et n'a nulle disgrâce à craindre de ma part.
Tous ces galants de cour dont les femmes sont folles
Sont bruyants dans leurs faits et vains[10] dans leurs paroles ;
De leurs progrès sans cesse on les voit se targuer ;
60 Ils n'ont point de faveurs qu'ils n'aillent divulguer,
Et leur langue indiscrète, en qui l'on se confie,
Déshonore l'autel où leur cœur sacrifie.
Mais les gens comme nous brûlent d'un feu discret,
Avec qui pour toujours on est sûr du secret.
65 Le soin que nous prenons de notre renommée
Répond de toute chose à la personne aimée,
Et c'est en nous qu'on trouve, acceptant notre cœur,
De l'amour sans scandale et du plaisir sans peur.

Tartuffe, acte III, scène 3, vers 933 à 1000.

Pour préparer l'étude du texte

1. Vous montrerez, par une étude précise des articulations logiques et chronologiques, que chaque tirade suit une progression. Quelles conclusions peut-on tirer de cette observation ?
2. Vous analyserez le mélange subtil du langage amoureux et du langage religieux.
3. Comment Molière met-il en relief, dans ce passage, l'hypocrisie de Tartuffe ?
4. Comment Elmire réagit-elle à cette cour empressée ? Quelle indications sa réaction fournit-elle sur son caractère ?

« Nous vivons sous un prince ennemi de la fraude »

C'est la dernière scène de la pièce, le dénouement. Tartuffe, qui est allé dénoncer Orgon auprès du roi, revient, accompagné d'un officier de police, l'exempt. Viennent-ils se saisir d'Orgon ? Après un moment de tension, les craintes se dissipent. C'est Tartuffe qui est arrêté. La justice royale triomphe. La famille, réunie, est réconciliée : la grand-mère, Madame Pernelle, le père, Orgon, son épouse, Elmire, la fille, Mariane, le fils, Damis, le beau-frère, Cléante et la servante, Dorine, tous peuvent maintenant se réjouir et songer au mariage des deux jeunes gens.

L'EXEMPT.
(A Orgon.)
Remettez-vous, Monsieur, d'une alarme si chaude.
Nous vivons sous un prince ennemi de la fraude,
Un prince dont les yeux se font jour dans les cœurs[11],
Et que ne peut tromper tout l'art des imposteurs.
5 D'un fin discernement sa grande âme pourvue
Sur les choses toujours jette une droite vue ;
Chez elle jamais rien ne surprend trop d'accès[12],
Et sa ferme raison ne tombe en nul excès.
Il donne aux gens de bien une gloire immortelle,
10 Mais sans aveuglement il fait briller ce zèle,
Et l'amour pour les vrais ne ferme point son cœur
A tout ce que les faux doivent donner d'horreur.

1. De ma faiblesse.
2. Ma tranquillité.
3. Mon bonheur.
4. Votre cœur.
5. De mon âme.
6. Bienveillante.
7. Les tourments.
8. Se rabaisser.
9. Douce merveille.
10. Vaniteux.
11. Dont les yeux voient ce qui se passe dans les cœurs.
12. Jamais rien n'accède à son âme, n'y pénètre par surprise, en la trompant. Le sens de ce vers n'est pas très clair.

Celui-ci n'était pas pour le pouvoir surprendre,
Et de pièges plus fins on le voit se défendre.
15 D'abord[1] il a percé par ses vives clartés
Des replis de son cœur toutes les lâchetés.
Venant vous accuser, il s'est trahi lui-même
Et, par un juste trait de l'équité[2] suprême,
S'est découvert au prince un fourbe renommé
20 Dont sous un autre nom il était informé ;
Et c'est un long détail d'actions toutes noires
Dont on pourrait former des volumes d'histoires.
Ce monarque, en un mot, a vers vous détesté
Sa lâche ingratitude et sa déloyauté[3] ;
25 A ses autres horreurs il a joint cette suite,
Et ne m'a jusqu'ici soumis à sa conduite
Que pour voir l'impudence aller jusques au bout
Et vous faire par lui faire raison de tout[4].
Oui, de tous vos papiers, dont il se dit le maître,
30 Il veut qu'entre vos mains je dépouille le traître.
D'un souverain pouvoir, il brise les liens
Du contrat qui lui fait un don de tous vos biens,
Et vous pardonne enfin cette offense secrète
Où vous a d'un ami fait tomber la retraite[5] ;
35 Et c'est le prix qu'il donne au zèle qu'autrefois
On vous vit témoigner en appuyant ses droits,
Pour montrer que son cœur sait, quand moins on y pense,
D'une bonne action verser la récompense,
Que jamais le mérite avec lui ne perd rien,
40 Et que mieux que du mal il se souvient du bien.

DORINE.
Que le ciel soit loué !

MADAME PERNELLE.
Maintenant je respire.

ELMIRE.
Favorable succès[6] !

MARIANE.
Qui l'aurait osé dire ?

ORGON à Tartuffe.
Hé bien, te voilà traître...

CLÉANTE.
Ah ! mon frère, arrêtez,
Et ne descendez point à des indignités.
45 A son mauvais destin laissez un misérable,
Et ne vous joignez point au remords qui l'accable.
Souhaitez bien plutôt que son cœur, en ce jour,
Au sein de la vertu fasse un heureux retour,
Qu'il corrige sa vie en détestant son vice
50 Et puisse du grand prince adoucir la justice,
Tandis qu'à sa bonté vous irez à genoux
Rendre ce que demande un traitement si doux.

ORGON.
Oui, c'est bien dit. Allons à ses pieds avec joie
Nous louer des bontés que son cœur nous déploie ;
55 Puis, acquittés un peu de ce premier devoir,
Aux justes soins d'un autre il nous faudra pourvoir,
Et par un doux hymen[7] couronner en Valère
La flamme[8] d'un amant généreux et sincère.

Tartuffe, acte V, scène 7, vers 1905 à 1962.

Pour préparer le commentaire composé

1. **Un portrait de Louis XIV.** Molière, par la bouche de l'exempt, se livre à un vibrant hommage de Louis XIV. Vous ferez la liste des qualités qu'il lui prête.

2. **Un dénouement à multiples facettes.** Vous soulignerez la nature du dénouement. Il est « politique » : l'exempt, représentant du roi, vient rétablir la justice. Il est nuancé : vous noterez en effet que la pièce se termine tragiquement pour Tartuffe, mais que Molière essaie d'estomper cet aspect en faisant évoquer par Cléante un éventuel pardon du roi. Il est néanmoins traditionnel : il achève la comédie par l'annonce du mariage du jeune premier et de la jeune première. Vous remarquerez les exclamations de satisfaction d'Orgon et de sa famille.

3. **La diversité des registres.** Vous soulignerez la diversité des registres qui caractérisent *Tartuffe* et, de façon plus générale, les comédies de Molière.

1. Dès le début.
2. De la justice.
3. A détesté la lâche ingratitude et la déloyauté dont Tartuffe a fait preuve envers vous.
4. Faire en sorte qu'il vous rende justice de tout, que vous obteniez réparation de toutes les mauvaises actions qu'il a commises contre vous.
5. Orgon avait recueilli des papiers que lui avait confiés un ami contraint à la fuite, parce que, durant la Fronde, il avait pris parti contre le roi.
6. Favorable issue, favorable dénouement !
7. Par un doux mariage.
8. L'amour.

Molière, un homme de théâtre « engagé »

Tartuffe relève incontestablement de ce qu'on appelle le théâtre « engagé ». A la fin de l'étude qu'il consacre à Molière, René Jasinski le confirme, en montrant l'engagement et le sens des réalités qui caractérisent sa morale.

Au sens le plus élevé du mot il est donc une morale de Molière. Mais cette morale ne reste ni théorique ni contemplative. Elle se prouve et s'éprouve par son efficacité. Elle prêche une sagesse « en action ». Voilà pourquoi Philinte, en un monde où tout est relatif, cherche entre l'impossible absolu et la décevante réalité les conciliations qui
5 *sauvegardent le mieux l'idéal : compromis sans compromission, chaque fois à déterminer car il n'est pas de solution toute faite. La sagesse moliéresque est le fruit à la fois amer et savoureux de l'intelligence, de la constance, du courage aussi. Elle se veut tolérante et compréhensive, mais elle ne craint pas la lutte s'il le faut. Molière lui-même ne bataillait-il pas avec la ténacité que l'on sait ? Elle s'efforce de réduire à l'impuis-*
10 *sance les pervers comme Tartuffe. Elle fait ressortir les laideurs de l'avarice ou la sottise de la vanité pour aider à s'en guérir ceux qui veulent bien se laisser persuader. Même lorsque les qualités ne vont pas sans outrances dont on rit ou sourit, elle en fait sentir le prix : on aime le bon sens de Mme Jourdain, la franchise des servantes, la fantaisie inquiétante et quelque peu désabusée mais serviable encore de Scapin. Molière nous*
15 *aide à voir clair, autour de nous et en nous. Suivant un des principes essentiels de son temps, il veut faire œuvre utile et croit à sa mission. Ne doutons pas de sa conviction lorsqu'il affirme que « le devoir de la comédie [est] de corriger les hommes en les divertissant ».*

Il entend aussi les éclairer sur nombre de questions d'actualité. Il les édifie sur la
20 *mauvaise préciosité. Il revient à la charge lorsqu'elle évolue et se fait « savante », non sans suggestions sur le bon goût auquel il faut se tenir. Il ne prend pas moins fermement position sur les problèmes alors tant débattus de l'éducation féminine et des libertés de la femme mariée. Il s'insurge contre les néfastes sottises de la médecine, contre le verbiage des faux maîtres de philosophie, contre les prétentions des maîtres de musique et des*
25 *maîtres à danser lorsque croît la vogue de l'opéra et des ballets. Il s'en prend surtout à la fausse dévotion, dans un esprit qui s'apparente à celui du « libertinage érudit » et mènera aux audaces beaucoup plus agressives des « rationaux[1] ».*

En ce sens, tout en défendant ce qu'il tient pour la vraie piété, il fait œuvre militante. Il condamne sévèrement les excès des « dévots ». Et comme les plus
30 *agissants d'entre eux formaient une « cabale », sinon un « parti » dont Louis XIV pouvait à plus d'un titre se défier, il se trouvait engagé dans une lutte politique autant que philosophique et religieuse. D'où l'entente plus ou moins officieuse par laquelle il en vient à soutenir presque constamment les secrètes intentions de son roi ; d'où en retour l'appui qu'il reçoit de lui.*

René Jasinski, Molière, *Paris, Hatier,* « Connaissance des lettres », *1969.*

Dom Juan

1665

Si l'on se réfère à l'appellation retenue par Molière, *Dom Juan* est une comédie. Mais, en réalité, il s'agit d'une tragi-comédie qui ne respecte guère les règles classiques. Le sérieux et le comique se mêlent intimement ; l'action est d'une grande complexité ; chaque acte se déroule dans un lieu différent ; la durée de la fiction représentée est de trente-six heures.

La pièce met en scène deux personnages principaux : Dom Juan, noble espagnol et Sganarelle, son valet ou plutôt son homme de confiance. Ils fuient : ils sont en effet poursuivis par Elvire, épouse éplorée que Dom Juan a abandonnée et par les deux beaux-frères du séducteur qui veulent lui demander raison de ce qu'ils considèrent comme une injure pour leur famille. Durant cette fuite, Dom Juan et Sganarelle sont amenés à opposer leurs conceptions du monde : Dom Juan, athée, libertin, séducteur, refuse la morale traditionnelle. Sganarelle, dont la foi tourne à la superstition, est, au contraire, un défenseur de cette morale traditionnelle.

Ils vont être, par ailleurs, confrontés à une série de situations qui illustrent leurs désaccords. Ainsi, tout au long de la pièce, plusieurs thèmes se succèdent ou se mêlent. Le libertinage amoureux est évidemment présent, avec les problèmes du mariage qui lui sont liés. Il donne lieu à trois intrigues : Dom Juan affronte sa femme Elvire qu'il a répudiée, après l'avoir enlevée d'un couvent et

1. Les partisans du rationalisme qui croient en la suprématie de la raison.

épousée ; il tente, en vain, d'organiser le rapt d'une fiancée dont il s'est brusquement épris ; il essaie enfin de séduire deux paysannes, Charlotte et Mathurine.

Le thème de l'honneur intervient : alors que Dom Juan, noble perverti, accorde une importance toute relative à la parole donnée, ses deux beaux-frères, son père, Dom Louis, et l'écuyer Gusman croient en la vertu de la fidélité et de la bonne foi.

Le thème de l'argent apparaît également, avec le rapide conflit entre Dom Juan, noble désargenté et le riche bourgeois Monsieur Dimanche, désireux de récupérer l'argent qu'il a prêté.

Le thème de la religion occupe enfin une place essentielle et permet à Dom Juan d'exposer ses idées : il révèle sa conception matérialiste du monde ; il dit son refus d'un Dieu qui l'empêche d'exprimer sa liberté ; il se fait l'apologiste d'une hypocrisie qu'il juge nécessaire pour éviter d'être sanctionné par la société. Ce thème donne lieu à deux actions : Dom Juan s'efforce de faire blasphémer un pauvre ermite qu'il a rencontré sur son chemin. Et surtout, il doit affronter la statue du commandeur, fantôme de celui qu'il tua six mois auparavant : cette apparition fantastique, représentant à la fois Dieu et l'ordre social cautionné par le roi, l'entraînera dans la mort en un dénouement spectaculaire.

En cette année qui suit l'interdiction de *Tartuffe*, Molière, avec *Dom Juan*, accentue encore le caractère « engagé » de son théâtre. La réplique des bien-pensants ne se fait pas attendre. Ils croient ou font semblant de croire que Molière défend les positions contestataires de Dom Juan. Leurs attaques redoublent de violence. On fait, par exemple, circuler ce sonnet anonyme qui est un véritable appel au meurtre :

> « Tout Paris s'entretient du crime de Molière.
> Tel dit : j'étoufferai cet infâme bouquin[1],
> L'autre : je donnerai à ce maître faquin[2]
> De quoi se divertir à grands coups d'étrivière[3].
>
> Qu'on le jette lié au fond de la rivière
> Avec tous ces impies compagnons d'Arlequin[4] ;
> Qu'on le traite en un mot comme dernier coquin,
> Que ses yeux pour toujours soient privés de lumière.
>
> Tous ces maux différents ensemble ramassés
> Pour son impiété ne seraient pas assez ;
> Il faudrait qu'il fût mis entre quatre murailles,
>
> Que ses approbateurs le vissent en ce lieu,
> Qu'un vautour, jour et nuit, déchirât ses entrailles,
> Pour montrer aux impies à se moquer de Dieu. »

Louis XIV, qui pourtant soutenait Molière, doit s'incliner, comme pour *Tartuffe* : son pouvoir est loin encore d'être absolu, et il est bien obligé de tenir compte de ce puissant groupe de pression, de cette cabale des bien-pensants.

A nouveau, les adversaires de Molière triomphent : au bout de quinze représentations, c'est l'interdiction. Elle ne sera jamais levée du vivant de Molière qui ne pourra faire publier avant sa mort cette pièce dont la première édition ne paraîtra qu'en 1682.

Hieronymus Janssens (1624-1693), *L'Enfant prodigue festoyant* (détail), Troyes, musée des Beaux-Arts.
Les jeux de la séduction.

1. Vieux bouc.
2. Homme méprisable et impertinent.
3. Courroie servant à supporter les étriers.
4. Les comédiens.

« L'hypocrisie est un vice privilégié »

A la scène 1 de l'acte V, Dom Juan avait fait croire à son père qu'il était décidé à s'engager sur la voie de la vertu. A la scène 2, il révèle à Sganarelle, déçu et stupéfait, qu'il s'agit d'une fausse conversion dictée par la prudence.

SGANARELLE.
Ah ! Monsieur, que j'ai de joie de vous voir converti ! Il y a longtemps que j'attendais cela, et voilà, grâce au Ciel, tous mes souhaits accomplis.

DOM JUAN.
La peste le benêt[1] !

SGANARELLE.
5 Comment, le benêt ?

DOM JUAN.
Quoi ? tu prends pour de bon argent[2] ce que je viens de dire, et tu crois que ma bouche était d'accord avec mon cœur ?

SGANARELLE.
Quoi ? ce n'est pas... Vous ne... Votre... (A part :) Oh !
10 quel homme ! quel homme ! quel homme !

DOM JUAN.
Non, non, je ne suis point changé, et mes sentiments sont toujours les mêmes.

SGANARELLE.
Vous ne vous rendez pas à la surprenante merveille de cette statue mouvante et parlante[3] ?

DOM JUAN.
15 Il y a bien quelque chose là-dedans que je ne comprends pas ; mais quoi que ce puisse être, cela n'est pas capable ni de convaincre mon esprit, ni d'ébranler mon âme ; et si j'ai dit que je voulais corriger ma conduite et me jeter dans un train de
20 vie exemplaire, c'est un dessein que j'ai formé par pure politique[4], un stratagème utile, une grimace[5] nécessaire où je veux me contraindre, pour ménager un père dont j'ai besoin, et me mettre à couvert[6], du côté des hommes, de cent fâcheuses
25 aventures qui pourraient m'arriver. Je veux bien, Sganarelle, t'en faire confidence, et je suis bien aise d'avoir un témoin du fond de mon âme et des véritables motifs qui m'obligent à faire les choses.

SGANARELLE.
Quoi ? vous ne croyez rien du tout, et vous voulez
30 cependant vous ériger en homme de bien ?

DOM JUAN.
Et pourquoi non ? Il y en a tant d'autres comme moi, qui se mêlent de ce métier, et qui se servent du même masque pour abuser le monde !

SGANARELLE, à part.
Ah ! quel homme ! quel homme !

DOM JUAN.
35 Il n'y a plus de honte maintenant à cela : l'hypocrisie est un vice à la mode, et tous les vices à la mode passent pour vertus. Le personnage d'homme de bien est le meilleur de tous les personnages qu'on puisse jouer aujourd'hui, et la profession d'hypo-
40 crite[7] a de merveilleux avantages. C'est un art de qui l'imposture est toujours respectée[8] ; et quoiqu'on la découvre, on n'ose rien dire contre elle. Tous les autres vices des hommes sont exposés à la censure, et chacun a la liberté de les attaquer
45 hautement ; mais l'hypocrisie est un vice privilégié, qui, de sa main, ferme la bouche à tout le monde, et jouit en repos d'une impunité souveraine. On lie, à force de grimaces, une société étroite avec tous les gens du parti. Qui en choque[9] un se les jette tous
50 sur les bras ; et ceux que l'on sait même agir de bonne foi là-dessus, et que chacun connaît pour être véritablement touchés[10], ceux-là, dis-je, sont toujours les dupes des autres ; ils donnent hautement dans le panneau[11] des grimaciers et appuient
55 aveuglément les singes de leurs actions[12]. Combien crois-tu que j'en connaisse qui, par ce stratagème, ont rhabillé[13] adroitement les désordres de leur jeunesse, qui se sont fait un bouclier du manteau de la religion, et, sous cet habit respecté, ont la per-
60 mission d'être les plus méchants hommes du monde ? On a beau savoir leurs intrigues et les connaître pour ce qu'ils sont, ils ne laissent pas pour cela d'être en crédit parmi les gens ; et quelque baissement de tête, un soupir mortifié, et deux
65 roulements d'yeux rajustent[14] dans le monde tout ce qu'ils peuvent faire. C'est sous cet abri favorable que je veux me sauver, et mettre en sûreté mes affaires. Je ne quitterai point mes douces habitudes ; mais j'aurai soin de me cacher et me divertirai
70 à petit bruit. Que si je viens à être découvert, je verrai, sans me remuer, prendre mes intérêts à toute la cabale[15], et je serai défendu par elle envers et contre tous. Enfin c'est là le vrai moyen de faire impunément tout ce que je voudrai. Je m'érigerai en
75 censeur des actions d'autrui, jugerai mal de tout le monde, et n'aurai bonne opinion que de moi. Dès qu'une fois on m'aura choqué tant soit peu, je ne pardonnerai jamais et garderai tout doucement une haine irréconciliable. Je ferai le vengeur des inté-
80 rêts du Ciel, et, sous ce prétexte commode, je pousserai[16] mes ennemis, je les accuserai d'im-

1. Que la peste s'abatte sur ce sot, ce niais !
2. Pour argent comptant, pour vrai.
3. La statue du commandeur qui s'était manifestée à la fin de l'acte précédent.
4. Par habileté.
5. Une apparence.
6. Me mettre à l'abri.
7. Le fait de professer l'hypocrisie, d'être hypocrite.
8. Dont le mensonge, les apparences attirent toujours le respect.
9. Qui en offense.
10. Pour être véritablement touchés par la foi, sincèrement croyants.
11. Dans le piège.
12. Ceux qui singent leurs actions.
13. Ont réparé.
14. Rectifient.
15. Groupe de pression qui procède par intrigues.
16. Je ferai reculer.

piété, et saurai déchaîner contre eux des zélés indiscrets, qui, sans connaissance de cause, crieront en public contre eux, qui les accableront 85 d'injures, et les damneront hautement de leur autorité privée. C'est ainsi qu'il faut profiter des faiblesses des hommes, et qu'un sage esprit s'accommode aux vices de son siècle.

Dom Juan, acte V, scène 2.

Pour préparer l'étude du texte

1. Vous étudierez l'expression de l'hypocrisie à travers le vocabulaire du masque et du travestissement.
2. Vous montrerez que la tirade de Dom Juan est une illustration de l'expression « un vice privilégié » (l. 45). Vous analyserez pour cela la notion de vice et soulignerez « l'efficacité » sociale et morale de l'hypocrisie.
3. Vous préciserez ce que Dom Juan dit attendre de l'hypocrisie.

« Voilà par sa mort un chacun satisfait »

Les scènes 5 et 6 de l'acte V marquent le châtiment de Dom Juan. La statue du commandeur entraîne l'athée dans la mort. C'est le dénouement. Il est dramatique. Il est aussi comique, grâce à l'intervention bouffonne de Sganarelle. Il permet enfin le développement d'effets spectaculaires de mise en scène.

scène 5

DOM JUAN, UN SPECTRE, en femme voilée, SGANARELLE

LE SPECTRE.
Dom Juan n'a plus qu'un moment à pouvoir profiter de la miséricorde[1] du Ciel ; et s'il ne se repent ici[2], sa perte est résolue.

SGANARELLE.
Entendez-vous, Monsieur ?

DOM JUAN.
5 Qui ose tenir ces paroles ? Je crois connaître cette voix.

SGANARELLE.
Ah ! Monsieur, c'est un spectre : je le reconnais au marcher.

DOM JUAN.
Spectre, fantôme, ou diable, je veux voir ce que 10 c'est.
(Le spectre change de figure et représente le Temps avec sa faux à la main.)

SGANARELLE.
Ô Ciel ! voyez-vous, Monsieur, ce changement de figure ?

DOM JUAN.
Non, non, rien n'est capable de m'imprimer de la terreur, et je veux éprouver avec mon épée si c'est 15 un corps ou un esprit.
(Le spectre s'envole dans le temps que Dom Juan le veut frapper.)

SGANARELLE.
Ah ! Monsieur, rendez-vous à tant de preuves, et jetez-vous vite dans le repentir.

DOM JUAN.
Non, non, il ne sera pas dit, quoi qu'il arrive, que je sois capable de me repentir. Allons, suis-moi.

scène 6

LA STATUE, DOM JUAN, SGANARELLE

LA STATUE.
20 Arrêtez, Dom Juan : vous m'avez hier donné parole de venir manger avec moi.

1. Du pardon.
2. Maintenant.

DOM JUAN.
Oui. Où faut-il aller ?

LA STATUE.
Donnez-moi la main.

DOM JUAN.
La voilà.

LA STATUE.
25 Dom Juan, l'endurcissement au péché traîne[1] une mort funeste, et les grâces du Ciel que l'on renvoie ouvrent un chemin à sa foudre.

DOM JUAN.
Ô Ciel ! que sens-je ? Un feu invisible me brûle, je n'en puis plus et tout mon corps devient un brasier
30 ardent. Ah !

(Le tonnerre tombe avec un grand bruit et de grands éclairs sur Dom Juan ; la terre s'ouvre et l'abîme ; et il sort de grands feux de l'endroit où il est tombé.)

SGANARELLE.
Ah ! mes gages[2], mes gages ! voilà par sa mort un chacun satisfait : Ciel offensé, lois violées, filles séduites, familles déshonorées, parents outragés, femmes mises à mal, maris poussés à bout, tout le
35 monde est content. Il n'y a que moi seul de malheureux. Mes gages, mes gages, mes gages !

Dom Juan, acte V, scènes 5 et 6.

Pour préparer l'étude du texte

1. Dans sa dernière réplique, Sganarelle dresse la liste de ceux que la mort de Dom Juan satisfait. Vous montrerez qu'il évoque ainsi l'ensemble des personnages de la pièce victimes du libertin.
2. On a souvent reproché à ce dénouement d'être artificiel. Vous indiquerez en quoi il s'inscrit cependant dans la logique de la pièce.
3. Vous soulignerez le mélange du tragique, du fantastique et du comique dans ces deux scènes.

Pour un groupement de textes

L'infraction des interdits dans :
La Mort d'Agrippine de Cyrano de Bergerac (voir p. 98),
Rodogune de Pierre Corneille (voir p. 156),
Tartuffe (acte III, scène 3) (voir p. 196)
et *Dom Juan* (acte V, scène 2)
(voir p. 201) de Molière,
Phèdre (acte II, scène 5) de Jean Racine
(voir p. 235).

Pedro de Camprobín (1605-1674), *La Mort et le galant*, Séville, Hôpital de la Charité.

1. Entraîne.
2. Mon salaire.

Le mythe de Don Juan : une multitude de versions

Innombrables sont les auteurs qui ont exploité le mythe de Don Juan : plus de deux cents œuvres traitent de ce thème, parmi lesquelles le célèbre opéra de Mozart, dont Lorenzo da Ponte écrivit le livret (1787). Dans le théâtre français du XVIIe siècle, plusieurs pièces mettent en scène le personnage de Don Juan : *Le Festin de pierre ou L'Athée foudroyé* de Dorimond (1658), *Le Festin de pierre ou Le Fils criminel* de Villiers (1659), *Le Nouveau Festin de pierre* de Rosimon (1669), sans parler de l'adaptation en vers que Pierre Corneille fit, en 1677, de la comédie de Molière (voir p. 217). C'est un dramaturge espagnol, Tirso de Molina (1581-1648) qui, le premier, donna, dans *Le Trompeur de Séville* (1624), une version théâtrale de l'histoire de Don Juan, telle que la relatait une chronique médiévale. Voici le dénouement de cette pièce que l'on pourra mettre en parallèle avec celui de la comédie de Molière.

DON GONZALO[1].
Donne-moi cette main ; ne crains rien, donne-la-moi.

DON JUAN.
Que dis-tu là ? Moi, de la crainte ?... je suis brûlant ! Ne me brûle pas de ton feu.

DON GONZALO.
Ceci est peu de choses au prix des flammes qui t'attendent. Les miracles de Dieu, Don Juan, sont insondables : il veut que tes fautes tu les expies de la main d'un
5 *mort, et si tu les payes de la sorte, telle est la justice divine. Telle action, tel paiement.*

DON JUAN.
Je brûle, ne me retiens pas ! je vais te tuer avec mon épée... Mais, hélas ! je m'agite en vain, je lance des coups dans l'air. Je n'ai pas outragé ta fille, car elle avait auparavant découvert ma ruse.

DON GONZALO.
10 *Il n'importe, puisque l'intention y était.*

DON JUAN.
Laisse-moi appeler quelqu'un qui me confesse et m'absolve.

DON GONZALO.
Il n'est plus temps, tu y penses trop tard.

DON JUAN.
Je brûle, je suis en feu, je suis mort ! (Il tombe mort.)

CATALINON[2].
Il n'est personne qui puisse
15 *s'échapper ; il me faudra mourir ici*
pour vous accompagner.

DON GONZALO.
Ceci est la justice de Dieu.
Telle action, tel paiement.
Le sépulcre se fend bruyamment et engloutit Don Juan et Don Gonzalo. Catalinon est entraîné vers la porte.

CATALINON.
Que Dieu m'assiste ! Qu'est ceci !
20 *Toute la chapelle est en feu et voici*
que je reste seul avec le mort
pour le veiller et le garder.
Me traînant comme je puis, je vais
aller prévenir son père. Saint Georges,
25 *saint Agnus Dei*[3]*, conduisez-moi en paix*
jusqu'à la rue (Il sort).

Tirso de Molina, Le Trompeur de Séville, *acte III, vers 944 à 980.*

Anonyme, XVIIe siècle, *Molière en habit de Sganarelle*, gravure, Paris, B.N.

1. Don Juan avait tué Don Gonzalo, après avoir essayé de s'emparer, par traîtrise, de sa fille, Doña Ana.
2. Le valet de Don Juan.
3. L'Agneau de Dieu, c'est-à-dire le Christ.

Molière et les autres auteurs français du XVIIe siècle qui développèrent le thème de Don Juan ne connaissaient pas, semble-t-il, la version de Tirso de Molina. Ils s'inspirent, en fait, d'une adaptation d'une pièce de Cicognini que joue la troupe italienne alors installée à Paris (voir p. 170). En élaborant le personnage de Sganarelle, qu'il interprète lui-même, Molière reprend la tradition du serviteur de la comédie italienne et, en particulier, de la commedia dell'arte, ce spectacle populaire au cours duquel les acteurs improvisaient autour d'un scénario. Il avait pu voir jouer un certain Dominique Locatelli qui, en 1658, sur la scène du Petit-Bourbon où il s'installe lui-même avec sa troupe (voir p. 170), est spécialisé, sous le nom de Trivelin, dans le rôle du valet fripon et rusé. En 1662, Dominique Biancolelli, qui succède à Locatelli sous le nom d'Arlequin, fait la description suivante d'une improvisation de la commedia dell'arte autour du thème de Don Juan. On pourra comparer ce texte avec les scènes 7 et 8 de l'acte IV et les scènes 5 et 6 de l'acte V du *Dom Juan* de Molière.

Je[1] me mouche avec la nappe, et l'on heurte à la porte. Un valet y va et revient très effrayé et me culbute ; je me relève ; je prends un poulet d'une main et un chandelier de l'autre ; et je vais à la porte. J'en reviens très épouvanté, en faisant tomber trois ou quatre valets, et je dis à Don Juan que celui qui m'a fait ainsi (en baissant la tête) est à la porte. Il prend un chandelier, va le recevoir.Pendant ce temps, je me cache sous la table, et comme je sors la tête de dessous pour voir la statue, Don Juan m'appelle et me menace de m'assommer si je ne reviens me mettre à table. Je lui réponds que je jeûne ; ensuite, obéissant à ses ordres réitérés, je me mets à table et je me couvre la tête avec la nappe. Mon maître m'ordonne de manger. Je prends un morceau, et, dans le moment que je le porte à la bouche, la statue me regarde et fait un mouvement de tête qui m'effraie. Don Juan m'ordonne de chanter : je lui dis que j'ai perdu la voix, enfin je chante, et, en suivant l'ordre de mon maître, je bois à la santé de la statue qui me répond d'un signe de tête. Je fais la culbute le verre à la main et me relève. Enfin, après que la statue a invité à son tour Don Juan à souper et qu'il a accepté, elle se retire. Don Juan la reconduit. Pendant ce temps, je mange goulûment. Il rentre ; je veux le dissuader d'aller souper avec la statue, et nous sortons ensemble.

Dans la dernière scène, je dis qu'il faut que la blanchisseuse de la maison soit morte, car tout est ici bien noir. Il[2] s'approche de la table où est la statue, et prend un serpent dans un plat, en disant : « J'en mangerai, fût-ce le diable ! (il mord à même) et je veux te charger de ses cornes ». La statue lui conseille de se repentir ; je dis « Amen ! » Il n'y veut pas entendre ; il abîme[3] sous terre. Je m'écris : « Mes gages ! mes gages ! Il faut donc que j'envoie un huissier chez le diable pour avoir mes gages. »

Scénario des Italiens, *trad. Th. S. Gueulette, dans G. Gendarme de Bévotte,* Le Festin de pierre avant Molière, *Paris, Société des textes français modernes, 1907.*

Le Misanthrope

1666

Dans *Le Misanthrope*, Molière développe le schéma des amours décalées et contrariées : Alceste est aimé d'Arsinoé et d'Éliante qui est elle-même courtisée par Philinte. De son côté, il aime Célimène autour de laquelle papillonnent de nombreux soupirants.

Mais ce scénario permet surtout à Molière de poser un problème social important, celui de la sincérité. La pièce révèle la faillite des deux solutions extrêmes, la recherche absolue de la vérité préconisée par le misanthrope Alceste et la compromission de l'hypocrisie que cultive la coquette Célimène. Entre ces deux conceptions, le comportement fondé sur le respect lucide des conventions apparaît plus efficace, mieux adapté : c'est celui de Philinte et d'Éliante, qui connaîtront le bonheur dans un mariage harmonieux, tandis que le trop sincère Alceste sera conduit à l'exil et la trop rouée Célimène à l'échec.

1. Biancolelli décrit, à la première personne, les jeux de scène qui marquent son interprétation du valet.
2. Don Juan.
3. Il s'abîme.

« Morbleu ! vil complaisant, vous louez des sottises ? »

Oronte vient demander à Alceste son avis sur un sonnet qu'il a écrit. Alors que Philinte joue le jeu convenu des éloges, Alceste ne peut s'empêcher d'exprimer ses réticences et de blesser dangereusement la susceptibilité de l'auteur.

ORONTE.
Sonnet... C'est un sonnet. *L'espoir*... C'est une dame
Qui de quelque espérance avait flatté ma flamme.
L'espoir... Ce ne sont point de ces grands vers pompeux,
Mais de petits vers doux, tendres et langoureux.

A toutes ces interruptions il regarde Alceste.

ALCESTE.
5 Nous verrons bien.

ORONTE.
L'espoir... Je ne sais si le style
Pourra vous en paraître assez net et facile,
Et si du choix des mots vous vous contenterez.

ALCESTE.
Nous allons voir, Monsieur.

ORONTE.
Au reste, vous saurez
Que je n'ai demeuré qu'un quart d'heure à le faire.

ALCESTE.
10 Voyons, Monsieur ; le temps ne fait rien à l'affaire.

ORONTE.
L'espoir, il est vrai, nous soulage,
Et nous berce un temps notre ennui ;
Mais, Philis, le triste avantage,
Lorsque rien ne marche après lui !

PHILINTE.
15 Je suis déjà charmé de ce petit morceau.

ALCESTE.
Quoi ? vous avez le front de trouver cela beau ?

ORONTE.
Vous eûtes de la complaisance ;
Mais vous en deviez moins avoir,
Et ne vous pas mettre en dépense
20 *Pour ne me donner que l'espoir.*

PHILINTE.
Ah ! qu'en termes galants ces choses-là sont mises !

ALCESTE, bas.
Morbleu[1] ! vil complaisant, vous louez des sottises ?

ORONTE.
S'il faut qu'une attente éternelle
Pousse à bout l'ardeur de mon zèle,
25 *Le trépas sera mon recours.*

Vos soins ne m'en peuvent distraire :
Belle Philis, on désespère,
Alors qu'on espère toujours.

PHILINTE.
La chute[2] en est jolie, amoureuse, admirable.

ALCESTE, bas.
30 La peste de ta chute ! Empoisonneur au diable,
En eusses-tu fait une à te casser le nez !

PHILINTE.
Je n'ai jamais ouï de vers si bien tournés.

ALCESTE.
Morbleu !...

ORONTE.
Vous me flattez, et vous croyez peut-être...

PHILINTE.
Non, je ne flatte point.

ALCESTE, bas.
Et que fais-tu donc, traître ?

ORONTE.
35 Mais, pour vous, vous savez quel est notre traité :
Parlez-moi, je vous prie, avec sincérité.

ALCESTE.
Monsieur, cette matière est toujours délicate,
Et sur le bel esprit nous aimons qu'on nous flatte.
Mais un jour, à quelqu'un, dont je tairai le nom,
40 Je disais, en voyant des vers de sa façon,
Qu'il faut qu'un galant homme ait toujours grand empire[3]
Sur les démangeaisons qui nous prennent d'écrire ;
Qu'il doit tenir la bride aux grands empressements
Qu'on a de faire éclat de tels amusements ;
45 Et que, par la chaleur de montrer ses ouvrages,
On s'expose à jouer de mauvais personnages.

ORONTE.
Est-ce que vous voulez me déclarer par là
Que j'ai tort de vouloir... ?

ALCESTE.
Je ne dis pas cela.
Mais je lui disais, moi, qu'un froid écrit assomme,
50 Qu'il ne faut que ce faible à décrier un homme[4],
Et qu'eût-on, d'autre part, cent belles qualités,
On regarde les gens par leurs méchants côtés.

ORONTE.
Est-ce qu'à mon sonnet vous trouvez à redire ?

ALCESTE.
Je ne dis pas cela ; mais, pour ne point écrire,
55 Je lui mettais aux yeux comme, dans notre temps,
Cette soif a gâté de fort honnêtes gens.

ORONTE.
Est-ce que j'écris mal ? et leur ressemblerais-je ?

1. Juron. Déformation de « Mort de Dieu ».
2. Effet sur lequel s'achève un poème.
3. Ait toujours une grande domination.
4. Qu'il ne faut que cette faiblesse pour qu'un homme soit critiqué.

ALCESTE.
Je ne dis pas cela ; mais enfin, lui disais-je,
Quel besoin si pressant avez-vous de rimer ?
60 Et qui diantre[1] vous pousse à vous faire imprimer ?
Si l'on peut pardonner l'essor d'un mauvais livre[2],
Ce n'est qu'aux malheureux qui composent pour vivre.
Croyez-moi, résistez à vos tentations,
Dérobez au public ces occupations ;
65 Et n'allez point quitter, de quoi que l'on vous somme,
Le nom que dans la cour vous avez d'honnête homme,
Pour prendre, de la main d'un avide imprimeur,
Celui de ridicule et misérable auteur.
C'est ce que je tâchai de lui faire comprendre.

Le Misanthrope, acte I, scène 2, vers 305 à 373.

Pour préparer l'étude du texte

1. Vous étudierez l'alternance des répliques (longueurs différentes, intervention des trois personnages).
2. Vous montrerez comment Molière suggère les désaccords entre Philinte et Alceste, avant même que le misanthrope ait émis son opinion sur le sonnet.
3. Vous soulignerez que le jugement d'Alceste est exprimé indirectement. Quelles indications sur son comportement social cette façon de procéder fournit-elle ?
4. Vous mettrez en parallèle l'exaspération d'Alceste et le calme de Philinte, en essayant d'en déduire les grands traits de leur caractère.

Pour une étude comparée

Vous comparerez la scène 2 de l'acte III des *Femmes savantes* (voir p. 185) et la scène 2 de l'acte I du *Misanthrope*, en insistant plus particulièrement sur les points suivants :

1. **Deux sonnets précieux.** Vous analyserez les deux sonnets, en dégageant les aspects qui relèvent de la préciosité.
2. **Les comportements des personnages.** Vous comparerez les comportements des deux poètes (vanité, précautions oratoires, ridicules) et ceux de leur auditoire (approbation sans réserves, louanges ironiques, critiques).
3. **Le rejet de l'outrance.** Vous montrerez que ces deux scènes permettent à Molière d'exprimer son rejet de l'outrance, son goût pour la mesure et la simplicité.

Henri Bonnart (1642-1711), *Femme de qualité sollicitant un juge*, gravure, XVIIe siècle, Paris, B.N.
De l'art d'être coquette en toute circonstance...

1. Diable.
2. Le fait qu'un mauvais livre prenne son essor, soit livré au public, diffusé.

« Oui, je voudrais qu'aucun ne vous trouvât aimable »

Alceste est venu demander à Célimène des explications sur une lettre qu'elle a apparemment envoyée à Oronte. La coquette, après avoir nié, rabroue le misanthrope : puisqu'il ne la croit pas, pourquoi essaierait-elle de le détromper ? Alceste, indigné, s'emporte alors et exprime avec violence sa jalousie. Détail piquant pour les spectateurs de l'époque : Molière jouait le rôle d'Alceste, tandis que le personnage de Célimène était interprété par Armande Béjart, sa jeune femme, qui avait vingt ans de moins que lui.

ALCESTE.
Ciel ! rien de plus cruel peut-il être inventé ?
Et jamais cœur fut-il de la sorte traité ?
Quoi ? d'un juste courroux[1] je suis ému contre elle,
C'est moi qui me viens plaindre, et c'est moi qu'on querelle !
5 On pousse ma douleur et mes soupçons à bout,
On me laisse tout croire, on fait gloire de tout ;
Et cependant mon cœur est encor assez lâche
Pour ne pouvoir briser la chaîne qui l'attache,
Et pour ne pas s'armer d'un généreux mépris
10 Contre l'ingrat objet dont il est trop épris !
Ah ! que vous savez bien ici, contre moi-même,
Perfide, vous servir de ma faiblesse extrême,
Et ménager pour vous l'excès prodigieux
De ce fatal amour né de vos traîtres yeux !
15 Défendez-vous au moins d'un crime qui m'accable,
Et cessez d'affecter d'être envers moi coupable ;
Rendez-moi, s'il se peut, ce billet innocent[2] :
A vous prêter les mains[3] ma tendresse consent ;
Efforcez-vous ici de paraître fidèle,
20 Et je m'efforcerai, moi, de vous croire telle.

CÉLIMÈNE.
Allez, vous êtes fou, dans vos transports jaloux[4],
Et ne méritez pas l'amour qu'on a pour vous.
Je voudrais bien savoir qui pourrait me contraindre
A descendre pour vous aux bassesses de feindre,
25 Et pourquoi, si mon cœur penchait d'autre côté,
Je ne le dirais pas avec sincérité.
Quoi ? de mes sentiments l'obligeante assurance
Contre tous vos soupçons ne prend pas ma défense ?
Auprès d'un tel garant, sont-ils de quelque poids ?
30 N'est-ce pas m'outrager que d'écouter leur voix ?
Et puisque notre cœur fait un effort extrême
Lorsqu'il peut se résoudre à confesser qu'il aime,
Puisque l'honneur du sexe, ennemi de nos feux[5],
S'oppose fortement à de pareils aveux,
35 L'amant qui voit pour lui franchir un tel obstacle
Doit-il impunément douter de cet oracle ?
Et n'est-il pas coupable en ne s'assurant pas
A ce qu'on ne dit point qu'après de grands combats[6] ?
Allez, de tels soupçons méritent ma colère,
40 Et vous ne valez pas que l'on vous considère ;
Je suis sotte, et veux mal à ma simplicité[7]
De conserver encor pour vous quelque bonté ;
Je devrais autre part attacher mon estime,
Et vous faire un sujet de plainte légitime.

1. D'une juste colère.
2. Faites en sorte que je trouve ce billet innocent.
3. A vous aider.
4. Dans votre jalousie extrême.
5. De nos amours.
6. En n'étant pas sûr, en n'étant pas certain de ce que l'on ne dit qu'après de grands combats.
7. J'en veux à ma simplicité.

ALCESTE.
45 Ah ! traîtresse, mon faible est étrange pour vous !
Vous me trompez sans doute avec des mots si doux ;
Mais il n'importe, il faut suivre ma destinée :
A votre foi mon âme est toute abandonnée ;
Je veux voir, jusqu'au bout, quel sera votre cœur,
50 Et si de me trahir il aura la noirceur.

CÉLIMÈNE.
Non, vous ne m'aimez point comme il faut que l'on aime.

ALCESTE.
Ah ! rien n'est comparable à mon amour extrême ;
Et dans l'ardeur qu'il a de se montrer à tous,
Il va jusqu'à former des souhaits contre vous.
55 Oui, je voudrais qu'aucun ne vous trouvât aimable,
Que vous fussiez réduite en un sort misérable,
Que le Ciel, en naissant, ne vous eût donné rien,
Que vous n'eussiez ni rang, ni naissance, ni bien,
Afin que de mon cœur l'éclatant sacrifice
60 Vous pût d'un pareil sort réparer l'injustice,
Et que j'eusse la joie et la gloire, en ce jour,
De vous voir tenir tout des mains de mon amour.

CÉLIMÈNE.
C'est me vouloir du bien d'une étrange manière !
Me préserve le Ciel que vous ayez matière[1]... !

Le Misanthrope, acte IV, scène 3, vers 1371 à 1434.

Pour préparer le commentaire composé

1. **Un amour exclusif.** Alceste est un être excessif. Cet excès se manifeste ici dans sa conception d'un amour exclusif. Vous analyserez le comportement du misanthrope, en expliquant comment sa façon d'exprimer sa passion à Célimène est inadéquate et par là même comique.

2. **Une jeune femme complexe.** Autant Alceste est tout d'une pièce, autant Célimène est complexe. Vous le montrerez, en soulignant sa patience et en essayant de voir si ses déclarations et son amour sont sincères.

3. **L'incommunicabilité.** Vous conclurez, en notant que les relations entre Alceste et Célimène sont marquées par l'incommunicabilité. Trop différents, ils ne peuvent se comprendre, ce qui donne à la pièce une tonalité dramatique.

Synthèse

Les dangers de la marginalisation

Si l'on observe l'ensemble des personnages du théâtre de Molière, certains d'entre eux frappent par leur pittoresque. Ce sont des êtres hauts en couleur : leurs noms sont souvent passés dans le langage courant : tels Tartuffe, Dom Juan ou Harpagon, ils sont devenus exemplaires, servent à désigner un comportement, un caractère de l'homme. Un point commun les réunit : ce sont des originaux, des individus à part. Il en est qui se situent en marge de la société, parce qu'ils en refusent les règles de fonctionnement : Tartuffe remet en cause la religion de l'intérieur, en l'utilisant pour son intérêt personnel, en en faisant une machine à exercer le pouvoir (voir p. 196). Dom Juan rejette en bloc toutes les conventions

1. Que vous ayez l'occasion de réaliser ce que vous dites.

qui assurent la solidité de l'édifice social (voir p. 199). Alceste, du *Misanthrope*, dénonce l'hypocrisie ambiante, cette hypocrisie sans laquelle la vie collective ne serait plus supportable (voir p. 205). La démesure qui marque leur action aggrave encore les effets de leur marginalisation.

C'est l'excès en lui-même qui entraîne des conséquences pernicieuses pour une autre catégorie de personnages. Ils ne sont pas isolés de leurs semblables à cause de la nature de leur comportement, mais à cause de la démesure qu'ils mettent dans la manifestation de ce comportement. Ce sont des extravagants, des passionnés, qui poussent jusqu'à la manie la passion dont ils sont habités. Ils sont légion dans le théâtre de Molière : c'est Harpagon de *L'Avare* obsédé par l'argent ; c'est Monsieur Jourdain du *Bourgeois gentilhomme* entiché de noblesse (voir p. 184) ; c'est le trio des *Femmes savantes* fasciné par la connaissance (voir p. 185) ; c'est Argan du *Malade imaginaire* voué à la maladie et aux médecins (voir p. 187). Ils vivent enfermés dans leur engouement exclusif, se réfugient dans ce que Pascal appelle le divertissement (voir p. 121).

Le sort de ces personnages n'est guère enviable : ils connaissent la défaite. Elle est grave, elle constitue une sanction quasiment pénale pour ceux qui perturbent la société : Alceste est condamné à l'exil, Tartuffe à la prison, Dom Juan à la mort. Pour les autres, elle est plus légère : ils ne sont condamnés qu'à l'échec et au ridicule.

Molière souscrit-il à cette condamnation qui est inscrite dans le dénouement des pièces ? Défend-il, par là même, l'ordre établi, l'ordre monarchique ? Peut-être, et cela expliquerait alors le soutien que lui accorde Louis XIV. Il fait, pour le moins, ce constat : les êtres en marge n'ont plus leur place dans la société de cette seconde partie du XVIIe siècle qui les élimine inexorablement. La Bruyère se livrera à une analyse identique (voir p. 391).

Les méfaits d'une autorité dévoyée

Les pièces de Molière marquent également un rejet de l'autorité dévoyée et donnent ainsi une interprétation originale de la comédie d'intrigue traditionnelle. Les pères, qui s'opposent au mariage souhaité par les jeunes amoureux, sont ridicules et odieux, parce qu'ils le font au nom d'un pouvoir perverti. Ce n'est pas l'autorité parentale qui est condamnée. C'est l'usage qui en est fait. Les pères, au lieu de veiller au bonheur de leurs enfants, ne pensent qu'à leur propre intérêt. Enfermés dans leur égoïsme, ils ne cherchent qu'à satisfaire leurs passions, leurs manies. Ils additionnent ainsi deux données négatives, l'excès et la perversion de leur pouvoir : aussi leur échec et parallèlement le triomphe des jeunes amoureux apparaissent-ils au spectateur totalement mérités : le public applaudit aux épreuves de Monsieur Jourdain du *Bourgeois gentilhomme* (voir p. 184), d'Argan du *Malade imaginaire* (voir p. 187) ou d'Orgon de *Tartuffe* (voir p. 196), coupables de vouloir imposer à leur fille le mari de leur choix.

La sanction semble encore plus juste, lorsqu'un personnage met son autorité parentale au service de son propre bonheur amoureux : Arnolphe de *L'École des femmes* est particulièrement odieux, parce qu'il utilise ses pouvoirs de tuteur pour obliger Agnès à l'épouser (voir p. 191). Il en est de même d'Harpagon de *L'Avare*, lorsqu'il entend interdire à son fils de se marier avec la jeune Mariane, parce qu'il a décidé d'en faire sa femme. De son côté, Tartuffe est éminemment condamnable, parce qu'il détourne le pouvoir de la religion, qu'il s'en sert pour s'emparer de la famille d'Orgon tout entière : n'est-il d'ailleurs pas significatif que l'intervention de l'exempt, représentant du roi, soit nécessaire pour rétablir l'ordre juste et éliminer l'imposteur (voir texte, p. 197) ?

Jan Martszen de Jonge (1609?-1647?), *Un jeune gentilhomme*, Paris, musée du Louvre.
L'artifice...

Les solutions du juste milieu

Contre ces débordements, ces excès, s'affirment, dans les comédies de Molière, des solutions de modération, de juste milieu. Face aux personnages qui constituent le camp négatif des marginaux ou des imposteurs, d'autres personnages, en grand nombre, font partie du camp des modérés, des raisonnables. La voix du bon sens se fait entendre.

Souvent, un combat sans merci oppose ces deux conceptions : c'est le schéma habituel de la comédie d'intrigue, avec, d'une part, le camp du père, du gendre souhaité par lui, éventuellement de ses alliés et, d'autre part, le camp des jeunes amoureux aidés par les servantes et les serviteurs rusés, appuyés par des parents et des amis. Les exemples sont en grand nombre : c'est, dans *Tartuffe*, l'opposition entre, d'un côté, le parti du père, Orgon, de la grand-mère, Madame Pernelle, de Tartuffe, du sergent, Monsieur Loyal, et, de l'autre, le parti de la jeune première, Mariane, du jeune premier, Valère, de la servante, Dorine, de l'épouse, Elmire, du beau-frère, Cléante, du fils, Damis, de l'exempt (voir p. 196) ; ou encore, c'est, dans *Les Femmes savantes*, le conflit entre la faction des savants ridicules (Philaminte, femme de Chrysale, Armande, sa fille, Bélise, sa sœur, Trissotin et Vadius) et le groupe des gens sensés (le père, Chrysale, son frère, Ariste, la jeune première, Henriette et le jeune premier, Clitandre) (voir p. 185).

Parfois, apparaît tout l'éventail des positions possibles face à un problème. C'est de cette manière qu'est, en particulier, construit *Le Misanthrope* : d'un côté, Alceste représente la sincérité excessive ; de l'autre, une série de personnages, dont Oronte et Célimène, incarnent l'hypocrisie ; au centre, Philinte et Éliante offrent l'exemple des solutions du juste milieu (voir p. 205).

Ce qui est remarquable, c'est que, dans ce combat, la victoire reste aux défenseurs de ces solutions moyennes : dans *Tartuffe*, Mariane et Valère se marieront (voir p. 197) ; dans *Les Femmes savantes*, Henriette et Clitandre connaîtront le bonheur (voir p. 185) ; dans *Le Misanthrope*, Éliante et Philinte s'épouseront (voir p. 205).

Le jeu de la raison et de la nature

Deux autres notions semblent s'opposer dans les comédies de Molière : la raison et la nature. Mais ce n'est là qu'une opposition apparente : pratiquées avec justesse et modération, ces deux valeurs sont tout à fait conciliables.

A première vue, raison et nature se combattent. Dans la comédie d'intrigue traditionnelle, n'est-ce pas là que paraît résider le conflit ? Le père de famille est censé veiller au bonheur de ses enfants, leur apprendre les valeurs de la raison. En préconisant un mariage de raison, il doit servir de garde-fou à l'enthousiasme spontané des jeunes amoureux, les empêcher de céder à leur désir, de subir les désillusions à venir d'un mariage d'amour. Mais c'est, en fait, on l'a vu, une fausse raison qu'ils défendent, c'est une raison subordonnée à leur propre désir, une raison déraisonnable, parce qu'une fois encore dévoyée.

Georges de La Tour (1593-1652), *Vieille femme*, San Francisco, The young Memorial Museum.
... et la réalité quotidienne.

Dans ces conditions, la voix de la nature que font entendre les jeunes amoureux représente la voix de la véritable raison. Les solutions qu'ils défendent ou que défendent ceux qui ont pris leurs intérêts en main sont les seules solutions sages, parce qu'elles reposent sur une véritable communion entre les êtres et non sur un arrangement artificiel : c'est ce que souligne notamment Madame Jourdain dans *Le Bourgeois gentilhomme* (voir texte, p. 184). Agnès de *L'École des femmes* offre, dans ce domaine, un exemple particulièrement parlant. Arnolphe a cru qu'en la laissant dans l'ignorance la plus complète, qu'en empêchant la nature d'être « pervertie » par la connaissance, il lui imposerait sa raison. Mais, en fait, c'est la raison du cœur, la raison de l'amour qui l'emporte (voir texte, p. 191).

Voilà qui montre la nécessité d'un équilibre entre la nature et l'artifice, entre ce qui est inné, donné à la naissance, et ce qui est acquis. La solution d'Arnolphe n'est pas la bonne, parce qu'il prétend éliminer le savoir au profit d'une nature qu'il entend mettre au service de son égoïsme. Inversement, la position des précieuses ridicules (voir p. 179) et des femmes savantes (voir p. 185) n'est pas satisfaisante, parce qu'elles étouffent leur nature, leur spontanéité féminine sous le poids de connaissances excessives. L'erreur de Monsieur Jourdain (voir p. 184) est tout à fait comparable : sa nature est celle d'un bourgeois, il la trahit, il se trahit lui-même en y injectant un trop-plein de manières acquises, empruntées à la noblesse. On voit, à la limite, les riques de conservatisme que contient une telle vision des choses. Chacun est déterminé par sa naissance et ne peut que difficilement sortir de sa condition.

Un large éventail de tonalités

La construction des pièces, l'élaboration des intrigues se font donc autour de ces oppositions. Les affrontements entre les personnages s'inscrivent à l'intérieur des comportements. Ce que l'on appelle la peinture des caractères n'est pas faite pour elle-même, mais entre dans la logique de l'action, en est le moteur. Ainsi se construisent des types théâtraux pittoresques. Obstacles au bonheur des jeunes amoureux, ils tirent leur signification des manies qu'ils cultivent : ce sera la dévotion pour Orgon de *Tartuffe* (voir p. 196), l'avarice pour Harpagon de *L'Avare*, l'obsession du savoir pour les femmes savantes (voir p. 185) ; ce seront, liés à leur activité, ces tics de langage dont ils ne peuvent plus se départir, qui marquent le style précieux et ampoulé des poètes, Trissotin des *Femmes savantes* (voir texte, p. 185) et Oronte du *Misanthrope* (voir texte, p. 206), ou le pédantisme suffisant des médecins du *Malade imaginaire* (voir texte, p. 187).

Jean Lepautre (1618-1682), Représentation du *Malade imaginaire*, à Versailles lors des fêtes de 1674, gravure, Paris, bibliothèque du musée des Arts décoratifs.

Domenico Feti (1589-1624), *Portrait d'un homme tenant une partition*, The Castle Horward Collection, Castle Horward. Pour satisfaire au goût de l'époque pour les comédies-ballets, les acteurs devaient, non seulement jouer la comédie, mais également apprendre à chanter et à danser.

Intrigue et caractères peuvent être traités de multiples façons, donner lieu à une grande variété de registres, du plus tendu au plus comique. Le tragique peut être proche, comme dans les quatre comédies « politiques », *L'École des femmes*, *Tartuffe*, *Dom Juan* et *Le Misanthrope* (voir p. 190), qui évoquent des problèmes sociaux essentiels et introduisent ainsi, à plusieurs reprises, une tension dramatique. Le romanesque est souvent présent, comme dans *Le Dépit amoureux* dont le sujet repose sur le déguisement d'une jeune fille en garçon (voir p. 172), ou dans *Les Fourberies de Scapin* (voir p. 175) qui s'achèvent sur de providentielles retrouvailles. Le merveilleux est sollicité, avec la statue du commandeur de *Dom Juan* (voir texte, p. 202) ou les dieux d'*Amphitryon* (voir texte, p. 174).

Dans un registre plus léger, Molière pratique souvent le divertissement, en multipliant les comédies-ballets qui font intervenir le chant et la danse, dans *Les Fâcheux* (voir p. 182), dans *Le Bourgeois gentilhomme* (voir p. 184) ou dans *Le Malade imaginaire* (voir p. 187).

Molière a recours à toute la gamme des procédés comiques. Il manie avec art le pamphlet dans *L'Impromptu de Versailles* (voir p. 194). Le comique de situation, souvent né des contradictions, concerne, par exemple, les précieuses qui font assaut de politesse et de subtilité avec Jodelet et Mascarille en ignorant que ce sont des valets (voir texte, p. 180), ou Géronte des *Fourberies de Scapin*, partagé entre son avarice et son désir de sauver son fils (voir texte, p. 175). Le comique de mots marque l'expression précieuse des femmes savantes (voir texte, p. 185) ou la langue pédante, encombrée de latin, du médecin Thomas Diafoirus du *Malade imaginaire* (voir texte, p. 187).

La répétition accentue le comique dû à l'inadaptation d'une réaction d'un personnage plongé dans son obsession : le « Que diable allait-il faire dans cette galère ? » (voir texte,

p. 175) de Géronte des *Fourberies de Scapin* montre son incapacité à trouver une solution adéquate ; enfermé à l'intérieur de son avarice, il se contente de regretter l'incident dont son fils a été victime, au lieu de prendre les mesures appropriées. Le comique de farce, fait de poursuites, de chutes, de coups, de situations ou de mots scabreux, prend place dans *La Jalousie du Barbouillé, Les Fourberies de Scapin,* ou *L'École des femmes* (voir p. 191).

Un système théâtral élaboré au feu de la pratique

Certes, Molière a médité sur les leçons théâtrales des auteurs de l'Antiquité dont il s'est parfois inspiré. Certes, il a réfléchi sur son art et a fait part de ses conceptions dans ses comédies pamphlets et dans les préfaces de ses pièces. Mais c'est, avant tout, un artisan, un praticien du théâtre. Il s'intéresse au présent plutôt qu'au passé. Plus que les auteurs de l'Antiquité, ce sont les auteurs italiens et français de son temps qui l'influencent. Il doit beaucoup à la commedia dell'arte italienne à laquelle il emprunte ses types pittoresques et sa gestuelle. Il est redevable à la farce française dont il reprend les procédés comiques. Il n'hésite pas à s'inspirer de jeux de scène qu'il a pu noter dans des comédies de ses prédécesseurs (voir p. 177).

Son système dramatique s'inscrit résolument dans le concret, est le résultat d'une pratique, d'une expérience. Directeur de troupe, il sait que la vocation première de l'homme de théâtre est de divertir, que le but principal est de plaire, il le fait dire à Dorante à la scène 6 de *La Critique de L'École des femmes* : « Je voudrais bien savoir si la grande règle de toutes les règles n'est pas de plaire, et si une pièce de théâtre qui a attrapé son but n'a pas suivi un bon chemin. »

Mais il faut également instruire. Moraliser est le deuxième objectif qu'il convient de poursuivre. Éviter d'ennuyer, procéder de façon plaisante est indispensable si l'on veut séduire le spectateur. Pour cela, il existe une recette infaillible ; pour détourner des vices en amusant, il suffit de les rendre ridicules : « C'est », écrit Molière dans la Préface de *Tartuffe,* « une grande atteinte aux vices que de les exposer à la risée de tout le monde. On souffre aisément des répréhensions ; mais on ne souffre point la raillerie. On veut bien être méchant, mais on ne veut point être ridicule. » Pour atteindre ce but, il faut que les personnages soient naturels, vrais et suffisamment représentatifs, exemplaires : il convient donc d'éviter soigneusement les attaques personnelles.

Pragmatique, Molière n'a pas le fétichisme des règles (voir p. 138). Elles doivent être inspirées par le bon sens. Aussi ne les a-t-il pas toujours respectées. Le public, plutôt que les théoriciens, est le juge compétent de la valeur d'une pièce et d'un spectacle : tel est le grand principe qui guide Molière dans l'élaboration d'un théâtre destiné à satisfaire l'ensemble des spectateurs et non une petite minorité de spécialistes.

LA FEMME AU TEMPS DE MOLIÈRE

Des mariages souvent imposés

Naître du sexe féminin au XVIIe siècle constituait un lourd handicap. La plus grande partie de l'héritage des parents revenait aux garçons. Parmi eux, le fils aîné, très avantagé, était le véritable héritier, au nom du fameux droit d'aînesse conçu pour éviter la dispersion du patrimoine. Quant aux filles, elles bénéficiaient d'une dot que leur père leur constituait en vue de leur mariage. Mais encore fallait-il, pour se marier, qu'elles attendent leur tour. Il convenait de trouver un époux à chacune d'elles dans l'ordre de leur naissance. Et la dot revenait, en fait, à leur mari. Il s'instaurait un véritable système d'échange. Plus la dot était importante, plus la situation du futur mari pouvait être élevée. Les parents en usaient habilement pour se choisir, pour s'« acheter », en quelque sorte, un gendre à leur convenance. Il n'était pas question, dans ces conditions, pour les jeunes filles de décider. Le mariage de raison l'emportait sur le mariage d'amour. Elles devaient céder à leur père qui avait tout pouvoir sur elles. Si elles refusaient, si elles rejetaient le sort qui leur était ainsi imposé, on leur faisait alors choisir entre le mariage arrangé et le couvent.

Cette conception du mariage se trouve au centre même des comédies de Molière : Monsieur Jourdain est riche et, en échange de la riche dot qu'il a constituée pour sa fille, il peut compter sur un gendre désargenté, mais noble (voir p. 184). Harpagon est avare, il voudrait faire l'économie d'une dot, et il sait que le viel Anselme, attiré par la jeunesse de sa fille Élise, acceptera de l'épouser malgré tout. N'est-il pas frappant de constater, par ailleurs, avec quelle soumission les jeunes amoureuses du théâtre de Molière se plient à la volonté paternelle ? Certes, contrairement à ce qui se passe dans la vie réelle, elles parviennent toujours à faire triompher leurs vues, à épouser celui qu'elles aiment : mais c'est le genre comique qui impose ce dénouement heureux.

La dépendance de la femme mariée

En se mariant, la jeune fille échappe tôt à l'autorité paternelle : elle se marie généralement entre seize et dix-huit ans, parfois même dès l'âge de douze ans. Mais elle tombe alors sous une autre autorité, celle de son mari. Si l'épouse joue un rôle important dans l'organisation de la vie de la famille, elle est exclue, en principe, des décisions. Le théâtre de Molière montre bien cet état de fait : certes, dans ses comédies, il est de maîtresses femmes qui, comme Madame Jourdain du *Bourgeois gentilhomme*, disent leur mot et le disent fort, mais le mari n'en continue pas moins à agir à sa guise (voir texte, p. 184).

En fait, la femme ne dispose d'une certaine indépendance qu'une fois devenue veuve : elle est alors soustraite à l'autorité maritale. Molière a introduit cette situation dans *Le Misanthrope* : Célimène est une jeune veuve, ce qui lui permet de disposer d'une grande liberté sentimentale (voir p. 205). Cette liberté sentimentale, les dames de la cour, les dames de la noblesse peuvent aussi se la permettre : elles bénéficient, en quelque sorte, de la caution de leur nom et de la largeur d'esprit du roi. Mais, pour les autres, l'infidélité est bien dangereuse dans cette situation inégalitaire où l'adultère est toléré pour l'homme, mais inadmissible pour la femme.

Un certain accès à la culture et au savoir

La situation culturelle de la femme s'améliore sensiblement durant la seconde partie du XVIIe siècle. Certes, l'idéal pour beaucoup de maris reste celui de la femme au foyer dont la connaissance se réduit aux devoirs conjugaux et aux tâches ménagères : c'est à une telle épouse que rêve, par exemple, Arnolphe de *L'École des femmes* (voir p. 191). Mais, de plus en plus, s'affirme la nécessité d'une instruction féminine. Un véritable mouvement féministe se dessine qui revendique pour les femmes l'accès au savoir et qui rejette la domination masculine. C'est cette volonté qui anime les précieuses (voir p. 179) et les femmes savantes (voir p. 185) : Molière, en fait, ne critique pas ce désir de s'instruire, mais, comme il le fait souvent, les excès qui l'accompagnent.

Comment aurait-il pu nier le rôle positif que jouent les femmes dans la vie culturelle française ? L'importance qu'elles prennent à la cour amène les écrivains à plus de raffinement dans leur art. Elles deviennent, dans les salons sur lesquels elles règnent, les inspiratrices du bon goût (voir p. 75). Elles s'essaient à la création, souvent avec succès, comme Madeleine de Scudéry, Madame de Sévigné ou Madame de La Fayette.

Abraham Bosse (1602-1676), *Le Contrat de mariage*, gravure, Paris, B.N.

Thomas Corneille
1625-1709

Jean-Baptiste Jouvenet (1644-1717), *Portrait de Thomas Corneille*, Paris, musée du Petit Palais.

Le frère de Pierre Corneille

Pour Thomas Corneille, être le frère de Pierre Corneille représente, à la fois, une chance et une malchance : une chance, parce que cette parenté fait que l'on considère son œuvre avec une certaine curiosité, une malchance, parce que son prénom est écrasé sous le poids de celui de l'auteur du *Cid*. Ils auraient pu être concurrents, frères ennemis. Mais il n'en fut rien. Au contraire, une grande affinité les unit.

Comme Pierre, Thomas a une formation juridique. Il est avocat au parlement de Normandie, avant de venir à Paris tenter l'aventure théâtrale. Comme lui, il reste fidèle à sa ville natale de Rouen : les deux frères y résident souvent, habitant la maison paternelle qu'ils partagent.

Un auteur à succès

Thomas Corneille est un écrivain doué : une anecdote ne raconte-t-elle pas que son frère avait l'habitude de le consulter, lorsqu'il ne parvenait pas à trouver une rime ? C'est un auteur dramatique productif et estimé : de 1647 à 1685, il écrit une quarantaine de pièces, dont certaines, comme sa tragédie *Timocrate* (1656), connaissent un grand succès. La troupe de Molière ne fait-elle d'ailleurs pas appel à lui pour élaborer une version en vers du *Dom Juan*, destinée à se substituer à l'original jugé trop subversif (voir p. 204) ?

Son rôle dans le monde des Lettres est considérable : à partir de 1677, il est l'un des rédacteurs d'un journal à la mode, *Le Mercure galant*, spécialisé dans la relation des nouvelles de la cour, plein d'anecdotes, mais également ouvert à la publication de petits textes littéraires.

Il succède à son frère à l'Académie française en 1685 et publie alors des ouvrages consacrés aux arts et aux sciences. Il est un de ceux qui se prononcent pour l'exclusion de Furetière de l'illustre assemblée après la parution de son dictionnaire (voir p. 310). Il est au côté des Modernes lors de la fameuse querelle qui les oppose aux partisans des Anciens (voir p. 416). Thomas Corneille n'est pas seulement le frère de Pierre...

Timocrate (1656), tragédie.
Ariane (1672), tragédie.
Dom Juan (1677), comédie.
La Devineresse (1679), comédie. → pp. 217-219.

La Devineresse

1679

Thomas Corneille écrivit *La Devineresse* en collaboration avec Jean Donneau de Visé (1638-1710), adversaire de Molière lors de la polémique de *L'École des femmes* (voir p. 194). C'est une pièce qui illustre bien la montée de la comédie de mœurs qui marque cette époque. Elle met en scène une voyante, Madame Jobin, qui exploite habilement la crédulité de ses clients. Sous ce personnage inquiétant, se profile la célèbre La Voisin, que venait de révéler un fait divers retentissant, connu sous le nom d'Affaire des Poisons, où furent compromis les milieux de la cour et, en particulier, la marquise de Brinvilliers (voir p. 285). « Sorcière », empoisonneuse, avorteuse, réputée pour la composition de la « poudre de succession », poison qui permettait de « hâter » les héritages, La Voisin fut arrêtée peu de temps avant la création de la comédie et brûlée vive en 1680.

« Je l'ai découvert par des conjurations »

Le Marquis aime la Comtesse d'un amour partagé. Il est aimé de Madame Nollet qui a donné une forte somme à la voyante, Madame Jobin, pour qu'elle persuade la Comtesse de ne pas épouser le Marquis. Voici comment la voyante s'acquitte de la mission dont elle s'est chargée.

Madame Jobin.
Je n'ai pas besoin que vous me l'avouiez[1] pour le savoir. Mais plus vous avez d'amour, plus cet amour vous doit engager non seulement à n'épouser pas un homme qui ne peut que vous rendre malheu-
5 reuse, mais à lui conseiller de ne se marier jamais, car il n'y a rien que de funeste pour lui dans le mariage.

La Comtesse.
Que me dis-tu là ? Quoi ! les choses ne se peuvent détourner[2] ?

Madame Jobin.
10 Non ; hasardez[3] si vous voulez, c'est votre affaire. Quand vous souffrirez, vous ne vous en prendrez point à moi.

La Comtesse.
Mais encore, explique-moi quelle sorte de malheur j'ai à redouter.

Madame Jobin.
15 Il est entièrement attaché à celui que vous aimez. S'il se marie, il aimera sa femme si éperdument, qu'il en deviendra jaloux à l'excès.

La Comtesse.
La jalousie n'est point dans son caractère.

Madame Jobin.
Il sera jaloux, vous dis-je, et si fortement, qu'il ne
20 laissera aucun repos à sa femme. C'est là peu de chose, voici le fâcheux. Il tuera un homme puissant en amis[4], qu'il trouvera un soir causant avec elle ; on l'arrêtera, et il perdra la tête sur un échafaud.

La Comtesse.
Sur un échafaud ! Cela est fait, je ne l'épouserai
25 jamais.

Madame Jobin.
Ce malheur ne lui est pas seulement infaillible en vous épousant, mais encore en épousant toute autre que vous : c'est à vous à l'en avertir, si vous l'aimez.

1. Que vous êtes amoureuse.
2. Le malheur ne peut être évité.
3. Prenez le risque.
4. Qui a des amis puissants, bien placés.

La Comtesse.
Il ne faut point qu'il songe à se marier. Sur un échafaud ! Quand il serait le mari d'une autre, j'en mourrais de déplaisir. Mais tout ce que tu me dis est-il bien certain ?

Madame Jobin.
Je l'ai découvert par des conjurations[1] que je n'avais jamais faites : j'en ai moi-même tremblé, car il est quelquefois dangereux d'arracher les secrets de l'avenir ; mais je vous l'avais promis, et j'ai voulu tout faire pour vous.

La Comtesse.
Quel malheur pour moi de l'avoir aimé ! Je ne l'épouserai point, j'y suis résolue. Mais, dis-moi, me pourrais-tu satisfaire sur une chose ? Je voudrais savoir ce qu'il fait présentement.

Madame Jobin.
Que gagnerais-je à vous dire ce que vous croiriez que je n'aurais deviné que par hasard ? Apparemment il ne fait rien d'extraordinaire, et il n'est pas difficile de s'imaginer ce qu'un homme fait tous les matins.

La Devineresse, acte I, scène 6.

D'après Antoine Coypel (1661-1722), *La Voisin*, gravure, Paris, B.N.

Pour préparer l'étude du texte

1. Vous montrerez que l'habileté de Madame Jobin consiste à jouer, à la fois, sur les sentiments de la Comtesse pour le Marquis et sur sa crainte de l'avenir (peur d'être malheureuse, peur d'être la cause involontaire d'un acte criminel).
2. Vous noterez que, parallèlement, elle s'efforce de susciter la générosité de son interlocutrice. Pour quelles raisons ?
3. Vous étudierez le mélange de crédulité et de méfiance dont fait preuve la Comtesse.

1. Par des pratiques magiques, destinées à combattre les influences maléfiques, à les conjurer.

« Ah ! le mouvement de ses yeux m'a tout effrayée »

Madame de Clérimont, une autre cliente de la voyante, voudrait savoir si elle est aimée de celui qu'elle aime. Madame Jobin, pour répondre à son interrogation, la met en présence d'une tête coupée. Il s'agit évidemment d'un habile « trucage », d'un véritable tour de prestidigitation qui exploite l'horreur et la terreur.

MADAME JOBIN.
Ne tardez pas tant à l'aller toucher[1]. Elle pourrait s'élancer sur vous, et vous en porteriez de terribles marques.

DUCLOS[2].
Venez, Madame, et de bonne grâce.

MADAME DE CLÉRIMONT.
5 Il m'est impossible de faire un pas.

DUCLOS.
Un peu de courage, je vous aiderai.

MADAME DE CLÉRIMONT.
Allons donc, puisqu'il n'y a pas moyen de m'en dispenser. *(Elle s'arrête après s'être un peu approchée, et dit :)* Il n'est pas nécessaire d'approcher de
10 plus près ; c'est une tête effective, et je ne vois que trop bien qu'il n'y a point de vision[3].

MADAME JOBIN.
Ce n'est pas assez, il faut la toucher.

MADAME DE CLÉRIMONT.
La toucher !

DUCLOS.
Souvenez-vous qu'il ne faut pas avoir peur.

MADAME DE CLÉRIMONT.
15 Eh ! le moyen de ne pas en avoir ?

DUCLOS.
N'en témoignez rien[4], du moins.
(La dame étant proche de la table, la tête remue les yeux ; la dame fait un grand cri et recule ; Duclos la retient.)

MADAME DE CLÉRIMONT.
Ah ! le mouvement de ses yeux m'a tout effrayée.

DUCLOS.
Allons, faites un effort.

MADAME JOBIN.
Mettez la main dessus, il ne vous en arrivera aucun
20 mal.
(La dame avance la main, la retire, touche enfin la tête, et fait deux pas en arrière avec précipitation.)

MADAME JOBIN.
Ne reculez pas plus loin, vous l'avez touchée. Demandez-lui présentement[5] ce qu'il vous plaira.

MADAME DE CLÉRIMONT.
Quoi ! il faut que je l'interroge moi-même ?

MADAME JOBIN.
C'est votre affaire, et non pas la mienne.

MADAME DE CLÉRIMONT.
25 Comment ! faire conversation avec une tête ?

DUCLOS.
Allons, Madame, parlez vite, afin que nous sortions d'ici.

MADAME DE CLÉRIMONT.
Faut-il faire un compliment ?

MADAME JOBIN.
Non, il faut la tutoyer.

MADAME DE CLÉRIMONT.
30 Dis-moi... Je n'achèverai jamais.

DUCLOS.
Voulez-vous sortir sans avoir rien su ?

MADAME DE CLÉRIMONT.
Un petit moment, que je me rassure. Dis-moi, Madame la tête, si je suis toujours aimée de M. Dumont ?

LA TÊTE.
35 Oui.

MADAME DE CLÉRIMONT.
Aime-t-il Madame de la Jublinière ?

LA TÊTE.
Non.

MADAME DE CLÉRIMONT.
Et ne va-t-il pas chez elle ?

LA TÊTE.
Quelquefois, mais c'est seulement pour obliger un
40 ami[6].

MADAME DE CLÉRIMONT, *avec précipitation.*
Je n'en veux pas savoir davantage. Tenez, Madame, voilà ma bourse. Adieu, je suis toute hors de moi-même. *(A Duclos.)* Ne me quittez pas, Monsieur, que vous me m'ayez remise chez moi[7].
(Elle sort avec lui.)

La Devineresse, acte V, scène 10.

Pour préparer l'étude du texte

1. Vous analyserez les passages où l'épouvante se trouve mise en œuvre, en montrant l'importance des indications scéniques.
2. Vous étudierez le comique qui vient contrebalancer ces effets de terreur.
3. Vous dégagerez les grands traits du caractère de Madame de Clérimont.

1. A aller toucher la tête, pour qu'elle réponde aux questions que se pose Madame de Clérimont.
2. Assistant de Madame Jobin.
3. Qu'il ne s'agit pas d'une illusion.
4. N'en faites rien voir.
5. Maintenant.
6. Pour rendre service à un ami.
7. Avant de m'avoir reconduite chez moi.

LA VIE THÉATRALE AU XVIIE SIÈCLE

Les lieux de spectacle

Quelles possibilités s'offrent à l'amateur de théâtre du XVIIe siècle ? S'il habite Paris, trois salles permanentes s'ouvrent à lui : la salle de l'Hôtel de Bourgogne, celle du théâtre du Marais, celles du Petit-Bourbon, puis du Palais-Royal où joue Molière. Après la mort de Molière, le spectateur qui veut voir la troupe du grand comédien, désormais dirigée par La Grange, doit maintenant se rendre dans la salle Guénégaud où elle s'est installée dès 1673. C'est alors Lulli et son Académie de musique, l'ancêtre de l'Opéra, qui occupent le Palais-Royal. Toujours en 1673, la troupe du théâtre du Marais fusionne avec celle de Molière, bientôt rejointe par celle de l'Hôtel de Bourgogne en 1680 : ainsi se constitue la Comédie-Française, tandis qu'une troupe italienne prend possession de l'Hôtel de Bourgogne, qu'elle quittera en 1697.

Le nombre des salles permanentes est donc réduit. Il est vrai que la population parisienne ne compte alors que quelques centaines de milliers d'habitants. Les troupes se font une concurrence acharnée qu'illustrent l'élaboration de pièces développant des sujets identiques, la fréquence des polémiques (voir p. 142 et p. 194), les tentatives de débauchage des comédiens et des auteurs : Corneille passera ainsi, en 1647, du théâtre du Marais à l'Hôtel de Bourgogne puis retournera au Marais et fera jouer, à l'occasion, quelques-unes de ses pièces par la troupe de Molière ; Racine, qui donnera sa première tragédie, *La Thébaïde* (1664), à Molière, lui retirera sa seconde création, *Alexandre le Grand* (1665), et s'adressera désormais à l'Hôtel de Bourgogne.

A ces théâtres publics, s'ajoutent les salles privées. Il est de bon ton d'aimer le théâtre, de patronner une troupe, mais également de posséder sa propre scène sur laquelle on offre des spectacles à ses amis. C'était là une source importante de recettes pour les comédiens. Enfin, il y a toujours les nombreuses troupes ambulantes qui parcourent la France et font connaître en province le répertoire théâtral. La tradition de ces tournées s'est maintenue de nos jours.

Pour des raisons d'ordre économique, les troupes de théâtre comportent un nombre relativement peu important de comédiens ; la troupe de Molière compte, selon la période, entre dix et quinze personnes, dont environ 60 % d'acteurs et 40 % d'actrices. Les troupes disposent de trois sources de revenus : les recettes des représentations publiques, l'argent tiré des spectacles donnés chez de riches particuliers et les dons des protecteurs. Les bénéfices ainsi réalisés sont répartis entre les comédiens.

Spectacle et public

Voici notre spectateur parisien parvenu devant le théâtre de son choix. A l'entrée, le portier a pour fonction de refouler ceux qui n'ont pas payé. Cela ne va pas sans rixes parfois sanglantes. Mais notre spectateur est un spectateur honnête. Il a payé sa place dont le prix est modique et pénètre dans la salle. Est-il noble ou grand bourgeois ? Il s'installe dans les loges. Est-il membre de la petite bourgeoisie ? Il prend place sur des gradins disposés en amphithéâtre. Fait-il partie du public populaire ? Il reste debout dans le parterre qui occupe la partie centrale de la salle, au même niveau que la scène. Les meilleures places sont réservées aux amateurs de théâtre, aux jeunes gens à la mode, qui ont le privilège de s'installer sur la scène même (voir texte p. 182).

Le spectacle va débuter. Il est copieux et se compose souvent de deux pièces : une comédie en un ou trois actes et une tragédie ou une comédie en cinq actes. La représentation, qui débute vers deux heures de l'après-midi, s'achève généralement vers cinq ou six heures du soir. Notre spectateur, s'il souhaite suivre avec attention le déroulement de la pièce, doit s'armer de patience. L'assistance est agitée et bruyante. Allées et venues, conversations, éventuellement injures adressées aux comédiens ne cessent de perturber la séance (voir texte, p. 182). Le silence religieux qui s'impose de nos jours n'est pas de mise. L'inattention du public est chronique.

François Chauveau (1613-1676), Décoration pour *Andromède* de Corneille par Torelli.
L'utilisation de machineries et des techniques du trompe-l'œil était un des grands attraits du théâtre de l'époque.

Heureusement, le spectacle est interrompu après chaque acte, pour moucher les chandelles, c'est-à-dire pour enlever les parties de mèche brûlées qui, sinon, dégageraient de la fumée : voilà qui donne l'occasion de ménager des périodes salutaires de pause.

Décors et costumes

La conception des décors connaît une évolution importante au cours du XVIIe siècle. Au début, les auteurs de théâtre situent leurs pièces dans plusieurs lieux différents. Pour éviter des changements pendant le spectacle, on faisait alors figurer côte à côte tous les décors nécessaires au déroulement de l'action. Leur nombre était néanmoins limité par l'exiguïté de la scène qui était alors de règle. Dans un second temps, lorsque s'impose, vers 1640, l'unité de lieu, le décor représente la salle unique où se déroule l'action.

Le spectateur amateur de mises en scène plus élaborées peut satisfaire son goût, en assistant aux comédies-ballets que Molière multiplie durant la seconde partie de sa carrière et qui ajoutent au texte les apports de la musique, de la danse et du chant, comme *Les Fâcheux* (1661), *Le Bourgeois gentilhomme* (1670) ou *Le Malade imaginaire* (1673). Il a également l'occasion, s'il fait partie du monde fermé de la cour, de prendre plaisir à des spectacles grandioses qui utilisent une machinerie complexe : des monstres apparaissent, des fantômes ou des dieux traversent les airs, des changements de décors se produisent, les feux d'artifice ou les jeux d'eau sont mis éventuellement à contribution. Ainsi se présente *Psyché* (1671) que Molière écrivit en collaboration avec Pierre Corneille et Philippe Quinault sur une musique de Lulli. Le spectateur ordinaire n'est pas exclu pour autant de ce type de représentations : Molière reprend *Psyché* sur la scène du Palais-Royal et des comédies qui sont conçues pour le public, comme *Dom Juan* (1665) ou *Amphitryon* (1668), accordent une grande importance à la mise en scène et réclament la mise en œuvre de la machinerie.

Quant aux costumes, si ceux qui sont utilisés pour la tragédie évoquent plus ou moins l'habillement des personnages grecs, latins ou turcs représentés, dans la comédie, les acteurs sont vêtus des habits de leur époque. Voilà qui augmentait la confusion provoquée par les spectateurs assis sur la scène : comment, en effet, dans ces conditions, les distinguer des comédiens ? Voilà qui, par ailleurs, permettait aux amateurs de théâtre de se montrer généreux à bon compte, en offrant aux troupes les vêtements qu'ils ne voulaient plus porter.

Le public et le répertoire

A quel type de spectacle notre spectateur du XVIIe siècle est-il amené à assister ? Ses possiblités de choix sont larges. Le public potentiel parisien est en effet relativement restreint, ce qui oblige les troupes de théâtre à renouveler fréquemment leur répertoire. Le nombre de pièces créées est donc considérable : il s'élève à quinze environ, par an.

Par ailleurs, la composition du public tend à se modifier, ce qui n'est pas sans conséquence sur la nature des pièces représentées. Les spécialistes du théâtre, les théoriciens sont toujours aussi assidus tout au long du XVIIe siècle. Mais ils ne font pas masse et sont submergés par deux catégories de spectateurs. D'une part, les gens de la cour, les gens à la mode, sont de plus en plus nombreux, ce qui explique le développement du théâtre spectacle, du théâtre divertissement et, en particulier, du théâtre-ballet.

Parallèlement, le public populaire se renforce. Ne sachant pas lire, il trouve dans le théâtre une activité culturelle accessible à la fois intellectuellement et financièrement. Sa sensibilité le rend plus proche de la comédie que de la tragédie. Le développement de la concurrence suscité par l'ouverture de nouvelles salles de théâtre (voir p. 132) conduit les auteurs à essayer d'attirer ces spectateurs. Aussi assiste-t-on à une montée du genre comique au détriment des autres genres : au début du XVIIe siècle, les comédies ne représentent que 7 % environ de la production théâtrale ; à l'époque de Molière, elles comptent pour 51 % ; à la fin du XVIIe siècle, le pourcentage atteindra près de 70 %.

Le jeu des acteurs est marqué par l'excès, excès « farcesque » lorsqu'il s'agit de la comédie, excès dans la grandiloquence dans le cas de la tragédie. Chaque comédien est spécialisé dans un type de rôle bien précis (voir texte p. 194). Dans sa troupe, Molière se chargeait des personnages bouffons, dont il accentuait les aspects comiques. La Grange jouait les jeunes premiers sympathiques. Armande Béjart, la jeune femme de Molière, était une coquette à la scène comme à la ville. Mademoiselle du Parc incarnait les jeunes premières et Madeleine Béjart les femmes mûres hautes en couleur, au comportement pittoresque...

DEUX VOIX TRAGIQUES
RACINE, QUINAULT

UN RECUL DE LA TENSION DRAMATIQUE

Face à la montée de la comédie, les genres théâtraux marqués par la tension dramatique reculent : alors que, de 1610 à 1630, les tragédies et les tragi-comédies représentent plus de 90 % du total des pièces, que, de 1631 à 1652, elles comptent encore pour plus de 80 %, leur part se réduit, de 1653 à 1669, à moins de 50 % et tombe, de 1670 à 1700, à 30 %. Mais cette chute se fait essentiellement au détriment de la tragi-comédie : jusque dans les années 1660, elle l'emportait sur la tragédie, alors que, de 1670 à 1700, elle est largement dominée par elle et tend à disparaître. Cette évolution est la conséquence de l'établissement d'un théâtre régulier qui refuse le mélange des genres et n'admet que ce qui est totalement comique ou totalement tragique (voir p. 138).

Gian Lorenzo Bernini dit le Bernin (1598-1680), *Ame bienheureuse*, Rome, Palais d'Espagne. L'assurance du salut...

LA TRAGÉDIE RACINIENNE

La tragédie devient donc la représentante presque exclusive du théâtre marqué par la tension dramatique. Racine (1639-1699) en apparaît bientôt comme le maître. Sous son impulsion, le genre s'affirme dans toute sa pureté : cantonnée dans un lieu unique, concentrée dans une durée de vingt-quatre heures, la tragédie met en scène, en un court moment de crise, des personnages enfermés dans leur destin, dominés par la fatalité, aliénés par les contradictions qui les divisent. La tension y est constante. La mort y rôde. La souffrance y éclate. L'absurdité de l'existence s'y révèle. Le spectateur y contemple sa propre condition, médite sur le tragique de la destinée humaine.

L'AUTRE CONCEPTION DE LA TRAGÉDIE

Si incontestablement Racine domine la tragédie de son époque, une autre manière s'oppose alors à cette conception racinienne du genre tragique.

Une tragédie romanesque se développe, inspirée de ces romans héroïques dont Madeleine de Scudéry avait été l'un des chefs de file : la complexité des événements et des comportements y règne, la volonté humaine tend à contrebalancer la force de la fatalité, l'amour apparaît généreux et chevaleresque. Racine lui-même, au début de sa carrière, suit cette inspiration, avec *Alexandre le Grand* (1665). Pierre Corneille ne meurt qu'en 1684. Il écrit pour la scène jusqu'en 1674, c'est-à-dire jusqu'à la création de la neuvième pièce de Racine, *Iphigénie*. Il est donc en concurrence directe avec Racine et essaie d'opposer à la simplicité des pièces de son rival la complexité de ses compositions. Il n'est pas le seul. De nombreux auteurs dramatiques suivent cette voie. C'est, en particulier, le cas de Thomas Corneille (1625-1709), le frère de Pierre et de Philippe Quinault (1635-1688).

Gian Lorenzo Bernini dit le Bernin (1598-1680), *Ame damnée*, Rome, Palais d'Espagne.
... le cri de la damnation.

NAISSANCE DE L'OPÉRA FRANÇAIS

Molière a fortement contribué au développement de la comédie-ballet (voir p. 221). Parallèlement à ces spectacles de cour inspirés du genre comique, prennent place d'autres spectacles de cour plus proches de la tragédie ou de la tragi-comédie. Ils utilisent aussi les attraits de la mise en scène et les effets de la machinerie, allient texte, musique, danse et chant. Ce sont également des réalisations de prestige destinées à célébrer la grandeur royale : Louis XIV et les courtisans y participent parfois en tant qu'acteurs. Mais les sujets de ces compositions sont marqués par la tension, comme ceux de la tragédie ou de la tragi-comédie. Molière, Pierre Corneille et Lulli élaboreront en collaboration *Psyché* (1671). Ce sont surtout Lulli et Quinault qui seront les grands maîtres de ce genre, avec *Thésée* (1675), *Persée* (1682) ou *Roland* (1685). Ainsi, dans la ligne de l'opéra italien, naît l'opéra français (voir p. 248), avec l'installation de l'Académie de musique de Lulli dans la salle du Palais-Royal laissée vacante, en 1673, par la troupe de Molière, après la mort de son chef.

Jean Racine
1639-1699

Anonyme, XVIIe siècle, *Portrait de Racine*, Versailles, musée national du Château.

Vie religieuse ou vie mondaine ?

La vie de Racine ressemble un peu à celle de Pascal. Comme lui, il est partagé entre la foi et les mondanités. Comme lui, il est profondément marqué par le jansénisme (voir p. 110) avec lequel il a des relations parfois orageuses. Né à La Ferté-Milon, le jeune Racine n'a que trois ans lorsqu'il devient orphelin. C'est sa grand-mère paternelle qui prend en charge son éducation. Elle lui fait suivre ses études secondaires à Beauvais, puis, en 1655, le confie aux Petites-Écoles de l'abbaye de Port-Royal, près de Paris, où elle s'était retirée. Jusqu'en 1658, il y reçoit l'enseignement des jansénistes qui exerceront une grande influence sur lui.

De 1658 à 1661 le voici à Paris. Il y étudie la philosophie et commence à écrire quelques poèmes. Elle est loin maintenant la vie calme et contemplative de Port-Royal. Il profite de l'existence, mène une activité mondaine. Son oncle essaie bien de l'y soustraire, en l'envoyant en 1661 à Uzès, non loin de Nîmes, dans l'espoir de l'engager dans une carrière ecclésiastique. Mais il s'y ennuie et, dès 1663, il est de retour à Paris.

Débuts théâtraux et rupture avec Port-Royal

Il reprend alors sa vie agitée et écrit sa première pièce, *La Thébaïde*, tragédie pleine de bruit, de sang et de fureur. En 1664, il la fait représenter par la troupe de Molière. L'année suivante, il lui confie sa seconde pièce, *Alexandre le Grand*, marquée par le romanesque. Mais au bout de quelques représentations, la discorde éclate entre le deux hommes : Racine, mécontent de la manière dont la troupe de Molière interprète son œuvre, la lui retire pour la donner au théâtre rival de l'Hôtel de Bourgogne. La même année, il rompt avec Port-Royal. Il ne pardonne pas aux jansénistes leurs attaques contre le théâtre et publie anonymement contre eux, en 1666, un violent pamphlet, la *Lettre satirique*.

Une période de production intense

Commence alors pour Racine une période de production intense. De 1667 à 1677, il élabore l'essentiel de son œuvre théâtrale, fait jouer, d'*Andromaque* (1667) à *Phèdre* (1677), huit des douze pièces qui constituent sa production dramatique. Ces onze années sont, par ailleurs, fort agitées. Sa vie sentimentale n'est pas simple. Il court de liaison en liaison, s'éprend de grandes comédiennes, de Mademoiselle du Parc qu'il incite à quitter la troupe de Molière pour rejoindre celle de l'Hôtel de Bourgogne, de Mademoiselle Champmeslé. C'est alors un personnage assez trouble : il fut, en particulier, mêlé à cette ténébreuse Affaire des Poisons qui défraya un moment la chronique (voir pp. 217 et 285).

Une fin de vie édifiante

1677 marque un nouveau tournant dans sa vie. Il est violemment attaqué lors de la création de *Phèdre*, dont on dénonce le caractère scandaleux. Il souhaite, par ailleurs, prendre ses distances avec une profession jugée peu honorable. Aussi n'hésite-t-il pas longtemps et décide-t-il d'abandonner la scène. La même année, il se réconcilie avec les jansénistes, se marie et devient, avec son grand ami, Boileau, historiographe du roi, charge qui consistait à consigner les événements marquants du règne de Louis XIV.

En 1689, puis en 1691, il revient au théâtre : mais les deux tragédies qu'il compose alors, *Esther* et *Athalie*, sont des pièces d'inspiration biblique et elles seront jouées par les pensionnaires de l'institution de Saint-Cyr, cette maison d'éducation destinée aux jeunes filles que Madame de Maintenon (voir p. 408) fonda en 1686. Le temps de la vie mondaine et des intrigues sentimentales est révolu : Racine vit désormais, jusqu'à sa mort, une existence rangée, vouée aux occupations religieuses et familiales.

La Thébaïde (1664), tragédie.
Alexandre le Grand (1665), tragédie.
Andromaque (1667), tragédie. → pp. 231-232.
Les Plaideurs (1668), comédie.
Britannicus (1669), tragédie. → pp. 225 à 227.
Bérénice (1670), tragédie. → pp. 227-228.
Bajazet (1672), tragédie. → pp. 232 à 234.
Mithridate (1673), tragédie.
Iphigénie (1674), tragédie.
Phèdre (1677), tragédie. → pp. 235 à 237.
Esther (1689), tragédie.
Athalie (1691), tragédie. pp. 239 à 241.

Les échecs de l'amour partagé

L'amour est au centre du théâtre de Racine. C'est lui qui déclenche tous les conflits, qui est la cause de toutes les aliénations. C'est un sentiment complexe, qui revêt de multiples aspects, qui se manifeste de multiples façons. Comme dans le théâtre de Corneille (voir p. 161), il s'oppose souvent à l'honneur : les personnages ont à choisir entre leur passion et leur devoir. Mais chez Racine, dans ce choc, l'amour est toujours le plus fort. Parfois, au premier abord, la fatalité semble mesurer ses rigueurs. Elle paraît accepter que l'amour partagé se donne libre champ. Mais c'est un cadeau empoisonné qu'elle fait à ceux qui peuvent ainsi exprimer toute leur passion. Si l'obstacle ne se trouve pas à l'intérieur du couple, il n'en est pas moins d'une puissance redoutable. Les oppositions extérieures sont alors si fortes que l'amour est condamné, irrémédiablement détruit par la mort physique, comme dans *Britannicus*, ou par le renoncement, véritable mort morale, comme dans *Bérénice*.

Britannicus
1669

La pièce, qui se déroule à l'époque de l'Empire romain, en 56 ap. J.-C., met en scène une double rivalité, politique et amoureuse : Agrippine, après avoir empoisonné l'empereur Claude qui l'avait épousée en secondes noces, a écarté du pouvoir le fils de Claude, Britannicus, au profit de son propre fils, Néron. D'autre part, Britannicus et Néron sont amoureux l'un et l'autre de la princesse Junie. Face à l'empereur en proie à ses mauvais instincts, sorte de monstre naissant, Junie doit faire un choix déchirant : ou bien rester fidèle à Britannicus au risque de le voir mourir, ou bien sauvegarder la vie de celui qu'elle aime et sacrifier son amour en cédant à Néron. Dans cette situation, il n'y a évidemment pas de salut : Néron enlève Junie, arrête Agrippine, qui s'opposait à sa volonté, et fait empoisonner Britannicus. Mais Junie se réfugie chez les vestales, prêtresses de la déesse du foyer, Vesta, et prive ainsi Néron du fruit de son crime.

« Vous êtes en des lieux tout pleins de sa puissance »

Néron a fait enlever Junie qu'il séquestre. Il l'oblige à avoir un entretien avec Britannicus, au cours duquel elle devra lui signifier qu'elle ne l'aime plus. Il l'a prévenue : si elle s'acquitte mal de son rôle, Britannicus mourra. Pour vérifier que tout se passe selon ses vœux, Néron assistera, sans être vu, à la scène. Junie s'efforce d'empêcher cette rencontre tragique. Mais Britannicus fait son entrée. Le cruel entretien se déroule. L'ambiguïté est à son comble : d'un côté, le malentendu s'installe entre Junie, consciente du danger que court celui qu'elle aime et Britannicus, qui ignore la présence de Néron ; de l'autre, l'empereur, aux aguets, épie.

BRITANNICUS.
Madame, quel bonheur me rapproche de vous ?
Quoi ! je puis donc jouir d'un entretien si doux !
Mais parmi ce plaisir quel chagrin me dévore !
Hélas ! puis-je espérer de vous revoir encore ?
5 Faut-il que je dérobe, avec mille détours,
Un bonheur que vos yeux m'accordaient tous les jours ?
Quelle nuit ! Quel réveil ! Vos pleurs, votre présence,
N'ont point de ces cruels désarmé l'insolence !
Que faisait votre amant ? Quel démon envieux
10 M'a refusé l'honneur de mourir à vos yeux ?
Hélas ! dans la frayeur dont vous étiez atteinte,
M'avez-vous, en secret, adressé quelque plainte ?
Ma princesse, avez-vous daigné me souhaiter ?
Songiez-vous aux douleurs que vous m'alliez coûter ?
15 Vous ne me dites rien ! Quel accueil ! Quelle glace !
Est-ce ainsi que vos yeux consolent ma disgrâce ?
Parlez : nous sommes seuls. Notre ennemi, trompé,
Tandis que je vous parle, est ailleurs occupé.
Ménageons les moments[1] de cette heureuse absence.

JUNIE.
20 Vous êtes en des lieux tout pleins de sa puissance :
Ces murs mêmes, Seigneur, peuvent avoir des yeux ;
Et jamais l'empereur n'est absent de ces lieux.

BRITANNICUS.
Et depuis quand, Madame, êtes-vous si craintive ?
Quoi ! déjà votre amour souffre qu'on le captive ?
25 Qu'est devenu ce cœur qui me jurait toujours
De faire à Néron même envier nos amours ?
Mais bannissez[2], Madame, une inutile crainte :
La foi dans tous les cœurs n'est pas encore éteinte ;
Chacun semble des yeux approuver mon courroux[3] ;
30 La mère de Néron se déclare pour nous.
Rome, de sa conduite elle-même offensée...

JUNIE.
Ah ! Seigneur ! vous parlez contre votre pensée.
Vous-même vous m'avez avoué mille fois
Que Rome le louait d'une commune voix ;
35 Toujours à sa vertu vous rendiez quelque hommage.
Sans doute la douleur vous dicte ce langage.

BRITANNICUS.
Ce discours me surprend[4], il le faut avouer :
Je ne vous cherchais pas pour l'entendre louer.
Quoi ! pour vous confier la douleur qui m'accable,
40 A peine je dérobe un moment favorable ;
Et ce moment si cher, Madame, est consumé
A louer l'ennemi dont je suis opprimé !
Qui vous rend à vous-même, en un jour, si contraire ?
Quoi ! même vos regards ont appris à se taire ?
45 Que vois-je ? Vous craignez de rencontrer mes yeux !
Néron vous plairait-il ? Vous serais-je odieux ?
Ah ! si je le croyais !... Au nom des dieux, Madame,
Éclaircissez le trouble où vous jetez mon âme.
Parlez. Ne suis-je plus dans votre souvenir ?

JUNIE.
50 Retirez-vous, Seigneur ; l'empereur va venir.

BRITANNICUS.
Après ce coup, Narcisse[5], à qui dois-je m'attendre[6] ?

Britannicus, acte II, scène 6, vers 693 à 743.

Illustration pour *Britannicus*
extraite des œuvres complètes de Racine, Amsterdam 1750
Paris, B.N.

1. Faisons un bon emploi des moments.
2. Repoussez.
3. Ma colère.
4. Me prend à l'improviste, au dépourvu.
5. Narcisse, qui joue au confident auprès de Britannicus, est, en fait, l'âme damnée de Néron.
6. A qui dois-je me fier ?

Pour préparer l'étude du texte

1. Vous étudierez le malentendu tragique qui marque cette scène, en décrivant les situations différentes dans lesquelles se trouvent Junie, Britannicus et Néron.
2. Comment se manifeste la présence invisible de Néron ? Vous montrerez de quelle manière Junie tente désespérément de faire comprendre à Britannicus la présence de l'empereur.
3. Vous opposerez la prudence des propos de Junie au lyrisme passionné des interventions de Britannicus. Comment la jeune femme essaie-t-elle d'atténuer la portée des paroles de son interlocuteur ?

Bérénice

1670

Dans *Bérénice*, dont l'action se situe également sous l'Empire romain, en 79 ap. J.-C., c'est le peuple qui constitue l'obstacle à la passion partagée. Titus, qui vient de succéder à l'empereur Vespasien, aime Bérénice, la reine de Palestine, également courtisée par Antiochus, le roi de Comagène, une contrée d'Asie Mineure. Mais les coutumes romaines s'opposent à cet amour : un empereur ne peut épouser une reine. Titus, déchiré, est bien obligé de céder à la volonté populaire et de se séparer de Bérénice qu'il renvoie dans ses États. Si ce dénouement n'est pas sanglant, il fait trois désespérés : Titus, Bérénice, mais aussi Antiochus qui, malgré ses vertus et son honnêteté, est repoussé par celle qu'il aime.

« Dans un mois, dans un an »

Affrontés à l'idée de la séparation inélectable, Titus et Bérénice font éclater tout leur désespoir. Comment supporter le déchirement de l'éloignement ? Comment passer tout ce temps qui s'écoulera sans se voir ? Comment envisager l'avenir, « Dans un mois, dans un an » ?

BÉRÉNICE.
Hé bien, régnez, cruel, contentez votre gloire[1] :
Je ne dispute plus[2]. J'attendais, pour vous croire,
Que cette même bouche, après mille serments
D'un amour qui devait unir tous nos moments,
5 Cette bouche, à mes yeux s'avouant infidèle,
M'ordonnât elle-même une absence éternelle.
Moi-même j'ai voulu vous entendre en ce lieu.
Je n'écoute plus rien : et, pour jamais, adieu...
Pour jamais ! Ah ! Seigneur ! songez-vous en vous-même
10 Combien ce mot cruel est affreux quand on aime ?
Dans un mois, dans un an, comment souffrirons-nous,
Seigneur, que tant de mers me séparent de vous ;
Que le jour recommence, et que le jour finisse,
Sans que jamais Titus puisse voir Bérénice,
15 Sans que, de tout le jour, je puisse voir Titus ?
Mais quelle est mon erreur, et que de soins perdus !
L'ingrat, de mon départ consolé par avance,
Daignera-t-il compter les jours de mon absence ?
Ces jours si longs pour moi lui sembleront trop courts.

TITUS.
20 Je n'aurai pas, Madame, à compter tant de jours :
J'espère que bientôt la triste renommée
Vous fera confesser que vous étiez aimée.
Vous verrez que Titus n'a pu, sans expirer...

1. Votre honneur.
2. Je ne combats plus.

BÉRÉNICE.
Ah, Seigneur ! s'il est vrai, pourquoi nous séparer ?
25 Je ne vous parle point d'un heureux hyménée[1].
Rome à ne vous plus voir m'a-t-elle condamnée ?
Pourquoi m'enviez-vous l'air que vous respirez ?

TITUS.
Hélas ! vous pouvez tout, Madame : demeurez ;
Je n'y résiste point. Mais je sens ma faiblesse :
30 Il faudra vous combattre et vous craindre sans cesse,
Et sans cesse veiller à retenir mes pas,
Que vers vous à toute heure entraînent vos appas[2].
Que dis-je ? en ce moment mon cœur, hors de lui-même,
S'oublie, et se souvient seulement qu'il vous aime.

BÉRÉNICE.
35 Hé bien, Seigneur, hé bien, qu'en peut-il arriver ?
Voyez-vous les Romains prêts à se soulever ?

TITUS.
Et qui sait de quel œil ils prendront cette injure ?
S'ils parlent, si les cris succèdent au murmure,
Faudra-t-il par le sang justifier mon choix ?
40 S'ils se taisent, Madame, et me vendent leurs lois,
A quoi m'exposez-vous ? Par quelle complaisance
Faudra-t-il quelque jour payer leur patience ?
Que n'oseront-ils point alors me demander ?
Maintiendrai-je des lois que je ne puis garder ?

BÉRÉNICE.
45 Vous ne comptez pour rien les pleurs de Bérénice !

TITUS.
Je les compte pour rien ? Ah Ciel ! quelle injustice !

BÉRÉNICE.
Quoi ! pour d'injustes lois que vous pouvez changer,
En d'éternels chagrins vous-même vous plonger !
Rome a ses droits, Seigneur : n'avez-vous pas les vôtres ?
50 Ses intérêts sont-ils plus sacrés que les nôtres ?
Dites, parlez.

TITUS.
Hélas ! que vous me déchirez !

BÉRÉNICE.
Vous êtes empereur, Seigneur, et vous pleurez !

Bérénice, acte IV, scène 5, vers 1103 à 1154.

Pour préparer l'étude du texte

1. Vous analyserez les arguments avancés par Bérénice pour convaincre Titus de donner la préférence à l'amour sur l'honneur.
2. Vous étudierez l'expression du lyrisme amoureux (vocabulaire, thèmes, succession des tirades, rythme du vers).
3. Sous quel aspect Titus se révèle-t-il ici ?

1. D'un heureux mariage.
2. Vos charmes.

Claude Gelée dit le Lorrain (1600-1682), *L'Embarquement de la reine de Saba*, Londres, the National Gallery.
« Je n'écoute plus rien : et, pour jamais, adieu... »

Deux Bérénices rivales

En 1670, dix jours après la création de la *Bérénice* de Racine au théâtre de l'Hôtel de Bourgogne, Molière et ses comédiens représentent pour la première fois sur la scène du Palais-Royal *Tite et Bérénice* de Pierre Corneille. Voilà qui souligne la rivalité qui opposait alors les deux dramaturges, mais aussi la dure concurrence commerciale que se livraient les troupes théâtrales. Dans ce combat, Racine et l'Hôtel de Bourgogne remportèrent un indéniable succès.

La comparaison entre les deux pièces est instructive. Corneille développe un sujet quelque peu différent de celui de *Bérénice* de Racine : l'empereur Titus est prêt à se marier avec Domitie pour des raisons politiques. Mais Domitie est aimée par le frère de l'empereur, Domitian, pour lequel elle éprouve de tendres sentiments. La reine Bérénice, qui aime Titus et en est aimée, arrive à Rome et modifie les données du problème. Titus propose d'abord à Domitian d'épouser Bérénice : il pense ainsi apaiser son frère en lui offrant ce mariage prestigieux. Puis, face aux violentes protestations de Bérénice, il change d'avis et décide d'en faire sa femme. Mais finalement, Bérénice, qui craint l'hostilité du peuple romain et pense à l'honneur de celui qu'elle aime, l'en dissuade. Elle quittera donc Rome, Titus lui restera fidèle et Domitian épousera Domitie. Par ailleurs, l'honneur joue un rôle beaucoup plus important chez Corneille, tandis que, chez Racine, le lyrisme amoureux s'affirme davantage.

Voici comment, dans la pièce de Corneille, Bérénice, qui n'a pas encore renoncé à Titus, lui reproche de sacrifier leur amour à ses ambitions politiques.

BÉRÉNICE.
Me cherchez-vous, Seigneur, après m'avoir chassée ?

TITE.
Vous avez su mieux lire au fond de ma pensée,
Madame, et votre cœur connaît assez le mien
Pour me justifier sans que j'explique rien.

BÉRÉNICE.
5 *Mais justifiera-t-il le don qu'il vous plaît faire*
De ma propre personne au prince votre frère,
Et n'est-ce point assez de me manquer de foi,
Sans prendre encor le droit de disposer de moi ?
Pouvez-vous jusque-là me bannir de votre âme[1],
10 *Le pouvez-vous, Seigneur ?*

TITE.
Le croyez-vous, Madame ?

1. Me chasser de votre âme.

BÉRÉNICE.

Hélas ! que j'ai de peur de vous dire que non !
J'ai voulu vous haïr dès que j'ai su ce don :
Mais à de tels courroux[1] l'âme en vain se confie[2],
A peine je vous vois que je vous justifie.
15 *Vous me manquez de foi, vous me donnez, chassez.*
Que de crimes ! Un mot les a tous effacés.
Faut-il, Seigneur, faut-il que je ne vous accuse
Que pour dire aussitôt que c'est moi qui m'abuse,
Que pour me voir forcée à répondre pour vous !
20 *Épargnez cette honte à mon esprit jaloux,*
Sauvez-moi du désordre où ma bonté m'expose,
Et du moins par pitié dites-moi quelque chose,
Accusez-moi plutôt, Seigneur, à votre tour,
Et m'imputez pour crime un trop parfait amour.
25 *Vos chimères d'État[3], vos indignes scrupules,*
Ne pourront-ils jamais passer pour ridicules,
En souffrez-vous encor la tyrannique loi,
Ont-ils encor sur vous plus de pouvoir que moi ?
Du bonheur de vous voir j'ai l'âme si ravie
30 *Que pour peu qu'il durât, j'oublierais Domitie.*
Pourrez-vous l'épouser dans quatre jours ? O cieux !
Dans quatre jours ! Seigneur, y voudrez-vous mes yeux[4] ?
Vous plairez-vous à voir qu'en triomphe menée,
Je serve de victime à ce grand hyménée[5],
35 *Que traînée avec pompe aux marches de l'autel,*
J'aille de votre main attendre un coup mortel ?
M'y verrez-vous mourir sans verser une larme,
Vous y préparez-vous sans trouble et sans alarme,
Et si vous concevez l'excès de ma douleur,
40 *N'en rejaillit-il rien jusque dans votre cœur ?*

TITE.

Hélas ! Madame, hélas ! pourquoi vous ai-je vue ?
Et dans quel contre-temps êtes-vous revenue !
Ce qu'on fit d'injustice à de si chers appas[6]
M'avait assez coûté pour ne l'envier pas.
45 *Votre absence et le temps m'avaient fait quelque grâce :*
J'en craignais un peu moins les malheurs où je passe ;
Je souffrais Domitie, et d'assidus efforts
M'avaient, malgré l'amour, fait maître du dehors[7].
La contrainte semblait tourner en habitude ;
50 *Le joug que je prenais m'en paraissait moins rude ;*
Et j'allais être heureux, du moins aux yeux de tous,
Autant qu'on le peut être en n'étant point à vous.
J'allais...

Pierre Corneille, Tite et Bérénice, *acte III, scène 5, vers 703 à 755.*

Pour une étude comparée

Vous comparerez la scène 5 de l'acte IV de *Bérénice* de Jean Racine et la scène 5 de l'acte III de *Tite et Bérénice* de Pierre Corneille, en insistant plus particulièrement sur les points suivants :

1. **Le lyrisme amoureux.** Vous étudierez le lyrisme amoureux dans ces deux textes (intensité de la passion, expression de la souffrance, nostalgie d'un bonheur impossible).

2. **La raison d'État.** Vous relèverez et analyserez les passages qui opposent la raison d'État à l'amour, en comparant les rapports qu'entretiennent ces notions dans les deux textes.

3. **Héros cornéliens et héros raciniens.** Vous montrerez ce qui distingue les héros cornéliens et les héros raciniens.

1. A de telles colères.
2. Se livre.
3. Vos illusions suscitées par la raison d'État.
4. Voudrez-vous que j'assiste à ce mariage ?
5. Ce grand mariage.
6. De si chers attraits.
7. Maître de l'apparence extérieure.

Le tragique des amours incomprises

Le schéma des amours incomprises, autour duquel se construisent notamment *Andromaque* et *Bajazet*, donne à la fatalité une puissance particulièrement redoutable. Les amours sont décalées. Les couples ne parviennent pas à se constituer, parce que la passion n'est pas partagée : chacun aime qui ne l'aime pas et est aimé par qui il n'aime pas. L'incompréhension est irrémédiable et produit une aliénation insupportable, porteuse de mort.

Andromaque

1667

L'action d'*Andromaque* se situe après la légendaire guerre de Troie remportée par les Grecs. Le fils d'Achille, le Grec Pyrrhus, est tombé amoureux de sa captive Andromaque, la veuve du Troyen Hector. Il est lui-même l'objet de la passion d'Hermione que, de son côté, Oreste aime d'un amour fou. Andromaque est partagée entre sa fidélité au souvenir de son mari et son désir de sauver son fils également prisonnier. Soumise aux pressions de Pyrrhus, elle finit par accepter de l'épouser. Hermione demande alors à Oreste de lui prouver son amour en assassinant Pyrrhus. Peu après avoir accompli le meurtre, il apprend le suicide d'Hermione désespérée, et cède à la folie.

« Réunissons trois cœurs qui n'ont pu s'accorder »

C'est la dernière scène de la pièce. Soutenu par son ami Pylade, Oreste, à la nouvelle du suicide d'Hermione, sombre dans le désespoir et la folie.

PYLADE.
Hermione, Seigneur ? Il la faut oublier.
Quoi ! toujours l'instrument et l'objet de sa rage,
Cherchez-vous chez les morts quelque nouvel outrage ?
Et parce qu'elle meurt faut-il que vous mouriez ?

ORESTE.
5 Elle meurt ? Dieux ! qu'entends-je ?

PYLADE.
Eh quoi ? vous l'ignoriez ?
En rentrant dans ces lieux nous l'avons rencontrée
Qui courait vers le temple, inquiète, égarée.
Elle a trouvé Pyrrhus porté sur des soldats
Que son sang excitait à venger son trépas.
10 Sans doute à cet objet sa rage s'est émue[1].
Mais du haut de la porte enfin nous l'avons vue,
Un poignard à la main, sur Pyrrhus se courber,
Lever les yeux au ciel, se frapper et tomber.

Antoine Coypel (1661-1722), *Les Adieux d'Hector et d'Andromaque*, Tours, musée des Beaux-Arts. Des adieux sans retour puisque Hector trouvera la mort lors de son combat singulier contre Achille.

1. S'est mise en mouvement, s'est excitée.

ORESTE.
Grâce aux dieux ! Mon malheur passe mon espérance.
15 Oui, je te loue, ô ciel ! de ta persévérance.
Appliqué sans relâche au soin de me punir,
Au comble des douleurs tu m'as fait parvenir.
Ta haine a pris plaisir à former ma misère[1] ;
J'étais né pour servir d'exemple à ta colère,
20 Pour être du malheur un modèle accompli.
Hé bien, je meurs content, et mon sort est rempli.
Où sont ces deux amants ? Pour couronner ma joie,
Dans leur sang, dans le mien, il faut que je me noie ;
L'un et l'autre en mourant je les veux regarder :
25 Réunissons trois cœurs qui n'ont pu s'accorder.
Mais quelle épaisse nuit tout à coup m'environne ?
De quel côté sortir ? D'où vient que je frissonne ?
Quelle horreur me saisit ? Grâce au ciel j'entrevois[2].
Dieux ! quels ruisseaux de sang coulent autour de moi !

PYLADE.
30 Ah ! Seigneur !

ORESTE.
Quoi, Pyrrhus, je te rencontre encore ?
Trouverai-je partout un rival que j'abhorre[3] ?
Percé de tant de coups, comment t'es-tu sauvé ?
Tiens, tiens, voilà le coup que je t'ai réservé.
Mais que vois-je ? A mes yeux Hermione l'embrasse !
35 Elle vient l'arracher au coup qui le menace ?
Dieux, quels affreux regards elle jette sur moi !
Quels démons, quels serpents traîne-t-elle après soi ?
Eh bien, filles d'enfer, vos mains sont-elles prêtes ?
Pour qui sont ces serpents qui sifflent sur vos têtes ?
40 A qui destinez-vous l'appareil[4] qui vous suit ?
Venez-vous m'enlever dans l'éternelle nuit ?
Venez, à vos fureurs Oreste s'abandonne.
Mais non, retirez-vous, laissez faire Hermione :
L'ingrate mieux que vous saura me déchirer,
45 Et je lui porte enfin mon cœur à dévorer.

PYLADE.
Il perd le sentiment. Amis, le temps nous presse.
Ménageons les moments que ce transport[5] nous laisse.
Sauvons-le. Nos efforts deviendraient impuissants
S'il reprenait ici sa rage avec ses sens.

Andromaque, acte V, scène 5, vers 1600 à 1648.

Pour préparer l'étude du texte

1. Vous étudierez comment s'exprime la folie d'Oreste (alliance d'une joie morbide et du désespoir, propos incohérents, hallucinations).
2. Vous analyserez le rôle joué par la fatalité (importance des dieux, statut de victime d'Oreste, refus et incapacité de réagir).
3. Les éléments du dénouement (la mort d'Hermione et le désespoir d'Oreste) créent-ils une situation irréversible ?

Bajazet
1672

L'action, qui se déroule à Constantinople, en 1635, repose sur l'amour impossible de la sultane Roxane pour Bajazet, le frère du sultan Amurat. Roxane poursuit un double but : conquérir Bajazet en préservant sa vie menacée par le sultan qui craint sa popularité grandissante, et prendre le pouvoir. Elle s'allie au grand vizir Acomat et se confie à la princesse Atalide qui est elle-même amoureuse de Bajazet. Ainsi se forme une conspiration destinée à renverser le sultan qui guerroie loin de sa capitale.

Mais la fatalité de l'amour contrarié et l'incommunicabilité se conjuguent pour faire échouer le complot. Les conjurés ont des motivations différentes : Roxane est poussée par sa passion pour Bajazet et par son désir de puissance. Bajazet et Atalide s'aiment et cherchent à sauvegarder leur vie et leur amour. Acomat, qui souhaite épouser Atalide pour des raisons politiques, ne pense qu'au pouvoir. Le sultan triomphera et noiera la rébellion dans le sang.

« Quel sang pourra suffire à son ressentiment ? »

Au cours de l'acte IV, Atalide s'est évanouie, lorsque Roxane lui a montré une lettre du sultan ordonnant de mettre à mort Bajazet. Au début de l'acte V, Atalide, sortie de son évanouissement, constate, désespérément, la disparition d'un mot de Bajazet qu'elle portait sur elle. Elle ne doute pas que Roxane est maintenant au courant de leur amour et qu'elle va se venger.

1. A provoquer ma misère.
2. Je vois confusément.
3. Je déteste.
4. Les apprêts, les préparatifs.
5. Ces sentiments violents.

Scène I : Atalide

Hélas ! je cherche en vain ; rien ne s'offre à ma vue.
Malheureuse ! comment puis-je l'avoir perdue[1] ?
Ciel, aurais-tu permis que mon funeste amour
Exposât mon amant tant de fois en un jour ?
5 Que, pour dernier malheur, cette lettre fatale
Fût encor parvenue aux yeux de ma rivale ?
J'étais en ce lieu même, et ma timide main,
Quand Roxane a paru, l'a cachée en mon sein.
Sa présence a surpris mon âme désolée[2] ;
10 Ses menaces, sa voix, un ordre m'a troublée :
J'ai senti défaillir ma force et mes esprits ;
Ses femmes m'entouraient quand je les ai repris ;
A mes yeux étonnés[3] leur troupe est disparue.
Ah ! trop cruelles mains, qui m'avez secourue,
15 Vous m'avez vendu cher vos secours inhumains ;
Et par vous cette lettre a passé dans ses mains !
Quels desseins maintenant occupent sa pensée ?
Sur qui sera d'abord sa vengeance exercée ?
Quel sang pourra suffire à son ressentiment[4] ?
20 Ah ! Bajazet est mort, ou meurt en ce moment.
Cependant on m'arrête, on me tient enfermée...
On ouvre : de son sort je vais être informée.

Scène II : Roxane, Atalide
Zatime[5], gardes

ROXANE, *à Atalide.*
Retirez-vous.

ATALIDE.
Madame... excusez l'embarras.

ROXANE.
Retirez-vous, vous dis-je, et ne répliquez pas.
25 Gardes, qu'on la retienne.

Scène III : Roxane, Zatime.

ROXANE.
Oui, tout est prêt, Zatime :
Orcan et les muets[6] attendent leur victime.
Je suis pourtant toujours maîtresse de son sort ;
Je puis le retenir ; mais s'il sort, il est mort.
Vient-il ?

ZATIME.
Oui, sur mes pas un esclave l'amène ;
30 Et, loin de soupçonner sa disgrâce prochaine,
Il m'a paru, Madame, avec empressement
Sortir, pour vous chercher, de son appartement.

ROXANE.
Ame lâche, et trop digne enfin d'être déçue[7],
Peux-tu souffrir encor qu'il paraisse à ta vue ?
35 Crois-tu par tes discours le vaincre ou l'étonner[8] ?
Quand même il se rendrait, peux-tu lui pardonner ?
Quoi ! ne devrais-tu pas être déjà vengée ?
Ne crois-tu pas encore être assez outragée ?
Sans perdre tant d'efforts sur ce cœur endurci,
40 Que ne le laissons-nous périr ?... Mais le voici.

Bajazet, acte V, scènes 1, 2 et 3, vers 1429 à 1468.

Anonyme, XVIIe siècle, *La Champmeslé dans le rôle de Roxane dans Bajazet*, Paris, Comédie-Française.
Une grande tragédienne (1642-1698), aimée de Racine.

Pour préparer l'étude du texte

1. Vous analyserez le monologue d'Atalide (acte V, scène I), en étudiant l'expression du désarroi et en montrant comment se manifeste l'impuissance face à la fatalité.

2. Vous dégagerez la double signification — dramaturgique et affective — de la scène 2 (effet de rupture, affrontement rapide, conséquences).

3. Vous comparerez les comportements et les caractères de ces deux femmes amoureuses et rivales, Atalide et Roxane (scènes 1, 2 et 3).

1. La lettre de Bajazet.
2. Affligée.
3. Frappés de stupeur.
4. A sa rancune.
5. Esclave de Roxane.
6. Gardes du sultan qui ne devaient s'exprimer que par gestes.
7. Trompée.
8. Le frapper de stupeur.

« Maîtresse du sérail, arbitre de ta vie »

Une explication décisive se déroule entre Bajazet et Roxane. La sultane lui met le marché en main : qu'il lui donne son amour et assiste à la mort d'Atalide, il sera sauvé et elle lui offrira le pouvoir. Mais Bajazet, horrifié, refuse. Elle lui ordonne de sortir et signe son arrêt de mort, le livrant ainsi à ceux qu'elle a chargés de le tuer.

ROXANE.
Sans l'offre de ton cœur, par où peux-tu me plaire ?
Quels seraient de tes vœux les inutiles fruits ?
Ne te souvient-il plus de tout ce que je suis ?
Maîtresse du sérail[1], arbitre de ta vie,
5 Et même de l'État qu'Amurat me confie,
Sultane, et, ce qu'en vain j'ai cru trouver en toi,
Souveraine d'un cœur qui n'eût aimé que moi :
Dans ce comble de gloire où je suis arrivée,
A quel indigne honneur m'avais-tu réservée ?
10 Traînerais-je en ces lieux un sort infortuné,
Vil rebut d'un ingrat que j'aurais couronné,
De mon rang descendue, à mille autres égale,
Ou la première esclave enfin de ma rivale[2] ?
Laissons ces vains discours ; et, sans m'importuner,
15 Pour la dernière fois, veux-tu vivre et régner ?
J'ai l'ordre d'Amurat[3], et je puis t'y soustraire.
Mais tu n'as qu'un moment : parle.

BAJAZET.
Que faut-il faire ?

ROXANE.
Ma rivale est ici, suis-moi sans différer ;
Dans la main des muets viens la voir expirer,
20 Et libre d'un amour à ta gloire funeste,
Viens m'engager ta foi ; le temps fera le reste.
Ta grâce est à ce prix, si tu veux l'obtenir.

BAJAZET.
Je ne l'accepterais que pour vous en punir ;
Que pour faire éclater aux yeux de tout l'empire
25 L'horreur et le mépris que cette offre m'inspire.
Mais à quelle fureur me laissant emporter,
Contre ses tristes jours vais-je vous irriter !
De mes emportements[4] elle n'est point complice,
Ni de mon amour même et de mon injustice ;
30 Loin de me retenir par des conseils jaloux,
Elle me conjurait[5] de me donner à vous.
En un mot, séparez ses vertus de mon crime.
Poursuivez, s'il le faut, un courroux[6] légitime ;
Aux ordres d'Amurat hâtez-vous d'obéir.
35 Mais laissez-moi du moins mourir sans vous haïr.
Amurat avec moi ne l'a point condamnée :
Épargnez une vie assez infortunée.
Ajoutez cette grâce à tant d'autres bontés,
Madame ; et si jamais je vous fus cher...

ROXANE.
Sortez.

Bajazet, acte V, scène 4, vers 1526 à 1564.

Laurent de la Hyre (1606-1656), *Panthée, Cyrus et Araspe* (détail), huile sur toile 141,90 x 102 cm, Major Acquisitions Fund (Centennial Fund) The Art Institute of Chicago. Ph. © 1988. All Rights Reserved. Un seigneur de l'Orient.

Pour préparer le commentaire composé

1. **Amour et pouvoir.** Vous analyserez les liens qui unissent ces deux notions.
2. **Amour et haine.** Vous étudierez les rapports qui existent entre ces deux sentiments contradictoires
3. **La femme racinienne.** A partir de cette double analyse, vous dégagerez le caractère et le comportement de Roxane. Concernent-ils, de façon générale, la femme racinienne ?

1. Du palais royal.
2. Atalide.
3. L'ordre d'assassiner Bajazet.
4. De mes violentes impulsions.
5. Elle me suppliait.
6. Une colère.

Une passion fatale destructrice

La fatalité impose toute sa cruauté, lorsque, comme dans *Phèdre*, elle fait de l'amour un sentiment qui ronge, qui détruit les êtres de l'intérieur. La passion est alors fatale, non seulement parce qu'elle n'est pas partagée, mais parce qu'elle divise, parce qu'elle mutile. Il ne suffit pas au personnage qui subit cet amour de lutter pour assurer son bonheur, contre des obstacles extérieurs. Il doit lutter contre lui-même : il ne peut en effet accepter la passion qu'il éprouve, parce qu'elle s'oppose à des valeurs morales qui lui sont également indispensables, parce qu'elle le met en marge de la société ; il ne peut non plus la rejeter, parce qu'elle est devenue vitale, aussi nécessaire que l'air. Cette impossibilité de la conciliation le pousse au désespoir. Il s'étiole et fait de la mort son ultime recours, en détruisant, par le meurtre, la cause de la passion, c'est-à-dire l'être aimé, puis, par le suicide, le siège de cette passion, c'est-à-dire lui-même.

Phèdre

1677

L'action de *Phèdre* se déroule dans la Grèce mythique. Hippolyte, le fils de Thésée, admire son père pour ses exploits guerriers, mais réprouve ses infidélités amoureuses. Lui-même rejette l'amour et voit avec une certaine peur naître en lui de tendres sentiments pour la princesse Aricie, d'autant plus qu'elle est la fille d'un ennemi de Thésée. De son côté, Phèdre, la nouvelle épouse de Thésée, est tombée amoureuse de son beau-fils, Hippolyte. Partagée entre les conventions sociales et ses pulsions incestueuses que lui impose la fatalité divine, elle languit. Le bruit de la disparition de Thésée amène Hippolyte et Aricie à s'avouer leur amour et Phèdre à déclarer sa passion à son beau-fils. Il en est horrifié. Elle est désespérée. Ce désespoir s'accroît, lorsque Thésée, bien vivant, revient. Sur les conseils de sa confidente Oenone, Phèdre fait accuser Hippolyte d'avoir voulu la séduire. Thésée demande à Neptune de le venger. Hippolyte périt, mis en pièces par ses chevaux que la vue d'un monstre marin a effrayés. Phèdre, prise de remords, s'empoisonne et avoue à Thésée la tragique vérité. Mais tout est consommé.

« J'ai langui, j'ai séché dans les feux, dans les larmes »

Face à Phèdre qui lui a avoué son amour, Hippolyte est frappé de stupeur et d'horreur.

HIPPOLYTE.
Dieux ! qu'est-ce que j'entends ? Madame, oubliez-vous
Que Thésée est mon père, et qu'il est votre époux ?

PHÈDRE.
Et sur quoi jugez-vous que j'en perds la mémoire,
Prince ? Aurais-je perdu tout le soin de ma gloire[1] ?

HIPPOLYTE.
5 Madame, pardonnez. J'avoue en rougissant
Que j'accusais à tort un discours innocent.
Ma honte ne peut plus soutenir votre vue ;
Et je vais...

PHÈDRE.
Ah, cruel ! tu m'as trop entendue !
Je t'en ai dit assez pour te tirer d'erreur.
10 Eh bien ! connais donc Phèdre et toute sa fureur :
J'aime ! Ne pense pas qu'au moment que je t'aime,
Innocente à mes yeux, je m'approuve moi-même ;
Ni que du fol amour qui trouble ma raison
Ma lâche complaisance ait nourri le poison ;
15 Objet infortuné des vengeances célestes,
Je m'abhorre[2] encor plus que tu ne me détestes.
Les dieux m'en sont témoins, ces dieux qui dans mon flanc
Ont allumé le feu fatal à tout mon sang[3] ;
Ces dieux qui se sont fait une gloire cruelle
20 De séduire le cœur d'une faible mortelle.
Toi-même en ton esprit rappelle le passé :

1. Ne me soucierais-je plus du tout de mon honneur ?
2. Je me hais.
3. A toute ma race.

C'est peu de t'avoir fui, cruel, je t'ai chassé ;
J'ai voulu te paraître odieuse, inhumaine ;
Pour mieux te résister, j'ai recherché ta haine.
25 De quoi m'ont profité mes inutiles soins ?
Tu me haïssais plus, je ne t'aimais pas moins ;
Tes malheurs te prêtaient encor de nouveaux charmes.
J'ai langui, j'ai séché dans les feux, dans les larmes :
Il suffit de tes yeux pour t'en persuader,
30 Si tes yeux un moment pouvaient me regarder...
Que dis-je ? cet aveu que je viens de te faire,
Cet aveu si honteux, le crois-tu volontaire ?
Tremblante pour un fils[1] que je n'osais trahir,
Je te venais prier de ne le point haïr :
35 Faibles projets d'un cœur trop plein de ce qu'il aime !
Hélas ! je ne t'ai pu parler que de toi-même !
Venge-toi, punis-moi d'un odieux amour :
Digne fils du héros qui t'a donné le jour,
Délivre l'univers d'un monstre[2] qui t'irrite.
40 La veuve de Thésée ose aimer Hippolyte !
Crois-moi, ce monstre affreux ne doit point t'échapper ;
Voilà mon cœur : c'est là que ta main doit frapper.
Impatient déjà d'expier son offense,
Au-devant de ton bras je le sens qui s'avance.
45 Frappe. Ou si tu le crois indigne de tes coups ;
Si ta haine m'envie un supplice si doux,
Ou si d'un sang trop vil ta main serait trempée,
Au défaut de ton bras prête-moi ton épée ;
Donne.

ŒNONE.

Que faites-vous, Madame ! Justes dieux !
50 Mais on vient. Évitez des témoins odieux ;
Venez, rentrez, fuyez une honte certaine.

Phèdre, acte II, scène 5, vers 663 à 713.

Pour préparer l'étude du texte

1. Vous préciserez les mouvements et l'évolution de la tirade de Phèdre (v. 8 à 49).
2. Vous étudierez comment s'exprime le caractère à la fois maladif et immoral de l'amour ressenti par Phèdre. Comment se manifestent le désespoir, la fureur et l'horreur qu'il lui inspire ? En quoi est-il fatal ?
3. Vous analyserez les réactions d'Hippolyte face à l'aveu de Phèdre.

« Triste objet où des dieux triomphe la colère »

En un récit pathétique, Théramène, le précepteur d'Hippolyte, vient annoncer à Thésée la mort tragique de son fils.

THÉRAMÈNE.
A peine nous sortions des portes de Trézène[3],
Il était sur son char ; les gardes affligés
Imitaient son silence, autour de lui rangés ;
Il suivait tout pensif le chemin de Mycènes[4] ;
5 Sa main sur ses chevaux laissait flotter les rênes ;
Ses superbes coursiers qu'on voyait autrefois
Pleins d'une ardeur si noble obéir à sa voix,
L'œil morne maintenant, et la tête baissée,
Semblaient se conformer à sa triste pensée.

---

1. La rumeur de la mort de Thésée circule, ce qui pose le problème de sa succession : Hippolyte, fruit d'une premier mariage, doit régner à Trézène, tandis que le fils de Phèdre doit monter sur le trône d'Athènes.
2. Comme Hercule, le père d'Hippolyte, Thésée, détruisait les monstres qui terrorisaient le monde grec.
3. Ville de la région grecque du Péloponnèse où se déroule l'action de la pièce.
4. Autre ville de cette région.

10 Un effroyable cri, sorti du fond des flots,
Des airs en ce moment a troublé le repos ;
Et du sein de la terre une voix formidable[1]
Répond en gémissant à ce cri redoutable.
Jusqu'au fond de nos cœurs notre sang s'est glacé ;
15 Des coursiers attentifs le crin s'est hérissé.
Cependant sur le dos de la plaine liquide[2],
S'élève à gros bouillons une montagne humide ;
L'onde approche, se brise, et vomit à nos yeux,
Parmi des flots d'écume, un monstre furieux.
20 Son front large est armé de cornes menaçantes ;
Tout son corps est couvert d'écailles jaunissantes ;
Indomptable taureau, dragon impétueux,
Sa croupe se recourbe en replis tortueux ;
Ses longs mugissements font trembler le rivage.
25 Le ciel avec horreur voit ce monstre sauvage ;
La terre s'en émeut, l'air en est infecté ;
Le flot qui l'apporta recule épouvanté.
Tout fuit ; et, sans s'armer d'un courage inutile,
Dans le temple voisin chacun cherche un asile.
30 Hippolyte lui seul, digne fils d'un héros,
Arrête ses coursiers, saisit ses javelots,
Pousse au monstre[3], et d'un dard[4] lancé d'une main sûre,
Il lui fait dans le flanc une large blessure.
De rage et de douleur le monstre bondissant
35 Vient aux pieds des chevaux tomber en mugissant,
Se roule, leur présente une gueule enflammée
Qui les couvre de feu, de sang et de fumée.
La frayeur les emporte ; et, sourds à cette fois,
Ils ne connaissent plus ni le frein ni la voix ;
40 En efforts impuissants leur maître se consume ;
Ils rougissent le mors d'une sanglante écume.
On dit qu'on a vu même, en ce désordre affreux,
Un dieu qui d'aiguillons pressait leur flanc poudreux[5].
A travers des rochers la peur les précipite ;
45 L'essieu crie et se rompt : l'intrépide Hippolyte
Voit voler en éclats tout son char fracassé ;
Dans les rênes lui-même il tombe embarrassé.
Excusez ma douleur : cette image cruelle
Sera pour moi de pleurs une source éternelle.
50 J'ai vu, Seigneur, j'ai vu votre malheureux fils
Traîné par les chevaux que sa main a nourris.
Il veut les rappeler, et sa voix les effraie ;
Ils courent : tout son corps n'est bientôt qu'une plaie.
De nos cris douloureux la plaine retentit.
55 Leur fougue impétueuse enfin se ralentit :
Ils s'arrêtent non loin de ces tombeaux antiques
Où des rois ses aïeux sont les froides reliques[6].
J'y cours en soupirant, et sa garde me suit ;
De son généreux sang la trace nous conduit ;
60 Les rochers en sont teints ; les ronces dégouttantes[7]
Portent de ses cheveux les dépouilles sanglantes.
J'arrive, je l'appelle ; et, me tendant la main,
Il ouvre un œil mourant qu'il referme soudain :
« Le ciel, dit-il, m'arrache une innocente vie.
65 Prends soin après ma mort de la triste Aricie.
Cher ami, si mon père un jour désabusé
Plaint le malheur d'un fils faussement accusé,
Pour apaiser mon sang et mon ombre plaintive,
Dis-lui qu'avec douceur il traite sa captive[8] ;
70 Qu'il lui rende... » A ce mot, ce héros expiré
N'a laissé dans mes bras qu'un corps défiguré :
Triste objet où des dieux triomphe la colère,
Et que méconnaîtrait[9] l'œil même de son père.

Phèdre, acte V, scène 6, vers 1498 à 1570.

Frontispice pour *Phèdre*, édition 1676
d'après Ch. Lebrun, gravé par S. Leclerc.

Pour préparer le commentaire composé

1. **Les éléments du récit.** Vous ferez le plan de ce récit, en étudiant l'alternance de l'action, de la description et de la réflexion.

2. **Réalisme et merveilleux.** Vous mettrez en évidence l'alliance du réalisme et du merveilleux.

3. **L'efficacité du récit.** A partir de cette analyse, vous montrerez comment ce récit est à la fois porteur d'information et d'émotion.

1. Qui fait peur, effrayante.
2. La mer.
3. Se dirige vers le monstre.
4. D'une lance, d'une pique.
5. Leur flanc plein de poussière.
6. Les restes froids.
7. Qui dégouttent de sang.
8. Aricie est prisonnière de Thésée.
9. Que ne reconnaîtrait pas.

Pour un groupement de textes

La technique du dénouement dans :
Pyrame et Thisbé (voir p. 33) de Théophile de Viau,
Cinna (voir p. 148) de Pierre Corneille,
Tartuffe (voir p. 197) et *Dom Juan* (voir p. 202) de Molière,
Andromaque (voir p. 231) et *Phèdre* (voir p. 236) de Jean Racine.

Calderón : la force de la volonté humaine

S'il n'exerce plus sur le théâtre français la même influence que durant la première partie du XVIIe siècle, le théâtre espagnol continue à prospérer durant ces années 1661-1680. Pedro Calderón de La Barca (1600-1681) en est alors un des plus prestigieux auteurs. Dans son œuvre, considérable en qualité comme en quantité, il développe des thèmes voisins de ceux du théâtre de Racine. Mais il leur donne une autre interprétation et utilise une forme dramaturgique différente. Alors que Racine montre que la vérité triomphe toujours des apparences, Calderón souligne la force de l'illusion. Tandis que, chez Racine, la fatalité annihile la liberté de l'homme, chez Calderón, à l'issue d'une lutte inexorable, la volonté humaine finit par l'emporter sur le destin. Racine choisit la sobriété et la concentration, opte pour un théâtre régulier, Calderón préfère la démesure baroque, la variété des registres, l'irrégularité.

Représentée pour la première fois vers 1634, *La Vie est un songe* est une des pièces les plus célèbres de Calderón. L'action est d'une grande complexité : le roi de Pologne, Basyle, a fait enfermer son fils, Sigismond, dans une tour, parce qu'un horoscope lui a révélé qu'il deviendra un tyran sanguinaire. Après quelques années, il décide de le délivrer pour vérifier la véracité de la prédiction. Sigismond confirme malheureusement l'horoscope : il accumule les mauvaises actions et tente notamment de violer une jeune fille, Rosaura. Il est à nouveau enfermé. Rosaura suscite alors un soulèvement populaire pour tirer vengeance de Sigismond. Mais, revirement imprévisible, le peuple le libère et en fait son chef. Sigismond, loin de profiter de sa position de force, se montre généreux et sage, prouvant ainsi qu'il a, par sa volonté, su s'opposer à ce que l'horoscope avait prédit et mettre en échec le destin. Le jeu des apparences et de la vérité occupe, par ailleurs, une place essentielle dans la pièce. Chaque fois qu'on l'enferme ou qu'on le libère, on endort Sigismond à l'aide d'un puissant narcotique. Lorsqu'il s'éveille, il ne sait si ce qu'il a vécu était réalité ou rêve, montrant par là que vie et songe se confondent, que *La Vie est un songe.*

Le passage suivant se situe au moment où Sigismond, après avoir été enfermé à nouveau dans la tour, s'interroge : les événements qu'il a vécus étaient-ils réels ou faisaient-ils partie d'un songe ? L'homme, enfermé dans un rêve perpétuel, peut-il avoir prise sur les événements, peut-il maîtriser son destin ?

CLOTHALDE[1].
Comme nous avions parlé
De cet aigle, quand tu t'es endormi,
Tu as rêvé d'empires ;
Mais même en rêve il eût convenu,
5 *Sigismond, d'honorer alors*
Celui qui s'est donné tant de mal
Pour t'élever ; même en songe, en effet,
Ce n'est jamais en vain que l'on pratique le bien.

Il sort.

SIGISMOND.
Cela est vrai. Eh bien, réprimons alors
10 *Ce naturel sauvage,*
Cette furie, cette ambition,
Au cas où nous aurions un songe de nouveau.
C'est décidé, nous agirons ainsi
Puisque nous habitons un monde si étrange
15 *Que la vie n'est rien d'autre que songe ;*
Et l'expérience m'apprend
Que l'homme qui vit, songe

1. Précepteur et geolier de Sigismond.

Ce qu'il est, jusqu'à son réveil.
Le Roi songe qu'il est un roi, et vivant
20 *Dans cette illusion il commande,*
Il décrète, il gouverne ;
Et cette majesté, seulement empruntée,
S'inscrit dans le vent,
Et la mort en cendres
25 *La change, oh ! cruelle infortune !*
Qui peut encor vouloir régner,
Quand il voit qu'il doit s'éveiller
Dans le songe de la mort ?
Le riche songe à sa richesse,
30 *Qui ne lui offre que soucis ;*
Le pauvre songe qu'il pâtit
De sa misère et de sa pauvreté ;
Il songe, celui qui prospère ;
Il songe, celui qui s'affaire et prétend ;
35 *Il songe, celui qui outrage et offense ;*
Et dans ce monde, en conclusion,
Tous songent ce qu'ils sont,
Mais nul ne s'en rend compte.
Moi je songe que je suis ici,
40 *Chargé de ces fers,*
Et j'ai songé m'être trouvé
En un autre état plus flatteur.
Qu'est-ce que la vie ? Un délire.
Qu'est donc la vie ? Une illusion,
45 *Une ombre, une fiction ;*
Le plus grand bien est peu de chose,
Car toute la vie n'est qu'un songe,
Et les songes ne sont rien d'autre que des songes.

P. Calderón de La Barca, La Vie est un songe, *deuxième journée, scène 19, vers 1153 à 1200, trad. B. Sesé, Paris, Aubier-Flammarion, 1976.*

L'affrontement du bien et du mal

Dans l'univers racinien, l'homme est généralement divisé, ne parvient pas à trouver son unité, sa place, sa raison d'être. Dans *Athalie*, la dernière tragédie de Racine écrite pour les pensionnaires de l'institution de Saint-Cyr (voir p. 305), la vision du monde est sensiblement différente. D'inspiration religieuse, la pièce montre le combat sans merci entre le Dieu des Hébreux et les faux dieux païens : dans cet affrontement entre le bien et le mal, les personnages sont sûrs de leur vérité, le choix est clair, les camps sont nettement tranchés.

Athalie

1691

L'action se déroule à Jérusalem, au VIIIe siècle av. J.-C. Athalie, la reine du royaume de Juda, a renié la foi des Hébreux pour adorer le dieu païen Baal. Afin d'éviter le rétablissement de la religion de ses ancêtres, elle a fait assassiner tous ses descendants. Mais l'un d'entre eux, Joas, a échappé à la mort et a été recueilli en secret par le grand prêtre Joad. Un affrontement à la fois politique et religieux va opposer Athalie, soutenue par le prêtre Mathan qui, lui aussi, s'est converti à la religion de Baal, à Joad qui protège Joas. A l'issue d'un combat qui oppose son armée à celle de Joas, Athalie, vaincue, est mise à mort et Joas proclamé roi. Le bien triomphe des forces du mal.

Antoine Coypel (1661-1722), *Athalie chassée du temple*, Paris, musée du Louvre.
La victoire du bien sur le mal.

« C'était pendant l'horreur d'une profonde nuit »

Athalie fait au prêtre Mathan et à l'officier Abner le récit d'un songe inquiétant, présage d'événements sanglants.

Athalie.
Mais un trouble importun vient, depuis quelques jours,
De mes prospérités interrompre le cours.
Un songe (me devrais-je inquiéter d'un songe !)
Entretient dans mon cœur un chagrin qui le ronge :
5 Je l'évite partout, partout il me poursuit.
C'était pendant l'horreur d'une profonde nuit ;
Ma mère Jézabel devant moi s'est montrée,
Comme au jour de sa mort pompeusement parée ;
Ses malheurs n'avaient point abattu sa fierté ;
10 Même elle avait encor cet éclat emprunté
Dont elle eut soin de peindre et d'orner son visage,
Pour réparer des ans l'irréparable outrage :
« Tremble, m'a-t-elle dit, fille digne de moi ;
Le cruel Dieu des Juifs l'emporte aussi sur toi.
15 Je te plains de tomber dans ses mains redoutables,
Ma fille. » En achevant ces mots épouvantables,
Son ombre vers mon lit a paru se baisser ;
Et moi je lui tendais les mains pour l'embrasser ;
Mais je n'ai plus trouvé qu'un horrible mélange
20 D'os et de chair meurtris, et traînés dans la fange,
Des lambeaux pleins de sang, et des membres affreux
Que des chiens dévorants se disputaient entre eux...

Abner.
Grand Dieu !

Athalie.
Dans ce désordre à mes yeux se présente
Un jeune enfant couvert d'une robe éclatante,
25 Tels qu'on voit des Hébreux les prêtres revêtus.
Sa vue a ranimé mes esprits abattus ;
Mais lorsque, revenant de mon trouble funeste,
J'admirais sa douceur, son air noble et modeste,
J'ai senti tout à coup un homicide acier[1]
30 Que le traître en mon sein a plongé tout entier.
De tant d'objets divers le bizarre assemblage
Peut-être du hasard vous paraît un ouvrage :
Moi-même quelque temps, honteuse de ma peur,
Je l'ai pris pour l'effet d'une sombre vapeur[2].
35 Mais de ce souvenir mon âme possédée
A deux fois en dormant revu la même idée ;
Deux fois mes tristes yeux se sont vu retracer
Ce même enfant toujours tout prêt à me percer.
Lasse enfin des horreurs dont j'étais poursuivie,
40 J'allais prier Baal de veiller sur ma vie,
Et chercher du repos au pied de ses autels :
Que ne peut la frayeur sur l'esprit des mortels !

1. Un poignard meurtrier.

2. D'une sombre hallucination.

Dans le temple des Juifs un instinct m'a poussée,
Et d'apaiser leur Dieu j'ai conçu la pensée ;
45 J'ai cru que des présents calmeraient son courroux[1],
Que ce Dieu, quel qu'il soit, en deviendrait plus doux.
Pontife[2] de Baal, excusez ma faiblesse.
J'entre : le peuple fuit, le sacrifice cesse,
Le grand prêtre vers moi s'avance avec fureur :
50 Pendant qu'il me parlait, ô surprise ! ô terreur !
J'ai vu ce même enfant[3] dont je suis menacée,
Tel qu'un songe effrayant l'a peint à ma pensée.
Je l'ai vu : son même air, son même habit de lin,
Sa démarche, ses yeux, et tous ses traits enfin,
55 C'est lui-même. Il marchait à côté du grand prêtre ;
Mais bientôt à ma vue on l'a fait disparaître.
Voilà quel trouble ici m'oblige à m'arrêter,
Et sur quoi j'ai voulu tous deux vous consulter.
Que présage, Mathan, ce prodige incroyable ?

MATHAN.

60 Ce songe et ce rapport, tout me semble effroyable...

Athalie, acte II, scène 5, vers 485 à 544.

Pour préparer l'étude du texte

1. Vous étudierez l'évolution du récit (succession des événements, apparition des personnages, réactions d'Athalie pendant et après le rêve).
2. Vous récapitulerez et analyserez tous les procédés stylistiques (vocabulaire, images, confusion entre rêve et réalité) qui expriment la violence et l'horreur.
3. Vous noterez les tentatives d'Athalie pour se rassurer et pour exorciser le rêve.

Pour une étude comparée

Vous comparerez le récit de Théramène de la scène 6 de l'acte V de *Phèdre* (voir p. 236) et le récit de la scène 5 de l'acte II d'*Athalie*, en insistant plus particulièrement sur les points suivants :

1. **L'information.** Vous relèverez et analyserez les passages qui, dans ces deux textes, sont destinés à fournir une information (succession des faits, explications, conséquences).
2. **Le tragique.** Vous montrerez que ces données informatives reçoivent une signification tragique. Vous comparerez les manifestations du tragique dans ces deux extraits (omniprésence de la mort, puissance de la fatalité, angoisse de l'avenir).
3. **Le rôle dramaturgique.** Vous analyserez le rôle dramaturgique joué par ces deux récits, en montrant qu'ils apparaissent comme des substituts d'une action non représentée et en déterminant leur fonction dans l'évolution des événements (élément ou préparation du dénouement).

Racine au centre d'une bataille critique

Au cours des années 1950-1960, le théâtre de Racine se trouve au centre d'une violente bataille critique, constitue comme le banc d'essai de nouvelles méthodes d'analyse, donne lieu à un affrontement entre la critique traditionnelle et ce que l'on appelle la critique moderne. Jean Pommier, dans *Aspects de Racine* (1954) et Raymond Picard, dans *La Carrière de Jean Racine* (1956), continuent à explorer la voie biographique : dans cette tentative d'expliquer l'œuvre par la vie de l'auteur, ils apportent néanmoins une contribution originale, en minimisant l'importance de l'influence janséniste sur Racine. De son côté, Philip Butler, dans *Classicisme et baroque dans l'œuvre de Racine* (1959), essaie de situer le théâtre racinien par rapport à ces deux notions traditionnelles de classicisme et de baroque : il a le mérite d'en souligner l'ambiguïté, en montrant que les perspectives raciniennes s'inscrivent entre la tentation classique et la tentation baroque.

Rejetant ces méthodes, trois critiques vont bientôt bouleverser les études raciniennes. En 1956, Lucien Goldmann, dans *Le Dieu caché*, mène une analyse marxiste : pour lui, l'univers racinien est la conséquence d'une « vision collective du monde », est la marque de l'organisation sociale et politique de l'époque. L'année suivante, en 1957, Charles Mauron, dans *L'Inconscient dans l'œuvre et la vie de Racine*, adopte une perspective psychanalytique : la tragédie racinienne s'expliquerait par les hantises fondamentales tapies au fond de

1. Sa colère.
2. Prêtre.
3. Il s'agit de Joas que le grand prêtre a recueilli à l'insu d'Athalie.

l'inconscient de l'auteur. Enfin, en 1963, dans *Sur Racine*, Roland Barthes fournit une lecture structuraliste : il dégage les structures autour desquelles s'organise la tragédie racinienne, en montrant notamment comment l'espace est constitué par la « Chambre », lieu invisible où se trouve le pouvoir, l'« Anti-Chambre », lieu neutre d'attente, et l'« Extérieur », où se déroule l'action dont dépend le destin des personnages.

Bien que la scène soit unique, conformément à la règle, on peut dire qu'il y a trois lieux tragiques. Il y a d'abord la Chambre : reste de l'antre mythique, c'est le lieu invisible et redoutable où la Puissance est tapie : chambre de Néron, palais d'Assuérus, Saint des Saints où loge le Dieu juif ; cet antre a un substitut fréquent : l'exil du Roi, menaçant 5 *parce qu'on ne sait jamais si le Roi est vivant ou mort (Amurat, Mithridate, Thésée). Les personnages ne parlent de ce lieu qu'avec respect et terreur, ils osent à peine y entrer, ils croisent devant avec anxiété. Cette Chambre est à la fois le logement du Pouvoir et son essence, car le Pouvoir n'est qu'un secret : sa forme épuise sa fonction : il tue d'être invisible : dans* Bajazet, *ce sont les muets et le noir Orcan qui portent la mort,* 10 *prolongent par le silence et l'obscurité l'inertie terrible du Pouvoir caché.*

La Chambre est contiguë au second lieu tragique, qui est l'Anti-Chambre, espace éternel de toutes les sujétions, puisque c'est là qu'on attend. *L'Anti-Chambre (la scène proprement dite) est un milieu de transmission ; elle participe à la fois de l'intérieur et de l'extérieur, du Pouvoir et de l'Événement, du caché et de l'étendu ; saisie entre le* 15 *monde, lieu de l'action, et la Chambre, lieu du silence, l'Anti-Chambre est l'espace du langage : c'est là que l'homme tragique, perdu entre la lettre et le sens des choses, parle ses raisons. La scène tragique n'est donc pas proprement secrète ; c'est plutôt un lieu aveugle, passage anxieux du secret à l'effusion, de la peur immédiate à la peur parlée : elle est piège flairé, et c'est pourquoi la station qui y est imposée au personnage* 20 *tragique est toujours d'une extrême mobilité (dans la tragédie grecque, c'est le chœur qui attend, c'est lui qui se meut dans l'espace circulaire, ou orchestre, placé devant le Palais).*

Entre la Chambre et l'Anti-Chambre, il y a un objet tragique qui exprime d'une façon menaçante à la fois la contiguïté et l'échange, le frôlage du chasseur et de sa 25 *proie, c'est la Porte. On y veille, on y tremble ; la franchir est une tentation et une transgression : toute la puissance d'Agrippine se joue à la porte de Néron. La Porte a un substitut actif, requis lorsque le Pouvoir veut épier l'Anti-Chambre ou paralyser le personnage qui s'y trouve, c'est le Voile* (Britannicus, Esther, Athalie) *; le Voile (ou le Mur qui écoute) n'est pas une matière inerte destinée à cacher, il est paupière, symbole* 30 *du Regard masqué, en sorte que l'Anti-Chambre est un lieu-objet cerné de tous côtés par un espace-sujet ; la scène racinienne est ainsi doublement spectacle, aux yeux de l'invisible et aux yeux du spectateur (le lieu qui exprime le mieux cette contradiction tragique est le Sérail de* Bajazet*).*

Le troisième lieu tragique est l'Extérieur. De l'Anti-Chambre à l'Extérieur, il n'y a 35 *aucune transition ; ils sont collés l'un à l'autre d'une façon aussi immédiate que l'Anti-Chambre et la Chambre. Cette contiguïté est exprimée poétiquement par la nature pour ainsi dire linéaire de l'enceinte tragique : les murs du Palais plongent dans la mer, les escaliers donnent sur des vaisseaux tout prêts à partir, les remparts sont un balcon au-dessus du combat même, et s'il y a des chemins dérobés, ils ne font déjà* 40 *plus partie de la tragédie, ils sont déjà fuite. Ainsi la ligne qui sépare la tragédie de sa négation est mince, presque abstraite ; il s'agit d'une* limite *au sens rituel du terme : la tragédie est à la fois prison et protection contre l'impur, contre tout ce qui n'est pas elle-même.*

Roland B*ARTHES,* Sur Racine, *Éd. du Seuil, Paris, 1963.*

Synthèse

Une fatalité inexorable

Dans la tragédie racinienne, la fatalité est reine. Elle est inexorable. Comme l'araignée au centre de sa toile, elle attend sa proie, elle sait qu'elle ne lui échappera pas. Le personnage racinien s'inscrit dans une perspective janséniste (voir p. 110). Déterminé par le destin, il n'a pas la maîtrise de son existence. Contrairement au héros cornélien, il doit accepter la vie que la fatalité lui assigne. Ses possibilités de choix sont réduites. Il peut lutter, mais c'est inutilement qu'il se débat dans les mailles du filet où il est emprisonné.

Le personnage racinien a beau être lucide, il a beau savoir qu'il court tout droit à sa perte, il ne peut rien faire pour éviter la catastrophe, pour modifier la situation : Oreste est persuadé qu'Hermione ne l'aimera jamais, mais il ne renonce pas pour autant à ses sentiments qui le conduisent au bord de la folie (voir texte, p. 231). Phèdre ne se dissimule pas la répulsion qu'elle provoque chez Hippolyte, mais rien ne l'empêche de lui dire ce qu'elle éprouve pour lui (voir texte, p. 235).

Les personnages du théâtre de Racine sont semblables à ces dormeurs qui, plongés dans un épouvantable cauchemar, se voient courir au désastre, à la mort, sans pouvoir les éviter, se sentent poursuivis par des êtres effrayants, sans avoir la force de faire un geste pour leur échapper.

Une mortelle aliénation

Cette fatalité entraîne une aliénation insupportable. Les personnages raciniens n'ont pas de prise sur les événements. Ils vivent dans la souffrance, dans le sentiment de l'inutilité de l'action. Bajazet offre l'exemple même de cette difficulté à agir. Il est partagé entre son amour pour Atalide et la nécessité de ménager Roxane qui détient entre ses mains le pouvoir et qui, férocement amoureuse de lui, est maîtresse de sa vie : confronté à cette contradiction, il ne cesse d'hésiter, avant de rompre enfin avec la sultane (voir texte, p. 234).

Cette aliénation que subissent les personnages raciniens est d'autant plus grande que les obstacles qu'ils affrontent sont plus forts. Ceux qui semblent les plus favorisés, ceux qui sont unis par un amour partagé n'échappent pas à l'adversité. Ils se heurtent à des forces invincibles qui les mettent en échec : Bajazet et Atalide succombent face à Roxane, forte de son pouvoir (voir texte, p. 233). Britannicus et Junie ne peuvent résister à la cruauté de l'empereur Néron (voir texte, p. 226). Titus et Bérénice doivent céder devant la volonté populaire (voir texte, p. 227).

La situation est encore plus tragique, lorque l'obstacle se trouve à l'intérieur même du couple : aimer, sans être aimé, avoir à combattre ce que l'on aime, tel est le drame d'Oreste (voir texte, p. 231), de Roxane (voir texte, p. 234) ou de Phèdre (voir texte, p. 235).

Et que dire lorsque les personnages, eux-mêmes profondément divisés, sont le siège de violentes et irréductibles contradictions ? C'était déjà le cas d'Andromaque, obligée de choisir entre sa fidélité envers son mari et la vie de son fils, ou d'Atalide qui doit, pour sauver Bajazet, renoncer à lui. Ce qui déchire souvent les personnages raciniens, c'est le choix entre la générosité et l'égoïsme, entre leurs impulsions individuelles qui reposent sur des valeurs de désir et les impératifs moraux qui s'appuient sur les valeurs de la raison. Cette contradiction éclate, en particulier, chez Phèdre, que le désir pousse vers Hippolyte, tandis que sa raison l'incite à renoncer à sa passion. Dans une perspective janséniste, les personnages raciniens apparaissent ainsi les enjeux de cette lutte sans merci entre les forces du bien et les forces du mal. Englués dans le péché, plongés dans l'obscurité, ils aspirent à une lumière, à un salut qui se dérobent sans cesse.

C'est que, la plupart du temps, ces deux impulsions contradictoires sont également vitales : abandonner l'une d'elles, c'est souffrir atrocement, c'est se mutiler gravement. Aussi la tragédie racinienne s'achève-t-elle souvent dans la mort, seule capable de supprimer définitivement les contradictions.

Le cas d'Athalie est quelque peu différent : totalement engagée dans un combat sans merci contre Joad et Joas, les représentants de la religion qu'elle a reniée, la reine de Juda n'a pas à lutter contre elle-même. Résolue, sûre de ses positions, si elle éprouve quelques troubles de conscience, ils ne durent pas très longtemps (voir texte, p. 240). Mais la fatalité lui oppose un obstacle infranchissable, celui de ses adversaires soutenus par Dieu. S'il y a contradiction, elle est entre deux camps : le bien s'oppose au mal et marque son triomphe par un dénouement sanglant.

Amour et pouvoir

Le jeu des contradictions atteint une dimension particulièrement tragique, lorsqu'il concerne l'amour et le pouvoir : les personnages de tragédie ont en effet des responsabilités politiques qui interviennent inévitablement dans leurs relations sentimentales. Dans le théâtre de Corneille, la passion devait céder à la raison d'État. Chez Racine, c'est au contraire le pouvoir qui se met au service de la passion.

Le schéma de *Britannicus* (voir p. 225) est, à cet égard, exemplaire. Agrippine, à la mort de son mari, a désigné comme successeur à la tête de l'Empire romain son fils Néron, de préférence à Britannicus, l'héritier légitime du trône. Par contre, elle soutient Britannicus dans son amour pour Junie dont Néron est également épris. Néron va utiliser son pouvoir pour venir à bout des résistances : il enlève Junie, fait empoisonner son rival et arrêter sa mère. Dans *Bajazet*, le comportement de Roxane est comparable (voir p. 232). Elle est disposée à mettre son pouvoir au service de Bajazet, à condition qu'il lui accorde son amour. La puissance permet ainsi à ceux qui la détiennent de se livrer à un véritable chantage : Pyrrhus promet à Andromaque de protéger son fils, si elle accepte de l'épouser (voir p. 231).

C'est ce jeu inexorable de l'amour et du pouvoir qui explique le double visage des personnages raciniens qui, maîtres de la destinée de ceux qu'ils aiment, se montrent tour à tour tendres et cruels, généreux et égoïstes.

Un théâtre de la passion et de la rigueur

Alors que Pierre Corneille avait puisé les sujets de ses pièces dans l'Antiquité latine, Jean Racine s'inspire surtout des auteurs grecs. Son principal modèle est Euripide auquel il emprunte le sens de la passion et la rigueur de la construction dramatique.

Dans les préfaces de ses pièces, Racine a indiqué, avec précision, ses préoccupations et ses objectifs. Son théâtre, c'est, avant tout, le théâtre de la passion. Le choc des sentiments anime la tragédie. De leur confrontation, de leur excès, naît l'émotion. Mais il s'en dégage aussi un enseignement moral. Le spectateur est averti des conséquences désastreuses de ces impulsions incontrôlées : « (...) le vice y est peint partout avec des couleurs qui en font connaître et haïr la difformité » (Préface de *Phèdre*).

Pour mettre en scène cette passion, la construction des pièces est d'une grande rigueur. Elle suit les règles classiques (voir p. 138) et convient tout à fait à la rigueur de la fatalité. L'unité de ton permet de dégager l'essence tragique. L'unité de lieu montre des personnages enfermés à la fois dans une confrontation insupportable avec les autres et dans un repliement aliénant sur eux-mêmes. L'unité de temps et l'unité d'action conduisent à la concentration et soulignent que la pièce se déroule durant un moment privilégié de crise. Racine veut « [...] une action simple, chargée de peu de matière, telle que doit être une action qui se passe en un seul jour, et qui, s'avançant par degrés vers sa fin, n'est soutenue que par les intérêts, les sentiments et les passions des personnages [...] » (première Préface de *Britannicus*) : c'est à une chute irrémédiable, incontrôlée, à l'issue d'une progression inexorable vers l'abîme, que le spectateur est convié à assister.

L'expression elle-même concourt à l'efficacité dramaturgique, tout en diffusant ce que l'on appelle le chant racinien, souvent porteur de lyrisme. Le fréquent recours à la mythologie permet le développement de tout un jeu de symboles et donne au texte une coloration poétique. Les antithèses, riches d'effets, révèlent les contradictions qui divisent les personnages. Le groupement des vers en quatrains confère une ampleur propice à l'émotion. La musique des sonorités et la simplicité de la phrase qui la véhicule soulignent l'union intime de cette passion et de cette rigueur qui sont les données essentielles du théâtre de Racine.

Philippe Quinault
1635-1688

Philippe Quinault, gravure, XVIIe siècle, Paris, B.N.

Une ascension sociale réussie

La vie de Philippe Quinault est l'histoire d'une ascension sociale réussie. D'origine modeste, ce fils de boulanger entre jeune au service de Tristan L'Hermite (voir p. 65). A bonne école auprès de ce poète qui l'initie à la littérature, il donne dès l'âge de dix-huit ans sa première pièce, une comédie, *Les Rivales* (1653). Le voici lancé dans la carrière théâtrale. Ambitieux, désireux de se faire connaître, il fréquente les salons, cherche l'appui des hauts personnages de l'époque. Il aspire également à la richesse et, en 1660, épouse une veuve jeune et fortunée à la fois. Bientôt va venir le temps des honneurs : il devient valet de chambre du roi, fonction honorifique s'il en est, entre à l'Académie française en 1670, siège, à partir de 1671, à la Chambre des comptes, organisme chargé de vérifier la gestion financière des agents de l'État. 1672 marque une évolution importante dans son œuvre : le musicien Lulli lui demande de composer les textes de ses opéras. Quinault collaborera avec lui jusqu'en 1686 ; touché par la grâce, il abandonne alors le théâtre pour se consacrer à la rédaction d'œuvres pieuses.

Un artisan de l'opéra à la française

La production théâtrale de Quinault est d'une grande variété. Il a écrit des comédies, comme *La Mère coquette* (1665), qui reprennent le schéma traditionnel des amours contrariées de jeunes gens sympathiques, et des tragédies, comme *Astrate* (1664) ou *Pausanias* (1668). Mais ce qui compte surtout, c'est sa contribution au développement du théâtre chanté qui le pose comme un des créateurs de l'opéra à la française (voir p. 223). En participant, avec Molière et Pierre Corneille, à la rédaction de *Psyché* (1671), Quinault travaille ainsi avec Lulli qui compose la musique de la pièce et en devient bientôt le collaborateur attitré : il rédige les textes de nombreuses tragédies lyriques (*Thésée*, 1675 ; *Roland*, 1685), œuvres au déroulement marqué par la tension dramatique, mais au dénouement souvent heureux, empreintes de romanesque et de préciosité.

Les Rivales (1653), comédie.
Astrate (1664), tragédie.
La Mère coquette (1665), comédie.
Pausanias (1668), tragédie.
Psyché (1671), tragédie-ballet.
Thésée (1675), tragédie lyrique. → pp. 246-247.
Roland (1685), tragédie lyrique.

Thésée

1675

Le sujet de cette tragédie lyrique mise en musique par Lulli ne pouvait que satisfaire les goûts romanesques du temps. Thésée, fils du roi d'Athènes Égée, dissimule sa véritable origine, afin de briller par sa seule valeur. Il aime d'un amour partagé Églé qui est également aimée du roi et il est lui-même l'objet de la passion de la magicienne Médée. Cette dernière, pour éliminer sa rivale, fait pression sur elle : si Eglé persiste dans son amour, Thésée périra. Le dénouement pourrait être tragique. Mais Égée et Médée s'inclineront finalement devant la force de la passion d'Églé et de Thésée.

« Il n'est rien de si fort que Médée et ses charmes »

Face à Thésée que menace Médée, Eglé se trouve dans une situation comparable à celle de Junie face à Britannicus que menace Néron (voir texte, p. 226). Églé, après avoir essayé de jouer la froideur, finit par présenter à Thésée, qu'elle veut sauver, le choix imposé par la magicienne : ou il renonce à elle, ou il meurt. Mais on est loin de la tragédie racinienne : Églé et Thésée triompheront et pourront connaître le bonheur.

Danseur interprétant un vieillard dans Thésée, gravure, XVIIe siècle, Paris, B.N.

THÉSÉE.
Églé ne m'aime plus, et n'a rien à me dire.
Qu'avez-vous fait des nœuds que l'Amour fit pour nous ?
Quoi ! pour les briser tous,
Un jour, un seul jour peut suffire ?
5 J'aurais abandonné le plus puissant empire
Pour garder des liens si doux.

ÉGLÉ.
Cessez d'aimer une volage ;
Servez-vous de votre courage
Pour chercher un plus heureux sort.

THÉSÉE.
10 Je ne m'en servirai que pour chercher la mort.
Si la belle Églé m'est ravie,
Je ne prétends plus rien ;
Je perds l'unique bien
Qui m'aurait fait aimer la vie.

ÉGLÉ.
15 Hélas !

THÉSÉE.
Ah ! quel soupir échappe à votre cœur !

ÉGLÉ.
Ce soupir échappé n'est que pour la grandeur.

THÉSÉE.
Vos beaux yeux répandent des larmes !

ÉGLÉ.
Non, non ; sans m'attendrir je verrai vos douleurs.

THÉSÉE.
Vous voulez me cacher vos pleurs !
20 Pourquoi m'en dérober les charmes ?

ÉGLÉ.
Ah ! que vous me donnez de mortelles alarmes[1] !
On vous a peut-être entendu,
Thésée ; et vous êtes perdu.

1. De mortelles inquiétudes.

THÉSÉE.
On ne nous entend point ; non, ma belle princesse ;
25 Si vous m'aimez toujours, ne craignez rien pour moi.

ÉGLÉ.
Oh ! que nous paierons cher l'excès de ma tendresse !
Il y va de vos jours : j'épouserai le roi.

THÉSÉE.
C'est trop appréhender[1] que le roi ne s'irrite :
Il faut vous dire tout, l'amour m'en sollicite[2] ;
30 Je suis fils du roi.

ÉGLÉ.
Vous, Seigneur ?

THÉSÉE.
Je n'ai montré d'abord que ma seule valeur ;
C'était à mon propre mérite
Que je voulais devoir ma gloire et votre cœur.

ÉGLÉ.
Le roi, le monde entier prendraient en vain les armes :
35 Il n'est rien de si fort que Médée et ses charmes[3] ;
Nous sommes les objets de ses transports jaloux :
S'ils n'en voulaient qu'à moi, je les braverais tous ;
Mais ils m'ont su frapper par où je suis sensible.

THÉSÉE.
Quoi ! le roi sera votre époux ?

ÉGLÉ.
40 Je ne puis vous sauver sans cet hymen horrible[4].

THÉSÉE.
Laissez armer plutôt tout l'enfer en courroux[5] ;
Le trépas[6] est cent fois plus doux
Qu'un secours si terrible.
Vivez pour moi, s'il est possible,
45 Ou laissez-moi mourir pour vous.

ÉGLÉ ET THÉSÉE.
Quelle injustice !
Que de tourments !
Ah ! quel supplice
De briser des nœuds si charmants !

Thésée, acte IV, scène 5, vers 911 à 959.

Pour préparer l'étude du texte

1. Vous relèverez et analyserez les termes porteurs d'une signification négative, en montrant qu'ils contribuent à créer la tension dramatique. Vous vous demanderez si, néanmoins, le tragique du choix apparaît nettement.
2. Vous dégagerez le lyrisme, l'exaltation des sentiments personnels, qui marque ce texte (vocabulaire, construction des phrases, versification).
3. A partir d'Églé et de Thésée, vous établirez les caractéristiques du héros et de l'héroïne selon Quinault. Qu'est-ce qui les différencie des personnages raciniens (voir p. 243) ?

1. C'est trop craindre.
2. L'amour m'y incite, m'y pousse.
3. Ses enchantements, ses sortilèges.
4. Sans cet horrible mariage.
5. En colère.
6. La mort.

La musique au XVIIe siècle

Littérature et musique

Littérature et musique ne sont pas étrangères l'une à l'autre. Bien au contraire, de nombreux liens les unissent. Les écrivains, surtout les poètes, sont sensibles à l'harmonie de la phrase : ne loue-t-on pas les vers pour leur musicalité ? Ce souci apparaît plus particulièrement dans la recherche de mots aptes à évoquer des sons : Théophile de Viau sait, par exemple, trouver des sonorités, tantôt sourdes, tantôt vibrantes, pour rendre compte du lent éveil de la vie et de l'explosion de la lumière au lever du jour (voir texte, p. 30). Jean Racine, dans son célèbre vers : « Pour qui sont ces serpents qui sifflent sur vos têtes ? » (voir texte, p. 232), imite, en accumulant les sons en *s* (les sifflantes), le sifflement des serpents.

La littérature peut également consacrer des développements à la musique, lorsqu'elle décrit des personnages en train de jouer d'un instrument, ou encore lorsqu'elle situe l'action au cours d'un concert ou d'un bal dont elle dépeint l'atmosphère, en créant tout un réseau de sensations : dans *La Princesse de Clèves* de Madame de La Fayette, le bal joue un rôle essentiel dans la naissance de l'amour entre la princesse de Clèves et le duc de Nemours (voir texte, p. 325).

Littérature et musique peuvent aussi s'unir et constituer ensemble une seule œuvre. Au XVIIe siècle, les poèmes sont souvent mis en musique (voir notamment *Chanson* de Malherbe, p. 22). Cette alliance connaît un développement considérable dans les spectacles de cour : la comédie-ballet, pratiquée par Molière, mêle texte, musique, chants et danse (voir p. 213). La tragédie lyrique, ancêtre de l'opéra français, que créent Lulli et Quinault, fond en un tout indissociable vers et musique (voir p. 223).

Les grands musiciens français du XVIIe siècle

Au XVIIe siècle, la puissance de l'Église permet l'affirmation de la musique religieuse, tandis que les raffinements de la vie de cour facilitent le développement de la musique de divertissement. Quatre grands musiciens français marquent cette période. Jean-Baptiste Lulli (1632-1687) est le maître incontestable du théâtre chanté. Il travaille d'abord avec Molière dont il compose la musique de comédies-ballets, puis avec Quinault qui lui fournit les livrets de ses œuvres lyriques. S'inspirant des Italiens, il construit progressivement l'opéra français auquel il donne peu à peu son originalité, en accordant de plus en plus de place à l'action dramatique au détriment du lyrisme.

Marc-Antoine Charpentier (1634-1704) excelle surtout dans la musique religieuse où il exprime toute sa passion et toute sa sensibilité. Doué aussi pour la tragédie lyrique, il n'a pas pu y donner toute sa mesure, Lulli ayant obtenu du roi le monopole du théâtre chanté pour son Académie de musique qu'il installe, en 1673, dans la salle du Palais-Royal.

Michel-Richard Delalande (1657-1726), organiste et claveciniste, a composé de la musique de ballet et des œuvres religieuses, où il a su allier la rigueur de la structure et la fantaisie des digressions décoratives.

François Couperin (1668-1733), lui aussi organiste et claveciniste, a pratiqué un large éventail de genres, de la musique intime de chambre jusqu'à la symphonie.

La musique en Europe

Les Italiens dominent la musique européenne et ont, en particulier, exercé une grande influence sur les musiciens français. Claudio Monteverdi (1567-1643) se distingue dans la musique vocale et dans l'opéra. Pier Francesco Cavalli (1602-1676), dont s'est inspiré Lulli, est lui aussi un grand compositeur d'opéra. Giacomo Carissimi (1605-1674) s'est plus particulièrement tourné vers la musique religieuse. Arcangelo Corelli (1653-1713) a porté la sonate à son point de perfection.

Il faut également retenir, en Angleterre, le nom d'Henry Purcell (1659-1695) qui a composé de la musique instrumentale, de la musique vocale et de la musique de scène.

Laurent La Hyre (1606-1656),
Allégorie de la musique,
New York,
The Metropolitan Museum of Art.

L'ÉPANOUISSEMENT DE L'ESPRIT MONDAIN
LA ROCHEFOUCAULD, MÉRÉ, RETZ, SÉVIGNÉ

UNE FLORAISON EXCEPTIONNELLE D'ÉCRIVAINS

François de La Rochefoucauld, le chevalier de Méré, le cardinal de Retz, la marquise de Sévigné et bien d'autres : parmi les grands écrivains de ces années 1661-1680, ils sont exceptionnellement nombreux ces hommes et ces femmes du monde qui ont pratiqué une littérature d'idées dont le but affiché est la réflexion sur la nature et sur le comportement de l'homme. Cette floraison extraordinaire n'est évidemment pas due au hasard. Elle est le résultat de conditions particulièrement favorables.

Une telle explosion est d'abord liée au développement des salons (voir p. 75). La nécessité de tenir compte des autres s'impose à l'intérieur de ces cercles mondains et conduit à une interrogation sur la façon de se comporter, sur la manière de concilier les impulsions individuelles et les exigences de la vie collective. L'éclosion d'une littérature de « communication » en est une des conséquences. Cet épanouissement est par ailleurs encouragé par l'affirmation progressive de la doctrine classique (voir p. 369). Le classicisme privilégie l'analyse psychologique qui se développe dans les genres littéraires traditionnels, en particulier dans le roman et le théâtre, mais trouve dans la littérature d'idées un support beaucoup plus adéquat. Il préconise un certain effacement du « je » : l'écrivain se pliera à cet impératif, en pratiquant une analyse des autres, menée de l'extérieur, tout en ayant la satisfaction de s'exprimer personnellement par le regard porté, par le jugement prononcé.

François Chauveau (1613-1676),
Agréables divertissements de la cour, gravure,
Paris, B.N.

La recherche de formes littéraires plaisantes

Ce serait une grave erreur de considérer cette littérature d'idées comme une littérature pesante, ennuyeuse. Les écrivains renoncent alors, pour la plupart, aux longs traités ou aux dissertations rédigées selon des règles immuables. La période précédente, avec Descartes et surtout Pascal, avait déjà préparé cette évolution. Elle s'accentue. Les auteurs ne sont pas des êtres solitaires, repliés sur eux-mêmes, isolés dans leurs méditations. Ce sont des mondains, des familiers de la cour, des habitués des salons, souvent des nobles.

Ils écrivent pour ce public qu'ils côtoient et non pour des spécialistes. Sachant qu'ils doivent avant tout plaire, ils évitent le pédantisme et la technicité, s'efforcent de trouver des formes attrayantes pour exposer leurs idées. Comme les longs ouvrages risquent d'ennuyer, leur préférence va à la brièveté et à la concision, aux livres dont la lecture n'exige pas la continuité, mais peut être interrompue et reprise sans inconvénient. Conscients de la sécheresse des développements abstraits, ils multiplient les exemples, les illustrations.

La vie et les habitudes des salons leur fournissent les moules dont ils ont besoin pour couler leurs pensées. François de La Rochefoucauld (1613-1680) joue, dans ses *Maximes*, sur le goût du paradoxe, sur l'attirance pour le brillant et le concis, sur la peinture de portraits incisifs. Le chevalier de Méré (1607-1684) adopte l'exposé détendu et familier. Le cardinal de Retz (1613-1679) choisit les mémoires pour faire revivre des événements auxquels ont participé ceux-là mêmes qui fréquentent les cercles mondains. La marquise de Sévigné (1626-1696) porte à son point de perfection l'art de la lettre, chronique du temps présent, véritable régal pour les habitués des salons.

Conçue comme un divertissement, cette littérature mondaine n'en est pas pour autant une littérature superficielle. Elle contient toute une réflexion, est riche d'une conception du monde. Elle est le témoignage de cet art de vivre fait de modération et de raffinement qui caractérise l'« honnête homme » du XVIIe siècle (voir p. 269).

François de La Rochefoucauld
1613-1680

Anonyme, XVIIe siècle,
Portrait de La Rochefoucauld,
Versailles,
musée national du Château.

Un noble déçu par la monarchie

Tout semble sourire à François de La Rochefoucauld lorsqu'il naît à Paris en 1613. Sa famille fait partie de la haute noblesse et, en cette aube du XVIIe siècle, l'aristocratie est encore toute-puissante (voir p. 266). Il a donc la naissance. Il dispose aussi de la richesse.

Son enfance et son adolescence n'ont rien de bien original pour un jeune noble de cette époque. Il reçoit une instruction médiocre. Dès l'âge de quinze ans, il épouse Andrée de Vivonne en un de ces mariages de raison si fréquents alors (voir p. 215). Le voici dans sa seizième année, et c'est le début, auprès de Louis XIII, d'une vie de courtisan qui s'annonce brillante : les portes de la politique, de la diplomatie et de la guerre sont grandes ouvertes devant lui.

Bientôt, le métier des armes lui permet de s'illustrer au cours des campagnes de 1635 et de 1636, épisodes de cette guerre de Trente Ans qui oppose la France à l'Autriche (voir p. 55). Sa réussite politique est moins brillante : intriguant avec la duchesse de Chevreuse pour soutenir les intérêts de la reine Anne d'Autriche contre Richelieu, il songe à un enlèvement romanesque de la jeune souveraine qu'il estime menacée et il est enfermé à la Bastille sur l'ordre du puissant ministre. Il participe activement à cette vie d'aventures et de complots qu'Alexandre Dumas a si heureusement évoquée dans ses *Trois Mousquetaires*, et apparaît ainsi comme une sorte de d'Artagnan chevaleresque, au grand cœur.

Louis XIII meurt en 1643. Le futur Louis XIV n'a que cinq ans et sa mère, Anne d'Autriche, gouverne en son nom. La Rochefoucauld va-t-il recueillir les fruits de son action ? Il l'espère. Mais Anne d'Autriche et son nouveau ministre Mazarin ne brillent pas par la reconnaissance. Et La Rochefoucauld est de plus en plus déçu par la monarchie.

Un comploteur malheureux

Les événements de la Fronde (voir p. 55) vont peut-être lui donner l'occasion de la revanche. Durant ces épisodes tragi-comiques, tantôt guerre en dentelles, tantôt conflit meurtrier et sanglant, La Rochefoucauld se range du côté des frondeurs : il est attiré dans ce camp par la sœur de Condé, Madame de Longueville, avec laquelle il a alors une liaison. Lieutenant-général de l'armée rebelle, il combat vaillamment et reçoit, en 1652, une grave blessure, à la Porte-Saint-Antoine, à Paris.

Mais c'est décidément un comploteur malheureux. La Fronde s'achève sur le triomphe du pouvoir royal et La Rochefoucauld fait partie des vaincus. Ces propos d'un autre comploteur, mais d'un comploteur de génie, celui-là, le cardinal de Retz (voir p. 270), sont cruellement vrais : « Il y a toujours eu du je ne sais quoi[1] en tout M. de La Rochefoucauld. Il a voulu se mêler d'intrigue, dès son enfance, et dans un temps où il ne sentait pas les petits intérêts[2], qui n'ont jamais été son faible ; et où il ne connaissait pas les grands, qui, d'un autre sens, n'ont pas été son fort »[3] : selon Retz, La Rochefoucauld ne pouvait que connaître l'échec, car il était aussi peu doué pour l'accessoire que pour l'essentiel.

Anonyme, XVIIe siècle, *La Fronde sous les murs de la Bastille*, Versailles, musée national du Château.

Un séducteur reconnu

Ses échecs politiques l'encouragent dans une activité de séduction qui lui était, par ailleurs, naturelle. C'est là une démarche fréquente chez les nobles de cette époque qui, progressivement privés de leur puissance, voient dans l'amour un pouvoir de remplacement (voir p. 266).

Après l'amnistie qui met un point final à la Fronde, La Rochefoucauld se tourne vers une vie mondaine. Il court de salon à la mode en salon à la mode, engage des relations d'amour ou d'amitié tendre avec Mademoiselle de Scudéry, Madame de La Fayette, Madame de Sablé, Mademoiselle de Montpensier et bien d'autres encore. C'est un grand séducteur. Il connaît à merveille les femmes, Madame de Sévigné le signale avec son enjouement habituel : « [...] généralement parlant, les femmes sont bien plaisantes, et M. de La Rochefoucauld en a bien connu le fond[4] »[5]. Il est le courtisan idéal, comme le fait remarquer le cardinal de Retz en un compliment à double tranchant : « [...] il eût beaucoup mieux fait de se connaître, et de se réduire à passer, comme il l'eût pu, pour le courtisan le plus poli qui eût paru dans son siècle. »[3]

1. Élément insaisissable, indéfinissable.
2. Ce que l'on peut tirer d'une situation.
3. *Mémoires* du cardinal de Retz, deuxième partie (parus en 1717).
4. L'essentiel.
5. *Lettres* de Madame de Sévigné : Lettre du 7 septembre 1689.

Mais la maladie s'abat sur lui. Il est bientôt atteint par la goutte, douloureuse inflammation des articulations. La vieillesse et la souffrance l'éloignent progressivement de la séduction. Il sombre peu à peu dans la misanthropie. Heureusement, il lui reste un ultime refuge, la littérature.

L'engagement littéraire

L'engagement littéraire de La Rochefoucauld est directement lié à ses déceptions politiques et à sa vie mondaine. La littérature constitue en effet, elle aussi, un pouvoir de remplacement et un moyen de séduire. L'œuvre de La Rochefoucauld est incontestablement influencée par la mode des salons. C'est une littérature de salons : elle emprunte ses formes et ses thèmes aux préoccupations qui y régnaient, aux jeux qui s'y déroulaient (voir p. 75).

Son propre portrait, qu'il publie en 1659 dans un recueil collectif élaboré en l'honneur de la duchesse de Montpensier, est une adaptation littéraire du jeu des portraits qui consistait, en procédant par questions et réponses, à faire deviner l'identité d'un familier du salon. Ses *Mémoires*, parus en 1662, reflètent le goût de l'époque pour l'analyse psychologique.

La grande œuvre qui a fait la réputation de La Rochefoucauld, ce sont les *Maximes*. Il commence à y travailler en 1658, mais la première édition ne paraîtra qu'en 1664. Une fois encore, il s'inscrit dans la perspective du public des salons : il adopte le genre de la maxime qui a pour but d'exprimer une vérité de façon concise, paradoxale et brillante. Il se sert de ce moule plaisant pour développer une morale profonde et lucide.

La boucle de sa vie est ainsi bouclée. Après avoir vécu les désillusions de l'action, La Rochefoucauld tire les conséquences de son échec, en donnant une vision pessimiste de l'homme.

Portrait (1659), portrait de lui-même publié dans un recueil collectif dédié à Mademoiselle de Montpensier.
Mémoires (1662).
Maximes (1664), commencées en 1658 ; dernière édition du vivant de La Rochefoucauld en 1678.
→ pp. 253 à 262.

Maximes

1664

Les *Maximes*, œuvre de près de vingt années, sont l'ouvrage de la maturité et de la vieillesse d'un écrivain qui s'engage tardivement dans la voie de la littérature. Elles montrent l'évolution d'une pensée progressivement enrichie par l'expérience, mais aussi assombrie par les désillusions.

La Rochefoucauld a quarante-cinq ans, lorsqu'en 1658 il commence l'élaboration de ses *Maximes*. Il a soixante-cinq ans, lorsqu'en 1678 il fait publier la dernière édition de son vivant. La première édition paraît, en 1664, en Hollande sous le titre *Sentences et maximes morales*. La seconde édition voit le jour en France, en 1665, sous l'appellation *Réflexions ou Sentences et maximes morales* et sera suivie de bien d'autres. C'est que le succès de ce livre est considérable. Les bons esprits de l'époque se reconnaissent dans cette vision lucide et désabusée du monde. Durant ces vingt années d'élaboration, l'œuvre prend progressivement de l'ampleur. Forte de cent quatre-vingt-huit *Maximes* en 1664, elle comptera finalement six cent quarante et une *Maximes* et dix-neuf *Réflexions* sur des sujets divers, dont la rédaction est plus développée.

Dans ces remarques sur le comportement humain qui se succèdent sans ordre établi, s'affirme, en fait, une pensée cohérente. La Rochefoucauld y démonte cruellement la véritable motivation de l'homme. Il montre comment toute action s'explique par le jeu de l'amour-propre, pulsion instinctive qui pousse chaque individu à tout ramener à soi, à raisonner en fonction de son propre intérêt. Il développe ainsi une philosophie pessimiste reposant sur l'idée que l'être humain est incapable de rechercher l'absolu et d'aspirer à l'idéal du bien.

Philippe de Champaigne (1602-1674), *La Madeleine pénitente*, Rennes, musée des Beaux-Arts.
Le dur chemin du renoncement au monde et à l'amour-propre.

« L'amour-propre est l'amour de soi-même et de toutes choses pour soi »

La Rochefoucauld consacre la maxime 563, exceptionnellement développée, à ce qui constitue le fondement de son système, l'amour-propre : il en souligne la force et l'emprise et montre comment cette impulsion qui dirige l'homme revêt les formes les plus diverses.

563.

L'amour-propre est l'amour de soi-même et de toutes choses pour soi ; il rend les hommes idolâtres d'eux-mêmes, et les rendrait les tyrans des autres si la fortune leur en donnait les moyens ; il ne se repose jamais hors de soi, et ne s'arrête dans les sujets étrangers que comme les abeilles sur les fleurs, pour en tirer ce qui lui est propre. Rien n'est si impétueux que ses désirs, rien de si caché que (5) ses desseins, rien de si habile que ses conduites ; ses souplesses ne se peuvent représenter, ses tranformations passent celles des métamorphoses, et ses raffinements ceux de la chimie. On ne peut sonder la profondeur ni percer les ténèbres de ses abîmes. Là il est à couvert[1] des yeux les plus pénétrants, il y fait mille insensibles tours et retours ; là il est souvent invisible à lui-même, il y conçoit, il y nourrit et il y élève sans le savoir un grand nombre d'affections et de haines ; il en forme de si (10) monstrueuses que, lorsqu'il les a mises à jour, il les méconnaît, ou il ne peut se résoudre à les avouer. De cette nuit qui le couvre naissent les ridicules persuasions qu'il a de lui-même ; de là vient ses erreurs, ses ignorances, ses grossièretés et ses niaiseries sur son sujet ; de là vient qu'il croit que ses

1. A l'abri.

sentiments sont morts lorsqu'ils ne sont qu'endormis, qu'il s'imagine n'avoir plus envie de courir dès qu'il se repose, et qu'il pense avoir perdu tous les goûts qu'il a rassasiés[1]. Mais cette obscurité épaisse
15 qui le cache à lui-même n'empêche pas qu'il ne voie parfaitement ce qui est hors de lui, en quoi il est semblable à nos yeux, qui découvrent tout, et sont aveugles seulement pour eux-mêmes. En effet, dans ses plus grands intérêts et dans ses plus importantes affaires, où la violence de ses souhaits appelle toute son attention, il voit, il sent, il entend, il imagine, il soupçonne, il pénètre, il devine tout ; de sorte qu'on est tenté de croire que chacune de ses passions a une espèce de magie qui lui est
20 propre. Rien n'est si intime et si fort que ses attachements, qu'il essaye de rompre inutilement à la vue des malheurs extrêmes qui le menacent. Cependant, il fait quelquefois en peu de temps et sans aucun effort ce qu'il n'a pu faire avec tous ceux dont il est capable[2] dans le cours de plusieurs années ; d'où l'on pourrait conclure assez vraisemblablement que c'est par lui-même que ses désirs sont allumés, plutôt que par la beauté et par le mérite de ses objets ; que son goût est le prix qui les relève
25 et le fard qui les embellit ; que c'est après lui-même qu'il court, et qu'il suit son gré[3] lorsqu'il suit les choses qui sont à son gré. Il est tous les contraires : il est impérieux et obéissant, sincère et dissimulé, miséricordieux et cruel, timide et audacieux ; il a de différentes inclinations selon la diversité des tempéraments, qui le tournent et le dévouent[4] tantôt à la gloire, tantôt aux richesses, et tantôt aux plaisirs ; il en change selon le changement de nos âges, de nos fortunes et de nos expériences ; mais
30 il lui est indifférent d'en avoir plusieurs[5] ou de n'en avoir qu'une, parce qu'il se partage en plusieurs, et se ramasse en une quand il le faut, et comme il lui plaît.

Maximes, 563.

Pour préparer l'étude du texte

1. Par une analyse stylistique précise, vous montrerez que La Rochefoucauld, tout en soulignant la permanence de l'amour-propre, fait apparaître l'extrême diversité de ses activités et de ses effets (multiplicité des verbes d'action, emploi très fréquent du pluriel, jeu sur les pronoms personnels et les adjectifs possessifs de la troisième personne, hyperboles).
2. En quoi, comme l'écrit Pascal, l'amour-propre est-il une « puissance trompeuse » (voir texte, p. 116) qui prive l'homme de sa liberté ?
3. N'a-t-il pas cependant quelques aspects positifs ?

« Les vices entrent dans la composition des vertus »

La majeure partie des maximes 175 à 192 portent sur les vices et les vertus. La Rochefoucauld les définit comme des manifestations des passions et en donne une interprétation qui les relativise : les vertus sont toujours soumises à l'intérêt ; vices et vertus apparaissent interchangeables et intimiment liés ; les vertus sont, la plupart du temps, des vices déguisés.

175.
La constance en amour est une inconstance perpétuelle qui fait que notre cœur s'attache successivement à toutes les qualités de la personne que nous aimons, donnant tantôt la préférence à l'une,
5 tantôt à l'autre ; de sorte que cette constance n'est qu'une inconstance arrêtée et renfermée dans un même sujet.

176.
Il y a deux sortes de constance en amour : l'une vient de ce que l'on trouve sans cesse dans la
10 personne que l'on aime de nouveaux sujets d'aimer, et l'autre vient de ce que l'on se fait un honneur d'être constant.

177.
La persévérance n'est digne ni de blâme ni de louange, parce qu'elle n'est que la durée des goûts
15 et des sentiments, qu'on ne s'ôte et qu'on ne se donne point.

178.
Ce qui nous fait aimer les nouvelles connaissances n'est pas tant la lassitude que nous avons des vieilles, ou le plaisir de changer, que le dégoût de
20 n'être pas assez admirés de ceux qui nous connaissent trop, et l'espérance de l'être davantage de ceux qui ne nous connaissent pas tant.

179.
Nous nous plaignons quelquefois légèrement de nos amis pour justifier par avance notre légèreté.

180.
25 Notre repentir n'est pas tant un regret du mal que nous avons fait qu'une crainte de celui qui nous en peut arriver[6].

1. Qu'il a satisfaits jusqu'à satiété.
2. Avec tous les efforts dont il est capable.
3. Sa volonté.
4. Le mettent au service.
5. D'avoir plusieurs inclinations.
6. Des conséquences négatives qui peuvent découler du mal que nous avons fait.

181.
Il y a une inconstance qui vient de la légèreté de l'esprit ou de sa faiblesse, qui lui fait recevoir toutes
30 les opinions d'autrui, et il y en a une autre qui est plus excusable, qui vient du dégoût des choses.

182.
Les vices entrent dans la composition des vertus, comme les poisons entrent dans la composition des remèdes. La prudence les assemble et les tempère,
35 et elle s'en sert utilement contre les maux de la vie.

183.
Il faut demeurer d'accord, à l'honneur de la vertu, que les plus grands malheurs des hommes sont ceux où ils tombent par les crimes.

184.
Nous avouons nos défauts pour réparer par notre
40 sincérité le tort qu'ils nous font dans l'esprit des autres.

185.
Il y a des héros en mal comme en bien.

186.
On ne méprise pas tous ceux qui ont des vices, mais on méprise tous ceux qui n'ont aucune vertu.

187.
45 Le nom de la vertu sert à l'intérêt aussi utilement que les vices.

188.
La santé de l'âme n'est pas plus assurée que celle du corps, et, quoique l'on paraisse éloigné des passions, on n'est pas moins en danger de s'y
50 laisser emporter que de tomber malade quand on se porte bien.

189.
Il semble que la nature ait prescrit à chaque homme, dès sa naissance, des bornes pour les vertus et pour les vices.

190.
55 Il n'appartient qu'aux grands hommes d'avoir de grands défauts.

191.
On peut dire que les vices nous attendent dans le cours de la vie, comme des hôtes chez qui il faut successivement loger ; et je doute que l'expérience
60 nous les fît éviter s'il nous était permis de faire deux fois le même chemin.

192.
Quand les vices nous quittent, nous nous flattons de la créance[1] que c'est nous qui les quittons.

Maximes, 175 à 192.

Pour préparer l'étude du texte

1. Vous classerez ces maximes sous les trois rubriques suivantes : a) les vertus sont soumises à l'intérêt, b) vertus et vices sont intimement liés, c) les vertus sont des vices déguisés.
2. Vous étudierez comment s'expriment, à travers ces maximes, le désir de changement de l'homme et sa privation de liberté.
3. Vous montrerez que La Rochefoucauld établit fréquemment des parallélismes entre l'état de l'âme et celui du corps. Que veut-il ainsi souligner ?

La maxime dans la littérature européenne

La Rochefoucauld n'est pas l'inventeur de la maxime. Cette forme, qui correspond à l'esprit de l'époque, connaît un développement considérable dans la littérature européenne. *L'Homme de cour* de Baltasar Gracián (1601-1658), paru en Espagne en 1647 et traduit en français en 1680, est, en particulier, apprécié par tous les gens cultivés. La Rochefoucauld l'avait lu : il est frappant de constater que les deux écrivains ont en commun le goût des formules choc, affichent deux conceptions de l'homme fort voisines et sont l'un et l'autre convaincus de la relativité des choses.

MAXIME XCVIII

Dissimuler.

Les passions sont les brèches de l'esprit. La science du plus grand usage est l'art de dissimuler. Celui qui montre son jeu risque de perdre. Que la circonspection combatte contre la curiosité. A ces gens qui épluchent de si près les paroles, couvre ton cœur d'une haie de défiance et de réserve. Qu'ils ne connaissent jamais ton goût, de peur
5 *qu'ils ne te préviennent[2], ou par la contradiction, ou par la flatterie.*

1. La croyance.
2. Qu'ils ne t'influencent.

MAXIME XCIX

La réalité et l'apparence.

Les choses ne passent point pour ce qu'elles sont, mais pour ce dont elles ont l'apparence. Il n'y a guère de gens qui voient jusqu'au dedans, presque tout le monde se contente des apparences. Il ne suffit pas d'avoir bonne intention, si l'action a mauvaise apparence.

MAXIME C

L'homme désabusé. Le chrétien sage.
Le courtisan philosophe.

10 *Il faut l'être, mais ne le pas paraître, encore moins affecter de passer pour tel. Quoique le plus digne exercice des sages soit de philosopher, il n'est plus aujourd'hui en crédit*[1]*. La science des habiles gens est méprisée. Après que Sénèque*[2] *l'eut introduite à Rome, elle fut quelque temps en estime à la cour, et maintenant elle y passe pour folie ; mais la prudence et le bon esprit ne se repaissent pas de prévention*[3]*.*

MAXIME CI

Une partie du monde se moque de l'autre,
et l'une et l'autre rient de leur folie commune.

15 *Tout est bon ou mauvais, selon le caprice des gens ; ce qui plaît à l'un déplaît à l'autre. C'est un insupportable fou que celui qui veut que tout aille à sa fantaisie. Les perfections ne dépendent pas d'une seule approbation. Il y a autant de goûts que de visages, et autant de différence entre les uns qu'entre les autres. Nul défaut n'est sans partisan, et il ne faut point te décourager, si ce que tu fais ne plaît pas à quelques-uns, attendu*
20 *qu'il y en aura toujours d'autres qui en feront cas. Mais ne t'enorgueillis point de l'approbation de ceux-ci, d'autant que les autres ne laisseront pas de te censurer*[4]*. La règle pour connaître ce qui est digne d'estime, c'est l'approbation des gens de mérite et des personnes reconnues capables d'être bons juges de la chose. La vie civile ne roule pas sur un seul avis, ni sur un seul usage.*

Baltazar Gracián, L'Homme de cour, *Maximes XCVIII à CI, trad. Amelot de la Houssaye, Paris, Éd. Champ Libre, 1972.*

« L'hypocrisie est un hommage que le vice rend à la vertu »

Dans les maximes 213 à 222, La Rochefoucauld souligne, à nouveau, la relativité des vertus. L'hypocrisie reçoit ainsi une double signification : donner l'apparence d'une qualité qu'on ne possède pas, c'est rendre un hommage à la vertu, en montrer l'importance, mais c'est aussi faire prendre un vice pour une vertu. Et La Rochefoucauld révèle notamment comment le courage, en particulier le courage militaire, loin d'être une vertu désintéressée, n'est souvent que le résultat de motivations inavouables.

213.
L'amour de la gloire, la crainte de la honte, le dessein de faire fortune, le désir de rendre notre vie commode[5] et agréable, et l'envie d'abaisser les autres, sont souvent les causes de cette valeur si
5 célèbre parmi les hommes.

214.
La valeur est dans les simples soldats[6] un métier périlleux qu'ils ont pris pour gagner leur vie.

215.
La parfaite valeur et la poltronnerie complète sont deux extrémités où l'on arrive rarement. L'espace
10 qui est entre deux est vaste et contient toutes les autres espèces de courage ; il n'y a pas moins de différence entre elles qu'entre les visages et les humeurs. Il y a des hommes qui s'exposent volontiers au commencement d'une action, et qui se
15 relâchent et se rebutent aisément par sa durée. Il y en a qui sont contents quand ils ont satisfait à

1. Il n'est plus en faveur.
2. Philosophe latin du Ier siècle av. J.-C.
3. De préjugé.
4. De te critiquer.
5. Facile.
6. Les soldats qui ne sont que des soldats, dont la guerre est le métier.

l'honneur du monde, et qui font fort peu de chose au-delà. On en voit qui ne sont pas toujours également maîtres de leur peur. D'autres se laissent 20 quelquefois entraîner à des terreurs générales; d'autres vont à la charge parce qu'ils n'osent demeurer dans leurs postes. Il s'en trouve à qui l'habitude des moindres périls affermit le courage et les prépare à s'exposer à de plus grands. Il y en a qui 25 sont braves à coups d'épée et qui craignent les coups de mousquet; d'autres sont assurés aux coups de mousquet et appréhendent de se battre à coups d'épée. Tous ces courages de différentes espèces conviennent[1] en ce que, la nuit augmen- 30 tant la crainte et cachant les bonnes et les mauvaises actions, elle donne la liberté de se ménager. Il y a encore un autre ménagement plus général : car on ne voit point d'homme qui fasse tout ce qu'il serait capable de faire dans une occasion s'il était 35 assuré d'en revenir ; de sorte qu'il est visible que la crainte de la mort ôte quelque chose de la valeur.

216.

La parfaite valeur est de faire sans témoins ce qu'on serait capable de faire devant tout le monde.

217.

L'intrépidité est une force extraordinaire de l'âme 40 qui l'élève au-dessus des troubles, des désordres et des émotions que la vue des grands périls pourrait exciter en elle ; et c'est par cette force que les héros se maintiennent en un état paisible et conservent l'usage libre de leur raison dans les 45 accidents[2] les plus surprenants et les plus terribles.

218.

L'hypocrisie est un hommage que le vice rend à la vertu.

219.

La plupart des hommes s'exposent assez dans la guerre pour sauver leur honneur; mais peu se 50 veulent toujours exposer autant qu'il est nécessaire pour faire réussir le dessein pour lequel ils s'exposent.

220.

La vanité, la honte, et surtout le tempérament, font souvent la valeur des hommes et la vertu des 55 femmes.

221.

On ne veut point perdre la vie, et on veut acquérir de la gloire ; ce qui fait que les braves ont plus d'adresse et d'esprit pour éviter la mort que les gens de chicane[3] n'en ont pour conserver leur bien.

222.

60 Il n'y a guère de personnes qui, dans le premier penchant de l'âge, ne fassent connaître[4] par où leur corps et leur esprit doivent défaillir.

Maximes, 213 à 222.

Pour préparer l'étude du texte

1. Vous relèverez et analyserez toutes les motivations qui, selon La Rochefoucauld, incitent au courage. La maxime 218 interrompt la succession des considérations sur le courage pour évoquer l'hypocrisie. En quoi est-elle néanmoins liée à l'analyse du courage ?

2. La maxime 215 est beaucoup plus longue que les autres. Vous étudierez sa composition et en ferez le plan.

3. Vous montrerez comment la plupart des maximes courtes sont construites de façon symétrique et reposent sur des paradoxes. Leur brièveté et leur aspect paradoxal constituent-ils, à votre avis, des obstacles à l'expression de la pensée ? La Rochefoucauld évite-t-il, en particulier, le schématisme ?

Du vrai

La Rochefoucauld avait déjà longuement insisté sur la diversité des sentiments et des motivations. Dans cette *Réflexion diverse*, il explique que la vérité est multiple et qu'une vérité ne peut pas en détruire une autre : n'est-ce pas là une belle leçon de tolérance ?

Le vrai, dans quelque sujet qu'il se trouve, ne peut être effacé par aucune comparaison d'un autre vrai, et, quelque différence qui puisse être entre deux sujets, ce qui est vrai dans l'un n'efface point ce qui est vrai dans l'autre : ils peuvent avoir plus ou moins d'étendue et être plus ou moins éclatants, mais ils sont toujours égaux par leur vérité, qui n'est pas plus vérité dans le plus grand que dans le 5 plus petit. L'art de la guerre est plus étendu, plus noble et plus brillant que celui de la poésie ; mais le poète et le conquérant sont comparables l'un à l'autre ; comme aussi, tant qu'ils sont véritablement ce qu'ils sont, le législateur, le peintre, etc., etc.

1. S'accordent, s'unissent.
2. Événements.
3. Les gens qui s'engagent dans des procès.
4. Ne montrent.

Deux sujets de même nature peuvent être différents, et même opposés, comme le sont Scipion et 10 Hannibal[1], Fabius Maximus et Marcellus[2], cependant, parce que leurs qualités sont vraies, elles subsistent en présence l'une de l'autre, et ne s'effacent point par la comparaison. Alexandre et César[3] donnent des royaumes ; la veuve donne une pite[4] : quelque diffé- 15 rents que soient ces présents, la libéralité[5] est vraie et égale en chacun d'eux, et chacun donne à proportion de ce qu'il est.

Un sujet peut avoir plusieurs vérités, et un autre sujet peut n'en avoir qu'une : le sujet qui a plusieurs 20 vérités est d'un plus grand prix, et peut briller par des endroits où l'autre ne brille pas ; mais, dans l'endroit où l'un et l'autre est vrai, ils brillent également. Épaminondas[6] était grand capitaine, bon citoyen, grand philosophe ; il était plus estimable que Virgile[7], parce 25 qu'il avait plus de vérités que lui ; mais, comme grand capitaine, Épaminondas n'était pas plus excellent que Virgile comme grand poète, parce que, par cet endroit, il n'était pas plus vrai que lui. La cruauté de cet enfant qu'un consul fit mourir pour avoir crevé les 30 yeux d'une corneille[8] était moins importante que celle de Philippe second[9], qui fit mourir son fils, et elle était peut-être mêlée avec moins d'autres vices ; mais le degré de cruauté exercée sur un simple animal ne laisse pas de tenir son rang avec la cruauté des 35 princes les plus cruels, parce que leurs différents degrés de cruauté ont une vérité égale.

Quelque disproportion qu'il y ait entre deux maisons qui ont les beautés qui leur conviennent, elles ne s'effacent point l'une par l'autre ; ce qui fait que 40 Chantilly[10] n'efface point Liancourt[11], bien qu'il ait

Giovanni Antonio Pellegrini (1675-1741), *La Clémence d'Alexandre devant la famille de Darius*, Soissons, musée des Beaux-Arts. « Alexandre et César donnent des royaumes ».

1. Le Carthaginois Hannibal (247-183 av. J.-C.) fut vaincu à Zama par le Romain Scipion l'Africain (235-183 av. J.-C.).
2. Fabius Maximus (275-203 av. J.-C.) était renommé pour sa prudence, tandis que Marcellus (268-208 av. J.-C.) était connu pour sa témérité.
3. Le Macédonien Alexandre le Grand (356-323 av. J.-C.) et le Romain Jules César (101-44 av. J.-C.) sont deux conquérants particulièrement célèbres.
4. Monnaie de cuivre de peu de valeur, seul don que peut faire une pauvre veuve.
5. La générosité.
6. Général et homme d'État de Thèbes (418-362 av. J.-C.).
7. Poète latin (70-19 av. J.-C.).
8. Cette anecdote est rapportée par l'écrivain latin Quintilien.
9. Philippe II d'Espagne (1527-1598) fit emprisonner son fils Don Carlos (1545-1568) qui mourut en captivité dans des conditions suspectes.
10. Le château de Chantilly appartenait depuis 1643 au Grand Condé, appelé aussi Monsieur le Prince (1621-1686).
11. Ce château était, depuis 1659, la propriété de la famille de La Rochefoucauld.

infiniment plus de diverses beautés, et que Liancourt n'efface pas aussi Chantilly, c'est que Chantilly a les beautés qui conviennent à la grandeur de Monsieur le Prince, et que Liancourt a les beautés qui convien-
45 nent à un particulier, et qu'ils ont chacun de vraies beautés. On voit néanmoins des femmes d'une beauté éclatante, mais irrégulière, qui en effacent souvent de plus véritablement belles ; mais, comme le goût, qui se prévient[1] aisément, est le juge de la beauté, et que
50 la beauté des plus belles personnes n'est pas toujours égale, s'il arrive que les moins belles effacent les autres, ce sera seulement durant quelques moments ; ce sera que la différence de la lumière et du jour fera plus ou moins discerner la vérité qui est dans les traits
55 ou dans les couleurs, qu'elle fera paraître ce que la moins belle aura de beau, et empêchera de paraître ce qui est de vrai et de beau dans l'autre.

Réflexions diverses, 1.

Sébastien Bourdon (1616-1671), *Les Mendiants* (détail), Paris, musée du Louvre.
« La veuve donne une pite ».

Pour préparer l'étude du texte

1. Vous ferez le plan de ce texte en montrant la rigueur de sa composition. Vous dégagerez la thèse exprimée, les différents domaines d'application de l'analyse, les illustrations apportées.
2. Vous analyserez les formulations qu'utilise La Rochefoucauld pour révéler la complémentarité de l'unicité et de la multiplicité (jeu des comparaisons, utilisation du singulier et du pluriel, alternance des oppositions et des rapprochements).
3. En quoi ce texte donne-t-il une leçon de relativité et donc de tolérance ?

1. Qui se laisse abuser par des préventions, des préjugés.

Des coquettes et des vieillards

La *Réflexion diverse* 15 contient une évocation pleine d'humour de la femme coquette : de façon apparemment paradoxale, elle est attirée par les vieillards. S'agit-il d'un comportement contre nature ? Elle y trouve en fait son intérêt. Les vieillards, de leur côté, s'en portent bien. Tout le monde est donc satisfait d'un procédé dont La Rochefoucauld, séducteur vieillissant, avait dû faire l'expérience.

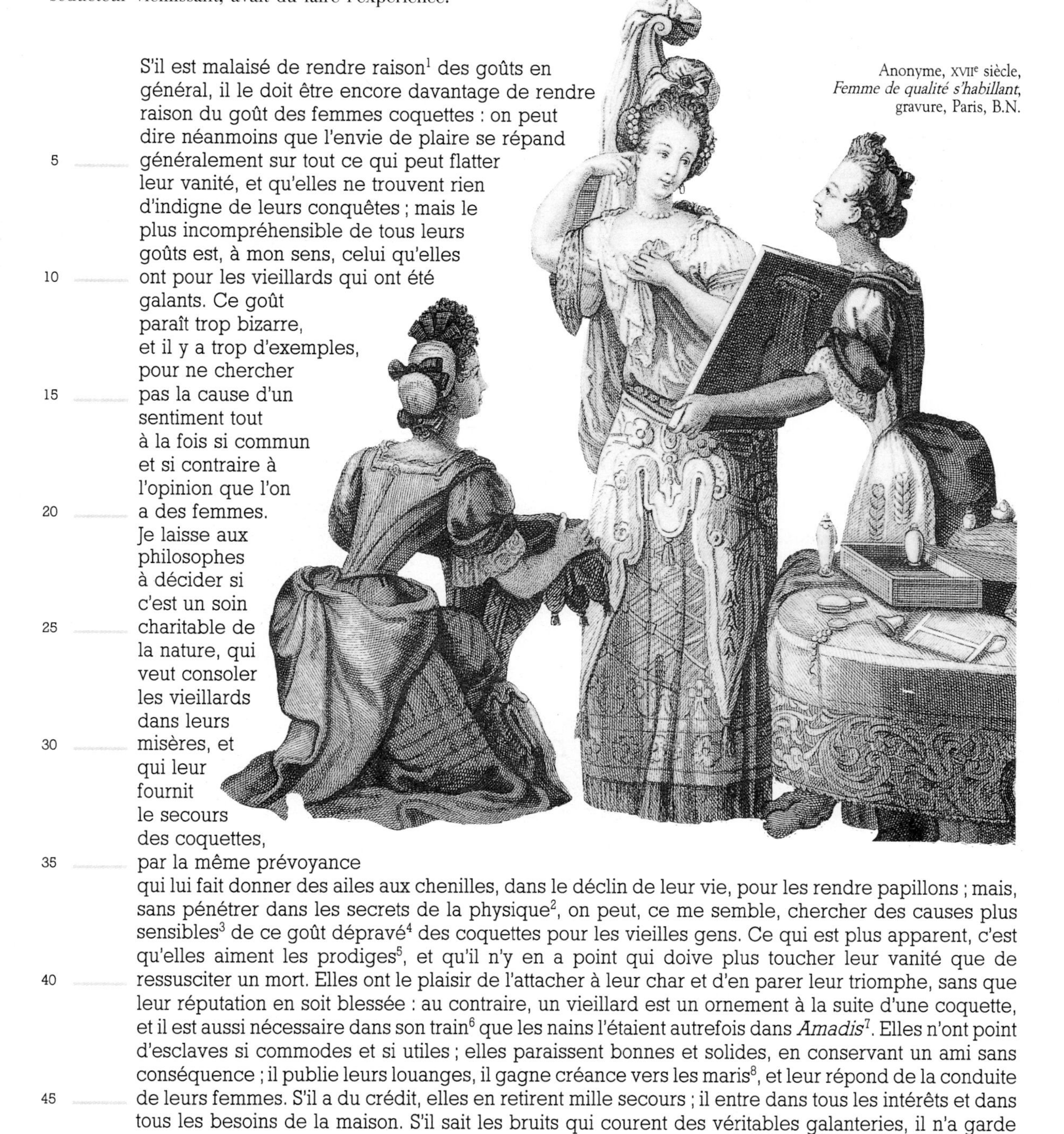

Anonyme, XVIIe siècle, *Femme de qualité s'habillant*, gravure, Paris, B.N.

S'il est malaisé de rendre raison[1] des goûts en général, il le doit être encore davantage de rendre raison du goût des femmes coquettes : on peut dire néanmoins que l'envie de plaire se répand généralement sur tout ce qui peut flatter leur vanité, et qu'elles ne trouvent rien d'indigne de leurs conquêtes ; mais le plus incompréhensible de tous leurs goûts est, à mon sens, celui qu'elles ont pour les vieillards qui ont été galants. Ce goût paraît trop bizarre, et il y a trop d'exemples, pour ne chercher pas la cause d'un sentiment tout à la fois si commun et si contraire à l'opinion que l'on a des femmes. Je laisse aux philosophes à décider si c'est un soin charitable de la nature, qui veut consoler les vieillards dans leurs misères, et qui leur fournit le secours des coquettes, par la même prévoyance qui lui fait donner des ailes aux chenilles, dans le déclin de leur vie, pour les rendre papillons ; mais, sans pénétrer dans les secrets de la physique[2], on peut, ce me semble, chercher des causes plus sensibles[3] de ce goût dépravé[4] des coquettes pour les vieilles gens. Ce qui est plus apparent, c'est qu'elles aiment les prodiges[5], et qu'il n'y en a point qui doive plus toucher leur vanité que de ressusciter un mort. Elles ont le plaisir de l'attacher à leur char et d'en parer leur triomphe, sans que leur réputation en soit blessée : au contraire, un vieillard est un ornement à la suite d'une coquette, et il est aussi nécessaire dans son train[6] que les nains l'étaient autrefois dans *Amadis*[7]. Elles n'ont point d'esclaves si commodes et si utiles ; elles paraissent bonnes et solides, en conservant un ami sans conséquence ; il publie leurs louanges, il gagne créance vers les maris[8], et leur répond de la conduite de leurs femmes. S'il a du crédit, elles en retirent mille secours ; il entre dans tous les intérêts et dans tous les besoins de la maison. S'il sait les bruits qui courent des véritables galanteries, il n'a garde de les croire ; il les étouffe, et assure que le monde est médisant ; il juge, par sa propre expérience, des difficultés qu'il y a de toucher le cœur d'une si bonne femme ; plus on lui fait acheter des grâces

1. D'expliquer.
2. Des sciences naturelles.
3. Plus évidentes.
4. Perverti, contre nature.
5. Événements hors de l'ordinaire.
6. Sa façon de vivre (voir l'expression « train de vie »).
7. Roman célèbre à l'époque.
8. Il gagne la confiance des maris.

et des faveurs, plus il est discret et fidèle ; son propre intérêt l'engage assez au silence : il craint
50 toujours d'être quitté, et il se trouve trop heureux d'être souffert[1]. Il se persuade aisément qu'il est aimé, puisqu'on le choisit contre tant d'apparence : il croit que c'est un privilège de son vieux mérite, et remercie l'amour de se souvenir de lui dans tous les temps.

Elle, de son côté, ne voudrait pas manquer à ce qu'elle lui a promis : elle lui fait remarquer qu'il a toujours touché son inclination, et qu'elle n'aurait jamais aimé si elle ne l'avait jamais connu ; elle
55 le prie surtout de n'être pas jaloux et de se fier en elle[2], elle lui avoue qu'elle aime un peu le monde et le commerce[3] des honnêtes gens, qu'elle a même intérêt d'en ménager plusieurs à la fois, pour ne laisser pas voir qu'elle le traite différemment des autres ; que, si elle fait quelques railleries de lui avec ceux dont on s'est avisé de parler, c'est seulement pour avoir le plaisir de le nommer souvent, ou pour mieux cacher ses sentiments ; qu'après tout, il est le maître de sa conduite, et que, pourvu
60 qu'il en soit content, et qu'il l'aime toujours, elle se met aisément en repos du reste. Quel vieillard ne se rassure pas par des raisons si convaincantes, qui l'ont souvent trompé quand il était jeune et aimable[4] ? Mais, pour son malheur, il oublie trop aisément qu'il n'est plus ni l'un ni l'autre, et cette faiblesse est, de toutes, la plus ordinaire aux vieilles gens qui ont été aimés. Je ne sais si cette tromperie ne leur vaut pas mieux encore que de connaître la vérité : on les souffre du moins ; on les
65 amuse ; ils sont détournés de la vue de leurs propres misères ; et le ridicule où ils tombent est souvent un moindre mal pour eux que les ennuis et l'anéantissement d'une vie pénible et languissante.

Réflexions diverses, 15.

Pour préparer le commentaire composé

1. **Un échange de services.** Vous montrerez quels avantages la femme coquette et le vieillard tirent de leurs relations. Vous dresserez, en particulier, la liste des nombreux services que le vieillard rend à la coquette et noterez comment l'illusion se révèle, pour lui, positive. En quoi l'amour-propre intervient-il alors ?
2. **Humour et paradoxe.** Vous analyserez l'expression de La Rochefoucauld, en soulignant l'importance de la place occupée par l'humour et par le paradoxe.
3. **La force de l'amour-propre et des apparences.** Vous situerez cette *Réflexion diverse* dans la pensée de La Rochefoucauld, en insistant sur les thèmes de l'amour-propre et des apparences.

La vertu de la naïveté

Dans son *Essai sur la morale de La Rochefoucauld*, Louis Hippeau trouve, dans les *Maximes*, une raison d'espérer, un certain optimisme : le respect des autres assuré par la courtoisie et la politesse et une façon volontairement naïve de regarder le monde permettraient de rendre la vie tolérable.

L'espérance

Une maxime, cachée, elle aussi, parmi tant d'autres, nous révélera le secret de La Rochefoucauld.

« L'espérance, toute trompeuse qu'elle est, sert au moins à nous mener à la fin de la vie par un chemin agréable. » (Maxime 168.)

5 *N'allons pas croire, comme bien des lecteurs, que l'amer La Rochefoucauld vient ici nous confier les déceptions de ses ambitions. Ce n'est pas de cela qu'il s'agit. Il n'est pas question des divers espoirs de brillantes situations que l'ancien frondeur, tenu à l'écart par Louis XIV, aurait vu successivement s'évanouir. Du reste, pourquoi ne pas croire La Rochefoucauld quand il nous dit, dès le Portrait de 1659, qu'il n'a pas*
10 *d'ambition. Il n'est pas plus surprenant de le voir se contenter de la vie de salon que de voir Montaigne se retirer dans la tour d'un château de province. Ils dédaignent, l'un et l'autre, les intrigues et les charges ; heureusement pour nous, ils préfèrent écrire les* Essais *et les* Maximes.

1. D'être supporté.
2. D'avoir confiance en elle.
3. La fréquentation.
4. Susceptible d'être aimé.

Mais, si La Rochefoucauld n'a pas d'ambition, qu'est-ce pour lui que l'espérance ?
15 *La maxime le dit assez clairement si nous savons la lire : l'espérance qui nous mène jusqu'à la fin de la vie par un chemin agréable ne peut être que l'espérance fondamentale et instinctive qui nous alimente jusqu'à notre dernier jour en raisons de vivre, peut-être même en espoir de survivre.*

Cette espérance qui est à la fois trompeuse et utile n'est-elle pas alors une fausseté
20 *déguisée à laquelle il est bon de se laisser prendre ? Le dernier mot de la sagesse serait donc cette naïveté voulue dont nous avons déjà parlé et le thème des faussetés déguisées dominerait toute la philosophie des* Maximes.

L'optimisme de La Rochefoucauld

Il faudrait en conclure que sous le pessimisme de La Rochefoucauld se cache un optimisme foncier, car il y a chez lui un parti pris invincible de tirer le bien du mal, la
25 *vertu du vice et la consolation de l'illusoire espérance.*

Sur le monde mauvais, il nous conseille de plaquer un monde faux mais plus beau et de vivre d'autant plus heureux que nous nous efforcerons davantage de croire à ce trompe-l'œil.

La morale de La Rochefoucauld serait donc une généralisation de cette politesse
30 *que les mondains comme lui font régner dans les salons. La politesse transfigure la société parce qu'elle impose une amabilité qui donne belle apparence aux rapports des hommes entre eux. Cette courtoisie est peut-être trompeuse mais elle embellit la vie et il faudrait être un rustre ou un sot pour douter tout haut de sa sincérité.*

Louis Hippeau, Essai sur la morale de La Rochefoucauld, *Paris, Nizet, 1978.*

Synthèse

Puissance de l'amour-propre

« Au début, était l'amour-propre », ainsi pourrait commencer le grand roman de l'humanité selon La Rochefoucauld. Cette force toute-puissante que l'auteur des *Maximes* place au centre même de son système de pensée, qui explique tous les comportements, toute la conduite de l'homme, ce n'est pas seulement l'amour de soi-même, la vanité, l'orgueil, la suffisance. C'est, en fait, quelque chose de plus profond, de plus élémentaire. L'homme est un être de chair. Il doit s'adapter à son environnement, il doit se tailler une place dans la nature et, pour cela, lutter contre elle, au besoin ruser, se la concilier ou l'amener, par la force, à le servir. Vivre, c'est ne jamais cesser de combattre tout ce qui est un danger, un obstacle à la vie.

A l'origine, l'homme, plongé dans un univers hostile, devait tendre tous ses efforts pour assurer cette survie, se défendre contre les agressions du climat et des bêtes fauves, conquérir sa nourriture. Mais, avec la civilisation, les besoins de l'être humain se sont transformés. L'homme est aussi un être moral, un être social qui vit avec les autres. Cet aspect devient essentiel, lorsque, comme c'est le cas pour le courtisan du XVIIe siècle, s'estompent les problèmes matériels.

Dans ce contexte, le comportement humain, même si ses manifestations apparaissent profondément différentes, conserve sa signification antérieure. Pour La Rochefoucauld, l'amour-propre est le terme qui rend compte de la nécessité de cette lutte continuelle. L'amour-propre est une sorte de réflexe, d'instinct vital qui pousse l'homme social à se défendre contre les autres, à tout ramener à lui, à faire triompher, en toutes occasions, son intérêt, à assurer sa survie, son identité, son intégrité, à marquer sa supériorité par la force ou par la ruse (voir *Maxime* 563, p. 254).

La société de cour du XVIIe siècle est d'une grande complexité. Elle exige que, dans toute action, l'on mette les formes, elle réclame qu'en apparence les autres soient respectés. C'est ce qui explique les mille détours utilisés par l'amour-propre (voir *Réflexion diverse* 15, p. 261), ses mille aspects que La Rochefoucauld signale dans la *Maxime* 3 :

« Quelque découverte que l'on ait faite dans le pays de l'amour-propre, il y reste encore bien des terres inconnues. »

D'après Henri Gissey (1621-1673), *Carrousel donné le 5 juin 1662 devant les Tuileries à Paris*, Versailles, musée national du Château. Un monde du paraître.

Relativité des qualités et des vices

A partir du moment où le but de l'homme reste invariablement le même, où il ne pense qu'à satisfaire son amour-propre, à contenter les passions qui le dominent, il est bien difficile de porter un jugement sur son comportement. Les moyens qu'il utilise pour parvenir à ses fins, on pourra les appeler qualités ou défauts. Ce ne seront que des appellations conventionnelles, superficielles, qui dépendront de la plus ou moins grande habileté mise en œuvre (voir *Maximes* 175 à 192, p. 255 et *Maximes* 213 à 222, p. 257) : les plus habiles paraîtront pratiquer la vertu, les plus maladroits sembleront tomber dans le vice. Innombrables sont les maximes qui soulignent cette sorte de balancement continuel entre vices et vertus :

« La reconnaissance de la plupart des hommes n'est qu'une secrète envie de recevoir de plus grands bienfaits. » (*Maxime* 298). Remercier un bienfaiteur est louable, le but inavoué qui est de recevoir d'autres bienfaits l'est moins !

« Nous n'avouons de petits défauts que pour persuader que nous n'en avons pas de grands. » (*Maxime* 327). Avouer ses défauts, voilà qui est parfait, mais si c'est pour en cacher de plus grands...

« La plupart des femmes ne pleurent pas tant la mort de leurs amants pour les avoir aimés que pour paraître plus dignes d'être aimées. » (*Maxime* 362). Quel spectacle édifiant que celui de ces femmes qui pleurent leurs amants ! La belle affaire, elles agissent ainsi pour embellir leur image de femme aimée !

Lucidité et pessimisme

Quel mode de vie propose alors La Rochefoucauld, quel type de comportement conseille-t-il à l'homme idéal, à l'« honnête homme » (voir p. 269) ? Il préconise une attitude faite de lucidité et de pessimisme. Lucidité, parce qu'il convient de regarder la vie et ses réalités en face, d'accepter avec tolérance l'existence de vérités multiples (voir *Réflexion diverse* 1,

p. 258). Pessimisme, parce qu'il faut bien constater les insuffisances, les faiblesses et l'égoïsme de l'homme.

Comment se comporter en société ? Il n'est pas possible d'éviter le compromis, voire les compromissions, d'échapper à la domination de l'amour-propre. Mais, au moins, convient-il d'essayer de démêler le mérite vrai des valeurs d'apparence. La Rochefoucauld affirme cette exigence dans ces deux définitions de l'« honnête homme » :

« Le vrai honnête homme est celui qui ne se pique de rien[1] » (*Maxime* 203) ;

« C'est être véritablement honnête homme que de vouloir être toujours exposé à la vue des honnêtes gens[2] » (*Maxime* 206).

Le royaume du paradoxe

Volontairement, La Rochefoucauld n'a pas construit ses *Maximes* selon une composition rigoureuse. Elles semblent écrites au fil de la plume, au gré de l'inspiration. Elles peuvent ainsi être lues de façon discontinue, cueillies, çà et là, au hasard, par des lecteurs mondains à la recherche de la facilité, que rebute une lecture suivie. La forme alerte, brillante, concise a pour but de rendre agréables des remarques morales et philosophiques en elles-mêmes austères.

La Rochefoucauld, incontestablement, possède le don du vulgarisateur. Il sait charmer, intriguer, provoquer, en donnant à sa pensée un tour inattendu, paradoxal. Il développe des idées contraires à l'opinion commune pour surprendre, mais également pour convaincre. Il utilise le paradoxe pour briller, mais aussi pour montrer les contradictions qui divisent l'homme. Sa morale et son écriture sont paradoxales, parce que l'être humain est paradoxal. La Rochefoucauld offre ainsi un exemple particulièrement parlant de la nécessaire adaptation du style au sujet abordé.

1. Qui ne se vante de rien.
2. L'honnête homme souhaite voir ses actions jugées par les honnêtes gens, parce qu'il n'en a pas honte.

Grandeur et décadence de la noblesse

Au XVIIe siècle, les écrivains issus de la noblesse sont en grand nombre ; les nobles jouent un rôle important dans l'évolution des goûts et des sensibilités, ils fournissent de nombreux personnages aux œuvres littéraires. Ils occupent donc une place essentielle dans la littérature qui porte témoignage de cette alliance de la grandeur et de la décadence qui les caractérise alors.

Une perte progressive de pouvoir

Au Moyen Age, la noblesse a sa raison d'être et ses mérites. C'est grâce à leur courage guerrier que les nobles conquièrent ou reçoivent du roi des territoires sur lesquels ils exercent leur pouvoir, dont ils tirent leur titre de duc, de comte ou de marquis. Ils peuvent lever des impôts sur les populations, mais en échange de ces droits, ils ont des devoirs, en particulier celui de protéger leurs sujets ou de rendre la justice. A grand renfort de nouvelles conquêtes et de mariages, ils peuvent agrandir leurs possessions, devenir de puissants seigneurs.

La transmission de ces titres et de ces biens par l'héritage constitue un premier risque de décadence : ce que le père a acquis par son mérite, un fils incapable peut rapidement le ruiner. Mais c'est surtout l'évolution politique qui représente un grave danger pour la noblesse. Le roi de France, qui d'abord n'est qu'un noble un peu plus puissant, gagne de plus en plus d'autorité, réalise progressivement l'unité du pays autour de sa personne, prend en charge les devoirs des autres nobles qui, en retour, voient leurs droits se réduire. Ils peuvent se mettre au service du pouvoir central, mais c'est au prix d'une perte de leur indépendance. Par ailleurs, si le roi leur confie volontiers des responsabilités militaires et diplomatiques, il cherche à les écarter du gouvernement où il appelle des bourgeois. La politique de renforcement du pouvoir royal a sa logique : elle ne peut se faire qu'au détriment du pouvoir de la noblesse.

Affaiblis politiquement, les nobles le sont aussi économiquement. Leurs terres leur rapportent de moins en moins, ils ne peuvent pas exercer un travail lucratif, sous peine de déroger, de perdre leur dignité. Ils se coupent donc des réalités économiques prises en main par la bourgeoisie. Les nobles se rendent compte de la détérioration de leur position. Ils essaieront, durant la première partie du XVIIe siècle, de la rétablir en multipliant les complots (voir pp. 13 et 54). La Fronde sera leur ultime sursaut (voir p. 55). Et la destruction progressive de leurs châteaux forts sur l'ordre du pouvoir central, tandis que Vauban est chargé de fortifier les frontières pour le compte du roi, symbolise leur échec définitif.

Des situations variées

Sous ce tableau d'ensemble, se cache une grande diversité de situations. Quelques familles nobles, proches du roi, disposent encore d'un pouvoir politique considérable qu'elles n'hésitent pas à mettre en œuvre dans des rébellions ou des complots : Gaston d'Orléans, frère de Louis XIII, s'opposera vigoureusement aux ministres Richelieu et Mazarin ; Condé, descendant d'un oncle d'Henri IV, participera activement à la Fronde. D'autres nobles ont des responsabilités militaires ou diplomatiques importantes : le comte de Montesquiou est maréchal de France, le marquis de Lionne, avant de devenir ministre, est un diplomate de talent. D'autres enfin doivent se contenter de charges honorifiques plus ou moins lucratives.

La même diversité se retrouve dans leur situation matérielle. A côté de nobles désargentés — Dom Juan de Molière en fournit un exemple caractéristique (voir p. 200) —, beaucoup de grands seigneurs savent gérer leurs biens et mènent grand train.

Prestiges et misères de la vie de cour

L'essentiel pour un noble est de faire bonne figure, de tenir son rang. Il est indispensable pour lui de paraître à la cour. C'est là que se distribuent les faveurs, c'est là que se nouent les intrigues, c'est là que s'établissent les réputations.

Cette vie de cour a ses prestiges. Elle est somptueuse, élégante, parcourue de fêtes. A Paris, puis à Versailles où Louis XIV s'installe définitivement en 1682, se constitue une société fermée à laquelle aspirent les bourgeois : ils essaient, comme Monsieur Jourdain, d'y accéder par le mariage, en choisissant un gendre pauvre, mais noble (voir p. 184). Une autre possibilité s'offre à eux : être anoblis par le roi, en récompense de leurs services. Enfin, à certaines fonctions judiciaires et administratives que les bourgeois peuvent acheter, sont attachés des titres de noblesse, dont les titulaires constituent ce qu'on appelle la noblesse de robe (voir p. 316).

Cette existence séduisante de la cour a aussi ses revers. Monde des apparences, c'est aussi le monde des compromissions et des soumissions, le monde où s'imposent des règles rigides, une étiquette tatillonne à laquelle il faut se soumettre (voir Saint-Simon, texte p. 398). Quelle compensation les nobles ainsi privés de leur pouvoir, réduits à une oisiveté dorée, ont-ils à leur disposition ? C'est souvent l'amour, c'est parfois la littérature : ce parfait courtisan qu'était La Rochefoucauld s'essaya, avec succès, à ces deux activités de compensation (voir p. 251).

D'après Charles Le Brun (1619-1690), *Entrevue de Louis XIV et de Philippe IV dans l'île des faisans en 1659*, tapisserie, Paris, Mobilier National.
Deux « styles » de noblesse mis en présence lors des fêtes du mariage de Louis XIV et de Marie-Thérèse d'Autriche : rigueur espagnole et exubérance française.

Le chevalier de Méré
1607-1684

Profession : homme du monde

Par son comportement et par ses écrits, Antoine Gombaud, chevalier de Méré, devient peu à peu le guide et le théoricien des gens du monde. Il fait de cette activité, en quelque sorte, sa profession. Le but de sa vie est d'élargir sans cesse le cercle de ses relations : il fut l'ami de Pascal qui le prit, sans doute, comme référence, lorsqu'il tenta, dans ses *Pensées*, de trouver des arguments susceptibles d'amener les mondains à se soucier davantage de leur salut. Il connut La Rochefoucauld et rapporte, dans une de ses *Lettres*, une conversation qu'il eut avec lui. Le champ de ses relations s'agrandit, lorsqu'en 1644 il entre au service de la duchesse de Lesdiguières. Auprès de cette dame issue de la haute noblesse, il remplit une sorte d'office d'homme de compagnie et a ainsi accès aux milieux qui l'intéressent. Il peut observer à sa guise les comportements, participer aux conversations et dégager les règles que doit respecter l'homme du monde digne de ce nom.

Jérôme Janssens (1624-1693), *Bal sur la terrasse d'un palais* (détail), Lille, musée des Beaux-Arts.
Le chevalier de Méré a poussé jusqu'à la perfection l'art de vivre en société.

La pratique de l'« honnête homme »

Méré évite de tomber dans la théorie. Dans son œuvre, il essaie d'exposer une pratique. Certes, il s'inspire de *L'Honnête Homme* de Nicolas Faret (voir p. 82) et du *Courtisan* de l'Italien Castiglione. Mais il fait surtout part de ses expériences personnelles. C'est un portrait précis de l'« honnête homme » de son époque (voir p. 269) qu'il peint. Que ce soit dans les *Conversations* (1668), les *Discours* (1671-1677) ou les *Lettres* (1682), il évite soigneusement le didactisme et utilise une prose équilibrée, ennemie de l'exagération et de l'emphase.

Conversations (1668).
Discours (1671-1677). → p. 268.
Lettres (1682).

Discours

1671-1677

Discours : le titre donné par Méré à son ouvrage semble bien rébarbatif. Succomberait-il à la pesanteur du didactisme, à la lourdeur du pédantisme ? En fait, il n'en est rien, l'appellation est trompeuse. Méré adopte le ton de la conversation familière pour faire part de ses réflexions sur le comportement de l'homme ou de la femme du monde.

« Ce qui fait le plus souvent qu'on déplaît, c'est qu'on cherche à plaire »

Dans le discours intitulé *Des agréments* (1676), Méré montre que le meilleur moyen de plaire est de rester soi-même.

Ce qui fait le plus souvent qu'on déplaît, c'est qu'on cherche à plaire et qu'on en prend le contre-pied. Cette remarque est vraie en toutes les choses du monde ; car ce dessein de plaire et je ne sais quelle curiosité qui tend à cela, mais qui n'en connaît pas les moyens, est pour l'ordinaire ce qui choque le plus. Dire de bons mots qui ne sont pas bons, user de belles façons de parler qui ne sont pas belles, 5 faire de mauvaises railleries, se parer de faux ornements et s'ajuster de mauvaise grâce, on voit bien que cela ne tend qu'à divertir ou qu'à se rendre agréable : et c'est la plus sûre voie pour se faire moquer de soi. Le meilleur avis qu'on puisse prendre, c'est de ne rechercher que ce qu'on est assuré qui sied bien[1]. Encore ne faut-il pas qu'il y paraisse d'affectation[2]. Il y a peu de femmes qui s'y connaissent. Celle-ci veut être plus blanche que la parfaite beauté ne le souffre, et si elle était un peu 10 rembrunie, on l'en trouverait plus aimable. Cette autre ne saurait paraître assez blonde et peut-être que les cheveux noirs lui viendraient mieux[3]. Cette autre croirait charmer le monde si elle pouvait devenir plus douce, plus retenue et plus enfant qu'une poupée ; et la plupart, pour être de bonne compagnie, ne cherchent que les manières de la cour. Mais ces manières, quand elles sont sans esprit, sont plus lassantes que celles 15 de la campagne.

J'en connais aussi qui veulent trop de parure et qui sont plus aise[4] d'être riches que belles. Les grands ornements nuisent quelquefois à la beauté. Quand une belle femme est si parée, on n'en connaît bien que les habits et les pierreries, du moins c'est ce qu'on a le plus regardé. 20 Ce n'est pas juger de ce qui serait le plus avantageux, et je suis assuré qu'un excellent peintre qui saurait le plus fin du métier n'en userait pas de la sorte s'il voulait faire aimer la beauté d'une femme ou d'une déesse, et qu'il se garderait bien de mettre sur sa personne ni même dans le tableau rien de trop éclatant qui pût attacher la vue 25 ou la pensée.

Discours, « Des agréments ».

Anonyme, XVIIe siècle, *La marquise de Montespan*, Versailles, musée national du Château. Le charme de la simplicité et du naturel.

Pour préparer l'étude du texte

1. Méré oppose, dans ce texte, l'artificiel et le naturel. Vous relèverez et analyserez les passages où apparaît cette opposition. Quel est, d'après Méré, l'idéal de la beauté féminine ?
2. Vous préciserez quel doit être, d'après l'auteur, le comportement de la femme du monde.
3. Méré évite les développements théoriques. Il reste toujours concret : il utilise des exemples, il a recours à des images. Vous en dresserez la liste et les étudierez.

Pour un groupement de textes

L'« honnête homme » dans :
L'Honnête Homme (voir p. 82) de Nicolas Faret,
Le Misanthrope (acte I, scène 2) (voir p. 206) de Molière,
L'Homme de cour (voir p. 256) de Baltasar Gracián,
Les Maximes (Réflexions diverses, 1) (voir p. 258) de François de La Rochefoucauld,
Discours (voir p. 268) du chevalier de Méré,
Le Songe d'un habitant du Mogol (voir p. 344) de Jean de La Fontaine,
Les Caractères (« Du mérite personnel », 11) (voir p. 388) de Jean de La Bruyère.

1. Qui va bien.
2. Manque de naturel.
3. Lui conviendraient mieux.
4. Qui sont plus satisfaites.

Être « honnête homme » au XVIIe siècle

Un homme agréable et ouvert

« L'honnête homme » : combien de fois trouve-t-on cette expression sous la plume des écrivains du XVIIe siècle, en particulier dans les ouvrages de Nicolas Faret (voir p. 82) et du chevalier de Méré (voir p. 267) qui y consacrent l'essentiel de leurs analyses ! Il ne faut pas s'y tromper. Sa signification est bien éloignée de celle qu'on lui donne couramment de nos jours. Cette formule sert alors à désigner un idéal, celui de l'homme du monde, de l'homme de cour. Elle renvoie à un comportement social.

L'« honnête homme », c'est d'abord celui qui sait briller en société. Il veut plaire, séduire. Il est passé maître dans l'art d'être agréable. Ses manières sont raffinées, ses vêtements élégants, mais d'une élégance qui évite de tomber dans l'excès. Il possède le talent de la conversation : il ne se met jamais en avant, mais, au contraire, permet aux autres de s'exprimer, souligne, au passage, la justesse d'une idée, le bonheur d'une expression. Il montre ainsi son ouverture d'esprit, sa capacité à s'effacer, à dominer son amour-propre, son égoïsme. Il lui faut, en toutes occasions, offrir un visage détendu, souriant, ne pas infliger le spectacle de sa mauvaise humeur ou de son irritation. Il a le sens de l'humour, de la plaisanterie, mais d'une plaisanterie fine qui fait sourire plutôt que rire.

Une grande capacité d'adaptation

Cette manière de se comporter en société ne s'improvise pas : elle suppose à la fois un sens aigu de l'observation et une grande capacité d'adaptation. L'« honnête homme » excelle à juger une assemblée, à apprécier avec exactitude sa composition et ses dispositions. C'est là une condition indispensable pour pouvoir faire bonne figure dans tous les milieux et en toutes circonstances.

L'« honnête homme » connaît à merveille son monde et sait adapter son comportement à la personnalité de celui à qui il s'adresse. Il n'aura pas la même attitude avec un cardinal, un maréchal ou une jeune coquette. Il n'abordera pas non plus les mêmes sujets de conversation, mais cherchera ce qui peut intéresser son interlocuteur : au cardinal, il parlera théologie, il questionnera le maréchal sur sa dernière campagne, il tiendra à la jeune coquette des propos galants. Cette souplesse d'esprit est la marque de deux qualités essentielles : le respect des autres et la tolérance.

Naturel et simplicité

L'« honnête homme », dans cette adaptation continuelle, doit avoir la nature pour guide : c'est en en tenant sans cesse compte qu'il pourra s'adapter aux autres, qu'il adoptera le comportement adéquat. Mais il lui faut éviter que cette indispensable adaptation ne détruise sa propre nature. Il doit, à tout prix, rester naturel, empêcher que sa personnalité ne soit pervertie par des artifices : être agréable, naturellement, sans chercher à l'être, telle est sa règle de conduite (voir Méré, texte, p. 268).

Tout son comportement répond à cet impératif fondamental. Il proscrit l'affectation, ne cherche pas à paraître ce qu'il n'est pas, s'efforce d'être simple, refuse l'exagération, défend les positions du juste milieu : dans le théâtre de Molière, les personnages excessifs prêtent à rire et connaissent l'échec, tandis que les partisans de la mesure suscitent la sympathie et réussissent dans leurs projets (voir p. 211).

Repas de gens de qualité, gravure, XVIIe siècle, Paris, B.N.
Un idéal de distinction et de politesse.

Le rejet du pédantisme

La conception que l'« honnête homme » a du savoir est directement la conséquence du rôle qui est le sien. La diversité des milieux qu'il fréquente l'oblige à dominer un vaste champ de connaissances. Il possède des lumières sur tous les sujets. Mais il ne doit surtout pas ennuyer. Il sait qu'au cours d'une conversation il a affaire à des personnes inégalement averties des domaines abordés. Il lui faut donc éviter une spécialisation excessive, une technicité trop grande, fuir le didactisme et le pédantisme. Là encore, il doit s'adapter à son auditoire.

Les écrivains qui s'adressent au public des salons sont bien conscients de cet impératif. En adoptant des formes plaisantes pour exposer leur pensée, La Rochefoucauld, avec la maxime, le chevalier de Méré, avec la présentation détendue et familière des idées, ou Madame de Sévigné, avec la lettre, font partie de la grande famille des « honnêtes gens ».

Le cardinal de Retz
1613-1679

Robert Nanteuil (1623-1678), *Portrait de Retz,* Versailles, musée national du Château.

Un comploteur né

Né en France, à Montmirail, Paul de Gondi, le futur cardinal de Retz, descend d'une famille florentine. Est-ce son origine qui lui a donné ce goût du complot dont Florence s'était fait une spécialité ? Toujours est-il que son attirance pour les intrigues est précoce. Dès sa jeunesse agitée et galante, il complote contre Richelieu. Il se destine bientôt à une carrière ecclésiastique non par vocation, mais par ambition. Son ascension est rapide. A trente ans, il est coadjuteur, c'est-à-dire adjoint de l'archevêque de Paris. A trente-neuf ans, le voici cardinal.

De 1648 à 1652, les événements de la Fronde (voir p. 55) vont lui fournir l'occasion d'exercer un rôle politique important, de mettre en œuvre toute sa subtilité. Mais il se montre peut-être trop habile. Adversaire résolu de Mazarin, il adopte un comportement ondoyant, essaie de jouer les conciliateurs entre le pouvoir royal et les frondeurs. Mazarin triomphant le fait arrêter et emprisonner à Vincennes, puis à Nantes. Il parvient à s'évader de manière rocambolesque en 1654, parcourt l'Europe, se réconcilie avec le pouvoir et remplit, jusqu'en 1676, différentes missions diplomatiques : le temps des complots est terminé pour lui.

Un art de l'analyse et du récit

Le cardinal de Retz est doué pour l'action. Il sait également observer et analyser. Outre une abondante correspondance, il a laissé deux ouvrages : dans la *Conjuration du comte Jean-Louis de Fiesque* parue en 1665, il exalte l'action du conjuré luttant contre le pouvoir tyrannique des Doria à Gênes. Mais ce sont surtout ses *Mémoires* qui comptent : il y retrace, avec beaucoup de vie et d'humour, cette existence romanesque qui fut la sienne.

Conjuration du comte Jean-Louis de Fiesque (1665).
Mémoires (1717), commencés vers 1675. → pp. 271 à 273.

Mémoires

1675-1679

Le cardinal de Retz commence la rédaction de ses *Mémoires* vers 1675. Il a alors plus de soixante ans et peut regarder avec un certain détachement les faits qu'il relate. Comme La Rochefoucauld, il fait partie de ces nobles qui, déçus par l'action, se réfugient dans la littérature. Ses *Mémoires* se lisent comme un roman : dans la première partie, il retrace sa jeunesse agitée. Il consacre la seconde partie à son activité politique et religieuse durant les années 1643-1654 et aborde notamment les événements de la Fronde. Dans la troisième partie, il se penche sur l'action diplomatique qu'il conduisit à Rome. C'est une œuvre inachevée qu'il laisse à sa mort : elle ne paraîtra qu'en 1717.

Les *Mémoires* du cardinal de Retz se distinguent par la spontanéité de l'expression et par la subtilité du style. Il excelle dans le récit des événements historiques dont il a été, à la fois, le témoin et l'un des acteurs. Il pratique avec bonheur, en observateur de la société, cet art du portrait si prisé des salons. Il sait à merveille manier l'ironie, dégager les contradictions qui divisent l'être humain et se montre alors un moraliste lucide et amusé.

« L'on courut de tous côtés aux armes »

Le 27 août 1648, c'est le début des événements de la Fronde : Broussel, membre très populaire du parlement de Paris, vient d'être arrêté sur l'ordre de Mazarin. Le peuple s'agite. L'émeute menace. Retz tente d'apaiser la révolte, de jouer au conciliateur entre les protestataires et le pouvoir.

L'impétuosité du maréchal de la Meilleraie[1] ne me laissa pas lieu de mesurer mes expressions ; car au lieu de venir avec moi comme il m'avait dit, il se mit à la tête des chevau-légers[2] de la garde, et il s'avança, l'épée à la main, en criant de toute sa force : « Vive le Roi ! Liberté à Broussel ! » Comme il était vu de beaucoup plus de gens qu'il n'y en avait qui l'entendissent, il échauffa beaucoup plus
5 de monde par son épée qu'il n'en apaisa par sa voix. L'on cria aux armes. Un crocheteur[3] mit un sabre à la main vis-à-vis des Quinze-Vingts[4] : le maréchal le tua d'un coup de pistolet. Les cris redoublèrent ; l'on courut de tous côtés aux armes ; une foule de peuple, qui m'avait suivi depuis le Palais-Royal[5], me porta plutôt qu'elle ne me poussa jusques à la Croix-du-Tiroir[6], et j'y trouvai le maréchal de la Meilleraie aux mains avec une grosse troupe de bourgeois, qui avaient pris les armes dans la rue de
10 l'Arbre-Sec[7]. Je me jetai dans la foule pour essayer de les séparer, et je crus que les uns et les autres porteraient au moins quelque respect à mon habit et à ma dignité. Je ne me trompai pas absolument ; car le maréchal, qui était fort embarrassé, prit avec joie ce prétexte pour commander aux chevau-légers de ne plus tirer ; et les bourgeois s'arrêtèrent, et se contentèrent de faire ferme dans le carrefour[8], mais il y en eut vingt ou trente qui sortirent avec des hallebardes[9] et des mousquetons[10]
15 de la rue des Prouvelles[11], qui ne furent pas si modérés, et qui ne me voyant pas ou ne me voulant pas voir, firent une charge fort brusque aux chevau-légers, cassèrent d'un coup de pistolet le bras à Fontrailles[12], qui était auprès du maréchal l'épée à la main, blessèrent un de mes pages, qui portait le derrière de ma soutane, et me donnèrent à moi-même un coup de pierre au-dessous de l'oreille, qui me porta par terre. Je ne fus pas plus tôt relevé, qu'un garçon d'apothicaire m'appuya le
20 mousqueton dans la tête. Quoique je ne le connusse point du tout, je crus qu'il était bon de ne le lui pas témoigner dans ce moment, et je lui dis au contraire : « Ah ! malheureux ! si ton père te voyait... » Il s'imagina que j'étais le meilleur ami de son père, que je n'avais pourtant jamais vu. Je crois que cette pensée lui donna celle de me regarder plus attentivement. Mon habit lui frappa les yeux : il me demanda si j'étais Monsieur le Coadjuteur ; et aussitôt que je lui eus dit, il cria : « Vive le Coadjuteur ! »
25 Tout le monde fit le même cri ; l'on courut à moi ; et le maréchal de la Meilleraie se retira avec plus de liberté au Palais-Royal, parce que j'affectai, pour lui en donner le temps, de marcher[13] du côté des halles.

Tout le monde me suivit, et j'en eus besoin, car je trouvai cette fourmilière de fripiers toute en armes. Je les flattai, je les caressai, je les injuriai, je les menaçai : enfin je les persuadai. Ils quittèrent
30 les armes, ce qui fut le salut de Paris, parce que, si ils les eussent eues encore à la main à l'entrée de la nuit, qui s'approchait, la ville eût été infailliblement pillée.

[...]

---

1. Maréchal de France, chef de l'artillerie.
2. Soldats faisant partie de la cavalerie légère.
3. Un portefaix.
4. Hôpital réservé aux aveugles : il était alors situé dans le quartier du Palais-Royal.
5. La famille royale y résidait alors.
6. Carrefour situé à la jonction des rues Saint-Honoré et de l'Arbre-Sec.
7. Petite rue du quartier des Halles.
8. De tenir fermement le carrefour.
9. Sortes de lances.
10. Armes à feu comparables aux fusils.
11. Rue qui joint les Halles et la rue Saint-Honoré.
12. Un des officiers.
13. Je marchai avec ostentation, en prenant soin de bien le montrer.

Je sortis ainsi du Palais-Royal[1] ; et quoique je fusse ce que l'on appelle enragé, je ne dis pas un mot, de là jusques à mon logis, qui pût aigrir le peuple. J'en trouvai une foule innombrable qui m'attendait, et qui me força de monter sur l'impériale de mon carrosse, pour lui rendre compte de
35 ce que j'avais fait au Palais-Royal. Je lui dis que j'avais témoigné à la Reine l'obéissance que l'on avait rendue à sa volonté, en posant les armes dans les lieux où l'on les avait prises et en ne les prenant pas dans ceux où l'on était sur le point de les prendre ; que la Reine m'avait fait paraître de la satisfaction de cette soumission, et qu'elle m'avait dit que c'était l'unique voie par laquelle l'on pouvait obtenir d'elle la liberté des prisonniers. J'ajoutai tout ce que je crus pouvoir adoucir cette commune[2],
40 et je n'y eus pas beaucoup de peine, parce que l'heure du souper approchait. Cette circonstance vous paraîtra ridicule, mais elle est fondée ; et j'ai observé qu'à Paris, dans les émotions populaires, les plus échauffés ne veulent pas ce qu'il appellent se désheurer[3].

Mémoires, Partie II.

Pour préparer l'étude du texte

1. Vous ferez le plan de ce texte en précisant les différentes étapes du récit.
2. Vous distinguerez, dans cet extrait, les éléments du récit, les observations, les réflexions. Vous relèverez et analyserez les passages où le cardinal de Retz montre son sens de l'humour.
3. Quelles informations historiques ce texte apporte-t-il ?

Daniel Dumoustier (1574-1646), *Portrait de Madame de Longueville*, Paris, musée du Louvre, cabinet des dessins. Madame de Longueville (1619-1679) fut, toute sa vie, une comploteuse impénitente.

1. Le cardinal de Retz est allé négocier avec la reine Anne d'Autriche et Mazarin pour trouver une solution de compromis.
2. Cette populace.
3. Ne pas respecter l'horaire habituel.

« Le courtisan le plus poli qui eût paru dans son siècle »

Le cardinal de Retz propose à ses lecteurs de nombreux portraits de ceux qui participèrent aux événements de la Fronde. Voici celui de La Rochefoucauld, homme politique peu doué (voir p. 251) et celui de Madame de Longueville, comploteuse et séductrice incorrigible : deux portraits d'une belle férocité !

Il y a toujours eu du je ne sais quoi[1] en tout M. de la Rochefoucauld. Il a voulu se mêler d'intrigue, dès son enfance, et dans un temps où il ne sentait pas les petits intérêts[2], qui n'ont jamais été son faible ; et où il ne connaissait pas les grands, qui, d'un autre sens, n'ont pas été son fort. Il n'a jamais été capable d'aucune affaire, et je ne sais pourquoi ; car il avait des qualités qui eussent suppléé, en
5 tout autre, celles qu'il n'avait pas. Sa vue n'était pas assez étendue, et il ne voyait pas même tout ensemble ce qui était à sa portée ; mais son bon sens, et très bon dans la spéculation[3], joint à sa douceur, à son insinuation et à sa facilité de mœurs, qui est admirable, devait récompenser plus qu'il n'a fait le défaut de sa pénétration[4]. Il a toujours eu une irrésolution habituelle ; mais je ne sais même à quoi attribuer cette irrésolution. Elle n'a pu venir en lui de la fécondité de son imagination, qui n'est
10 rien moins que vive. Je ne la puis donner[5] à la stérilité de son jugement ; car, quoiqu'il ne l'ait pas exquis dans l'action, il a un bon fonds de raison. Nous voyons les effets de cette irrésolution, quoique nous n'en connaissions pas la cause. Il n'a jamais été guerrier, quoiqu'il fût très soldat. Il n'a jamais été, par lui-même, bon courtisan, quoiqu'il ait eu toujours bonne intention de l'être. Il n'a jamais été bon homme de parti, quoique toute sa vie il y ait été engagé. Cet air de honte et de timidité que vous
15 lui voyez dans la vie civile s'était tourné, dans les affaires, en air d'apologie[6]. Il croyait toujours en avoir besoin, ce qui, joint à ses *Maximes*, qui ne marquent pas assez de foi en la vertu, et à sa pratique, qui a toujours été de chercher à sortir des affaires avec autant d'impatience qu'il y était entré, me fait conclure qu'il eût beaucoup mieux fait de se connaître et de se réduire à passer, comme il l'eût pu, pour le courtisan le plus poli qui eût paru dans son siècle.

20 Mme de Longueville a naturellement bien du fonds d'esprit, mais elle en a encore plus le fin et le tour[7]. Sa capacité, qui n'a pas été aidée par sa paresse, n'est pas allée jusques aux affaires, dans lesquelles la haine contre Monsieur le Prince[8] l'a portée, et dans lesquelles la galanterie l'a maintenue. Elle avait une langueur dans les manières, qui touchait plus que le brillant de celles mêmes qui étaient plus belles. Elle en avait une[9], même dans l'esprit, qui avait ses charmes, parce qu'elle avait des
25 réveils lumineux et surprenants. Elle eût eu peu de défauts, si la galanterie ne lui en eût donné beaucoup. Comme sa passion l'obligea à ne mettre la politique qu'en second dans sa conduite, d'héroïne d'un grand parti[10] elle en devint l'aventurière. La grâce a rétabli ce que le monde ne lui pouvait rendre.

Mémoires, Partie II.

Pour préparer l'étude du texte

1. Vous montrerez, par une analyse précise des formulations, que les deux portraits sont construits sur un jeu constant d'oppositions.
2. Vous mettrez en relief les traits de caractère dominants des deux personnages.
3. En quoi ces deux portraits sont-ils particulièrement féroces ? Comment se manifeste ici l'humour corrosif de l'auteur ?

1. Élément insaisissable, indéfinissable.
2. Ce que l'on peut tirer d'une situation.
3. Dans la réflexion théorique, dans l'abstraction.
4. De sa capacité de compréhension.
5. Je ne la puis attribuer.
6. En tendance à se défendre, à se justifier.
7. Madame de Longueville possède bien des qualités qui font l'intelligence; mais elle en possède encore plus la subtilité et l'apparence.
8. Condé, son frère.
9. Elle avait une langueur.
10. Le parti des adversaires de Mazarin.

La marquise de Sévigné
1626-1696

Une jeune fille studieuse

La future marquise de Sévigné, Marie de Rabutin-Chantal, a une grand-mère célèbre : elle est en effet la petite-fille de cette Jeanne de Chantal qui fonda, avec François de Sales, l'ordre de la Visitation (voir p. 50). Très tôt, elle devient orpheline : elle n'a qu'un an lorsque son père est tué au cours du siège de La Rochelle en 1627 (voir p. 13) ; elle a sept ans lorsque sa mère meurt à son tour en 1633. Ce sont ses deux oncles maternels qui se chargent de l'élever : Philippe et surtout Christophe de Coulanges, cet abbé de Livry qu'elle appellera affectueusement dans ses lettres le « Bien Bon », lui donnent une solide instruction. Comme Madeleine de Scudéry (voir p. 76), elle est avide de connaissances, toujours prête à apprendre. Mais elle saura éviter le pédantisme : dans sa correspondance, elle joue à merveille de cet art de parler avec légèreté de choses sérieuses, de présenter avec gaieté les analyses les plus profondes.

Claude Lefebvre (1632-1675), *Madame de Sévigné*, Paris, musée Carnavalet.

Une jeune femme à la mode

Marie de Rabutin-Chantal a de l'esprit. Elle possède également la beauté. Une existence heureuse et comblée semble s'ouvrir devant elle. Elle a dix-huit ans lorsqu'elle épouse, le 4 août 1644, le marquis Henri de Sévigné. C'est alors que commence pour elle une vie mondaine brillante. Elle est une jeune femme à la mode, dont la compagnie est recherchée. Elle réside en Bretagne, aux Rochers, propriété de son mari, mais se rend souvent à Paris. Elle y fréquente le salon réputé de l'hôtel de Rambouillet. Elle se constitue un cercle choisi d'amis : Madame de La Fayette, La Rochefoucauld, le cardinal de Retz, Fouquet auquel elle restera fidèle après son arrestation (voir p. 164), son cousin Bussy-Rabutin, écrivain alors célèbre, bientôt membre de l'Académie française.

Elle n'en néglige pas pour autant sa vie familiale. Elle a deux enfants : une fille, Françoise-Marguerite, née en 1646 et un fils, Charles, né en 1648. Sa vie se déroule sans heurts, lorsque, le 5 février 1651, un nouveau deuil s'abat sur elle : son mari est tué au cours d'un duel.

Une mère passionnée

La voici veuve à vingt-cinq ans. Elle poursuit son existence mondaine. Mais, peu à peu, elle met toute sa passion dans sa vie familiale. Elle a pour sa fille un amour démesuré qui fait parfois d'elle une mère abusive. Ce sentiment extrême s'accentue encore, lorsque Françoise-Marguerite qui, en 1669, a épousé le comte de Grignan, part le rejoindre en Provence : c'est le 4 février 1671, jour maudit, qui produit chez Madame de Sévigné un véritable déchirement.

Mais c'est aussi le point de départ de cette admirable correspondance, de ce témoignage qui traversera les siècles. Madame de Sévigné avait déjà laissé quelques lettres, elle en écrira par la suite à d'autres correspondants. Mais l'essentiel de ses écrits, c'est à sa fille qu'elle les adresse de 1671 à 1696, à raison souvent de deux lettres par semaine.

Elle s'intéresse aussi à son fils qui a choisi la carrière militaire. Il s'est marié en 1684, et Madame de Sévigné s'entend fort bien avec sa belle-fille. Elle a un sens inné de la famille, éprouve une grande affection pour tout cet entourage familial qu'elle appelle plaisamment « le groupe ». Elle prend plaisir à rendre visite à chacun d'eux et n'hésite pas à se déplacer, malgré les difficultés que présentent alors les voyages. A Paris, elle reçoit ses amis, à partir de 1677, dans ce somptueux hôtel Carnavalet qu'elle a pris en location. Elle est souvent en Bretagne, dans le château des Rochers où elle voit son fils et sa belle-fille. Elle séjourne à Livry, entre Paris et Meaux, pour rencontrer son oncle abbé. Et bien sûr, elle se rend en Provence pour y retrouver sa fille. C'est auprès d'elle que cette mère exclusive et passionnée mourra au cours d'un de ces séjours, le 17 avril 1696.

Lettres (écrites de 1644 à 1696). → pp. 275 à 285.

Lettres

1644-1696

Avec près de mille quatre cents lettres, la correspondance de la marquise de Sévigné, dont la première édition partielle ne paraît qu'en 1696-1697, constitue un ensemble impressionnant. Les lettres les plus anciennes qui nous sont parvenues datent des années 1640, mais la plupart d'entre elles ont été écrites entre 1671 et 1696. Les destinataires sont variés. Mais il est, pour Madame de Sévigné, une correspondante privilégiée : sa fille. Si ces lettres sont évidemment écrites à l'intention particulière de ceux auxquels elles sont envoyées, elles sont également lues dans les milieux à la mode qui en savourent l'expression et le contenu. Elles apparaissent donc, dans leur diversité, comme un reflet d'une personnalité et d'une époque.

Les événements au jour le jour

Les *Lettres* de Madame de Sévigné, c'est d'abord le journal quotidien d'une époque. Elle y développe les événements au jour le jour, tantôt tragiques, comme ce procès interminable de son ami Fouquet, tantôt dérisoires, comme le mariage surprenant du duc de Lauzun et de la Grande Mademoiselle.

« Enfin cette interrogation a duré deux heures »

C'est un véritable reportage que Madame de Sévigné envoie au marquis de Pomponne. A cet ami de Fouquet qui, lui-même en disgrâce, réside alors sur ses terres de Meaux, elle relate le déroulement du procès engagé contre l'infortuné surintendant des Finances (voir p. 164).

Jeudi 4e décembre 1664.

Enfin les interrogations sont finies. Ce matin M. Fouquet est entré dans la chambre[1] ; M. le chancelier[2] a fait lire le projet[3] tout le long. M. Fouquet a repris la parole le premier, et a dit : « Monsieur, je crois que vous ne pouvez tirer autre chose de ce papier, que l'effet qu'il vient de faire, qui est de me donner beaucoup de confusion. » M. le chancelier a dit : « Cependant vous venez d'entendre, et vous avez
5 pu voir par là que cette grande passion pour l'État, dont vous nous avez parlé tant de fois, n'a pas été si considérable que vous n'ayez pensé à le brouiller[4] d'un bout à l'autre. — Monsieur, a dit M. Fouquet,

1. Dans la salle où se déroule le procès.
2. Le chancelier Séguier, président du tribunal.
3. Durant la Fronde, en 1649, Fouquet, brouillé avec Mazarin, avait envisagé de fuir à l'étranger et avait consigné ce projet par écrit.
4. A y apporter la brouille, le trouble

ce sont des pensées qui me sont venues dans le fort du désespoir[1] où me jetait quelquefois M. le Cardinal[2], principalement lorsque, après avoir plus contribué que personne du monde à son retour en France, je me vis payé d'une si noire ingratitude. J'ai une lettre de lui et une de la Reine mère, qui
10 font foi de ce que je dis ; mais on les a prises dans mes papiers, avec plusieurs autres. Mon malheur est de n'avoir pas brûlé ce misérable papier, qui était tellement hors de ma mémoire et de mon esprit, que j'ai été plus de deux ans sans y penser, et sans croire l'avoir. Quoi qu'il en soit, je le désavoue de tout mon cœur, et vous supplie de croire, Monsieur, que ma passion pour la personne et le service du Roi n'en a pas été diminuée. » M. le chancelier a dit : « Il est bien difficile de le croire, quand on
15 voit une pensée opiniâtrement exprimée en différents temps. » M. Fouquet a répondu : « Monsieur, dans tous les temps, et même au péril de ma vie, je n'ai jamais abandonné la personne du Roi ; et dans ces temps-là vous étiez, Monsieur, le chef du conseil de ses ennemis, et vos proches donnaient passage à l'armée qui était contre lui[3]. »

M. le chancelier a senti ce coup ; mais notre pauvre ami était échauffé[4], et n'était pas tout à fait le
20 maître de son émotion. Ensuite on lui a parlé de ses dépenses ; il a dit : « Monsieur, je m'offre à faire voir que je n'en ai fait aucune que je n'aie pu faire, soit par mes revenus, dont M. le Cardinal avait connaissance, soit par mes apppointements, soit par le bien de ma femme ; et si je ne pouvais prouver ce que je dis, je consens d'être traité aussi mal qu'on le peut imaginer. » Enfin cette interrogation a duré deux heures, où M. Fouquet a très bien dit[5], mais avec chaleur et colère, parce que la lecture de ce projet l'avait extraordinairement touché.

Quand il a été parti, M. le chancelier a dit : « Voici la dernière fois que nous l'interrogerons. » M. Poncet[6] s'est approché, et lui a dit : « Monsieur, vous ne lui avez point parlé des preuves qu'il y a qu'il a commencé à exécuter le projet. » M. le chancelier a répondu : « Monsieur, elles ne sont pas assez fortes, il y aurait répondu trop facilement. » Là-dessus Sainte-Hélène et Pussort[7] ont dit : « Tout le monde n'est pas de ce sentiment. » Voilà de quoi rêver et faire des réflexions. A demain le reste.

Vendredi 5e décembre.

On a parlé ce matin des requêtes [8], qui sont de peu d'importance, sinon autant que les gens de bien y voudront avoir égard en jugeant. Voilà qui est donc fait. C'est mardi à M. d'Ormesson[9] à parler ; il doit récapituler toute l'affaire : cela durera encore toute la semaine qui vient, c'est-à-dire qu'entre ci et là ce n'est pas vivre que la vie que nous passerons. Pour moi, je ne suis pas connaissable[10], et je ne crois pas que je puisse aller jusque-là. M. d'Ormesson m'a priée de ne le plus voir que l'affaire ne soit jugée ; il est dans le conclave[11], et ne veut plus avoir de commerce avec le monde[12]. Il affecte une grande réserve ; il ne parle point, mais il écoute, et j'ai eu le plaisir, en lui disant adieu, de lui dire tout ce que je pense. Je vous manderai[13] tout ce que j'apprendrai, et Dieu veuille que ma dernière nouvelle soit comme je la désire ! Je vous assure que nous sommes tous à plaindre : j'entends vous et moi, et ceux qui en font leur affaire comme nous. Adieu, mon cher
50 Monsieur, je suis si triste et si accablée ce soir que je n'en puis plus.

Lettres, 37.

Sébastien Bourdon (1616-1671), *Portrait de Nicolas Fouquet*, Versailles, musée national du Château.

Pour préparer l'étude du texte

1. Ce texte est plein de vie. Il se présente comme un reportage. Vous le montrerez, en étudiant sa construction et en analysant notamment l'alternance du récit et du dialogue.
2. Vous déterminerez la personnalité de Fouquet telle qu'elle se dégage de cette lettre.
3. Quels détails prouvent l'attachement de Madame de Sévigné pour Fouquet ?

1. Dans le moment le plus intense de mon désespoir.
2. Mazarin.
3. Séguier avait alors conseillé de livrer Mantes aux troupes espagnoles commandées par Condé et de leur ouvrir ainsi la route de Paris.
4. Enflammé, excité, irrité.
5. S'est très bien exprimé.
6. L'un des juges.
7. Deux autres juges.
8. Demandes présentées par Fouquet.
9. C'est le rapporteur du procès.
10. Je ne suis pas reconnaissable.
11. Assemblée délibérant à huis clos, hors du public.
12. De relations avec l'extérieur.
13. Je vous ferai part de, je vous écrirai.

« Je m'en vais vous mander la chose la plus étonnante »

Dans cette lettre adressée à son cousin Coulanges, Madame de Sévigné annonce avec humour un événement mondain qui bouleverse les milieux parisiens à la mode : le mariage du duc de Lauzun, un officier connu pour sa vie aventureuse, et de la Grande Mademoiselle, fille de Gaston d'Orléans, le frère de Louis XIII.

A Paris, ce lundi 15e décembre 1670.

Je m'en vais vous mander[1] la chose la plus étonnante, la plus surprenante, la plus merveilleuse, la plus miraculeuse, la plus triomphante, la plus étourdissante, la plus inouïe, la plus singulière, la plus extraordinaire, la plus incroyable, la plus imprévue, la plus grande, la plus petite, la plus rare, la plus commune, la plus éclatante, la plus secrète jusqu'aujourd'hui, la plus brillante, la plus digne d'envie : 5 enfin une chose dont on ne trouve qu'un exemple dans les siècles passés, encore cet exemple n'est-il pas juste ; une chose que l'on ne peut pas croire à Paris (comment la pourrait-on croire à Lyon[2] ?) ; une chose qui fait crier miséricorde à tout le monde ; une chose qui comble de joie Mme de Rohan et Mme d'Hauterive[3] ; une chose enfin qui se fera dimanche, où ceux qui la verront croiront avoir la berlue ; une chose qui se fera dimanche, et qui ne sera peut-être pas faite lundi. Je ne puis me 10 résoudre à la dire ; devinez-la : je vous le donne en trois. Jetez-vous votre langue aux chiens ? Eh bien ! il faut donc vous la dire : M. de Lauzun épouse[4] dimanche au Louvre, devinez qui ? Je vous le donne en quatre, je vous le donne en dix ; je vous le donne en cent. Mme de Coulanges dit : Voilà qui est bien difficile à deviner ; c'est Mme de la Vallière — Point du tout, Madame. — C'est donc Mlle de Retz ? — Point du tout, vous êtes bien provinciale. — Vraiment nous sommes bien bêtes, dites-vous, c'est 15 Mlle Colbert ? — Encore moins. — C'est assurément Mlle de Créquy[5] ? — Vous n'y êtes pas. Il faut donc à la fin vous le dire : il épouse, dimanche, au Louvre, avec la permission du Roi, Mademoiselle, Mademoiselle de... Mademoiselle... devinez le nom : il épouse Mademoiselle, ma foi ! par ma foi ! ma foi jurée ! Mademoiselle, la Grande Mademoiselle ; Mademoiselle, fille de feu Monsieur[6], Mademoiselle, petite-fille d'Henri IV ; Mademoiselle d'Eu, Mademoiselle de Dombes, Mademoiselle de 20 Montpensier, Mademoiselle d'Orléans ; Mademoiselle, cousine germaine du Roi ; Mademoiselle, destinée au trône ; Mademoiselle, le seul parti de France qui fût digne de Monsieur[7]. Voilà un beau sujet de discourir. Si vous criez, si vous êtes hors de vous-même, si vous dites que nous avons menti, que cela est faux, qu'on se moque de vous, que voilà une belle raillerie, que cela est bien fade à imaginer ; si enfin vous nous dites des injures : nous trouverons que vous avez raison ; nous en avons 25 fait autant que vous.

Adieu ; les lettres qui seront portées par cet ordinaire[8] vous feront voir si nous disons vrai ou non .

Lettres, 72.

Pour préparer le commentaire composé

1. **L'effet de surprise.** Madame de Sévigné joue, avec humour, sur l'effet de surprise. Vous montrerez comment elle procède, en analysant plus particulièrement les énumérations des lignes 1 à 4, 18 à 21 et en expliquant pourquoi elle semble hésiter avant de donner le nom de l'heureuse élue (l. 16 à 18).

2. **La légèreté des milieux mondains.** Madame de Sévigné démystifie les mondains, raille leur légèreté, leur attirance de désœuvrés pour le sensationnel. Vous le soulignerez, en notant comment elle sait ainsi subtilement se démarquer du milieu dont elle fait elle-même partie.

3. **La vivacité du style.** Vous étudierez la vivacité du style (interpellation du lecteur, dialogue rapporté, mise en place d'un véritable « jeu » avec le destinataire de la lettre, « chute » finale).

1. Je m'en vais vous annoncer, vous écrire.
2. Coulanges est alors à Lyon, chez ses beaux-parents.
3. Elles avaient épousé d'humbles gentilshommes et se réjouissent donc de la mésalliance qui se prépare.
4. Louis XIV va finalement s'opposer à ce mariage et faire emprisonner le duc de Lauzun qui n'épousera la Grande Mademoiselle qu'en 1681.
5. Jeunes filles à marier.
6. Gaston d'Orléans, frère de Louis XIII.
7. Le frère de Louis XIV, Philippe d'Orléans.
8. Le courrier ordinaire.

L'amour d'une mère

Dans un grand nombre de lettres, Madame de Sévigné exprime sa passion pour sa fille. Que ce soit pour dire son inquiétude et son désespoir de ne pas recevoir de ses nouvelles ou pour regretter son absence, elle ne cesse de montrer sa sollicitude, son attachement sans bornes.

« Ma fille ne m'écrit-elle plus ? Est-elle malade ? Me prend-on mes lettres ? »

Depuis plusieurs jours, Madame de Sévigné attend, en vain, une lettre de sa fille. Elle se confie à l'un de ses amis, l'abbé d'Hacqueville[1], auquel elle révèle son désarroi.

Aux Rochers, mercredi 17e juin 1671.

Je vous écris avec un serrement de cœur qui me tue ; je suis incapable d'écrire à d'autres qu'à vous, parce qu'il n'y a que vous qui ayez la bonté d'entrer dans mes extrêmes tendresses. Enfin, voilà le second ordinaire[2] que je ne reçois point de nouvelles de ma fille : je tremble depuis la tête jusqu'aux pieds, je n'ai pas l'usage de raison, je ne dors point ; et si je dors, je me réveille avec des sursauts qui sont pires que de ne pas dormir. Je ne puis comprendre ce qui empêche que je n'aie des lettres comme j'ai accoutumé. Dubois[3] me parle de mes lettres qu'il envoie très fidèlement ; mais il ne m'envoie rien, et ne me donne point de raison de celles de Provence[4]. Mais, mon cher Monsieur, d'où cela vient-il ? Ma fille ne m'écrit-elle plus ? Est-elle malade ? Me prend-on mes lettres ? car, pour les retardements de la poste, cela ne pourrait pas faire un tel désordre. Ah ! mon Dieu, que je suis malheureuse de n'avoir personne avec qui pleurer ! J'aurais cette consolation avec vous, et toute votre sagesse ne m'empêcherait pas de vous faire voir toute ma folie. Mais n'ai-je pas raison d'être en peine ? Soulagez donc mon inquiétude, et courez dans les lieux où ma fille écrit, afin que je sache au moins comme elle se porte. Je m'accommoderai mieux de voir qu'elle écrit à d'autres, que de l'inquiétude où je suis de sa santé. Enfin, je n'ai pas reçu de ses lettres depuis le 5e de ce mois, elles étaient du 23 et 26e mai ; voilà donc douze jours et deux ordinaires de poste. Mon cher Monsieur, faites-moi promptement réponse ; l'état où je suis vous ferait pitié. Écrivez un peu mieux ; j'ai peine à lire vos lettres, et j'en meurs d'envie. Je ne réponds point à toutes vos nouvelles, je suis incapable de tout. Mon fils est revenu de Rennes ; il y a dépensé quatre cents francs en trois jours ; la pluie est continuelle. Mais tous ces chagrins seraient légers, si j'avais des lettres de Provence. Ayez pitié de moi ; courez à la poste, apprenez ce qui m'empêche d'en avoir comme à l'ordinaire. Je n'écris à personne et je serais honteuse de vous faire voir tant de faiblesses, si je ne connaissais vos extrêmes bontés.

Le gros abbé[5] se plaint de moi ; il dit qu'il n'a reçu qu'une de mes lettres. Je lui ai écrit deux fois ; dites-lui[6], et que je l'aime toujours.

Lettres, 123.

Pierre Mignard (1612-1695) *Madame de Grignan*, Paris, musée Carnavalet.

Pour préparer l'étude du texte

1. Vous étudierez la manifestation de l'inquiétude et de l'angoisse chez Madame de Sévigné (interrogations, exclamations, phrases courtes, évocation des conséquences physiques).
2. Madame de Sévigné émet plusieurs hypothèses pour essayer d'expliquer pourquoi elle ne reçoit plus de lettres de sa fille. Vous en dresserez la liste.
3. Comment Madame de Sévigné essaie-t-elle de se rassurer et de dominer son désarroi ?

1. L'abbé d'Hacqueville, conseiller du roi.
2. Le second courrier ordinaire.
3. Commis de poste.
4. Il ne donne pas d'explications sur les lettres venues de Provence, où se trouvait la fille de Madame de Sévigné.
5. L'abbé de Pontcarré, aumônier du roi.
6. Dites-le-lui.

« Je songe mille fois le jour au temps où je vous voyais à toute heure »

12 juillet 1671 : voilà plus de cinq mois que Madame de Sévigné est séparée de sa fille. Voilà plus de cinq mois qu'elle entretient avec elle une correspondance régulière. Une fois encore, elle lui écrit combien elle ressent cruellement cette absence et se souvient avec nostalgie de ces temps heureux où elles vivaient ensemble.

Aux Rochers, dimanche 12e juillet 1671.

Je n'ai reçu qu'une lettre de vous, ma chère bonne, et j'en suis fâchée ; j'étais accoutumée à en recevoir deux. Il est dangereux de s'accoutumer à des soins tendres et précieux comme les vôtres ; il n'est pas facile après cela de s'en passer. Vous aurez vos beaux-frères ce mois de septembre, ce vous sera une très bonne compagnie. Pour le Coadjuteur[1], je vous dirai qu'il a été un peu malade ; mais il est 5 entièrement guéri : sa paresse est une chose incroyable, et il est d'autant plus criminel qu'il écrit des mieux quand il s'en veut mêler. Il vous aime toujours, et vous ira voir après la mi-août ; il ne le peut qu'en ce temps-là. Il jure qu'il n'a aucune branche où se reposer (mais je crois qu'il ment), et que cela l'empêche d'écrire et lui fait mal aux yeux. Voilà tout ce que je sais du Seigneur Corbeau ; mais admirez la bizarrerie de ma science : en vous apprenant toutes ces choses, j'ignore comme je suis 10 avec lui. Si vous en apprenez quelque chose par hasard, vous m'obligerez fort de me le mander[2].

Je songe mille fois le jour au temps où je vous voyais à toute heure. Hélas ! ma bonne, c'est bien moi qui dis cette chanson que vous me dites : *Hélas ! quand reviendra-t-il ce temps, bergère*[3] *?* Je le regrette tous les jours de ma vie, et j'en souhaiterais un pareil au prix de mon sang. Ce n'est pas que j'aie sur le cœur de n'avoir pas senti le plaisir d'être avec vous : je vous jure et je vous proteste que 15 je ne vous ai jamais regardée avec indifférence ni avec la langueur que donne quelquefois l'habitude. Mes yeux ni mon cœur ne se sont jamais accoutumés à cette vue, et jamais je ne vous ai regardée sans joie et sans tendresse ; et s'il y a eu quelques moments où elle n'ait pas paru, c'est alors que je la sentais plus vivement. Ce n'est donc point cela que je me puis reprocher ; mais je regrette de ne vous avoir pas assez vue et d'avoir eu de cruelles politiques[4] qui m'ont ôté quelquefois ce plaisir. Ce 20 serait une belle chose si je remplissais mes lettres de ce qui me remplit le cœur. Hélas ! comme vous dites, il faut glisser sur bien des pensées et ne pas faire semblant de les voir ; je crois que vous en faites de même. Je m'arrête donc à vous conjurer[5], si je vous suis un peu chère, d'avoir un soin extrême de votre santé. Amusez-vous, ne rêvez point creux, ne faites point de bile, conduisez votre grossesse à bon port ; et après cela, si M. de Grignan vous aime, et qu'il n'ait pas entrepris de vous tuer, je sais 25 bien ce qu'il fera, ou plutôt ce qu'il ne fera point.

Lettres, 130.

Pour préparer l'étude du texte

1. Vous distinguerez ce qui, dans cette lettre, relève de l'information pure et ce qui fait intervenir la réflexion ou l'analyse psychologique, en montrant la familiarité du ton qui marque la partie informative.
2. Vous étudierez l'expression de la nostalgie.
3. Comment se manifeste l'affection de Madame de Sévigné pour sa fille ?

Pour une étude comparée

Vous comparerez cette lettre de Madame de Sévigné et la scène 5 de l'acte IV de *Bérénice* (voir p. 227) de Jean Racine, en insistant plus particulièrement sur les points suivants :

1. **La douleur de la séparation.** Vous montrerez comment se manifeste, dans les deux textes, la douleur provoquée par la séparation, en soulignant les différences des situations (absence actuelle et absence à venir, absence momentanée et absence définitive).
2. **La nostalgie du bonheur.** Vous étudierez l'expression de la nostalgie provoquée par le bonheur enfui (évocation d'une situation réellement passée pour Madame de Sévigné, déjà ressentie comme passée pour Titus et Bérénice).
3. **Les degrés du pathétique.** Vous analyserez le pathétique qui marque ces deux textes, en distinguant celui de la lettre de Madame de Sévigné dominé par l'humour et celui du texte de Racine qui atteint les limites du tragique.

1. Frère du comte de Grignan.
2. De me le faire savoir, de me l'écrire.
3. Chanson à la mode à l'époque.
4. De cruels principes d'action.
5. A vous supplier.

Un échange de lettres passionné

Dans une des études qu'il lui consacre, Roger Duchêne raconte comment la vie de Madame de Sévigné était rythmée par la correspondance qu'elle entretenait avec sa fille, comment cet échange de lettres constituait la manifestation d'une passion maternelle exacerbée.

A partir de février 1671, et aussi longtemps que dureront les séparations, la vie de Madame de Sévigné est rythmée par les jours de départ de ses lettres et, plus encore, par les jours d'arrivée de celles de sa fille. Chaque semaine s'organise selon une succession d'attentes suivies d'apaisement quand le courrier arrive à l'heure, ou de 5 *déceptions suivies d'angoisses quand il a du retard ou qu'il n'a pas apporté de paquet. Tout l'entourage, toute la maison partagent ces sentiments : « Quand les lettres de Provence arrivent, c'est une joie parmi tous ceux qui m'aiment, comme c'est une tristesse quand je suis longtemps sans en avoir » (18 mars 1671).*

Mère et fille ont convenu d'écrire par chaque courrier. Tout manque se trouve donc 10 *revêtu d'une signification tragique, puisqu'il ne peut marquer que la trahison de la comtesse renonçant à écrire comme promis ou, pire, une maladie qui lui a ôté la possibilité de le faire. En juin 1671, lors d'une interruption de plus d'une semaine, Mme de Sévigné n'imagine que ces deux hypothèses : « Mon cœur, confie-t-elle après coup, est soulagé d'une presse[1] et d'un saisissement qui en vérité ne me donnaient aucun* 15 *repos. Bon Dieu ! Que n'ai-je point souffert pendant deux ordinaires[2] que je n'ai point eu de vos lettres !... J'étais si fort en peine de votre santé que j'étais réduite à souhaiter que vous eussiez écrit à tout le monde hormis à moi[3]. Je m'accommodais mieux d'avoir été un peu retardée dans votre souvenir que de porter l'épouvantable inquiétude que j'avais pour votre santé. » Elle n'a pas même envisagé l'explication la plus simple, une* 20 *erreur de la poste due à un faux bruit : on avait envoyé ses lettres à Rennes. Contrairement à ce que l'on pense, la marquise a moins besoin d'écrire que de recevoir les lettres de sa fille. Le 14 juin, dans l'angoisse de son silence, elle lui fait une lettre de quatorze lignes ; le 21, soulagée, elle lui en fait une quatorze fois plus longue.*

Les lettres de la comtesse lui sont nécessaires comme autant de marques d'amour. 25 *Rien ne garantissait au départ que Françoise-Marguerite tiendrait parole et écrirait régulièrement. Les conditions de la séparation laissaient même présager le contraire. Pendant les premiers mois, toute modification du rythme de l'arrivée des lettres de Provence peut signifier que Mme de Grignan renonce à écrire régulièrement. L'inquiétude de la marquise croît avec son départ pour la Bretagne. Loin de Paris, elle n'a plus le* 30 *prétexte d'écrire pour tenir sa fille au courant des nouvelles, et la correspondance repose tout entière sur le simple échange d'une tendresse mutuelle. D'où l'excès de son angoisse lors du désordre de la poste de la mi-juin, quinze jours après son arrivée aux Rochers. Avec le temps, ce souci s'atténue, car la fidélité passée sert désormais de garantie à la fidélité présente et future. Mais le risque, au début, était réel : Mme de Grignan avait bien des* 35 *raisons de ne pas s'astreindre à écrire à sa mère deux fois par semaine. Sa constance et sa régularité n'étaient pas un dû, et elle avait d'autres devoirs. Mme de Sévigné pouvait y voir le signe d'une tendresse exceptionnelle.*

Mme de Grignan s'était arrachée à sa mère dans le drame et dans la discorde. La correspondance ne s'ouvre pas sur une harmonieuse entente. Elle a lieu malgré les 40 *brouilles qui l'ont précédée. L'accord que suppose leur échange régulier n'est pas initialement donné ; il se cherche et se réalise au fur et à mesure que l'on avance dans le temps. Dès sa seconde lettre, Mme de Sévigné souligne le contraste entre l'indifférence de sa fille avant de partir et la tendresse qu'elle lui exprime par lettre : « Vous m'aimez, ma chère enfant, et vous me le dites d'une manière que je ne puis soutenir* 45 *sans des pleurs en abondance. » Mme de Grignan aime sa mère et le lui dit ; ce n'est pas là une constatation banale et comme naturelle, mais une agréable surprise. « Vous vous avisez donc de penser à moi ; vous en parlez, et vous aimez mieux m'écrire vos sentiments que vous n'aimez à me les dire. » Phrase capitale, car elle montre l'importance de la relation épistolaire dans les rapports des deux femmes.*

Roger Duchêne, Madame de Sévigné, ou la chance d'être femme, *Paris, Fayard, 1982.*

1. D'un poids.
2. Pendant deux courriers.
3. Sauf à moi.

Le sens de la vie et de la mort

Nombreuses sont les lettres dans lesquelles Madame de Sévigné se penche sur la destinée humaine. Elle exprime son amour de la vie et sa peur de la mort. Son attirance pour l'existence se manifeste, en particulier, dans sa sensibilité face au spectacle de la nature, tandis que son effroi éclate dans l'évocation de morts spectaculaires : dignes, comme celle du maître d'hôtel Vatel, victime de sa conscience professionnelle, ou ignominieuses, comme celle de La Brinvilliers, célèbre empoisonneuse de l'époque.

« Mais je suis encore plus dégoûtée de la mort »

Attristée par la maladie de sa tante, mais également réjouie par la perspective de voir sa fille, Madame de Sévigné s'interroge gravement sur la vie, sur la mort, sur le sens de l'existence.

A Paris, mercredi 16e mars 1672.

Vous me parlez de mon départ. Ah ! ma chère fille ! je languis dans cet espoir charmant. Rien ne m'arrête que ma tante, qui se meurt de douleur et d'hydropisie[1]. Elle me brise le cœur par l'état où elle est, et par tout ce qu'elle dit de tendresse et de bon sens. Son courage, sa patience, sa résignation, tout cela est admirable. M. d'Hacqueville[2] et moi, nous suivons son mal jour à jour. Il voit mon cœur
5 et la douleur que j'ai de n'être pas libre tout présentement. Je me conduis par ses avis ; nous verrons entre ci[3] et Pâques. Si son mal augmente, comme il a fait depuis que je suis ici, elle mourra entre nos bras ; si elle reçoit quelque soulagement et qu'elle prenne le train de languir[4], je partirai dès que M. de Coulanges[5] sera revenu. Notre pauvre abbé est au désespoir aussi bien que moi. Nous verrons comme cet excès de mal tournera dans le mois d'avril. Je n'ai que cela dans la tête. Vous ne sauriez
10 avoir tant d'envie de me voir que j'en ai de vous embrasser ; bornez votre ambition, et ne croyez pas me pouvoir jamais égaler là-dessus.

Vous me demandez, ma chère enfant, si j'aime toujours bien la vie. Je vous avoue que j'y trouve des chagrins cuisants. Mais je suis encore plus dégoûtée de la mort ; je me trouve si malheureuse d'avoir à finir tout ceci par elle, que si je pouvais retourner en arrière, je ne demanderais pas mieux.
15 Je me trouve dans un engagement qui m'embarrasse ; je suis embarquée dans la vie sans mon consentement. Il faut que j'en sorte ; cela m'assomme. Et comment en sortirai-je ? Par où ? Par quelle porte ? Quand sera-ce ? En quelle disposition ? Souffrirai-je mille et mille douleurs, qui me feront mourir désespérée ? Aurai-je un transport au cerveau ? Mourrai-je d'un accident ? Comment serai-je avec Dieu ? Qu'aurai-je à lui présenter ? La crainte, la nécessité, feront-elles mon retour vers lui[6] ?
20 N'aurai-je aucun autre sentiment que celui de la peur ? Que puis-je espérer ? Suis-je digne du paradis ? Suis-je digne de l'enfer ? Quelle alternative ! Quel embarras ! Rien n'est si fou que de mettre son salut dans l'incertitude, mais rien n'est si naturel, et la sotte vie que je mène est la chose du monde la plus aisée à comprendre. Je m'abîme dans ces pensées, et je trouve la mort si terrible que je hais plus la vie parce qu'elle m'y mène que par les épines qui s'y rencontrent. Vous me direz que je veux
25 vivre éternellement. Point du tout, mais si on m'avait demandé mon avis, j'aurais bien aimé à mourir entre les bras de ma nourrice ; cela m'aurait ôté bien des ennuis et m'aurait donné le ciel bien sûrement et bien aisément. Mais parlons d'autre chose.

Lettres, 203.

Pour préparer l'étude du texte

1. Vous mettrez en évidence les deux parties de cette lettre, en montrant ce qui lie la seconde partie à la première.
2. Vous noterez que la première partie de la lettre est dominée par la souffrance (souffrance physique causée par la maladie, souffrance affective éprouvée par les proches). Vous étudierez le vocabulaire qui rend compte de la douleur du corps et de la douleur de l'âme.
3. Vous analyserez, dans la deuxième partie, les raisons de haïr la mort, les raisons d'aimer et de redouter la vie, l'expression de l'ignorance et de l'angoisse à travers les multiples interrogations.

1. Maladie très douloureuse provoquée par une accumulation de substances liquides dans le corps.
2. Conseiller du roi, ami de Madame de Sévigné.
3. Entre maintenant.
4. Qu'elle se mette à s'éteindre, à décliner lentement.
5. L'abbé de Livry, le frère de la tante de Madame de Sévigné.
6. Feront-elles que je retourne vers lui, provoqueront-elles mon retour vers lui.

« Je suis venue ici achever les beaux jours et dire adieu aux feuilles »

Éprise de la vie, Madame de Sévigné ne peut rester insensible aux charmes de la nature. Elle aime la campagne. Elle sait en apprécier les beautés. Elle est séduite par les incessantes transformations qui modifient les paysages. Cette sensibilité champêtre, elle l'exprime fréquemment, tantôt avec une désinvolture alerte, comme dans ce passage d'une lettre qu'elle adresse des Rochers à Coulanges, le 22 juillet 1671, tantôt avec un vrai talent poétique, comme dans cet extrait de la lettre qu'elle écrit de Livry à Bussy-Rabutin, le 3 novembre 1677.

Louis Le Nain (1593?-1648), *La Charrette ou le retour de la fenaison*, Paris, musée du Louvre.

Voici un grand circuit[1], mais pourtant nous arriverons au but. Comme je suis donc sa seule consolation, après l'avoir été voir, elle[2] viendra ici, et je veux qu'elle trouve mon parterre net et mes allées nettes, ces grandes allées que vous aimez. Vous ne comprenez pas encore où cela peut aller ? Voici une autre petite proposition incidente : vous savez qu'on fait les foins ; je n'avais pas d'ouvriers ; j'envoie dans cette prairie, que les poètes ont célébrée, prendre tous ceux qui travaillaient, pour venir nettoyer ici : vous n'y voyez encore goutte ? Et, en leur place, j'envoie tous mes gens faner[3]. Savez-vous ce que c'est que faner ? Il faut que je vous l'explique : faner est la plus jolie chose au monde, c'est retourner du foin en batifolant dans une prairie ; dès qu'on en sait tant, on sait faner. Tous mes gens y allèrent gaiement ; le seul Picard me vint dire qu'il n'irait pas, qu'il n'était pas entré à mon service pour cela, que ce n'était pas son métier, et qu'il aimait mieux s'en aller à Paris. Ma foi ! la colère me monte à la tête. Je songeai que c'était la centième sottise qu'il m'avait faite ; qu'il n'avait ni cœur, ni affection ; en un mot, la mesure était comble. Je l'ai pris au mot ; et quoi qu'on m'ait pu dire pour lui, je suis demeurée ferme comme un rocher, et il est parti. C'est une justice de traiter les gens selon leurs bons ou mauvais services. Si vous le revoyez, ne le recevez point, ne le protégez point, ne me blâmez point, et songez que c'est le garçon du monde qui aime le moins à faner, et qui est le plus indigne qu'on le traite bien.

1. Madame de Sévigné s'est livrée, au début de sa lettre, à une série de digressions.
2. Madame de Chaulnes, l'épouse du gouverneur de Bretagne.
3. Faire les foins, retourner l'herbe fauchée pour qu'elle sèche.

Voilà l'histoire en peu de mots. Pour moi, j'aime les narrations où l'on ne dit que ce qui est nécessaire, où l'on ne s'écarte point à droite, ni à gauche, où l'on ne reprend point les choses de si loin ; enfin je crois que c'est ici, sans vanité, le modèle des narrations agréables.

A Livry, ce mercredi 3e novembre 1677.

20 Je suis venue ici achever les beaux jours et dire adieu aux feuilles. Elles sont encore toutes aux arbres ; elles n'ont fait que changer de couleur. Au lieu d'être vertes elles sont aurore, et de tant de sortes d'aurore que cela compose un brocart[1] d'or riche et magnifique, que nous voulons trouver plus beau que du vert, quand ce ne serait que pour changer.

Lettres, 134 et 541.

Pour préparer l'étude du texte

1. Quel regard Madame de Sévigné porte-t-elle, dans le premier texte, sur le travail des champs ? Que pensez-vous de la façon dont elle traite ses serviteurs ?
2. Dans la première lettre, Madame de Sévigné insiste, avec humour, sur sa tendance à se livrer à des digressions. Vous ferez le plan de la lettre, en mettant cette façon de procéder en évidence.
3. Vous comparerez les deux types de description de la nature qui apparaissent dans les deux textes. Peut-on parler de vision poétique ?

« Voici un affront que je ne supporterai pas »

Dans cette lettre destinée à sa fille, Madame de Sévigné met en œuvre tout son talent de narratrice. Elle y rapporte les circonstances de la mort du maître d'hôtel, Vatel : il s'est suicidé à la suite des incidents survenus au cours d'un repas donné en l'honneur du roi par Monsieur le Prince, Condé, dans son château de Chantilly : bel exemple de conscience professionnelle !

A Paris, ce dimanche 26e avril 1671.

Il est dimanche 26e avril ; cette lettre ne partira que mercredi ; mais ceci n'est pas une lettre, c'est une relation que vient de me faire Moreuil[2], à votre intention, de ce qui s'est passé à Chantilly touchant Vatel. Je vous écrivis vendredi qu'il s'était poignardé : voici l'affaire en détail.

Le Roi arriva jeudi au soir ; la chasse, les lanternes, le clair de la lune, la promenade, la collation 5 dans un lieu tapissé de jonquilles, tout cela fut à souhait. On soupa : il y eut quelques tables où le rôti manqua, à cause de plusieurs dîners où l'on ne s'était point attendu[3]. Cela saisit Vatel ; il dit plusieurs fois : « Je suis perdu d'honneur ; voici un affront que je ne supporterai pas. » Il dit à Gourville[4] : « La tête me tourne, il y a douze nuits que je n'ai dormi ; aidez-moi à donner des ordres. » Gourville le soulagea en ce qu'il put. Ce rôti qui avait manqué, non pas à la table du Roi, mais aux vingt-10 cinquièmes[5], lui revenait toujours à la tête. Gourville le dit à Monsieur le Prince. Monsieur le Prince alla jusque dans sa chambre, et lui dit : « Vatel, tout va bien, rien n'était si beau que le souper du Roi. » Il lui dit : « Monseigneur, votre bonté m'achève ; je sais que le rôti a manqué à deux tables. — Point du tout, dit Monsieur le Prince, ne vous fâchez point, tout va bien. » La nuit vient : le feu d'artifice ne réussit pas, il fut couvert d'un nuage ; il coûtait seize mille francs. A quatre heures du matin, Vatel s'en 15 va partout, il trouve tout endormi, il rencontre un petit pourvoyeur qui lui apportait seulement deux charges de marée[6] ; il lui demanda : « Est-ce là tout ? » Il lui dit : « Oui, Monsieur. » Il ne savait pas que Vatel avait envoyé à tous les ports de mer. Il attend quelque temps ; les autres pourvoyeurs ne viennent point ; sa tête s'échauffait, il croit qu'il n'aura point d'autre marée ; il trouve Gourville, et lui dit : « Monsieur, je ne survivrai pas à cet affront-ci ; j'ai de l'honneur et de la réputation à perdre. » 20 Gourville se moqua de lui. Vatel monte à sa chambre, met son épée contre la porte, et se la passe au travers du cœur ; mais ce ne fut qu'au troisième coup, car il s'en donna deux qui n'étaient pas

1. Étoffe brochée de soie, d'or ou d'argent.
2. Gentilhomme attaché à Condé.
3. Que l'on n'avait pas prévus.
4. Secrétaire de La Rochefoucauld.
5. Tables où prennent place des invités moins titrés.
6. Deux charges de poissons.

Charles Le Brun (1619-1690), *Transport d'une collation dans un jardin royal*, carton de tapisserie, Paris, musée des Arts Décoratifs.

mortels : il tombe mort. La marée cependant arrive de tous côtés ; on cherche Vatel pour la distribuer ; on va à sa chambre ; on heurte, on enfonce la porte ; on le trouve noyé dans son sang ; on court à Monsieur le Prince, qui fut au désespoir. Monsieur le Duc[1] pleura : c'était sur Vatel que roulait tout son voyage de Bourgogne[2]. Monsieur le Prince le dit au Roi fort tristement : on dit que c'était à force d'avoir de l'honneur en sa manière ; on le loua fort, on loua et blâma son courage. Le Roi dit qu'il y avait cinq ans qu'il retardait de venir à Chantilly, parce qu'il comprenait l'excès de cet embarras. Il dit à Monsieur le Prince qu'il ne devait avoir que deux tables et ne se point charger de tout le reste. Il jura qu'il ne souffrirait plus que Monsieur le Prince en usât ainsi ; mais c'était trop tard pour le pauvre Vatel. Cependant Gourville tâche de réparer la perte de Vatel ; elle le fut : on dîna très bien, on fit collation, on soupa, on se promena, on joua, on fut à la chasse ; tout était parfumé de jonquilles, tout était enchanté. Hier, qui était samedi, on fit encore de même ; et le soir, le Roi alla à Liancourt[3], où il avait commandé un *medianoche*[4] ; il y doit demeurer aujourd'hui.

Voilà ce que m'a dit Moreuil, pour vous mander[5]. Je jette mon bonnet par-dessus le moulin, et je ne sais rien du reste. M. d'Hacqueville[6], qui était à tout cela[7], vous fera des relations sans doute ; mais comme son écriture n'est pas si lisible que la mienne, j'écris toujours. Voilà bien des détails, mais parce que je les aimerais en pareille occasion, je vous les mande.

Lettres, 109.

Pour préparer l'étude du texte

1. Vous mettrez en évidence la structure du texte (introduction, contexte de l'événement, succession de faits négatifs, mort, réactions, conclusion).
2. Vous étudierez l'accumulation des circonstances défavorables (multiplication des erreurs, contradiction entre les objectifs de Vatel et la réalité, malentendu).
3. Vous analyserez les comportements des témoins, en montrant leur diversité, leurs motivations et le décalage qui se creuse entre la mort dramatique d'un homme et la reprise des activités ordinaires.

1. Le fils de Condé.
2. Il devait se rendre à l'assemblée provinciale de Bourgogne.
3. La famille de la femme que La Rochefoucauld avait épousée en 1659 y possédait un château.
4. Repas de minuit.
5. Pour vous raconter, vous écrire.
6. Conseiller du roi, ami de Madame de Sévigné.
7. Qui assistait à tout cela.

« Enfin c'en est fait, la Brinvilliers est en l'air »

1670-1680 : l'Affaire des Poisons fait scandale. La France entière est bouleversée par une succession d'empoisonnements dans lesquels sont impliqués les milieux de la cour. Une chambre de justice spéciale, la Chambre ardente, est créée pour juger les coupables. Parmi eux, la marquise de Brinvilliers est condamnée à être décapitée et brûlée. Madame de Sévigné évoque, dans une lettre adressée à sa fille, cette mort atroce.

A Paris, ce vendredi 17e juillet 1676.

Enfin c'en est fait, la Brinvilliers est en l'air. Son pauvre petit corps a été jeté, après l'exécution, dans un fort grand feu, et les cendres au vent, de sorte que nous la respirerons, et par la communication des petits esprits[1], il nous prendra quelque humeur empoisonnante dont nous serons tous étonnés[2]. Elle fut jugée dès hier. Ce matin, on lui a lu son arrêt, qui était de faire amende honorable à Notre-Dame et d'avoir la tête coupée, son corps brûlé, les cendres au vent. On l'a présentée à la question[3], elle a dit qu'il n'en était pas besoin, et qu'elle dirait tout. En effet, jusqu'à cinq heures du soir elle a conté sa vie, encore plus épouvantable qu'on ne le pensait. Elle a empoisonné dix fois de suite son père (elle ne pouvait en venir à bout), ses frères et plusieurs autres. Et toujours l'amour et les confidences mêlés partout. Elle n'a rien dit contre Pennautier[4]. Après cette confession, on n'a pas laissé de lui donner la question dès le matin, ordinaire et extraordinaire ; elle n'en a pas dit davantage. Elle a demandé à parler à Monsieur le Procureur général ; elle a été une heure avec lui. On ne sait point encore le sujet de la conversation. A six heures on l'a menée, nue en chemise et la corde au cou, à Notre-Dame faire l'amende honorable. Et puis on l'a remise dans le même tombereau, où je l'ai vue, jetée à reculons sur de la paille, avec une cornette basse[5] et sa chemise, un docteur[6] auprès d'elle, le bourreau de l'autre côté. En vérité, cela m'a fait frémir. Ceux qui ont vu l'exécution disent qu'elle a monté sur l'échafaud avec bien du courage. Pour moi, j'étais sur le pont Notre-Dame avec la bonne d'Escars[7] ; jamais il ne s'est vu tant de monde, ni Paris si ému ni si attentif. Et demandez-moi ce qu'on a vu, car pour moi je n'ai vu qu'une cornette, mais enfin ce jour était consacré à cette tragédie. J'en saurai demain davantage, et cela vous reviendra[8].

Lettres, 444.

Charles Le Brun (1619-1690), *La Marquise de Brinvilliers*, Paris, musée du Louvre, cabinet des dessins.

Pour préparer le commentaire composé

1. **La précision du récit.** Vous étudierez la précision du récit (indications temporelles et spatiales, détails concernant les paroles échangées, les vêtements, les comportements).

2. **Humour et horreur.** Ce récit mêle l'humour et l'horreur. Comment s'exprime ce mélange ? Comment s'explique-t-il ? Quel effet produit-il ?

3. **Les sentiments de Madame de Sévigné.** Vous dégagerez les sentiments que Madame de Sévigné éprouve pour la condamnée et le jugement qu'elle porte indirectement sur la curiosité des spectateurs.

1. Allusion aux esprits animaux qui, pour Descartes, étaient des particules animant les corps.
2. Frappés de stupeur.
3. Torture infligée à l'époque aux accusés pour obtenir leurs aveux.
4. Ce personnage avait été compromis par La Brinvilliers.
5. Une coiffure basse.
6. Un docteur en théologie.
7. Une amie de Madame de Sévigné.
8. Et cela vous parviendra, je vous le relaterai.

Christine de Suède : voyageuse et épistolière

L'usage de la lettre ne se développe pas seulement en France. Dans toute l'Europe, elle constitue un moyen d'échange efficace, permet la formation d'une communauté de gens qui partagent les mêmes préoccupations culturelles et qui veillent, dans leur correspondance, à l'élégance de leur style, à la pertinence de leurs pensées.

Christine de Suède (1626-1689) a ainsi laissé des lettres dignes d'intérêt. Ce fut, il est vrai, un personnage hors du commun. Reine jusqu'en 1654, elle abdique au profit de son cousin, sa conversion au catholicisme l'empêchant de rester la souveraine d'un pays protestant. Femme d'esprit et d'une grande érudition, elle avait noué des relations avec les maîtres de la science et de la littérature, notamment avec Descartes qu'elle avait reçu à sa cour (voir p. 105) et avec Pascal. Elle passera la seconde partie de sa vie à voyager, attirée par l'aventure et par les intrigues sentimentales. Elle devait notamment s'éprendre, au cours d'un séjour en Italie, du cardinal Azzolino, personnage important de l'entourage du pape et entretint avec lui une correspondance régulière.

Cette lettre écrite en français, qu'elle lui adresse de Hambourg, le 5 janvier 1667, avant d'entreprendre un voyage en Suède, souligne la précision de son style, son art de l'observation et son sens de l'humour, ces qualités que Madame de Sévigné a portées à leur point de perfection.

Hendrick van Avercamp (1585-1634), *Hiver, scène de patinage*, La Haye, Mauritshuis.

Hambourg, 5 janvier 1667.

Votre vingt-neuvième lettre me donne à connaître votre impatience de recevoir les Mémoires de ma Vie, que je vous ai promis, et je suis au désespoir de n'avoir pas pu jusqu'ici vous satisfaire, et vous prie de croire qu'il n'y a que l'impossibilité même qui m'en ait pu empêcher. Mes indispositions et occupations continuelles, être tous les jours accablée de cent importuns, de l'un et de l'autre sexe, qui me font la cour, et surtout mes chagrins m'ont rendue incapable jusqu'ici de vous satisfaire. A tout cela il faut ajouter la cruauté de l'hiver insupportable, car à l'heure que je vous écris il faut tenir l'encre continuellement auprès du feu pour l'empêcher de se glacer. Mes doigts me sont si gelés que je ne saurais tenir la plume, et, en vérité, je crois que tout gèle, jusqu'à l'esprit, en ce pays qu'on peut dire maudit de Dieu en toutes les manières. Le froid a augmenté ma douleur de côté d'une manière qu'elle me devient quasi insupportable. L'on n'y voit pourtant aucune marque extérieure ; la chair en cet endroit a sa couleur ordinaire et naturelle, comme dans tout le reste du corps. Il n'y a aussi pas d'enflure, ni rien d'autre, sinon que je sens beaucoup de douleur en y mettant la main. Le lait m'a soulagée pour quelques jours, mais cela n'a pas duré, et à présent le mal est plus fort que jamais. Je suis aussi tourmentée par des douleurs de tête et des migraines si fréquentes, que je n'ai jamais enduré de semblables incommodités, et il ne passe pas de semaine que je n'en sois trois ou quatre jours incommodée. Pour la petite bière[1], elle m'est à présent autant en aversion que la grande, et je n'en bois plus depuis deux mois. Je bois l'eau de cannelle qui me plaît et ne m'échauffe plus, puisqu'on la fait toute pâle et peu chargée ; et j'ai cette obligation à l'hiver de boire à la glace, ce qui étonne les gens du pays du dernier étonnement, aussi bien que de voir

1. Bière peu alcoolisée.

que je porte la tête toute nue et vis dans une chambre où il n'y a pas de poêle, que je ne porte jamais de fourrure, et que je dors dans une chambre où il n'entre jamais du feu ; mais il m'est impossible de souffrir les étuves[1] ni les fourrures, et tous ceux de ma maison sont de mon avis, excepté le seul marquis de Malaspina[2], qui a commencé à s'accoutumer aux étuves.

Pour les expositions du Saint Sacrement, il se fait aussi souvent que le temps et les circonstances du lieu le permettent, et on continuera toujours de même. Les jésuites de ce pays sont vieux, paresseux, froids comme le climat ; les pauvres catholiques sont mal servis, et ils ne peuvent souffrir que d'autres prêtres y viennent. Les miens sont inhabiles, parce qu'ils n'ont pas les langues du pays, qui sont le flamand et l'allemand. Je tâcherai d'y pourvoir à mon départ. Je tiens qu'il n'est pas impossible que cette ville accorde une église catholique, mais je ne vous en parle pas, car je ne suis pas en état de faire la dépense requise pour cela ; et croyez-moi que, pour faire quelque chose de grand et de bon en ces matières, l'argent y fera plus que toutes les oraisons de la bonne mort. Néanmoins, en exposant le Saint Sacrement, je ne saurais me résoudre d'avoir autre intention que celle de l'adorer, et ne lui demanderai jamais autre grâce que celle de le servir et de lui plaire jusqu'à la mort, ayant beaucoup d'indifférence et toute la résignation qu'il faut avoir pour tout le reste.

Je vous envoie une lettre de Lionne[3], qui devrait vous avoir été envoyée par mes précédentes et a été oubliée par ma faute, dont je vous demande pardon.

Je vous envoie aussi les lettres d'Adami[4] et ma réponse. Quelque difficulté qui se puisse présenter, j'espère de venir à bout de tout, si ce n'est plus tôt, au moins lorsque je serai en Suède ; mais j'espère de vaincre tout avant ce temps-là.

Il n'y a ici rien de nouveau qui mérite de vous être écrit, et le froid est si grand qu'il m'est impossible de faire ma lettre plus longue. Adieu.

Faites mes compliments à tous nos amis et remerciez-les du souvenir qu'ils ont de moi, les assurant que mon amitié leur est acquise pour jamais. Encore une fois, adieu.

Dans baron de Bildt, Christine de Suède et le cardinal Azzolino, *Paris, Plon, 1899.*

Pour un groupement de textes

La diversité de la littérature épistolaire à travers les textes de :
Guez de Balzac (voir p. 82),
Cyrano de Bergerac (voir p. 101),
Blaise Pascal (*Lettres à un provincial* ; voir p. 114),
Madame de Sévigné (*Lettres*, 123 et 444 ; voir p. 278 et 285),
Christine de Suède (voir p. 286).

Synthèse

La chronique d'une époque

Les lettres de Madame de Sévigné sont nourries d'une observation minutieuse de son temps. C'est un vaste tableau de son époque qu'elle nous présente. Elle brille dans la peinture des mœurs de ses contemporains. Elle sait rendre la futilité du milieu de la cour qui se passionne pour le mariage du duc de Lauzun et de la Grande Mademoiselle (voir texte, p. 277). Elle décrit avec précision les réactions que suscite la mort de Vatel (voir texte, p. 283).

C'est en véritable journaliste qu'elle traite souvent les événements marquants de son époque. Elle adopte déjà le ton du reportage, en accumulant les détails, en donnant l'impression que l'action est en train de se dérouler sous les yeux mêmes du lecteur... Et le procès de Fouquet revit (voir texte, p. 275)... Et l'exécution horrible de La Brinvilliers, compromise dans la retentissante Affaire des Poisons, a les couleurs des faits divers (voir texte, p. 285).

1. Les poêles.
2. Cet Italien faisait partie de l'entourage de Christine de Suède.
3. Christine de Suède était en relation avec le ministre français Hugues de Lionne.
4. Capitaine des gardes, parent d'Azzolino, Adami était un des hommes de confiance de Christine.

Les joies et les peines de la passion

Au cœur même des lettres de la marquise de Sévigné, éclate la passion. C'est sa raison de vivre, le moteur de son existence, la cause de toutes ses actions. Cette passion, elle s'adresse en premier lieu à sa fille. Ses pensées ne cessent d'aller vers elle. Elle lui écrit plusieurs fois par semaine. Elle réserve pour elle ses réflexions les plus profondes (voir texte, p. 281). Elle met tout son art à lui relater les événements qui agitent Paris. Cet attachement exclusif a ses joies, celles de l'échange, celles des retrouvailles. Mais il a aussi ses peines. La douleur de la séparation atteint parfois l'insupportable, sans cesse ravivée par les souvenirs, par la nostalgie des bonheurs vécus ensemble (voir texte, p. 279). Et l'inquiétude est toujours là, dans l'attente des nouvelles qui tardent à arriver (voir texte, p. 278), dans les soucis d'un accouchement problématique ou dans les appréhensions causées par une santé chancelante.

Cette sensibilité, cette fidélité dans ses attachements, sont d'ailleurs des constantes du caractère de Madame de Sévigné. Loin d'abandonner Fouquet après son arrestation, elle suit au contraire dans l'angoisse son procès, espère avec lui, tremble avec lui, essaie de lui apporter réconfort et consolation (voir texte, p. 275).

Madame de Sévigné est un être entier. Elle ne dissimule pas son admiration pour tous ceux qui sont aussi des passionnés. Cette mère, qui mourra auprès de sa fille à laquelle elle avait voué toute sa passion, semble approuver Vatel mort en pleine activité, victime d'une trop grande conscience professionnelle (voir texte, p. 283), paraît envier Turenne tué en guerrier sur le champ de bataille.

Le jeu de la vie et de la mort

La passion a ses contradictions : elle apporte à la fois bonheur et malheur. C'est que la destinée de l'homme est, dans son ensemble, contradictoire. Madame de Sévigné ne cesse de montrer ce jeu de la vie et de la mort dans lequel l'être humain est lancé. La vie est là, attirante. Madame de Sévigné l'aime, la savoure. Elle est armée pour en profiter, elle se félicite elle-même de son « heureux tempérament », de son « fonds de santé admirable ». Elle apprécie la variété du monde : elle sait saisir les mille détails qui font la saveur des événements, même si ces événements sont cruels (voir texte, p. 283). Elle vibre face aux beautés de la nature, participe, comme les poètes baroques, aux incessantes transformations de la campagne (voir texte, p. 282).

Mais tout mène à la mort qui s'abat brutalement. Elle est souvent secondée par le hasard, provoquée par un concours de circonstances imprévisible. Le maître d'hôtel Vatel est épuisé par la préparation du festin dont on lui a confié l'organisation. A cette fatigue s'ajoute une succession d'incidents : il n'a pas été prévu assez de rôti, le poisson commandé n'arrive pas. La honte et le désespoir s'emparent de lui, il se suicide (voir texte, p. 283). Turenne se livre à une inspection avant la bataille, il est atteint d'un coup mortel tiré, à l'improviste, par l'ennemi. Voilà qui relativise la grandeur et les honneurs. Voilà qui amène à s'interroger sur son destin, à réfléchir sur la signification de cette vie à laquelle Madame de Sévigné tient tant (voir texte, p. 281).

Une grande variété d'expression

Madame de Sévigné diversifie presque à l'infini son expression. Elle a le don de jouer sur les contrastes : le concret et l'abstrait se mêlent, le sublime et le prosaïque se succèdent, le lyrisme et le constat objectif font bon ménage (voir notamment texte, p. 285).

Elle multiplie les formes littéraires : portraits, récits, dialogues (voir texte, p. 283), peintures de paysages (voir texte, p. 282), réflexions philosophiques (voir texte, p. 281) forment un véritable panorama stylistique.

Elles est souvent attirée par une certaine préciosité, visible dans son goût pour la subtilité, pour l'inattendu, pour les effets de surprise. Mais elle a conscience de l'exagération dans laquelle elle tombe, elle y introduit un certain sourire, un humour corrosif au pouvoir démystifiant (voir texte, p. 277).

LA GRANDE MODE DE LA LETTRE LITTÉRAIRE

Le plaisir mondain de communiquer

La cour et les salons favorisent le développement d'une vie collective qui a ses règles, ses codes, et que l'homme idéal, l'« honnête homme », doit respecter (voir p. 269). Ce mode de vie exacerbe le besoin de communiquer qui est le propre de l'être humain et transforme en plaisir la nécessité de la communication.

L'art de la conversation constitue une façon de répondre à cette exigence. La lettre apparaît comme un instrument encore plus élaboré. Elle représente évidemment à l'époque la seule possibilité d'échanger des nouvelles avec un être absent. La facilité qu'elle offre est encore accentuée par les progrès considérables de l'acheminement du courrier : il ne faut que cinq jours pour que les lettres que Madame de Sévigné écrit de Paris parviennent à sa fille, à Aix-en-Provence. Entretenir une correspondance, c'est naturellement communiquer avec celui auquel on s'adresse. Mais comme l'entourage a souvent connaissance de ces lettres, c'est aussi converser avec le milieu dont on fait partie, c'est avoir l'assurance que l'on sera lu et jugé par ces cercles mondains auxquels on appartient.

La littérature épistolaire fleurit donc durant cette période. Tous ceux qui comptent en France dans les domaines littéraire, scientifique ou politique prennent grand soin à rédiger leurs lettres, s'efforcent de leur donner une valeur artistique. Certains excellent dans ce genre qui constitue pour eux une spécialité littéraire : c'est pour leurs lettres que l'histoire de la littérature a retenu les noms de Guez de Balzac (voir p. 82) ou de Madame de Sévigné (voir p. 274). D'autres, comme Voiture (voir p. 70), La Rochefoucauld (voir p. 251) ou le cardinal de Retz (voir p. 270), n'ont fait qu'ajouter leur correspondance à ce qui leur a donné leur véritable renommée, c'est-à-dire respectivement la poésie, les *Maximes* et les *Mémoires*. D'autres enfin ont laissé plus un témoignage de leur vie et de leur temps qu'une œuvre littéraire. Ils sont légion et, dans ce foisonnement, émergent quelques noms : Madame de Sablé (1598-1678), une intime de La Rochefoucauld ; la marquise de Villars (1627-1708), mère du maréchal de Villars ; Madame de Maintenon (1635-1719), maîtresse, puis épouse du roi (voir p. 408).

La lettre fictive

De par sa nature et de par son usage, la lettre a donc alors un double visage : elle est correspondance privée, elle devient aussi création destinée à un public. La tentation de donner la préférence à son aspect collectif est grande. La sincérité y perd alors son compte. L'artificiel, au contraire, y gagne. Madame de Sévigné s'est, la plupart du temps, gardée de suivre cette pente : son humour l'en a préservée. Guez de Balzac ou Voiture n'ont pas toujours su éviter cet écueil. Parfois, à l'évidence, c'est plus aux lecteurs ou même à la postérité qu'à leur correspondant qu'ils s'adressent.

Dès lors, la voie vers la lettre fictive est ouverte. Les règles propres à la lettre y sont respectées : les formules de politesse figurent, l'auteur écrit, à la première personne, à un correspondant particulier. Mais souvent, ce correspondant n'existe pas. S'il existe, la lettre ne lui est pas réellement envoyée. Et si la lettre est expédiée, la correspondance n'est visiblement qu'un prétexte à écrire, un moyen pour l'auteur de s'exprimer librement : Cyrano de Bergerac, avec toute sa verve et tout son humour, excelle dans ce genre de la lettre en trompe-l'œil (voir p. 101).

Lettre et roman

La lettre peut totalement couper les racines qui la rattachent à la réalité. Lettre et fiction peuvent faire bon ménage. La lettre est partie prenante dans le roman : Honoré d'Urfé, dans *L'Astrée*, Madeleine de Scudéry, dans *Le Grand Cyrus* ou dans *Clélie*, Madame de La-fayette, dans *La Princesse de Clèves*, introduisent des lettres, pour créer des effets romanesques, pour faire progresser les intrigues amoureuses.

L'aboutissement de cette évolution, ce sera le roman par lettres où tout sera dit, où toute l'action sera contenue dans les lettres qu'échangent les personnages unis par des relations sentimentales : les *Lettres d'une religieuse portugaise* de Guilleragues, publiées en 1669, inaugurent, en France, ce genre romanesque (voir p. 318). Destiné à donner l'impression que le récit s'appuie sur une réalité précise, il connaîtra un grand développement au XVIIIe siècle, avec notamment *Les Liaisons dangereuses* de Choderlos de Laclos.

Gérard ter Borch (1617-1681), *La Lettre*, La Haye, Mauritshuis.

RICHESSE DE LA RÉFLEXION PHILOSOPHIQUE ET RELIGIEUSE
BOSSUET, SAINT-ÉVREMOND

Durant la seconde partie du XVIIe siècle, l'Europe et la France connaissent une intense activité philosophique. Les systèmes de pensée se multiplient, souvent dans le prolongement de courants antérieurs, mais aussi avec un souci de renouvellement qui les rend spécifiques, originaux. Par ailleurs, l'esprit des salons exerce une influence certaine sur cette réflexion : de nombreux philosophes s'efforcent d'adopter un ton et des formes plaisantes pour développer leur conception du monde, et font ainsi œuvre de vulgarisateur.

Jean-Baptiste Jouvenet (1644-1717), *Le Triomphe de la justice*, Paris, musée du Petit Palais.

LES CONTINUATEURS DE DESCARTES

René Descartes reste au centre de la pensée de cette époque : La Fontaine ne l'appellera-t-il pas « ce mortel dont on eût fait un dieu chez les païens » ? La place essentielle qu'il accorde à la raison dans l'explication de l'univers, la croyance en une cohérence cautionnée par Dieu qui apparaît comme la référence et la garantie de la connaissance se retrouvent chez de nombreux philosophes. Mais, à partir de ces points de départ communs, chacun affiche son identité, élabore son propre système. Ainsi s'affirme l'originalité du Hollandais Baruch Spinoza (1632-1677), qui écrivit notamment l'*Éthique* (publiée en 1677) (voir p. 124), ou du Français Nicolas de Malebranche (1638-1715), auteur de la *Recherche de la vérité* (1674-1675) et des *Entretiens sur la métaphysique et la religion* (1688).

Plus tard, l'Allemand Gottfried Wilhelm Leibniz (1646-1716) poussera encore plus loin l'idée de cohérence et de perfection du monde : dans sa *Théodicée* (1710) ou dans sa *Monadologie* (1714), il décrira un univers constitué de substances simples, les monades, qui s'organisent selon une harmonie préétablie voulue par Dieu, si bien que le mal n'est qu'apparent, parce que tout concourt au bien général. C'est contre cette théorie optimiste que Voltaire s'élève, dans son *Poème sur le désastre de Lisbonne* ou dans le conte philosophique, *Candide*[1].

Les querelles religieuses

La diversité de pensée prend, en particulier, place dans le large éventail des doctrines religieuses qui se multiplient. Les oppositions sont souvent violentes et les querelles fréquentes. Le divorce entre catholiques et protestants continue à faire sentir ses effets (voir p. 52) et sera la source de nouveaux violents affrontements en France à la fin du XVIIe siècle (voir p. 372).

La polémique entre jésuites et jansénistes persiste (voir p. 110). Dans les *Imaginaires* et les *Visionnaires* (1664-1667), Pierre Nicole (1625-1695) poursuit la voie tracée par Pascal : dans l'esprit des *Provinciales*, il s'efforce de discréditer les arguments de ses adversaires, en maniant, avec efficacité, l'arme de l'ironie.

De son côté, Jacques-Bénigne Bossuet (1627-1704) donne sa version personnelle du catholicisme, en accordant une importance particulière à la notion de providence et à la recherche de cette vraie richesse que constitue la richesse spirituelle.

Vers la fin du XVIIe siècle, l'apparition d'un nouveau mouvement viendra encore enrichir ce panorama religieux. Importé d'Espagne, le quiétisme connaît bientôt en France un grand développement. C'est la doctrine à la mode à laquelle adhère notamment Fénelon (1651-1715) (voir p. 404) : selon ses adeptes, la perfection chrétienne et le salut supposent une tranquillité totale de l'âme et une union absolue avec Dieu.

L'affirmation du matérialisme

Face aux philosophies qui subordonnent tout à l'esprit, le matérialisme s'affirme. Il privilégie, au contraire, la matière et fait plus ou moins abstraction de Dieu. En France, le mouvement libertin maintient son influence, illustré notamment par Charles de Saint-Évremond (1613-1703). Il sera relayé, à la fin du XVIIe siècle, par le relativisme de Pierre Bayle (1647-1706) (voir p. 409) ou de Fontenelle (1657-1757) (voir p. 412), puis par la pensée des grands philosophes du Siècle des Lumières, en particulier par Diderot[1].

En Angleterre, se développe ce que l'on appelle l'empirisme : c'est une théorie philosophique selon laquelle la connaissance est le fruit de l'expérience, elle-même fournie par les sens. C'est là ce que propose Thomas Hobbes (1588-1679) qui n'en élimine pas pour autant la raison. Mais cette raison ne peut travailler qu'à partir de ces données de l'expérience.

1. Voir le recueil *Itinéraires Littéraires* consacré au XVIIIe.

Jacques-Bénigne Bossuet
1627-1704

Hyacinthe Rigaud (1659-1743), *Portrait de Bossuet*, Paris, musée du Louvre.

Un jeune provincial pieux et studieux

Peut-on imaginer une enfance, une jeunesse et une adolescence plus édifiantes que celles de Bossuet ? Né à Dijon dans une famille de magistrats, il a très tôt un goût prononcé pour les études. Il est un de ces élèves brillants dont la préoccupation essentielle est de toujours apprendre : élève au collège jésuite de sa ville natale, il y reçoit une solide instruction. En 1642, il est inscrit au collège de Navarre à Paris, où il achève ses études secondaires en 1644 et obtient, en 1652, sa licence en théologie.

Tourné vers la piété, c'est par vocation que Bossuet se destine à une carrière ecclésiastique. Il va en franchir lentement tous les échelons : il a été tonsuré[1] dès l'âge de dix ans, est devenu chanoine[2] à Metz à quinze ans. Le voici sous-diacre[3] à Langres à vingt et un ans, diacre[4] à Metz à vingt-deux ans, enfin prêtre à vingt-cinq ans : qu'on est loin de la promotion fulgurante du cardinal de Retz (voir p. 270) ! Jusqu'en 1659, il exerce ses fonctions de prêtre à Metz. Son activité est débordante : il prêche, combat le protestantisme, continue à étudier.

La gloire parisienne

Sa réputation de prédicateur commence à se répandre. Son ami, Vincent de Paul, le célèbre Monsieur Vincent, le défenseur des pauvres, intervient pour le faire venir à Paris. A partir de 1659, il exprime son talent d'orateur sacré dans de nombreuses églises parisiennes. La cour le demande : en 1662, il prononce le sermon de Carême au Louvre. Il est le prédicateur à la mode que l'on charge des oraisons funèbres des grands de ce monde. Mais il garde la tête froide, ne tire pas vanité de ses succès, met toute cette éloquence au service de sa foi. La consécration de son action lui vient en 1669 : le voici nommé, à quarante-deux ans, évêque de Condom près d'Auch.

Précepteur du dauphin

Dès l'année suivante, en 1670, Louis XIV le choisit pour devenir le précepteur de son fils aîné, le dauphin. Bossuet assure l'éducation du jeune prince pendant dix ans, jusqu'en 1680. Il applique une méthode d'enseignement souple et pratique, essaie d'instruire son élève en

1. La tonsure, qui consiste à couper une mèche de cheveux au sommet de la tête, marque l'entrée dans l'état ecclésiastique.
2. Membre de l'assemblée des religieux d'une église ou d'une basilique.
3. Le sous-diaconat est le premier échelon de la hiérarchie catholique.
4. Le diaconat est l'échelon qui précède la prêtrise.

l'intéressant et en l'amusant, s'efforce d'en faire un futur roi attaché à ses devoirs. Il remplit cette fonction avec une grande conscience. Elle n'est pas facile : son royal disciple est un être apathique, peu curieux, qu'il est bien difficile d'intéresser. Pour lui, Bossuet compose une série d'ouvrages qu'il ne fera publier que plus tard.

L'Aigle de Meaux

Le dauphin se marie le 7 mars 1680. Ainsi se termine pour Bossuet cette expérience pédagogique. Il reste à la cour encore une année, comme aumônier de la dauphine. Puis, en 1681, il est nommé évêque de Meaux. Jusqu'à sa mort en 1704, celui que l'on appelle l'Aigle de Meaux développe une intense activité en faveur de l'Église. Il continue à prêcher, mais il prend l'habitude d'improviser à partir de notes rapides et n'a donc laissé, durant cette période de sa vie, que peu de traces de son talent d'orateur. Il intensifie sa lutte contre ce qu'il considère comme des déviations religieuses et assiste, avec inquiétude, à la montée de la pensée libertine : c'est pour lui le temps de la rédaction de grands ouvrages théoriques et polémiques.

Une œuvre colossale

Ce qui a fait la réputation de Bossuet, c'est son œuvre oratoire. Ses sermons, *Sur l'éminente dignité des pauvres* (1659) ou *Sur la mort* (1662), ses oraisons funèbres, *Sur la mort d'Henriette d'Angleterre* (1670) ou *Sur la mort de Condé* (1687), sont restés comme des chefs-d'œuvre de la littérature française.

Mais ce n'est là qu'un aspect d'un ensemble colossal et varié. Bossuet a été aussi un polémiste redoutable. Il n'a cessé, en particulier, d'exercer ce talent contre les protestants, qu'il attaque notamment dans l'*Histoire des variations des églises protestantes* (1688). Et que dire de ce violent pamphlet contre le théâtre que constituent les *Maximes et réflexions sur la comédie* (1694) ?

Son œuvre didactique est également importante. Il la construit durant son préceptorat, élabore de vastes traités, comme le *Discours sur l'histoire universelle*, analyse des grands événements de l'humanité qui ne paraîtra qu'en 1681 : selon lui, toute l'histoire s'explique par l'action de la Providence.

Dans les dernières années de sa vie, il rédige enfin des écrits spirituels, comme les *Méditations sur l'Évangile* : composées vers 1695, elles se distinguent par leur lyrisme et par la poésie biblique qui les imprègnent. Bossuet est un prodigieux auteur qui a su varier presque à l'infini son inspiration religieuse.

Un activiste infatigable

Homme de plume, Bossuet est aussi homme d'action. Il a joué un rôle considérable dans l'histoire de son temps. Influent à la cour, il est au centre de toutes les querelles religieuses et philosophiques de son époque : adversaire des jansénistes, il s'oppose également au quiétisme, nouvelle doctrine défendue notamment par Fénelon, qui considère que la perfection chrétienne dépend de la tranquillité de l'âme (voir p. 404). Il combat le cartésianisme, qui privilégie trop, à son goût, la raison, en dénonçant son continuateur, le philosophe français Malebranche. Il entame des négociations avec le philosophe allemand Leibniz, pour essayer de réconcilier le catholicisme et le protestantisme.

Défenseur zélé de l'Église de France, il tente de la soustraire au pouvoir de la papauté et se fait ainsi le champion du gallicanisme. Il contribue à étendre l'influence de la religion : ennemi irréductible des libertins, il s'oppose avec énergie aux idées non conformistes et condamne le théâtre comme l'école de tous les vices (voir p. 302).

Sermon sur l'éminente dignité des pauvres (1659).
Sermon sur la mort (1662). → pp. 294-295.
Oraison funèbre d'Henriette d'Angleterre (1670). → pp. 297-298.
Oraison funèbre de Michel Le Tellier (1686).
Oraison funèbre de Condé (1687). → pp. 300 à 302.
Maximes et réflexions sur la comédie (1694). → pp. 302-303.

Les sermons

Sur les quelque six cents sermons prononcés par Bossuet, à peine un tiers nous est parvenu. L'explication est simple : le sermon relève de l'expression orale et ne donne pas toujours lieu à une rédaction. Il est conçu pour être entendu, et non pour être lu. Il fait intervenir les mots, mais aussi le son et les intonations de la voix, les gestes, les mimiques : il a une dimension théâtrale, ce qui explique son succès auprès des gens de cour attirés par le spectacle. Et les concurrents ne manquent pas à Bossuet : Louis Bourdaloue (1632-1704) ou Valentin-Esprit Fléchier (1632-1710) rivalisent avec lui en talent oratoire.

La construction du sermon obéit à des règles strictes. Il constitue un commentaire, une méditation sur un texte tiré des écritures saintes. Il commence par un exorde destiné à attirer l'attention et à présenter le sujet qui va être traité. Le développement est divisé en deux ou trois points principaux. Le sermon s'achève sur la péroraison, qui en dégage les enseignements essentiels.

Sermon sur la mort

1662

C'est devant la cour, au Louvre, que Bossuet prononça ce sermon, l'un de ses chefs-d'œuvre, lors du Carême de 1662. A cette époque, le roi et son entourage ont une pratique religieuse superficielle, de convention. Le plan même du sermon tient compte des dispositions de l'auditoire qu'il s'agit de ramener à la vraie foi. Après avoir montré la misère de l'homme, Bossuet en souligne ensuite la grandeur et conclut en donnant la solution de cette énigme : l'homme ne peut être réellement grand que s'il se soumet à la volonté divine.

« Qu'est-ce que cent ans ? Qu'est-ce que mille ans, puisqu'un seul moment les efface ? »

Dans le premier point du sermon, Bossuet évoque, de façon saisissante, la mort, ce gouffre où tout s'anéantit, cette rature qui efface tout, cette fin inéluctable qui rend tout éphémère et relatif.

Voici la belle méditation dont David[1] s'entretenait sur le trône, et au milieu de sa cour : Sire, elle est digne de votre audience. *Ecce mensurabiles posuisti dies meos, et substantia mea tanquam nihilum ante te.* O éternel roi des siècles, vous êtes toujours à vous-même, toujours en vous-même ; votre être, éternellement permanent, ni ne s'écoule, ni ne se change, ni ne se mesure. *Et voici que vous avez fait mes jours mesurables, et ma substance[2] n'est rien devant vous.* Non, ma substance n'est rien devant vous, et tout l'être qui se mesure n'est rien, parce que ce qui se mesure a son terme, et lorsqu'on est venu à ce terme, un dernier point détruit tout, comme si jamais il n'avait été. Qu'est-ce que cent ans ? Qu'est-ce que mille ans, puisqu'un seul moment les efface ? Multipliez vos jours,

Georges de La Tour (1593-1652), *La Madeleine à la veilleuse*, Paris, musée du Louvre. Mort corporelle et lumière spirituelle.

1. Roi hébreu (vers 1015-970 av. J.-C.).

2. Ce qui définit mon être.

comme les cerfs que la fable[1] ou l'histoire de la nature fait vivre durant tant de siècles ; durez autant que ces grands chênes sous lesquels nos ancêtres se sont reposés et qui donneront encore de l'ombre à notre postérité ; entassez, dans cet espace qui paraît immense, honneurs, richesses, plaisirs ; que vous profitera cet amas, puisque le dernier souffle de la mort, tout faible, tout languissant, abattra tout
30 à coup cette vaine pompe[2] avec la même facilité qu'un château de cartes, vain amusement des enfants ? Que vous servira d'avoir tant écrit dans ce livre, d'en avoir rempli toutes les pages de beaux caractères, puisque enfin une seule nature doit tout effacer ? Encore une rature laisserait-elle quelques traces du moins d'elle-même ; au lieu que ce dernier moment qui effacera d'un seul trait toute votre vie, s'ira perdre lui-même avec tout le reste dans ce grand gouffre du néant. Il n'y aura
35 plus sur la terre aucuns vestiges de ce que nous sommes ; la chair changera de nature ; le corps prendra un autre nom ; *même celui de cadavre ne lui demeurera pas longtemps ; il deviendra,* dit Tertullien[3], *un je ne sais quoi qui n'a plus de nom dans aucune langue* ; tant il est vrai que tout meurt en lui, jusqu'à ces termes funèbres par lesquels on exprimait ses malheureux restes. *Post totum ignobilitatis elogium, caducæ in originem terram, et cadaveris nomen ; et de isto quoque nomine*
40 *perituræ in nullum inde jam nomen, in omnis jam vocabuli mortem*[4].

Qu'est-ce donc que ma substance, ô grand Dieu ? J'entre dans la vie pour sortir bientôt ; je viens me montrer comme les autres ; après, il faudra disparaître. Tout nous appelle à la mort. La nature, presque envieuse du bien qu'elle nous a fait, nous déclare souvent et nous fait signifier qu'elle ne peut pas nous laisser longtemps ce peu de matière qu'elle nous prête, qui ne doit pas demeurer dans
45 les mêmes mains, et qui doit être éternellement dans le commerce[5] : elle en a besoin pour d'autres formes, elle la redemande pour d'autres ouvrages. Cette recrue[6] continuelle du genre humain, je veux dire les enfants qui naissent, à mesure qu'ils croissent et qu'ils s'avancent, semblent nous pousser de l'épaule et nous dire : Retirez-vous, c'est maintenant notre tour. Ainsi, comme nous en voyons passer d'autres devant nous, d'autres nous verront passer, qui doivent à leurs successeurs le même
50 spectacle. O Dieu ! encore une fois, qu'est-ce que de nous ? Si je jette la vue devant moi, quel espace infini où je ne suis pas ! Si je la retourne en arrière, quelle suite effroyable où je ne suis plus, et que j'occupe peu de place dans cet abîme immense du temps ! Je ne suis rien ; un si petit intervalle n'est pas capable de me distinguer du néant. On ne m'a envoyé que pour faire nombre : encore n'avait-on que faire de moi, et la pièce n'en aurait pas été moins jouée, quand je serais demeuré derrière le
55 théâtre.

Sermon sur la mort.

Pour préparer le commentaire composé

1. **La misère de l'homme.** L'ensemble de ce texte évoque la misère de l'homme marqué par l'éphémère et le relatif. Vous analyserez la manifestation de cette misère. Un certain espoir vient-il tempérer ce pessimisme ?
2. **Les images de la mort.** Vous étudierez l'expression de la mort tout au long de ce texte. Vous montrerez ce qui fait la force des images et des comparaisons utilisées. Des lignes 35 à 38 Bossuet développe une citation de Tertullien (lignes 38 à 40, note 4). En quoi son expression est-elle plus efficace et plus percutante que celle de son modèle ?
3. **Le lyrisme oratoire.** Vous analyserez le lyrisme de ce texte (appel à l'imagination, interrogations, métaphores, expression de la sensibilité).

Pour un groupement de textes

Le thème de la mort dans :
Consolation à M. du Périer (voir p. 20) de François de Malherbe,
Pyrame et Thisbé (voir p. 33) de Théophile de Viau,
Sur un tombeau (voir p. 68) de François Tristan L'Hermite,
La Mort d'Agrippine (voir p. 98) de Cyrano de Bergerac,
les *Lettres* (109, 144, 203), (voir pp. 281, 283 et 285) de Madame de Sévigné,
le *Sermon sur la mort* (voir p. 294), l'*Oraison funèbre d'Henriette d'Angleterre* (voir p. 298) et l'*Oraison funèbre de Condé* (voir p. 300) de Jacques-Bénigne Bossuet,
La Mort et le bûcheron (voir p. 343) de Jean de La Fontaine.

1. Récit faux, imaginaire.
2. Cette vaine magnificence.
3. Père de l'Église (vers 155-220).
4. « Après avoir procédé à une analyse complète de cette ignominie du corps, qui retourne à son origine, la terre, mérite le nom de cadavre et, bien plus, à partir de ce nom, connaît l'anéantissement, n'a désormais plus de nom, subit la mort de toute appellation. »
5. Dans l'échange.
6. Recrutement, engagement de nouveaux soldats.

Un chef-d'œuvre de la poésie religieuse anglaise : « Le Paradis perdu » (1667)

Dans l'Europe du XVIIe siècle, la religion constitue une source inépuisable pour la littérature. A l'époque même où Bossuet, orateur inspiré, prononce ses sermons et ses oraisons funèbres, le poète anglais John Milton (1608-1674) publie *Le Paradis perdu* (1667). Un véritable mythe s'est construit autour de l'auteur et de l'œuvre : John Milton apparaît comme une figure exceptionnelle, d'abord engagé dans la vie de son temps, défenseur acharné du protestantisme et de la république, puis, poète aveugle dictant les vers de son poème immortel. Quant au *Paradis perdu*, il relate l'épopée de l'homme, l'aventure humaine, celle d'Adam et Eve qui, après avoir succombé au péché, sont chassés du paradis terrestre, mais pourront connaître le salut grâce au sacrifice du Christ.

Dans le Livre III du Tome I, Dieu prévoit la déchéance de l'homme. Il lance un appel à son entourage : qui se sacrifiera pour sauver l'être humain ? Un silence pesant lui répond, jusqu'au moment où son fils se porte volontaire. Dans ce texte de Milton, on trouve, comme chez Bossuet, l'influence de l'Ancien Testament et l'obsession de la mort.

Charles Le Brun (1619-1690), *Jésus portant sa croix*, détail Paris, musée du Louvre.
La sacrifice du Christ pour le salut spirituel de l'homme.

Il adressa cette demande[1], mais tout le chœur céleste resta muet,
Et le silence était dans le Ciel. En faveur de l'homme
Aucun patron ni intercesseur[2] ne paraît,
Ni encore moins celui qui ose attirer sur sa tête
5 *La proscription[3] mortelle et payer la rançon.*
Et alors, privée de rédemption, la race humaine entière
Eût été perdue, adjugée à la mort et à l'enfer
Par un arrêt sévère, si le Fils de Dieu,
En qui réside la plénitude de l'amour divin,
10 *N'eût ainsi renouvelé sa plus chère médiation[4] :*
— Mon Père, ta parole est prononcée, l'homme trouvera grâce.
Mais la grâce ne trouvera-t-elle pas quelque moyen de salut, elle qui trouve son chemin,
Le plus rapide de tes messages ailés
Pour aller visiter toutes tes créatures, elle qui à tous
15 *Arrive sans être prévue, implorée, cherchée ?*

1. Dieu vient de demander un volontaire pour sauver l'homme.
2. Celui qui intervient en faveur de quelqu'un.
3. Le fait d'être banni du ciel.
4. Son entremise.

Heureux pour l'homme qu'elle arrive ainsi ! L'aide de la grâce,
L'homme ne la peut chercher, une fois perdu et mort dans le péché ;
Il ne peut offrir pour lui ni expiation, ni offrande convenable,
Endetté et ruiné.
20 *Me voici donc, je m'offre moi pour lui, vie pour vie ;*
Sur moi laisse tomber ta colère ;
Compte-moi pour homme ; en sa faveur je quitterai
Ton sein, et cette gloire proche de la tienne,
Je la dépouillerai volontairement, et pour l'homme enfin je mourrai,
25 *Satisfait. Que sur moi la mort exerce toute sa fureur ;*
Sous son ténébreux pouvoir je ne demeurerai pas longtemps
Vaincu. Tu m'as donné de posséder
La vie en moi-même à jamais ; par toi je vis.
Quoique maintenant je cède à la mort, et sois son dû
30 *En tout ce qui de moi peut mourir, pourtant, cette dette payée,*
Tu ne me laisseras pas sa proie dans l'affreux tombeau
Et tu ne souffriras pas que mon âme sans tache
Habite là pour jamais avec la corruption ;
Mais je ressusciterai victorieux, et je subjuguerai
35 *Mon vainqueur, dépouillé de ses dépouilles vantées.*
La mort recevra alors sa blessure de mort, et s'inclinera
Sans gloire, désarmée de son dard mortel.
Moi, à travers les airs, dans un grand triomphe,
J'emmènerai l'enfer captif malgré l'enfer, et je te montrerai
40 *Les pouvoirs des ténèbres enchaînés. Toi, charmé à cette vue,*
Tu laisseras tomber du Ciel un regard et tu souriras,
Tandis qu'élevé par toi, je confondrai tous mes ennemis,
La mort la dernière, et avec sa carcasse je rassasierai le tombeau.
Alors, entouré de la multitude de mes rachetés[1]*,*
45 *Je rentrerai dans le Ciel après une longue absence ; j'y reviendrai,*
O mon Père, pour contempler ta face, où aucun nuage
De colère ne restera, mais où l'on verra la paix assurée
Et la réconciliation ; la colère n'existera plus
Désormais, mais en ta présence la joie entière.

John Milton, Le Paradis perdu, *Tome 1, Livre III, vers 217 à 265, traduction P. Messiaen, Paris, Aubier, 1951.*

Les oraisons funèbres

Dans les milieux de la cour, tout est théâtre, tout est spectacle, tout est prétexte au développement du faste et de la magnificence. La mort même est l'occasion de grandes cérémonies. La disparition des personnages célèbres donne lieu à de somptueuses funérailles. L'éloquence religieuse des prédicateurs peut alors s'exprimer : l'oraison funèbre leur permet de laisser libre cours à tout leur talent et à toute leur inspiration.

Comme le sermon, l'oraison funèbre a ses règles. Elle doit évidemment prendre comme point de départ la vie de l'illustre défunt, évoquer son portrait, retracer son action, se pencher sur les événements historiques qu'il a marqués de son empreinte. Mais, à partir de ce cas particulier, elle doit élargir la perspective, en amenant l'auditeur à réfléchir sur les exemples offerts et à méditer sur la mort qui, d'un seul coup, réduit à néant des personnages hors du commun. La construction de l'oraison funèbre est identique à celle du sermon : après l'exorde, appel à l'attention et annonce du plan, le développement se décompose en deux ou trois parties et s'achève sur la péroraison qui tire la leçon de cette vie et de cette mort.

Oraison funèbre d'Henriette d'Angleterre

1670

C'est à l'abbaye de Saint-Denis que Bossuet prononça cette *Oraison funèbre d'Henriette d'Angleterre*, le 21 août 1670. Fille de Charles Ier d'Angleterre et d'Henriette de France qui venait de mourir l'année précédente, épouse du frère de Louis XIV, le duc d'Orléans, c'était une jeune femme comblée, belle et spirituelle, raffinée, protectrice des arts, habile diplomate. Sa mort, intervenue à l'âge de vingt-six ans, offrait un exemple particulièrement dramatique de la fragilité de l'homme et de la relativité de sa condition.

1. De ceux que j'ai rachetés.

« Madame se meurt ! Madame est morte ! »

Dans la première partie, Bossuet, après avoir évoqué la vie bien remplie d'Henriette d'Angleterre, en vient aux circonstances de sa mort.

Considérez, Messieurs, ces grandes puissances que nous regardons de si bas ; pendant que nous tremblons sous leur main, Dieu les frappe pour nous avertir. Leur élévation en est la cause ; et il les épargne si peu qu'il ne craint pas de les sacrifier à l'instruction du reste des hommes. Chrétiens, ne murmurez pas si Madame[1] a été choisie pour nous donner une telle instruction : il n'y a rien ici de
5 rude pour elle, puisque, comme vous le verrez dans la suite, Dieu la sauve par le même coup qui nous instruit. Nous devrions être assez convaincus de notre néant : mais s'il faut des coups de surprise à nos cœurs enchantés de l'amour du monde[2], celui-ci est assez grand et assez terrible. O nuit désastreuse ! ô nuit effroyable, où retentit tout à coup comme un éclat de tonnerre cette étonnante nouvelle[3] : Madame se meurt ! Madame est morte ! Qui de nous ne se sentit frappé à ce coup, comme
10 si quelque tragique accident avait désolé sa famille ? Au premier bruit d'un mal si étrange[4], on accourut à Saint-Cloud de toutes parts ; on trouve tout consterné, excepté le cœur de cette princesse : partout on entend des cris ; partout on voit la douleur et le désespoir, et l'image de la mort. Le roi, la reine, Monsieur[5], toute la cour, tout le peuple, tout est abattu, tout est désespéré ; et il me semble que je vois l'accomplissement de cette parole du prophète : « Le roi pleurera, le prince sera désolé,
15 et les mains tomberont au peuple de douleur et d'étonnement. »

Mais et les princes et les peuples gémissaient en vain ; en vain Monsieur, en vain le roi même tenait Madame serrée par de si étroits embrassements. Alors ils pouvaient dire l'un et l'autre avec saint Ambroise[6] : *Stringebam brachia, sed jam amiseram quam tenebam*: « Je serrais les bras, mais j'avais déjà perdu ce que je tenais. » La princesse leur échappait parmi des embrassements si tendres, et
20 la mort plus puissante nous l'enlevait entre ces royales mains. Quoi donc ! elle devait périr sitôt ! Dans la plupart des hommes les changements se font peu à peu, et la mort les prépare ordinairement à son dernier coup. Madame cependant a passé du matin au soir, ainsi que l'herbe des champs : le matin elle fleurissait ; avec quelles grâces, vous le savez : le soir nous la vîmes séchée, et ces fortes expressions par lesquelles l'Écriture Sainte[7] exagère l'inconstance des choses humaines devaient être
25 pour cette princesse si précises et si littérales ! Hélas ! nous composions son histoire de tout ce qu'on peut imaginer de plus glorieux : le passé et le présent nous garantissaient l'avenir, et on pouvait tout attendre de tant d'excellentes qualités.

Oraison funèbre d'Henriette d'Angleterre.

Pour préparer l'étude du texte

1. Vous mettrez en relief la structure du texte (appel à la réflexion, récit dramatisé). Vous préciserez la tonalité et le contenu de ces deux mouvements.
2. Vous étudierez l'expression du désarroi et de la douleur dans le récit de la mort.
3. Quels enseignements Bossuet cherche-t-il à faire passer auprès de son auditoire ? Vous montrerez, en particulier, comment s'expriment la brièveté de l'existence et la brutalité du passage de la vie à la mort.

Pour une étude comparée

Vous comparerez cette relation de la mort d'Henriette d'Angleterre avec le récit de la mort de la marquise de Brinvilliers proposé par Madame de Sévigné (voir p. 285), en insistant plus particulièrement sur les points suivants :

1. **L'art du récit.** Vous dégagerez et analyserez les techniques du récit utilisées par les deux auteurs (traitement de la chronologie des faits, succession des actions, souci des détails).
2. **L'émotion.** Vous montrerez que ces deux récits sont porteurs d'émotion, en mettant en évidence la diversité des réactions suscitées par ces deux morts, conséquences des différences qui séparent radicalement les personnes concernées et les circonstances.
3. **Les enseignements.** Vous comparerez les enseignements que Bossuet et Madame de Sévigné tirent de l'évocation de la mort.

1. Nom donné à Henriette d'Angleterre, épouse du duc d'Orléans que l'on appelait Monsieur.
2. Nos cœurs victimes d'un enchantement qui nous tourne vers l'amour du monde.
3. Cette nouvelle qui agit comme un coup de tonnerre.
4. Il s'agissait peut-être d'un empoisonnement.
5. Le duc d'Orléans, frère de Louis XIV.
6. Père de l'Église (vers 340-397).
7. Allusion à un passage de la Bible qui compare l'homme à une fleur fanée aussitôt qu'éclose.

Giovanni Martinelli (1610-1659), *Memento mori ou La Mort vient à table*, huile sur toile, 120,6 × 174 cm, New Orleans Museum of Art (gift of Mrs William G. Helis in memory of her husband).

L'omniprésence de la mort

La mort est omniprésente dans l'œuvre de Bossuet. Jacques Truchet le souligne, tout en notant qu'il s'agit là d'un thème souvent développé par les écrivains du XVIIe siècle.

Sous sa forme la plus immédiatement perceptible, la misère de l'homme apparaît dans l'ordre matériel. L'instabilité de la fortune, la mort sont des lieux communs toujours repris par les auteurs spirituels et les prédicateurs. On les retrouve jusque chez les femmes du monde, pour peu qu'elles se préoccupent de théologie ; les écrits de 5 *Mme de Motteville[1], de Mme de Sévigné abondent sur ces sujets en développements qui valent ceux de bien des hommes de métier. Ne sont-ce pas des thèmes inévitables, bien propres d'ailleurs à contraindre à la réflexion les esprits frivoles ?*

Aussi ne sommes-nous pas surpris de trouver chez Bossuet nombre d'avertissements comme celui-ci, à l'adresse des riches et des puissants :

10 *« Vous penserez vous être muni d'un côté, la ruine viendra de l'autre. Vous aurez tout assuré aux environs, l'édifice fondra tout à coup par le fondement. Si le fondement est solide, un coup de foudre viendra d'en haut, qui renversera tout de fond en comble. Je veux dire simplement et sans figure que les malheurs nous assaillent et nous pénètrent par trop d'endroits pour pouvoir être prévus et arrêtés de toutes parts. Il n'y* 15 *a rien sur la terre, enfants, amis, dignités, emplois, où nous mettions notre appui, qui non seulement ne puisse manquer, mais encore ne puisse nous être tourné en une amertume infinie ; et nous serions trop novices dans l'histoire de la vie humaine, si nous avions encore besoin qu'on nous prouvât cette vérité ».*

Nous reviendrons sur ce genre d'avertissements quand nous examinerons la 20 *prédication de Bossuet à l'usage de la haute société. Pour l'instant, nous retiendrons surtout le thème de la mort.*

Ce thème fournit aux Œuvres oratoires *de nombreux développements, depuis la* Méditation sur la brièveté de la vie *composée en 1648 jusqu'à l'exhortation improvisée le 14 juin 1689 pour les Visitandines de Meaux qui venaient de perdre leur confesseur :* 25 *« Vous voyez, mes Filles, la fin de toutes choses : tout passe, tout nous quitte, tout nous abandonne, tout finit ; et nous passons, et nous finissons aussi nous-mêmes... »*

Tantôt Bossuet évoque la maladie et la décrépitude qui s'insinuent en l'homme et l'avertissent de sa fin prochaine :

1. Madame de Motteville (1621-1689) est l'auteur de *Mémoires* où apparaît fréquemment Anne d'Autriche, dont elle fut la femme de chambre.

« Allez dans les hôpitaux [...] pour y contempler le spectacle de l'infirmité hu-
30 *maine ; là, vous verrez en combien de sortes la maladie se joue de nos corps. Là, elle étend ; là, elle retire ; là, elle relâche ; là, elle engourdit ; là, elle arrête un corps perclus et immobile ; là, elle le secoue tout entier par le tremblement. Pitoyable variété ! diversité surprenante ! Chrétiens, c'est la maladie qui se joue comme il lui plaît de nos corps, que le péché a abandonné à ses cruelles bizarreries. O homme, considère le*
35 *peu que tu es ; regarde le peu que tu vaux ; viens apprendre la liste funeste des maux dont ta faiblesse est menacée. »*

Tantôt il s'en prend à la vaine pompe[1] des sépultures :

« Quand je vois ces riches tombeaux sous lesquels les grands de la terre semblent vouloir cacher la honte de leur pourriture, je ne puis assez m'étonner de l'extrême folie
40 *des hommes qui érige de si magnifiques trophées à un peu de cendres et à quelques vieux ossements. »*

Jacques TRUCHET, La Prédication de Bossuet, *Paris, Éditions du Cerf, 1960.*

Oraison funèbre de Condé

1687

Le nom de Condé (1621-1686) est de ceux qui évoquent la gloire militaire, la vie aventureuse, les exploits hors de l'ordinaire. Ce personnage ne peut laisser indifférent, tant son existence fut romanesque. Il ne semble vivre que pour la guerre. Très jeune, il se distingue sur les champs de bataille. Durant la Fronde (voir p. 55), il fait partie des comploteurs. Il ne recule pas devant la trahison et s'allie avec les Espagnols pour combattre le pouvoir royal. Vaincu, il lui faudra attendre 1659 pour retrouver son commandement et, de nouveau, il sera le héros remarquable par son courage, favorisé par la chance qui se trouve toujours à ses côtés. Ses titres et sa gloire font de lui une illustration significative de cette façon dont la mort nivelle les hommes, fait disparaître les différences qui les séparent, relativise les honneurs. Cette oraison funèbre fut prononcée le 10 mars 1687 à Notre-Dame de Paris.

« Le voyez-vous comme il vole, ou à la victoire, ou à la mort ? »

Dans ce texte, Bossuet évoque longuement la bataille de Rocroi que Condé remporta en 1643, à vingt-deux ans, sur l'armée espagnole. Il y donne en exemples les trois vertus essentielles de l'homme de guerre : le courage, la générosité et la modestie.

A la nuit qu'il fallut passer en présence des ennemis, comme un vigilant capitaine, il reposa le dernier, mais jamais il ne reposa plus paisiblement. A la veille d'un si grand jour et dès la première bataille, il est tranquille, tant il se trouve dans son naturel ; et on sait que le lendemain, à l'heure marquée, il fallut réveiller d'un profond sommeil cet autre Alexandre[2]. Le voyez-vous comme il vole, ou à la
5 victoire, ou à la mort ? Aussitôt qu'il eut porté de rang en rang l'ardeur dont il était animé, on le vit presque en même temps pousser[3] l'aile droite des ennemis, soutenir la nôtre ébranlée, rallier les Français à demi vaincus, mettre en fuite l'Espagnol victorieux, porter partout la terreur, et étonner[4] de ses regards étincelants ceux qui échappaient à ses coups.

Restait cette redoutable infanterie de l'armée d'Espagne, dont les gros bataillons serrés, sem-
10 blables à autant de tours, mais à des tours qui sauraient réparer leurs brèches, demeuraient inébranlables au milieu de tout le reste en déroute, et lançaient des feux de toutes parts. Trois fois le jeune vainqueur s'efforça de rompre ces intrépides combattants ; trois fois il fut repoussé par le valeureux comte de Fontaines[5], qu'on voyait porté dans sa chaise et, malgré ses infirmités, montrer qu'une âme guerrière est maîtresse du corps qu'elle anime ; mais enfin il faut céder. C'est en vain
15 qu'à travers des bois avec sa cavalerie toute fraîche, Beck[6] précipite sa marche pour tomber sur nos soldats épuisés ; le prince l'a prévenu, les bataillons enfoncés demandent quartier[7] : mais la victoire va devenir plus terrible pour le duc d'Enghien[8] que le combat. Pendant qu'avec un air assuré il s'avance pour recevoir la parole de ces braves gens, ceux-ci, toujours en garde, craignent la surprise de quelque nouvelle attaque ; leur effroyable décharge met les nôtres en furie ; on ne voit plus que
20 carnage ; le sang enivre le soldat, jusqu'à ce que le grand prince, qui ne put voir égorger ces lions

1. La magnificence, la splendeur.
2. Alexandre le Grand (356-323 av. J.-C.), prestigieux chef de guerre macédonien.
3. Bousculer.
4. Frapper de stupeur.
5. C'est lui qui commandait l'armée espagnole.
6. Le chef de l'armée allemande.
7. Demandent à être épargnés.
8. Condé.

ph : Museums foto B.P. Keiser

Willem de Poorter (1608-1680?), *Vanité avec armure*, Braunschweig, Herzog Anton Ulrich Museum.

comme de timides brebis, calma les courages émus[1] et joignit au plaisir de vaincre celui de pardonner. Quel fut alors l'étonnement de ces vieilles troupes et de leurs braves officiers, lorsqu'ils virent qu'il n'y avait plus de salut pour eux qu'entre les bras du vainqueur ! de quels yeux regardèrent-ils le jeune prince, dont la victoire avait relevé la haute contenance[2], à qui la clémence ajoutait de nouvelles grâces ! Qu'il eût encore volontiers sauvé la vie au brave comte de Fontaines : mais il se trouva par terre parmi les milliers de morts dont l'Espagne sent encore la perte. Elle ne savait pas que le prince qui lui fit perdre tant de ses vieux régiments à la journée de Rocroi en devait achever les restes dans les plaines de Lens. Ainsi la première victoire fut le gage de beaucoup d'autres. Le prince fléchit le genou, et dans le champ de bataille il rend au Dieu des armées la gloire qu'il lui envoyait ; là on célébra Rocroi délivré ; les menaces d'un redoutable ennemi tournées à sa honte, la régence affermie, la France en repos, et un règne, qui devait être si beau, commencé par un si heureux présage. L'armée commença l'action de grâces[3], toute la France suivit ; on y élevait jusqu'au ciel le coup d'essai du duc d'Enghien : c'en serait assez pour illustrer une autre vie que la sienne, mais pour lui c'est le premier pas de sa course.

Dès la première campagne, après la prise de Thionville, digne prix de la victoire de Rocroi, il passa pour un capitaine également redoutable dans les sièges et dans les batailles. Mais voici dans une jeune prince victorieux quelque chose qui n'est pas moins beau que la victoire. La cour, qui lui préparait à son arrivée les applaudissements qu'il méritait, fut surprise de la manière dont il les reçut. La reine régente[4] lui a témoigné que le roi était content de ses services : c'est dans la bouche du souverain la digne récompense de ses travaux. Si les autres osaient le louer, il repoussait leurs louanges comme des offenses, et indocile à la flatterie, il en craignait jusqu'à l'apparence : telle était

1. Les cœurs émus, hors d'eux-mêmes.
2. L'attitude de grandeur.
3. Cérémonie destinée à remercier Dieu de la victoire.
4. Anne d'Autriche, veuve de Louis XIII et mère du jeune Louis XIV.

la délicatesse, ou plutôt telle était la solidité[1] de ce prince. Aussi avait-il pour maxime (écoutez, c'est la maxime qui fait les grands hommes) : que dans les grandes actions il faut uniquement songer à bien faire, et laisser venir la gloire après la vertu. C'est ce qu'il inspirait aux autres ; c'est ce qu'il suivait
45 lui-même. Ainsi la fausse gloire ne le tentait pas ; tout tendait au vrai et au grand. De là vient qu'il mettait sa gloire dans le service du roi et dans le bonheur de l'État : c'était là le fond de son cœur ; c'étaient ses premières et ses plus chères inclinations.

Oraison funèbre de Condé.

Pour préparer l'étude du texte

1. Vous montrerez comment le plan de ce passage s'organise autour des trois qualités de Condé : le courage, la générosité et la modestie. En quoi ces trois vertus sont-elles complémentaires ?
2. Vous analyserez les procédés qui donnent à ce récit une grande vivacité et une grande précision (accumulation d'actions, brièveté des phrases, jeu sur les temps des verbes, multiplication des données locales et temporelles).
3. Comment l'auteur donne-t-il l'impression de combats surhumains se déroulant dans des conditions extraordinaires et crée-t-il ainsi une atmosphère épique ?

La mise en cause du théâtre

Maximes et réflexions sur la comédie

1694

Dans ces années 1690, la réaction contre les libertins et contre les non-conformistes bat son plein, le roi et son entourage sont acquis à la dévotion, le temps n'est plus à la légèreté ni aux plaisirs (voir p. 408). Cette volonté de réformer les mœurs trouve un terrain de prédilection dans la querelle qui éclate autour du théâtre. Déjà, dans les années 1660, Molière avait été attaqué par les bien-pensants (voir pp. 196 et 199). Déjà les jansénistes avaient dénoncé les spectacles et incité Racine à renoncer à écrire pour la scène (voir pp. 224-225). Maintenant, la polémique redouble de violence. Il est question d'interdire les représentations. Partisans et adversaires du théâtre s'affrontent. Le père Caffaro vient de publier une lettre où il défend la comédie. Devant le scandale qu'elle suscite, il est contraint de la désavouer. C'est en partie en réponse à cet écrit que Bossuet fait paraître, en 1694, les *Maximes et réflexions sur la comédie*, condamnation sans appel du théâtre qu'il présente comme l'école de tous les vices.

Si la comédie d'aujourd'hui purifie l'amour sensuel en le faisant aboutir au mariage

Dans le cinquième point de son ouvrage polémique, Bossuet s'interroge : l'amour sensuel, sujet de la comédie, est-il purifié par le mariage final ? Sa réponse est négative : la sensualité reste au centre de la construction de ces pièces et, en particulier, de celles de Molière qu'il dénonce violemment.

Je crois qu'il est assez démontré que la représentation des passions agréables porte malheureusement au péché, quand ce ne serait qu'en flattant et en nourrissant de dessein prémédité la concupiscence[2], qui en est le principe. On répond que, pour prévenir le péché, le théâtre purifie l'amour ; la scène, toujours honnête dans l'état où elle paraît aujourd'hui, ôte à cette passion ce qu'elle a de grossier et
5 d'illicite, et ce n'est, après tout, qu'une innocente inclination pour la beauté, qui se termine au nœud conjugal. Du moins donc, selon ces principes, il faudra bannir du milieu des chrétiens les prostitutions dont les comédies italiennes ont été remplies, même de nos jours, et qu'on voit encore toutes crues dans les pièces de Molière : on réprouvera les discours, où ce rigoureux censeur[3] des grands canons[4], ce grave réformateur des mines[5] et des expressions de nos précieuses, étale cependant au plus grand
10 jour les avantages d'une infâme tolérance dans les maris, et sollicite les femmes à de honteuses vengeances contre leurs jaloux. Il a fait voir à notre siècle le fruit qu'on peut espérer de la morale du théâtre, qui n'attaque que le ridicule du monde, en lui laissant cependant toute sa corruption. La postérité saura peut-être la fin de ce poète comédien[6], qui, en jouant son *Malade imaginaire* ou son *Médecin par force*, reçut la dernière atteinte de la maladie dont il mourut peu d'heures après, et passa

1. La force.
2. Le désir sensuel.
3. Ce critique rigoureux.
4. Ornements attachés au bas de la culotte qui étaient particulièrement volumineux chez les gens à la mode.
5. Des manières affectées, artificielles.
6. Molière était mort en 1673, au cours de la quatrième représentation du *Malade imaginaire*.

15 des plaisanteries du théâtre, parmi lesquelles il rendit presque le dernier soupir, au tribunal[1] de celui qui dit : *Malheur à vous qui riez, car vous pleurerez*[2]. Ceux qui ont laissé sur la terre de plus riches monuments[3] n'en sont pas plus à couvert[4] de la justice de Dieu : ni les beaux vers, ni les beaux chants ne servent de rien devant lui, et il n'épargnera pas ceux qui, en quelque manière que ce soit, auront entretenu la convoitise. Ainsi vous n'éviterez pas son jugement, qui que vous soyez, vous qui plaidez
20 la cause de la comédie, sous prétexte qu'elle se termine ordinairement par le mariage. Car encore que vous ôtiez en apparence à l'amour profane ce grossier et cet illicite[5] dont on aurait honte, il en est inséparable sur le théâtre. De quelque manière que vous vouliez qu'on le tourne et qu'on le dore, dans le fond, ce sera toujours, quoi qu'on puisse dire, la concupiscence de la chair, que saint Jean défend de rendre aimable, puisqu'il défend de l'aimer. Le grossier que vous en ôtez ferait horreur,
25 si on le montrait ; et l'adresse de le cacher ne fait qu'y attirer les volontés d'une manière plus délicate, et qui n'en est que plus périlleuse lorsqu'elle paraît plus épurée. Croyez-vous, en vérité, que la subtile contagion d'un mal dangereux demande toujours un objet grossier ou que la flamme[6] secrète d'un cœur trop disposé à aimer, en quelque manière que ce puisse être, soit corrigée ou ralentie par l'idée du mariage que vous lui mettez devant les yeux dans vos héros et vos héroïnes amoureuses ? Vous
30 vous trompez.

Maximes et réflexions sur la comédie, V.

Pour préparer l'étude du texte

1. Vous ferez le plan de ce passage, en montrant la progression du raisonnement de Bossuet.
2. Les arguments de Bossuet vous semblent-ils solides ?
3. Vous chercherez dans le théâtre de Molière des exemples des situations évoquées par Bossuet.

Synthèse

La mort obsédante

Pour cet observateur, ce spectateur du monde qu'est Bossuet, la mort est un personnage de premier plan. Dans toute son œuvre, elle est omniprésente, obsédante. Elle en est le thème essentiel. Elle revêt de multiples formes. Parfois, comme dans le *Sermon sur la mort*, elle constitue la force qui permet la transformation de la matière, qui détruit pour reconstruire (voir texte, p. 294), et Bossuet l'évoque avec un puissant réalisme. Tantôt, comme dans l'*Oraison funèbre d'Henriette d'Angleterre*, elle est celle qui fane subitement les plus belles choses (voir texte, p. 298), et l'auteur retrouve les accents lyriques des poètes baroques. Toujours, elle se présente comme le but ultime de l'être humain, comme le dénouement attendu de la comédie de l'existence, comme le passage obligatoire de la vie terrestre à la vie éternelle ; toujours, elle arrive, inévitable, inexorable, nul ne peut y échapper, et l'orateur adopte alors le ton inspiré de la Bible.

La mort révélatrice de l'égalité entre les hommes

Cette mort qui s'abat comme un couperet sur les êtres humains montre que tous les hommes sont égaux. Elle nivelle les individus. Face à la mort, qu'importe d'être riche ou pauvre (voir le *Sermon sur l'éminente dignité des pauvres*) ; qu'importe d'avoir entassé les honneurs, les richesses et les plaisirs (voir le *Sermon sur la mort*, p. 294) ; qu'importe d'avoir brillé pour sa beauté et son esprit (voir l'*Oraison funèbre d'Henriette d'Angleterre*, p. 298), pour ses talents d'homme d'État (voir l'*Oraison funèbre de Michel Le Tellier*) ou pour sa bravoure militaire (voir l'*Oraison funèbre de Condé*, p. 300) : il ne restera plus comme traces de la vie terrestre qu'un amas informe, auquel bientôt on ne pourra même plus donner le nom de cadavre (voir texte, p. 294).

1. Au tribunal de Dieu.
2. Citation de saint Luc.
3. De plus riches souvenirs.
4. A l'abri.
5. Ce caractère illégal.
6. L'amour.

La relativité des biens matériels

La conclusion que tire Bossuet de cette situation de l'homme est claire. La mort réduit à néant tout ce qui a été acquis au cours de la vie : dans le *Sermon sur la mort*, Bossuet accumule les termes qui la présentent comme un instrument de destruction (« détruit » ; « efface » ; « abattra » ; « rature », voir p. 294). Dans ces conditions, les grandeurs matérielles, les valeurs terrestres, le décorum, la pompe, tout ce qui est attaché à la terre, apparaissent comme vains, inutiles, relatifs. Ce ne sont que des richesses d'un moment. Même si elles semblent durer à l'échelle de la vie humaine, elles s'inscrivent dans l'instant, si l'on envisage la perspective de l'éternité. D'un côté, Bossuet montre l'accumulation des efforts pour entasser les biens, et de l'autre, l'instantané de la mort qui annule tout aux portes de l'éternité (voir texte, p. 294).

La saveur de la vie

Cette vision de l'homme semble bien pessimiste. Quel est alors l'intérêt d'une vie à l'avance contestée par la mort ? Bossuet fournit une première réponse dans sa manière même d'écrire. Il est sans cesse attentif aux êtres et aux faits. L'art avec lequel il brosse le portrait de Le Tellier ou de Condé, le talent qu'il met à mener le récit des événements de la Fronde ou de la bataille de Rocroi (voir l'*Oraison funèbre de Michel Le Tellier* et l'*Oraison funèbre de Condé*, p. 300), montrent son ouverture au monde. Il est sensible à la richesse et à la saveur de la vie : pour l'homme, les apprécier, c'est, en définitive, rendre grâce à la création de Dieu.

Le but de l'existence, c'est aussi de manifester, de concrétiser dans les faits les qualités dont on est pourvu. C'est là encore une façon de célébrer le créateur. C'est également rendre service aux autres, remplir ses devoirs envers la collectivité : les riches feront profiter les pauvres de leur richesse (voir le *Sermon sur l'éminente dignité des pauvres*) ; les femmes d'esprit feront le don de leur intelligence (voir l'*Oraison funèbre d'Henriette d'Angleterre*, p. 298) ; l'homme d'État offrira sa sagesse (voir l'*Oraison funèbre de Michel Le Tellier*) ; l'homme de guerre se constituera comme le rempart de son pays (voir l'*Oraison funèbre de Condé*, p. 300).

L'absolu de Dieu

C'est donc en vouant sa vie à Dieu que l'homme trouve sa raison d'être, son absolu. Bossuet pose la supériorité de l'âme éternelle sur le corps périssable. L'être humain doit constamment penser à son salut spirituel, mépriser tout ce qui appartient à la mort, tout ce qui sera anéanti par elle. C'est dans cette optique qu'il propose aux riches d'échanger une partie de leur richesse terrestre contre la vraie richesse, la richesse spirituelle éternelle (voir le *Sermon sur l'éminente dignité des pauvres*).

Une morale simple et austère facilite cette approche de Dieu. L'homme doit s'efforcer de contenir ses passions, s'adonner à la vertu, rejeter tout ce qui est dissipation, tout ce qui est dérèglement des mœurs (voir *Maximes et réflexions sur la comédie*, p. 302).

Le mariage du réalisme et du lyrisme

Le style de Bossuet est marqué par la passion. Il mêle intimement la description du réel et l'exaltation lyrique (voir notamment le *Sermon sur la mort*, p. 294). Les références à la vie quotidienne sont en grand nombre (voir notamment l'*Oraison funèbre de Condé*, p. 300). Les allusions à la dure réalité de la nature humaine se multiplient, en particulier dans l'évocation des effets de la mort.

C'est sans cesse une floraison d'images, un jaillissement de comparaisons poétiques, une prolifération de thèmes lyriques, ceux de la mort, de la fuite du temps, de la vulnérabilité humaine, qui rendent l'expression de Bossuet émouvante et sensible.

L'ÉGLISE ET LE THÉÂTRE

Le théâtre considéré comme l'école des vices

Dans les années 1680, les critiques de l'Église catholique contre le théâtre gagnent en virulence. Depuis la fin du XVIe siècle, les autorités religieuses se montrent de plus en plus méfiantes envers ce mode d'expression. Elle est bien loin la période médiévale où religion et théâtre faisaient bon ménage, où, dans les mystères et les miracles, les auteurs dramatiques mettaient en scène le Christ et les saints. Maintenant que le spectacle théâtral a perdu son caractère religieux, y introduire le sacré et le mêler ainsi au profane, c'est presque en effet commettre un sacrilège.

Bien plus, le théâtre est considéré comme nuisible à la morale, est dénoncé comme l'école de tous les vices. Les auteurs dramatiques deviennent les cibles des bien-pensants : Molière fut, en particulier, pour eux une victime de choix (voir pp. 196 et 199). Les jansénistes sont à la pointe de ce combat : ils pensent que c'est le théâtre en tant que tel qui doit être condamné et interdit. La rupture de Racine avec Port-Royal (voir p. 224) est due, en partie, à cette position radicale de ses maîtres spirituels, et il renouera avec eux lorsqu'il renoncera au théâtre après *Phèdre* (1677).

Mais les jansénistes n'ont pas le monopole de cette condamnation. Bien d'autres personnalités religieuses éminentes interviennent, en particulier Bossuet (voir p. 302) et Fénelon (voir p. 404). La tragédie est considérée comme dangereuse, parce qu'elle excite les passions, parce qu'elle présente les faiblesses de l'amour sous un jour favorable et entraîne ainsi au péché. La comédie est nuisible, parce qu'elle ridiculise les vertus et fait l'éloge des vices. Et ces aspects négatifs se trouvent encore accentués par les conditions mêmes du spectacle théâtral qui offre au public une représentation directe, concrète, vivante, là ou la lecture reste abstraite.

Soumise à ces attaques, la vie théâtrale connaît une certaine langueur à la fin du XVIIe siècle. Le nombre des troupes permanentes diminue. En 1697, les Comédiens italiens, auxquels on reproche le caractère licencieux des spectacles, sont contraints de quitter Paris.

Des êtres en marge : les comédiens

Dans ce contexte religieux, le jugement porté sur les comédiens est ambigu. On recherche leur compagnie, on les admire pour leur brio, on courtise les actrices. Mais on les regarde aussi avec un certain mépris. On les considère comme des amuseurs : jamais Molière ne sera admis à l'Académie française. On voit en eux des êtres troubles aux mœurs contestables : que de calomnies portant sur sa vie privée Molière dut subir ! Ils sont exclus de l'Église, leur métier les excommunie : en jouant, en prenant l'apparence des personnages qu'ils incarnent, ils trahissent leur véritable nature et se montrent ainsi sacrilèges envers Dieu et sa création.

Une certaine reconnaissance du rôle pédagogique du théâtre

Ce rejet du théâtre, ce refus de mêler le sacré et le profane ne font pas néanmoins l'unanimité même chez les gens d'Église. Il en est, au contraire, qui croient en la vertu pédagogique des représentations théâtrales. Les jésuites ont bien compris quelle pouvait être leur utilité. Dans leurs collèges, ils multiplient les spectacles qui, de façon concrète, permetttent à leurs élèves d'apprendre l'histoire et de mieux retenir les leçons morales, en ayant sous les yeux les exemples à suivre et ceux qu'il convient d'éviter.

Madame de Maintenon, lorsqu'elle demande à Racine d'écrire les deux pièces d'inspiration biblique, *Esther* (1689) et *Athalie* (1691), pour les pensionnaires de son institution de Saint-Cyr, s'inscrit dans la même perspective. Racine y reprend les règles du genre : il fait revivre cette période historique évoquée par l'Ancien Testament et opppose vigoureusement le camp du bien au camp du mal (voir p. 239). Mais si cette expérience est tolérée, c'est parce qu'elle se situe en dehors des conditions de représentation du théâtre profane.

Anonyme, XVIIe siècle, *Renvoi des Comédiens italiens*, Le Havre, musée des Beaux-Arts.

Charles de Saint-Évremond
1613-1703

Jacques Parmentier (1658-1730), *Portrait de Saint-Evremond*, Londres, National Portrait Gallery détail

Un adepte de la relativité et de la diversité

Durant sa longue vie de quelque quatre-vingt-dix ans, Saint-Évremond ne connut guère l'ennui. Ce partisan convaincu de la relativité et de la diversité multiplia les expériences, adopta les comportements souvent les plus contradictoires. Le voici d'abord soldat courageux, mais il n'hésite pas à se moquer, souvent cruellement, de ses chefs. Le voici écrivain ; il écrit et écrit même beaucoup, mais refuse de se faire publier : si de nombreuses éditions paraissent de son vivant, c'est malgré lui, et c'est seulement de 1705 que date la première publication sérieuse de son œuvre, à Londres. Il est l'un des protégés du Grand Condé, ce qui ne l'empêche pas de l'attaquer dans de violents pamphlets politiques. Les événements de la Fronde (voir p. 55) se déchaînent : il se range du côté du roi, mais, à la manière de Cyrano de Bergerac (voir p. 93), il égratigne tour à tour Mazarin et les frondeurs. Comportement de girouette ? Non, conviction que tout est relatif, qu'en tout se trouvent à la fois le positif et le négatif.

Un exilé libertin et mondain

Il recherche la compagnie des beaux esprits de son temps, devient notamment un des proches de Fouquet, de La Fontaine, de La Rochefoucauld, apparaît comme un de ces libertins (voir p. 102) marqués par le scepticisme et séduits par la vie mondaine. Il va bientôt connaître l'exil : la disgrâce de Fouquet (voir p. 164), mais surtout les critiques qu'il adresse au pouvoir à l'occasion de la signature, en 1659, de la paix des Pyrénées entre la France et l'Espagne (voir p. 55), le contraignent à s'expatrier. En 1661, à l'âge de quarante-huit ans, il se réfugie en Angleterre. A part une interruption de 1665 à 1670 où il réside en Hollande, il y séjourne jusqu'à sa mort, toujours attiré par l'esprit des salons et par les plaisirs. Ne dira-t-il pas, de façon significative : « Huit jours de vie valent mieux que huit siècles de gloire après la mort » ?

Humour et scepticisme

La plus grande partie de l'œuvre de Saint-Évremond a été publiée après sa mort. Ses ouvrages, d'une grande variété d'inspiration, ont une constante : le sens du relatif et un humour qui ne va pas sans profondeur, qui annonce la manière d'un Voltaire. Il a pratiqué de nombreux genres : la poésie, le théâtre, avec notamment la *Comédie des académistes* (1643), satire dirigée contre les membres de l'Académie française ; le pamphlet, avec, entre autres, la *Conversation du maréchal d'Hocquincourt avec le père Canaye* (rédigé vers 1669), corrosive dénonciation de la doctrine jésuite et, plus généralement, de la religion ; la critique littéraire, avec *Sur la dispute touchant les Anciens et les Modernes* (rédigé vers 1692) où il montre la nécessité d'adapter la littérature aux conditions du présent ; l'histoire, avec les *Réflexions sur les divers génies du peuple romain* (écrites vers 1664), essai de philosophie politique où, avant Montesquieu, il tente de donner un ancrage rationnel à l'analyse historique, en refusant les idées reçues et en prenant en compte les facteurs moraux et sociaux. Quel surprenant appétit de travail chez ce mondain amoureux des plaisirs !

La Comédie des académistes (1643), théâtre.
Réflexions sur les divers génies du peuple romain (rédigées vers 1664), histoire.
Conversation du maréchal d'Hocquincourt avec le père Canaye (rédigée vers 1669), pamphlet antireligieux.
→ p. 307.
Sur la dispute touchant les Anciens et les Modernes (rédigé vers 1692), critique littéraire.

Conversation du maréchal d'Hocquincourt avec le père Canaye

1669

Ce court texte, rédigé vers 1669, n'a été publié qu'en 1687. Saint-Évremond y adopte la forme de la conversation détendue également pratiquée par le chevalier de Méré (voir p. 267). Mais sous la familiarité et l'humour, apparaît une violente dénonciation de la pensée jésuite et de la religion. Le lecteur est invité à assister à une conversation. Y prennent part Saint-Évremond lui-même qui rapporte ses propos à la première personne ; le maréchal d'Hocquincourt (1599-1658) qui, après avoir été fidèle au pouvoir royal durant la Fronde, rejoignit l'armée espagnole et fut tué près de Dunkerque par l'armée française ; le père Canaye (1594-1670) — c'est son véritable nom —, jésuite et aumônier militaire.

« La jalousie de gouverner les consciences a tout fait »

Saint-Évremond et le père Canaye chevauchent côte à côte. Le jésuite regrette la vie paisible qui était la sienne avant de rejoindre l'armée et se trouve très incommodé par la rudesse de son cheval. Saint-Évremond en profite pour lui arracher quelques confidences sur sa conception de la religion.

Je le consolai de sa première peine et l'exemptai[1] de la seconde, lui donnant la monture la plus douce qu'il aurait pu souhaiter. Il me remercia mille fois et fut si sensible à la courtoisie qu'oubliant tous les égards de sa profession il me parla moins en jésuite réservé qu'en homme libre et sincère. Je lui demandai quel sentiment il avait de Monsieur d'Hocquincourt. « C'est un bon seigneur », me dit-il,
5 « c'est une bonne âme ; il a quitté les jansénistes et nos pères lui sont fort obligés[2] ; mais pour mon particulier[3], je ne me trouverai jamais à table auprès de lui et ne lui emprunterai jamais de cheval. »

Content de cette première franchise, je voulus m'en attirer encore une autre. « D'où vient », continuai-je, « la grande animosité[4] qu'on voit entre les jansénistes et vos pères ? Vient-elle de la diversité des sentiments sur la doctrine de la grâce ? » « Quelle folie », me dit-il, « quelle folie de
10 croire que nous nous haïssions pour ne penser pas la même chose sur la grâce ! Ce n'est ni la grâce ni les cinq propositions[5] qui nous ont mis mal ensemble. La jalousie de gouverner les consciences a tout fait. Les jansénistes nous ont trouvés en possession du gouvernement et ils ont voulu nous en tirer. Pour parvenir à leurs fins, il se sont servis de moyens tout contraires aux nôtres. Nous employons la douceur et l'indulgence, ils affectent[6] l'austérité et la rigueur. Nous consolons les âmes par des
15 exemples de la miséricorde de Dieu, ils les effraient par ceux de sa justice. Ils portent la crainte où nous portons l'espérance et veulent s'assujettir ceux que nous voulons attirer. Ce n'est pas que les uns et les autres n'aient dessein de sauver les hommes ; mais chacun veut se donner du crédit[7] en les sauvant. Et, à vous parler franchement, l'intérêt du directeur[8] va presque toujours devant le salut de celui qui est sous sa direction. Je vous parle tout autrement que je ne parlais à Monsieur le
20 Maréchal. J'étais purement jésuite avec lui et j'ai la franchise d'un homme de guerre avec vous. »

Je le louai fort du nouvel esprit que sa dernière profession lui avait fait prendre et il me semblait que la louange lui plaisait assez. Je l'eusse continuée plus longtemps, mais, comme la nuit approchait, il fallut nous séparer l'un de l'autre, le père aussi content de mon procédé que j'étais satisfait de sa confidence.

Conversation du maréchal d'Hocquincourt avec le père Canaye.

Pour préparer l'étude du texte

1. La vivacité du texte repose sur la diversité des procédés utilisés pour situer et rapporter les propos échangés. Vous mettrez cette diversité en relief, en distinguant le recours à la première personne, le style direct et le style indirect.

2. Comment Saint-Évremond parvient-il à donner à ce texte une impression de familiarité ?

3. Quel est, selon le père Canaye, le but de la religion ? Quelles différences dégage-t-il entre la conception jésuite et la conception janséniste ? Vous semblent-elles exactes (voir p. 110) ? Vous mettrez en parallèle ces propos du père Canaye avec les reproches que Pascal adresse aux jésuites dans les *Provinciales* (voir p. 114).

1. Le déchargeai.
2. Lui sont fort reconnaissants.
3. Pour ma part.
4. La grande haine.
5. Les cinq points de la doctrine janséniste condamnés par le pape (voir p. 110).
6. Ils affichent.
7. Se donner de l'autorité, de l'influence.
8. Le directeur de conscience chargé de conseiller spirituellement ceux auxquels il est attaché.

FICTION ROMANESQUE ET RÉALITÉ, LA DIVERSITÉ DES SOLUTIONS
FURETIÈRE, GUILLERAGUES, LA FAYETTE

Johannes Vermeer (1632-1675), *La Ruelle* (détail), Amsterdam, Rijksmuseum.

LA VOIE DU RÉALISME

Depuis le début du XVIIe siècle, un combat est engagé entre deux conceptions romanesques (voir p. 36). D'un côté, la conception idéaliste, chère à Honoré d'Urfé ou à Madeleine de Scudéry, embellit la réalité, privilégie l'esprit au détriment du corps. De l'autre, la conception réaliste, défendue par Sorel ou Scarron, se refuse à jeter sur la vie un voile pudique qui en dissimule les bassesses, entend rendre compte des données les plus prosaïques, des mille détails quotidiens qui sont le lot de l'existence.

Durant ces années 1661-1685, la situation littéraire ne semble guère favorable à la solution réaliste. Le classicisme (voir p. 369) triomphant tend à dégager ce qui est essentiel et, par conséquent, s'oppose au développement du réalisme qui, au contraire, aime l'anecdotique. Par ailleurs, la hiérarchie des tons place en tête le sublime et en dernière position le burlesque. Elle décourage ainsi les auteurs de pratiquer un genre qui les déconsidère. Le réalisme n'est cependant pas mort. Antoine Furetière (1619-1688) entretient, avec *Le Roman bourgeois* (1666), une flamme qui s'attisera dès le début du XVIIIe siècle.

La recherche de la caution du réel

Ces difficultés éprouvées par le réalisme burlesque ne signifient pas un recul du réel. Bien au contraire. Les lecteurs de cette période éprouvent de plus en plus le besoin de s'appuyer sur la réalité. Ils demandent que la fiction romanesque soit enracinée dans le réel. Mais ils souhaitent également que ce réel soit interprété, témoigne d'une vérité idéalisée. Dans ces conditions, la réalité n'est plus qu'un prétexte à la construction d'un monde qui a pris ses distances par rapport aux données de départ.

Les Lettres d'une religieuse portugaise (1669) de Guilleragues (1628-1685) constituent un exemple frappant de ce qui peut sembler être un paradoxe. Pour répondre à l'attente des lecteurs, l'auteur présente comme de véritables lettres des textes qu'il a écrits lui-même, qui sont les purs fruits de son imagination. Le début de l'exploitation de l'exotisme, qui connaîtra un si grand développement au XVIIIe siècle[1], va dans le même sens. On décrit des contrées et des mœurs étranges, et on ouvre ainsi la porte au rêve, comme Gabriel de Foigny dans *La Terre australe connue* (1676) ou Jean-François Regnard dans le *Voyage de Laponie* (1681).

Les solutions du roman historique

Le roman historique, qui s'épanouit durant cette période, propose des solutions à ce problème des liens entre la fiction et la réalité. Il fait évoluer des personnages historiques réels sur un fond historique réel, en introduisant des événements réels. Mais il convient de rendre ces données exemplaires : pour y parvenir, le romancier, sous la période révolue qu'il évoque, fait apparaître son époque en filigrane. Le roman historique prolonge ainsi la tradition instaurée par Honoré d'Urfé ou Madeleine de Scudéry, en y apportant quelques aménagements : les sujets inspirés de l'histoire récente remplacent ceux tirés de l'Antiquité, ce qui réduit la distorsion due à l'interprétation contemporaine ; la vision idéaliste recule devant la volonté de révéler les imperfections de l'être humain ; une certaine simplicité de l'action se substitue à l'extrême complexité antérieure, surtout dans le genre de la nouvelle, en plein essor.

Si Madame de La Fayette (1634-1693), avec *La Princesse de Clèves* (1678), apparaît comme la reine incontestée du roman historique, les auteurs qui cultivent ce genre sont en grand nombre. Cet engouement pour l'histoire, cette aspiration du lecteur à une pseudo-réalité sont soulignés par l'apparition et le développement de deux genres particuliers : les Mémoires fictifs, comme les *Mémoires de la vie d'Henriette-Sylvie de Molière* (1674) de Madame de Villedieu ou les *Mémoires de M. d'Artagnan* (1700) de Courtilz de Sandras, et l'histoire romancée, comme l'*Histoire amoureuse des Gaules* (1665) de Bussy-Rabutin, le cousin de Madame de Sévigné, ou l'*Histoire secrète de Bourgogne* (1694) de Mademoiselle de La Force.

---

1. Voir le recueil *Itinéraires Littéraires*, XVIIIe siècle.

Antoine Furetière
1619-1688

Portrait d'Antoine Furetière, gravure, XVIIe siècle, Paris, B.N.

Un académicien érudit

Antoine Furetière est un homme à deux visages. C'est d'abord un ecclésiastique à l'allure sévère, un grand érudit, un grammairien de renom. C'est à ce titre qu'il entre à l'Académie française en 1662. Mais il a la malencontreuse idée de publier son propre dictionnaire en 1684 et ainsi de concurrencer, de devancer cette illustre assemblée qui l'exclut impitoyablement. Il en éprouve une grande rancœur et accable ses anciens confrères d'écrits vengeurs.

Un auteur plein de fantaisie

Sous cette austérité se dissimule un auteur plein de fantaisie. Il achève, en 1649, l'*Énéide travestie*, poème burlesque dans le même esprit que le *Virgile travesti* de Scarron (voir p. 87). Mais surtout, il publie, en 1666, *Le Roman bourgeois*, œuvre réaliste, étude de mœurs tout à fait dans la tradition du *Francion* de Sorel (voir p. 44) ou du *Roman comique* de Scarron (voir p. 89).

Énéide travestie (1649), poème burlesque.
Le Roman bourgeois (1666). → pp. 310 à 313.
Dictionnaire universel (1684).

Le Roman bourgeois
1666

Les deux livres du *Roman bourgeois* présentent une structure assez lâche. L'intrigue principale est banale : le procureur Vollichon veut marier sa fille Javotte que convoitent de nombreux prétendants. Mais ce n'est là qu'un prétexte au développement d'une série de récits où évolue notamment la population bourgeoise de la place Maubert à Paris. Ce qui intéresse Furetière, c'est de se livrer à une description pittoresque et réaliste des sentiments et des comportements, d'évoquer la vie de tous les jours dans son prosaïsme et sa banalité : ce sont donc des personnages ordinaires, des Français moyens de l'époque qu'il fait vivre et non des héros sublimes, exceptionnels, marquant ainsi son rejet du roman idéaliste traditionnel.

« De ces bonnes gens de médiocre condition »

Dès le début, Furetière précise que son projet s'inscrit dans une perspective réaliste : il entend décrire avec fidélité les milieux bourgeois d'où sont issus les personnages de son roman.

Au lieu de vous tromper par ces vaines subtilités[1], je vous raconterai sincèrement et avec fidélité plusieurs historiettes ou galanteries arrivées entre des personnes qui ne seront ni héros ni héroïnes, qui ne dresseront point d'armées, ni ne renverseront point de royaumes, mais qui seront de ces bonnes gens de médiocre condition, qui vont tout doucement leur grand chemin, dont les uns seront
5 beaux et les autres laids, les uns sages et les autres sots ; et ceux-ci ont bien la mine[2] de composer le plus grand nombre. Cela n'empêchera pas que quelques gens de la plus haute volée[3] ne s'y puissent reconnaître et ne profitent de l'exemple de plusieurs ridicules dont ils pensent être fort éloignés. Pour éviter encore davantage le chemin battu des autres[4], je veux que la scène de mon roman soit mobile, c'est-à-dire tantôt en un quartier et tantôt en un autre de la ville ; et je commencerai
10 par celui qui est le plus bourgeois, qu'on appelle communément la place Maubert.

Un autre auteur moins sincère et qui voudrait paraître éloquent ne manquerait de faire ici une description magnifique de cette place. Il commencerait son éloge par l'origine de son nom ; il dirait qu'elle a été anoblie par ce fameux docteur Albert le Grand[5], qui y tenait son école, et qu'elle fut appelée autrefois la place de Maître Albert et, par succession de temps, la place Maubert. Que si,
15 par occasion, il écrivait la vie et les ouvrages de son illustre parrain, il ne serait pas le premier qui aurait fait une digression aussi peu à propos. Après cela, il la bâtirait superbement selon la dépense que voudrait faire son imagination. Le dessin de la place Royale[6] ne le contenterait pas ; il faudrait du moins qu'elle fût aussi belle que celle où se faisaient les carrousels[7] dans la galante et romanesque ville de Grenade. N'ayez pas peur qu'il allât vous dire (comme il est vrai) que c'est une place
20 triangulaire, entourée de maisons fort communes pour loger de la bourgeoisie ; il se pendrait plutôt qu'il ne la fît carrée, qu'il ne changeât toutes les boutiques en porches et galeries, tous les auvents en balcons et toutes les chaînes de pierres de taille[8] en beaux pilastres[9]. Mais quand il viendrait à décrire l'église des Carmes[10], ce serait lors que l'architecture jouerait son jeu et aurait peut-être beaucoup à souffrir. Il vous ferait voir un temple aussi beau que celui de Diane d'Éphèse[11], il le ferait
25 soutenir par cent colonnes corinthiennes ; il remplirait les niches de statues faites de la main de Phidias ou de Praxitèle[12] ; il raconterait les histoires figurées dans les bas-reliefs ; il ferait l'autel de jaspe et de porphyre, et, s'il lui en prenait fantaisie, tout l'édifice : car, dans le pays des romans, les pierres précieuses ne coûtent pas plus que la brique et le moellon[13]. Encore il ne manquerait pas de barbouiller cette description de métopes, triglyphes, volutes, stylobates[14], et autres termes inconnus
30 qu'il aurait trouvés dans les tables de Vitruve ou de Vignole[15], pour faire accroire à beaucoup de gens qu'il serait fort expert en architecture. C'est aussi ce qui rend les auteurs si friands de telles descriptions, qu'ils ne laissent passer aucune occasion d'en faire. Et ils les tirent tellement par les cheveux que, même pour loger un corsaire qui est vagabond et qui porte tout son bien avec soi, ils lui bâtissent un palais plus beau que le Louvre ni que le Sérail[16].

Le Roman bourgeois, Livre I.

Pour préparer l'étude du texte

1. Vous ferez apparaître la structure du texte et montrerez qu'il comporte deux mouvements : l'annonce d'un projet réaliste et la critique d'une démarche idéaliste.

2. Vous définirez, à partir de ces deux mouvements, la conception que Furetière a du roman.

3. Quels reproches Furetière adresse-t-il au romancier traditionnel de son époque ? Vous rapprocherez ces critiques de la manière pratiquée par Honoré d'Urfé (voir p. 38), Madeleine Scudéry (voir p. 76) ou même Madame de La Fayette (voir p. 320).

4. Furetière donne libre cours à son humour. Comment se manifeste-t-il ?

1. Les subtilités que les romanciers utilisent ordinairement.
2. Ont bien l'air.
3. Du plus haut rang.
4. La voie suivie généralement par les autres.
5. Célèbre philosophe allemand (1193-1280).
6. Une des plus belles places de Paris.
7. Parades de cavaliers.
8. Superposition de pierres de taille.
9. Colonnes engagées dans un mur.
10. Église située dans le quartier de la place Maubert.
11. Temple grec particulièrement renommé.
12. Célèbres sculpteurs grecs.
13. Pierre de construction de petite dimension.
14. Termes d'architecture.
15. Architectes réputés, le premier latin (Ier siècle av. J.-C.), le second italien (1507-1573).
16. Palais du sultan dans l'ancien empire turc.

La Criée du poisson, éventail, Paris, musée Carnavalet.
Image de ce Paris populaire évoqué par Furetière dans *Le Roman bourgeois*.

« Il corrigeait toutes les choses bonnes pour les mettre mal »

Dans le livre II, Furetière fait le portrait de Charroselles, écrivain aigri d'une laideur repoussante : il attaque, en fait, Charles Sorel, l'auteur de *Francion* (voir p. 43), dont ce nom est l'anagramme.

(...) il était toujours seul dans son carrosse. Ce n'est pas qu'il n'aimât beaucoup la compagnie, mais son nez demandait à être solitaire et on le laissait volontiers faire bande à part. Quelque hardi que fût un homme à lui dire des injures, il n'osait jamais les lui dire à son nez, tant ce nez était vindicatif[1] et prompt à payer. Cependant il fourrait son nez partout, et il n'y avait guère d'endroits dans Paris où
5 il ne fût connu. Ce nez, qu'on pouvait à bon droit appeler son Éminence et qui était toujours vêtu de rouge, avait été fait, en apparence, pour un colosse ; néanmoins, il avait été donné à un homme de taille assez courte. Ce n'est pas que la nature eût rien fait perdre à ce petit homme, car ce qu'elle lui avait ôté en hauteur, elle le lui avait rendu en grosseur, de sorte qu'on lui trouvait assez de chair, mais fort mal pétrie. Sa chevelure était la plus désagréable du monde, et c'est sans doute de lui qu'un
10 peintre poétique, pour ébaucher le portrait de sa tête, avait dit :

> On y voit de piquants cheveux,
> Devenus gras, forts et nerveux,
> Hérisser sa tête pointue,
> Qui, tout mêlés s'entr'accordant,
> Font qu'un peigne en vain s'évertue
> D'y mordre avec ses grosses dents.

Aussi ne se peignait-il jamais qu'avec ses doigts et, dans toutes les compagnies, c'était sa contenance ordinaire[2]. Sa peau était grenue comme celle des maroquins[3] et sa couleur brune était réchauffée par de rouges bourgeons[4] qui la perçaient en assez bon nombre. En général, il avait une
20 vraie mine de satyre. La fente de sa bouche était copieuse et ses dents fort aiguës : belles dispositions pour mordre. Il l'accompagnait d'ordinaire d'un rire badin, dont je ne sais point la cause, si ce n'est qu'il voulait montrer les dents à tout le monde. Ses yeux gros et bouffis avaient quelque chose de plus que d'être à fleur de tête. Il y en a qui ont cru que, comme on se met sur des balcons en saillie hors des fenêtres pour découvrir de plus loin, aussi la nature lui avait mis des yeux en dehors pour
25 découvrir ce qui se faisait de mal chez ses voisins. Jamais il n'y eut un homme plus médisant ni plus envieux ; il ne trouvait rien de bien fait à sa fantaisie. S'il eût été de conseil de la création, nous n'aurions rien vu de ce que nous voyons à présent. C'était le plus grand réformateur en pis qui ait

1. Rancunier, porté à la vengeance.
2. C'était sa façon ordinaire de se comporter.
3. Cuirs de chèvre auxquels le tannage donne un aspect grenu.
4. Boutons.

jamais été et il corrigeait toutes les choses bonnes pour les mettre mal. Il n'a point vu d'assemblée de gens illustres qu'il n'ait tâché de la décrier ; encore, pour mieux cacher son venin, il faisait semblant
30 d'en faire l'éloge, lorsqu'il en faisait en effet la censure, et il ressemblait à ces bêtes dangereuses qui en pensant flatter[1] égratignent : car il ne pouvait souffrir la gloire des autres et, autant de choses qu'on mettait au jour[2], c'étaient autant de tourments[3] qu'on lui préparait. Je laisse à penser si en France, où il y a tant de beaux esprits, il était cruellement bourrelé[4]. Sa vanité naturelle s'était accrue par quelque réputation qu'il avait eue en jeunesse, à cause de quelques petits ouvrages qui avaient eu quelque
35 débit[5]. Ce fut là un grand malheur pour les libraires ; il y en eut plusieurs qui furent pris à ce piège, car, après avoir quitté le style qui était selon son génie[6] pour faire des écrits plus sérieux, il fit plusieurs volumes qui n'ont jamais été lus que par son correcteur d'imprimerie. Ils ont été si funestes aux libraires qui s'en sont chargés qu'il a déjà ruiné le Palais[7] et la rue Saint-Jacques[7] et, poussant plus haut son ambition, il prétend encore ruiner le Puits-Certain[7]. Il donne à tout le monde le catalogue
40 des livres qu'il a tout prêts à imprimer et il se vante d'avoir cinquante volumes manuscrits qu'il offre aux libraires qui se voudront charitablement ruiner pour le public.

Le Roman bourgeois, Livre II.

Pour préparer l'étude du texte

1. Vous analyserez la structure du texte, en distinguant les différentes données du portrait (physiques, intellectuelles et morales).
2. Vous étudierez, de façon précise, les moyens utilisés pour faire ressortir le ridicule et l'outrance du personnage (personnifications, comparaisons, caractérisations dépréciatives, métaphores, explications diverses). Vous montrerez ce qui le rend particulièrement antipathique.
3. Comment s'exprime l'humour souvent cruel de Furetière ?

L'influence du roman picaresque espagnol

Durant la seconde partie du XVIe siècle et au début du XVIIe siècle, les écrivains espagnols renouvellent profondément la conception romanesque. Ils rejettent l'idéalisme des romans de chevalerie et choisissent la voie du réalisme. C'est alors que fleurit ce que l'on appelle le roman picaresque. Il est ainsi nommé, parce qu'il conte les aventures d'un *picaro*, d'un être en marge de la société qui fait l'expérience de la vie : traduits en France, *Lazarillo de Tormes*, œuvre anonyme de 1554, la *Vie du picaro Guzmán de Alfarache* (1599-1603) d'Alemán (1547-1615), la *Vie du Buscón* (1626) de Quevedo (1580-1645), ou *Le Diable boiteux* (1641) de Guevara (1579-1644) exercèrent une influence considérable sur Furetière et sur bien d'autres romanciers français, comme Sorel (voir p. 44), Scarron (voir p. 89) ou, plus tard, Challe (voir p. 424) et Lesage (voir *Itinéraires Littéraires*, XVIIIe siècle).

En marge de ce courant picaresque, l'œuvre majeure de Miguel de Cervantès (1547-1616), *Don Quichotte de la Manche* (1605-1614), joua en France un rôle déterminant que soulignent les nombreuses traductions parues tout au long du XVIIe siècle. Le goût pour les personnages pittoresques hauts en couleur, le souci des détails quotidiens, la critique de l'héroïsme qui marquent la manière de Cervantès se retrouvent chez Furetière et, de façon plus générale, chez les romanciers français burlesques et réalistes. Cette remise en cause de l'idéalisme contribua à l'évolution de la conception romanesque et au rejet, à la fin du XVIIe siècle, du roman historique (voir p. 418).

Don Quichotte de la Manche conte les aventures d'un petit noble de province : troublé par une lecture assidue des romans de chevalerie, Don Quichotte tombe amoureux d'une paysanne qu'il déifie sous le nom de Dulcinée du Toboso et, en compagnie de son écuyer Sancho Pança, court la campagne, à la recherche d'exploits.

Le voici dans ce fameux combat contre des moulins à vent qu'il prend pour des géants.

DU BEAU SUCCÈS QUE LE VALEUREUX DON QUICHOTTE
EUT EN L'ÉPOUVANTABLE ET JAMAIS IMAGINÉE AVENTURE DES MOULINS A VENT,
AVEC D'AUTRES ÉVÉNEMENTS DIGNES D'HEUREUSE RESSOUVENANCE

1. Caresser.
2. Qu'on produisait.
3. De supplices.
4. Torturé.
5. Quelque vente.
6. Qui était adapté à son tempérament, à son caractère.
7. Quartiers de Paris où étaient installés les libraires.

DU BEAU SUCCÈS QUE LE VALEUREUX DON QUICHOTTE
EUT EN L'ÉPOUVANTABLE ET JAMAIS IMAGINÉE AVENTURE DES MOULINS A VENT,
AVEC D'AUTRES ÉVÉNEMENTS DIGNES D'HEUREUSE RESSOUVENANCE

Là-dessus, ils découvrirent trente ou quarante moulins à vent qu'il y a en cette plaine, et, dès que Don Quichotte les vit, il dit à son écuyer : « La fortune conduit nos affaires mieux que nous n'eussions su désirer, car voilà, ami Sancho Pança, où se découvrent trente ou quelque peu plus de démesurés géants, avec lesquels je pense avoir combat 5 *et leur ôter la vie à tous, et de leurs dépouilles nous commencerons à nous enrichir : car c'est ici une bonne guerre, et c'est faire grand service à Dieu d'ôter une si mauvaise semence de dessus la face de la terre. — Quels géants ? dit Sancho. — Ceux que tu vois là, répondit son maître, aux longs bras, et d'aucuns*[1] *les ont quelquefois de deux lieues*[2]*. — Regardez, Monsieur, répondit Sancho, que ceux qui paraissent là ne sont* 10 *pas des géants, mais des moulins à vent et ce qui semble des bras sont les ailes, lesquelles, tournées par le vent, font mouvoir la pierre du moulin. — Il paraît bien, répondit Don Quichotte, que tu n'es pas fort versé en ce qui est des aventures : ce sont des géants, et si tu as peur, ôte-toi de là et te mets en oraison*[3]*, tandis que je vais entrer avec eux en une furieuse et inégale bataille. » Et, disant cela, il donna des éperons à* 15 *son cheval Rossinante*[4]*, sans s'amuser aux cris que son écuyer Sancho faisait, l'avertissant que sans aucun doute c'étaient des moulins à vent, et non pas des géants, qu'il allait attaquer. Mais il était tellement aheurté à cela*[5] *que c'étaient des géants qu'il n'entendait pas les cris de son écuyer Sancho, ni ne s'apercevait pas de ce que c'était, encore qu'il en fût bien près ; au contraire, il disait à haute voix : « Ne fuyez pas,* 20 *couardes*[6] *et viles créatures, car c'est un seul chevalier qui vous attaque. » Sur cela il se leva un peu de vent, et les grandes ailes de ces moulins commencèrent à se mouvoir, ce que voyant Don Quichotte, il dit : « Vous pourriez mouvoir plus de bras que ceux du géant Briarée*[7] *: vous allez me le payer. » Et, disant cela, il se recommanda de tout son cœur à sa dame Dulcinée, lui demandant qu'elle le secourût en ce danger ;* 25 *puis, bien couvert de sa rondache*[8]*, et la lance en l'arrêt, il accourut, au grand galop de Rossinante, donner dans le premier moulin qui était devant lui, et lui porta un coup de lance en l'aile : le vent la fit tourner avec une telle violence qu'elle mit la lance en pièces, emmenant après soi le cheval et le chevalier, qui s'en furent rouler un bon espace parmi la plaine.*

Sancho Pança accourut à toute course de son âne pour le secourir, et, quand il fut à lui, il trouva qu'il ne se pouvait remuer : tel avait été le coup que lui et Rossinante avaient reçu. « Dieu me soit en aide ! dit Sancho ; ne vous ai-je pas bien dit que vous regardiez bien ce que vous faisiez, que ce n'étaient que des moulins à vent, et que personne ne le pouvait ignorer, sinon quelqu'un qui en eût de semblables en la tête ? — Tais-toi, ami Sancho, répondit Don Quichotte, les choses de la guerre sont plus que d'autres sujettes à de continuels changements ; d'autant, j'y pense, et c'est la vérité même, que ce sage Freston[9]*, qui m'a volé mon cabinet et mes livres, a converti*[10] *ces géants en moulins pour me frustrer de la gloire de les avoir vaincus, tant est grande l'inimitié qu'il a contre moi ; mais, en fin finale, ses mauvais artifices*[11] *ne prévaudront contre la bonté de mon épée. — Dieu en fasse comme il pourra ! » répondit Sancho Pança, et, lui aidant à se lever, il le remonta sur Rossinante qui était à demi épaulée*[12]*.*

Miguel de Cervantès, Don Quichotte de la Manche, *partie I, chapitre VIII, trad. C. Oudin, F. Rosset et J. Cassou, Paris, Gallimard, Bibliothèque de la Pléiade, 1949.*

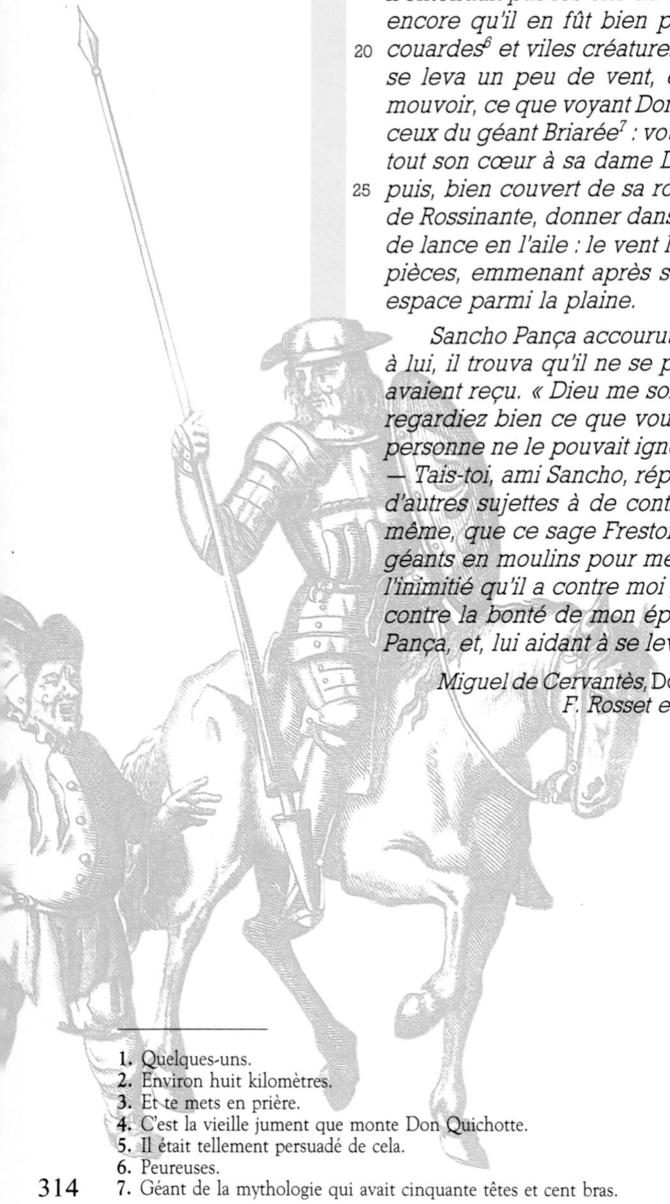

Illustration de l'édition anglaise de 1687
de *Don Quichotte* de Cervantès, Paris, B.N.

1. Quelques-uns.
2. Environ huit kilomètres.
3. Et te mets en prière.
4. C'est la vieille jument que monte Don Quichotte.
5. Il était tellement persuadé de cela.
6. Peureuses.
7. Géant de la mythologie qui avait cinquante têtes et cent bras.
8. Grand bouclier rond.
9. Enchanteur qui, selon Don Quichotte, lui avait volé ses livres en fait dérobés par le curé et le barbier pour lui éviter de subir leur mauvaise influence.
10. A changé.
11. Ses mauvaises ruses.
12. Qui avait les épaules à moitié démises.

L'IRRÉSISTIBLE ASCENSION DE LA BOURGEOISIE

Alors que la noblesse perd peu à peu de sa puissance (voir p. 266), la bourgeoisie est en pleine ascension. La littérature, en particulier la comédie et les romans réalistes dont les personnages sont souvent issus de cette classe sociale, témoigne de la montée des bourgeois qui imposent progressivement leurs goûts, leurs modes de vie et leurs valeurs.

Charles Le Brun (1619-1690), *Le Chancelier Séguier*, Paris, musée du Louvre.
Pierre Séguier (1588-1672), un exemple éclatant du prestige de la bourgeoisie parlementaire.

La bourgeoisie d'argent

Au cours du XVIIe siècle, la bourgeoisie tend de plus en plus à détenir les richesses du pays. Partout où il y a de l'argent à gagner, les bourgeois sont là. Ils ont en main l'essentiel du système bancaire. Ils s'imposent dans l'industrie naissante. Ils dominent dans le commerce. Ils possèdent de nombreux biens immobiliers. Si les biens fonciers, si la terre appartiennent encore pour les trois cinquièmes au roi, au clergé et à la noblesse, ils commencent à y avoir accès, en détiennent désormais un bon cinquième. Ils s'introduisent dans l'État, en achetant au roi des charges dont ils tirent ensuite de substantiels revenus : les fermiers généraux, par exemple, en échange d'une somme forfaitaire versée au souverain, recouvrent les impôts pour leur propre compte ! Le pouvoir les encourage d'ailleurs à cet enrichissement. N'est-ce pas le ministre Colbert qui note : « Il n'y a que l'abondance d'argent dans un État qui fasse la différence de sa grandeur et de sa puissance » ? Le conseil est clair : enrichissez-vous, et vous enrichirez le pays.

Des fortunes colossales se constituent. De prodigieuses ascensions sociales se produisent, comme celle de Fouquet, qui, d'abord conseiller au parlement de Metz et donc membre de la bourgeoisie parlementaire, paiera, il est vrai, fort cher sa réussite (voir p. 164). La rapidité de ces promotions suscite, par ailleurs, souvent des mentalités de parvenus (voir La Bruyère, texte, p. 382). D'autre part, les bourgeois aspirent, consécration suprême, à être anoblis : ils essaient, par les services rendus, d'obtenir un titre du roi, comme ce même Fouquet qui, avant sa disgrâce, deviendra vicomte de Vaux ; ou bien, comme Monsieur Jourdain du *Bourgeois gentilhomme* (voir p. 184), ils cherchent à faire oublier leurs origines de marchands et à marier leur fille à un noble. Ils prêtent volontiers aux nobles désargentés et, comme Monsieur Dimanche dans *Dom Juan* (voir p. 200), encore impressionnés par le prestige de leurs emprunteurs, se laissent parfois facilement abuser.

La bourgeoisie de robe

La bourgeoisie de robe doit son nom au vêtement qui caractérise sa profession. Elle est composée de magistrats, d'avocats, d'hommes de loi. Pour en être membres, il faut acheter au roi sa charge dont on tire ensuite des bénéfices et à laquelle est parfois attaché un titre de noblesse qui n'est pas héréditaire. Au sommet de la hiérarchie, prennent place les membres des parlements, ces assemblées provinciales, aux pouvoirs politiques, mais surtout judiciaires : souvent anoblis, ils constituent alors la noblesse de robe. Mais ces parlementaires perdent progressivement leur puissance, au fur et à mesure que le roi, dans son souci de concentrer tous les pouvoirs entre ses mains, diminue leurs prérogatives. Ils essaieront vainement de réagir lors des événements de la Fronde (voir p. 55). Ils conservent néanmoins un certain prestige attaché à leur connaissance du droit.

La bourgeoisie de robe représente un tout autre monde que celui de la bourgeoisie d'argent. A la richesse, à une culture souvent acquise tardivement, à une morale tournée vers le concret, elle oppose sa moindre aisance matérielle, ses diplômes, son austérité.

La bourgeoisie de gouvernement

Dans le but d'éloigner la noblesse des affaires de l'État, mais aussi d'utiliser les compétences, le roi fait de plus en plus appel aux bourgeois, surtout aux bourgeois de robe pour leur confier des responsabilités ministérielles. Souvent, il les anoblit en récompense de leurs services. Nombreux sont ainsi les membres de la bourgeoisie qui occupent des postes importants : c'est Fouquet, ministre des Finances ; c'est Le Tellier, chancelier ; c'est Louvois, son fils, sous-secrétaire à la Guerre ; c'est Colbert, l'un des plus proches collaborateurs de Louis XIV...

Le rayonnement intellectuel de la bourgeoisie

La bourgeoisie exerce également son influence dans le domaine intellectuel. Il est vrai qu'elle est maintenant concurrencée par la noblesse qui participe, de plus en plus, à la création (voir p. 266). Mais elle reste, dans ce domaine, la classe dominante, contribue largement, dans les salons ou à la cour, à orienter les goûts, à lancer les modes.

La grande disparité du Tiers État

Face au clergé et à la noblesse, la bourgeoisie fait partie de la troisième classe sociale, le Tiers État. Mais elle n'est pas homogène. Il est différentes catégories de bourgeois qui se différencient par la richesse et par le prestige des fonctions. De la haute bourgeoisie d'affaires et de gouvernement à la bourgeoisie des commerçants et des petits avocats, la distance est considérable.

En continuant à descendre cette échelle de la hiérarchie, on arrive à la masse du Tiers État qui ne profite guère de cette ascension de la bourgeoisie : le petit peuple des villes, population laborieuse, où se mêlent artisans, ouvriers, manœuvres, portefaix, reste pauvre.

Quant au monde de la campagne, il se répartit entre les propriétaires plus ou moins riches et ceux qui travaillent réellement la terre, souvent plongés dans la plus noire misère : seul un cinquième du domaine agricole appartient alors aux paysans, à ceux qui le cultivent !

Paysan des environs de Paris, gravure, XVIIe siècle, Paris, B.N.

Guilleragues
1628-1685

Un noble bordelais

Gabriel-Joseph de La Vergne, vicomte de Guilleragues, est né à Bordeaux. Orphelin de son père à l'âge de deux ans, il passe son enfance tantôt dans l'hôtel particulier bordelais de ses parents, tantôt dans leur château girondin de La Réole, dont la bibliothèque est riche de plus de deux mille ouvrages. Il effectue ses études au collège de Navarre à Paris, puis fait partie de l'entourage du frère de Condé, le prince de Conti qui l'amène à connaître Molière, dont il est alors le protecteur. Il est au côté du prince durant les événements de la Fronde où il prend parti contre le pouvoir, puis, de 1660 à 1667, exerce les fonctions de premier président de la Cour des aides de Bordeaux.

Le séjour à Paris

Après la mort du prince de Conti, il s'installe à Paris en 1667. Le voici, en 1669, secrétaire ordinaire de la Chambre et du Cabinet de Sa Majesté. Il commence à écrire : il rédige des articles pour *La Gazette de France* et publie, en 1669, les *Lettres d'une religieuse portugaise*, qu'il présente comme des traductions de lettres authentiques.

Ambassadeur à Constantinople

En 1675, il vend sa charge de secrétaire. En 1679, il est nommé ambassadeur à Constantinople. C'est là une fonction pleine d'exotisme dans une Turquie considérée alors comme une terre lointaine aux mœurs étranges. Il y meurt en 1685. Ainsi disparaît un de ces personnages hauts en couleur qui font toute la saveur du XVIIe siècle, un témoin de son temps, dont il a traversé les grands événements.

Illustration de Guillaume Joseph Grelot, *Voyage à Constantinople*, Paris, B.N.
Guilleragues grand amateur d'exotisme, fut, un temps, ambassadeur à Constantinople.

Lettres d'une religieuse portugaise (1669). → pp. 318-319.

Lettres d'une religieuse portugaise

1669

1669 : Guilleragues publie les *Lettres d'une religieuse portugaise*, dont il se dit le traducteur. C'est un succès auprès de lecteurs avides de faits réels. Et ces écrits amoureux passeront, au fil des siècles, comme des chefs-d'œuvre : la littérature portugaise les revendiquera ! La supercherie — l'une des supercheries littéraires les plus réussies — ne sera prouvée que récemment : Guilleragues n'est pas en fait le traducteur, mais l'auteur. Il s'agit donc de lettres fictives, d'une sorte de roman par lettres, genre qui connaîtra, par la suite, un développement considérable (voir p. 289).

L'œuvre se compose d'un ensemble de cinq lettres. Une jeune religieuse portugaise est censée les avoir écrites à un officier français, après avoir été séduite et abandonnée. La grande originalité, c'est que Guilleragues ne se fait l'écho que d'une seule voix. Il ne livre pas les réponses du destinataire, ce qui contribue à souligner la cruelle solitude de la religieuse trahie. Ces textes sont également remarquables par leur style : c'est le cri de la passion, c'est l'expression d'un amour fatal, racinien, que Guilleragues fait entendre. Ce sont des sentiments exacerbés, une souffrance insupportable qu'il révèle, en jouant sur la simplicité, en évitant les grands mouvements oratoires à la mode, ce qui donne à l'ensemble une impression d'authenticité.

Lettres d'amour d'une religieuse portugaise
Nouvelle Édition, La Haye 1742.

« J'envoie mille fois le jour mes soupirs vers vous »

Dans la première lettre, la religieuse exprime l'intensité de son amour et son désespoir d'être séparée de celui qu'elle aime.

J'envoie mille fois le jour mes soupirs vers vous, ils vous cherchent en tous lieux, et ils ne me rapportent, pour toute récompense de tant d'inquiétudes, qu'un avertissement trop sincère que me donne ma mauvaise fortune, qui a la cruauté de ne souffrir pas que je me flatte, et qui me dit à tous moments : cesse, cesse, Mariane infortunée, de te consumer vainement, et de chercher un amant que tu ne verras jamais ; qui a passé les mers pour te fuir, qui est en France au milieu des plaisirs, qui ne pense pas un seul moment à tes douleurs, et qui te dispense de tous ces transports[1], desquels il ne te sait aucun gré. Mais non, je ne puis me résoudre à juger si injurieusement de vous, et je suis trop intéressée à vous justifier : je ne veux point m'imaginer que vous m'avez oubliée. Ne suis-je pas assez malheureuse sans me tourmenter par de faux soupçons ? Et pourquoi ferais-je des efforts pour ne me plus souvenir de tous les soins que vous avez pris de me témoigner de l'amour ? J'ai été si charmée de tous ces soins, que je serais bien ingrate si je ne vous aimais avec les mêmes emportements que ma passion me donnait, quand je jouissais des témoignages de la vôtre. Comment se peut-il faire que les souvenirs des moments si agréables soient devenus si cruels ? et faut-il que, contre leur nature, ils ne servent qu'à tyranniser mon cœur ? Hélas ! votre dernière lettre le réduisit en un étrange état : il eut des mouvements si sensibles qu'il fit, ce semble, des efforts pour se séparer de moi, et pour vous aller trouver ; je fus si accablée de toutes ces émotions violentes, que je demeurai plus de trois heures abandonnée de tous mes sens : je me défendis de revenir à une vie que je dois perdre pour vous, puisque je ne puis la conserver pour vous ; je revis enfin, malgré moi, la lumière, je me flattais de sentir que je mourais d'amour ; et d'ailleurs j'étais bien aise de n'être plus exposée à voir mon cœur déchiré par la douleur de votre absence. Après ces accidents, j'ai eu beaucoup de différentes indispositions : mais, puis-je jamais être sans maux, tant que je ne vous verrai pas ? Je les supporte cependant sans murmurer, puisqu'ils viennent de vous. Quoi ? est-ce là la récompense que vous me donnez pour vous avoir si tendrement aimé ? Mais il n'importe, je suis résolue à vous adorer toute ma vie, et à ne voir jamais personne ; et je vous assure que vous ferez bien aussi de n'aimer personne. Pourriez-vous être content d'une passion moins ardente que la mienne ? Vous trouverez, peut-être, plus de beauté (vous m'avez pourtant dit, autrefois, que j'étais assez belle), mais vous ne trouverez jamais tant d'amour, et tout le reste n'est rien. Ne remplissez plus vos lettres de choses inutiles, et ne m'écrivez plus de me souvenir de vous. Je ne puis vous oublier, et je n'oublie pas aussi que vous m'avez fait espérer que vous viendriez passer quelque temps avec moi. Hélas ! pourquoi n'y voulez-vous pas passer toute votre vie ?

Lettres d'une religieuse portugaise, Lettre I.

1. Sentiments violents.

Pour préparer l'étude du texte

1. Vous ferez le plan de ce texte, en mettant en évidence les évolutions des sentiments autour desquelles il est construit.
2. Comment se manifeste l'intensité de la passion ? Vous montrerez que la religieuse est sans cesse partagée entre l'espoir et le désespoir.
3. Vous analyserez ce qui donne à cette lettre une impression d'authenticité (vocabulaire, organisation de la phrase).

« Il faut vous quitter et ne penser plus à vous »

Ulcérée par l'indifférence de celui qu'elle aime, la jeune religieuse lui adresse cette cinquième et dernière lettre. C'est une lettre de rupture, le constat désespéré de la fin d'un amour, de la montée de la haine, avant l'installation de l'oubli.

Si quelque hasard vous ramenait en ce pays, je vous déclare que je vous livrerai à la vengeance de mes parents. J'ai vécu longtemps dans un abandonnement[1] et dans une idolâtrie[2] qui me donne de l'horreur, et mon remords me persécute avec une rigueur insupportable, je sens vivement la honte des crimes que vous m'avez fait commettre, et je n'ai plus, hélas ! la passion qui m'empêchait d'en
5 connaître l'énormité ; quand est-ce que mon cœur ne sera plus déchiré ? quand est-ce que je serai délivrée de cet embarras, cruel ! Cependant je crois que je ne vous souhaite point de mal, et que je me résoudrais à consentir que vous fussiez heureux ; mais comment pourrez-vous l'être, si vous avez le cœur bien fait ? Je veux vous écrire une autre lettre, pour vous faire voir que je serai peut-être plus tranquille dans quelque temps ; que j'aurai de plaisir de pouvoir vous reprocher vos procédés
10 injustes après que je n'en serai plus si vivement touchée, et lorsque je vous ferai connaître que je vous méprise, que je parle avec beaucoup d'indifférence de votre trahison, que j'ai oublié tous mes plaisirs et toutes mes douleurs, et que je ne me souviens de vous que lorsque je veux m'en souvenir ! Je demeure d'accord que vous avez de grands avantages sur moi, et que vous m'avez donné une passion qui m'a fait perdre la raison ; mais vous devez en tirer peu de vanité ; j'étais jeune, j'étais
15 crédule, on m'avait enfermée dans ce couvent depuis mon enfance, je n'avais vu que des gens désagréables, je n'avais jamais entendu les louanges que vous me donniez incessamment : il me semblait que je vous devais les charmes et la beauté que vous me trouviez, et dont vous me faisiez apercevoir[3], j'entendais dire du bien de vous, tout le monde me parlait en votre faveur, vous faisiez tout ce qu'il fallait pour me donner de l'amour ; mais je suis, enfin, revenue de cet enchantement[4], vous
20 m'avez donné de grands secours, et j'avoue que j'en avais un extrême besoin. En vous renvoyant vos lettres, je garderai soigneusement les deux dernières que vous m'avez écrites, et je les relirai encore plus souvent que je n'ai lu les premières, afin de ne retomber plus dans mes faiblesses. Ah ! qu'elles me coûtent cher, et que j'aurais été heureuse, si vous eussiez voulu souffrir que je vous eusse toujours aimé ! Je connais bien que je suis encore un peu trop occupée de mes reproches et de votre infidélité ;
25 mais souvenez-vous que je me suis promis un état plus paisible, et que j'y parviendrai, ou que je prendrai contre moi quelque résolution extrême, que vous apprendrez sans beaucoup de déplaisir ; mais je ne veux plus rien de vous, je suis une folle de redire les mêmes choses si souvent, il faut vous quitter et ne penser plus à vous, je crois même que je ne vous écrirai plus ; suis-je obligée de vous rendre un compte exact de tous mes divers mouvements[5] ?

Lettres d'une religieuse portugaise, Lettre V.

Pour préparer l'étude du texte

1. Comment la religieuse décrit-elle l'évolution de ses sentiments, le passage progressif de l'amour à la haine, puis à l'oubli ? Sa passion a-t-elle totalement disparu ? Quelles remarques prouvent-elles le contraire ?
2. Vous essaierez, d'après les réflexions de la jeune femme, de déduire les sentiments que l'officier français éprouve pour elle.
3. Vous montrerez ce qui fait le tragique de ce dénouement.

1. Dans une vie de péché.
2. Dans une adoration.
3. Que vous me faisiez apercevoir.
4. De cet envoûtement.
5. Sentiments.

Madame de La Fayette
1634-1693

Madame de La Fayette, gravure, XVIIe siècle, Paris, B.N.

L'érudite

Née à Paris en 1634, Marie-Madeleine Pioche de La Vergne, la future Madame de La Fayette, fait partie de ces femmes nobles attirées par la culture et l'écriture. Comme Madeleine de Scudéry ou Madame de Sévigné, elle bénéficie, durant sa jeunesse, d'une solide instruction et subit l'influence d'un maître de renom, Ménage, alors grammairien célèbre. Elle aussi brillera par son érudition. Ce n'est pas cependant une pédante, une femme savante. A la manière de Madame de Sévigné, c'est plutôt une femme d'esprit qui évite de faire un étalage trop voyant de ses connaissances.

La mondaine

En 1655, elle épouse le comte de La Fayette : elle a vingt et un ans, il en a trente-neuf. La plupart du temps, le comte séjourne en Auvergne pour s'occuper des procès à répétition où il est engagé depuis des années. Tout d'abord, sa femme l'accompagne, puis, lassée de cette existence provinciale, à partir de 1661, elle réside seule à Paris. Elle y mène une vie mondaine, assiste aux réunions du célèbre salon de l'hôtel de Rambouillet (voir p. 75), est une intime de Madame de Sévigné et surtout de La Rochefoucauld.

Madame de La Fayette a bientôt son propre salon qu'elle ouvre, chaque samedi, dans sa maison de la rue de Vaugirard. Parallèlement, elle fréquente la cour et devient, en particulier, l'amie de cette Henriette d'Angleterre morte prématurément, dont Bossuet prononcera l'oraison funèbre (voir p. 297).

L'écrivain

Son activité d'écrivain prend place, pour l'essentiel, durant cette période mondaine. Son œuvre est profondément marquée par l'histoire. Ce sont d'abord des ouvrages historiques, l'*Histoire d'Henriette d'Angleterre*, qui ne sera publiée qu'en 1720, et les *Mémoires de la cour de France pour les années 1688 et 1689*, qui ne paraîtront qu'en 1731. Ce sont surtout des romans : *La Princesse de Montpensier* (1662), qui se déroule sous le règne de Charles IX, durant la seconde partie du XVIe siècle ; *Zaïde* (1670-1671), qui a pour cadre l'Espagne médiévale ; *La Princesse de Clèves* (1678), son chef-d'œuvre, qui se situe sous Henri II, dans la première partie du XVIe siècle ; *La Comtesse de Tende* enfin, paru seulement en 1724, qui évoque la régence de Catherine de Médicis, au début de la seconde partie du XVIe siècle.

La contemplative

La mort de La Rochefoucauld en 1680, puis celle de son mari en 1683, la conduisent à abandonner son existence mondaine, à se réfugier dans la solitude. Elle se consacre alors à la carrière de ses deux fils et mène jusqu'à sa mort, une vie pieuse tournée vers la méditation.

La Princesse de Montpensier (1662), nouvelle. → pp. 321-322.
Zaïde (1670-1671), roman.
La Princesse de Clèves (1678), roman. → pp. 323 à 330.
La Comtesse de Tende (1724), nouvelle.

La Princesse de Montpensier

1662

Le coup d'essai de Madame de La Fayette, *La Princesse de Montpensier*, est un court récit, une nouvelle : les interminables romans-fleuves à la manière de Madeleine de Scudéry (voir p. 76) sont en train de passer de mode. L'action, qui se déroule à l'époque des guerres de religion, sous le règne de Charles IX, est simple et annonce le schéma de *La Princesse de Clèves* : cette nouvelle exploite déjà le thème de la fatalité de l'amour condamné par la société ou non partagé. Le duc de Guise et l'épouse du prince de Montpensier tombent éperdument amoureux l'un de l'autre. De son côté, le comte de Chabanes est épris de la princesse qui, avec une cruauté inconsciente, fait de lui son messager auprès du duc de Guise. La nouvelle s'achève dans le drame : le prince finit par apprendre la vérité ; le comte de Chabanes périt au cours d'un épisode de la guerre civile ; le duc de Guise se détache de la princesse qui mourra de la « douleur d'avoir perdu l'estime de son mari, le cœur de son amant et le plus parfait ami qui fut jamais ».

« Pris dans les liens de cette belle princesse »

C'est le début de la nouvelle : le duc de Guise, en tournée d'inspection, aperçoit des jeunes femmes dans un bateau. Parmi elles, se trouve la princesse de Montpensier pour laquelle il éprouve immédiatement une attirance irrésistible.

Un jour qu'il revenait à Loches[1] par un chemin peu connu de ceux de sa suite, le duc de Guise[2], qui se vantait de le savoir, se mit à la tête de la troupe pour lui servir de guide : mais, après avoir marché quelque temps, il s'égara et se trouva sur le bord d'une petite rivière qu'il ne reconnut pas lui-même. Toute la troupe fit la guerre au duc de Guise de les avoir si mal conduits : et étant arrêtés en ce lieu, 5 aussi disposés à la joie qu'ont accoutumé de l'être de jeunes princes, ils aperçurent un petit bateau qui était arrêté au milieu de la rivière ; et, comme elle n'était pas large, ils distinguèrent aisément dans ce bateau trois ou quatre femmes et une entre autres qui leur parut fort belle, habillée magnifiquement, et qui regardait avec attention deux hommes qui pêchaient auprès d'elle. Cette aventure donna une nouvelle joie à ces jeunes princes et à tous ceux de leur suite. Elle leur parut une chose de roman. 10 Les uns disaient au duc de Guise qu'il les avait égarés exprès pour leur faire voir cette belle personne ; les autres, qu'il fallait, après ce qu'avait fait le hasard, qu'il en devînt amoureux : et le duc d'Anjou[3] soutenait que c'était lui qui devait être son amant. Enfin, voulant pousser l'aventure à bout, ils firent avancer de leurs gens à cheval le plus avant qu'il se pût dans la rivière pour crier à cette dame que c'était M. le duc d'Anjou, qui eût bien voulu passer de l'autre côté de l'eau et qui priait qu'on le vînt 15 prendre. Cette dame, qui était Mme de Montpensier, entendant nommer le duc d'Anjou et ne doutant point, à la quantité des gens qu'elle voyait au bord de l'eau, que ce ne fût lui, fit avancer son bateau pour aller du côté où il était. Sa bonne mine le lui fit bientôt distinguer des autres, quoiqu'elle ne l'eût quasi jamais vu : mais elle distingua encore plus tôt le duc de Guise. Sa vue lui apporta un trouble qui la fit rougir et qui la fit paraître aux yeux de ces princes dans une beauté qu'ils crurent surnaturelle.

1. Ville d'Indre-et-Loire.
2. François de Lorraine, dit le Balafré, l'un des chefs de la Ligue durant les guerres de religion.
3. Nicolas d'Anjou.

20 Le duc de Guise la reconnut d'abord, malgré le changement avantageux qui s'était fait en elle depuis les trois années qu'il ne l'avait vue. Il dit au duc d'Anjou qui elle était, qui fut honteux d'abord de la liberté qu'il avait prise : mais, voyant Mme de Montpensier si belle et cette aventure lui plaisant si fort, il se résolut de l'achever et, après mille excuses et mille compliments, il inventa une affaire considérable qu'il disait avoir au-delà de la rivière et accepta l'offre qu'elle lui fit de le passer dans 25 son bateau. Il y entra seul avec le duc de Guise, donnant ordre à tout ce qui le suivait d'aller passer la rivière à un autre endroit et de les venir joindre à Champigny[1] que Mme de Montpensier leur dit n'être qu'à deux lieues[2] de là. Sitôt qu'ils furent dans le bateau, le duc d'Anjou lui demanda à quoi ils devaient une si agréable rencontre et ce qu'elle faisait au milieu de la rivière. Elle lui apprit qu'étant partie de Champigny avec le prince, son mari, dans le dessein de le suivre à la chasse, elle s'était trouvée trop lasse et était venue sur le bord de la rivière, où la curiosité d'aller voir prendre un saumon qui avait donné dans un filet l'avait fait entrer dans ce bateau. M. de Guise ne se mêlait point dans la conversation et, sentant réveiller dans son cœur si vivement tout ce que cette princesse y avait autrefois fait naître, il pensait en lui-même qu'il pourrait demeurer aussi bien pris dans les liens de cette belle princesse que le saumon l'était dans les filets du pêcheur.

La Princesse de Montpensier.

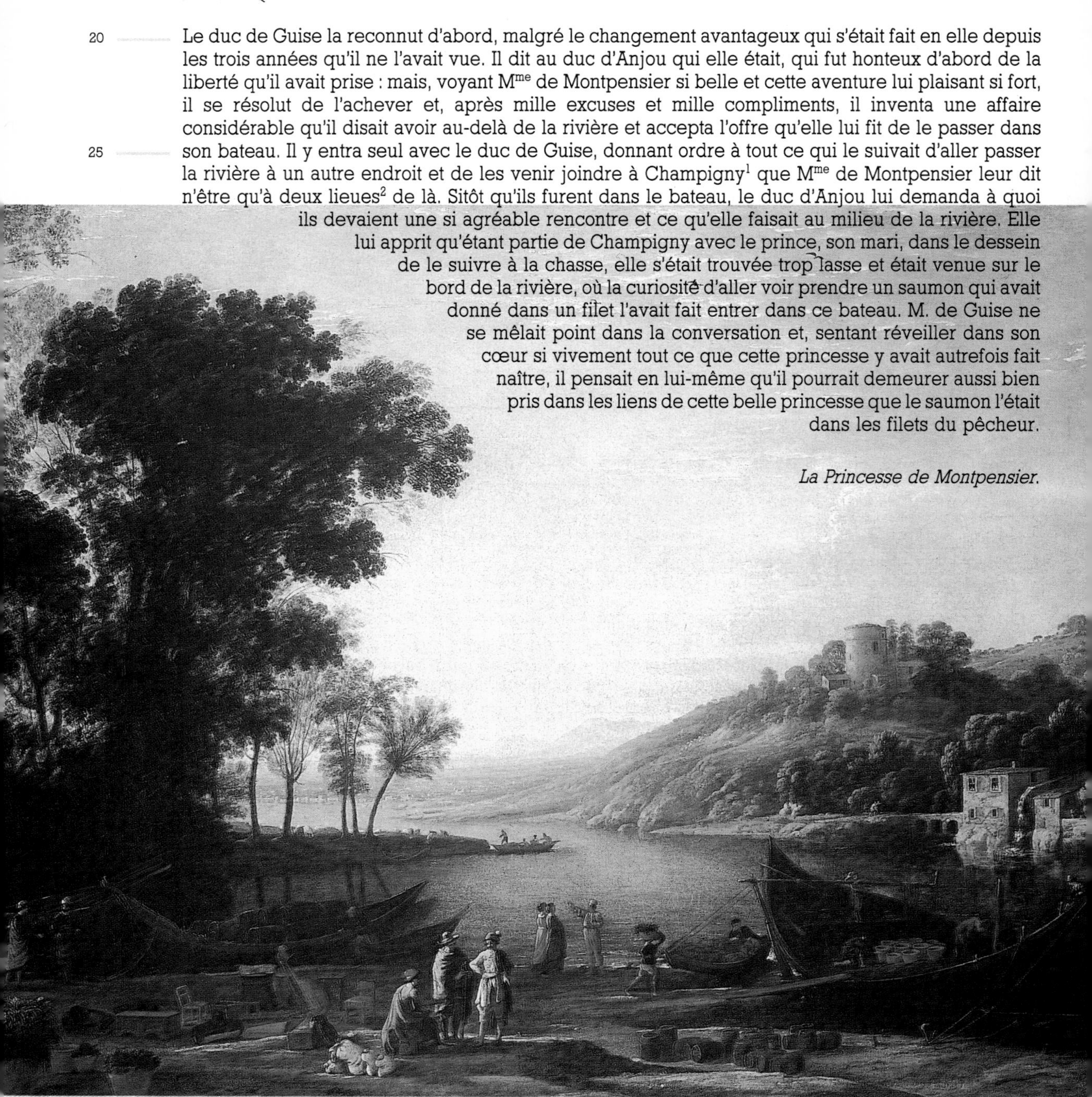

Claude Gellée dit le Lorrain (1600-1682), *Paysage avec des marchands*, toile 0,972 × 1,436 cm, Washington, National Gallery of Art, Samuel H. Kress Collection.

Pour préparer l'étude du texte

1. Vous déterminerez les différents épisodes de cette scène de rencontre.
2. Vous analyserez le rôle joué par le contexte romanesque dans la naissance de l'amour (le tableau initial, la méprise, les mensonges).
3. Vous montrerez comment s'expriment les premières manifestations de l'amour, en mettant plus particulièrement en évidence l'importance du regard.

1. Localité située près de Chinon, dans l'Indre-et-Loire.
2. Environ huit kilomètres.

La Princesse de Clèves

1678

La Princesse de Clèves se déroule à la fin du règne d'Henri II, dont le roman relate la mort au cours d'une joute en 1559. Madame de La Fayette utilise donc comme toile de fond historique la période qui précède les terribles guerres de religion. Mais, sous cette évocation, apparaissent nettement des allusions à l'époque contemporaine de l'auteur.

Il s'agit d'une œuvre brève, d'une conception relativement simple. L'action principale fait intervenir trois personnages centraux : Mademoiselle de Chartres, après avoir épousé le prince de Clèves, tombe amoureuse du duc de Nemours, redoutable séducteur. Elle résiste à sa passion, mais son mari, ravagé par la jalousie, périt de langueur. Désespérée, la jeune femme se retire du monde et meurt peu après.

A cette intrigue, s'ajoutent une série d'intrigues annexes. A la fois sentimentales et politiques, elles illustrent, elles aussi, le conflit entre le désir et la raison imposée par la morale, qui constitue le grand thème du roman.

« Il parut alors une beauté à la cour, qui attira les yeux de tout le monde »

Tout au début de son roman, Madame de La Fayette plante le décor : elle évoque la cour somptueuse d'Henri II, brosse quelques portraits. Cette vie de magnificence et de fêtes va son train, lorsque survient une jeune beauté qui fait sensation : c'est Mademoiselle de Chartres, la future princesse de Clèves.

Il parut alors une beauté à la cour, qui attira les yeux de tout le monde, et l'on doit croire que c'était une beauté parfaite, puisqu'elle donna de l'admiration dans un lieu où l'on était si accoutumé à voir de belles personnes. Elle était de la même maison que le vidame[1] de Chartres et une des plus grandes héritières de France. Son père était mort jeune, et l'avait laissée sous la conduite de Mme de Chartres, 5 sa femme, dont le bien, la vertu et le mérite étaient extraordinaires[2]. Après avoir perdu son mari, elle avait passé plusieurs années sans revenir à la cour. Pendant cette absence, elle avait donné ses soins à l'éducation de sa fille ; mais elle ne travailla pas seulement à cultiver son esprit et sa beauté, elle songea aussi à lui donner de la vertu et à la lui rendre aimable. La plupart des mères s'imaginent qu'il suffit de ne parler jamais de galanterie devant les jeunes personnes pour les en éloigner. Mme de 10 Chartres avait une opinion opposée ; elle faisait souvent à sa fille des peintures de l'amour ; elle lui montrait ce qu'il a d'agréable pour la persuader plus aisément sur ce qu'elle lui en apprenait de dangereux ; elle lui contait le peu de sincérité des hommes, leurs tromperies et leur infidélité, les malheurs domestiques où plongent les engagements[3] ; et elle lui faisait 15 voir, d'un autre côté, quelle tranquillité suivait la vie d'une honnête femme, et combien la vertu donnait d'éclat et d'élévation à une personne qui avait de la beauté et de la naissance ; mais elle lui faisait voir aussi combien il était difficile de conserver cette vertu, que par une extrême défiance de soi-même et par un 20 grand soin de s'attacher à ce qui seul peut faire le bonheur d'une femme, qui est d'aimer son mari et d'en être aimée.

Cette héritière était alors un des grands partis qu'il y eût en France ; et quoiqu'elle fût dans une extrême jeunesse, l'on avait déjà proposé plu- 25 sieurs mariages. Mme de Chartres, qui était extrêmement glorieuse[4], ne trouvait presque rien

Anonyme, XVIIe siècle,
Portrait d'une dame inconnue en costume de bal,
Paris, musée Carnavalet.

1. Titre nobiliaire qui, à l'origine, servait à désigner le représentant d'un évêque.
2. Sortaient de l'ordinaire.
3. Les liaisons amoureuses.
4. Fière.

digne de sa fille ; la voyant dans sa seizième année, elle voulut la mener à la cour. Lorsqu'elle arriva, le vidame alla au-devant d'elle ; il fut surpris de la grande beauté de Mlle de Chartres, et il en fut surpris avec raison. La blancheur de son teint et ses cheveux blonds lui donnaient un éclat que l'on n'a jamais
30 vu qu'à elle ; tous ses traits étaient réguliers, et son visage et sa personne étaient pleins de grâce et de charmes.

La Princesse de Clèves, Tome I.

Pour préparer le commentaire composé

1. **L'art du portrait.** Une partie de ce texte est consacrée au portrait de l'héroïne, la future princesse de Clèves. Vous relèverez les éléments qui la dépeignent, en indiquant quelles caractéristiques physiques, morales et intellectuelles sont ainsi fournies. Comment Madame de La Fayette évoque-t-elle la surprise éprouvée par les personnes de la cour à l'arrivée de la jeune fille ?

2. **Les conseils d'une mère.** Une partie importante de ce passage contient les conseils prodigués à la jeune fille par sa mère. Quels sont-ils ? Quelle conception du monde révèlent-ils ?

3. **Une présentation décisive.** Vous montrerez en quoi cette présentation de la future princesse de Clèves prépare les événements à venir.

« Il conçut pour elle dès ce moment une passion et une estime extraordinaires »

Le lendemain de son arrivée à la cour, Mademoiselle de Chartres rencontre, par hasard, le prince de Clèves chez un joaillier. C'est le coup de foudre romanesque traditionnel éprouvé par le prince devant tant de beauté et de grâce.

Le lendemain qu'elle fut arrivée, elle alla pour assortir des pierreries chez un Italien qui en trafiquait[1] par tout le monde. Cet homme était venu de Florence avec la reine[2], et s'était tellement enrichi dans son trafic que sa maison paraissait plutôt celle d'un grand seigneur que d'un marchand. Comme elle y était, le prince de Clèves y arriva. Il fut tellement surpris[3] de sa beauté qu'il ne put cacher sa
5 surprise ; et Mlle de Chartres ne put s'empêcher de rougir en voyant l'étonnement[4] qu'elle lui avait donné. Elle se remit néanmoins, sans témoigner d'autre attention aux actions de ce prince que celle que la civilité lui devait donner pour un homme tel qu'il paraissait. M. de Clèves la regardait avec admiration, et il ne pouvait comprendre qui était cette belle personne qu'il ne connaissait point. Il voyait bien par son air, et par tout ce qui était à sa suite, qu'elle devait être d'une grande qualité. Sa
10 jeunesse lui faisait croire que c'était une fille[5], mais, ne lui voyant point de mère, et l'Italien qui ne la connaissait point l'appelant Madame, il ne savait que penser, et il la regardait toujours avec étonnement. Il s'aperçut que ses regards l'embarrassaient, contre l'ordinaire des jeunes personnes qui voient toujours avec plaisir l'effet de leur beauté ; il lui parut même qu'il était cause qu'elle avait de l'impatience de s'en aller, et en effet elle sortit assez promptement. M. de Clèves se consola de
15 la perdre de vue dans l'espérance de savoir qui elle était ; mais il fut bien surpris quand il sut qu'on ne la connaissait point. Il demeura si touché de sa beauté et de l'air modeste qu'il avait remarqué dans ses actions qu'on peut dire qu'il conçut pour elle dès ce moment une passion et une estime extraordinaires.

La Princesse de Clèves, Tome I.

Pour préparer l'étude du texte

1. Vous ferez le plan de ce passage, en montrant comment l'auteur procède à une véritable mise en scène de la rencontre entre les deux personnages.

2. Vous dégagerez le caractère romanesque de cette rencontre.

3. Le prince de Clèves est très impressionné par Mademoiselle de Chartres. Vous noterez les qualités de la jeune fille qui le frappent particulièrement.

1. Qui en faisait le commerce.
2. Catherine de Médicis, l'épouse d'Henri II, était d'origine italienne.
3. Il fut tellement saisi, frappé.
4. Surprise intense, vive émotion.
5. Une jeune fille non mariée.

« La fortune destinait M. de Nemours à être amoureux de Mme de Clèves »

Le prince de Clèves obtient la main de Mademoiselle de Chartres qui n'éprouve pour lui que de l'estime. Peu après son mariage, lors du bal donné en l'honneur des fiançailles de la fille d'Henri II, Claude de France, elle danse avec le duc de Nemours : c'est le début d'un amour fatal.

Elle passa tout le jour des fiançailles chez elle à se parer, pour se trouver le soir au bal et au festin royal qui se faisait au Louvre. Lorsqu'elle arriva, l'on admira sa beauté et sa parure ; le bal commença et, comme elle dansait avec M. de Guise[1], il se fit un assez grand bruit vers la porte de la salle, comme de quelqu'un qui entrait et à qui on faisait place. Mme de Clèves acheva de danser et, pendant qu'elle cherchait des yeux quelqu'un qu'elle avait dessein de prendre[2], le roi lui cria de prendre celui qui arrivait. Elle se tourna et vit un homme qu'elle crut d'abord ne pouvoir être que M. de Nemours, qui passait par-dessus quelques sièges pour arriver où l'on dansait. Ce prince était fait d'une sorte qu'il était difficile de n'être pas surprise de le voir quand on ne l'avait jamais vu, surtout ce soir-là, où le soin qu'il avait pris de se parer augmentait encore l'air brillant qui était dans sa personne ; mais il était difficile aussi de voir Mme de Clèves pour la première fois sans avoir un grand étonnement.

M. de Nemours fut tellement surpris de sa beauté que, lorsqu'il fut proche d'elle, et qu'elle lui fit la révérence, il ne put s'empêcher de donner des marques de son admiration. Quand ils commencèrent à danser, il s'éleva dans la salle un murmure de louanges. Le roi et les reines[3] se souvinrent qu'ils ne s'étaient jamais vus, et trouvèrent quelque chose de singulier[4] de les voir danser ensemble sans se connaître. Ils les appelèrent quand ils eurent fini sans leur donner le loisir de parler à personne et leur demandèrent s'ils n'avaient pas bien envie de savoir qui ils étaient, et s'ils ne s'en doutaient point.

— Pour moi, Madame, dit M. de Nemours, je n'ai pas d'incertitude ; mais comme Mme de Clèves n'a pas les mêmes raisons pour deviner qui je suis que celles que j'ai pour la reconnaître, je voudrais bien que Votre Majesté eût la bonté de lui apprendre mon nom.

— Je crois, dit Mme la Dauphine[5], qu'elle le sait aussi bien que vous savez le sien.

— Je vous assure, Madame, reprit Mme de Clèves, qui paraissait un peu embarrassée, que je ne devine pas si bien que vous pensez.

— Vous devinez fort bien, répondit Mme la Dauphine ; et il y a même quelque chose d'obligeant pour M. de Nemours à ne vouloir pas avouer que vous le connaissez sans l'avoir jamais vu.

La reine les interrompit pour faire continuer le bal ; M. de Nemours prit la reine dauphine. Cette princesse était d'une parfaite beauté et avait paru telle aux yeux de M. de Nemours avant qu'il allât en Flandre[6] ; mais, de tout le soir, il ne put admirer que Mme de Clèves.

Le chevalier de Guise, qui l'adorait toujours, était à ses pieds, et ce qui se venait de passer lui avait donné une douleur sensible. Il le prit comme un présage que la fortune destinait M. de Nemours a être amoureux de Mme de Clèves ; et, soit qu'en effet il eût paru quelque trouble sur son visage, ou que la jalousie fît voir au chevalier de Guise au-delà de la vérité, il crut qu'elle avait été touchée de la vue de ce prince, et il ne put s'empêcher de lui dire que M. de Nemours était bien heureux de commencer à être connu d'elle par une aventure qui avait quelque chose de galant et d'extraordinaire.

Mme de Clèves revint chez elle, l'esprit si rempli de tout ce qui s'était passé au bal que, quoiqu'il fût fort tard, elle alla dans la chambre de sa mère pour lui en rendre compte ; et elle lui loua M. de Nemours avec un certain air qui donna à Mme de Chartres la même pensée qu'avait eue le chevalier de Guise.

La Princesse de Clèves, Tome I.

Pour préparer l'étude du texte

1. Vous relèverez et analyserez tout ce qui, dans le texte, met en relief le caractère fatal de la passion.
2. Vous étudierez le comportement des témoins de cette scène et dégagerez l'importance du regard.
3. Quels renseignements ce texte fournit-il sur les mœurs de la cour d'Henri II et, indirectement, de celle de Louis XIV ?

1. Le chevalier de Guise est amoureux de Mademoiselle de Chartres.
2. De prendre pour danseur.
3. Catherine de Médicis, la femme d'Henri II et Marie Stuart, la femme du dauphin, le fils aîné d'Henri II.
4. D'inusité, de bizarre.
5. Marie Stuart.
6. Il revenait en fait de Bruxelles.

Pour un groupement de textes

Le thème de la rencontre amoureuse dans :
L'Astrée (voir p. 40) d'Honoré d'Urfé,
Le Grand Cyrus (voir p. 78) de Madeleine de Scudéry,
Lettres d'une religieuse portugaise (Lettre V) (voir p. 319) de Guilleragues,
La Princesse de Montpensier (voir p. 321) et *La Princesse de Clèves* (voir pp. 324 et 325) de Madame de La Fayette.

« M. de Nemours souhaitait d'avoir le portrait de Mme de Clèves »

Le duc de Nemours est de plus en plus épris de la princesse de Clèves qui repousse ses avances. Cette passion le conduit aux pires imprudences : il n'hésite pas à s'emparer d'un portrait de celle qu'il aime.

Jean Petitot le vieux (1607-1691), miniature, Paris, musée du Louvre, cabinet des médailles.

La reine dauphine faisait faire des portraits en petit de toutes les belles personnes de la cour pour les envoyer à la reine sa mère[1]. Le jour qu'on achevait celui de Mme de Clèves, Mme la Dauphine vint passer l'après-dînée chez elle. M. de Nemours ne manqua pas de s'y trouver ; il ne laissait échapper aucune occasion de voir Mme de Clèves sans laisser paraître néanmoins qu'il les cherchât. Elle était 5 si belle, ce jour-là, qu'il en serait devenu amoureux quand il ne l'aurait pas été. Il n'osait pourtant avoir les yeux attachés sur elle pendant qu'on la peignait, et il craignait de laisser trop voir le plaisir qu'il avait à la regarder.

Mme la Dauphine demanda à M. de Clèves un petit portrait qu'il avait de sa femme, pour le voir auprès de celui que l'on achevait ; tout le monde dit son sentiment de l'un et de l'autre ; et Mme de 10 Clèves ordonna au peintre de raccommoder quelque chose à la coiffure de celui que l'on venait d'apporter. Le peintre, pour lui obéir, ôta le portrait de la boîte où il était et, après y avoir travaillé, il le remit sur la table.

Il y avait longtemps que M. de Nemours souhaitait d'avoir le portrait de Mme de Clèves. Lorsqu'il vit celui qui était à M. de Clèves, il ne put résister à l'envie de le dérober à un mari qu'il croyait 15 tendrement aimé ; et il pensa que, parmi tant de personnes qui étaient dans ce même lieu, il ne serait pas soupçonné plutôt qu'un autre.

Mme la Dauphine était assise sur le lit et parlait bas à Mme de Clèves, qui était debout devant elle. Mme de Clèves aperçut par un des rideaux, qui n'était qu'à demi fermé, M. de Nemours, le dos contre la table, qui était au pied du lit, et elle vit que, sans tourner la tête, il prenait adroitement quelque 20 chose sur cette table. Elle n'eut pas de peine à deviner que c'était son portrait, et elle en fut si troublée que Mme la Dauphine remarqua qu'elle ne l'écoutait pas et lui demanda tout haut ce qu'elle regardait.

1. La femme du roi d'Écosse, Jacques V.

M. de Nemours se tourna à ces paroles ; il rencontra les yeux de Mme de Clèves, qui étaient encore attachés sur lui, et il pensa qu'il n'était pas impossible qu'elle eût vu ce qu'il venait de faire.

Mme de Clèves n'était pas peu embarrassée. La raison voulait qu'elle demandât son portrait ; mais, 25 en le demandant publiquement, c'était apprendre à tout le monde les sentiments que ce prince avait pour elle, et, en le lui demandant en particulier, c'était quasi l'engager à lui parler de sa passion. Enfin elle jugea qu'il valait mieux le lui laisser, et elle fut bien aise de lui accorder une faveur qu'elle lui pouvait faire sans qu'il sût même qu'elle la lui faisait. M. de Nemours, qui remarquait son embarras, et qui en devinait quasi la cause, s'approcha d'elle et lui dit tout bas :

30 — Si vous avez vu ce que j'ai osé faire, ayez la bonté, Madame, de me laisser croire que vous l'ignorez ; je n'ose vous en demander davantage.

Et il se retira après ces paroles et n'attendit point sa réponse.

Mme la Dauphine sortit pour s'aller promener, suivie de toutes les dames, et M. de Nemours alla se renfermer chez lui, ne pouvant soutenir en public la joie d'avoir un portrait de Mme de Clèves. Il 35 sentait tout ce que la passion peut faire sentir de plus agréable ; il aimait la plus aimable personne de la cour ; il s'en faisait aimer malgré elle, et il voyait dans toutes ses actions cette sorte de trouble et d'embarras que cause l'amour dans l'innocence de la première jeunesse.

Le soir, on chercha ce portrait avec beaucoup de soin ; comme on trouvait la boîte où il devait être, l'on ne soupçonna point qu'il eût été dérobé, et l'on crut qu'il était tombé par hasard. M. de Clèves 40 était affligé de cette perte et, après qu'on eut encore cherché inutilement, il dit à sa femme, mais d'une manière qui faisait voir qu'il ne le pensait pas, qu'elle avait sans doute quelque amant caché à qui elle avait donné ce portrait ou qui l'avait dérobé, et qu'un autre qu'un amant ne se serait pas contenté de la peinture sans la boîte.

La Princesse de Clèves, Tome II.

Pour préparer l'étude du texte

1. Vous ferez le plan de ce passage, en distinguant les différents moments de l'action.
2. Madame de La Fayette décrit les personnages, tantôt en montrant leurs réactions, tantôt en rendant compte de leurs sentiments intérieurs. Vous analyserez ces deux manières de faire.
3. Pourquoi la princesse de Clèves laisse-t-elle le duc de Nemours emporter son portrait ? En quoi la plaisanterie finale du prince de Clèves est-elle profondément tragique ?

« Vous versez bien des pleurs [...] pour une mort que vous causez »

Dans cet extrait, l'amour se révèle doublement tragique. Il est tragique pour la princesse de Clèves, parce qu'il lui est interdit, qu'elle ne peut s'y livrer sous peine de trahir son devoir envers son mari. Il est tragique pour le prince de Clèves : dévoré par la jalousie que sa femme a provoquée malgré elle en lui avouant honnêtement ses sentiments pour le duc de Nemours, oppressé par des soupçons en fait injustifiés, il meurt de douleur.

Cependant M. de Clèves était presque abandonné des médecins. Un des derniers jours de son mal, après avoir passé une nuit très fâcheuse, il dit sur le matin qu'il voulait reposer. Mme de Clèves demeura seule dans sa chambre ; il lui parut qu'au lieu de reposer, il avait beaucoup d'inquiétude. Elle s'approcha et se vint mettre à genoux devant son lit, le visage tout couvert de larmes. M. de Clèves 5 avait résolu de ne lui point témoigner le violent chagrin qu'il avait contre elle ; mais les soins qu'elle lui rendait et son affliction, qui lui paraissait quelquefois véritable et qu'il regardait aussi quelquefois comme des marques de dissimulation et de perfidie, lui causaient des sentiments si opposés et si douloureux qu'il ne les put renfermer en lui-même.

— Vous versez bien des pleurs, Madame, lui dit-il, pour une mort que vous causez et qui ne vous 10 peut donner la douleur que vous faites paraître. Je ne suis plus en état de vous faire des reproches, continua-t-il avec une voix affaiblie par la maladie et par la douleur ; mais je meurs du cruel déplaisir que vous m'avez donné. Fallait-il qu'une action aussi extraordinaire que celle que vous aviez faite de me parler à Coulommiers[1] eût si peu de suite ? Pourquoi m'éclairer sur la passion que vous aviez pour M. de Nemours, si votre vertu n'avait pas plus d'étendue pour y résister ? Je vous aimais jusqu'à être 15 bien aise d'être trompé, je l'avoue à ma honte ; j'ai regretté ce faux repos dont vous m'avez tiré. Que ne me laissiez-vous dans cet aveuglement tranquille dont jouissent tant de maris ? J'eusse, peut-être, ignoré toute ma vie que vous aimiez M. de Nemours. Je mourrai, ajouta-t-il ; mais sachez que vous me

1. La princesse de Clèves avait alors avoué à son mari ses sentiments pour le duc de Nemours.

rendez la mort agréable, et qu'après m'avoir ôté l'estime et la tendresse que j'avais pour vous, la vie me ferait horreur. Que ferais-je de la vie, reprit-il, pour la passer avec une personne que j'ai tant
20 aimée, et dont j'ai été si cruellement trompé, ou pour vivre séparé de cette même personne, et en venir à un éclat et à des violences si opposées à mon humeur et à la passion que j'avais pour vous ? Elle a été au-delà de ce que vous en avez vu, Madame ; je vous en ai caché la plus grande partie, par la crainte de vous importuner, ou de perdre quelque chose de votre estime, par des manières qui ne convenaient pas à un mari. Enfin je méritais votre cœur ; encore une fois, je meurs sans regret,
25 puisque je n'ai pu l'avoir, et que je ne puis plus le désirer. Adieu, Madame, vous regretterez quelque jour un homme qui vous aimait d'une passion véritable et légitime. Vous sentirez le chagrin que trouvent les personnes raisonnables dans ces engagements[1], et vous connaîtrez la différence d'être aimée, comme je vous aimais, à l'être par des gens qui, en vous témoignant de l'amour, ne cherchent que l'honneur de vous séduire. Mais ma mort vous laissera en liberté, ajouta-t-il, et vous pourrez
30 rendre M. de Nemours heureux, sans qu'il vous en coûte des crimes. Qu'importe, reprit-il, ce qui arrivera quand je ne serai plus, et faut-il que j'aie la faiblesse d'y jeter les yeux !

Mme de Clèves était si éloignée de s'imaginer que son mari pût avoir des soupçons contre elle qu'elle écouta toutes ces paroles sans les comprendre, et sans avoir d'autre idée, sinon qu'il lui reprochait son inclination pour M. de Nemours ; enfin, sortant tout d'un coup de son aveuglement :

35 — Moi, des crimes ! s'écria-t-elle ; la pensée même m'en est inconnue. La vertu la plus austère ne peut inspirer d'autre conduite que celle que j'ai eue ; et je n'ai jamais fait d'action dont je n'eusse souhaité que vous eussiez été témoin.

Nicolas Poussin (1594-1665), *L'Extrême-onction*, Duke of Sutherland Collection on loan to the National Gallery of Scotland.

1. Les engagements sentimentaux.

— Eussiez-vous souhaité, répliqua M. de Clèves, en la regardant avec dédain, que je l'eusse été des nuits que vous avez passées avec M. de Nemours ? Ah ! Madame, est-ce de vous dont je parle, 40 quand je parle d'une femme qui a passé des nuits avec un homme ?

— Non, Monsieur, reprit-elle ; non, ce n'est pas de moi dont vous parlez. Je n'ai jamais passé ni de nuits ni de moments avec M. de Nemours. Il ne m'a jamais vue en particulier ; je ne l'ai jamais souffert[1], ni écouté, et j'en ferais tous les serments...

— N'en dites pas davantage, interrompit M. de Clèves ; de faux serments ou un aveu me feraient 45 peut-être une égale peine.

La Princesse de Clèves, Tome IV.

Pour préparer le commentaire composé

1. **L'alternance du récit et du dialogue.** Vous ferez le plan de ce passage, en soulignant l'alternance du récit et du dialogue. Vous analyserez les effets de cette alternance.

2. **Le poids de l'incommunicabilité.** Le tragique de la situation vient, en grande partie, de l'impossibilité de se comprendre dans laquelle se trouvent les deux personnages. Vous étudierez les manifestations de cette incommunicabilité. Comment s'exprime l'intensité de l'amour du prince ? En quoi ses paroles sont-elles injustes et cruelles pour la princesse de Clèves ?

3. **L'importance de la fatalité.** Vous montrerez l'importance de la fatalité dans le déroulement de l'action de *La Princesse de Clèves*.

« Elle se retira [...] dans une maison religieuse »

C'est la fin du roman : plongée dans le désespoir le plus extrême par la mort de son mari, la princesse de Clèves tombe gravement malade. Une fois guérie, elle renonce au duc de Nemours et à la vie mondaine pour achever son existence dans la solitude et le recueillement.

Cette vue si longue et si prochaine de la mort fit paraître à Mme de Clèves les choses de cette vie de cet œil si différent dont on les voit dans la santé. La nécessité de mourir, dont elle se voyait si proche, l'accoutuma à se détacher de toutes choses et la longueur de sa maladie lui en fit une habitude. Lorsqu'elle revint de cet état, elle trouva néanmoins que M. de Nemours n'était pas effacé de son 5 cœur ; mais elle appela à son secours, pour se défendre contre lui, toutes les raisons qu'elle croyait avoir pour ne l'épouser jamais. Il se passa un assez grand combat en elle-même. Enfin, elle surmonta les restes de cette passion qui était affaiblie par les sentiments que sa maladie lui avait donnés. Les pensées de la mort lui avaient rapproché la mémoire[2] de M. de Clèves. Ce souvenir, qui s'accordait à son devoir, s'imprima fortement dans son cœur. Les passions et les engagements du monde lui 10 parurent tels qu'ils paraissent aux personnes qui ont des vues plus grandes et plus éloignées. Sa santé, qui demeura considérablement affaiblie, lui aida à conserver ses sentiments ; mais comme elle connaissait ce que peuvent les occasions sur les résolutions les plus sages, elle ne voulut pas s'exposer à détruire les siennes, ni revenir dans les lieux où était ce qu'elle avait aimé. Elle se retira, sur le prétexte de changer d'air, dans une maison religieuse, sans faire paraître un dessein arrêté de 15 renoncer à la cour.

A la première nouvelle qu'en eut M. de Nemours, il sentit le poids de cette retraite, et il en vit l'importance. Il crut, dans ce moment, qu'il n'avait plus rien à espérer ; la perte de ses espérances ne l'empêcha pas de mettre tout en usage pour faire revenir Mme de Clèves. Il fit écrire la reine, il fit écrire le vidame, il l'y fit aller ; mais tout fut inutile. Le vidame la vit : elle ne lui dit point qu'elle 20 eût pris de résolution. Il jugea néanmoins qu'elle ne reviendrait jamais. Enfin M. de Nemours y alla lui-même, sur le prétexte d'aller à des bains. Elle fut extrêmement troublée et surprise d'apprendre sa venue. Elle lui fit dire, par une personne de mérite qu'elle aimait et qu'elle avait alors auprès d'elle, qu'elle le priait de ne pas trouver étrange si elle ne s'exposait point au péril de le voir et de détruire, par sa présence, des sentiments qu'elle devait conserver ; qu'elle voulait bien qu'il sût, qu'ayant trouvé 25 que son devoir et son repos s'opposaient au penchant qu'elle avait d'être à lui, les autres choses du

1. Je n'ai jamais accepté sa présence.

2. Lui avaient rendu plus proche le souvenir.

monde lui avaient paru si indifférentes qu'elle y avait renoncé pour jamais ; qu'elle ne pensait plus qu'à celles de l'autre vie et qu'il ne lui restait aucun sentiment que le désir de le voir dans les mêmes dispositions où elle était.

M. de Nemours pensa expirer de douleur en présence de celle qui lui parlait. Il la pria vingt fois de retourner à Mme de Clèves, afin de faire en sorte qu'il la vît ; mais cette personne lui dit que Mme de Clèves lui avait non seulement défendu de lui aller redire aucune chose de sa part, mais même de lui rendre compte de leur conversation. Il fallut enfin que ce prince repartît, aussi accablé de douleur que le pouvait être un homme qui perdait toutes sortes d'espérances de revoir jamais une personne qu'il aimait d'une passion la plus violente, la plus naturelle et la mieux fondée qui ait jamais été. Néanmoins il ne se rebuta point[1] encore, et il fit tout ce qu'il put imaginer de capable de la faire changer de dessein[2]. Enfin, des années entières s'étant passées, le temps et l'absence ralentirent sa douleur et éteignirent sa passion. Mme de Clèves vécut d'une sorte qui ne laissa pas d'apparence qu'elle pût jamais revenir. Elle passait une partie de l'année dans cette maison religieuse et l'autre chez elle ; mais dans une retraite et dans des occupations plus saintes que celles des couvents les plus austères ; et sa vie, qui fut assez courte, laissa des exemples de vertu inimitables.

La Princesse de Clèves, Tome IV.

Veuve en petit deuil, gravure, XVIIe siècle, Paris, B.N.

Pour préparer l'étude du texte

1. Cet extrait relate une action qui s'est déroulée dans un laps de temps relativement long. Comment apparaît, dans la structure du texte, cette succession temporelle ?
2. Vous noterez comment l'expression utilisée ici par Madame de La Fayette évoque, d'un côté, la lassitude de la princesse de Clèves et, de l'autre, l'obstination du duc de Nemours.
3. Quelle morale se dégage de ce dénouement malheureux ?

Pour une étude comparée

Vous comparerez la fin des *Lettres d'une religieuse portugaise* (voir p. 319) et celle de *La Princesse de Clèves*, en insistant plus particulièrement sur les points suivants :

1. **Un amour impossible.** Vous montrerez quelles sont les manifestations de l'amour impossible, en faisant la part des différences de situations (amour partagé ou non partagé, amour dominé ou subi).
2. **Désespoir et résignation.** Vous étudierez l'expression du désespoir et de la résignation qui marquent les deux textes.
3. **Le renoncement au monde.** Vous comparerez les attitudes de renoncement au monde adoptées par la religieuse portugaise et par la princesse de Clèves.

1. Il ne se découragea pas.

2. D'intention.

Une passion destructrice

Dans un article que publie, en 1943, la revue *Confluences*, Albert Camus montre comment, dans les romans de Madame de La Fayette, la passion se révèle destructrice, apparaît comme une force de désordre qui perturbe profondément les personnages.

Pour prendre un exemple précis, il semble que Mme de La Fayette ne vise, rien d'autre ne l'intéressant au monde, qu'à nous enseigner une très particulière conception de l'amour. Son postulat singulier[1] *est que cette passion met l'être en péril. Et c'est en effet ce qu'on peut dire dans la conversation*[2]*, mais personne n'a eu l'idée d'en pousser la logique aussi loin que Mme de La Fayette l'a fait. Ce qu'on sent à l'œuvre dans* La Princesse de Clèves *comme dans* La Princesse de Montpensier *ou* La Comtesse de Tende, *c'est une constante méfiance envers l'amour. On peut la reconnaître déjà dans son langage où il semble vraiment que certains mots lui brûlent la bouche : « Ce qu'avait dit Mme de Clèves de son portrait lui avait redonné la vie en lui faisant connaître que c'était lui qu'elle ne haïssait pas ». Mais les personnages à leur manière nous persuadent aussi de cette méfiance salutaire. Ce sont de curieux héros qui périssent tous de sentiment et vont chercher des maladies mortelles dans des passions contrariées. Il n'est pas jusqu'à ses figures secondaires qui ne meurent par un mouvement de l'âme : « On lui porta sa grâce comme il n'attendait que le coup de la mort, mais la peur l'avait tellement saisi qu'il n'avait plus de connaissance et mourut quelques jours après ». Les plus audacieux de nos romantiques n'ont pas osé donner tant de pouvoirs à la passion. Et l'on comprend sans peine que devant ces ravages du sentiment, Mme de La Fayette prenne comme ressort de son intrigue une extraordinaire théorie du mariage considéré comme un moindre mal : il vaut mieux être fâcheusement mariée que de souffrir de la passion. On reconnaît ici l'idée profonde dont la répétition obstinée donne son sens à l'ouvrage. C'est une idée de l'ordre.*

Bien avant Goethe[3]*, en effet, Mme de La Fayette a mis en balance l'injustice d'une condition malheureuse et le désordre des passions ; et bien avant lui, par un mouvement étonnant de pessimisme, elle a choisi l'injustice qui ne dérange rien. Simplement, l'ordre dont il s'agit pour elle est moins celui d'une société que celui d'une pensée et d'une âme. Et loin qu'elle veuille asservir les passions du cœur aux préjugés sociaux, elle se sert de ceux-ci pour remédier aux mouvements désordonnés qui l'effraient. Elle n'a cure*[4] *de défendre des institutions qui ne sont pas son fait, mais elle veut préserver son être profond dont elle connaît le seul ennemi. L'amour n'est que démence et confusion. On n'a pas de peine à deviner les souvenirs brûlants qui se pressent sous ces phrases si désintéressées, et c'est là, bien mieux qu'à propos d'une illusoire composition, que nous prenons une grande leçon d'art. Car il n'y a pas d'art là où il n'y a rien à vaincre, et cette mélodie cérémonieuse, nous comprenons alors que sa monotonie est faite autant d'un calcul clairvoyant que d'une passion déchirée. S'il ne s'y trouve qu'un seul sentiment, c'est qu'il a tout dévoré et s'il parle toujours sur le même ton un peu compassé, c'est qu'on ne lui permet pas les cris. Cette objectivité est une victoire.*

Albert Camus, « L'Intelligence et l'échafaud », *Revue Confluences, 1943.*

Synthèse

La force des apparences

Les apparences règnent en maîtresses dans ce milieu de la cour où se déroulent les romans de Madame de La Fayette. Dans le cadre somptueux du Louvre ou des châteaux du roi et de ses courtisans, chacun se livre à la surenchère de la magnificence, cherche à se distinguer par l'importance de son train de vie, le bon goût de son habillement, l'esprit de ses propos (voir texte, p. 325). L'essentiel est de faire bonne figure, de paraître. Dans cette vie hautement sociale, on est constamment sous le regard de l'autre : voilà qui rend difficiles les entretiens particuliers, qui oblige à une dissimulation constante.

---

1. Son principe de départ inusité.
2. En paroles.
3. Écrivain allemand (1749-1832).
4. Elle ne se préoccupe pas.

L'Amour ordonne à Mercure d'annoncer son pouvoir sur l'univers.

Il faut sans cesse veiller à ses paroles, prendre garde à ses actions : lorsque le duc de Nemours dérobe son portrait, la princesse de Clèves se voit obligée de ne pas réagir pour éviter de révéler aux autres l'amour qu'on lui porte (voir texte, p. 326). Dans ce monde d'artifice, il est bien difficile aux êtres naïfs, inexpérimentés, de ne pas tomber dans les pièges tendus : Madame de Chartres aura beau multiplier les conseils (voir texte, p. 323), la princesse de Clèves sera victime de la force de ces apparences. Ce sera finalement sa franchise qui la perdra : son mari lui-même, avant de mourir, ne regrettera-t-il d'ailleurs pas qu'elle ait cru bon de lui avouer son amour pour le duc de Nemours (voir texte, p. 327) ?

Le piège fatal de l'amour

Il est cependant une force à laquelle ne résistent pas les apparences : l'amour se révèle si puissant qu'il parvient à déchirer le voile des mensonges. Dans sa peinture de la passion, Madame de La Fayette reprend les schémas traditionnels. L'amour est déclenché par le coup de foudre qui provoque l'étonnement, la stupéfaction, l'admiration à la vue de l'être aimé et fait ainsi fonctionner le piège de la séduction : le duc de Guise, après avoir rencontré la princesse de Montpensier, estime « qu'il pourrait demeurer aussi bien pris dans les liens de cette belle princesse que le saumon l'était dans les filets du pêcheur » (voir texte, p. 321) ; le prince de Clèves, au spectacle de Mademoiselle de Chartres, « demeura si touché de sa beauté et de l'air modeste qu'il avait remarqué dans ses actions qu'on peut dire qu'il conçut pour elle dès ce moment une passion et une estime extraordinaires » (voir texte, p. 324) ; le duc de Nemours, en l'apercevant, « fut tellement surpris de sa beauté que, lorsqu'il fut proche d'elle, et qu'elle lui fit la révérence, il ne put s'empêcher de donner des marques de son admiration » (voir texte, p. 325).

C'est la beauté, une beauté parfaite qui, au départ, suscite l'amour. Mais, par la suite, interviennent bien d'autres qualités d'ordre intellectuel et moral, en particulier l'honnêteté et l'esprit qui font que l'estime s'ajoute à l'admiration. Et la passion peut désormais se déchaîner. Irrésistible, elle emporte tout : oubliées les précautions, disparue la dissimulation ! La princesse de Clèves, après avoir dansé avec le duc de Nemours, ne peut s'empêcher de parler avec enthousiasme de cet événement à sa mère (voir texte, p. 325) ; le duc de Nemours n'hésite pas à s'emparer du portrait de celle qu'il aime (voir texte, p. 326).

Eustache Le Sueur (1616-1655),
décoration du Cabinet de l'Amour de l'Hôtel Lambert,
Paris, musée du Louvre.
La naissance de l'Amour.

Vénus présente l'Amour à Jupiter

Cet amour pourrait devenir paisible et heureux. Mais la fatalité intervient. Elle suscite d'abord la rencontre de ses victimes, pour mieux ensuite provoquer leur malheur. La passion qu'elle fait naître se révèle impossible, parce qu'elle enfreint les règles de la morale et de la société : la princesse de Montpensier et la princesse de Clèves sont mariées et doivent donc repousser l'amour qu'elles éprouvent pour le duc de Guise et le duc de Nemours. La princesse de Montpensier en mourra, la princesse de Clèves terminera sa vie dans la solitude (voir texte, p. 329). La passion peut aussi être fatale, parce qu'elle n'est pas partagée : c'est là tout le drame du prince de Clèves (voir texte, p. 327).

Un bonheur impossible

Selon Madame de La Fayette, deux forces contradictoires gouvernent l'être humain : des forces d'ordre, de raison, cautionnées par la société et des forces de désordre, de désir, qui provoquent des impulsions individuelles anarchiques. Dès lors, le bonheur est impossible à atteindre. Choisit-on la raison ? On crée un équilibre intérieur, mais on construit une vie sans imprévu, monotone. Privilégie-t-on le désir ? On a une existence passionnée, mais on suscite douleur et aliénation. C'est là une vision pessimiste du monde, conséquence de cette conception d'une opposition entre volonté et fatalité, individu et société, qui se retrouve dans le théâtre de Racine (voir p. 243).

La conduite du roman

Contrairement à Madeleine de Scudéry (voir p. 76), Madame de La Fayette a choisi la brièveté. Ce trait de style propre au classicisme (voir p. 369) marque évidemment sa nouvelle *La Princesse de Montpensier*. Elle est également de règle dans son roman *La Princesse de Clèves*, malgré la relative complexité de sa construction.

Cette brièveté n'exclut pas la diversité d'une écriture qui combine harmonieusement narrations, portraits, descriptions, dialogues et analyse psychologique. Le récit est, en général, mené avec une grande lenteur, comme pour souligner que, dans ce monde dominé par la fatalité, l'action est inutile (voir, en particulier, texte, p. 321). Le portrait, alors à la mode, a pour fonction de fournir un témoignage d'ensemble sur les mœurs et de dégager les traits significatifs d'un individu (voir notamment texte, p. 323).

Les descriptions permettent de planter le décor, d'évoquer cette somptuosité qui caractérise la cour (voir texte, p. 326). Les dialogues montrent les rapports qui existent entre les personnages, démontent, en particulier, le grand jeu des apparences et des dissimulations (voir texte, p. 325). L'analyse psychologique, tantôt transcrit les états d'âme tels que les ressentent de l'intérieur les personnages, tantôt les décrit de l'extérieur, tels que peut les noter un observateur (voir texte, p. 327).

ROMAN ET HISTOIRE

Les rapports entre la réalité et la fiction

Un problème fondamental se pose à tout romancier : quelles doivent être la part de la réalité et celle de la fiction dans ses constructions ? Ses romans doivent-ils transcrire fidèlement des faits qui se sont réellement déroulés, reproduire la vie de personnes qui ont réellement existé ? Doivent-ils être des reflets fidèles du monde ? Leur faut-il, au contraire, prendre des distances par rapport à cette réalité, l'interpréter, la transformer ? Leur faut-il construire un univers autonome, fictif, possédant ses propres règles, obéissant à ses propres lois ?

Le roman du temps présent

Le roman burlesque de Sorel, Scarron ou Furetière apporte une première solution. Comme la comédie, il se déroule à l'époque même où vit son auteur, met en action des personnages imaginaires issus de la bourgeoisie ou du peuple, décrit des mœurs, des caractères, un état de société qui, eux, sont bien réels, exploite des effets comiques. Il s'appuie donc sur une réalité sociale, mais introduit des personnages fictifs impliqués dans une action fictive, et suit un schéma romanesque qui s'éloigne des conditions normales de l'existence, grâce au jeu de l'exagération, de la caricature : l'« arracheur de dents » de *Francion* (voir texte, p. 44), Ragotin du *Roman comique* (voir texte, p. 91) ou le poète du *Roman bourgeois* (voir texte, p. 312) correspondent à des êtres réels que les contemporains de Sorel, Scarron ou Furetière pouvaient observer ; mais les caractéristiques des personnages se trouvent accentuées, exagérées, leurs comportements caricaturés, si bien qu'ils dépassent la réalité et ainsi lui échappent.

Roman historique et histoire romancée

Le roman historique procède tout autrement. Sa perspective est proche de celle de la tragédie : il se situe à une époque plus ou moins ancienne dont il essaie de faire revivre l'atmosphère, représente des personnages d'origine noble attestés par l'histoire, traite de sujets sérieux, souvent dramatiques. Voilà des œuvres qui semblent donc profondément ancrées dans le réel, dont elles paraissent offrir des reconstitutions fidèles.

Ce n'est qu'une illusion. Dans la conception du XVIIe siècle, les faits historiques sont perturbés par la place prépondérante accordée à l'amour qui est présenté systématiquement comme la cause, le moteur de toutes les actions. Ils sont également pervertis par la tendance, consciente ou non, des auteurs à rapprocher la période décrite de leur propre époque : que ce soit la Gaule celte d'Honoré d'Urfé (voir p. 39), l'antiquité grecque et romaine de Madeleine de Scudéry (voir p. 78), la France du XVIe siècle de Madame de La Fayette (voir pp. 321 et 323), sous ces masques se dissimule toujours la France du XVIIe siècle. Enfin, les personnages représentés sont des êtres exceptionnels, hors du commun, si bien que leur caractère exemplaire est un obstacle supplémentaire à une description réaliste.

En fait, le roman historique apparaît souvent comme de l'histoire romancée. Il a donc tendance à perdre sa spécificité, son autonomie de roman. Des auteurs, comme Madame de La Fayette (voir p. 333), tentent bien d'éviter ce danger, en rendant leurs personnages plus quotidiens, moins parfaits, en leur prêtant faiblesses et imperfections. Mais ce type de roman n'en connaît pas moins une crise d'identité qui ira en s'aggravant. Durant la seconde partie du XVIIe siècle, on s'interroge sur sa nature et sur ses liens avec l'histoire : en 1670, Huet publie son *Traité de l'origine des romans* ; en 1671, Saint-Réal fait éditer *De l'usage de l'histoire* ; en 1678, Valincour apporte sa contribution, avec les *Lettres à Madame la marquise de... sur le sujet de La Princesse de Clèves.*

Des ouvrages historiques gagnés par le romanesque

Si le roman est inspiré par l'histoire, de son côté, l'histoire est influencée par le roman. Madame de La Fayette n'est-elle d'ailleurs pas, à la fois, auteur de romans et d'œuvres historiques ? Les *Réflexions sur les divers génies du peuple romain* de Saint-Évremond (voir p. 306) constituent une exception : la perspective scientifique qu'il adopte n'est guère de mise chez ses contemporains. Dans les *Mémoires* du cardinal de Retz (voir p. 271) ou dans l'ouvrage que Madame de La Fayette consacre à Henriette d'Angleterre (voir p. 320), si les faits rapportés sont, en général, exacts, ils sont organisés, interprétés, tandis que les grandes figures historiques apparaissent souvent, dans leur caractère et dans leur comportement, comme de véritables héros de roman. Décidément, la frontière entre roman et histoire est alors bien floue.

Giovanni Bilivert (1576-1644), *Isabelle d'Aragon implorant le roi de France lors de la conquête de Naples (1494)*, Paris, musée du Louvre.
Quelle que soit l'époque évoquée, le XVIIe siècle apparaît toujours en filigrane.

POÉSIE LYRIQUE ET POÉSIE DIDACTIQUE
LA FONTAINE, BOILEAU

Harmensz Rembrandt (1606-1669), *Aristote contemplant le buste d'Homère*, huile sur toile 143,5 × 136,5 cm,
New York, the Metropolitan Museum of Art,
purchased with special funds and gifts of friends of the Museum, 1961 (61.198).
L'alliance de la philosophie et de la poésie.

DEUX CONCEPTIONS DE LA POÉSIE

Qu'est-ce que la poésie ? Deux réponses peuvent être données à cette question. La poésie a d'abord été définie à partir de la forme. Sont alors considérées comme poétiques toutes les œuvres qui respectent les règles de la versification (nombre de pieds, rimes, disposition en strophes, etc.). La poésie se caractérise donc par sa forme versifiée. Dans ces conditions, comme le dit le maître de philosophie à la scène 4 de l'acte II du *Bourgeois gentilhomme* de Molière, « tout ce qui n'est point prose est vers ; et tout ce qui n'est point vers est prose » : il suffit qu'un texte soit écrit en vers pour qu'il relève de la poésie.

Mais on peut aussi considérer qu'il n'est pas indispensable de soumettre la forme à des règles contraignantes. Pour qu'il y ait poésie, il suffit de créer un rythme, une harmonie à l'intérieur de la phrase. Par contre, des obligations de fond, de contenu, s'imposent alors. Dans cette perspective, est poétique toute œuvre qui porte un regard particulier sur le monde, qui reflète l'effort de son auteur pour saisir, grâce à sa sensibilité, la signification profonde de l'univers. Et le poète réalise cet objectif, en traitant de grands thèmes poétiques, expressions de ses états d'âme et en utilisant tout un jeu d'images, de comparaisons, destiné à dévoiler ce qui se cache sous les apparences du quotidien. C'est la définition moderne de la poésie, qui réduit donc les contraintes de la forme.

LE MAINTIEN DE LA POÉSIE LYRIQUE

La poésie française de la première partie du XVIIe siècle alliait souvent versification et contenu poétique. Que ce soit Malherbe, Théophile de Viau, Saint-Amant ou Tristan L'Hermite, les poètes développaient, en particulier, les grands thèmes lyriques chers à la poésie.

La principale vocation de la poésie réside en effet traditionnellement dans le lyrisme. Elle est faite pour exprimer les sentiments, les états d'âme. Elle est un cri du cœur, une manifestation de la sensibilité profonde de l'individu. C'est le genre qui, par excellence, permet à l'auteur, au poète, de s'exprimer à la première personne. C'est la forme privilégiée pour développer les thèmes de la nature, de la fuite du temps, du regret de la jeunesse perdue, de la tristesse mélancolique au constat d'un amour impossible, de la douleur face à un sentiment non partagé.

Cette inspiration se maintient dans la littérature française de ces années 1661-1685 : Jean de La Fontaine (1621-1695) la sauvegarde. Elle se retrouve aussi dans l'œuvre théâtrale d'un Jean Racine : n'appelle-t-on pas d'ailleurs, à cette époque, les pièces de théâtre des poèmes dramatiques ? Le lyrisme apparaît également dans des textes en prose, comme ceux de Bossuet ou de Madame de Sévigné.

LA POÉSIE « RAISONNABLE »

Mais, sous l'empire d'une raison de plus en plus dominatrice, une autre orientation tend à s'imposer. Le didactisme, la volonté de véhiculer des connaissances ou une philosophie l'emportent bientôt : le rationnel remplace l'imagination, la technique se substitue à l'inspiration. Déjà visible dans certaines œuvres de La Fontaine, cette démarche dénature progressivement la poésie qui se transforme en prose rimée.

Nicolas Boileau (1636-1711), peu attiré par le lyrisme, offre un exemple caractéristique de cette évolution fâcheuse. De plus en plus nombreux sont les poètes qui, à son exemple, s'engagent sur cette voie antipoétique. La poésie, en cédant à la raison, connaît ainsi une grave décadence, dont elle mettra longtemps à se relever (voir p. 417).

Jean de La Fontaine
1621-1695

Nicolas de Largillière
(1656-1746),
Portrait de La Fontaine,
Versailles,
musée national du Château.

Un jeune provincial en quête de vocation

La Fontaine est né à Château-Thierry, en Champagne, où son père exerce la charge de maître des eaux et forêts[1] : toute sa vie, il restera influencé par sa province natale, par ce milieu rural où le conduisent les obligations professionnelles paternelles. Après ses études secondaires, il hésite sur le chemin à prendre. Succédera-t-il plus tard à son père ? Il est plutôt attiré par la vie ecclésiastique : en 1641, il entre au séminaire et subit l'influence des idées jansénistes.

Mais dès 1642, La Fontaine sent qu'il n'a pas la foi. Il pense alors à une carrière juridique, commence des études de droit à Paris, vers 1645 et, en 1649, devient avocat au Parlement (voir p. 316). Entre temps, il a épousé, en 1647, une jeune fille de quatorze ans, dont il aura un fils, en 1653. La mésentente s'installe très rapidement dans le couple : sa femme lui reproche son infidélité et ses dépenses excessives. Et de fait, La Fontaine connaît de graves difficultés d'argent qu'il essaie de résoudre, en vendant des biens de famille et en puisant dans la fortune de son épouse. En 1652, il reprend la charge de maître des eaux et forêts de son père, mais sa situation financière demeure tout aussi précaire.

Au service de Fouquet

Après s'être séparé de sa femme en 1658, La Fontaine s'installe à Paris. Pour son bien et pour son malheur, il va y faire la connaissance de Fouquet. Cet amateur éclairé des arts prend sous sa protection La Fontaine, dont il a apprécié le poème *Adonis* composé en 1658, et le rémunère généreusement. Mais le mauvais sort mettra bientôt un terme à cette situation enviable : La Fontaine est en train d'écrire *Le Songe de Vaux*, une description du château de Vaux-le-Vicomte que lui a commandée Fouquet, lorsque survient l'irréparable. En 1661, le puissant ministre des Finances est arrêté (voir p. 164).

Le pouvoir sanctionnera la fidélité inébranlable de La Fontaine à son protecteur. En 1662, on l'accuse d'avoir usurpé le titre d'écuyer[2]. Il est condamné à une lourde amende, puis juge plus prudent de se faire oublier quelque temps en partant pour le Limousin.

---

1. Il exerçait une autorité judiciaire et administrative pour tout ce qui concernait les eaux et forêts de sa province.

2. Titre le moins élevé dans la hiérarchie nobiliaire.

Le Château de Vaux-le-Vicomte, gravure, XVIIe siècle, Paris, B.N.

Une succession de protecteurs

A son retour à Paris, commence sa grande période de production : de 1665 à 1696, s'accumulent les éditions sans cesse augmentées de ses *Contes* et de ses *Fables*. Mais il faut vivre. Les protecteurs se succèdent : de 1664 à 1672, La Fontaine est au service de la duchesse douairière d'Orléans[1] ; de 1673 à 1693, il est accueilli par Madame de La Sablière pour laquelle il éprouve une tendre amitié. En 1693, cette amie décide de se retirer dans un hospice comme garde-malade : il trouve alors refuge chez d'Hervart, conseiller au parlement de Paris. En 1671, il a vendu sa charge de maître des eaux et forêts pour se donner un peu plus d'aisance matérielle.

Jusqu'en 1692, La Fontaine mène une vie brillante, mondaine : il fréquente les écrivains les plus renommés de son temps, Madame de La Fayette, Madame de Sévigné, Boileau, Racine, Molière, La Rochefoucauld. Il participe aux grands événements littéraires : membre de l'Académie française depuis 1683, il est un de ceux qui dénoncent violemment le *Dictionnaire* de Furetière (voir p. 310). Dans la querelle des Anciens et des Modernes (voir p. 416), il se déclare partisan de la tradition (*Épître à Huet*, 1687).

La conversion

Durant une grande partie de sa vie, La Fontaine avait été attiré par le libertinage (voir p. 102) : il a écrit des *Contes* licencieux, dont l'édition de 1674 sera interdite. Mais, en 1692, la maladie le frappe. La mort de Madame de La Sablière en 1693 est une autre épreuve. Il décide alors de se convertir, renie ses *Contes*. Durant le peu de temps qui lui reste à vivre, il mène une existence édifiante et se consacre désormais à la poésie religieuse. C'est dans cet état d'esprit qu'il meurt, à l'âge de soixante-quatorze ans.

Le Songe de Vaux (rédigé en 1660), poème.
Ode au Roi pour M. Fouquet (rédigée en 1663), poème. → pp. 339-340.
Contes (1665-1674).
Fables (1668-1696). → pp. 340 à 352.

1. La veuve du duc d'Orléans.

Ode au Roi pour M. Fouquet

1663

1658 : La Fontaine devient un des nombreux protégés de Fouquet, le fastueux surintendant des Finances. 1660 : il commence la rédaction du *Songe de Vaux*, évocation lyrique du château de Vaux-le-Vicomte que son protecteur a fait construire dans la région parisienne. 1661 : après avoir organisé des fêtes grandioses en l'honneur de Louis XIV, Fouquet est arrêté et jugé à partir de 1662 (voir pp. 164 et 275). C'est dans ce contexte que La Fontaine écrit cette *Ode* : il y supplie le roi de se montrer magnanime et de se souvenir des services rendus par son ancien ministre.

« Mais parmi nous sois débonnaire »

Fidèle à Fouquet, La Fontaine n'hésite pas, malgré les dangers, à solliciter le pardon du roi pour son ancien protecteur : bel exemple de reconnaissance qui le contraindra à quitter, pour quelque temps, Paris.

Prince qui fais nos destinées,
Digne monarque des François,
Qui du Rhin jusqu'aux Pyrénées
Portes la crainte de tes lois,
5 Si le repentir de l'offense
Sert aux coupables de défense
Près d'un courage[1] généreux,
Permets qu'Apollon[2] t'importune,
Non pour les biens et la fortune,
10 Mais pour les jours d'un malheureux.

Ce triste objet de ta colère
N'a-t-il point encore effacé
Ce qui jadis t'a pu déplaire
Aux emplois où tu l'as placé ?
15 Depuis le moment qu'il soupire,
Deux fois l'hiver en ton empire
A ramené les aquilons[3] ;
Et nos climats ont vu l'année
Deux fois de pampre[4] couronnée
20 Enrichir coteaux et vallons.

Oronte[5] seul, ta créature,
Languit dans un profond ennui[6] ;
Et les bienfaits de la nature
Ne se répandent plus pour lui.
25 Tu peux d'un éclat de ta foudre
Achever de le mettre en poudre :
Mais si les dieux à ton pouvoir
Aucunes bornes n'ont prescrites,
Moins ta grandeur a de limites,
30 Plus ton courroux[7] en doit avoir.

Charles Le Brun (1619-1690),
Le Roi gouverne par lui-même,
plafond de la Galerie des glaces,
Château de Versailles.
« Moins ta grandeur a de limites,/
Plus ton courroux en doit avoir ».

Réserve-le pour des rebelles ;
Ou, si ton peuple t'est soumis,
Fais-en voler les étincelles
Chez tes superbes ennemis.
35 Déjà Vienne[8] est irritée
De ta gloire aux astres montée :
Ses monarques en sont jaloux ;
Et Rome t'ouvre une carrière
Où ton cœur trouvera matière
40 D'exercer ce noble courroux.

Va-t'en punir l'orgueil du Tibre[9] ;
Qu'il se souvienne que ses lois
N'ont jadis rien laissé de libre
Que le courage des Gaulois.
45 Mais parmi nous sois débonnaire ;
A cet empire si sévère
Tu ne te peux accoutumer,
Et ce serait trop te contraindre :
Les étrangers te doivent craindre ;
50 Tes sujets te veulent aimer.

L'Amour est fils de la Clémence ;
La Clémence est fille des dieux ;
Sans elle toute leur puissance
Ne serait qu'un titre odieux.
55 Parmi les fruits de la victoire,
César, environné de gloire,
N'en trouva point dont la douceur
A celui-ci pût être égale ;
Non pas même aux champs où Pharsale[10]
60 L'honora du nom de vainqueur.

---

1. D'un cœur.
2. Dieu des arts et de la littérature.
3. Les vents du nord.
4. Vigne chargée de feuilles et de raisins.
5. Désigne Fouquet.
6. Au sens fort de tourment.
7. Ta colère.
8. Capitale des souverains autrichiens, alors ennemis principaux de la France.
9. Fleuve qui coule à Rome.
10. Victoire remportée par César sur Pompée en 48 av. J.-C.

Je ne veux pas te mettre en compte
Le zèle ardent ni les travaux
En quoi tu te souviens qu'Oronte
Ne cédait point à ses rivaux.
65 Sa passion pour ta personne,
Pour ta grandeur, pour ta couronne,
Quand le besoin s'est vu pressant,
A toujours été remarquable ;
Mais, si tu crois qu'il est coupable,
70 Il ne veut point être innocent.

Laisse-lui donc pour toute grâce
Un bien qui ne lui peut durer,
Après avoir perdu la place
Que ton cœur lui fit espérer.
75 Accorde-nous les faibles restes
De ses jours tristes et funestes,
Jours qui se passent en soupirs.
Ainsi les tiens filés de soie
Puissent se voir comblés de joie,
80 Même au-delà de tes désirs !

Ode au Roi pour M. Fouquet.

Pour préparer l'étude du texte

1. Vous analyserez les arguments utilisés par La Fontaine pour inciter Louis XIV à la clémence, en montrant que cette argumentation constitue comme le fil directeur du plan de cet extrait.
2. La Fontaine fait preuve d'une grande prudence dans son expression. Vous le soulignerez, en notant qu'il use, à plusieurs reprises, de la flatterie.
3. Vous étudierez la versification de ce poème, en insistant notamment sur les effets produits par le rythme et par l'adoption de l'octosyllabe (vers de huit syllabes), ainsi que sur le recours à la rime pour mettre en valeur certains mots particulièrement significatifs de l'idée développée.

Fables
1668-1696

Les *Fables* sont l'œuvre de toute une vie. De la première édition qui date de 1668 à l'édition posthume de 1696, près de trente années s'écoulent, douze livres sont publiés, les fables s'ajoutent aux fables, les thèmes les plus divers se succèdent. C'est à l'issue d'une lente maturation que La Fontaine a laissé cet ensemble, fruit de ses méditations et de ses observations, mais aussi sorte de condensé de la sagesse populaire : que de vers sont devenus des références et parfois de véritables proverbes !

La recherche du bonheur

Le thème du bonheur est au centre des *Fables* de La Fontaine. Au fil de l'œuvre, se développe toute une réflexion sur la place de l'homme dans l'univers, sur les moyens qu'il utilise pour vivre au mieux sa vie. *Le Loup et le chien* montre la difficulté de concilier confort et liberté. *La Besace* révèle comment chacun essaie de trouver son équilibre en se fixant sur les défauts des autres pour ne pas voir les siens. *La Mort et le bûcheron* souligne l'attrait de la vie et la peur de la mort, malgré l'accablement de la misère. *Le Gland et la citrouille* constate la cohérence de l'organisation du monde. *Le Songe d'un habitant du Mogol* milite en faveur d'une existence harmonieuse guidée par la nature.

LE LOUP ET LE CHIEN

La vie confortable s'accompagne souvent de compromissions et se révèle donc incompatible avec la liberté. Entre les deux, il faut choisir. Mais en fait, chacun trouve son compte dans la solution qu'il adopte (*Livre* I, 1668).

Un loup n'avait que les os et la peau,
Tant les chiens faisaient bonne garde.
Ce loup rencontre un dogue aussi puissant que beau,
Gras, poli[1], qui s'était fourvoyé par mégarde[2].
5 L'attaquer, le mettre en quartiers,
Sire loup l'eût fait volontiers.
Mais il fallait livrer bataille ;
Et le mâtin[3] était de taille

1. Le poil luisant.
2. Qui s'était égaré par inadvertance.
3. Le gros chien de garde.

À se défendre hardiment.
10 Le loup donc l'aborde humblement,
Entre en propos[1], et lui fait compliment
Sur son embonpoint qu'il admire.
« Il ne tiendra qu'à vous, beau sire,
D'être aussi gras que moi, lui repartit le chien.
15 Quittez les bois, vous ferez bien :
Vos pareils y sont misérables,
Cancres[2], hères[3], et pauvres diables,
Dont la condition est de mourir de faim.
Car quoi ? Rien d'assuré ; point de franche lippée[4] :
20 Tout à la pointe de l'épée.
Suivez-moi : vous aurez un bien meilleur destin. »
Le loup reprit : « Que me faudra-t-il faire ?
— Presque rien, dit le chien, donner la chasse aux gens
Portants bâtons et mendiants ;
25 Flatter ceux du logis, à son maître complaire ;
Moyennant quoi votre salaire
Sera force reliefs[5] de toutes les façons :
Os de poulets, os de pigeons ;
Sans parler de mainte caresse. »
30 Le loup déjà se forge une félicité[6]
Qui le fait pleurer de tendresse.
Chemin faisant il vit le col[7] du chien pelé.
« Qu'est-ce là ? lui dit-il. — Rien. — Quoi rien ? — Peu de chose.
— Mais encor ? — Le collier dont je suis attaché
35 De ce que vous voyez est peut-être la cause.
— Attaché ? dit le loup ; vous ne courez donc pas
Où vous voulez ? — Pas toujours, mais qu'importe ?
— Il importe si bien que de tous vos repas
Je ne veux en aucune sorte,
40 Et ne voudrais pas même à ce prix un trésor. »
Cela dit, maître loup s'enfuit, et court encor.

Diego Vélasquez (1599-1660),
Les Ménines (détail),
Madrid, musée du Prado.

Fables, Livre I, 5.

Pour préparer l'étude du texte

1. Vous analyserez les arguments utilisés par La Fontaine pour inciter Louis XIV à la clémence, en montrant que cette argumentation constitue comme le fil directeur du plan de cet extrait.

2. La Fontaine fait preuve d'une grande prudence dans son expression. Vous le soulignerez, en notant qu'il use, à plusieurs reprises, de la flatterie.

3. Vous étudierez la versification de ce poème, en insistant notamment sur les effets produits par le rythme et par l'adoption de l'octosyllabe (vers de huit syllabes), ainsi que sur le recours à la rime pour mettre en valeur certains mots particulièrement significatifs de l'idée développée.

1. Engage la conversation.
2. Êtres qui n'ont pas réussi dans la vie, miséreux.
3. Hommes misérables.
4. Bon repas qui ne coûte rien.
5. De nombreux restes de nourriture.
6. S'imagine un bonheur.
7. Le cou.

LA BESACE[1]

La Fontaine peint ici un des travers de l'être humain. Au lieu de rechercher le vrai bonheur en s'efforçant de s'améliorer, l'homme n'a qu'un désir : se valoriser et assurer ainsi son confort intellectuel et moral. Aussi est-il résolument aveugle à ses propres imperfections et a-t-il, au contraire, les yeux grands ouverts aux défauts des autres.

Jupiter dit un jour : « Que tout ce qui respire
S'en vienne comparaître aux pieds de ma grandeur.
Si dans son composé[2] quelqu'un trouve à redire,
Il peut le déclarer sans peur :
5 Je mettrai remède à la chose.
Venez, singe, parlez le premier, et pour cause.
Voyez ces animaux, faites comparaison
De leurs beautés avec les vôtres.
Êtes-vous satisfait ? — Moi, dit-il, pourquoi non ?
10 N'ai-je pas quatre pieds aussi bien que les autres ?
Mon portrait jusqu'ici ne m'a rien reproché :
Mais pour mon frère l'ours, on ne l'a qu'ébauché.
Jamais, s'il me veut croire, il ne se fera peindre. »
L'ours venant là-dessus, on crut qu'il s'allait plaindre.
15 Tant s'en faut : de sa forme il se loua très fort,
Glosa[3] sur l'éléphant ; dit qu'on pourrait encor
Ajouter à sa queue, ôter à ses oreilles ;
Que c'était une masse informe et sans beauté.
L'éléphant étant écouté,
20 Tout sage qu'il était, dit des choses pareilles.
Il jugea qu'à son appétit
Dame baleine était trop grosse.
Dame fourmi trouva le ciron[4] trop petit,
Se croyant, pour elle, un colosse.
25 Jupin[5] les renvoya s'étant censurés tous,
Du reste contents d'eux. Mais, parmi les plus fous,
Notre espèce excella : car tout ce que nous sommes,
Lynx envers nos pareils et taupes envers nous,
Nous nous pardonnons tout, et rien aux autres hommes.
30 On se voit d'un autre œil qu'on ne voit son prochain.
Le fabricateur souverain
Nous créa besaciers[6] tous de même manière,
Tant ceux du temps passé que du temps d'aujourd'hui.
Il fit pour nos défauts la poche de derrière,
35 Et celle de devant pour les défauts d'autrui.

Fables, Livre I, 7.

Pour préparer l'étude du texte

1. Vous étudierez ce qui fait la rapidité et la vivacité du récit : absence de détails, passage d'un animal à l'autre, diversité des types de discours (styles direct, indirect, indirect libre), alternance irrégulière des alexandrins et des octosyllabes.
2. Vous analyserez les différentes formulations qui servent à exprimer les critiques de chacun des animaux.
3. Vous montrerez comment l'enseignement de la fable se dégage peu à peu pour trouver son expression dans les derniers vers. Vous étudierez les images et les comparaisons que La Fontaine utilise, à la fin du texte, pour mieux faire comprendre sa pensée. Comment le titre de la fable se trouve-t-il justifié ?

LA MORT ET LE MALHEUREUX

Dans cette fable, ainsi que dans celle qui suit *(La Mort et le bûcheron)*, La Fontaine se livre à une méditation sur la souffrance, sur la mort et sur la volonté de vivre qui est toujours la plus forte : ce sont deux versions différentes de ce thème empreint de gravité qu'il propose successivement, accompagnées d'un commentaire sur ses sources d'inspiration.

Un malheureux appelait tous les jours
La mort à son secours.
« O mort, lui disait-il, que tu me sembles belle !
Viens vite, viens finir ma fortune cruelle. »
5 La mort crut, en venant, l'obliger[7] en effet[8].
Elle frappe à sa porte, elle entre, elle se montre.
« Que vois-je ! cria-t-il, ôtez-moi cet objet ;
Qu'il est hideux ! que sa rencontre
Me cause d'horreur et d'effroi !
10 N'approche pas, ô mort ; ô mort, retire-toi. »

Mécénas[9] fut un galant homme :
Il a dit quelque part : « Qu'on me rende impotent,
Cul-de-jatte, goutteux, manchot, pourvu qu'en somme
Je vive, c'est assez, je suis plus que content. »
15 Ne viens jamais, ô mort, on t'en dit tout autant.

1. Long sac à deux poches que l'on portait sur l'épaule.
2. Dans la manière dont il est composé.
3. Émit des critiques.
4. Animalcule, animal microscopique.
5. Nom familier donné par La Fontaine à Jupiter.
6. Porteurs de besaces.
7. Lui rendre service.
8. Vraiment, réellement, effectivement.
9. Célèbre protecteur des Lettres à Rome (68-8 av. J.-C.).

« Ce sujet a été traité d'une autre façon par Ésope[1], comme la fable suivante le fera voir. Je composai celle-ci pour une raison qui me contraignait de rendre la chose ainsi générale. Mais quelqu'un me fit connaître que j'eusse beaucoup mieux fait de suivre mon original, et que je laissais passer un des plus beaux traits qui fût dans Ésope. Cela m'obligea d'y avoir recours. Nous ne saurions aller plus avant que les Anciens : ils ne nous ont laissé pour notre part que la gloire de
20 *les bien suivre. Je joins toutefois ma fable à celle d'Ésope, non que la mienne le mérite, mais à cause du mot de Mécénas que j'y fais entrer, et qui est si beau et si à propos que je n'ai pas cru le devoir omettre. »*

LA MORT ET LE BUCHERON

Un pauvre bûcheron, tout couvert de ramée[2],
Sous le faix[3] du fagot aussi bien que des ans
Gémissant et courbé marchait à pas pesants,
25 Et tâchait de gagner sa chaumine enfumée.
Enfin, n'en pouvant plus d'effort et de douleur,
Il met bas son fagot, il songe à son malheur.
Quel plaisir a-t-il eu depuis qu'il est au monde ?
En est-il un plus pauvre en la machine ronde[4] ?
30 Point de pain quelquefois, et jamais de repos.
Sa femme, ses enfants, les soldats, les impôts,
Le créancier et la corvée[5],
Lui font d'un malheureux la peinture achevée.
Il appelle la mort ; elle vient sans tarder,
35 Lui demande ce qu'il faut faire.
« C'est, dit-il, afin de m'aider
A recharger ce bois ; tu ne tarderas guère. »
Le trépas vient tout guérir ;
Mais ne bougeons d'où nous sommes.
40 Plutôt souffrir que mourir,
C'est la devise des hommes.

Fables, Livre I, 15 et 16.

David Teniers (1610-1690), *L'Hiver*, Paris, musée du Louvre.

Pour préparer l'étude du texte

1. Vous ferez une étude des deux versions de la fable (utilisation du même thème, dialogues, développement du récit, souffrance du peuple, réalisme, lyrisme).
2. La Fontaine fait référence aux auteurs de l'Antiquité (l. 16 à 21). Que révèle ce passage sur sa conception de l'imitation ?

Pour une étude comparée

Vous comparerez *La Mort et le bûcheron* (v. 22 à 41) de La Fontaine et l'extrait du chapitre *De l'homme* (voir p. 384, l. 6 à 11) des *Caractères* de La Bruyère, en insistant plus particulièrement sur les points suivants :

1. **Le réalisme.** Vous étudierez le réalisme de ces deux textes (choix du vocabulaire, multiplication des adjectifs descriptifs, caractérisations négatives).
2. **Le lyrisme.** Vous montrerez comment les deux auteurs expriment leur lyrisme (montée de la pitié ou de l'indignation).
3. **Deux points de vue différents.** Vous analyserez les enseignements qui se dégagent de ces deux textes, en soulignant leurs différences (point de vue plutôt métaphysique pour La Fontaine, plutôt social pour La Bruyère).

1. Fabuliste grec (VIIe siècle-VIe siècle av. J.-C.).
2. De branchages.
3. Sous le poids.
4. La terre.
5. Travail que les paysans devaient faire gratuitement pour leur seigneur.

LE GLAND ET LA CITROUILLE

Dans le *Livre* IX (1679), la réflexion philosophique sur la place de l'homme dans l'univers se fait plus profonde. La Fontaine aborde les problèmes métaphysiques, comme dans *Le Gland et la citrouille* où il montre, de façon plaisante, que Dieu a veillé à la cohérence de sa création.

Dieu fait bien ce qu'il fait. Sans en chercher la preuve
En tout cet univers, et l'aller parcourant,
Dans les citrouilles je la treuve[1].
Un villageois, considérant
5 Combien ce fruit est gros, et sa tige menue :
« A quoi songeait, dit-il, l'auteur de tout cela ?
Il a bien mal placé cette citrouille-là.
Hé parbleu ! je l'aurais pendue
A l'un des chênes que voilà.
10 C'eût été justement l'affaire ;
Tel fruit, tel arbre pour bien faire.
C'est dommage, Garo[2], que tu n'es point entré
Au conseil de celui que prêche ton curé[3] ;
Tout en eût été mieux : car pourquoi par exemple
15 Le gland, qui n'est pas gros comme mon petit doigt,
Ne pend-il pas en cet endroit ?
Dieu s'est mépris : plus je contemple
Ces fruits ainsi placés, plus il semble à Garo
Que l'on a fait un quiproquo[4]. »
20 Cette réflexion embarrassant notre homme :
« On ne dort point, dit-il, quand on a tant d'esprit. »
Sous un chêne aussitôt il va prendre son somme.
Un gland tombe : le nez du dormeur en pâtit.
Il s'éveille ; et portant la main sur son visage,
25 Il trouve encor le gland pris au poil du menton.
Son nez meurtri le force à changer de langage :
« Oh ! oh ! dit-il, je saigne ! Et que serait-ce donc
S'il fût tombé de l'arbre une masse plus lourde,
Et que ce gland eût été gourde[5] ?
30 Dieu ne l'a pas voulu : sans doute[6] il eut raison ;
J'en vois bien à présent la cause. »
En louant Dieu de toute chose,
Garo retourne à la maison.

Fables, Livre IX, 4.

Pour préparer le commentaire composé

1. **La construction de la fable.** Vous étudierez la construction de cette fable, en en dégageant les différents éléments : annonce de la moralité ; développement du récit ; réflexions du paysan ; descriptions ; confirmation de la moralité. Vous montrerez comment la versification renforce l'efficacité de l'expression.

2. **Le portrait du paysan.** Le récit met en scène un unique personnage, le paysan. Vous analyserez le portrait qu'en fait La Fontaine, en soulignant qu'il est construit de façon réaliste, tout en ayant une signification symbolique.

3. **La conception de Dieu.** Vous déterminerez quelle conception de Dieu La Fontaine exprime dans cette fable.

LE SONGE D'UN HABITANT DU MOGOL

Dans le *Livre* XI (1679), La Fontaine précise son art de vivre : ainsi, dans *Le Songe d'un habitant du Mogol*, il dit, avec lyrisme, son attirance pour une existence paisible et solitaire, loin du tumulte et des ambitions.

Jadis certain Mogol[7] vit en songe un vizir[8]
Aux champs Élysiens[9] possesseur d'un plaisir
Aussi pur qu'infini, tant en prix qu'en durée ;
Le même songeur vit en une autre contrée
5 Un ermite entouré de feux,
Qui touchait de pitié même les malheureux.
Le cas parut étrange, et contre l'ordinaire ;
Minos[10] en ces deux morts semblait s'être mépris.
Le dormeur s'éveilla, tant il en fut surpris.
10 Dans ce songe pourtant soupçonnant du mystère,
Il se fit expliquer l'affaire.
L'interprète lui dit : « Ne vous étonnez point,
Votre songe a du sens, et si j'ai sur ce point
Acquis tant soit peu d'habitude.
15 C'est un avis des dieux. Pendant l'humain séjour,
Ce vizir quelquefois cherchait la solitude ;
Cet ermite aux vizirs allait faire sa cour. »

Si j'osais ajouter au mot de l'interprète,
J'inspirerais ici l'amour de la retraite :
20 Elle offre à ses amants des biens sans embarras,
Biens purs, présents du Ciel, qui naissent sous les pas.
Solitude où je trouve une douceur secrète,
Lieux que j'aimai toujours, ne pourrai-je jamais,
Loin du monde et du bruit goûter l'ombre et le frais ?
25 Ô qui m'arrêtera sous vos sombres asiles ?

1. Je la trouve.
2. Nom conventionnel du paysan.
3. « Celui que prêche ton curé » : périphrase pour désigner Dieu.
4. Un malentendu.
5. Une courge.
6. Sans aucun doute, d'une façon certaine.
7. Habitant d'une contrée de l'Asie.
8. Ministre d'un prince musulman.
9. L'équivalent du Paradis dans la mythologie grecque.
10. Le juge des Enfers.

Quand pourront les neuf Sœurs[1], loin des cours et des villes,
M'occuper tout entier, et m'apprendre des cieux
Les divers mouvements inconnus à nos yeux,
Les noms et les vertus de ces clartés errantes,
30 Par qui sont nos destins et nos mœurs différentes ?
Que si je ne suis né pour de si grands projets,
Du moins que les ruisseaux m'offrent de doux objets !
Que je peigne en mes vers quelque rive fleurie !
La Parque à filets d'or[2] n'ourdira point ma vie[3] ;
35 Je ne dormirai point sous de riches lambris[4].
Mais voit-on que le somme en perde de son prix ?
En est-il moins profond, et moins plein de délices ?
Je lui voue au désert de nouveaux sacrifices.
Quand le moment viendra d'aller trouver les morts,
40 J'aurai vécu sans soins[5], et mourrai sans remords.

Fables, Livre XI, 4.

Pierre Patel (1605?-1676?), *Paysage*, Orléans, musée des Beaux-Arts.
« Solitude où je trouve une douceur secrète ».

Pour préparer l'étude du texte

1. Cette fable comporte deux éléments : le récit d'un rêve et les réflexions de La Fontaine. Vous montrerez quels liens les unissent.
2. La seconde partie de la fable, celle réservée aux commentaires de La Fontaine (v. 18 à 40), est marquée par le lyrisme. Comment s'exprime-t-il ? Quels thèmes développe-t-il ?
3. Vous analyserez la conception du monde que révèle ce texte, en dégageant notamment l'art de vie prôné par La Fontaine et son interprétation du destin.

Pour un groupement de textes

Le thème du bonheur dans :
« Sus debout la merveille des belles » (voir p. 22) et *Prière pour le roi allant en Limousin* (voir p. 25) de François de Malherbe,
La Solitude (voir p. 61) et *Le Paresseux* (voir p. 62) de Saint-Amant,
« Les demoiselles de ce temps » (voir p. 73) de Vincent Voiture,
Les Pensées (168) (voir p. 121) de Blaise Pascal,
L'École des femmes (voir p. 191) de Molière,
Bérénice (voir p. 227) de Jean Racine,
Les *Lettres* (203) (voir p. 281) de Madame de Sévigné,
Le Songe d'un habitant du Mogol (voir p. 344) de Jean de La Fontaine,
L'*Épître* VI (voir p. 362) de Nicolas Boileau,
Les *Caractères* (« Du mérite personnel », 11) (voir p. 388) de Jean de La Bruyère.

1. Les neuf Muses, inspiratrices des arts.
2. Les Parques filaient la trame de la vie des mortels. L'une d'elles, Atropos, était chargée de faire mourir les humains, en coupant le fil. Ceux qui ont leur vie tissée avec des filets d'or sont évidemment les riches.
3. Ne tissera point ma vie.
4. Revêtements décoratifs d'une pièce.
5. Sans soucis.

L'homme et le pouvoir

L'homme se livre à une quête individuelle du bonheur. Mais c'est aussi un être social qui se trouve confronté au pouvoir. Déjà présent dans les premiers livres des *Fables*, ce thème s'affirme surtout dans la seconde partie de l'œuvre. Le jugement que La Fontaine porte sur le pouvoir est, en général, sévère. Certes, dans *Les Membres et l'estomac*, il montre l'utilité des gouvernants. Mais, la plupart du temps, il dénonce les effets pervers de l'autorité : la fable *La Chauve-souris et les deux belettes* constate, par exemple, la soumission de l'être humain aux idées dominantes, tandis que, dans *Les Grenouilles qui demandent un roi*, les gouvernés sont mis en garde contre leur dangereuse revendication d'un pouvoir efficace. Dans *Les Animaux malades de la peste*, la critique se fait plus vive, l'indignation éclate contre les puissants, toujours prêts à fuir leurs responsabilités et à trouver des victimes expiatoires. *Le Paysan du Danube*, enfin, élargit le débat, en posant le problème des peuples opprimés par des puissances étrangères.

LES MEMBRES ET L'ESTOMAC

Dans *Les Membres et l'estomac* (*Livre* III, 1668), La Fontaine montre, de façon imagée, les rapports complexes qui s'établissent entre gouvernants et gouvernés.

Je devais par la royauté
Avoir commencé mon ouvrage.
A la voir d'un certain côté,
Messer Gaster[1] en est l'image.
5 S'il a quelque besoin, tout le corps s'en ressent.
De travailler pour lui les membres se lassant,
Chacun d'eux résolut de vivre en gentilhomme,
Sans rien faire, alléguant l'exemple de Gaster.
« Il faudrait, disaient-ils, sans nous qu'il vécût d'air.
10 Nous suons, nous peinons, comme bêtes de somme.
Et pour qui ? Pour lui seul ; nous n'en profitons pas :
Notre soin n'aboutit qu'à fournir ses repas.
Chômons, c'est un métier qu'il veut nous faire apprendre. »
Ainsi dit, ainsi fait. Les mains cessent de prendre,
15 Les bras d'agir, les jambes de marcher.
Tous dirent à Gaster qu'il en allât chercher[2].
Ce leur fut une erreur dont ils se repentirent.
Bientôt les pauvres gens tombèrent en langueur ;
Il ne se forma plus de nouveau sang au cœur ;
20 Chaque membre en souffrit, les forces se perdirent.
Par ce moyen les mutins virent
Que celui qu'ils croyaient oisif et paresseux
A l'intérêt commun contribuait plus qu'eux.
Ceci peut s'appliquer à la grandeur royale.
25 Elle reçoit et donne, et la chose est égale.
Tout travaille pour elle, et réciproquement
Tout tire d'elle l'aliment.
Elle fait subsister l'artisan de ses peines,
Enrichit le marchand, gage[3] le magistrat,
30 Maintient le laboureur, donne paye au soldat,
Distribue en cent lieux ses grâces souveraines,
Entretient seule tout l'État.
Ménénius[4] le sut bien dire.
La commune s'allait séparer du sénat[5].
35 Les mécontents disaient qu'il avait tout l'empire,
Le pouvoir, les trésors, l'honneur, la dignité ;
Au lieu que tout le mal était de leur côté :
Les tributs[6], les impôts, les fatigues de guerre.
Le peuple hors des murs était déjà posté.
40 La plupart s'en allaient chercher une autre terre,
Quand Ménénius leur fit voir
Qu'ils étaient aux membres semblables,
Et par cet apologue[7], insigne entre les fables,
Les ramena dans leur devoir.

Fables, Livre III, 2.

Pour préparer l'étude du texte

1. Vous établirez la structure du texte, en mettant en évidence les trois parties dont il est composé : relations du corps et de l'estomac, application à la royauté, exemple historique.
2. Vous étudierez la comparaison établie entre, d'un côté, l'estomac et, de l'autre, le fonctionnement de la royauté.
3. Vous ferez apparaître les points communs et les différences qui existent entre les deux situations évoquées : la sécession de la plèbe romaine au IVe siècle av. J.-C. et la royauté du XVIIe siècle français.

1. Messire l'estomac, de l'italien *messere* et du latin *gaster*.
2. Qu'il allât chercher lui-même ce dont il avait besoin.
3. Paie des gages, rémunère.
4. Ménénius Agrippa mit fin, en 493 av. J.-C., à la sécession du peuple à Rome.
5. Le peuple était en désaccord avec l'aristocratie romaine.
6. Contribution payée à un supérieur.
7. Récit allégorique contenant une morale.

La Chauve-souris et les deux Belettes

La chauve-souris de cette fable (*Livre* II, 1668) présente un exemple de l'opportunisme de l'être humain : face aux dangers, il est amené à laisser de côté ses convictions, à défendre, tour à tour, des positions contraires. L'auteur le constate, sans s'en indigner outre mesure, lui qui, pourtant, n'avait pas hésité à conserver sa fidélité à Fouquet, malgré sa disgrâce.

Une chauve-souris donna tête baissée
Dans un nid de belette ; et, sitôt qu'elle y fut,
L'autre, envers les souris de longtemps courroucée[1],
Pour la dévorer accourut.
5 « Quoi ! vous osez, dit-elle, à mes yeux vous produire,
Après que votre race a tâché de me nuire !
N'êtes-vous pas souris ? Parlez sans fiction[2].
Oui, vous l'êtes, ou bien je ne suis pas belette.
— Pardonnez-moi, dit la pauvrette,
10 Ce n'est pas ma profession[3].
Moi, souris ! des méchants vous ont dit ces nouvelles.
Grâce à l'auteur de l'univers,
Je suis oiseau : voyez mes ailes.
Vive la gent[4] qui fend les airs ! »
15 Sa raison plut et sembla bonne.
Elle fait si bien qu'on lui donne
Liberté de se retirer.
Deux jours après, notre étourdie
Aveuglément se va fourrer
20 Chez une autre belette aux oiseaux ennemie.

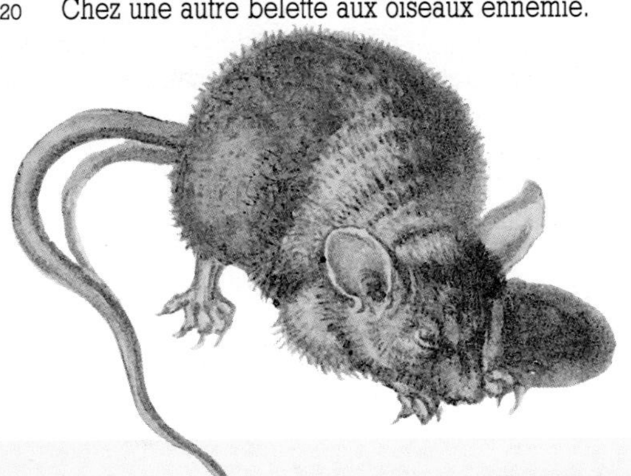

La voilà derechef[5] en danger de sa vie.
La dame du logis, avec son long museau,
S'en allait la croquer, en qualité d'oiseau,
Quand elle protesta qu'on lui faisait outrage.
25 « Moi, pour telle passer ? vous n'y regardez pas.
Qui fait l'oiseau ? C'est le plumage.
Je suis souris : vivent les rats !
Jupiter confonde les chats ! »
Par cette adroite repartie
30 Elle sauva deux fois sa vie.

Plusieurs se sont trouvés qui d'écharpe changeants[6],
Aux dangers, ainsi qu'elle, ont souvent fait la figue.
Le sage dit, selon les gens :
Vive le Roi ! Vive la Ligue[7] !

Fables, Livre II, 5.

Pour préparer le commentaire composé

1. **Une comédie en deux actes.** Vous analyserez la structure de cette fable, en montrant qu'elle se présente comme une comédie en deux actes. Vous insisterez notamment sur la symétrie des deux positions successives de la chauve-souris, indiquerez pourquoi aucune tension dramatique n'apparaît dans ce texte, bien que le personnage principal soit en danger de mort, et noterez que la moralité finale se trouve étroitement liée au récit.

2. **Sagesse ou lâcheté ?** Le comportement de la chauve-souris peut être interprété comme une marque de sagesse ou de lâcheté. La Fontaine opte pour la sagesse. Vous analyserez les procédés qu'il utilise pour rallier le lecteur à ses positions (insistance sur l'habileté de la chauve-souris, présentation positive du personnage, etc.).

3. **La portée morale de la fable.** Vous montrerez comment La Fontaine passe de la fiction à la réalité, du particulier au général, et donne ainsi à la fable une portée morale.

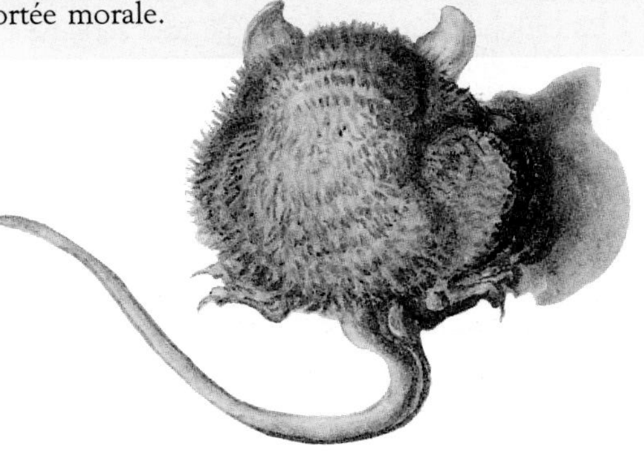

Jacques de Gheyn (1565-1629), *Souris*,
Braunschweig, Herzog Anton Ulrich Museum.

1. Depuis longtemps en colère.
2. Sans feindre, sans dissimuler la vérité.
3. Ce n'est pas mon état.
4. La race.
5. De nouveau.
6. Changeant de parti.
7. Confédération catholique qui, durant les guerres de religion du XVIe siècle, s'était opposée au roi.

Les Grenouilles qui demandent un roi

Dans *Les Grenouilles qui demandent un roi*, La Fontaine poursuit son analyse politique : le peuple doit avoir la sagesse de se satisfaire du pouvoir en place ; vouloir en changer, c'est risquer de trouver pire.

Les grenouilles, se lassant
De l'état démocratique,
Par leurs clameurs firent tant
Que Jupin[1] les soumit au pouvoir monarchique.
5 Il leur tomba du ciel un roi tout pacifique :
Ce roi fit toutefois un tel bruit en tombant
Que la gent marécageuse[2],
Gent fort sotte et fort peureuse,
S'alla cacher sous les eaux,
10 Dans les joncs, dans les roseaux,
Dans les trous du marécage,
Sans oser de longtemps[3] regarder au visage
Celui qu'elles croyaient être un géant nouveau ;
Or c'était un soliveau[4],
15 De qui la gravité fit peur à la première
Qui, de le voir s'aventurant,
Osa bien quitter sa tanière.
Elle approcha, mais en tremblant.
Une autre la suivit, une autre en fit autant,
20 Il en vint une fourmilière ;
Et leur troupe à la fin se rendit familière
Jusqu'à sauter sur l'épaule du roi.
Le bon sire le souffre, et se tient toujours coi[5].
Jupin en a bientôt la cervelle rompue.
25 « Donnez-nous, dit ce peuple, un roi qui se remue. »
Le monarque des dieux leur envoie une grue,
Qui les croque, qui les tue,
Qui les gobe à son plaisir.
Et grenouilles de se plaindre ;
30 Et Jupin de leur dire : « Et quoi ! votre désir
A ses lois croit-il nous astreindre ?
Vous avez dû premièrement[6]
Garder votre gouvernement ;
Mais, ne l'ayant pas fait, il vous devait suffire
35 Que votre premier roi fût débonnaire[7] et doux ;
De celui-ci contentez-vous,
De peur d'en rencontrer un pire. »

Fables, Livre III, 4.

Otto Marseus van Schrieck (1619-1678), *Nature morte avec insectes et batraciens*, Braunschweig, Herzog Anton Ulrich Museum.

Pour préparer l'étude du texte

1. La Fontaine décrit les grenouilles avec beaucoup de finesse. Vous montrerez qu'il en fait le portrait, tantôt de l'extérieur, en représentant leur comportement, tantôt de l'intérieur, en dépeignant leurs états d'âme.

2. L'évocation de la nature occupe une certaine place dans cette fable. Vous relèverez et analyserez les passages où elle apparaît.

3. Quelle conception du pouvoir se dégage de ce texte ? Quelle solution La Fontaine préconise-t-il ? Quel rôle Jupiter joue-t-il et que représente-t-il ?

1. Nom familier donné par La Fontaine au dieu Jupiter.
2. Le peuple des marécages.
3. Pendant longtemps.
4. Petite solive, morceau de bois.
5. Immobile et silencieux.
6. Vous auriez dû d'abord.
7. Pacifique, doux, indulgent.

Deux modèles de La Fontaine

Dans l'*Épître à Huet*, La Fontaine écrit : « Mon imitation n'est point un esclavage. » Il donne ainsi son avis sur un problème qui, durant cette époque, est l'objet de nombreuses controverses. Sa solution est nuancée : il faut imiter les auteurs de l'Antiquité, mais sans être esclave de cette imitation. C'est la pratique qui est la sienne dans les *Fables*. Dans *Les Grenouilles qui demandent un roi*, il reprend ainsi un sujet d'abord traité par le fabuliste grec Ésope (VIIe siècle-VIe siècle av. J.-C.), lui-même imité plus tard par le fabuliste latin Phèdre (15 av. J.-C. - 50 ap. J.-C.).

ÉSOPE

Les grenouilles, fâchées de l'anarchie où elles vivaient, envoyèrent des députés à Zeus, pour le prier de leur donner un roi. Zeus, voyant leur simplicité, lança un morceau de bois dans le marais. Tout d'abord les grenouilles effrayées par le bruit se plongèrent dans les profondeurs du marais ; puis, comme le bois ne bougeait pas, elles remon-
5 *tèrent et en vinrent à un tel mépris pour le roi qu'elles sautaient sur son dos et s'y accroupissaient. Mortifiées d'avoir un tel roi, elles se rendirent une seconde fois près de Zeus, et lui demandèrent de leur changer le monarque ; car le premier était trop nonchalant. Zeus impatienté leur envoya une hydre[1] qui les prit et les dévora.*

Cette fable montre qu'il vaut mieux être commandé par des hommes nonchalants,
10 *mais sans méchanceté que par des brouillons et des méchants.*

ÉSOPE, Les Grenouilles qui demandent un roi, *trad. E. Chambry, Paris,* Les Belles Lettres, *1967.*

PHÈDRE

Alors qu'Athènes florissait sous des lois égalitaires, les agitations d'une liberté turbulente mirent le désordre dans l'État, et la licence relâcha les vieilles entraves. Grâce à une entente entre les hommes des différents partis, Pisistrate[2], usurpant l'autorité, s'empare de la citadelle. Les Athéniens déploraient leur funeste esclavage, non que
5 *ce maître fut cruel, mais il leur pesait, parce que, d'une façon générale, ils n'avaient pas l'habitude du joug[3]. Comme ils en venaient à se plaindre de leur fardeau, Ésope leur raconta cet apologue[4] : les grenouilles errant en liberté dans leurs marais demandèrent à grands cris à Jupiter un roi, pour réprimer par la force le dérèglement des mœurs. Le père des dieux sourit et leur donna pour maître un petit soliveau[5], dont*
10 *la chute soudaine au milieu des étangs épouvanta par la secousse et par le bruit la gent[6] craintive. Plongé dans la vase il restait sans bouger depuis longtemps, quand par hasard une des grenouilles lève en silence la tête hors de l'eau et, après avoir examiné le roi, appelle toutes ses compagnes. Bannissant leur effroi, toutes à l'envi arrivent en nageant, et sur le soliveau leur troupe saute brutalement. Quand elles l'eurent couvert*
15 *de toute espèce d'outrages, elles envoyèrent des ambassadrices à Jupiter pour lui demander un autre roi, alléguant la nullité de celui qui leur avait été donné. Il leur envoya alors une hydre qui, d'une dent cruelle, se mit à les happer les unes après les autres. En vain, tour à tour fuient-elles la mort passivement, la crainte étouffe leurs cris. Elles chargent donc en cachette Mercure[7] de prier Jupiter de les secourir dans leur*
20 *détresse ; mais alors le dieu : « Puisque vous n'avez pas voulu, leur dit-il, supporter votre bonheur, résignez-vous à votre malheur jusqu'au bout. »*

— Et vous aussi, citoyens, ajouta Ésope, supportez le malheur présent, de peur qu'un plus grand ne vous arrive.

PHÈDRE, Les Grenouilles qui demandent un roi, *trad. A. Brenot, Paris,* Les Belles Lettres, *1924.*

1. Serpent d'eau.
2. Tyran d'Athènes (600-527 av. J.-C.).
3. De l'asservissement.
4. Cette fable.
5. Un petit morceau de bois.
6. Le peuple.
7. Dieu du commerce et messager de Jupiter.

LES ANIMAUX MALADES DE LA PESTE

Dans *Les Animaux malades de la peste* (*Livre* VII, 1679), la réflexion se fait plus amère, la fable devient tragique : un pauvre âne est désigné comme responsable de l'épidémie, en lieu et place des grands qui sont les vrais coupables.

Un mal qui répand la terreur,
Mal que le ciel en sa fureur
Inventa pour punir les crimes de la terre,
La peste (puisqu'il faut l'appeler par son nom),
5 Capable d'enrichir en un jour l'Achéron[1],
Faisait aux animaux la guerre.
Ils ne mouraient pas tous, mais tous étaient frappés.
On n'en voyait point d'occupés
A chercher le soutien d'une mourante vie ;
10 Nul mets n'excitait leur envie.
Ni loups ni renards n'épiaient
La douce et l'innocente proie.
Les tourterelles se fuyaient ;
Plus d'amour, partant[2] plus de joie.
15 Le lion tint conseil, et dit : « Mes chers amis,
Je crois que le ciel a permis
Pour nos péchés cette infortune.
Que le plus coupable de nous
Se sacrifie aux traits du céleste courroux[3] ;
20 Peut-être il obtiendra la guérison commune.
L'histoire nous apprend qu'en de tels accidents
On fait de pareils dévouements.
Ne nous flattons donc point, voyons sans indulgence
L'état de notre conscience.
25 Pour moi, satisfaisant mes appétits gloutons,
J'ai dévoré force moutons[4].
Que m'avaient-ils fait ? Nulle offense.
Même il m'est arrivé quelquefois de manger
Le berger.
30 Je me dévouerai donc, s'il le faut ; mais je pense
Qu'il est bon que chacun s'accuse ainsi que moi :
Car on doit souhaiter selon toute justice
Que le plus coupable périsse.
— Sire, dit le renard, vous êtes trop bon roi ;
35 Vos scrupules font voir trop de délicatesse ;
Eh bien ! manger moutons, canaille, sotte espèce,
Est-ce un péché ? Non, non : vous leur fîtes, Seigneur,
En les croquant beaucoup d'honneur ;
Et quant au berger, l'on peut dire
40 Qu'il était digne de tous maux,
Étant de ces gens-là qui sur les animaux
Se font un chimérique empire[5]. »
Ainsi dit le renard, et flatteurs d'applaudir.
On n'osa trop approfondir
45 Du tigre, ni de l'ours, ni des autres puissances,
Les moins pardonnables offenses.
Tous les gens querelleurs, jusqu'aux simples mâtins[6],
Au dire de chacun étaient de petits saints.
L'âne vint à son tour et dit : « J'ai souvenance
50 Qu'en un pré de moines passant,
La faim, l'occasion, l'herbe tendre, et, je pense,
Quelque diable aussi me poussant,
Je tondis de ce pré la largeur de ma langue.
Je n'en avais nul droit, puisqu'il faut parler net. »
55 A ces mots on cria haro sur le baudet[7].
Un loup quelque peu clerc[8] prouva par sa harangue[9]
Qu'il fallait dévouer[10] ce maudit animal,
Ce pelé, ce galeux, d'où venait tout leur mal.
Sa peccadille fut jugée un cas pendable.
60 Manger l'herbe d'autrui ! quel crime abominable !
Rien que la mort n'était capable
D'expier son forfait : on le lui fit bien voir.
Selon que vous serez puissant ou misérable,
Les jugements de cour vous rendront blanc ou noir.

Fables, Livre VII, 1

Jan van Kessel (1626-1679),
Paysage avec animaux, détail
Dijon, musée des Beaux-Arts.

Pour préparer le commentaire composé

1. **Des personnages typés.** La Fontaine met en scène de nombreux personnages dans cette fable. Vous montrerez que leurs caractères sont nettement typés. Vous soulignerez la diversité des moyens utilisés pour les peindre : descriptions de l'extérieur, réactions, dialogues aux styles direct, indirect, indirect libre, vocabulaire, construction des phrases.

2. **La progression de l'action.** Vous noterez que la construction de l'action est d'une grande rigueur et analyserez ce qui rythme sa progression (exposé des circonstances, aveux successifs, arguments spécieux).

3. **Un enseignement pessimiste.** Vous étudierez l'enseignement pessimiste que délivre cette fable : irréductible pouvoir des puissants, condition misérable des faibles, tragique de la situation des opprimés.

1. Fleuve des Enfers.
2. Par conséquent.
3. De la céleste colère.
4. De nombreux moutons.
5. Un pouvoir imaginaire.
6. Gros chiens de garde ou de chasse.
7. On s'éleva violemment contre le baudet.
8. Savant.
9. Son discours.
10. Sacrifier.

Le Paysan du Danube

Avec *Le Paysan du Danube*, c'est le problème moderne de l'impérialisme qui est posé : de quel droit un peuple dit civilisé peut-il imposer son pouvoir à un peuple dit barbare ? La civilisation et la barbarie sont-elles réellement du côté où on les situe alors généralement ?

Il ne faut point juger des gens sur l'apparence.
Le conseil en est bon ; mais il n'est pas nouveau :
Jadis l'erreur du souriceau
Me servit à prouver le discours que j'avance[1].
5 J'ai pour le fonder à présent
Le bon Socrate[2], Ésope[3], et certain paysan
Des rives du Danube[4], homme dont Marc-Aurèle[5]
Nous fait un portrait fort fidèle.
On connaît les premiers ; quant à l'autre, voici
10 Le personnage en raccourci.
Son menton nourrissait une barbe touffue,
Toute sa personne velue
Représentait un ours, mais un ours mal léché[6].
Sous un sourcil épais il avait l'œil caché,
15 Le regard de travers, nez tortu[7], grosse lèvre,
Portait sayon[8] de poil de chèvre,
Et ceinture de joncs marins.
Cet homme ainsi bâti fut député des villes
Que lave le Danube : il n'était point d'asiles
20 Où l'avarice[9] des Romains
Ne pénétrât alors, et ne portât les mains.
Le député vint donc, et fit cette harangue :
« Romains, et vous, Sénat, assis pour m'écouter,
Je supplie avant tout les dieux de m'assister :
25 Veuillent les Immortels, conducteurs de ma langue,
Que je ne dise rien qui doive être repris !
Sans leur aide, il ne peut entrer dans les esprits
Que tout mal et toute injustice :
Faute d'y recourir, on viole leurs lois,
30 Témoin nous, que punit la romaine avarice ;
Rome est par nos forfaits, plus que par ses exploits,
L'instrument de notre supplice.
Craignez, Romains, craignez que le Ciel quelque jour
Ne transporte chez vous les pleurs et la misère,
35 Et mettant en nos mains par un juste retour
Les armes dont se sert sa vengeance sévère,
Il ne vous fasse en sa colère
Nos esclaves à votre tour.
Et pourquoi sommes-nous les vôtres ? qu'on me die
40 En quoi vous valez mieux que cent peuples divers ?
Quel droit vous a rendus maîtres de l'univers ?
Pourquoi venir troubler une innocente vie ?
Nous cultivions en paix d'heureux champs, et nos mains
Étaient propres aux arts ainsi qu'au labourage :
45 Qu'avez-vous appris aux Germains ?
Ils ont l'adresse et le courage :
S'ils avaient eu l'avidité,
Comme vous, et la violence,
Peut-être en votre place ils auraient la puissance,
50 Et sauraient en user sans inhumanité.
Celle que vos préteurs[10] ont sur nous exercée
N'entre qu'à peine en la pensée.
La majesté de vos autels
Elle-même en est offensée :
55 Car sachez que les Immortels
Ont les regards sur nous. Grâces à vos exemples,
Ils n'ont devant les yeux que des objets d'horreur,
De mépris d'eux, et de leurs temples,
D'avarice qui va jusques à la fureur.
60 Rien ne suffit aux gens qui nous viennent de Rome ;
La terre, et le travail de l'homme
Font pour les assouvir des efforts superflus.
Retirez-les : on ne veut plus
Cultiver pour eux les campagnes ;
65 Nous quittons les cités, nous fuyons aux montagnes,
Nous laissons nos chères compagnes ;
Nous ne conversons plus qu'avec des ours affreux,
Découragés de mettre au jour des malheureux,
Et de peupler pour Rome un pays qu'elle opprime.
70 Quant à nos enfants déjà nés,
Nous souhaitons de voir leurs jours bientôt bornés :
Vos préteurs au malheur nous font joindre le crime.
Retirez-les, ils ne nous apprendront
Que la mollesse et que le vice ;
75 Les Germains comme eux deviendront
Gens de rapine[11] et d'avarice.
C'est tout ce que j'ai vu dans Rome à mon abord[12] :
N'a-t-on point de présent à faire ?
Point de pourpre[13] à donner ? c'est en vain qu'on espère
80 Quelque refuge aux lois ; encor leur ministère[14]
A-t-il mille longueurs. Ce discours un peu fort
Doit commencer à vous déplaire.
Je finis. Punissez de mort
Une plainte un peu trop sincère. »
85 A ces mots, il se couche, et chacun étonné
Admire le grand cœur, le bon sens, l'éloquence,
Du sauvage ainsi prosterné.
On le créa patrice[15] ; et ce fut la vengeance
Qu'on crut qu'un tel discours méritait. On choisit
90 D'autres préteurs, et par écrit
Le Sénat demanda ce qu'avait dit cet homme,
Pour servir de modèle aux parleurs à venir.
On ne sut pas longtemps à Rome
Cette éloquence entretenir.

Fables, Livre XI, 7.

1. Dans *Le Cochet, le chat et le souriceau* (*Livre* VI, 5).
2. Philosophe grec (470 ?-399 av. J.-C.).
3. Fabuliste grec (VIIe siècle-VIe siècle av. J.-C.).
4. Fleuve d'Europe centrale.
5. Empereur et philosophe romain (121-180 ap. J.-C.).
6. Un personnage à l'aspect grossier, rébarbatif.
7. Contrefait, tordu.
8. Manteau grossier.
9. L'avidité, la cupidité.
10. Magistrats romains chargés de rendre la justice.
11. De pillage.
12. A mon arrivée.
13. La couleur pourpre, rouge, symbolisait le pouvoir.
14. Leur intervention, leur application.
15. Dignité accordée par les empereurs romains.

Pour préparer l'étude du texte

1. Vous ferez le plan du discours du paysan. Vous en dégagerez les principaux mouvements et en étudierez l'argumentation : vous semble-t-elle convaincante ?
2. En quoi cette dénonciation est-elle celle de toutes les formes d'impérialisme ? Vous relèverez et analyserez ce qui caractérise les dominations politique, administrative et territoriale.
3. La Fontaine exprime sa propre position. Quelle est-elle ? Comment procède-t-il pour dire ainsi ce qu'il pense ?

Pour un groupement de textes

Le thème de la justice dans :
Sur la mort du fils de l'auteur (voir p. 22) de François de Malherbe,
La Lettre 14 des *Lettres à un provincial* (voir p. 114) et les pensées 100, 135, 454, 647 (voir p. 117) de Pascal,
La scène 7 de l'acte V de *Tartuffe* (voir p. 197) et les scènes 5 et 6 de l'acte V de *Dom Juan* (voir p. 202) de Molière,
La Lettre 37 (voir p. 275) de Madame de Sévigné,
Les Animaux malades de la peste (voir p. 350) et *Le Paysan du Danube* (voir p. 351) de Jean de La Fontaine,
Les Caractères (« Des biens de fortune », 16 à 19 ; « De l'homme », 126 à 130) (voir pp. 382 et 384) de La Bruyère,
Les Aventures de Télémaque (voir p. 406) de Fénelon.

Des animaux à l'image de l'homme

Dans son étude sur La Fontaine, Jean Orieux montre comment le fabuliste a créé une sorte de ménagerie mythique : il ne faut pas chercher dans les Fables une description scientifique des animaux, mais une mise en scène de bêtes à la signification symbolique, qui apparaissent comme des images de l'homme.

La Fontaine a peuplé ses fables d'animaux. Qui sont-ils ? Ce ne sont pas les doctrines de Descartes et de Gassendi qui nous l'apprendront. C'est la fréquentation des fables. C'est aussi un fond de naïveté et d'instinct qui est en nous et sans doute une mémoire héritée de nos lointains ancêtres pour qui les animaux n'étaient ni des animaux-
5 *machines ni des sous-hommes, mais des créatures magiques.*

Le mérite du fabuliste n'est pas d'avoir fait parler les bêtes car elles parlaient déjà bien avant lui. Son mérite est de les avoir fait parler comme elles le font dans ses fables, c'est-à-dire dans cette langue enchanteresse qui est la langue de La Fontaine.

Il a créé une sorte de mythologie rustique et animalière qui est calquée sur la
10 *grande mythologie. La Fontaine, c'est l'Homère*[1] *du coin du feu. Dans Homère, les dieux parlent et se conduisent comme des hommes : ils en ont les passions, les caprices et les vices. Dans les fables, ce sont les animaux qui parlent et se conduisent comme les hommes et lorsque l'Homme apparaît, c'est comme une sorte de divinité dont l'Olympe*[2] *est partout où il met le pied et où il impose son ordre. On*
15 *dirait que le Lion et ses courtisans s'exercent à l'envi à parodier la cour des tyrans avec ses flatteurs, ses sbires*[3]*, ses esclaves. La Fontaine a d'ailleurs averti son lecteur à plusieurs reprises :*

« Ce n'est pas aux hérons
20 Que je parle ; écoutez humains, un autre conte,
Vous verrez que chez vous j'ai puisé ces leçons. »

Qu'est-ce que cela a à voir avec la zoologie ? En quoi une connaissance scientifique des animaux, de leur anatomie, de leurs mœurs exactes, pouvait-elle
25 *servir le dessein du fabuliste ?*

Certains commentateurs, avec les meilleures intentions du monde, s'y sont laissé prendre. Ils ont cru que La Fontaine avait eu le dessein de dépeindre la vie animale. Alors ils l'ont pris en flagrant délit d'ignorance ou
30 *plutôt de fantaisie. C'était facile.*

Jean ORIEUX, La Fontaine, *Paris, Flammarion, 1976.*

Charles Le Brun (1619-1690), *Tête physiognomonique inspirée par le chameau,* dessin, Paris, musée du Louvre, cabinet des dessins.

1. Poète épique grec, auteur de l'*Iliade* et de l'*Odyssée*
2. Montagne grecque, séjour des dieux.
3. Ses policiers.

Synthèse

Les séductions de l'expression

Les *Fables* de La Fontaine constituent tout un univers, un monde aux mille facettes, plaisant, séduisant. Les hommes, les animaux, parfois même les plantes et les objets, y évoluent, y parlent, y créent une atmosphère de fantaisie sans cesse renouvelée. Le lecteur est frappé par le bonheur évident qu'éprouve La Fontaine à écrire. Il est gagné par son entrain, séduit par la variété de l'expression. Rien n'est figé dans la versification. Au contraire, c'est le vers libre qui triomphe, c'est le mariage des mètres, des rimes et des rythmes qui s'impose. Ainsi, dans *Les Grenouilles qui demandent un roi*, se succèdent des vers de 7, 8, 10 et 12 syllabes, des rimes embrassées (abba), croisées (abab), plates (aabb) (voir p. 348). Et il ne s'agit pas d'un jeu gratuit. La versification est toujours liée à la signification : le vers de 7 syllabes souligne, dans sa dissymétrie, l'affolement et l'indécision des grenouilles, tandis que le vers de 12 syllabes, solennel, accompagne l'évocation de Jupiter ou du roi.

Une grande variété dans les tonalités s'ajoute à cette variété des vers. Le réalisme marque l'évocation de la vie misérable du bûcheron (voir *La Mort et le bûcheron*, p. 343) ou la description de l'agitation du lion harcelé par le moucheron (voir *Le Lion et le moucheron*). Le symbolisme s'impose, avec la besace, image du comportement de l'homme sensible aux défauts des autres et aveugle aux siens (voir *La Besace*, p. 342) ou avec *Les Membres et l'estomac* qui démontre l'interdépendance existant entre les gouvernants et les gouvernés (voir p. 346). Le lyrisme se développe, avec l'exaltation de la liberté (voir *Le Loup et le chien*, p. 340) ou la nostalgie du calme et de la solitude (voir *Le Songe d'un habitant du Mogol*, p. 344). Le pathétique domine dans *La Mort et le bûcheron* (voir p. 343) ou dans *Le Paysan du Danube* (voir p. 351). L'humour vient atténuer la tension dramatique (voir *La Chauve-souris et les deux belettes*, p. 347). A chaque fois, La Fontaine sait trouver le mot juste. Attaché à l'imitation des Anciens, il affirme son originalité dans l'expression. Lui-même n'a-t-il pas écrit : « Mon imitation n'est point un esclavage » *(Épître à Huet)* (voir p. 349) ?

L'efficacité de la construction

Ce bonheur de l'expression s'accompagne d'une grande efficacité dans la construction. Les fables s'organisent autour d'un récit. Il est généralement rapide, enlevé, mis en scène à la manière d'une pièce de théâtre. *Le Loup et le chien* se présente ainsi comme une comédie en deux actes avec les deux comportements successifs et contradictoires du loup face à la condition du chien (voir p. 340). Les personnages sont campés avec naturel, dans leur réalité profonde. La Fontaine est particulièrement attaché à cette notion de nature : « Et maintenant il ne faut pas/Quitter la nature d'un pas », recommande-t-il dans la *Lettre à Monsieur de Maucroix*.

Les portraits incisifs abondent qui, en quelques mots, rendent compte de la personnalité, de l'originalité des êtres : la belette ennemie des souris et la belette adversaire des oiseaux voisinent avec la chauve-souris au comportement opportuniste (voir *La Chauve-souris et les deux belettes*, p. 347). Les dialogues, tout en introduisant vie et mouvement, précisent cette spécificité des caractères : le lion s'exprime avec assurance et détermination, le renard avec habileté, l'âne avec une modestie naïve (voir *Les Animaux malades de la peste*, p. 350).

La morale est porteuse de didactisme, mais d'un didactisme souvent atténué par l'humour ; elle se trouve condensée généralement en un bref précepte, ce qui évite la lourdeur de la démonstration :

> « Plutôt souffrir que mourir,
> C'est la devise des hommes. »

(*La Mort et le bûcheron*, voir p. 343) ;

> « Rien n'est si dangereux qu'un ignorant ami ;
> Mieux vaudrait un sage ennemi. »

(L'Ours et l'amateur des jardins).

Les thèmes lyriques

Les *Fables* fournissent l'occasion à La Fontaine de développer de nombreux thèmes lyriques. Parmi eux, le thème de la nature occupe une place importante. Il est présent dans l'évocation de l'environnement où évoluent les personnages : campagne endormie par l'hiver dans *La Mort et le bûcheron* (voir p. 343) ; milieu aquatique dans *Les Grenouilles qui demandent un roi* (voir p. 348) ; nature riante et odorante dans *Le Chat, la belette et le petit lapin.* Mais il donne également lieu à la méditation, à une aspiration au repos, loin des bruits de la ville (voir *Le Songe d'un habitant du Mogol,* p. 344).

Le thème de la souffrance humaine apparaît également à plusieurs reprises. *La Mort et le bûcheron* ou *Le Paysan du Danube* sont des cris de révolte contre le malheur des individus ou des peuples. Le thème de la mort pose, lui aussi, le problème de la destinée de l'homme : attendue avec résignation (voir *Le Paysan du Danube,* p. 351), considérée avec tranquillité (voir *Le Songe d'un habitant du Mogol,* p. 344), repoussée aussitôt que souhaitée (voir *La Mort et le bûcheron,* p. 343), la mort se présente comme une fin naturelle et inéluctable.

Une philosophie sereine

Malgré le constat de la misère humaine, il se dégage des *Fables* une philosophie sereine. L'univers n'est pas si mal construit. Dieu sait ce qu'il fait : *Le Gland et la citrouille* en apporte la démonstration amusante (voir p. 344) ; le comportement des bêtes douées d'esprit le confirme (voir le *Discours à Mme de La Sablière,* Livre IX). A l'homme lancé dans la quête du bonheur, La Fontaine propose un art de vivre fait d'un mélange d'épicurisme et de stoïcisme, de désir de profiter de la vie et de volonté de maîtriser son destin. Il convient de vivre libre (voir *Le Loup et le chien,* p. 340), de jouir de l'existence en un bonheur simple et insouciant (voir *Le Savetier et le financier*). Certes, il faut tenir compte des autres, ne pas se replier sur soi-même (voir *La Besace* p. 342) ; mais il faut aussi savoir refuser l'aliénation de l'engagement, dominer tout ce qui perturbe l'équilibre, comme la douleur et la mort.

C'est ainsi que la vie se déroulera, calme et paisible. Et à son crépuscule, le sage pourra alors dire :

> « Quand le moment viendra d'aller trouver les morts,
> J'aurai vécu sans soins, et mourrai sans remords. »

(*Le Songe d'un habitant du Mogol,* voir p. 344).

L'engagement politique

Mais l'instinct de domination qui se manifeste à l'intérieur de toute société constitue un grave obstacle au bonheur. Au fil des *Fables,* La Fontaine tend à s'engager politiquement, à porter un jugement sur l'organisation sociale et sur les rapports de pouvoir. Il peut, sans crainte de la censure, énoncer ses critiques et proposer ses solutions, en mettant en scène des animaux qui sont, en fait, des décalques fidèles des hommes.

Il souligne les ridicules dans les comportements, comme ceux de ces grenouilles qui croient en la vertu d'un gouvernement fort (voir *Les Grenouilles qui demandent un roi,* p. 348). Il dénonce les injustices qui pervertissent la société de son temps : dans *Le Chat, la belette et le petit lapin,* il met en cause le rôle du juge et les fondements de la propriété. Après avoir discrètement montré dans l'*Ode au roi pour M. Fouquet* (voir p. 339) l'ingratitude des grands envers leurs serviteurs, il révèle les abus d'un pouvoir qui contraint ceux qui le subissent à se renier pour sauver leur vie (voir *La Chauve-souris et les deux belettes,* p. 347). En une analyse déjà moderne, il s'élève contre la domination des peuples forts sur les peuples faibles (voir *Le Paysan du Danube,* p. 351). Il dévoile comment les puissants exercent leur autorité pour défendre leurs intérêts individuels, au lieu d'assurer le salut collectif : la grue, désignée comme reine des grenouilles, les mange au lieu de les protéger (voir *Les Grenouilles qui demandent un roi,* p. 348) ; le chat, appelé à juger un différend, croque les deux plaignants (voir *Le Chat, la belette et le petit lapin*). Bien plus, La Fontaine constate la perverse connivence des opprimés qui acceptent les exactions des oppresseurs : dans *Les Animaux malades de la peste,* l'âne s'offre lui-même comme victime expiatoire (p. 350).

LA FABLE

Un genre vieux comme l'humanité

La fable remonte à la plus haute Antiquité. Depuis toujours, les hommes ont aimé se raconter de belles histoires, imaginer des sujets destinés à rendre indirectement compte des réalités qui les préoccupent. La fable fait d'abord partie de la littérature orale : elle se transmet de génération en génération et devient ainsi le support de la sagesse populaire. Elle prend un grand développement en Orient et, bientôt, avec l'appui de l'écriture, s'affirme comme un genre littéraire à part entière. Le Grec Ésope (voir p. 349) (VIIe siècle-VIe siècle av. J.-C.) l'acclimate en Occident. L'écrivain latin Phèdre (15 av. J.-C. - 50 ap. J.-C.) continue la tradition (voir p. 349). Au Moyen Age, Marie de France (seconde partie du XIIe siècle) pratique elle aussi la fable, suivie par de nombreux auteurs du XVIe siècle, comme Audin, Haudent ou Corrozet.

La Fontaine n'innove donc pas. Bien plus, il emprunte, la plupart du temps, ses sujets à ses prédécesseurs. Alors, pourquoi a-t-il acquis une telle réputation ? Comme beaucoup d'écrivains, il la doit à son expression, à la manière dont il traite, dont il interprète une matière qui n'est pas de lui.

Une construction complexe

Qu'est-ce qu'une fable ? C'est un petit récit généralement en vers destiné à démontrer un précepte, une moralité. La fable délivre donc un enseignement : elle poursuit un but didactique. Mais cette fonction, elle l'exerce de façon plaisante, agréable. Pour y parvenir, elle se sert d'exemples particulièrement parlants et utilise une grande variété d'expressions. Elle comporte :

— un récit alerte et vivant ;

— des personnages, fruits de l'imagination, hommes, bêtes, végétaux ou objets, mais aussi copies conformes de l'être humain réel ;

— des descriptions pittoresques des comportements et des lieux ;

— des dialogues qui permettent de faire parler directement les personnages mis en scène ;

— un précepte final qui dégage la moralité à retenir.

La fable unit étroitement fiction et réalité. Les situations et les acteurs du récit sont totalement inventés. Mais ils sont révélateurs de problèmes réels qui concernent l'être humain et sont porteurs des opinions personnelles de l'auteur. La légèreté apparente du propos dissimule donc une profondeur de réflexion et parfois un lyrisme inspiré.

Les raisons d'être de la fable

A quoi correspond ce mélange de la réalité et de la fiction ? Il est d'abord la conséquence de la censure. Au XVIIe siècle, il n'est pas toujours bon de dire ce que l'on pense, il est dangereux, en particulier, de porter jugement sur le pouvoir établi : le risque est grand pour l'écrivain insuffisamment prudent de voir son livre interdit et d'être lui-même inquiété. Les bêtes des fables, elles, peuvent critiquer ou être critiquées : même si les allusions sont transparentes, ce ne sont que des bêtes. La chauve-souris, si elle représente ceux qui changent de position au gré des circonstances, n'est qu'une chauve-souris (voir *La Chauve-souris et les deux belettes*, p. 347). Le lion, vaincu par le moucheron, s'il symbolise le roi, est, avant tout, un lion (voir *Le Lion et le moucheron*).

Plus profondément, la fable répond à une autre exigence de l'homme. Les écrivains ont toujours éprouvé le besoin de prendre leurs distances par rapport à la réalité. Transposer, c'est là une nécessité de l'art. La transposition a l'avantage de mieux faire saisir ce qui est dit. Le lecteur, parce qu'il se sent moins concerné, peut mieux juger, est plus facilement convaincu. Celui qui, par exemple, est attaché à son confort et ne recule pas devant les compromissions observe, de l'extérieur, le comportement du chien, écoute ses propos : il n'est pas directement impliqué et, par conséquent, peut se montrer impartial, avant de s'apercevoir que la leçon s'applique également à lui (voir *Le Loup et le chien*, p. 340).

Il n'est pas surprenant de constater l'attrait exercé par ce genre de la fable qui sait si bien marier l'utile à l'agréable, qui répond si bien aux motivations plus ou moins conscientes du lecteur.

Pierre Legros I (1629-1714), statue d'Ésope, Versailles, musée national du Château.

Nicolas Boileau
1636-1711

Hyacinthe Rigaud (1659-1743), *Nicolas Boileau*, Versailles, musée national du Château.

Homme de loi

Nicolas Boileau-Despréaux est d'origine parisienne : son père, qui exerce les fonctions de greffier au Parlement, est un représentant typique de la petite bourgeoisie parlementaire (voir p. 316). Après avoir étudié quelque temps la théologie, Boileau s'initie au droit. Peut-être subit-il l'influence parternelle. En fait, il suit une voie empruntée par de nombreux futurs écrivains de l'époque : l'apprentissage de l'argumentation et de l'art oratoire semble alors constituer une bonne initiation à la littérature. En 1656, le voici avocat. Il ne le restera pas longtemps : dès l'année suivante, il abandonne cette profession, après avoir recueilli le solide héritage que lui laisse son père.

Homme de lettres

Boileau peut alors se consacrer en toute quiétude à la littérature. Il fréquente les grands écrivains de son temps, hante les salons à la mode. Il écrit beaucoup, lit en public ses compositions. Dans un premier temps, il se dispense de les faire publier : ce n'est qu'en 1666 que paraît sa première œuvre, les *Satires*. Jusqu'en 1684, les publications se succéderont. Les différents livres des *Satires*, des *Épîtres*, de l'*Art poétique* et du *Lutrin* s'accumuleront. Les jugements portés sur la littérature se préciseront : peu à peu, Boileau apparaîtra comme le grand législateur du classicisme.

Homme de cour

Dans le même temps, Boileau essaie de se faire une place à la cour. Il y réussit, et gagne bientôt les faveurs du roi : ses efforts pour établir les règles de l'écriture ne vont-ils pas dans le sens de la volonté de Louis XIV de tout régler, de tout normaliser ? Dès 1674, Louis XIV lui accorde une pension de deux mille livres. En 1677, il le désigne, au côté de Racine, comme historiographe, fonction qui consistait à élaborer une histoire officielle des événements contemporains. En 1684, il le fait élire à l'Académie française.

Homme de foi

Après 1684, l'activité littéraire de Boileau se réduit considérablement. Il publie encore quelques *Épîtres* et quelques *Satires*. Lors de la querelle des Anciens et des Modernes (voir p. 416), il intervient et se pose en ferme défenseur des auteurs de l'Antiquité. Mais son intérêt se tourne désormais vers la religion. Acquis aux idées jansénistes, il s'élève violemment contre le laxisme des jésuites (voir p. 110). C'est donc en homme de foi qu'il meurt à Paris, à l'âge de soixante-quinze ans.

Satires (1666-1716), poèmes. → pp. 357 à 361 ; 363.
Épîtres (1670-1698), poèmes. → pp. 361-362.
Art poétique (1674), poème. → p. 364.
Le Lutrin (1674-1683), poème héroï-comique.

L'esprit satirique

Satires
1666-1716

Une partie importante de l'œuvre de Boileau est d'inspiration satirique. Reprenant la tradition antique qui avait déjà influencé Régnier au début du XVIIe siècle (voir p. 17), Boileau s'attaque aux vices et aux ridicules de son temps.

Si son expression manque souvent de poésie, elle possède des qualités indéniables de verve et de violence et joue habilement sur les effets de contraste : Boileau s'amuse, en particulier, à parodier le style épique, en l'appliquant à des sujets prosaïques, selon les procédés de ce qu'on appelle l'héroï-comique.

Cet esprit se développe plus particulièrement dans les *Satires* : au nombre de douze, elles furent composées de 1665 à 1705 et publiées de 1666 à 1716. En près de quarante ans de rédaction, l'évolution est apparente : de la dénonciation des ridicules des comportements, Boileau passe à une réflexion plus profonde sur l'homme, pour enfin aborder les problèmes religieux.

« Le couvert était mis dans ce lieu de plaisance »

Dans la *Satire* III, rédigée vers 1665 et publiée en 1666, Boileau se moque des repas littéraires aussi pauvres en nourriture qu'en esprit. Celui qu'il évoque ici s'achèvera par un affrontement physique, une véritable bataille rangée entre auteurs et critiques. Mais auparavant, il faut à Boileau, après avoir été accueilli par son hôte, ingurgiter tant bien que mal ce qui lui est servi.

A ces mots, mais trop tard, reconnaissant ma faute,
Je le suis en tremblant dans une chambre haute,
Où, malgré les volets, le soleil irrité
Formait un poêle ardent au milieu de l'été.
5 Le couvert était mis dans ce lieu de plaisance,
Où j'ai trouvé d'abord, pour toute connaissance,
Deux nobles campagnards grands lecteurs de romans,
Qui m'ont dit tout Cyrus[1] dans leurs longs compliments.
J'enrageais. Cependant on apporte un potage,
10 Un coq y paraissait en pompeux équipage,
Qui, changeant sur ce plat et d'état et de nom,
Par tous les conviés s'est appelé chapon[2].
Deux assiettes suivaient, dont l'une était ornée
D'une langue en ragoût, de persil couronnée ;
15 L'autre, d'un godiveau[3] tout brûlé par dehors,
Dont un beurre gluant inondait tous les bords.
On s'assied : mais d'abord notre troupe serrée
Tenait à peine autour d'une table carrée,
Où chacun, malgré soi, l'un sur l'autre porté,
20 Faisait un tour à gauche, et mangeait de côté.
Jugez en cet état, si je pouvais me plaire,
Moi qui ne compte rien[4] ni le vin ni la chère[5],
Si l'on n'est plus au large assis en un festin,
Qu'aux sermons de Cassaigne, ou de l'abbé Cotin[6].
25 Notre hôte cependant, s'adressant à la troupe,
Que vous semble, a-t-il dit, du goût de cette soupe ?
Sentez-vous le citron dont on a mis le jus
Avec des jaunes d'œufs mêlés dans du verjus[7] ?

1. *Le Grand Cyrus*, roman-fleuve de Madeleine de Scudéry, avait été publié de 1649 à 1653 et était déjà bien démodé (voir p. 77).
2. Volaille grasse.
3. D'un pâté.
4. Qui ne compte pour rien.
5. La nourriture.
6. Prédicateurs de l'époque.
7. Suc acide extrait du raisin vert.

Gonzales Coques (1618-1684), *Repas d'artistes*, Paris, musée du Petit Palais.

Ma foi, vive Mignot[1] et tout ce qu'il apprête !
30 Les cheveux cependant me dressaient à la tête :
Car Mignot, c'est tout dire, et dans le monde entier
Jamais empoisonneur ne sut mieux son métier.
J'approuvais tout pourtant de la mine et du geste,
Pensant qu'au moins le vin dût réparer le reste.
35 Pour m'en éclaircir donc, j'en demande ; et d'abord
Un laquais effronté m'apporte un rouge bord[2]
D'un Auvernat[3] fumeux, qui, mêlé de Lignage[4],
Se vendait chez Crenet[5] pour vin de l'Hermitage[6],
Et qui, rouge et vermeil, mais fade et doucereux,
40 N'avait rien qu'un goût plat, et qu'un déboire[7] affreux.
A peine ai-je senti cette liqueur traîtresse,
Que de ces vins mêlés j'ai reconnu l'adresse.
Toutefois avec l'eau que j'y mets à foison,
J'espérais adoucir la force du poison.
45 Mais, qui l'aurait pensé ? pour comble de disgrâce,
Par le chaud qu'il faisait nous n'avions point de glace.
Point de glace, bon Dieu ! dans le fort de l'été !
Au mois de juin ! Pour moi, j'étais si transporté,
Que, donnant de fureur tout le festin au diable,
50 Je me suis vu vingt fois prêt à quitter la table ;
Et, dût-on m'appeler et fantasque et bourru[8],
J'allais sortir enfin quand le rôt[9] a paru.

Satire III, vers 37 à 88.

Pour préparer l'étude du texte

1. Vous ferez le plan de ce texte, en montrant qu'il obéit à une progression que construit la succession des erreurs commises dans la préparation du repas.

2. Vous relèverez et analyserez les détails qui rendent l'hôte et les convives ridicules.

3. Boileau utilise, à plusieurs reprises, l'exagération. Vous étudierez ce procédé courant dans le genre satirique.

Pour une étude comparée

Vous comparerez la *Satire* XI (voir p. 18) de Mathurin Régnier et la *Satire* III de Nicolas Boileau, en insistant plus particulièrement sur les points suivants :

1. **L'organisation du repas.** Vous mettrez en parallèle les deux évocations d'un repas ridicule (erreurs commises dans la présentation, nature et imperfections des plats, comportements des convives).

2. **L'intervention des auteurs.** Vous comparerez les interventions des deux auteurs (exagérations, ironie, jugements négatifs).

3. **La satire.** Vous essaierez, à partir de cette comparaison, de donner une définition de la satire et d'en préciser les caractéristiques.

1. Traiteur célèbre.
2. Un verre de vin empli jusqu'au bord.
3. Vigne d'origine auvergnate cultivée dans la région d'Orléans.
4. Cru de la région d'Orléans.
5. Célèbre marchand de vin.
6. Cru réputé de la vallée du Rhône.
7. Un arrière-goût.
8. Capricieux et incivil.
9. Le rôti.

« Tout conspire à la fois à troubler mon repos »

Dans la *Satire* VI, composée vers 1665 et publiée en 1666, Boileau dénonce les nuisances de tous ordres qui accablent les Parisiens : bruits, bousculades, manifestations, embouteillages étaient déjà de règle au XVIIe siècle, et Boileau ne serait pas, sur ce plan, dépaysé dans le Paris actuel !

Qui frappe l'air, bon Dieu ! de ces lugubres cris ?
Est-ce donc pour veiller qu'on se couche à Paris ?
Et quel fâcheux démon, durant les nuits entières,
Rassemble ici les chats de toutes les gouttières ?
5 J'ai beau sauter du lit, plein de trouble et d'effroi,
Je pense qu'avec eux tout l'enfer est chez moi :
L'un miaule en grondant comme un tigre en furie,
L'autre roule sa voix comme un enfant qui crie.
Ce n'est pas tout encor, les souris et les rats
10 Semblent, pour m'éveiller, s'entendre avec les chats,
Plus importuns pour moi, durant la nuit obscure,
Que jamais, en plein jour, ne fut l'abbé de Pure[1].
Tout conspire à la fois à troubler mon repos,
Et je me plains ici du moindre de mes maux :
15 Car à peine les coqs, commençant leur ramage,
Auront de cris aigus frappé le voisinage,
Qu'un affreux serrurier, que le ciel en courroux
A fait pour mes péchés, trop voisin de chez nous,
Avec un fer maudit, qu'à grand bruit il apprête,
20 De cent coups de marteau me va fendre la tête.
J'entends déjà partout les charrettes courir,
Les maçons travailler, les boutiques s'ouvrir :
Tandis que dans les airs mille cloches émues[2],
D'un funèbre concert font retentir les nues ;
25 Et, se mêlant au bruit de la grêle et des vents,
Pour honorer les morts font mourir les vivants.
Encor je bénirais la bonté souveraine,
Si le ciel à ces maux avait borné ma peine ;
Mais si seul en mon lit je peste avec raison,
30 C'est encor pis vingt fois en quittant la maison :
En quelque endroit que j'aille, il faut fendre la presse[3]
D'un peuple d'importuns qui fourmillent sans cesse.
L'un me heurte d'un ais[4] dont je suis tout froissé[5] ;
Je vois d'un autre coup mon chapeau renversé.
35 Là, d'un enterrement la funèbre ordonnance[6],
D'un pas lugubre et lent vers l'église s'avance ;
Et plus loin des laquais l'un l'autre s'agaçant,
Font aboyer les chiens et jurer les passants.
Des paveurs en ce lieu me bouchent le passage.
40 Là, je trouve une croix[7] de funeste présage,
Et des couvreurs grimpés au toit d'une maison,
En font pleuvoir l'ardoise et la tuile à foison.
Là, sur une charrette une poutre branlante
Vient menaçant de loin la foule qu'elle augmente,
45 Six chevaux attelés à ce fardeau pesant
Ont peine à l'émouvoir[8] sur le pavé glissant.
D'un carrosse en passant il accroche une roue,
Et du choc le renverse en un grand tas de boue :
Quand un autre à l'instant s'efforçant de passer,
50 Dans le même embarras se vient embarrasser.
Vingt carrosses bientôt arrivant à la file,
Y sont en moins de rien suivis de plus de mille,
Et, pour surcroît de maux, un sort malencontreux
Conduit en cet endroit un grand troupeau de bœufs.
55 Chacun prétend passer ; l'un mugit, l'autre jure ;
Des mulets en sonnant augmentent le murmure.
Aussitôt cent chevaux dans la foule appelés,
De l'embarras qui croît ferment les défilés[9],
Et partout, des passants enchaînant les brigades[10],
60 Au milieu de la paix font voir les barricades[11].

Satire VI, vers 1 à 60.

Les Embarras de Paris, gravure, XVIIe siècle, Paris, B.N.

1. Écrivain peu apprécié de Boileau.
2. Ébranlées, mises en action.
3. La foule.
4. D'une planche.
5. Tout meurtri.
6. La disposition, le cortège.
7. Croix destinée à signaler les travaux.
8. A le faire bouger.
9. Ferment les passages.
10. Les troupes.
11. Allusion aux barricades de la Fronde (voir p. 55).

Pour préparer l'étude du texte

1. Vous ferez apparaître les deux parties du texte et montrerez qu'elles sont chacune consacrées à des nuisances différentes. Vous étudierez les notations auditives qui dominent dans la première partie et relèverez les dangers multiples qui parsèment le parcours évoqué dans la seconde partie.
2. Vous analyserez les procédés d'accumulation qui donnent au texte son rythme accéléré et créent une impression d'activité intense.
3. Le style se fait parfois épique. Vous analyserez les passages où apparaît la parodie de l'épopée, en montrant que le ton parodique se mêle intimement au réalisme.

Un genre venu de l'Antiquité : la satire

La satire, ce genre littéraire qui dénonce les vices et les ridicules, n'est pas une invention du XVIIe siècle, encore moins de Boileau. Elle remonte à l'Antiquité. Elle est souvent pratiquée par les poètes latins et, en particulier, par Juvénal (60-140) qui y est passé maître.

Dans la *Satire* III, voici comment il décrit les nuisances de Rome. Boileau, très attaché à l'imitation des Anciens, s'est visiblement inspiré de ce texte.

Le passage des voitures dans les sinuosités des rues étroites, les jurons du muletier qui n'avance plus, ôteraient le sommeil à Drusus[1] même ou à des veaux marins. Le riche, quand une affaire l'appelle, se fera porter à travers la foule qui s'ouvre devant lui ; il progressera rapidement au-dessus des têtes dans sa vaste litière liburnienne[2]. Chemin faisant, il lira, écrira, dormira là-dedans, car, fenêtres closes, on y dort le mieux du monde. Et il arrivera tout de même avant nous. Moi, le flot qui me précède fait obstacle à ma hâte ; la foule pressée qui me suit me comprime les reins. L'un me heurte du coude ; l'autre me choque rudement avec une solive. En voici un qui me cogne la tête avec une poutre ; cet autre, avec un métrète[3]*. Mes jambes sont grasses de boue. Une large chaussure m'écrase en plein et un clou de soldat reste fixé dans mon orteil. Voyez-vous cette cohue et cette fumée autour de la sportule[4] ? Cent convives, suivis chacun de leur batterie de cuisine ! Corbulon[5] aurait peine à soulever tous les vases énormes, tous les ustensiles juchés sur la tête d'un malheureux petit esclave qui les porte, le cou roidi, et de sa course avive le feu. Voilà en lambeaux des tuniques qui venaient d'être reprisées. — Sur un chariot qui s'avance oscille une longue poutre ; sur un autre, c'est un pin. Leur balancement aérien menace la foule. Si l'essieu qui porte des marbres de Ligurie[6] vient à se briser et que, perdant l'équilibre, cette masse se déverse sur les passants, que reste-t-il des corps ? Comment en retrouver les membres, les os même ? Le cadavre, broyé, disparaît tout entier, tel un souffle. Pendant ce temps, bien tranquille, la maisonnée lave déjà les assiettes, ranime le feu en soufflant dessus. On entend le bruit des strigiles[7] graisseuses ; les linges sont prêts ; le vase à huile est plein. Tandis que les esclaves s'activent parmi ces préparatifs, la victime, elle, est déjà assise sur la rive du Styx[8] ; novice encore, elle frémit devant le sinistre nocher et désespère de pouvoir traverser dans sa barque le gouffre fangeux, faute d'avoir dans la bouche le tiers d'as[9] à lui allonger.*

Considère maintenant la variété des autres périls nocturnes, le vaste espace qui sépare le sol du haut des maisons d'où un tesson vient vous frapper le crâne, combien de fois des vases fêlés et ébréchés tombent des fenêtres, et de quelle trace profonde ils marquent et entament le pavé. C'est s'exposer au reproche de négligence et ne pas prévoir les accidents subits, que de s'en aller souper sans avoir fait son testament. Le passant a autant de chances de mort qu'il rencontre la nuit de fenêtres ouvertes où l'on ne dort pas. Ne souhaitez qu'une chose, et puisse ce vœu modeste s'accomplir pour vous, c'est qu'on se contente de vous inonder du contenu de larges bassins.

JUVÉNAL, Satire III, *vers 236 à 277, trad. Fr. Villeneuve et P. de Labriolle, Paris,* Les Belles Lettres, *1921.*

1. L'empereur Claude, qui était réputé pour la profondeur de son sommeil.
2. Litière portée par des Liburniens, originaires de l'actuelle Yougoslavie.
3. Grand vase utilisé pour le vin ou l'huile.
4. Distribution de cadeaux faite à la population.
5. Nom désignant un porteur, un portefaix.
6. Région du nord-ouest de l'Italie réputée pour ses marbres.
7. Instruments destinés à nettoyer la peau après le bain.
8. Fleuve des Enfers.
9. Pour traverser le Styx, le mort devait donner une pièce de monnaie au passeur, le nocher Charon.

« L'art de mentir tout haut en disant vrai tout bas »

Dans la *Satire* XII, rédigée vers 1705 et publiée seulement en 1716, Boileau aborde un problème beaucoup plus sérieux. Comme Pascal (voir p. 113) l'avait fait avant lui, il dénonce le laxisme de la doctrine des jésuites.

Ainsi, pour éviter l'éternelle misère,
Le vrai zèle au chrétien n'étant plus nécessaire,
Tu[1] sus, dirigeant bien en eux l'intention[2],
De tout crime laver la coupable action.
5 Bientôt, se parjurer cessa d'être un parjure ;
L'argent à tout denier[3] se prêta sans usure ;
Sans simonie[4], on put, contre un bien temporel,
Hardiment échanger un bien spirituel ;
Du soin d'aider le pauvre on dispensa l'avare,
10 Et même chez les rois le superflu fut rare.
C'est alors qu'on trouva, pour sortir d'embarras,
L'art de mentir tout haut en disant vrai tout bas.
C'est alors qu'on apprit qu'avec un peu d'adresse
Sans crime un prêtre peut vendre trois fois sa messe,
15 Pourvu que, laissant là son salut à l'écart,
Lui-même en la disant n'y prenne aucune part.
C'est alors que l'on sut qu'on peut, pour une pomme,
Sans blesser la justice assassiner un homme :
Assassiner ! ah ! non, je parle improprement,
20 Mais que, prêt à la perdre, on peut innocemment,
Surtout ne la pouvant sauver d'une autre sorte,
Massacrer le voleur qui fuit et qui l'emporte.
Enfin ce fut alors que, sans se corriger,
Tout pécheur... Mais où vais-je aujourd'hui m'engager ?
25 Veux-je d'un pape illustre, armé contre tes crimes,
A tes yeux mettre ici toute la bulle[5] en rimes ;
Exprimer[6] tes détours burlesquement pieux
Pour disculper l'impur, le gourmand, l'envieux,
Tes subtils faux-fuyants pour sauver la mollesse,
30 Le larcin, le duel, le luxe, la paresse,
En un mot, faire voir à fond développés
Tous ces dogmes affreux d'anathème frappés[7],
Que, sans peur débitant tes distinctions folles,
L'erreur encor pourtant maintient dans tes écoles ?
35 Mais sur ce seul projet soudain puis-je ignorer
A quels nombreux combats il faut me préparer ?
J'entends déjà d'ici tes docteurs frénétiques
Hautement me compter au rang des hérétiques[8] ;
M'appeler scélérat, traître, fourbe, imposteur,
40 Froid plaisant, faux bouffon, vrai calomniateur,
De Pascal, de Wendrock[9], copiste misérable ;
Et, pour tout dire enfin, janséniste exécrable.
J'aurai beau condamner, en tous sens expliqués,
Les cinq dogmes[10] fameux par ta main fabriqués,
45 Blâmer de tes docteurs la morale risible :
C'est, selon eux, prêcher un calvinisme[11] horrible ;
C'est nier qu'ici-bas par l'amour appelé
Dieu pour tous les humains voulut être immolé.

Satire XII, vers 285 à 332.

Pour préparer l'étude du texte

1. Vous relèverez et analyserez les accusations que Boileau porte contre les jésuites.
2. Vous montrerez que ce texte est dénonciateur et polémique. Vous étudierez, en particulier, les procédés qui mettent en relief les accusations (anaphores, exclamations, interrogations, vocabulaire de la faute et de la culpabilité, violence des termes).
3. Que révèle cet extrait sur la personnalité et les idées religieuses de Boileau ?

Épîtres
1670-1698

Avec les *Épîtres*, Boileau, cet inconditionnel des Anciens, reprend la tradition de la lettre littéraire que les auteurs de la Rome antique utilisaient pour livrer leur avis ou leur impression sur les sujets les plus divers. Il y prolonge la tonalité satirique. Souvent violente, comme dans l'*Épître* II qui dénonce la manie des procès ou dans l'*Épître* XII qui, à nouveau, s'en prend aux jésuites, la satire est parfois plus légère, plus diffuse, comme dans l'*Épître* VI qui fait l'éloge du calme de la campagne et déplore l'agitation de la ville.

1. Boileau s'adresse à l'équivoque, à l'ambiguïté qui, selon lui, inspire les jésuites.
2. Allusion à la direction d'intention des jésuites qui permet d'éviter le péché (voir p. 110).
3. A n'importe quel taux d'intérêt.
4. Trafic de choses saintes.
5. En 1679, le pape Innocent XI avait publié une bulle qui condamnait les excès de la casuistique jésuite (voir p. 110).
6. Énoncer, décrire.
7. Frappés d'excommunication.
8. Des catholiques qui professent une doctrine condamnée par l'Église officielle.
9. Pseudonyme de Nicole (1625-1695), un disciple de Pascal.
10. Les cinq propositions de Jansénius condamnées en 1653 par le pape Innocent X (voir p. 110).
11. Doctrine protestante élaborée par Calvin (1509-1564).

« Oui, Lamoignon, je fuis les chagrins de la ville »

Composée vers 1677 et publiée en 1683, l'*Épître* VI est construite tout en oppositions : la vie naturelle et paisible de la campagne contraste avec l'existence agitée et frelatée de la ville dont Boileau fait une critique acerbe.

Louis Le Nain (1593?-1648), *Paysans dans un paysage*, Washington, National Gallery of Art.

Oui, Lamoignon[1], je fuis les chagrins de la ville,
Et contre eux la campagne est mon unique asile.
Du lieu qui m'y retient veux-tu voir le tableau ?
C'est un petit village, ou plutôt un hameau,
5 Bâti sur le penchant d'un long rang de collines,
D'où l'œil s'égare au loin dans les plaines voisines.
La Seine, au pied des monts que son flot vient laver,
Voit du sein de ses eaux vingt îles s'élever,
Qui, partageant son cours en diverses manières,
10 D'une rivière seule y forment vingt rivières.
Tous ses bords sont couverts de saules non plantés[2],
Et de noyers souvent du passant insultés[3].
Le village, au-dessus, forme un amphithéâtre :
L'habitant ne connaît ni la chaux ni le plâtre,
15 Et dans le roc, qui cède et se coupe aisément,
Chacun sait de sa main creuser son logement.
La maison du seigneur seule un peu plus ornée,
Se présente au dehors de murs environnée ;
Le soleil en naissant la regarde d'abord,
20 Et le mont la défend des outrages du Nord.
C'est là, cher Lamoignon, que mon esprit tranquille
Met à profit les jours que la Parque[4] me file :
Ici dans un vallon bornant tous mes désirs,
J'achète à peu de frais de solides plaisirs.
25 Tantôt, un livre en main, errant dans les prairies,
J'occupe ma raison d'utiles rêveries.
Tantôt, cherchant la fin d'un vers que je construis,
Je trouve au coin d'un bois le mot qui m'avait fui.
Quelquefois, aux appâts d'un hameçon perfide,
30 J'amorce en badinant le poisson trop avide ;
Ou, d'un plomb qui suit l'œil[5] et part avec l'éclair,
Je vais faire la guerre aux habitants de l'air.
Une table, au retour, propre[6] et non magnifique,
Nous présente un repas agréable et rustique :
35 Là, sans s'assujettir aux dogmes du Broussain[7],
Tout ce qu'on boit est bon, tout ce qu'on mange est sain.
La maison le fournit, la fermière l'ordonne[8] ;
Et, mieux que Bergeret[9] l'appétit l'assaisonne.
O fortuné séjour ! ô champs aimés des cieux !
40 Que pour jamais, foulant vos prés délicieux,
Ne puis-je ici fixer ma course vagabonde,
Et, connu de vous seuls, oublier tout le monde !
Mais à peine du sein de vos vallons chéris
Arraché malgré moi, je rentre dans Paris,
45 Qu'en tous lieux les chagrins m'attendent au passage.
Un cousin, abusant d'un fâcheux parentage,
Veut qu'encor tout poudreux, et sans me débotter,
Chez vingt juges pour lui j'aille solliciter.
Il faut voir de ce pas les plus considérables.
50 L'un demeure au Marais, et l'autre aux Incurables[10].
Je reçois vingt avis qui me glacent d'effroi.
« Hier, dit-on, de vous on parla chez le roi,
Et d'attentat horrible on traita la satire[11].
— Et le roi, que dit-il ? — Le roi se prit à rire. »

Épître VI, vers 1 à 54.

Pour préparer l'étude du texte

1. Ce texte est construit tout en oppositions. Boileau établit un parallèle entre la vie à la campagne et la vie urbaine. Vous montrerez que cette comparaison sert de fil directeur au plan de l'épître et dégagerez les avantages de la campagne et les inconvénients de la ville selon Boileau.
2. Vous relèverez et analyserez les passages où se manifeste le sentiment de la nature.
3. Boileau exprime ici un art de vivre. Quel est-il ? Vous le comparerez à celui que révèle *Le Songe d'un habitant du Mogol* (voir p. 344) de La Fontaine.

1. Avocat général, ami de Boileau.
2. Qui n'ont pas été plantés par l'homme.
3. Le passant y cueille les noix.
4. Divinité qui filait le destin des hommes.
5. Qui suit la direction visée par l'œil.
6. Soignée.
7. L'abbé du Broussain était un célèbre gastronome.
8. Le dispose, le prépare.
9. Traiteur réputé.
10. Entre le quartier du Marais et l'hôpital des Incurables situé rue de Sèvres, la distance était importante.
11. On reprocha à une satire de Boileau d'être subversive, de constituer un attentat horrible.

La critique littéraire

La satire est au centre de l'œuvre de Boileau. Mais il s'est intéressé à un autre domaine, tout aussi important et qui a grandement contribué à sa réputation, celui de la critique littéraire. Il est resté comme le législateur du classicisme. Il n'est pas l'inventeur, loin de là, de la doctrine, mais il a eu le mérite d'en codifier les règles. Dans une grande partie de son œuvre, il se consacre à cette tâche, prodigue ses conseils, dégage les impératifs à respecter. C'est un véritable art d'écrire qu'il propose. C'est le théoricien qui apparaît alors. Mais il se souvient aussi de ses talents de satirique qui éclatent dans la violence des reproches ou dans la dénonciation des fautes de style et de goût.

« Enseigne-moi, Molière, où tu trouves la rime »

Dans la *Satire* II, composée vers 1665 et publiée en 1666, Boileau envie le talent de Molière et constate combien il est difficile de rimer.

Rare et fameux esprit, dont la fertile veine
Ignore en écrivant le travail et la peine ;
Pour qui tient Apollon[1] tous ses trésors ouverts,
Et qui sais à quel coin se marquent les bons vers :
5 Dans les combats d'esprit savant maître d'escrime,
Enseigne-moi, Molière, où tu trouves la rime.
On dirait quand tu veux, qu'elle te vient chercher :
Jamais au bout du vers on ne te voit broncher ;
Et, sans qu'un long détour t'arrête ou t'embarrasse,
10 A peine as-tu parlé, qu'elle-même s'y place.
Mais moi, qu'un vain caprice, une bizarre humeur,
Pour mes péchés, je crois, fit devenir rimeur,
Dans ce rude métier où mon esprit se tue,
En vain, pour la trouver, je travaille et je sue.
15 Souvent j'ai beau rêver du matin jusqu'au soir :
Quand je veux dire « blanc », la quinteuse[2] dit « noir ».
Si je veux d'un galant dépeindre la figure,
Ma plume pour rimer trouve l'abbé de Pure[3],
Si je pense exprimer un auteur sans défaut,
20 La raison dit Virgile[4], et la rime Quinault[5].
Enfin, quoi que je fasse, ou que je veuille faire,
La bizarre toujours vient m'offrir le contraire.
De rage quelquefois, ne pouvant la trouver,
Triste, las et confus, je cesse d'y rêver ;
25 Et, maudissant vingt fois le démon qui m'inspire,
Je fais mille serments de ne jamais écrire.
Mais, quand j'ai bien maudit et Muses[6] et Phébus[7],
Je la vois qui paraît quand je n'y pense plus :
Aussitôt, malgré moi, tout mon feu se rallume ;
30 Je reprends sur-le-champ le papier et la plume ;
Et de mes vains serments perdant le souvenir,
J'attends de vers en vers qu'elle daigne venir.
Encor si pour rimer, dans sa verve indiscrète,
Ma muse au moins souffrait une froide épithète,
35 Je ferais comme un autre, et, sans chercher si loin,
J'aurais toujours des mots pour les coudre au besoin.
Si je louais Philis[8], EN MIRACLES FÉCONDE,
Je trouverais bientôt, A NULLE AUTRE SECONDE ;
Si je voulais vanter un objet NON PAREIL,
40 Je mettrais à l'instant, PLUS BEAU QUE LE SOLEIL ;
Enfin, parlant toujours d'ASTRES et de MERVEILLES,
De CHEFS-D'ŒUVRE DES CIEUX, de BEAUTÉS SANS PAREILLES ;
Avec tous ces beaux mots, souvent mis au hasard,
Je pourrais aisément, sans génie et sans art,
45 Et transposant cent fois et le nom et le verbe,
Dans mes vers recousus mettre en pièces Malherbe[9].
Mais mon esprit, tremblant dans le choix de ses mots,
N'en dira jamais un, s'il ne tombe à propos,
Et ne saurait souffrir qu'une phrase insipide
50 Vienne à la fin d'un vers remplir la place vide ;
Ainsi, recommençant un ouvrage vingt fois,
Si j'écris quatre mots, j'en effacerai trois.

Satire II, vers 1 à 52.

Pour préparer l'étude du texte

1. Vous indiquerez quel talent Boileau reconnaît à Molière et quelles doivent être, selon lui, les qualités du poète.
2. Vous étudierez la versification de ce texte. Ces vers reflètent-ils cette difficulté de rimer dont se plaint Boileau ?
3. Quelles sont, d'après Boileau, la part de l'inspiration et celle de la technique ? Vous analyserez les reproches des vers 33 à 46, en notant l'humour avec lequel ils s'expriment et en essayant de déterminer à qui ils s'adressent.

1. Dieu des arts.
2. La capricieuse.
3. Écrivain peu estimé de Boileau.
4. Poète latin (70-19 av. J.-C.).
5. Un autre écrivain souvent critiqué par Boileau (voir p. 245).
6. Les neuf déesses protectrices des Arts.
7. Surnom d'Apollon.
8. Nom conventionnel pour désigner la femme aimée.
9. Poète du début du XVIIe siècle (voir p. 19).

Art poétique

1674

C'est dans l'*Art poétique* que figure l'essentiel du message critique de Boileau. La construction de cet ouvrage est rigoureuse et symétrique. Les chants I et IV sont consacrés à des considérations générales : le chant I définit les grandes règles de l'écriture, tandis que le chant IV analyse le comportement de l'écrivain. Ils encadrent les chants II et III qui contiennent des études plus particulières : le chant II se penche sur les formes littéraires mineures, comme l'ode ou le sonnet, et le chant III envisage les grands genres, la tragédie, l'épopée, la comédie.

« Vingt fois sur le métier remettez votre ouvrage »

Le *Chant* I de l'*Art poétique* fourmille de conseils généraux aux auteurs. En voici trois : respecter la langue, rechercher la perfection à force de travail, soumettre ses ouvrages à des critiques sincères.

Surtout qu'en vos écrits la langue révérée
Dans vos plus grands excès vous soit toujours sacrée.
En vain vous me frappez d'un son mélodieux,
Si le terme est impropre ou le tour vicieux.
5 Mon esprit n'admet point un pompeux barbarisme[1],
Ni d'un vers ampoulé l'orgueilleux solécisme[2].
Sans la langue, en un mot, l'auteur le plus divin
Est toujours, quoi qu'il fasse, un méchant écrivain.
Travaillez à loisir, quelque ordre[3] qui vous presse,
10 Et ne vous piquez point[4] d'une folle vitesse.
Un style[5] si rapide, et qui court en rimant,
Marque moins trop d'esprit que peu de jugement.
J'aime mieux un ruisseau qui, sur la molle arène[6],
Dans un pré plein de fleurs lentement se promène,
15 Qu'un torrent débordé qui, d'un cours orageux,
Roule, plein de gravier, sur un terrain fangeux.
Hâtez-vous lentement, et, sans perdre courage,
Vingt fois sur le métier remettez votre ouvrage.
Polissez-le sans cesse et le repolissez ;
20 Ajoutez quelquefois, et souvent effacez.
C'est peu qu'en un ouvrage où les fautes fourmillent
Des traits d'esprit semés de temps en temps pétillent :
Il faut que chaque chose y soit mise en son lieu,
Que le début, la fin, répondent au milieu,
25 Que d'un art délicat les pièces assorties
N'y forment qu'un seul tout de diverses parties,
Que jamais du sujet le discours s'écartant
N'aille chercher trop loin quelque mot éclatant.
Craignez-vous pour vos vers la censure publique ?
30 Soyez-vous à vous-même un sévère critique.
L'ignorance toujours est prête à s'admirer.
Faites-vous des amis prompts à vous censurer.
Qu'ils soient de vos écrits les confidents sincères,
Et de tous vos défauts les zélés adversaires.
35 Dépouillez devant eux l'arrogance[7] d'auteur,
Mais sachez de l'ami discerner le flatteur.
Tel vous semble applaudir, qui vous raille et vous joue.
Aimez qu'on vous conseille, et non pas qu'on vous loue.
Un flatteur aussitôt cherche à se récrier.
40 Chaque vers qu'il entend le fait extasier.
Tout est charmant, divin, aucun mot ne le blesse.
Il trépigne de joie, il pleure de tendresse,
Il vous comble partout d'éloges fastueux.
La vérité n'a point cet air impétueux.

Art poétique, Chant I, vers 154 à 197.

Pour préparer le commentaire composé

1. **Des conseils précis.** Vous montrerez comment, d'après Boileau, l'écrivain doit travailler. Quels conseils lui donne-t-il, en particulier en ce qui concerne la langue à utiliser et la construction des ouvrages ? Que doit demander l'écrivain à ceux qu'il prend comme juges de ses écrits ? Vous pourrez comparer ce que dit Boileau du flatteur avec le comportement de Philinte dans la scène du sonnet du *Misanthrope* de Molière (voir p. 206).
2. **L'alliance de l'abstrait et du concret.** Mettant ses conseils en application, Boileau mêle l'abstrait et le concret. Vous le noterez, en relevant et en analysant les nombreuses images et comparaisons que contient ce texte.
3. **Une conception de la littérature.** Vous préciserez la conception globale de la littérature qui se dégage de cet extrait : respect de la langue, travail consciencieux d'artisan, équilibre, rigueur.

1. Emploi d'un mot incorrect.
2. Incorrection grammaticale.
3. Quelle que soit la commande.
4. Ne vous vantez point.
5. Un stylet, une plume.
6. Sur le sable mou.
7. La suffisance.

Pour un groupement de textes

La critique littéraire dans :
Les Précieuses ridicules (voir p. 180), *Les Femmes savantes* (voir p. 185), *L'Impromptu de Versailles* (voir p. 194) de Molière,
Le Roman bourgeois (voir p. 311) d'Antoine Furetière,
La *Satire* II (voir p. 363) et *L'Art poétique* (voir p. 364) de Nicolas Boileau,
Les *Caractères* (« Des ouvrages de l'esprit » 15 à 20, 52 et 53) (voir pp. 389 et 391) de Jean de La Bruyère.

La recherche des vérités générales

Dans l'étude qu'il lui consacre, Pierre Clarac montre comment Boileau privilégie les idées générales au détriment des vérités particulières : il suit ainsi la règle de la vraisemblance, en s'efforçant d'adapter ses descriptions non pas tant à leur réalité qu'à l'idée que s'en fait le lecteur moyen.

*Je ne m'engagerai pas, à propos de Boileau, dans une étude d'ensemble de la doctrine classique. Il ne l'a pas créée, et elle a eu, en son temps, des interprètes mieux informés que lui, et plus autorisés. Je voudrais seulement signaler la méprise que font naître, dans l'*Art poétique, *ces mots de « nature » et de « vérité » que le* XVII*e siècle n'en-*
5 *tendait pas comme nous. On parle étourdiment de réalisme classique. Mais, pour Boileau comme pour tous les doctes, seule peut devenir objet de l'art une réalité choisie, épurée, ordonnée par l'esprit et soumise au contrôle de la raison. Dès 1657 d'Aubignac*[1] *fait du vraisemblable, non du vrai, l'essence du poème dramatique. Et Rapin*[2]*, avec une netteté admirable : « La vérité ne fait les choses que comme elles sont,*
10 *et la vraisemblance les fait comme elles doivent être... Il ne naît rien au monde qui ne s'éloigne de la perfection de son idée en naissant. Il faut chercher des originaux et des modèles dans la vraisemblance et dans les principes universels des choses, où il n'entre rien de matériel et de singulier qui les corrompe. »*

*Boileau se rallie, au moins dans l'*Art poétique, *à cet idéalisme esthétique. Pour lui,*
15 *la vérité d'une peinture tient à sa conformité moins avec l'objet représenté qu'avec l'idée que le public se fait communément de cet objet ; ou plutôt nulle vérité particulière ne saurait prévaloir contre les vérités générales que l'expérience des siècles a dégagées de l'infinie complexité du monde moral. Le poète s'en tiendra à ces types généraux et d'une pureté abstraite auxquels l'esprit humain ramène invinciblement la*
20 *diversité des caractères individuels ; il lui faudra savoir*

« ce que c'est qu'un prodigue, un avare,
Un honnête homme, un fat[3]*, un jaloux, un bizarre ».*

Encore devra-t-il conserver à ces caractères tous les traits que le public a l'habitude de leur prêter. Il y a, dans la vie, des jeunes gens économes et des vieillards
25 *prodigues ; mais ce serait manquer à la vraisemblance que de prendre pour modèles ces êtres d'exception. Tel langage convient à telle passion, tels traits à tel âge, telles mœurs à tel pays. Ce sont là les bienséances internes qu'il faut respecter strictement. On retrouvera dans l'*Art poétique *ce catalogue des âges que Régnier*[4] *avait déjà emprunté à Aristote*[5] *et à Horace*[6]*.*

Pierre CLARAC, Boileau, *Paris, Hatier, coll. Connaissance des Lettres, 1964.*

1. Dans sa *Pratique du théâtre*, l'abbé d'Aubignac (1604-1676) énonce les grands principes du théâtre régulier classique (voir p. 138).
2. Écrivain jésuite (1621-1687).
3. Un vaniteux, un prétentieux.
4. Poète satirique (1573-1613) (voir p. 17).
5. Philosophe grec (384-322 av. J.-C.).
6. Poète latin (65-8 av. J.-C.) : il écrivit notamment des *Satires* et un *Art poétique*.

Synthèse

La satire

Dans ses *Satires* ou ses *Épîtres*, Boileau essaie de faire partager à ses lecteurs sa conception du monde. Mais avant de construire, il faut détruire. Boileau est à l'aise dans la dénonciation. Son esprit satirique se complaît à dévoiler les ridicules et les vices de son temps.

Il est des comportements qu'il ne peut souffrir, qui déchaînent sa hargne et son indignation. Il montre du doigt l'hypocrisie et la suffisance qui vont si souvent de pair. Il ridiculise l'hôte et les invités (voir texte, p. 357) qui, dans leur souci de dissimuler leur médiocrité, flattent pour être flattés à leur tour : l'hôte attend des félicitations pour son mauvais repas et, en échange, il est prêt à louer les mauvais écrivains qui sont à sa table. Boileau déteste les flatteurs : si, par leurs faux avis, ils s'attirent la sympathie des auteurs, ils les confortent dans leurs erreurs (voir texte, p. 364). Il condamne les jésuites, parce que, selon lui, ils profitent de leur autorité pour détourner les fidèles de la vraie foi, pour les pervertir avec leur doctrine hypocrite qui permet de justifier l'injustifiable (voir texte, p. 361).

Il s'emploie à démystifier toutes les fausses valeurs et mène un combat sans merci contre la médiocrité : pas de pitié pour des auteurs insipides comme l'abbé de Pure ou Quinault (voir texte, p. 363). Il s'en prend à la vie frelatée de la ville qui encourage les penchants néfastes de l'homme : l'être humain ne sait trouver le repos, se crée un environnement insupportable, fait son propre malheur en provoquant d'intolérables nuisances (voir textes, p. 359 et p. 362).

Eustache Le Sueur (1617-1655), *Les Muses Melpomène, Erato et Polymnie*, Cabinet des Muses de l'Hôtel Lambert, Paris, musée du Louvre. Melpomène était la muse de la tragédie, Erato celle de l'élégie et Polymnie celle de la poésie lyrique.

Les valeurs de la nature et de l'effort

A partir de ces constatations amères, Boileau tente de dégager un art de vie guidé par la nature et appuyé sur l'effort. La nature est au centre même de sa morale : valeur suprême, elle doit s'imposer dans le choix d'un environnement baigné par le calme et la simplicité (voir texte, p. 362). Elle doit aussi inspirer le comportement de l'homme : il faut se montrer soi-même, éviter le mensonge, la dissimulation, se détourner des modes éphémères et artificielles, au besoin se laisser emporter par une saine colère face aux ridicules (voir texte, p. 357).

Les valeurs du travail apparaissent elles aussi essentielles. L'effort est indispensable, en particulier dans l'activité littéraire : l'improvisation est dangereuse, les tâtonnements, les hésitations sont inévitables et c'est à l'issue d'un long temps de gestation que pourra naître une œuvre réellement achevée (voir texte, p. 364). L'effort doit également guider la vie religieuse : ce que Boileau reproche aux jésuites, c'est de donner à leurs adeptes des possibilités d'arrangement, d'accommodement avec leur conscience et avec le péché (voir texte, p. 361).

La doctrine littéraire

Philosophe et moraliste, Boileau apparaît surtout comme celui qui a exposé les règles classiques. C'est le théoricien d'un classicisme (voir p. 369) qu'il n'invente pas, mais dont il a le mérite de dégager les grands principes.

Il est attaché à l'imitation des auteurs de l'Antiquité qui sont des références, des modèles qu'il convient de suivre (voir texte, p. 363). S'il pense que l'inspiration est nécessaire, il considère qu'elle doit être soigneusement maîtrisée par le travail, laborieusement mise en forme par la technique : « Ainsi, recommençant un ouvrage vingt fois,/Si j'écris quatre mots, j'en effacerai trois. », note-t-il dans la *Satire* II (voir p. 363). Et il renchérit dans le *Chant* I de l'*Art poétique* : « Vingt fois sur le métier remettez votre ouvrage./Polissez-le sans cesse et le repolissez. » (voir p. 364).

Dans ces conditions, l'élaboration de l'œuvre littéraire exige deux qualités principales : la raison et l'ordre qui imposent le naturel, la clarté, la justesse des termes et la pureté de la langue (voir notamment texte, p. 364). Voilà des valeurs bien austères. Pour tempérer cette austérité, il convient d'introduire des données plus aimables, comme la passion dans l'expression, la variété du style, l'harmonie des vers. Ainsi sera trouvé cet heureux équilibre entre la recherche du didactisme et les exigences du plaisir auquel Molière est si bien parvenu (voir texte, p. 363 ; voir aussi le *Chant* III de l'*Art poétique*).

Poésie ou prose rimée ?

Boileau lui-même a-t-il approché cet idéal ? Est-il parvenu à être un véritable poète ? En fait, sa poésie apparaît souvent marquée par la sécheresse. L'imagination tend à être sacrifiée à la technique. Le style y gagne en précision, il y perd en fantaisie.

Mais Boileau connaît aussi des bonheurs d'expression. Sa dénonciation satirique est parfois d'une violence qui emporte la conviction (voir notamment texte, p. 361). Il sait développer un lyrisme plein de charme dans l'évocation de la nature (voir texte, p. 362). Il fait preuve d'humour, en pratiquant le registre héroï-comique qui consiste à traiter un sujet réputé bas avec un style élevé proche du style épique : dans la *Satire* VI, les nuisances de Paris ont l'ampleur d'un cataclysme (voir texte, p. 359), tandis que, dans le Chant V du *Lutrin*, le combat au cours duquel les livres servent de projectiles prend une dimension véritablement homérique.

LA CRITIQUE LITTÉRAIRE

Le développement de la critique littéraire

Durant la seconde partie du XVIIe siècle, la critique littéraire connaît un grand essor. Ce n'est pas surprenant. Dans la perspective classique, l'écrivain est considéré comme un artisan détenteur d'un savoir-faire : il convient donc tout naturellement d'apprécier cette technique mise en œuvre, de la juger. D'autre part, le culte des Anciens s'impose, les écrivains de l'Antiquité sont donnés comme des références, comme des modèles que l'on doit imiter : il est, dans ces conditions, nécessaire d'observer si les œuvres produites sont bien en accord avec les auteurs qui sont présentés comme les maîtres de l'écriture. Enfin, les théoriciens de l'époque proposent, voire imposent tout une série de règles à respecter : il faut, par conséquent, veiller à leur application, féliciter ceux qui les observent, rappeler à l'ordre ceux qui s'en éloignent.

La critique littéraire a une double fonction : montrer le chemin à suivre et sanctionner les infractions à la bonne conduite. Elle joue donc un rôle considérable dans l'histoire de la littérature. A son tour, elle devient littérature, elle sert de matière à des œuvres littéraires. Voilà d'ailleurs qui pose problème : elle utilise, dans son analyse, les mêmes matériaux — ceux du langage — que l'objet de son analyse, et ne parvient pas ainsi à se placer à l'extérieur de ce qu'elle étudie. Cette difficulté se prolongera bien au-delà du XVIIe siècle : il faudra attendre notre époque et ce qu'on appelle la critique moderne pour voir apparaître des méthodes plus objectives qui ne se proposent pas de juger les œuvres, mais d'en révéler le fonctionnement ou les conditions de production (voir p. 241).

Les ouvrages théoriques

Les ouvrages théoriques, traités, dissertations, discours, se multiplient. C'est le règne des théoriciens, des érudits, qui édictent, légifèrent, établissent, dans tous les domaines, un ensemble de règles à respecter. L'abbé d'Aubignac, dans sa *Pratique du théâtre* (1657), fixe la doctrine théâtrale. Huet, dans son *Traité de l'origine des romans* (1670), tente de dégager les grandes règles du fonctionnement romanesque, tandis que Valincour, dans les *Lettres à Madame la marquise de... sur le sujet de La Princesse de Clèves* (1678), analyse le chef-d'œuvre de Madame de La Fayette (voir p. 323). Desmarets de Saint-Sorlin, dans *Défense de la poésie et de la langue française* (1675), prodigue ses conseils aux poètes. Lamy, dans son *Art de parler* (1670), précise les règles à suivre pour bien s'exprimer. Les écrivains eux-mêmes se justifient dans les préfaces de leurs ouvrages, comme Racine, qui multiplie les analyses de ses propres pièces. Et malheur à ceux qui ne respectent pas ces règles ! Les critiques s'acharnent alors sur eux : Corneille, affronté aux *Sentiments de l'Académie française sur la tragicomédie du Cid* (1638), en fera la cruelle expérience (voir p. 142).

La polémique

Souvent, la critique se fait agressive, polémique. Les passions s'exacerbent. De l'analyse, on en vient aux accusations. Des accusations, on passe aux injures. Corneille (voir p. 142) et Molière (voir pp. 196 et 199) seront ainsi les victimes de ces violentes campagnes de dénigrement systématique. Cela tourne au règlement de comptes, comme dans ce passage de la lettre de Cyrano de Bergerac (voir p. 92) *Contre Scarron* (1654) : « Mais je parle fort mal de dire ses productions : il n'a jamais su que détruire, témoin le Dieu des poètes de Rome, qu'il fait encore aujourd'hui radoter[1]. Je vous avouerai donc, au sujet sur lequel vous désirez avoir mon sentiment que je n'ai jamais vu de ridicule plus sérieux, ni de sérieux plus ridicule que le sien ». Boileau lui-même, lorsqu'il s'en prend à l'abbé de Pure ou à Quinault (voir p. 363), n'échappe pas à ces excès.

Un élément de l'œuvre littéraire

Montrant ainsi son importance, la critique devient parfois un élément de l'œuvre littéraire. Boileau offre un exemple significatif de cette tendance : une grande partie de son œuvre se nourrit en effet de la réflexion sur la littérature. Mais bien d'autres écrivains abordent plus ou moins incidemment les problèmes littéraires, tels Pascal dans ses *Pensées*, Molière dans *L'Impromptu de Versailles*, *Le Misanthrope* ou *Les Femmes savantes*, Madame de Sévigné dans ses *Lettres*, La Bruyère dans ses *Caractères*.

Gabriel Metsu (1629-1667), *L'Écrivain*, Montpellier, musée Fabre.

1. Allusion à la transposition burlesque de l'*Énéide* de Virgile (voir p. 87).

L'ESPRIT CLASSIQUE

Une sobriété à l'écart des modes

La signification du mot « classique » — Comme la plupart des notions qui s'appliquent à l'expression artistique, le terme « classique » sert, à la fois, à caractériser une période particulière et à rendre compte d'une vision du monde permanente, susceptible de se manifester à n'importe quelle époque. En ce sens, il désigne une réalité qui est encore largement représentée de nos jours.

Lorsqu'on utilise l'expression « les auteurs classiques », on désigne les écrivains étudiés dans les classes, qui représentent comme une richesse culturelle éternelle, une constante référence. « C'est un classique du jazz », précise-t-on en parlant d'une œuvre qui est devenue un modèle du genre, qui semble défier le temps. Le mot classicisme s'applique donc d'abord à ce qui traverse les siècles, à ce qui bénéficie de la durée.

Ce meuble, cet objet se caractérisent par une ligne pure, dépouillée : ils sont classiques. Ainsi apparaît une autre signification complémentaire de la notion de classicisme : elle sert alors à désigner tout ce qui mise sur la sobriété, qui préfère l'essentiel à l'accessoire et qui, de cette manière, s'inscrit en dehors des modes.

Les écrivains classiques du XVIIe siècle — Le terme « classique » est plus particulièrement utilisé pour désigner la génération d'auteurs qui s'est exprimée au XVIIe siècle, dans les années 1661-1685. Mais ce mot ne leur a été appliqué qu'après coup, au début du XIXe siècle. Ils ne se disaient pas eux-mêmes « classiques ». La communauté qu'ils constituent est donc quelque peu artificielle. De grandes différences existent entre eux. Ils ne rejettent pas toujours totalement les valeurs baroques de la période précédente (voir p. 46) qui ont baigné leur enfance et leur adolescence. Néanmoins, un certain nombre de constantes les unissent. En liaison avec l'installation d'un régime politique fort, la monarchie absolue, une conception du monde reposant sur l'ordre, les règles et l'efficacité tend globalement à remplacer la vision baroque antérieure.

Un monde stable

Un univers totalement construit — La grande idée des classiques est que l'être humain se trouve jeté dans un univers entièrement achevé, totalement construit, qui obéit à des lois rigoureuses, incontournables. L'homme doit donc en tenir compte, accepter ce monde qui relève du permanent, de l'intangible, du figé, renoncer à y apporter des modifications sensibles, relativiser les possibilités de progrès. Cette conception est largement présente dans le jansénisme (voir p. 110). Elle convient tout à fait à une forme d'organisation sociale qui repose sur la rigueur et l'ordre.

La constance des comportements — C'est ce qui explique, en particulier, l'interprétation que les écrivains classiques donnent des caractères et des comportements humains. La continuité est de règle, les ruptures sont exclues : les évolutions ne peuvent se produire que dans le cadre de la logique des caractères. Ainsi, à la fin d'une pièce de théâtre, dans le dénouement qui achève l'action, doit-on éviter de faire intervenir une modification radicale du comportement d'un personnage.

La toute-puissance de la fatalité

Les contradictions tragiques de l'homme — Dans ce monde qui dépend de règles de fonctionnement très strictes, l'homme classique apparaît tragiquement divisé par les contradictions. Il est sans cesse partagé entre des impulsions contraires qu'il ne parvient pas à concilier : Phèdre, dans la tragédie de Racine qui porte son nom, est, par exemple, cruellement déchirée entre son amour incestueux pour Hippolyte et son attachement aux exigences religieuses et sociales (voir p. 235).

Les classiques soulignent plus particulièrement une de ces contradictions de l'être humain : comme La Rochefoucauld le montre dans ses *Maximes* (voir p. 264), il aspire à s'ouvrir aux autres, à communiquer, mais son égoïsme le conduit à se replier sur lui-même, à se confiner dans l'isolement moral. Chacun se trouve prisonnier de son milieu et de sa personnalité, parvient difficilement à établir de véritables échanges avec ses semblables : n'est-ce pas là le drame d'Alceste du *Misanthrope* de Molière (voir p. 205), dont les relations avec Célimène sont marquées par une profonde incommunicabilité ? Philinte, au contraire, s'efforce de comprendre les autres, de répondre à leurs attentes, correspondant ainsi au modèle de l'« honnête homme », soucieux d'ouverture et de compromis (voir p. 269).

Une liberté étroitement surveillée — Mais cette possibilité de dépasser les contradictions qui divisent l'homme apparaît, pour les classiques, bien limitée. L'être humain est en effet, selon eux, soumis à un destin tout-puissant. L'homme baroque pouvait, dans la multiplicité des voies proposée par un hasard généreux, trouver matière à exprimer sa liberté. L'homme classique, lui, est étroitement dépendant de la fatalité. Elle ne lui donne pas de choix. Elle décide pour lui. Malgré ses efforts et ses résistances, elle le dirige sur une route obligée, pour une destination imposée, sans qu'il puisse changer de chemin. Tel est, par exemple, le sort des personnages du théâtre de Racine (voir p. 243), qui, contrairement à ceux de Corneille (voir p. 161), sont dans l'incapacité de faire triompher un choix, parce qu'ils ne parviennent pas à choisir librement.

La recherche de la vérité

Le goût pour l'absolu et l'essentiel — Les baroques étaient séduits par le relatif, ne croyaient pas à l'existence de vérités exclusives et intangibles. Les classiques pensent que, certes, les apparences sont puissantes, marquent inévitablement la vie humaine, ce domaine de l'imperfection. Mais la vérité, même si, comme dans le théâtre de Racine, elle est impossible à supporter et débouche sur la mort (voir p. 243), finit toujours par triompher. Cette recherche du vrai s'impose, en particulier, dans l'architecture : la ligne droite y domine ; les structures de la construction s'affirment, bien visibles ; le décoratif se marie intimement à l'utilitaire (voir p. 402).

Il n'est pas étonnant, dans ces conditions, que les classiques soient attirés par l'essentiel. Ils recherchent ce qui définit les réalités dans leur profondeur. Ils se méfient de ce qui relève du détail, de l'anecdotique. Ils aspirent au permanent. Ils sont épris d'absolu. Tout en tenant compte de leurs contemporains, des hommes pour lesquels ils créent, ils ont la volonté d'élaborer des œuvres qui soient de toutes les époques.

Le guide de la raison et des règles — Pour pouvoir concilier ces deux impératifs, les créateurs classiques entendent soumettre leur art à des règles précises. Particulièrement strictes et codifiées pour les œuvres théâtrales (voir p. 138), moins rigoureuses pour les autres genres, elles répondent à trois grands principes ; l'écrivain doit toujours respecter une raison synonyme de bon sens, se conformer à la nature qui exclut tout ce qui sort de l'ordinaire, s'inspirer d'une vérité « raisonnable » susceptible d'être acceptée par la majorité de ses contemporains.

Le renforcement des normes sociales, la tendance à rejeter tous ceux qui refusent ces normes, qui entendent rester en marge de ce qui est imposé par les conventions, s'inscrit dans la même perspective. Autant les baroques regardaient avec indulgence les êtres au comportement original ou excessif, autant les classiques, comme Molière (voir p. 209) ou La Bruyère (voir p. 391), les jugent avec sévérité.

Un art sobre

La tentation de la généralité et de l'impersonnalité — Toutes ces données font que l'art classique est caractérisé par une certaine austérité. Si l'œuvre littéraire doit plaire et toucher, elle doit aussi instruire, faire réfléchir le lecteur sur le comportement humain. Pour atteindre ce but, un impératif s'impose : il faut rechercher la généralité, éviter ce qui est trop particulier à une époque, à un pays ou à une personne, de façon à pouvoir saisir l'homme de tous les temps et de tous les lieux.

Il convient donc d'adopter une certaine impersonnalité : certes, le lyrisme est loin d'être totalement étouffé, la couleur locale n'est pas entièrement gommée, le sentiment de la nature a encore sa place, comme le prouve Madame de Sévigné. Mais ce qui compte avant tout, c'est l'analyse psychologique : conçue pour appréhender, à travers l'homme du XVIIe siècle, l'homme de tous les temps, son épanouissement au cours de la période classique explique le prodigieux développement de la littérature d'idées, son support privilégié (voir pp. 249 et 290).

Une expression modérée et équilibrée — Ennemis de tous les excès, les classiques sont partisans d'une expression qui réponde aux exigences de modération et d'équilibre. Prolongeant la réflexion de Malherbe (voir p. 20) et condamnant la démesure et l'exubérance baroques (voir p. 46), ils se prononcent pour le respect de la langue, la recherche de la justesse des termes, le triomphe de l'ordre et de la clarté : ainsi élaborent-ils un style ramassé et sobre. Parallèlement, l'adoption des vraisemblances, c'est-à-dire des vérités « raisonnables », et l'acceptation des bienséances, c'est-à-dire des conventions morales, témoignent de la volonté de ne pas choquer les conceptions majoritaires.

L'imitation des Anciens — Pour réaliser ces objectifs, il convient de choisir comme modèles les auteurs de l'antiquité grecque et latine. Les écrivains classiques considèrent que ces illustres devanciers ont atteint la perfection. Il faut donc marcher sur leurs pas, les prendre comme références, les préférer aux auteurs modernes italiens ou espagnols qui, durant la première partie du XVIIe siècle, avaient constitué les sources principales de l'inspiration. Ainsi pourra être approchée une perfection, se constituera un art dont l'objectif est d'aller au plus important, d'éviter le superflu, de recueillir l'approbation des hommes de goût de l'époque et la reconnaissance de la postérité. Mais déjà certains s'élèvent, au nom de l'évolution historique, de la modernité, contre cette imitation des Anciens et pensent qu'il convient de trouver des solutions originales propres à son temps. Ces deux camps antagonistes vont s'affronter, donnant lieu à ce qu'on a appelé la querelle des Anciens et des Modernes (voir p. 416).

Nicolas Poussin (1594-1665), *L'Empire de Flore*, Dresde, Gemäldegalerie, Ate Meister, Staatliche Kunstsammlungen
Ph. © Gerhard Reinhold, Leipzig-Molkau.
Les héros des *Métamorphoses* d'Ovide, transformés en fleurs à la suite d'amours malheureuses, sont, dans un esprit classique, réunis autour d'un personnage central, Flore, déesse du printemps.
Clytie, tel un tournesol, se tourne vers Apollon, le dieu du soleil qu'elle aimait.

Pierre Patel (1605?-1676?), *Le Château de Versailles*, Versailles, musée national du Château.

Du classicisme au Siècle des Lumières (1685-1715)

DES RÉPONSES DIVERSES AUX RIGIDITÉS POLITIQUES ET LITTÉRAIRES

La sclérose de la monarchie absolue

Tout système politique passe par des phases successives. Il commence par se mettre en place : porteur de nouveautés, riche de son avenir, il est plein de promesses, il séduit grâce aux changements qu'il apporte. Suit une période de confirmation, de consolidation : c'est alors que se récoltent les fruits des efforts, c'est le moment des meilleures réalisations, de la concrétisation des espérances. Mais cette plénitude ne dure pas : bientôt, les habitudes se prennent, la routine s'installe ; à la marche en avant succèdent le piétinement, puis la stagnation ; la sclérose fait sentir ses effets. Il en est ainsi de cette monarchie absolue mise en place par Louis XIV : le quart de siècle précédent (1661-1685) avait été marqué par son installation et par l'affirmation de sa puissance. Les trente années qui suivent (1685-1715) sont celles où tout va progressivement se figer.

Jean Lepautre (1618-1682), *La Table princière*, gravure, Paris, B.N.

L'isolement de la cour — La cour est le symbole de ces rigidités. Depuis 1682, le roi s'est définitivement installé dans son château de Versailles. Il y vit de plus en plus replié sur lui-même, de plus en plus coupé des réalités du pays. Entouré de courtisans à sa dévotion, il est enfermé dans un cérémonial rigoureux et pointilleux qui rythme tous les moments de ses journées : c'est ce que l'on appelle l'étiquette, que le mémorialiste Saint-Simon (1675-1755) décrira avec tant de minutie (voir texte, p. 398). Par ailleurs, Louis XIV vieillit. Il n'a plus l'allant de sa jeunesse. Il est peu à peu usé par ce long règne : entre sa prise de pouvoir effective, en 1661 et sa mort, en 1715, plus d'un demi-siècle, cinquante-quatre ans, s'écoule. Il avait vingt-trois ans lorsqu'il prit en mains les affaires de l'État, il aura soixante-dix-sept ans lorsqu'il mourra.

Les excès de l'unification — En cherchant à unifier un pays comme la France alors si tenté par l'éclatement, le pouvoir royal pensait accomplir une œuvre utile. Mais cette volonté d'unification ne sut pas éviter les excès. Ces outrances apparaissent, en particulier, dans la politique religieuse conduite par Louis XIV. Elles sont la conséquence de la raison d'État. Cette nécessité politique de défendre la religion catholique est encore renforcée par l'évolution du roi, qui, après avoir mené une existence dissipée, est maintenant animé d'une foi sincère (voir p. 408). Aussi accentue-t-il la répression contre les protestants après la révocation de l'édit de Nantes (1685) et conduit-t-il sans défaillance la lutte contre les jansénistes (voir p. 110). C'est une véritable mise au pas idéologique qu'il impose à la France.

Jan Luyken (1649-1712), *Scènes de dragonnade à Orange*, Paris, Société de l'histoire du protestantisme français.

Parallèlement, la vie sociale est de plus en plus normalisée, de plus en plus soumise à des règles strictes. Celui qui refuse de respecter ces règles est rejeté, soumis aux critiques, voué aux ridicules. Les comportements originaux ne sont pas acceptés (voir p. 395), *Les Caractères* de Jean de La Bruyère (1645-1696), dont la première édition paraît en 1688, ne cessent de le souligner (voir p. 391).

Le désenchantement — Cette sclérose s'accompagne d'un mouvement profond de désenchantement dans la population française. Le pays est saigné à blanc par les guerres de prestige qui se multiplient : de 1688 à 1697, c'est la guerre de la Ligue d'Augsbourg qui oppose la France à une coalition formée de l'Autriche, d'une partie des princes allemands, de la Hollande, de l'Angleterre et de l'Espagne. De 1701 à 1714, c'est la guerre de Succession d'Espagne, durant laquelle les armées royales doivent combattre la Hollande, l'Autriche et l'Angleterre. Les impôts se font de plus en plus pesants. La prospérité qu'avait établie Colbert est bientôt révolue. Depuis sa mort, en 1683, les difficultés s'accumulent que vient encore aggraver, en 1685, la révocation de l'édit de Nantes : persécutés, les protestants, qui avaient fortement contribué au développement économique, quittent la France en grand nombre.

Une lente remise en cause du classicisme

Les rigidités qui marquent le système politique n'épargnent pas la littérature. Le classicisme continue à s'imposer, mais souvent c'est sa lettre plutôt que son esprit qui est suivie : il tend à ne plus être qu'un ensemble de recettes qu'il convient d'appliquer, qu'une collection de règles qu'il importe de respecter. La vigueur de la querelle des Anciens et des Modernes (voir p. 416) montre cependant qu'une évolution commence à se produire : tandis que les partisans des Anciens, fidèles au classicisme, pensent qu'il faut s'inspirer des auteurs de l'Antiquité, les tenants des Modernes, tournés vers l'avenir, considèrent qu'il convient d'adapter la littérature à leur époque.

Une telle situation explique, à la fois, la lenteur des évolutions et la crise que connaissent les genres littéraires. La littérature d'idées, avec La Bruyère (1645-1696) et Fénelon (1651-1715), est encore solidement ancrée dans la tradition du XVIIe siècle. Mais il y apparaît une certaine aspiration aux réformes. Ce réformisme s'accentue avec Bayle (1647-1706) et Fontenelle (1657-1757), qui marquent un intérêt grandissant pour la littérature et les idées du nord de l'Europe, en particulier de l'Angleterre et de la Hollande, et annoncent ainsi les philosophes du XVIIIe siècle. La poésie, trop « raisonnable », trop didactique, est en pleine décadence et attend un souffle nouveau. Le genre romanesque est en crise. Il a épuisé les ressources de l'idéalisme et des thèmes historiques : Challe (1658-1720) ou Lesage (1668-1747) suivent la voie réaliste dont ils expérimentent de nouvelles possibilités, et Marivaux (1688-1763) viendra bientôt apporter une contribution décisive à ce renouvellement. Quant aux auteurs de théâtre, comme Regnard (1655-1709) ou Lesage, ils restent dépendants de l'inspiration de la période classique, se contentant d'y introduire quelques aménagements.

LES PRÉOCCUPATIONS SOCIALES ET POLITIQUES DE LA LITTÉRATURE D'IDÉES

LA BRUYÈRE, SAINT-SIMON, FÉNELON, BAYLE ET FONTENELLE

UN CERTAIN CHANGEMENT DE PERSPECTIVE

Comme durant la période précédente, la littérature d'idées fleurit en ces années 1685-1715. Les écrivains sont toujours aussi soucieux de communiquer, de faire connaître leur vision du monde. S'adressant essentiellement à un public mondain, ils doivent toujours éviter de tomber dans le défaut du pédantisme, chercher des formes qui leur permettent d'exposer leurs idées de façon plaisante.

Mais un certain changement de perspective commence à se manifester. La description des caractères et des comportements ne paraît plus suffisante. La Bruyère (1645-1696) dépasse l'étude des individus pour aborder l'analyse sociale et même politique, tandis que, dans ses *Mémoires*, Saint-Simon (1675-1755) révèle cruellement la sclérose du pouvoir royal et de la cour. De son côté, Fénelon (1651-1715), avec les *Aventures de Télémaque*, se sert du roman pour exprimer sa conception du pouvoir et de la société. Quant à Bayle (1647-1706) et Fontenelle (1657-1757), ils s'intéressent à tous les domaines de la culture, parlent aussi bien d'art, de littérature, de philosophie ou de science, et ouvrent ainsi la voie aux vulgarisateurs du XVIIIe siècle.

Jean-Antoine Watteau (1684-1721), *Le Petit savoyard*, dessin, Paris, musée du Petit Palais.

Une peinture sans concession de la société

La Bruyère est un bon exemple de ce double mouvement de changement et de continuité qui marque cette période. Il prolonge cette littérature d'analyse si répandue au XVIIe siècle. A la manière de La Rochefoucauld, il se sert, dans ses *Caractères*, d'une forme à la fois souple, concise et attrayante pour exposer ses idées. Mais la situation politique a évolué. Comme le montre, de l'intérieur, l'aristocrate Saint-Simon, la monarchie absolue, en se figeant, a accentué les ridicules : la peinture des caractères se fait donc plus acerbe. Par ailleurs, la situation économique, en se dégradant, souligne les failles du régime, rend les injustices plus criantes : l'analyse tend à faire place à la critique, le constat des vices et des manies tend à être remplacé par une protestation de plus en plus véhémente contre la misère du peuple et la richesse des privilégiés, contre une politique qui tolère de telles inégalités, qui multiplie les guerres. La Bruyère, dont l'expression est encore très influencée par le classicisme, annonce ainsi les cris de révolte et les appels à la réforme des philosophes du XVIIIe siècle.

Fénelon et l'emprise de la religion

La religion continue à inspirer la littérature. Ce n'est pas surprenant à une époque où son emprise sur le roi et sur la cour devient de plus en plus forte (voir p. 408). Dans le prolongement de Bossuet, l'éloquence sacrée séduit toujours. Parmi les prédicateurs réputés de cette période, Jean-Baptiste Massillon (1663-1742), qui, en 1715, prononcera l'oraison funèbre de Louis XIV, continue la tradition : orateur pathétique et soucieux de plaire, il aborde, en une expression concrète et élégante, des problèmes généraux, comme ceux de la guerre, de la mort et du pouvoir. Mais il innove aussi, en attirant l'attention sur les injustices et sur les abus. Cette volonté réformatrice de l'Église se retrouve chez Fénelon. Les *Aventures de Télémaque* constituent un véritable rappel à l'ordre à l'adresse des rois : Fénelon y précise nettement leur vocation qui est de se mettre au service du peuple.

L'esprit de tolérance et le sens du relatif

Cette affirmation d'une pensée qui estime indispensable la mise en œuvre de réformes dans le fonctionnement social s'accompagne du développement de l'esprit de tolérance. Les dangers de la croyance en une vérité intangible sont de plus en plus fréquemment mis en avant. Pour éviter l'intolérance et le fanatisme, il faut se convaincre de la relativité des choses, ne pas chercher à imposer ses convictions aux autres. Telle est la leçon qu'essaient de faire passer des écrivains comme Bayle ou Fontenelle, qui apparaissent comme des traits d'union entre les libertins du XVIIe siècle et les philosophes du XVIIIe siècle.

Jean de La Bruyère
1645-1696

Attribué à Nicolas de Largillière (1656-1746), *Portrait de La Bruyère*, Versailles, musée national du Château.

Les attraits de la carrière judiciaire

Né dans une famille bourgeoise parisienne, La Bruyère est attiré, comme beaucoup d'écrivains de l'époque, par la carrière judiciaire : c'est là en effet pour de jeunes bourgeois cultivés une voie qui leur permet de gagner honorablement leur vie (voir p. 316). Il fait donc des études de droit, obtient sa licence en 1665, puis devient avocat au Parlement. En 1673, il acquiert la charge de trésorier des finances à Caen, mais continue à habiter à Paris.

Au service de Condé

En 1684, sur la recommandation de Bossuet, il devient le précepteur du petit-fils du Grand Condé, le prestigieux homme de guerre. Ainsi assuré de revenus réguliers, il revend sa charge de trésorier des finances en 1686. Tantôt à Versailles, tantôt à Paris, tantôt à Chantilly, il s'occupe de l'éducation du jeune prince jusqu'en 1686, et restera au service de la famille jusqu'à sa mort. Il bénéficie d'une existence confortable. Mais il doit supporter le caractère dominateur et entier de Condé, puis de son fils. Quant à son élève, il n'est guère facile : c'est un adolescent violent et peu attiré par les études. La Bruyère doit s'accommoder de cette situation qui lui permet, par ailleurs, de disposer d'un lieu idéal d'observation des mœurs des grands.

Les Caractères : l'œuvre d'une vie

La Bruyère a joué un rôle important dans la querelle des Anciens et des Modernes (voir p. 416). Il est du parti des Anciens et c'est avec son appui qu'il est élu, en 1693, à l'Académie française. Il a également pris position dans le différend religieux qui éclate autour de Fénelon et du quiétisme (voir p. 404) : il rédigera les *Dialogues sur le quiétisme* (publiés en 1698) qui attaquent les partisans de la nouvelle doctrine. Mais l'œuvre de sa vie, ce sont incontestablement *Les Caractères* : comme La Rochefoucauld, il ne cesse de remanier son ouvrage au fil des éditions qui se succèdent en grand nombre.

Les Caractères (1688). → pp. 377 à 391.
Discours de réception à l'Académie française (1694).
Dialogues sur le quiétisme (1698).

Les Caractères

1688

La Bruyère commence, semble-t-il, à travailler à ses *Caractères* dès 1670. Mais la première édition ne paraît qu'en 1688. Elle est anonyme, comme si son auteur avait redouté de voir son ouvrage mal accueilli. C'est, au contraire, le succès : huit autres éditions verront le jour de son vivant, ce qui permettra à La Bruyère d'introduire de nombreuses modifications et de nombreux ajouts.

Les Caractères adoptent une composition morcelée. C'était alors courant : les lecteurs des milieux à la mode recherchaient des lectures peu prenantes, qui pouvaient être facilement interrompues, qui n'obligeaient pas à se souvenir de ce qui précède. *Les Caractères* se présentent comme une suite de maximes, de réflexions et de portraits. Au nombre de mille cent vingt, ces éléments, numérotés, prennent place dans seize chapitres dont les titres (« Des ouvrages de l'esprit », « Des femmes », « De la ville », etc.) indiquent les thèmes principaux. Le but de La Bruyère est clair : il s'agit de décrire les caractères et les mœurs de son temps, de révéler les ridicules et les injustices liés aux comportements humains.

Les dangers de l'excès

La Bruyère consacre de nombreux développements à montrer les dangers de l'excès qui voue l'homme à des comportements obsessionnels et le rend souvent ridicule. Le distrait, Ménalque, les collectionneurs comme Diphile, Arrias, qui « a tout lu, a tout vu », autant de personnages enfermés dans leurs stéréotypes, tout à leurs manies.

« Il demande ses gants, qu'il a dans ses mains »

Parmi les comportements dont se moque La Bruyère, certains sont heureusement inoffensifs. S'ils prêtent à rire, c'est parce qu'ils sont inadaptés. Et leur inadaptation éclate d'autant plus, leur ridicule est d'autant plus grand qu'ils sont pratiqués avec excès. Tel est le cas de la distraction caricaturale de Ménalque.

7.

Ménalque descend son escalier, ouvre sa porte pour sortir, il la referme : il s'aperçoit qu'il est en bonnet de nuit ; et venant à mieux s'examiner, il se trouve rasé à moitié, il voit que son épée est mise du côté droit[1], que ses bas sont rabattus sur ses talons, et que sa chemise est par-dessus ses chausses[2]. S'il marche dans les places, il se sent tout d'un coup rudement frappé à l'estomac[3] ou au visage ; il
5 ne soupçonne point ce que ce peut être jusqu'à ce qu'ouvrant les yeux et se réveillant, il se trouve ou devant un limon[4] de charrette, ou derrière un long ais[5] de menuiserie que porte un ouvrier sur ses épaules. On l'a vu une fois heurter du front contre celui d'un aveugle, s'embarrasser dans ses jambes, et tomber avec lui chacun de son côté à la renverse. Il lui est arrivé plusieurs fois de se trouver tête pour tête[6] à la rencontre d'un prince et sur son passage, se reconnaître à peine[7], et n'avoir que le loisir
10 de se coller à un mur pour lui faire place. Il cherche, il brouille[8], il crie, il s'échauffe, il appelle ses valets l'un après l'autre : *on lui perd tout, on lui égare tout ;* il demande ses gants, qu'il a dans ses mains, semblable à cette femme qui prenait le temps de demander son masque[9] lorsqu'elle l'avait sur son visage. Il entre à l'appartement[10], et passe sous un lustre où sa perruque s'accroche et

1. L'épée se portait du côté gauche.
2. Vêtement masculin qui couvrait le corps de la ceinture jusqu'aux pieds.
3. La poitrine.
4. Devant un brancard.
5. Une longue planche.
6. Face à face.
7. De prendre difficilement conscience de la situation.
8. Il bafouille, il bredouille.
9. Sorte de voilette que portaient les femmes pour protéger leur teint.
10. Il entre dans l'appartement du roi.

demeure suspendue : tous les courtisans regardent et
15 rient ; Ménalque regarde aussi et rit plus haut que les autres, il cherche des yeux dans toute l'assemblée où est celui qui montre ses oreilles, et à qui il manque une perruque. S'il va par la ville, après avoir fait quelque chemin, il se croit égaré, il s'émeut, et il demande où
20 il est à des passants, qui lui disent précisément le nom de sa rue ; il entre ensuite dans sa maison, d'où il sort précipitamment, croyant qu'il s'est trompé. Il descend du Palais[1], et trouvant au bas du grand degré un carrosse qu'il prend pour le sien, il se met dedans : le
25 cocher touche[2] et croit remener[3] son maître dans sa maison ; Ménalque se jette hors de la portière, traverse la cour, monte l'escalier, parcourt l'antichambre, la chambre, le cabinet[4], tout lui est familier, rien ne lui est nouveau ; il s'assied, il se repose, il est chez soi. Le maître arrive : celui-ci se lève pour le recevoir ; il le traite fort civilement[5], le prie de s'asseoir, et croit faire les honneurs de sa chambre ; il parle, il rêve, il reprend la parole : le maître de la maison s'ennuie, et demeure étonné ; Ménalque ne l'est pas moins, et ne dit pas ce qu'il en pense : il a affaire à un fâcheux[6], à un homme oisif, qui se retirera à la fin, il l'espère, et il prend patience : la nuit arrive qu'il est à peine détrompé. Une autre fois il rend visite à une femme, et, se persuadant bientôt que c'est lui qui la reçoit, il
40 s'établit dans son fauteuil[7], et ne songe nullement à l'abandonner : il trouve ensuite que cette dame fait ses visites longues, il attend à tous moments qu'elle se lève et le laisse en liberté ; mais comme cela tire en longueur, qu'il a faim, et que la nuit est déjà avancée, il la prie à souper : elle rit, et si haut, qu'elle le réveille. Lui-même se marie le matin, l'oublie le soir, et découche la nuit de ses noces ; et quelques années après il perd sa femme, elle meurt entre ses bras, il assiste à ses obsèques, et le lendemain, quand on lui vient dire qu'on a servi, il demande si sa femme est prête et si elle est avertie.

Les Caractères, « De l'homme », 7.

Nicolas Bonnart (1646-1718), *Homme en robe de chambre*, gravure, Paris, B.N.
Cela aurait été le comble de la distraction pour Ménalque que de sortir en robe de chambre, ce vêtement d'intérieur qui apparaît au XVIIe siècle.

Pour préparer l'étude du texte

1. Vous étudierez l'art du portrait, en montrant que sa précision vient d'un procédé d'accumulation ainsi que de la diversité des situations, des personnages et des lieux.
2. Vous analyserez ce qui fait le comique de ce portrait, en insistant plus particulièrement sur le procédé de la répétition.
3. Quels renseignements ce texte fournit-il sur la vie quotidienne au XVIIe siècle ?

1. Du Palais de justice.
2. Touche les chevaux de son fouet pour les faire avancer.
3. Ramener, reconduire.
4. Le cabinet de travail, le bureau.
5. Fort poliment.
6. A un importun.
7. Il s'installe dans son fauteuil.

« Il rêve la nuit qu'il mue ou qu'il couve »

Dans le chapitre « De la mode », La Bruyère se penche sur les collectionneurs qui, en se livrant tout entiers à leur passion, apparaissent comme des extravagants ridicules.

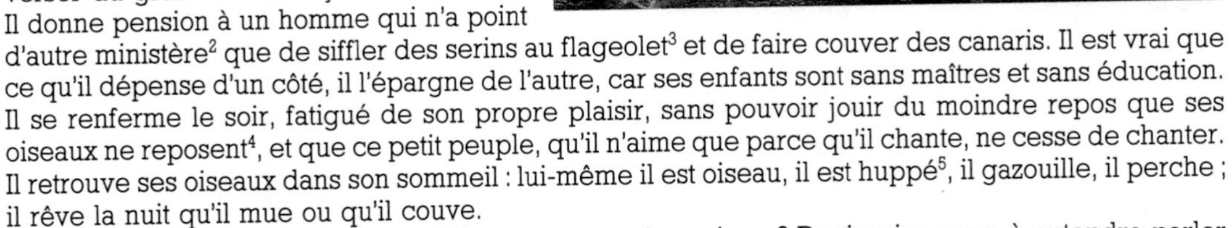

Anonyme XVIIe siècle, *Oiseaux*, Strasbourg, musée des Beaux-Arts.

2.

Diphile commence par un oiseau et finit par mille : sa maison n'en est pas égayée, mais empestée. La cour, la salle, l'escalier, le vestibule, les chambres, le cabinet[1], tout est volière ; ce n'est plus un ramage, c'est un vacarme : les vents d'automne et les eaux dans leurs plus grandes crues ne font pas un bruit si perçant et si aigu ; on ne s'entend non plus parler les uns les autres que dans ces chambres où il faut attendre, pour faire le compliment d'entrée, que les petits chiens aient aboyé. Ce n'est plus pour Diphile un agréable amusement, c'est une affaire laborieuse, et à laquelle à peine il peut suffire. Il passe les jours, ces jours qui échappent et qui ne reviennent plus, à verser du grain et à nettoyer des ordures. Il donne pension à un homme qui n'a point d'autre ministère[2] que de siffler des serins au flageolet[3] et de faire couver des canaris. Il est vrai que ce qu'il dépense d'un côté, il l'épargne de l'autre, car ses enfants sont sans maîtres et sans éducation. Il se renferme le soir, fatigué de son propre plaisir, sans pouvoir jouir du moindre repos que ses oiseaux ne reposent[4], et que ce petit peuple, qu'il n'aime que parce qu'il chante, ne cesse de chanter. Il retrouve ses oiseaux dans son sommeil : lui-même il est oiseau, il est huppé[5], il gazouille, il perche ; il rêve la nuit qu'il mue ou qu'il couve.

Qui pourrait épuiser tous les différents genres de curieux ? Devineriez-vous, à entendre parler celui-ci de son *léopard*, de sa *plume*, de sa *musique*[6], les vanter comme ce qu'il y a sur la terre de plus singulier et de plus merveilleux, qu'il veut vendre ses coquilles ? Pourquoi non, s'il les achète au poids de l'or ?

Cet autre aime les insectes ; il en fait tous les jours de nouvelles emplettes : c'est surtout le premier homme de l'Europe pour les papillons ; il en a de toutes les tailles et de toutes les couleurs. Quel temps[7] prenez-vous pour lui rendre visite ? Il est plongé dans une amère douleur ; il a l'humeur noire, chagrine, et dont toute la famille souffre : aussi a-t-il fait une perte irréparable. Approchez, regardez ce qu'il vous montre sur son doigt, qui n'a plus de vie et qui vient d'expirer : c'est une chenille, et quelle chenille !

Les Caractères, « De la mode », 2.

Pour préparer l'étude du texte

1. Vous montrerez comment La Bruyère insiste sur l'excès que mettent ces trois collectionneurs dans la pratique de leur occupation favorite.
2. Vous analyserez les conséquences néfastes que ces comportements entraînent pour les collectionneurs eux-mêmes dans leur vie personnelle et sociale et pour leur entourage.
3. Quelle morale individuelle et sociale pourrait-on tirer de ces portraits ?

1. Le cabinet de travail, le bureau.
2. D'autre fonction.
3. D'apprendre à siffler aux serins à l'aide d'une petite flûte.
4. Avant que ses oiseaux reposent.
5. Il a une huppe.
6. Noms de coquillages.
7. Quel moment.

« Arrias a tout lu, a tout vu »

Dans le chapitre « De la société », La Bruyère évoque cette véritable peste des conversations : l'homme universel, celui qui est au courant de tout, ce « Monsieur je sais tout » qui ne cesse de jouer à l'important.

9.

Arrias a tout lu, a tout vu, il veut le persuader ainsi ; c'est un homme universel, et il se donne pour tel : il aime mieux mentir que de se taire ou de paraître ignorer quelque chose. On parle à la table d'un grand d'une cour du Nord : il prend la parole, et l'ôte à ceux qui allaient dire ce qu'ils en savent ; il s'oriente dans cette région lointaine comme s'il en était originaire ; il discourt des mœurs de cette
5 cour, des femmes du pays, de ses lois et de ses coutumes ; il récite des historiettes qui y sont arrivées ; il les trouve plaisantes, et il en rit le premier jusqu'à éclater. Quelqu'un se hasarde de le contredire, et lui prouve nettement qu'il dit des choses qui ne sont pas vraies. Arrias ne se trouble point, prend feu au contraire contre l'interrupteur[1] : « Je n'avance, lui dit-il, je ne raconte rien que je ne sache d'original : je l'ai appris de *Sethon*, ambassadeur de France dans cette cour, revenu à Paris depuis
10 quelques jours, que je connais familièrement, que j'ai fort interrogé, et qui ne m'a caché aucune circonstance. » Il reprenait le fil de sa narration avec plus de confiance qu'il ne l'avait commencée, lorsque l'un des conviés[2] lui dit : « C'est Sethon à qui vous parlez, lui-même, et qui arrive de son ambassade. »

Les Caractères, « De la société », 9.

Pour préparer l'étude du texte

1. Vous montrerez, par une analyse précise des formulations, comment s'exprime la présence suffisante et pédante d'Arrias (accumulation de verbes, reprise de « il », style direct, brièveté et timidité des interventions des autres).
2. En quoi l'attitude d'Arrias va-t-elle à l'encontre des règles de savoir-vivre, de politesse et de modestie qui prévalent dans la vie sociale ?
3. Vous analyserez l'efficacité de la chute. Pourquoi La Bruyère ne précise-t-il pas les réactions d'Arrias ?

La longue tradition du portrait

Le portrait est un genre à la mode dans la littérature du XVIIe siècle. Très apprécié des habitués des salons, il fleurit aussi bien dans le théâtre, avec Molière (voir p. 182), dans le roman, avec Madame de La Fayette (voir p. 323), dans la poésie, avec Saint-Amant (voir p. 63) et connaît un développement considérable dans la littérature d'idées, avec le cardinal de Retz (voir p. 273) ou Saint-Simon (voir p. 397).

Mais ce n'est pas une invention de l'époque. Il s'appuie sur une longue tradition qui remonte à l'Antiquité. La Bruyère, qui a porté le genre à son point de perfection, s'inspire lui-même de l'écrivain et philosophe grec Théophraste (371 ?-288 ? av. J.-C.). Il fait d'ailleurs précéder ses *Caractères* d'une traduction de son modèle et intitule son ouvrage : *Les Caractères de Théophraste traduits du grec, avec les Caractères ou les Mœurs de ce siècle.*

Voici le portrait du propagateur de nouvelles, que l'on pourra comparer avec celui d'Arrias.

DU DÉBIT DES NOUVELLES[3]

*Un nouvelliste[4] ou un conteur de fables[5] est un homme qui arrange, selon son caprice, des discours et des faits remplis de fausseté ; qui, lorsqu'il rencontre l'un de ses amis, compose son visage, et lui souriant : « D'où venez-vous ainsi ? lui dit-il ; que nous direz-vous de bon ? n'y a-t-il rien de nouveau ? » Et continuant de l'interroger : « Quoi
5 donc ? n'y a-t-il aucune nouvelle ? cependant il y a des choses étonnantes à raconter. » Et sans lui donner le loisir de lui répondre : « Que dites-vous donc ? poursuit-il ; n'avez-vous rien entendu par la ville ? Je vois bien que vous ne savez rien, et que je*

1. S'emporte, au contraire, contre celui qui l'interrompt.
2. L'un des invités.
3. Le fait de débiter, de propager des nouvelles.
4. Celui qui propage des nouvelles.
5. Celui qui conte des choses inventées, fausses.

vais vous régaler de grandes nouveautés. » Alors, ou c'est un soldat, ou le fils d'Astée le joueur de flûte[1]*, ou Lycon l'ingénieur, tous gens qui arrivent fraîchement de l'armée,*
10 *de qui il sait toutes choses ; car il allègue pour témoins de ce qu'il avance des hommes obscurs qu'on ne peut trouver pour les convaincre de fausseté. Il assure donc que ces personnes lui ont dit que le Roi*[2] *et Polysperchon*[3] *ont gagné la bataille, et que Cassandre*[4]*, leur ennemi, est tombé vif entre leurs mains. Et lorsque quelqu'un lui dit : « Mais en vérité, cela est-il croyable ? », il lui réplique que cette nouvelle se crie et*
15 *se répand par toute la ville, que tous s'accordent à dire la même chose, que c'est tout ce qui se raconte du combat, et qu'il y a eu un grand carnage. Il ajoute qu'il a lu cet événement sur le visage de ceux qui gouvernent, qu'il y a un homme caché chez l'un de ces magistrats depuis cinq jours entiers, qui revient de la Macédoine*[5]*, qui a tout vu et qui lui a tout dit. Ensuite, interrompant le fil de sa narration : « Que pensez-vous*
20 *de ce succès ? » demande-t-il à ceux qui l'écoutent. « Pauvre Cassandre ! malheureux prince ! s'écrie-t-il d'une manière touchante. Voyez ce que c'est que la fortune ; car enfin Cassandre était puissant, et il avait avec lui de grandes forces. Ce que je vous dis, poursuit-il, est un secret qu'il faut garder pour vous seul », pendant qu'il court par toute la ville le débiter à qui le veut entendre. Je vous avoue que ces diseurs de*
25 *nouvelles me donnent de l'admiration, et que je ne conçois pas quelle est la fin*[6] *qu'ils se proposent ; car pour ne rien dire de la bassesse qu'il y a à toujours mentir, je ne vois pas qu'ils puissent recueillir le moindre fruit de cette pratique. Au contraire, il est arrivé à quelques-uns de se laisser voler leurs habits dans un bain public, pendant qu'ils ne songeaient qu'à rassembler autour d'eux une foule de peuple, et à lui conter des*
30 *nouvelles. Quelques autres, après avoir vaincu sur mer et sur terre dans le Portique*[7]*, ont payé l'amende pour n'avoir pas comparu à une cause appelée*[8]*. Enfin il s'en est trouvé qui le jour même qu'ils ont pris une ville, du moins par leurs beaux discours, ont manqué de dîner. Je ne crois pas qu'il y ait rien de si misérable que la condition de ces personnes ; car quelle est la boutique, quel est le portique, quel est l'endroit*
35 *d'un marché public où ils ne passent tout le jour à rendre sourds ceux qui les écoutent, ou à les fatiguer par leurs mensonges ?*

Théophaste, Les Caractères, Du débit des nouvelles.

Pour une étude comparée

Vous comparerez le portrait d'Arrias (voir p. 380) et celui du « nouvelliste », en insistant plus particulièrement sur les points suivants :

1. **Le jeu des apparences.** Vous analyserez les procédés utilisés par les deux personnages pour donner l'impression qu'ils connaissent ce qu'en fait ils ignorent.

2. **L'art du portrait.** Vous mettrez en parallèle les techniques mises en œuvre par les auteurs pour brosser les portraits (actions, comportements, propos, regard des autres).

3. **Imitation et adaptation.** Vous montrerez comment, dans son imitation de Théophraste, La Bruyère condense et actualise soigneusement les données que lui fournit son modèle.

Pour un groupement de textes

L'art du portrait dans :
L'Astrée (voir p. 40) d'Honoré d'Urfé,
Madrigal (voir p. 63) de Saint-Amant,
Les Fâcheux (voir p. 182) de Molière,
Les *Mémoires* (voir p. 273) du cardinal de Retz,
Le Roman bourgeois (voir p. 312) d'Antoine Furetière,
La Princesse de Clèves (voir p. 323) de Madame de La Fayette,
Les *Caractères* (voir p. 377) de Jean de La Bruyère,
Les *Mémoires* (voir p. 397) de Saint-Simon,
Le Joueur (voir p. 427) de Jean-François Regnard.

1. La flûte était un instrument répandu dans l'armée grecque.
2. Aridée, le frère du célèbre conquérant, Alexandre le Grand (356-323 av. J.-C.), auquel il succède en 323 av. J.-C.
3. Capitaine d'Alexandre.
4. Cassandre, qui disputait à Aridée et à Polysperchon la tutelle des enfants d'Alexandre, avait été en fait victorieux.
5. La bataille s'était déroulée en Macédoine, région située au nord de la Grèce.
6. Le but.
7. Galerie à colonnes, lieu de promenade. « Vaincre dans le Portique » signifie « vaincre en paroles », « jouer au stratège ».
8. Les personnes qui ne répondaient pas à une convocation du tribunal devaient payer une amende.

La dénonciation des abus et des injustices

La Bruyère approfondit son analyse, en montrant les conséquences sociales et politiques des comportements. Il dénonce la corruption que provoque l'argent. Il stigmatise les injustices et les inégalités. Il s'indigne au constat de la fascination que la guerre exerce sur l'être humain. La pratique religieuse n'échappe pas à sa critique : il en révèle les excès et les ambiguïtés. Mais dans ce monde perverti, il ne renonce pas néanmoins à espérer une société où régneraient la justice et la sagesse.

Dame de qualité à l'église, gravure XVIIe siècle, Paris, B.N.

« Quelle monstrueuse fortune en moins de six années ! »

Dans le chapitre « Des biens de fortune », La Bruyère ne se contente plus de faire rire des comportements individuels. C'est l'organisation sociale même qu'il condamne, en mettant en scène les parvenus, ceux qui se sont enrichis plus ou moins honnêtement, ceux qui sont corrompus par l'argent.

16.

Arfure[1] cheminait seule et à pied vers le grand portique[2] de Saint**[3], entendait de loin le sermon d'un carme[4] ou d'un docteur[5] qu'elle ne voyait qu'obliquement, et dont elle perdait bien des paroles. Sa vertu était obscure, et sa dévotion connue comme sa personne. Son mari est entré dans le *huitième denier*[6] : quelle monstrueuse fortune en moins de six années ! Elle n'arrive à l'église que dans un char ; 5 on lui porte une lourde queue[7] ; l'orateur s'interrompt pendant qu'elle se place ; elle le voit de front, n'en perd pas une seule parole ni le moindre geste. Il y a une brigue[8] entre les prêtres pour la confesser ; tous veulent l'absoudre, et le curé l'emporte.

17.

L'on porte *Crésus*[9] au cimetière : de toutes ses immenses richesses, que le vol et la concussion[10] lui avaient acquises, et qu'il a épuisées par le luxe et par la bonne chère, il ne lui est pas demeuré de 10 quoi se faire enterrer ; il est mort insolvable, sans biens, et ainsi privé de tous les secours : l'on n'a vu chez lui ni julep[11], ni cordiaux[12], ni médecins, ni le moindre docteur[13] qui l'ait assuré de son salut.

1. La Bruyère évoque d'abord la situation d'Arfure, avant l'enrichissement de son mari.
2. Galerie à colonnes.
3. La Bruyère se garde de nommer une église précise.
4. Religieux de l'ordre du Carmel.
5. Docteur en théologie.
6. Nom de l'impôt que devaient payer les acquéreurs de biens ecclésiastiques.
7. Une lourde traîne.
8. Une concurrence, une rivalité.
9. La Bruyère donne à son personnage le nom du roi de Lydie, Crésus (Ve siècle av. J.-C.), célèbre pour sa richesse.
10. Malversation, perception illicite d'argent par un agent public.
11. Médicament.
12. Boissons fortifiantes.
13. Le moindre docteur en théologie.

18.
Champagne, au sortir d'un long dîner qui lui enfle l'estomac, et dans les douces fumées d'un vin d'Avenay ou de Sillery[1], signe un ordre qu'on lui présente, qui ôterait le pain à toute une province si l'on n'y remédiait. Il est excusable : quel moyen de comprendre, dans la première heure de la
15 digestion, qu'on puisse quelque part mourir de faim ?

19.
Sylvain de ses deniers[2] a acquis de la naissance et un autre nom : il est seigneur de la paroisse où ses aïeuls[3] payaient la taille[4] : il n'aurait pu autrefois entrer page chez *Cléobule*, et il est son gendre.

Les Caractères, « Des biens de fortune », 16, 17, 18, 19.

Pour préparer l'étude du texte

1. La Bruyère attaque ici les partisans, c'est-à-dire les fermiers généraux qui étaient chargés du recouvrement des impôts (voir p. 315). Vous analyserez les accusations qu'il porte contre eux, en relevant l'accumulation des termes négatifs. Vous montrerez, en particulier, comment sont soulignés les effets de l'argent (modification de la situation initiale, indifférence aux autres, solitude, arrogance).
2. Vous dégagerez l'ironie mordante des formulations.
3. La Bruyère évoque, à travers de courts portraits, les différentes étapes de la vie d'un fermier général du XVIIe siècle. Vous les reconstituerez. Pourquoi utilise-t-il de nombreuses notations qui renvoient à l'ancienne Rome ?

Un style burlesque

Dans son étude sur *Les Caractères de La Bruyère*, Robert Garapon note l'importance du burlesque (voir p. 84) dans le style de cet auteur qui prolonge ainsi Scarron, mais qui, par sa volonté de démystification, annonce aussi les écrivains du XVIIIe siècle.

Comme Scarron et ses émules[5], notre auteur a un faible pour tout ce qui touche au travestissement, et cette recette burlesque lui sert beaucoup, à n'en pas douter, pour égayer ses tableaux. Nous l'avons dit, plus il va, et plus il aime à donner aux scènes dont il est le spectateur une couleur empruntée à la vénérable antiquité. (Il y a dans
5 Les Caractères *quelque chose qui annonce les anachronismes amusants du théâtre de Giraudoux[6].) Mais voici, à l'inverse, qui devance Dufresny et ses* Amusements sérieux et comiques[7] *et le Montesquieu des* Lettres persanes[8] *: en deux ou trois passages, La Bruyère décrit les habitudes de la ville ou de la cour comme pourrait le faire un voyageur étranger. Relisez surtout le tableau qu'il peint de Versailles en empruntant*
10 *la manière dont les pères Jésuites parlent des peuplades de la Nouvelle France[9] (*De la cour, *74) : le déguisement est ici purement burlesque, car présenter les courtisans sous les traits de sauvages d'Amérique, n'est-ce pas la même chose que de traiter les dieux et les héros comme des faquins[10] ? Grâce à quoi, le moraliste va insinuer des pointes satiriques singulièrement hardies, sans dissiper pour autant la gaieté de*
15 *l'ensemble.*

Mais la drôlerie des peintures de La Bruyère est liée plus intimement encore au burlesque. En effet, le burlesque ne se borne pas à une recherche systématique de la dissonance dans le langage, il ne s'arrête pas au plaisir de traiter avec pompe[11] des choses triviales[12] et avec trivialité des choses nobles. Il se reconnaît aussi à une sorte

1. Vins célèbres de Champagne.
2. Avec son argent. En achetant des terres, les bourgeois achetaient les titres de noblesse qui leur étaient attachés.
3. Ses ancêtres.
4. Impôt payé par les roturiers.
5. Les auteurs qui, comme Scarron, pratiquent le burlesque.
6. Auteur de théâtre du XXe siècle, Jean Giraudoux (1882-1944) situe durant l'Antiquité l'action de certaines de ses pièces comme *Amphitryon 38* ou *La Guerre de Troie n'aura pas lieu*, mais y introduit volontairement des traits de son époque.
7. Dans les *Amusements sérieux et comiques d'un Siamois*, Charles Dufresny (1648-1724) joue sur le décalage entre les mœurs siamoises et les mœurs françaises.
8. Dans les *Lettres persanes* de Montesquieu (1689-1755), un Persan écrit ses étonnements au spectacle des mœurs françaises.
9. Le Canada.
10. Comme des hommes méprisables.
11. Dans un style noble.
12. Des choses basses, grossières.

20 *de méfiance instinctive des grandeurs d'établissement[1], au sens pascalien du terme, et à un irrespect profond vis-à-vis des normes et des cadres fixés par la société [...]. Or, notre moraliste adopte quasi constamment une attitude identique : il refuse* mordicus[2] *de s'en laisser imposer, et il invite son lecteur à l'imiter, c'est-à-dire à découvrir la dissonance fondamentale entre les prétentions humaines et le peu de justification*
25 *qu'elles ont dans la réalité. On se souvient de cette réflexion du chapitre « Des biens de fortune » (nº 25) :*

« Si vous entrez dans les cuisines, [...] si vous voyez tout le repas ailleurs que sur une table bien servie, quelles saletés ! quel dégoût ! Si vous allez derrière un théâtre, et si vous nombrez les poids, les roues, les cordages qui font les vols et les machines,
30 *[...] vous vous récrierez : "Quels efforts ! quelle violence !" »*

Sans cesse, La Bruyère nous invite à passer par l'office ou par les coulisses, à découvrir les pauvretés qui se cachent sous des dehors magnifiques et à nous amuser de ces contrastes et de ces vanités.

« De bien des gens, *a-t-il encore écrit,* il n'y a que le nom qui vale quelque chose.
35 Quand vous les voyez de fort près, c'est moins que rien ; de loin, ils imposent » *(« Du mérite personnel », 2). Refusant l'étiquette[3] de la vie sociale, les expressions révérencieuses et les euphémismes[4] de la politesse, il s'offre fréquemment le plaisir de dégonfler les baudruches et il nous suggère de comparer, pour notre amusement, les deux aspects qu'il nous donne du même personnage.*

Robert Garapon, Les Caractères de La Bruyère, La Bruyère au travail, *Paris, SEDES, 1978.*

« L'on voit certains animaux farouches »

Le comportement des fermiers généraux n'est qu'une manifestation entre autres de l'injustice sociale qui règne dans une France où l'inégalité triomphe, où, à côté d'immenses fortunes, se cache la misère la plus noire.

126.
Tels hommes passent une longue vie à se défendre des uns et à nuire aux autres, et ils meurent consumés de vieillesse, après avoir causé autant de maux qu'ils en ont souffert.

127.
Il faut des saisies de terre et des enlèvements de meubles, des prisons et des supplices, je l'avoue ; mais justice, lois et besoins à part, ce m'est une chose toujours nouvelle de contempler avec quelle
5 férocité les hommes traitent d'autres hommes.

128.
L'on voit certains animaux farouches, des mâles et des femelles, répandus par la campagne, noirs, livides et tout brûlés du soleil, attachés à la terre qu'ils fouillent et qu'ils remuent avec une opiniâtreté[5] invincible ; ils ont comme une voix articulée, et quand ils se lèvent sur leurs pieds, ils montrent une face humaine, et en effet ils sont des hommes. Ils se retirent la nuit dans des tanières, où ils vivent
10 de pain noir, d'eau et de racines ; ils épargnent aux autres hommes la peine de semer, de labourer et de recueillir[6] pour vivre, et méritent ainsi de ne pas manquer de ce pain qu'ils ont semé.

129.
Don Fernand[7], dans sa province, est oisif, ignorant, médisant, querelleux[8], fourbe, intempérant[9], impertinent ; mais il tire l'épée contre ses voisins, et pour un rien il expose sa vie ; il a tué des hommes, il sera tué.

130.
15 Le noble de province, inutile à sa patrie, à sa famille et à lui-même, souvent sans toit, sans habits et sans aucun mérite, répète dix fois le jour qu'il est gentilhomme, traite les fourrures et les mortiers de bourgeoisie[10], occupe toute sa vie de ses parchemins et de ses titres, qu'il ne changerait pas contre les masses d'un chancelier[11].

Les Caractères, « De l'homme », 126, 127, 128, 129, 130.

1. Des grandeurs qui viennent d'une situation sociale, fruit des conventions.
2. Avec ténacité.
3. Le cérémonial.
4. Les adoucissements.
5. Un acharnement.
6. De récolter.
7. Pour prendre quelque distance, La Bruyère donne à son personnage un nom espagnol.
8. Querelleur.
9. Excessif dans son comportement.
10. La fourrure et le bonnet caractérisaient le vêtement des magistrats.
11. Les masses, bâtons de cérémonie, symboles du pouvoir du chancelier, le chef suprême de la justice.

L'appât du gain fauché par la mort, gravure XVIIe siècle, Paris, B.N.

Pour préparer l'étude du texte

1. Vous étudierez comment s'exprime la dénonciation des inégalités dans une société où les forts ont tout pouvoir sur les faibles.
2. Le passage qui va de la ligne 6 à la ligne 11 est un des plus célèbres de La Bruyère. Vous l'analyserez, en notant comment l'auteur rend compte de la misère extrême des paysans et de l'injustice de leur sort (réalisme des images, comparaison avec les animaux, ironie amère de la conclusion).
3. Sur quels traits de caractère et de comportement repose la critique des nobles ?

« Le peuple paisible [...] respire le feu et le sang »

Encore pire que la violence individuelle, la violence collective exerce ses ravages. La guerre non seulement n'est pas ressentie par l'homme comme cruelle et injuste, mais provoque chez lui une véritable fascination.

9.

La guerre a pour elle l'antiquité ; elle a été dans tous les siècles : on l'a toujours vue remplir le monde de veuves et d'orphelins, épuiser les familles d'héritiers[1], et faire périr les frères à une même bataille. Jeune Soyecour ! je regrette ta vertu, ta pudeur, ton esprit déjà mûr, pénétrant, élevé, sociable ; je plains cette mort prématurée qui te joint à ton intrépide frère[2], et t'enlève à une cour où tu n'as fait que te montrer : malheur déplorable, mais ordinaire ! De tout temps les hommes, pour quelque morceau de terre de plus ou de moins, sont convenus entre eux de se dépouiller[3], se brûler, se tuer, s'égorger les uns les autres ; et pour le faire plus ingénieusement et avec plus de sûreté, ils ont inventé de belles règles qu'on appelle l'art militaire ; ils ont attaché à la pratique de ces règles la gloire ou

1. Vider les familles de leurs héritiers.
2. Allusion à la mort, au cours de combats, de deux jeunes frères qui faisaient partie d'une famille à laquelle La Bruyère était lié par des liens d'amitié.
3. Ont convenu entre eux de se dépouiller, sont d'accord entre eux pour se dépouiller.

Pieter Meulener (1602-1654), *Charge de cavalerie*, Rouen, musée des Beaux-Arts.
« Ils ont inventé de belles règles que l'on appelle l'art militaire ».

la plus solide réputation ; et ils ont depuis renchéri de siècle en siècle sur la manière de se détruire
10 réciproquement. De l'injustice des premiers hommes, comme de son unique source, est venue la guerre, ainsi que la nécessité où ils se sont trouvés de se donner des maîtres qui fixassent leur droits et leurs prétentions. Si, content du sien, on eût pu s'abstenir du bien de ses voisins, on avait pour toujours la paix et la liberté.

10.

Le peuple paisible dans ses foyers, au milieu des siens, et dans le sein d'une grande ville où il n'a
15 rien à craindre ni pour ses biens ni pour sa vie, respire le feu et le sang, s'occupe de guerres, de ruines, d'embrasements[1] et de massacres, souffre[2] impatiemment que des armées qui tiennent la campagne ne viennent point à se rencontrer, ou si elles sont une fois en présence, qu'elles ne combattent point, ou si elles se mêlent, que le combat ne soit pas sanglant et qu'il y ait moins de dix mille hommes sur la place. Il va même souvent jusques à oublier ses intérêts les plus chers, le repos
20 et la sûreté, par l'amour qu'il a pour le changement, et par le goût de la nouveauté ou des choses extraordinaires[3]. Quelques-uns consentiraient à voir une autre fois les ennemis aux portes de Dijon ou de Corbie[4], à voir tendre des chaînes[5] et faire des barricades, pour le seul plaisir d'en dire ou d'en apprendre la nouvelle.

Les Caractères, « Du souverain », 9, 10.

Pour préparer le commentaire composé

1. **L'injustice humaine.** C'est la première cause des guerres selon La Bruyère. Vous montrerez l'indignation contenue avec laquelle l'auteur décrit la cruauté et la cupidité de l'homme.
2. **Le goût de la nouveauté.** C'est la deuxième explication donnée à l'attirance qu'exerce la guerre. Vous étudierez ce thème, en insistant plus particulièrement sur le jeu des oppositions qui le souligne.
3. **Un projet humaniste.** Vous replacerez cette condamnation de la guerre dans la vision humaniste de La Bruyère (dénonciation qui doit conduire à la réflexion, appel à l'émotion, respect d'autrui, tolérance).

1. D'incendies.
2. Supporte.
3. Qui sortent de l'ordinaire, exceptionnelles.
4. En 1636, les troupes autrichiennes avaient pris Corbie, puis menacé Dijon.
5. On tendait des chaînes pour interdire des entrées de villes, des rues ou des ports.

« Jusques où les hommes ne se portent-ils point par l'intérêt de la religion ! »

Dans le chapitre « Des esprits forts », La Bruyère souligne la diversité des comportements religieux. Il montre qu'ils sont souvent marqués par l'excès et s'attarde plus particulièrement sur la pratique des libertins et des faux dévots.

24.
Jusques où les hommes ne se portent-ils point par l'intérêt de la religion, dont ils sont si peu persuadés, et qu'ils pratiquent si mal !

25.
Cette même religion que les hommes défendent avec chaleur et avec zèle contre ceux qui en ont une toute contraire, ils l'altèrent eux-mêmes dans leur esprit par des sentiments particuliers : ils y
5 ajoutent et ils en retranchent mille choses souvent essentielles, selon ce qui leur convient, et ils demeurent fermes et inébranlables dans cette forme qu'ils lui ont donnée. Ainsi, à parler populairement, on peut dire d'une seule nation qu'elle vit sous un même culte, et qu'elle n'a qu'une seule religion ; mais, à parler exactement, il est vrai qu'elle en a plusieurs, et que chacun presque y a la sienne.

26.
10 Deux sortes de gens fleurissent dans les cours, et y dominent dans divers temps, les libertins et les hypocrites : ceux-là gaiement, ouvertement, sans art et sans dissimulation ; ceux-ci finement, par des artifices, par la cabale[1]. Cent fois plus épris de la fortune que les premiers, ils en sont jaloux jusqu'à l'excès ; ils veulent la gouverner, la posséder seuls, la partager entre eux et en exclure tout autre ; dignités, charges, postes, bénéfices, pensions, honneurs, tout leur convient et ne convient qu'à eux ;
15 le reste des hommes en est indigne ; ils ne comprennent point que sans leur attache[2] on ait l'impudence de les espérer. Une troupe de masques entre dans un bal : ont-ils la main, ils dansent, ils se font danser les uns les autres, ils dansent encore, ils dansent toujours[3] ; ils ne rendent la main à personne de l'assemblée, quelque digne qu'elle soit de leur attention : on languit, on sèche[4] de les voir danser et de ne danser point : quelques-uns murmurent ; les plus sages prennent leur parti et
20 s'en vont.

27.
Il y a deux espèces de libertins : les libertins, ceux du moins qui croient l'être, et les hypocrites ou faux dévots, c'est-à-dire ceux qui ne veulent pas être crus libertins : les derniers dans ce genre-là sont les meilleurs.

Le faux dévot ou ne croit pas en Dieu, ou se moque de Dieu ; parlons de lui obligeamment : il
25 ne croit pas en Dieu.

Les Caractères, « Des esprits forts », 24, 25, 26, 27.

Pour préparer l'étude du texte

1. Vous relèverez les différents comportements religieux que décrit La Bruyère. Quel jugement porte-t-il sur eux ?
2. Vous essaierez de préciser la position de La Bruyère face à la foi.
3. Vous montrerez comment la religion est, à cette époque, intimement liée à la société et à la politique.
4. Vous étudierez l'alternance de l'analyse et du portrait qui caractérise ce texte.

Pour un groupement de textes

La polémique religieuse dans :
La Mort d'Agrippine (voir p. 98) de Cyrano de Bergerac,
Les *Lettres à un provincial* (voir p. 114) de Blaise Pascal,
Dom Juan (voir p. 201) de Molière,
La *Conversation du maréchal d'Hocquincourt avec le père Canaye* (voir p. 307) de Charles de Saint-Evremond,
Les *Caractères* (voir p. 387) de Jean de La Bruyère,
L'*Histoire des oracles* (voir p. 415) de Fontenelle.

1. Par l'intrigue.
2. Sans leur assentiment.
3. Lorsque des masques se présentaient dans un bal, il était poli de les inviter à danser. Mais ils pouvaient ne pas rendre la politesse, garder la main, c'est-à-dire monopoliser la danse, et empêcher ainsi les autres de danser.
4. On s'ennuie.

Jérome Janssens (1624-1690), *Personnages devant un palais*, Dunkerque, musée municipal.

« Se faire valoir par des choses qui ne dépendent point des autres »

Devant ce tableau des vices et des ridicules, faut-il désespérer, faut-il renoncer à lutter ? La Bruyère, s'il exprime une vision pessimiste de l'homme, se prend à rêver à un monde idéal où le vrai mérite serait reconnu.

11.

Se faire valoir[1] par des choses qui ne dépendent point des autres, mais de soi seul, ou renoncer à se faire valoir : maxime inestimable et d'une ressource infinie dans la pratique, utile aux faibles, aux vertueux, à ceux qui ont de l'esprit, qu'elle rend maîtres de leur fortune[2] ou de leur repos : pernicieuse pour les grands, qui diminuerait leur cour, ou plutôt le nombre de leurs esclaves, qui ferait tomber leur morgue[3] avec une partie de leur autorité, et les réduirait presque à leurs entremets[4] et à leurs équipages[5] ; qui les priverait du plaisir qu'ils sentent à se faire prier, presser, solliciter, à faire attendre ou à refuser, à promettre et à ne pas donner ; qui les traverserait[6] dans le goût qu'ils ont quelquefois à mettre les sots en vue et à anéantir le mérite quand il leur arrive de le discerner ; qui bannirait des cours les brigues, les cabales, les mauvais offices, la bassesse, la flatterie, la fourberie ; qui ferait d'une cour orageuse, pleine de mouvements et d'intrigues, comme une pièce comique ou même tragique, dont les sages ne seraient que les spectateurs ; qui remettrait de la dignité dans les différentes conditions des hommes, de la sérénité sur leurs visages ; qui étendrait leur liberté ; qui réveillerait en eux, avec les talents naturels, l'habitude du travail et de l'exercice ; qui les exciterait à l'émulation, au désir de la gloire, à l'amour de la vertu ; qui, au lieu de courtisans vils, inquiets[7], inutiles, souvent onéreux[8] à la république[9], en ferait ou de sages économes, ou d'excellents pères de famille, ou des juges intègres, ou de bons officiers, ou de grands capitaines, ou des orateurs, ou des philosophes ; et qui ne leur attirerait à tous nul autre inconvénient, que celui peut-être de laisser à leurs héritiers moins de trésors que de bons exemples.

Les Caractères, « Du mérite personnel », 11.

1. Faire reconnaître sa valeur, son mérite.
2. De leur sort, de leur destin.
3. Leur attitude hautaine.
4. A des intermèdes, à des occupations futiles.
5. A leur suite.
6. Qui se mettrait en travers de leur route, qui les contrarierait.
7. Privés de repos, agités, remuants.
8. Coûteux.
9. A l'État.

Pour préparer l'étude du texte

1. Vous étudierez l'effet provoqué par la multiplication des subordonnées relatives au conditionnel.
2. Vous dégagerez la conception du mérite exprimée par La Bruyère. Peut-on la rapprocher de celle de l'honnête homme (voir p. 269) ?
3. La Bruyère souligne l'importance des apparences dans le comportement humain. Vous le montrerez.
4. Comment La Bruyère décrit-il l'existence des courtisans ? Vous relèverez et analyserez les termes négatifs qu'il utilise pour l'évoquer.

Conseils aux écrivains

Dans *Les Caractères*, La Bruyère accorde une place importante à la critique littéraire à laquelle il consacre plus particulièrement le chapitre « Des ouvrages de l'esprit ». Tantôt, il donne aux écrivains des conseils généraux, tantôt, il essaie de préciser les règles qui doivent régir les différents genres et notamment le théâtre.

« On ne saurait [...] surpasser les Anciens que par leur imitation »

Dans cette succession de développements du chapitre « Des ouvrages de l'esprit », La Bruyère fait part de ses réflexions sur l'imitation, sur le style et sur les rapports entre l'écrivain et le lecteur.

Claude Gellée dit le Lorrain (1600-1682), *Ulysse remet Chryséide à son père*, Paris, musée du Louvre.
Dans l'imagination du Lorrain comme dans la réalité, l'architecture du XVIIe siècle veut imiter l'Antique.

15.
On a dû faire du style ce qu'on a fait de l'architecture. On a entièrement abandonné l'ordre gothique[1], que la barbarie avait introduit pour les palais et pour les temples ; on a rappelé le dorique, l'ionique et le corinthien[2] : ce qu'on ne voyait plus que dans les ruines de l'ancienne Rome et de la vieille Grèce, devenu moderne, éclate dans nos portiques[3] et dans nos péristyles[4]. De même, on ne saurait en
5 écrivant rencontrer le parfait, et s'il se peut, surpasser les Anciens que par leur imitation.

16.
L'on devrait aimer à lire ses ouvrages à ceux qui en savent assez pour les corriger et les estimer.

Ne vouloir être ni conseillé ni corrigé sur son ouvrage est un pédantisme[5].

Il faut qu'un auteur reçoive avec une égale modestie les éloges et la critique que l'on fait de ses ouvrages.

17.
10 Entre toutes les différentes expressions qui peuvent rendre une seule de nos pensées, il n'y en a qu'une qui soit la bonne. On ne la rencontre pas toujours en parlant ou en écrivant ; il est vrai néanmoins qu'elle existe, que tout ce qui ne l'est point est faible, et ne satisfait point un homme d'esprit qui veut se faire entendre[6].

Un bon auteur, et qui écrit avec soin, éprouve[7] souvent que l'expression qu'il cherchait depuis
15 longtemps sans la connaître, et qu'il a enfin trouvée, est celle qui était la plus simple, la plus naturelle, qui semblait devoir se présenter d'abord et sans effort.

Ceux qui écrivent par humeur[8] sont sujets à retoucher à leurs ouvrages : comme elle n'est pas toujours fixe, et qu'elle varie en eux selon les occasions, ils se refroidissent bientôt pour les expressions et les termes qu'ils ont le plus aimés.

18.
20 La même justesse d'esprit qui nous fait écrire de bonnes choses nous fait appréhender qu'elles ne le soient pas assez pour mériter d'être lues.

Un esprit médiocre[9] croit écrire divinement ; un bon esprit croit écrire raisonnablement.

19.
« L'on m'a engagé[10], dit *Ariste*, à lire mes ouvrages à *Zoïle* : je l'ai fait. Ils l'ont saisi d'abord[11] et avant qu'il ait eu le loisir de les trouver mauvais ; il les a loués modestement[12] en ma présence, et il ne les
25 a pas loués depuis devant personne. Je l'excuse, et je n'en demande pas davantage à un auteur ; je le plains même d'avoir écouté de belles choses qu'il n'a point faites. »

Ceux qui par leur condition se trouvent exempts de la jalousie d'auteur, ont ou des passions ou des besoins qui les distraient et les rendent froids sur les conceptions d'autrui : personne presque, par la disposition de son esprit, de son cœur et de sa fortune, n'est en état de se livrer au plaisir que
30 donne la perfection d'un ouvrage.

20.
Le plaisir de la critique nous ôte celui d'être vivement touchés de très belles choses.

Les Caractères, « Des ouvrages de l'esprit », 15, 16, 17, 18, 19, 20.

Pour préparer l'étude du texte

1. De nombreux thèmes sont abordés dans ce texte (imitation des Anciens, critique, amour-propre d'auteur, clarté de l'expression, etc.). Vous les relèverez et indiquerez les positions de La Bruyère.
2. Vous montrerez comment La Bruyère varie son expression.
3. Vous noterez le recours à l'humour et au paradoxe et comparerez les procédés de La Bruyère à ceux de La Rochefoucauld (voir p. 253).

1. Le style gothique apparu au Moyen Âge.
2. Styles ainsi appelés en partant de la forme des colonnes dans l'architecture de l'Antiquité.
3. Galeries à colonnes.
4. Ensemble des colonnes d'une façade.
5. Constitue une façon pédante de se comporter.
6. Qui veut se faire comprendre.
7. Fait l'épreuve, constate.
8. En se laissant aller à son naturel, à ses états d'âme.
9. Moyen, ordinaire.
10. L'on m'a incité, l'on m'a poussé.
11. Les ouvrages d'Ariste ont, au premier abord, ému, impressionné Zoïle.
12. Modérément.

« Les mœurs du théâtre » doivent être « décentes et instructives »

Toujours dans « Des ouvrages de l'esprit », La Bruyère considère que les auteurs de théâtre doivent s'efforcer d'instruire, de moraliser.

52.
Ce n'est point assez que les mœurs du théâtre ne soient point mauvaises, il faut encore qu'elles soient décentes et instructives. Il peut y avoir un ridicule si bas et si grossier, ou même si fade et si indifférent[1], qu'il n'est ni permis au poète d'y faire attention, ni possible aux spectateurs de s'en divertir. Le paysan ou l'ivrogne fournit quelques scènes à un farceur[2] ; il n'entre qu'à peine dans le
5 vrai comique : comment pourrait-il faire le fond ou l'action principale de la comédie ? « Ces caractères, dit-on, sont naturels. » Ainsi, par cette règle, on occupera bientôt tout l'amphithéâtre d'un laquais qui siffle, d'un malade dans sa garde-robe[3], d'un homme ivre qui dort ou qui vomit : y a-t-il rien de plus naturel ? C'est le propre d'un efféminé de se lever tard, de passer une partie du jour à sa toilette, de se voir au miroir, de se parfumer, de se mettre des mouches[4], de recevoir des billets[5]
10 et d'y faire réponse. Mettez ce rôle sur la scène. Plus longtemps vous le ferez durer, un acte, deux actes, plus il sera naturel et conforme à son original ; mais plus aussi il sera froid et insipide.

53.
Il semble que le roman et la comédie[6] pourraient être aussi utiles qu'ils sont nuisibles. L'on y voit de si grands exemples de constance, de vertu, de tendresse et de désintéressement, de si beaux et de si parfaits caractères, que quand une jeune personne jette de là sa vue sur tout ce qui l'entoure, ne
15 trouvant que des sujets indignes et fort au-dessous de ce qu'elle vient d'admirer, je m'étonne qu'elle soit capable pour eux de la moindre faiblesse.

Les Caractères, « Des ouvrages de l'esprit », 52, 53.

Pour préparer le commentaire composé

1. **Naturel et vulgarité.** Vous montrerez comment La Bruyère refuse un certain naturel qui conduit à la vulgarité. Vous relèverez et analyserez les termes qui soulignent cette vulgarité.
2. **Le rôle moralisateur du théâtre.** Vous chercherez comment, dans l'esprit de La Bruyère, le théâtre doit apporter sa contribution au perfectionnement moral.
3. **Une conception de la littérature.** Quelle conception de la littérature peut-on déduire de ces différentes remarques ?

Synthèse

Le refus de tous les excès

La modération, le juste milieu, c'est la valeur essentielle pour La Bruyère. L'excès, la démesure, c'est le défaut majeur qu'il faut éviter à tout prix. Tomber dans l'outrance, dans l'exagération ne peut produire que des résultats déplorables : on s'enferme dans des comportements obsessionnels, on se replie sur soi-même, on s'isole des autres, on devient intolérant.

Dans *Les Caractères*, La Bruyère multiplie les portraits de ces personnages soumis à des monomanies. Il en souligne avec force les ridicules, certes pour amuser ses lecteurs, mais surtout pour les persuader de ne pas les imiter. S'ils sont condamnables, c'est parce qu'en fait leur comportement est asocial, inadapté, c'est parce qu'il remet en cause les règles de conduite

1. Qui ne présente aucun intérêt.
2. A un auteur de farces.
3. Dans son cabinet d'aisances, dans ses toilettes.
4. Petits morceaux de taffetas noir que l'on se mettait sur le visage pour mieux faire ressortir la blancheur de son teint.
5. Des petits mots.
6. Le théâtre en général.

indispensables au maintien même d'une vie sociale : La Bruyère montre comment Ménalque, atteint d'une distraction maladive, a perdu tout sens de la réalité (voir texte, p. 377), comment les amateurs d'oiseaux, de coquillages ou d'insectes, devenus esclaves de leurs passions, se désintéressent de leurs semblables (voir texte, p. 379), comment celui qui prétend tout savoir perturbe la diffusion de la véritable information (voir texte, p. 380). De la même manière, il fait rire du goinfre Gnathon (« De l'homme », 121) ou de la malade imaginaire Irène (« De l'homme », 35).

Sébastien Le Clerc (1676-1763), *Jeune homme au repos*, dessin, Orléans, musée des Beaux-Arts. Une aspiration à la tranquillité et à la modération.

Le danger des apparences et des fausses valeurs

Les apparences se révèlent tout aussi dangereuses. Chacun essaie de donner de lui-même l'image la plus flatteuse, de se mettre en avant, de dissimuler sa véritable nature. « Arrias a tout lu, a tout vu », c'est du moins ce dont il veut persuader ses interlocuteurs : pour parvenir à son but, il ne recule devant aucun mensonge, au risque de se placer dans des situations délicates (voir texte, p. 380).

Aucun domaine n'échappe à la puissance des apparences. La cour vit sous leur règne (chapitre « De la cour »). Le désir de paraître triomphe chez les gens en vue (portrait des Crispins, chapitre « De la ville », 9). Il éclate chez les parvenus qui font assaut de luxe, qui étalent scandaleusement leur richesse (voir texte, p. 382). La religion même est sous l'emprise des apparences, si bien qu'il est souvent difficile de distinguer les faux dévots des libertins (voir texte, p. 387).

La vraie valeur est constamment piétinée par les fausses valeurs : les nobles mettent en avant leur naissance pour mépriser la bourgeoisie parlementaire pourtant plus méritante, les riches écrasent les pauvres et ne reconnaissent pas l'utilité de leur travail (voir texte, p. 384). Et La Bruyère propose le modèle d'une société dans laquelle chacun pourrait « se faire valoir par des choses qui ne dépendent point des autres, mais de soi seul » (voir texte, p. 388).

Une analyse politique

La Bruyère ne se contente pas d'une critique des vices et des ridicules des individus. Il va beaucoup plus loin et se livre à une profonde analyse politique. Dans *Les Caractères*, il montre comment le système monarchique de l'époque repose sur la hiérarchie et la centralisation (chapitre « Du souverain »), sur l'exaltation de la grandeur (chapitre « Des grands »), sur la montée des valeurs d'argent (chapitre « Des biens de fortune »).

C'est dans ce domaine que la pensée de La Bruyère apparaît la plus corrosive. Il dénonce avec vigueur les abus de pouvoir, la suffisance des grands et l'arrogance des parvenus (voir textes, pp. 382 et 384). Il a des cris d'indignation, lorsqu'il évoque la misère des paysans (voir texte, p. 384). Il exprime son étonnement, lorsqu'il constate l'étrange attirance qu'exercent les guerres sur l'homme, cet être cupide et cruel (voir texte, p. 385). Il montre la nécessité des réformes et annonce ainsi les luttes que mèneront les philosophes du XVIIIe siècle.

Pieter Codde (1599-1678), *Le contentement de peu*, Lille, musée des Beaux-Arts. Savoir se contenter de son sort, c'est ce que semble symboliser ce jeune garçon solitaire, en train de fumer la pipe dans une chambre au décor très dépouillé.

L'importance de l'expression

La Bruyère accorde une importance primordiale à l'expression. Pour lui, tout a été déjà dit par les Anciens qui ont atteint la perfection (voir la querelle des Anciens et des Modernes, p. 416). Il faut donc les imiter. Mais cette imitation ne doit pas être servile. Il faut être original et cette originalité ne peut venir que du style, de la manière de s'exprimer. L'expression doit, en particulier, s'adapter aux sujets que l'on développe et au public auquel on s'adresse : c'est pour cette raison que, dans *Les Caractères*, La Bruyère a renoncé volontairement à un plan logique, pour adopter, un peu à la manière de Montaigne, une écriture impressionniste qui vagabonde au gré de ses centres d'intérêt et de ses préoccupations. Ainsi cette forme convenait-elle à la fois à des lecteurs peu enclins à une lecture continue, et à la peinture des caractères, sujet ondoyant s'il en est. La recherche de la variété va dans le même sens : portraits, maximes, réflexions, récits, descriptions se succèdent (voir en particulier texte, p. 377) ; tantôt, la brièveté et la concision sont de règle, tantôt, la phrase se fait plus ample (voir notamment texte, p. 379) ; vérité particulière et vérité générale s'allient, peinture morale et peinture physique se mêlent, abstrait et concret se marient (voir texte, p. 384).

Tout un jeu de ruptures vient constamment souligner les contradictions qui divisent les personnages : la vérité s'oppose aux apparences (voir texte, p. 387) ; ce qu'est réellement un individu contraste avec ce qui devrait convenir à ses fonctions ou à sa condition sociale (voir texte, p. 384). L'effet de surprise provoqué par un trait final riche de comique accentue parfois cette division des personnages (voir texte, p. 380).

L'art d'écrire se révèle donc essentiel pour La Bruyère. Mais, pour lui comme pour Boileau, c'est un métier qui s'apprend, une technique que l'on doit dominer. Pour y parvenir, chacun doit suivre un certain nombre d'impératifs, ces impératifs que l'on retrouve sous la plume de la plupart des auteurs classiques : la simplicité, le naturel, la clarté, la propriété des termes (voir texte, p. 389). La Bruyère estime également qu'il faut penser juste et mettre sa pensée au service de la morale : celui qui écrit doit s'efforcer de moraliser (voir texte, p. 391). Ce but, il convient de l'atteindre pour le public de son temps, mais plus encore pour la postérité. Il faut donc abandonner toute vanité littéraire, ne pas être à l'affût du succès immédiat qui donne la notoriété, et qui est souvent lié au scandale ou à la mode (voir texte, p. 389).

LA RÉPRESSION DE LA MARGINALITÉ

La montée de l'intolérance

La Bruyère, dans ses *Caractères*, porte témoignage de la montée de l'intolérance. Le triomphe de la raison et l'existence d'un pouvoir monarchique centralisé, unifié, aboutissent à une accentuation de la répression de la marginalité. Ceux qui sont à la tête de l'État et ceux qui les soutiennent tendent à imposer leurs règles, à supprimer les oppositions, à établir un ordre universel, à rejeter ce qui ne correspond pas à leurs normes. Cette volonté, déjà manifeste dans le domaine littéraire (voir p. 369), s'affirme encore davantage lorsque l'être humain est en cause : elle conduit alors au refus de la marginalité morale et sociale ainsi qu'à la condamnation des comportements jugés « anormaux » pour leur originalité ou leur excès.

La Conversion obtenue par la force, gravure d'après un dessin de 1686, Paris, musée Carnavalet.

Le refus de la marginalité morale

L'intolérance morale bat son plein en cette fin du XVIIe siècle. Les défenseurs de l'ordre social, qu'ils recherchent l'unification religieuse ou qu'ils travaillent au centralisme politique, ne peuvent tolérer ceux qui entendent se différencier en suivant leur propre voie. Les libertins (voir p. 102) sont particulièrement soumis à leurs attaques. On leur reproche de prôner la libération des mœurs. Mais on les accuse surtout d'être athées, de refuser Dieu : comment en effet les défenseurs de l'ordre établi auraient-ils pu accepter le rejet de ce qui constituait le fondement même de cet ordre ? Les soutiens du pouvoir ne pouvaient que regarder d'un mauvais œil les contestataires de la religion officielle, pilier du régime : qu'ils proposent une autre doctrine, comme les protestants, ou qu'ils nient l'idée de Dieu, comme les libertins, ils sont, pour eux, tout aussi dangereux.

Le refus de la marginalité sociale

Au XVIIe siècle, certains rejettent ouvertement les normes sociales. Il s'agit alors, comme chez Dom Juan (voir p. 199) et chez les libertins, de la manifestation d'un désir de vivre en marge de la société, de la volonté de libérer ses impulsions individuelles en refusant les impératifs imposés par la collectivité. Mais il est une façon plus insidieuse de modifier l'ordre établi. Les bourgeois comme Monsieur Jourdain (voir p. 184), même s'ils sont encouragés par le pouvoir, perturbent, aux yeux des conservateurs, le système parce qu'ils cherchent à changer de condition sociale.

Dans le premier cas, la contestation apparaît globale et avouée. Dans le second cas, elle n'est pas moins condamnable pour les tenants du conservatisme, comme Saint-Simon (voir p. 396), parce qu'elle tend à remettre en cause une hiérarchie considérée comme innée, voulue par Dieu et donc inattaquable : dans ces conditions, libertins et arrivistes bourgeois contribuent, chacun à sa manière, à lézarder l'édifice social.

La condamnation des comportements originaux et excessifs

Sous le règne de Louis XIV, tout s'organise autour de la cour, monde policé, centre de rayonnement, source de tout succès, cadre privilégié d'observation et de jugement des comportements. Ces conditions sociales expliquent la rigueur des règles de vie auxquelles il est indispensable de se conformer pour mériter le titre d'« honnête homme » (voir p. 269).

Plus profondément, l'individu doit se soumettre aux normes de la raison, et la folie, qui jusque-là était regardée avec une certaine indulgence, un certain amusement, est de plus en plus considérée comme une anormalité monstrueuse qui exclut de la communauté humaine. Cette impossibilité d'adhérer à la raison, d'adopter des solutions moyennes peut revêtir des aspects moins spectaculaires que la folie, mais tout aussi condamnables pour les conformistes. Elle aboutit à la passion, source d'excès, à la manie, à l'obsession, créatrice d'aliénation, à tous ces comportements excentriques qui rendent ridicules dans une société où il est nécessaire de rester modéré, d'être toujours disponible : telle est la leçon des portraits d'un Ménalque (voir p. 377) ou d'un Diphile (voir p. 379).

La visite des prisonniers, gravure, XVIIe siècle, Paris, B.N.

Le duc de Saint-Simon[1]

1675-1755

Hyacinthe Rigaud (1659-1743), *Saint-Simon enfant*, Chartres, musée des Beaux-Arts. Comme beaucoup de jeunes aristocrates, Saint-Simon fut destiné très jeune à la carrière militaire.

Un homme de guerre déçu dans ses ambitions

Louis de Rouvroy, duc de Saint-Simon, fait partie d'une de ces grandes familles aristocratiques qui regrettent le temps révolu de leur puissance. Durant son enfance, il écoute son père vanter la grandeur de son nom et exprimer sa nostalgie de la féodalité. Cette influence paternelle marquera toute son existence et explique ce mélange de vanité et d'amertume qui le caractérise. Il entend bien illustrer cette naissance prestigieuse qui est la sienne. La gloire des armes le tente. En 1691, le voici mousquetaire. Il mène une carrière militaire honorable, mais sans éclat. Déçu dans ses ambitions, il quitte l'armée en 1702.

Un courtisan aigri

Ainsi frustré d'exploits guerriers, Saint-Simon essaie alors les voies de la politique. Il vit désormais à la cour. Il veut y jouer un rôle, observe, intrigue. Mais il n'y réussit guère : il y promène son désœuvrement et son aigreur, persuadé que sa valeur n'est pas suffisamment reconnue. Il met son espoir dans le duc de Bourgogne, le petit-fils de Louis XIV, qui, un jour, devrait monter sur le trône, et devient son conseiller. Sa mort, en 1712, ruine tous ses calculs. Après la mort de Louis XIV, il voit, avec plaisir, le duc d'Orléans, dont il est proche, assurer la régence. Mais il n'obtient de lui qu'une ambassade en Espagne. A la mort du régent, en 1723, il renonce définitivement à ses ambitions et quitte la cour.

Une retraite mélancolique

Saint-Simon partage sa vie entre sa résidence parisienne et son château de La Ferté-Vidame près de Dreux. Il y rédige ses *Mémoires*, y rumine son amertume, ses désillusions. Sa tristesse se trouve encore accentuée par les deuils : il perd sa femme, puis ses fils. Privé de descendance, conscient que va disparaître ce nom dont il est si fier, il mènera cette existence morne de nostalgique attardé de la féodalité jusqu'à sa mort survenue en 1755, à l'âge de quatre-vingts ans, en plein milieu du XVIIIe siècle.

Mémoires (élaborés de 1694 à 1749). → pp. 397 à 400.

1. Voir, par ailleurs, *Itinéraires Littéraires*, XVIIIe siècle.

Mémoires

1694-1749

Saint-Simon consacra une grande partie de son existence à l'élaboration de ses *Mémoires*, œuvre considérable de plusieurs milliers de pages. Il commence à y travailler en 1694 et y travaille encore dans les dernières années de sa vie. Des extraits en sont publiés dès 1781, mais la première édition sérieuse ne verra le jour qu'en 1829 : la prudence avait jusque-là commandé de laisser inédit un ouvrage qui contenait des révélations gênantes. Saint-Simon y présente en effet un tableau redoutable de la royauté et de la cour durant les années 1691-1723. Les illusions perdues, le regret du système féodal le rendent impitoyable envers la monarchie absolue de Louis XIV. Dans ses récits, ses descriptions, ses portraits, il n'a de cesse de dénoncer les erreurs du roi, de souligner les mesquineries, de déplorer l'abaissement de la noblesse, de protester contre la montée de la bourgeoisie.

« La dévotion (...) qui fit semblant d'absorber tout le reste »

Saint-Simon excelle dans les portraits qui lui permettent de donner libre cours à toute sa férocité. Voici l'image qu'il donne de Madame de Maintenon, la maîtresse, puis l'épouse de Louis XIV.

Anonyme, XVIIe siècle, *Madame de Maintenon et sa nièce Madame d'Aubigné*, Fondation du château de Maintenon.

C'était une femme de beaucoup d'esprit, que les meilleures compagnies, où elle avait d'abord été soufferte[1] et dont bientôt elle fit le plaisir, avaient fort polie et ornée de la science du monde, et que la galanterie avait achevé de tourner au plus agréable. Ses divers états l'avaient rendue flatteuse, insinuante, complaisante, cherchant toujours à plaire. Le besoin de l'intrigue, toutes celles qu'elle
5 avait vues, en plus d'un genre, et de beaucoup desquelles elle avait été, tant pour elle-même que pour en servir d'autres, l'y avaient formée, et lui en avaient donné le goût, l'habitude et toutes les adresses. Une grâce incomparable à tout, un air d'aisance, et toutefois de retenue et de respect, qui par sa longue bassesse lui était devenu naturel, aidaient merveilleusement ses talents, avec un langage doux, juste, en bons termes, et naturellement éloquent et court[2]. Son beau temps, car elle
10 avait trois ou quatre ans de plus que le Roi, avait été celui des belles conversations, de la belle galanterie, en un mot de ce qu'on appelait les ruelles[3], et lui en avait tellement donné l'esprit, qu'elle en retint toujours le goût et la plus forte teinture. Le précieux et le guindé ajouté à l'air de ce temps-là, qui en tenait un peu, s'était augmenté par le vernis de l'importance, et s'accrut depuis par celui de la dévotion, qui devint le caractère principal, et qui fit semblant d'absorber tout le reste ; il lui était

1. Supportée.
2. Concis.
3. Allusion aux salons à la mode et, en particulier, aux salons précieux (voir p. 75).

15 capital pour se maintenir où il l'avait portée, et ne le fut pas moins pour gouverner. Ce dernier point était son être ; tout le reste y fut sacrifié sans réserve. La droiture et la franchise étaient trop difficiles à accorder avec une telle vue, et avec une telle fortune ensuite, pour imaginer qu'elle en retînt plus que la parure[1]. Elle n'était pas aussi tellement fausse que ce fût son véritable goût ; mais la nécessité lui en avait de longue main donné l'habitude, et sa légèreté naturelle la faisait paraître au double de
20 fausseté plus qu'elle n'en avait. Elle n'avait de suite[2] en rien que par contrainte et par force. Son goût était de voltiger en connaissances et en amis comme en amusements, excepté quelques amis fidèles de l'ancien temps dont on a parlé, sur qui elle ne varia point, et quelques nouveaux des derniers temps, qui lui étaient devenus nécessaires. A l'égard des amusements, elle ne les put guère varier depuis qu'elle se vit reine. Son inégalité tomba en plein sur le solide, et fit par là de grands maux.
25 Aisément engouée[3], elle l'était à l'excès ; aussi facilement déprise, elle se dégoûtait de même, et l'un et l'autre très souvent sans cause ni raison. L'abjection et la détresse où elle avait si longtemps vécu lui avait rétréci l'esprit, et avili le cœur et les sentiments. Elle pensait et sentait si fort en petit, en toutes choses, qu'elle était toujours en effet moins que Mme Scarron[4], et qu'en tout et partout elle se retrouvait telle. Rien n'était si rebutant que cette bassesse jointe à une situation si radieuse ; rien aussi n'était
30 à tout bien empêchement si dirimant[5], comme rien de si dangereux que cette facilité à changer d'amitié et de confiance.

Mémoires, Livre IV, chapitre LVI.

Pour préparer le commentaire composé

1. **L'art du portrait.** Vous étudierez ce portrait, en montrant sa précision, en dégageant l'image intellectuelle et morale que Saint-Simon offre de Madame de Maintenon.

2. **La cruauté de la peinture.** Vous soulignerez la cruauté de la peinture, en notant que Saint-Simon ou bien met en avant des traits en eux-mêmes négatifs ou bien donne une interprétation négative à des traits positifs.

3. **Une vision du monde.** Vous déduirez de cette manière de procéder la vision du monde qu'exprime Saint-Simon.

« A huit heures, le premier valet de chambre [...] l'éveillait »

Saint-Simon décrit avec une grande minutie le cérémonial pointilleux que devait observer le roi tout au long de la journée.

A huit heures, le premier valet de chambre en quartier[6], qui avait couché seul dans la chambre du Roi, et qui s'était habillé, l'éveillait. Le premier médecin, le premier chirurgien, et sa nourrice tant qu'elle a vécu, entraient en même temps. Elle allait le baiser ; les autres le frottaient, et souvent lui changeaient de chemise, parce qu'il était sujet à suer. Au quart[7], on appelait le grand chambellan[8],
5 en son absence le premier gentilhomme de la chambre d'année[9], avec eux les grandes entrées[10]. L'un de ces deux ouvrait le rideau qui était refermé, et présentait l'eau bénite du bénitier du chevet du lit. Ces Messieurs étaient là un moment, et c'en était un de parler au Roi[11], s'ils avaient quelque chose à lui dire ou à lui demander, et alors les autres s'éloignaient ; quand aucun d'eux n'avait à parler, comme d'ordinaire, ils n'étaient là que quelques moments. Celui qui avait ouvert le rideau et présenté
10 l'eau bénite présentait le livre de l'office du Saint-Esprit[12], puis passaient tous dans le cabinet du Conseil[13]. Cet office[14] fort court dit, le Roi appelait ; ils rentraient. Le même lui donnait sa robe de chambre, et ce pendant[15] les secondes entrées ou brevets d'affaires[16] entraient ; peu de moments

1. L'apparence.
2. D'esprit de suite.
3. Passionnée.
4. Elle avait été l'épouse de l'écrivain burlesque Scarron (voir p. 87).
5. Qui fait obstacle.
6. De service dans cette partie du palais.
7. A huit heures et quart.
8. Officier chargé de superviser l'organisation du service intérieur du roi.
9. Ce gentilhomme, désigné pour l'année, était chargé de veiller au service de la chambre du roi.
10. Elles étaient réservées à certains membres de la famille du roi et aux gentilshommes affectés au service de la chambre.
11. C'était le moment de parler au roi.
12. Le livre qui contenait les prières destinées au Saint-Esprit.
13. Dans la salle où se réunissait le gouvernement.
14. Cet office religieux.
15. Pendant cela.
16. Ceux qui avaient le privilège d'assister aux « affaires » du roi, c'est-à-dire au moment où il faisait ses besoins sur sa chaise percée !

après, la chambre[1] ; aussitôt[2], ce qui était là de distingué ; puis tout le monde, qui trouvait le Roi se chaussant ; car il se faisait presque tout lui-même, avec adresse et grâce. On lui voyait faire la barbe de deux jours l'un[3], et il avait une petite perruque courte, sans jamais en aucun temps, même au lit, les jours de médecine, paraître autrement en public. Souvent il parlait de chasse, et quelquefois quelque mot à quelqu'un. Point de toilette[4] à portée de lui : on lui tenait seulement un miroir.

Dès qu'il était habillé, il allait prier Dieu à la ruelle[5] de son lit, où tout ce qu'il y avait de clergé se mettait à genoux, les cardinaux sans carreau[6] ; tous les laïques demeuraient debout, et le capitaine des gardes venait au balustre[7] pendant la prière, d'où le Roi passait dans son cabinet[8]. Il y trouvait ou y était suivi de tout ce qui avait cette entrée, qui était fort étendue par les charges, qui l'avaient toutes[9]. Il y donnait l'ordre à chacun pour la journée ; ainsi on savait, à un demi-quart d'heure près, tout ce que le Roi devait faire. Tout ce monde sortait ensuite. Il ne demeurait que les bâtards, MM. de Montchevreuil et d'O, comme ayant été leurs gouverneurs[10], Mansart[11], et après lui d'Antin[12], qui tous entraient, non par la chambre mais par les derrières, et les valets intérieurs[13]. C'était là leur bon temps aux uns et aux autres, et celui de raisonner sur les plans des jardins et des bâtiments, et cela durait plus ou moins, selon que le Roi avait affaire. Toute la cour attendait cependant dans la galerie, le capitaine des gardes seul dans la chambre, assis à la porte du cabinet, qu'on avertissait quand le Roi voulait aller à la messe, et qui alors entrait dans le cabinet.

Mémoires, Livre IV, chapitre LIX.

Chambre du roi, Palais de Versailles.

Pour préparer l'étude du texte

1. Vous soulignerez la minutie et le minutage précis qui caractérisent l'organisation de la journée du roi.
2. Quel effet produit l'énumération des différentes étapes de ce rituel ? Vous montrerez que Saint-Simon fournit quelques détails familiers. En quoi modifient-ils l'impression conventionnelle que donne la vie du roi ?
3. Comment Saint-Simon indique-t-il la piété méticuleuse de Louis XIV ?

1. Le personnel affecté au service de la chambre.
2. Aussitôt après.
3. Un jour sur deux.
4. Il ne disposait pas de meuble pour la toilette.
5. Dans l'espace situé entre le lit et le mur.
6. Coussin carré.
7. Clôture à colonnettes qui isolait la partie de la chambre où se trouvait le lit.
8. Dans son cabinet de travail.
9. Tous ceux qui avaient une charge possédaient ce privilège.
10. MM. de Montchevreuil et d'O avaient assuré l'éducation des bâtards du roi.
11. Jules Hardouin-Mansart était l'architecte du roi.
12. Le duc d'Antin, fils naturel de Louis XIV et de Madame de Montespan.
13. Les valets chargés du service intérieur.

« L'Europe ne vit jamais un si long règne, ni la France un roi si âgé »

Dimanche 1er septembre 1715 : Louis XIV meurt à l'âge de soixante-dix-sept ans. Saint-Simon relate avec sa précision habituelle cette fin d'un long règne.

Le samedi 31 août, la nuit et la journée furent détestables ; il n'y eut que de rares et de courts instants de connaissance. La gangrène avait gagné le genou et toute la cuisse. On lui donna du remède du feu abbé Aignan[1], que la duchesse du Maine[2] avait envoyé proposer, qui était un excellent remède pour la petite vérole[3]. Les médecins consentaient à tout, parce qu'il n'y avait plus d'espérance. Vers onze heures du soir, on le trouva si mal qu'on lui dit les prières des agonisants. L'appareil[4] le rappela à lui. Il récita des prières d'une voix si forte, qu'elle se faisait entendre à travers celle du grand nombre d'ecclésiastiques et de tout ce qui était entré. A la fin des prières, il reconnut le cardinal de Rohan[5], et lui dit : « Ce sont là les dernières grâces de l'Église. » Ce fut le dernier homme à qui il parla. Il répéta plusieurs fois : *Nunc et in hora mortis*[6], puis dit : « O mon Dieu, venez à mon aide ; hâtez-vous de me secourir. » Ce furent ses dernières paroles. Toute la nuit fut sans connaissance, et une longue agonie, qui finit le dimanche 1er septembre 1715, à huit heures un quart du matin, trois jours avant qu'il eût soixante-dix-sept ans accomplis, dans la soixante-douzième année de son règne[7].

Il se maria à vingt-deux ans, en signant la fameuse paix des Pyrénées[8], en 1660. Il en avait vingt-trois quand la mort délivra la France du cardinal Mazarin ; vingt-sept lorsqu'il perdit la Reine sa mère, en 1666. Il devint veuf à quarante-quatre ans en 1683, perdit Monsieur[9] à soixante-trois ans en 1701, et survécut tous ses fils et petits-fils[10], excepté son successeur, le roi d'Espagne et les enfants de ce prince. L'Europe ne vit jamais un si long règne, ni la France un roi si âgé.

Par l'ouverture de son corps, qui fut faite par Mareschal, son premier chirurgien, avec l'assistance et les cérémonies accoutumées, on lui trouva toutes les parties[11] si entières, si saines, et tout si parfaitement conformé, qu'on jugea qu'il aurait vécu plus d'un siècle sans les fautes dont il a été parlé, qui lui mirent la gangrène dans le sang. On lui trouva aussi la capacité de l'estomac et des intestins double au moins des hommes de sa taille, ce qui est fort extraordinaire, et ce qui était cause qu'il était si grand mangeur et si égal[12].

Mémoires, Livre IV, chapitre L.

Pour préparer l'étude du texte

1. Vous étudierez le récit de la mort de Louis XIV, en soulignant le mélange du pathétique et du prosaïque (l. 1 à 12).

2. Saint-Simon résume la vie du roi en quelques lignes (l. 13 à 17). Quel effet ce raccourci produit-il ?

3. Pourquoi Saint-Simon livre-t-il tous les détails de l'autopsie pratiquée sur le cadavre royal (l. 18 à 23) ?

1. Il avait ramené des remèdes d'Orient.
2. Petite-fille de Condé, elle était l'épouse du duc de Maine, fils naturel de Louis XIV et de Madame de Montespan.
3. La variole.
4. La cérémonie.
5. Il était le grand aumônier de Louis XIV depuis 1713.
6. Maintenant, c'est l'heure de mourir.
7. En comptant à partir de la mort de son père, Louis XIII.
8. Paix qui mit fin à la guerre entre la France et l'Espagne.
9. Le frère du roi.
10. Survécut à tous ses fils et petits-fils.
11. Les parties constitutives du corps.
12. D'un appétit égal, constant.

Nicolas de Largillière (1656-1746), *La Famille de Louis XIV,* Londres, the Wallace Collection, Reproduced by permission of the Trustees. Suggérant une atmosphère familiale, ce tableau réunit, autour de Louis XIV, Madame de Maintenon, son fils le grand dauphin, son petit-fils le duc de Bourgogne et son arrière-petit-fils, le futur Louis XV.

Pour un groupement de textes

La société de cour dans :
Clélie (voir p. 79) de Madeleine de Scudéry,
L'Honnête Homme (voir p. 82) de Nicolas Faret,
Les *Maximes* (voir p. 254) de François de La Rochefoucauld,
L'Homme de cour (voir p. 256) de Baltasar Gracián,
Les *Discours* (voir p. 268) du chevalier de Méré,
Les *Lettres* (voir p. 277) de Madame de Sévigné,
La Princesse de Montpensier (voir p. 321) et *La Princesse de Clèves* (voir p. 325) de Madame de La Fayette,
Les Caractères (voir p. 388) de Jean de La Bruyère,
Les *Mémoires* (voir p. 398) de Saint-Simon.

ARCHITECTURE ET SCULPTURE AU XVIIe SIÈCLE

Littérature et architecture

Nombreux sont les liens qui unissent la littérature à l'architecture. Ils apparaissent d'abord dans le vocabulaire qui sert à caractériser l'expression littéraire. On parle de construction, d'architecture de la phrase. On fait appel aux notions architecturales de symétrie ou de dissymétrie pour décrire l'agencement des mots et des propositions, et l'on oppose ainsi le style classique symétrique d'un La Bruyère au style baroque dissymétrique d'un d'Urfé.

La contribution de l'architecture est particulièrement manifeste dans le domaine théâtral. La disposition du théâtre et l'élaboration du décor jouent en effet un rôle essentiel, constituant ce qu'on appelle la scénographie du spectacle. Au XVIIe siècle, par exemple, le théâtre à l'italienne, dans lequel la scène et l'espace réservé aux spectateurs se font face selon une disposition dite frontale, impose des conditions de jeu. La limitation des décors que provoque l'application de l'unité de lieu (voir p. 138) entraîne également des conséquences. L'écriture même des pièces est influencée par ces choix architecturaux : un auteur de théâtre qui adopte le lieu unique est amené à multiplier les récits destinés à rapporter ce qui s'est déroulé en dehors de ce lieu unique (voir notamment le récit de la mort d'Hippolyte, à la scène 6 de l'acte V de *Phèdre* de Racine, p. 236).

Il est enfin une autre intervention de l'architecture dans la littérature : les écrivains introduisent fréquemment dans leurs œuvres des descriptions de villes et d'édifices. Au XVIIe siècle, les romanciers d'inspiration idéaliste, comme Honoré d'Urfé (voir p. 38), Madeleine de Scudéry (voir p. 76) ou Madame de La Fayette (voir p. 320), s'appliquent, souvent avec une grande minutie, à restituer les cadres somptueux où évoluent leurs personnages : Antoine Furetière se moque, dans *Le Roman bourgeois*, des excès de cette pratique (voir p. 311). Les poètes, de leur côté, sont souvent sensibles à l'aspect esthétique des notations architecturales : Tristan L'Hermite accumule, par exemple, dans un sonnet, les détails destinés à montrer la splendeur de l'appartement de celle qu'il aime (voir p. 69), tandis que La Fontaine consacre un poème, *Le Songe de Vaux* (voir p. 337), à l'évocation du château de Fouquet. La littérature d'idées s'intéresse aussi à l'architecture : La Bruyère s'appuie sur une analyse des styles architecturaux pour démontrer la supériorité des Anciens (voir p. 390), tandis que Saint-Simon, dans son souci de rendre compte de la vie de la cour, s'attarde volontiers sur la description des appartements royaux (voir p. 398).

Le triomphe de l'architecture classique en France

Au cours du XVIIe siècle, l'architecture classique triomphe en France. Elle s'inspire de l'architecture de l'Antiquité grecque et latine et de la Renaissance italienne dont elle reprend les principales caractéristiques : adoption des colonnes antiques, goût pour la ligne droite ou les courbes régulières, respect de la symétrie, relative sobriété d'une décoration qui vient souligner et non dissimuler les grandes lignes de la construction.

Ancien pavillon de chasse remanié et agrandi à partir de 1661 sous la direction des architectes Louis Le Vau (1612-1670), puis Jules Hardouin-Mansart (1646-1708), le château de Versailles représente l'aboutissement achevé de cette architecture classique : la façade principale de quatre cent quinze mètres obéit à une symétrie parfaite ; les jardins dessinés par André Le Nôtre (1613-1700) constituent l'exemple même de ces jardins à la française marqués par l'ordre et la régularité ; la décoration intérieure réalisée notamment par Charles Le Brun (1619-1690) est un modèle d'équilibre et d'élégance.

Dans le domaine de l'architecture religieuse, le classicisme impose, comme dans l'église des Invalides, la nef unique couverte en berceau, la coupole, la façade à colonnes et le portique.

Quant à la sculpture classique, influencée par l'Antiquité, elle produit des œuvres marquées par la sérénité, comme le buste de Condé dû à Antoine Coysevox (1640-1720) ou le groupe du *Bain des nymphes* de François Girardon (1628-1715).

La timidité de l'architecture baroque française

Au XVIIe siècle, c'est au contraire l'architecture baroque qui domine en Italie, avec Bernin (1598-1680) ou Borromini (1599-1667), ainsi que dans de nombreux autres pays européens. Caractérisé par l'adoption de courbes irrégulières, la dissymétrie, le goût pour le colossal et la surcharge ornementale,

Pierre Puget (1620-1694), *Milon de Crotone*, Paris, musée du Louvre. L'influence du dynamisme baroque.

le baroque architectural ne se développe guère en France. Il est en effet freiné par la montée des valeurs d'ordre et de modération, rejeté par le pouvoir royal au profit de l'architecture classique : en 1665, par exemple, après avoir longtemps hésité, Louis XIV s'adresse pour l'agrandissement du Louvre au classique français Claude Perrault (1613-1688) plutôt qu'au baroque italien Bernin.

En fait, le baroque est surtout présent en France dans la sculpture : il s'impose dans la décoration des jardins, avec notamment Pierre Legros I (1629-1714) qui sculpta de nombreuses statues d'animaux ou d'êtres mythologiques pour le parc du château de Versailles. Il s'affirme dans l'art funéraire et religieux, avec, en particulier, Pierre Legros II (1666-1719), qui y exprime son sens du mouvement et son attirance pour le grandiose et le théâtral. Il marque l'œuvre de Pierre Puget (1620-1694), empreinte d'un réalisme violent.

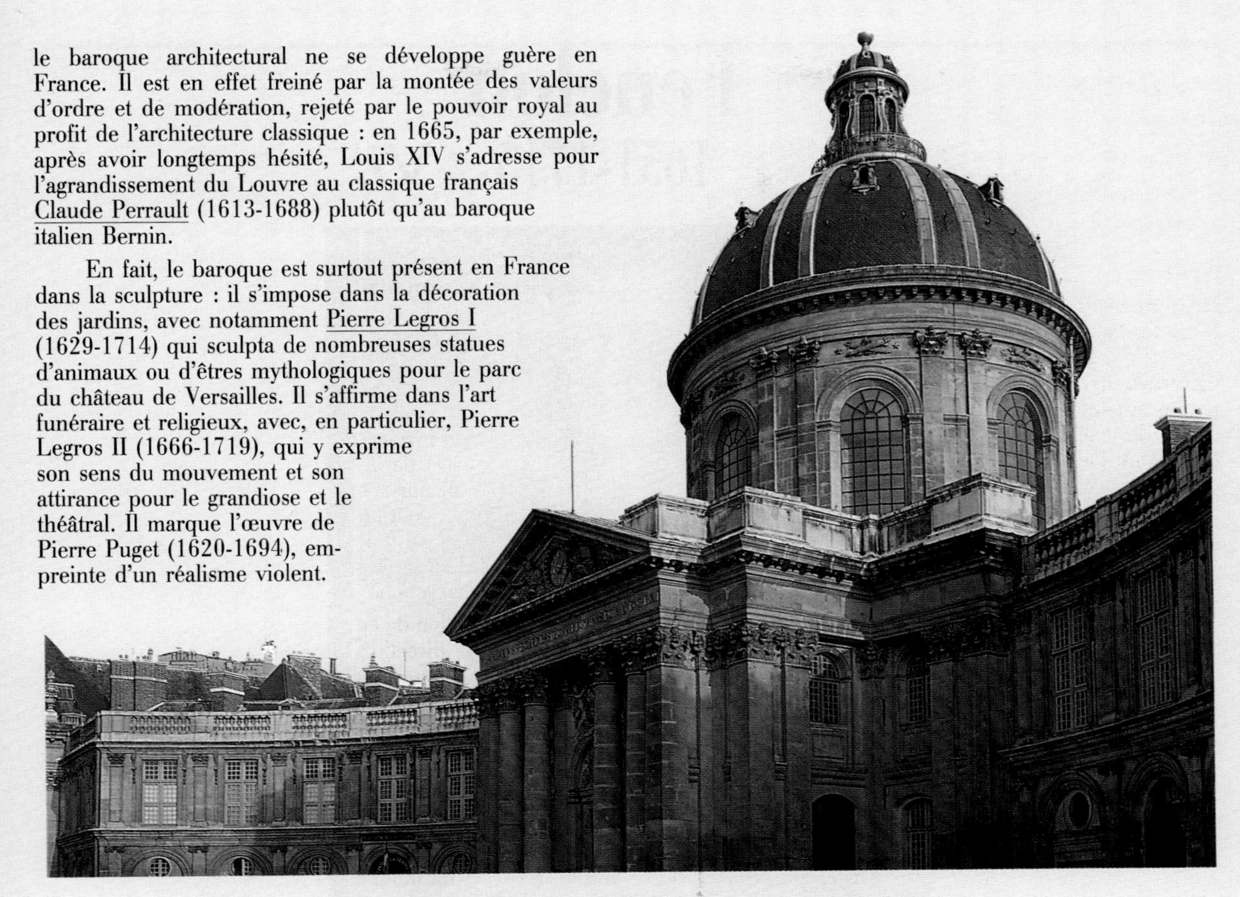

Institut des quatre nations (Institut de France), Paris, par Louis Le Vau (1612-1670).
La tentation du baroque.

Palais de Versailles, façade principale sur les jardins par Hardouin-Mansart (1648-1708).
Une ordonnance classique.

L'église des Invalides, Paris, par Hardouin-Mansart (1648-1708) et Libéral Bruand (1635?-1697).
L'affirmation de l'ordre classique.

Fénelon
1651-1715

Joseph Vivien (1657-1734), *Portrait de Fénelon*, Munich, Alte Pinakothek.

Un homme d'Église militant

Dès sa jeunesse, François de Salignac de La Mothe-Fénelon ressent une irrésistible attirance pour la religion. Durant ses études, il acquiert une vaste culture et s'intéresse plus particulièrement à la théologie. Il est ordonné prêtre à l'âge de vingt-quatre ans et, comme Bossuet avec lequel il se lie d'amitié, il devient bientôt un prédicateur réputé. Comme lui, il met toutes ses forces au service de sa foi : il lutte contre la pensée libertine dont il combat l'athéisme dans le *Traité de l'existence de Dieu* qu'il rédige vers 1685 ; il dénonce la doctrine cartésienne contre laquelle il écrit vers 1687 la *Réfutation du P. Malebranche*, où il s'oppose aux théories du disciple de Descartes ; après la révocation de l'édit de Nantes, il participe activement, mais dans un esprit de tolérance, à la campagne de conversion des protestants (1685-1687).

La faveur du roi

Fénelon joue bientôt un rôle important à la cour. Il fait partie du groupe dévot qui s'est formé autour du duc de Chevreuse à la faveur de la « conversion » du roi (voir p. 408). Impressionné par sa piété, Louis XIV lui confie en 1689 l'éducation de ses petits-fils, en particulier, du duc de Bourgogne. Fénelon, qui avait déjà réfléchi aux problèmes pédagogiques et avait publié, en 1687, un *Traité de l'éducation des filles*, essaie de donner à ses élèves un enseignement concret et plaisant : c'est pour eux qu'il écrit des *Fables* et le roman didactique des *Aventures de Télémaque*. La protection royale lui vaut d'entrer à l'Académie française en 1693 et de devenir archevêque de Cambrai en 1695.

La conversion au quiétisme et la disgrâce

Sous l'influence de Madame Guyon dont il avait fait la connaissance en 1688, il adhère au quiétisme qui pose comme vertus suprêmes la tranquillité de l'âme et sa fusion en Dieu (voir p. 291). Cette conversion à une nouvelle doctrine condamnée par l'église catholique pour ses excès mystiques va provoquer sa disgrâce. En 1697, il publie l'*Explication des maximes des saints sur la vie intérieure* où il se fait le défenseur du quiétisme. C'est alors la rupture avec Bossuet, le départ de la cour, la condamnation de ses idées par le pape (1699). Il vit désormais à Cambrai. Il continue son activité militante, en combattant le jansénisme. Il participe à la querelle des Anciens et des Modernes (voir p. 416), en tentant de jouer les conciliateurs : dans la *Lettre à M. Dacier sur les occupations de l'Académie française*, qu'il rédige en 1714, il privilégie les Anciens dont il loue la simplicité, mais affirme la supériorité du goût sur les règles. Il meurt en 1715, la même année que Louis XIV.

Traité de l'existence de Dieu (rédigé vers 1685).
Réfutation du P. Malebranche (rédigée vers 1687).
Traité de l'éducation des filles (1687).
Fables (rédigées vers 1690).
Explication des maximes des saints (1697).
Aventures de Télémaque (1699, rédigées vers 1694), roman. → pp. 405 à 407.
Lettre à M. Dacier (rédigée en 1714).

Aventures de Télémaque

1699

Fénelon écrit, vers 1694, les *Aventures de Télémaque* dans un but pédagogique. Ce roman est en effet destiné à ses élèves royaux et, en particulier, au fils aîné du dauphin, le duc de Bourgogne. Il utilise habilement une forme plaisante pour mieux faire passer tout un contenu didactique : instruire en divertissant, c'est là le principe tout moderne qu'il cherche à appliquer. Il a imaginé un roman d'aventures qui constitue comme une suite de l'*Iliade* et de l'*Odyssée* d'Homère : le fils d'Ulysse, Télémaque, part à la recherche de son père qui faisait partie de l'expédition contre Troie, ce qui lui donne l'occasion de faire l'expérience de la vie. Voilà qui permet à Fénelon de faire revivre l'histoire mythique de la Grèce sous les yeux de ses élèves. Mais ce sujet anodin est un prétexte au développement d'idées qui, à l'époque, pouvaient apparaître contestataires. Fénelon se sert de ce récit pour évoquer une société idéale, heureuse, d'où le luxe et l'ambition sont exclus, où le travail constitue la valeur essentielle, où la justice règne, où le roi est au service de ses sujets. Il n'est pas surprenant que ces thèmes, qui annoncent les conceptions des philosophes du XVIIIe siècle, aient pu mécontenter Louis XIV et son entourage. Et la publication du roman en 1699 accentuera encore la disgrâce royale qu'avait entraînée la conversion de Fénelon au quiétisme.

Jacob Jordaens (1593-1678), *Télémaque conduisant Théoclymène devant sa mère*, Aix-en-Provence, musée Granet.

Le roi doit être « l'homme des peuples »

Télémaque est parvenu en Crète. Son précepteur Mentor, qui l'accompagne, lui donne en exemple Minos, un roi tout dévoué à son peuple.

Je[1] lui[2] demandai en quoi consistait l'autorité du roi ; et il me répondit : « Il peut tout sur les peuples ; mais les lois peuvent tout sur lui. Il a une puissance absolue pour faire le bien, et les mains liées dès qu'il veut faire le mal. Les lois lui confient les peuples comme le plus précieux de tous les dépôts, à condition qu'il sera le père de ses sujets. Elles veulent qu'un seul homme serve, par sa sagesse et par sa modération, à la félicité[3] de tant d'hommes ; et non pas que tant d'hommes servent, par leur misère et par leur servitude lâche, à flatter l'orgueil et la mollesse d'un seul homme. Le roi ne doit rien avoir au-dessus des autres, excepté ce qui est nécessaire ou pour le soulager dans ses pénibles fonctions, ou pour imprimer aux peuples le respect de celui qui doit soutenir les lois. D'ailleurs, le roi doit être plus sobre, plus ennemi de la mollesse, plus exempt de faste[4] et de hauteur[5] qu'aucun autre. Il ne doit point avoir plus de richesses et de plaisirs, mais plus de sagesse, de vertu et de gloire que le reste des hommes. Il doit être au-dehors le défenseur de la patrie, en commandant les armées, et, au-dedans, le juge des peuples, pour les rendre bons, sages et heureux. Ce n'est point pour lui-même que les dieux l'ont fait roi ; il ne l'est que pour être l'homme des peuples : c'est aux peuples qu'il doit tout son temps, tous ses soins, toute son affection, et il n'est digne de la royauté qu'autant qu'il s'oublie lui-même pour se sacrifier au bien public. Minos[6] n'a voulu que ses enfants régnassent après lui qu'à condition qu'ils régneraient suivant ces maximes : il aimait encore plus son peuple que sa famille. C'est par une telle sagesse qu'il a rendu la Crète si puissante et si heureuse ; c'est par cette modération qu'il a effacé la gloire de tous les conquérants qui veulent faire servir les peuples à leur propre grandeur, c'est-à-dire à leur vanité ; enfin, c'est par sa justice qu'il a mérité d'être aux Enfers le souverain juge des morts. »

Aventures de Télémaque, Livre V.

Claude Lefebvre (1632-1675), *Précepteur et son élève*, Paris, musée du Louvre.

Pour préparer l'étude du texte

1. Vous analyserez la structure du texte, en montrant que l'auteur passe d'une étude théorique à une illustration concrète de son propos.
2. Vous étudierez les caractéristiques du souverain idéal, en soulignant l'importance des lois et la nécessité des qualités personnelles.
3. En quoi cette présentation du monarque souhaité comporte-t-elle des éléments tout à fait nouveaux et même parfois révolutionnaires pour l'époque ? Quelle est la critique sous-jacente ?

1. Télémaque.
2. A Mentor.
3. Au bonheur.
4. De luxe, de magnificence.
5. De suffisance, d'orgueil.
6. Roi légendaire de Crète, qui devint l'un des juges des Enfers.

« Le vrai courage trouve toujours quelque ressource »

Les *Aventures de Télémaque* n'ont pas uniquement un but didactique. C'est aussi un roman d'aventures divertissant. Fénelon a su animer son récit et séduire ses élèves en introduisant des épisodes dramatiques. A la fin du cinquième livre, Télémaque décrit la terrible tempête dont il faillit être victime et évoque le courage de Mentor dont la devise pourrait être : « Aide-toi, et le ciel t'aidera. »

J'embrasse Mentor, et je lui dis :

« Voici la mort ; il faut la recevoir avec courage. Les dieux ne nous ont délivrés de tant de périls que pour nous faire périr aujourd'hui. Mourons, Mentor, mourons. C'est une consolation pour moi de mourir avec vous ; il serait inutile de disputer notre vie contre la tempête. »

5 Mentor me répondit :

« Le vrai courage trouve toujours quelque ressource. Ce n'est pas assez d'être prêt à recevoir tranquillement la mort : il faut, sans la craindre, faire tous ses efforts pour la repousser. Prenons, vous et moi, un de ces grands bancs de rameurs. Tandis que cette multitude d'hommes timides[1] et troublés regrette la vie sans chercher les moyens de la conserver, ne perdons pas un moment pour sauver 10 la nôtre. »

Aussitôt il prend une hache, il achève de couper le mât qui était déjà rompu et qui, penchant dans la mer, avait mis le vaisseau sur le côté ; il jette le mât hors du vaisseau et s'élance dessus au milieu des ondes furieuses ; il m'appelle par mon nom et m'encourage pour le suivre. Tel qu'un grand arbre que tous les vents conjurés attaquent et qui demeure immobile sur ses profondes racines, en sorte 15 que la tempête ne fait qu'agiter ses feuilles, de même Mentor, non seulement ferme et courageux, mais doux et tranquille, semblait commander aux vents et à la mer. Je le suis : et qui aurait pu ne le pas suivre, étant encouragé par lui ?

Nous nous conduisions nous-mêmes sur ce mât flottant. C'était un grand secours pour nous, car nous pouvions nous asseoir dessus, et s'il eût fallu nager sans relâche, nos forces eussent été bientôt 20 épuisées. Mais souvent la tempête faisait tourner cette grande pièce de bois, et nous nous trouvions enfoncés dans la mer : alors nous buvions l'onde amère, qui coulait de notre bouche, de nos narines et de nos oreilles ; nous étions contraints de disputer contre les flots pour rattraper le dessus de ce mât. Quelquefois aussi une vague haute comme une montagne venait passer sur nous, et nous nous tenions fermes, de peur que, dans cette violente secousse, le mât, qui était notre unique espérance, 25 ne nous échappât.

Pendant que nous étions dans cet état affreux, Mentor, aussi paisible qu'il l'est maintenant sur ce siège de gazon, me disait :

« Croyez-vous, Télémaque, que votre vie soit abandonnée aux vents et aux flots ? Croyez-vous qu'ils puissent vous faire périr sans l'ordre des dieux ? Non, non ; les dieux décident de tout. C'est 30 donc les dieux, et non pas la mer, qu'il faut craindre. Fussiez-vous au fond des abîmes, la main de Jupiter[2] pourrait vous en tirer. Fussiez-vous dans l'Olympe[3], voyant les astres sous vos pieds, Jupiter pourrait vous plonger au fond de l'abîme ou vous précipiter dans les flammes du noir Tartare[4]. »

Aventures de Télémaque, Livre V.

Pour préparer l'étude du texte

1. Vous ferez apparaître la structure du texte, en montrant les différents types d'énoncés (discours/récit) et en indiquant les liens précis qui les unissent.
2. Quelle est la notion autour de laquelle est construit le dialogue (l. 1 à 10) ? Qu'est-ce qui oppose les deux attitudes ?
3. Que souligne, dans le récit (l. 11 à 27), le passage du « il » au « nous » ? En quoi est-il une illustration du vrai courage ?
4. Quelle leçon Fénelon tire-t-il, à la fin du texte (l. 28 à 32), des deux comportements qui sont apparus au cours de la tempête ?

1. Hésitants, indécis.
2. Le maître des dieux.
3. Montagne grecque où étaient censés habiter les dieux.
4. Le fond des Enfers, où les criminels expiaient leurs crimes.

L'EMPRISE DE LA RELIGION (1680-1715)

Un roi devenu profondément dévot

Au début de son règne, Louis XIV est jeune. Il est attiré par les plaisirs, a une vie sentimentale agitée, aime les fêtes et le théâtre. Il pratique la religion : mais, dans un système politique où elle constitue un pilier essentiel, ses marques de piété relèvent davantage de la raison d'État que d'une conviction profonde. La quarantaine passée, à partir des années 1680, il va progressivement modifier sa position face à la foi. Cette véritable conversion le transforme bientôt profondément. Le contraste est grand entre le jeune roi libertin et le monarque vieillissant. Il devient d'une dévotion exemplaire, s'efforce de respecter scrupuleusement ses devoirs religieux.

L'influence de Madame de Maintenon

Madame de Maintenon (1635-1719) joua un rôle essentiel dans cette évolution spectaculaire. Cette petite-fille du poète Agrippa d'Aubigné, épouse de Scarron (voir p. 87), devint bientôt la maîtresse de Louis XIV qui, en 1660, alors qu'elle vient de perdre son mari, la charge de l'éducation de ses enfants bâtards. Son mariage secret avec le roi en 1683 devait encore renforcer son influence. Très croyante, elle fait régner à la cour une atmosphère d'austérité. Elle consacre la plus grande partie de son temps à des œuvres pieuses : c'est elle qui crée notamment à l'intention des jeunes filles méritantes cette institution de Saint-Cyr pour laquelle Racine écrira *Esther* et *Athalie* (voir p. 225).

Madame de Maintenon joue un rôle important dans la vie religieuse de l'époque : elle provoque la disgrâce de Fénelon à la suite de sa conversion au quiétisme (voir p. 404) ; elle n'est pas étrangère à la dramatique révocation de l'édit de Nantes (voir p. 372) et encourage les persécutions qui s'ensuivent contre les protestants. Louis XIV est sous son influence dans sa vie privée, il suit également ses conseils lorsqu'il s'agit de prendre des décisions politiques.

L'alignement de la cour

Le conformisme, l'imitation du souverain sont la raison d'être des courtisans, leur obligation ardente, s'ils veulent recueillir ses faveurs, objectifs premiers de leur comportement et de leur action. La Bruyère écrit cruellement à leur propos : « Un dévot est celui qui, sous un roi athée, serait athée. » (« De la mode », 21). Inversement, sous un roi croyant, il leur faut être croyant.

Dans ces conditions, il n'est pas surprenant de constater que les hommes d'Église sont de plus en plus puissants à la cour : Bossuet et Fénelon y joueront, en particulier, un rôle considérable. Et la constitution d'un groupe dévot autour du duc de Chevreuse ne fera que souligner cette influence grandissante de la religion dans les milieux proches du roi.

Le renforcement de l'ordre moral

L'Église profite évidemment de cette situation favorable pour renforcer son autorité sur la société. La littérature n'échappe pas à cette haute surveillance. Le roman est dénoncé comme incitant au vice. Le théâtre et, en particulier, la comédie, sont présentés comme des activités dangereuses, ennemies des bonnes mœurs (voir p. 305). La diminution des troupes permanentes à Paris et surtout le départ, en 1697, des comédiens italiens, auxquels on reprochait la licence de leurs spectacles, sont significatifs de ce renforcement de l'ordre moral.

Nicolas Mignard (1606-1668), *Saint Bruno*, Avignon, musée Calvet.

Pierre Bayle[1]
1647-1706

Portrait de Bayle, gravure XVIIe siècle, Paris, B.N.

Une victime du sectarisme religieux

Pierrre Bayle illustre bien la montée de l'intolérance religieuse durant la seconde partie du XVIIe siècle. Né dans le comté de Foix, région très influencée par le protestantisme, il est d'abord un adepte convaincu de cette religion et suit les cours de l'Académie protestante de Puylaurens. Mais il se convertit bientôt au catholicisme, pour retourner rapidement à ses premières convictions (1670). Ces hésitations, qui viennent d'un sens aigu de la relativité des choses, font désormais de Bayle un proscrit. Il s'exile : il passera la plus grande partie de sa vie en Hollande où il écrira la totalité de son œuvre. Mais là encore, il sera victime de l'intolérance religieuse : sous la pression de protestants extrémistes, il perdra sa chaire de philosophie et d'histoire en 1693 et achèvera sa vie dans la pauvreté.

Un apôtre de la tolérance

Hendrick Vliet (1611-1675), *Intérieur d'église*, Paris, musée du Louvre.

Travailleur acharné, d'une grande culture, Pierre Bayle n'a cessé de s'élever contre cette intolérance dont il eut tant à souffrir. Dans son œuvre, qui aborde de nombreux sujets et où il annonce l'ouverture d'esprit qui caractérisera les philosophes du XVIIIe siècle, il exalte l'exercice de l'esprit critique, s'élève contre le terrorisme du savoir et des certitudes. Dans les *Pensées diverses sur la comète* (1682), il se moque des superstitions et établit une distinction entre morale et foi. Dans son *Dictionnaire historique et critique* (1696), il dresse un panorama des connaissances historiques et philosophiques de son temps, en montrant les erreurs provoquées par les préjugés. Dans *Réponse aux questions d'un provincial* (1703-1705-1706), il constate, en le déplorant, que le mal est au centre de la nature humaine.

Pensées diverses sur la comète (1682).
Dictionnaire historique et critique (1696).
Réponse aux questions d'un provincial (1703-1705-1706). → p. 410-411.

1. Voir, par ailleurs, le recueil *Itinéraires Littéraires*, consacré au XVIIIe siècle.

Pierre Mignard (1612-1695), *La Fillette aux bulles de savon*, Versailles, musée national du Château.
Face au pessimisme de Bayle, Mignard nous offre une vision idyllique de l'enfance.

Réponse aux questions d'un provincial
1703-1705-1706

Publiée à la fin de la vie de Bayle, la *Réponse aux questions d'un provincial* révèle une accentuation de son pessimisme. Il y pose le problème du mal, en montrant qu'il est tapi au sein même de la nature humaine et que l'homme ne dispose que de peu de moyens pour l'en chasser.

« La nature est un état de maladie »

Bayle considère que « la nature est un état de maladie ». Bien loin de l'accepter telle quelle, on doit essayer de remédier à ses imperfections, d'en guérir l'homme grâce à l'éducation, à l'instruction : l'enfant n'est pas naturellement bon ; il faut, au contraire, l'amener à lutter contre ses mauvais penchants. C'est là une vision totalement opposée à ce que sera, au XVIIIe siècle, la conception optimiste d'un Jean-Jacques Rousseau.

[...] nous voyons dans le genre humain beaucoup de choses très mauvaises, quoiqu'on ne puisse douter qu'elles ne soient le pur ouvrage de la nature. Le moyen de s'assurer qu'une chose vient de la nature et non pas de l'éducation, est de voir qu'elle est générale parmi les hommes, quoique l'éducation l'ait traversée autant qu'elle a pu, et de savoir certainement que tous les efforts de
5 l'éducation seraient incapables de la supprimer. Si l'on était assez ridicule pour faire en sorte qu'un enfant ne souhaitât point de manger quand il a faim, et de boire quand il a soif, et qu'il ne sentît point de plaisir en apaisant sa faim et sa soif, on perdrait toute sa peine. On peut donc dire certainement que ce désir, et ce plaisir nous viennent de la nature indépendamment de l'instruction. Je vois que les pères les plus pieux et les plus affectionnés[1] à instruire leurs enfants aux vérités évangéliques[2],
10 ne peuvent venir à bout de réprimer le désir de la vengeance, celui des louanges, celui du jeu, celui de l'amour impur ; je vois que tous les petits enfants sont vindicatifs, et que si on les laissait faire ils ôteraient à un autre plus faible qu'eux ses jouets, ses pommes, et qu'ils le battraient. Je leur vois un grand penchant à la vanité, ils aiment les louanges, et ils sont jaloux des caresses que l'on fait à d'autres enfants. Ce sont les défauts qui précèdent l'éducation, et que l'on ne peut extirper par
15 l'industrie[3] la plus adroite. Les enfants sont-ils parvenus à un certain âge ? les voilà soumis aux impuretés de l'amour. On a tâché de les prémunir contre cette peste, on continue à les menacer de l'enfer, et à leur promettre le paradis ; un père leur déclare qu'il les chassera s'ils se laissent débaucher par ses servantes, ou s'ils les débauchent, ou s'ils vont aux lieux publics[4]. Quelques jeunes gens se refrènent par des respects divins ou humains : très peu profitent de l'instruction. Je conclus
20 que c'est la nature qui communique et l'esprit vindicatif, et l'esprit de vanité, et les passions impudiques, et je suis sûr indépendamment des relations de voyages[5], que ces désordres se voient dans tous les pays du monde.

Si l'on me vient de dire après cela que puisqu'une chose nous est enseignée par la nature, elle est véritable, et raisonnable, je nierai la conséquence, et je ferai voir qu'il n'y a rien de plus nécessaire
25 à l'acquisition de la sagesse, que de ne point suivre les instigations de la nature sur le chapitre de la vengeance, et de l'orgueil, et de l'impudicité. N'a-t-il pas fallu que les lois divines, et les lois humaines refrénassent la nature ? Et que serait devenu sans cela le genre humain ? La nature est un état de maladie...

Réponse aux questions d'un provincial, Partie II.

Pour préparer l'étude du texte

1. Vous relèverez et analyserez les exemples que donne Bayle des effets négatifs de la nature.
2. Vous montrerez comment Bayle limite les conséquences heureuses que peut avoir l'instruction.
3. Vous dégagerez la conception de l'homme que suppose une telle analyse.

1. Les plus attachés.
2. Les vérités révélées par les Évangiles.
3. Par le savoir-faire.
4. Aux lieux de débauche où sont les prostituées.
5. De ce que relatent, rapportent les voyageurs.

Bernard Le Bovier de Fontenelle[1]

1657-1757

Louis Galloche (1670-1761), *Portrait de Fontenelle*, Versailles, musée national du Château.

Un écrivain à la mode

On rapproche souvent Fontenelle de Bayle (voir p. 409). Mais que de différences dans leur vie ! Neveu de Corneille, Fontenelle naquit dans un milieu largement ouvert à la littérature. Attiré par les plaisirs, il sut dominer l'inquiétude qui était en lui, prit toujours ses distances avec la religion. Esprit cultivé, ce fut plutôt un dilettante qu'un érudit. Sarcastique et plein d'humour, il connut une existence agréable et confortable et mourut centenaire.

C'est, à son époque, un écrivain à la mode, un homme des salons dont on recherche la compagnie, dont on apprécie le brillant. Il est au centre de la vie intellectuelle et culturelle, on écoute ses avis. Il est membre de nombreuses académies dont l'Académie française. C'est une autorité incontestable, incontestée.

Un adepte du relatif

Fontenelle est un adepte convaincu du relatif. Il rejette résolument le fanatisme et la certitude porteuse d'intolérance. Il combat les idées reçues et montre son attachement à une analyse rigoureuse des faits. Alliant le sérieux et l'humour, la raison et l'imagination, il a su élaborer une œuvre de vulgarisation de bon aloi.

Il a traité de nombreux sujets, abordé de nombreux problèmes : dans les *Nouveaux dialogues des morts* (1683), il dénonce les préjugés qui obscurcissent l'esprit humain. Dans les *Entretiens sur la pluralité des mondes* (1686), il souligne la relativité de l'homme plongé dans l'immensité de l'univers. Dans l'*Histoire des oracles* (1686), il montre le danger des superstitions. Dans la *Digression sur les Anciens et les Modernes* (1688), tout en penchant du côté des Modernes, il fait preuve de modération en refusant de donner totalement raison à l'un ou l'autre camp que divisait alors une âpre querelle littéraire (voir p. 416).

Nouveaux dialogues des morts (1683).
Entretiens sur la pluralité des mondes (1686). → pp. 413-414.
Histoire des oracles (1686). → pp. 414-415.
Digression sur les Anciens et les Modernes (1688).

1. Voir, par ailleurs, le recueil *Itinéraires Littéraires*, consacré au XVIIIe siècle.

Entretiens sur la pluralité des mondes

1686

Dans les *Entretiens sur la pluralité des mondes*, Fontenelle fait œuvre de vulgarisation. Il adopte une forme plaisante, celle de la conversation également pratiquée par Méré (voir p. 267) ou Saint-Évremond (voir p. 307). Il l'utilise, en y mettant beaucoup de légèreté et d'humour, en mêlant aux propos scientifiques toute une atmosphère de galanterie que crée son interlocutrice, le personnage de la Marquise. Mais son but philosophique est clair : il veut montrer la relativité de l'homme, en s'appuyant sur la probabilité de l'existence d'une multiplicité de mondes et d'autres êtres intelligents, ce qui lui permet de donner libre cours à son imagination et d'ouvrir grandes les portes de l'anticipation.

Sébastien Le Clerc (1637-1714), *Le Cabinet*, gravure, Paris, B.N.

« Quelque jour on ira jusqu'à la lune »

Face à la Marquise très sceptique, Fontenelle exprime sa conviction que l'homme pourra bientôt voler et aller sur la lune.

Après cela[1], je ne veux plus jurer qu'il ne puisse y avoir commerce[2] quelque jour entre la lune et la terre. Les Américains[3] eussent-ils cru qu'il eût dû y en avoir entre l'Amérique et l'Europe qu'ils ne connaissaient seulement pas ? Il est vrai qu'il faudra traverser ce grand espace d'air et de ciel qui est entre la terre et la lune. Mais ces grandes mers paraissaient-elles aux Américains plus propres
5 à être traversées ?

« En vérité, dit la Marquise en me regardant, vous êtes fou.

— Qui vous dit le contraire ? répondis-je.

1. Fontenelle vient de parler de la découverte de l'Amérique.
2. Qu'il ne puisse y avoir de relations.
3. Ceux qui habitaient, à l'origine, l'Amérique.

— Mais je veux vous le prouver, reprit-elle ; je ne me contente pas de l'aveu que vous en faites. Les Américains étaient si ignorants, qu'ils n'avaient garde de soupçonner qu'on pût se faire des chemins au travers de mers si vastes ; mais nous qui avons tant de connaissances, nous nous figurerions bien qu'on pût aller par les airs, si l'on pouvait effectivement y aller.

— On fait plus que se figurer la chose possible, répliquai-je, on commence déjà à voler un peu[1] ; plusieurs personnes différentes ont trouvé le secret de s'ajuster des ailes qui les soutinssent en l'air, de leur donner du mouvement, et de passer par-dessus des rivières. A la vérité, ce n'a pas été un vol d'aigle, et il en a quelquefois coûté à ces nouveaux oiseaux un bras ou une jambe ; mais enfin cela ne représente encore que les premières planches que l'on a mises sur l'eau, et qui ont été le commencement de la navigation. De ces planches-là, il y avait bien loin jusqu'à de gros navires qui pussent faire le tour du monde. Cependant peu à peu sont venus les gros navires. L'art de voler ne fait encore que de naître ; il se perfectionnera, et quelque jour on ira jusqu'à la lune. Prétendons-nous avoir découvert toutes choses, ou les avoir mises à un point qu'on n'y puisse rien ajouter ? Eh ! de grâce, consentons qu'il y ait encore quelque chose à faire pour les siècles à venir.

— Je ne consentirai point, dit-elle, qu'on vole jamais que d'une manière à se rompre aussitôt le cou.

— Eh bien ! lui répondis-je, si vous voulez qu'on vole toujours si mal ici, on volera mieux dans la lune ; ses habitants seront plus propres que nous à ce métier ; car il n'importe que nous allions là, ou qu'ils viennent ici ; et nous serons comme les Américains qui ne se figuraient pas qu'on pût naviguer, quoiqu'à l'autre bout du monde on naviguât fort bien.

— Les gens de la lune seraient donc déjà venus ? reprit-elle, presque en colère.

— Les Européens n'ont été en Amérique qu'au bout de six mille ans, répliquai-je, en éclatant de rire ; il leur fallut ce temps-là pour perfectionner la navigation jusqu'au point de pouvoir traverser l'océan. Les gens de la lune savent peut-être déjà faire de petits voyages dans l'air ; à l'heure qu'il est, ils s'exercent ; quand ils seront plus habiles et plus expérimentés, nous les verrons, et Dieu sait quelle surprise !

— Vous êtes insupportable, dit-elle, de me pousser à bout avec un raisonnement aussi creux[2] que celui-là. »

Entretiens sur la pluralité des mondes, Second soir.

Pour préparer l'étude du texte

1. Vous montrerez comment se manifeste la foi de Fontenelle dans le progrès.
2. Vous étudierez le style de Fontenelle, en soulignant l'alliance du raisonnement, de l'imagination et de l'humour. Vous pourrez établir une comparaison entre la façon de procéder de Fontenelle et celle de Cyrano de Bergerac (voir pp. 96-97).
3. Ce texte se présente sous la forme d'un dialogue entre Fontenelle et la Marquise. Vous montrerez comment est construit ce dialogue et préciserez sa fonction.

Histoire des oracles

1686

Bien qu'exprimant sa confiance dans le progrès, Fontenelle, dans les *Entretiens sur la pluralité des mondes*, remettait l'homme à sa place, rabaissait son orgueil, en montrant qu'il n'était pas le centre du monde, qu'il ne constituait qu'un élément de l'univers. Dans l'*Histoire des oracles*, il s'en prend à la crédulité humaine : l'homme, avide de merveilleux, d'extraordinaire, ne demande qu'à croire ceux qui ont intérêt à le tromper pour imposer leur pouvoir. Comment éviter ces pièges ? En procédant à une analyse minutieuse des faits, en utilisant l'esprit critique, en veillant à l'objectivité scientifique.

1. Allusion à des tentatives récentes de vols que le *Journal des savants* du 12 décembre 1678 avait relatées.

2. Vide de sens.

« Que les histoires surprenantes qu'on débite sur les oracles doivent être fort suspectes »

Dans le chapitre IV, Fontenelle fait le récit d'une supercherie pour montrer qu'un sûr établissement des faits exige une observation attentive et un raisonnement rigoureux.

Il serait difficile de rendre raison des histoires et des oracles[1] que nous avons rapportés[2], sans avoir recours aux démons[3], mais aussi tout cela est-il bien vrai ? Assurons-nous bien du fait, avant que de nous inquiéter de la cause. Il est vrai que cette méthode est bien lente pour la plupart des gens, qui courent naturellement à la cause, et passent par-dessus la vérité du fait ; mais enfin nous éviterons 5 le ridicule d'avoir trouvé la cause de ce qui n'est point.

Ce malheur arriva si plaisamment sur la fin du siècle passé à quelques savants d'Allemagne, que je ne puis m'empêcher d'en parler ici.

En 1593, le bruit courut que les dents étant tombées à un enfant de Silésie[4], âgé de sept ans, il lui en était venu une d'or, à la place d'une de ses grosses dents. Horstius, professeur en médecine 10 dans l'université de Helmstad[5], écrivit en 1595 l'histoire de cette dent, et prétendit qu'elle était en partie naturelle, en partie miraculeuse, et qu'elle avait été envoyée de Dieu à cet enfant pour consoler les chrétiens affligés par les Turcs[6]. Figurez-vous quelle consolation, et quel rapport de cette dent aux chrétiens, ni aux Turcs. En la même année, afin que cette dent d'or ne manquât pas d'historiens, Rullandus en écrit encore l'histoire. Deux ans après, Ingolsteterus, autre savant, écrit contre le 15 sentiment que Rullandus avait de la dent d'or, et Rullandus fait aussitôt une belle et docte réplique[7]. Un autre grand homme nommé Libavius ramasse tout ce qui avait été dit de la dent, et y ajoute son sentiment particulier. Il ne manquait autre chose à tant de beaux ouvrages, sinon qu'il fût vrai que la dent était d'or. Quand un orfèvre l'eut examinée, il se trouva que c'était une feuille d'or appliquée à la dent avec beaucoup d'adresse ; mais on commença par faire des livres, et puis on consulta 20 l'orfèvre.

Rien n'est plus naturel que d'en faire autant sur toutes sortes de matières. Je ne suis pas si convaincu de notre ignorance par les choses qui sont, et dont la raison nous est inconnue, que par celles qui ne sont point, et dont nous trouvons la raison. Cela veut dire que non seulement nous n'avons pas les principes qui mènent au vrai, mais que nous en avons d'autres qui s'accommodent 25 très bien avec le faux.

Histoire des oracles, chapitre V.

Pour préparer le commentaire composé

1. **L'anecdote.** Vous analyserez l'anecdote qui constitue le centre de ce texte, en étudiant l'art du récit (annonce, succession des faits, conclusion inattendue), en dégageant l'humour qui s'y donne libre cours et en montrant les contradictions qui apparaissent entre les efforts développés et le résultat atteint.
2. **La leçon des faits.** Vous noterez comment ce récit se trouve encadré par deux développements qui tirent la leçon des faits. Quels enseignements Fontenelle dégage-t-il ? Quelle méthode propose-t-il ?
3. **Une conception de la science et de l'autorité.** Quelle conception de la science, des savants et, plus généralement, des détenteurs d'une autorité cette analyse suppose-t-elle ?

1. Les prophéties, les interprétations de la réalité.
2. Dans le chapitre I.
3. Aux esprits, aux êtres surnaturels.
4. Région d'Europe centrale.
5. Ville allemande célèbre pour son université.
6. Les Turcs menaçaient alors l'Europe centrale.
7. Une savante réponse.

LA QUERELLE DES ANCIENS ET DES MODERNES

Eustache Le Sueur (1616-1655), *Réunion d'amis*, Paris, musée du Louvre.

Une vieille opposition

Ce que l'on appelle la querelle des Anciens et des Modernes ne fait que reprendre, en la radicalisant, une vieille opposition. De tout temps, s'affirment deux conceptions de la littérature et, plus généralement, de la création. Les uns, tournés vers le passé, croient qu'il convient d'imiter les prédécesseurs, parce qu'ils ont atteint la perfection dans leur art : ce sont les partisans des Anciens. Les autres, fixés sur le présent, pensent qu'il faut, au contraire, innover, trouver des solutions qui correspondent à l'esprit de l'époque : ce sont les Modernes. Entre les deux camps, les conciliateurs essaient d'harmoniser les positions : pour eux, s'il faut tenir compte des apports précédents, il faut aussi les adapter aux situations nouvelles, les utiliser comme un tremplin qui permet de progresser.

Durant la première partie du XVIIe siècle, ces trois conceptions apparaissent déjà, par exemple dans le domaine théâtral : les adeptes du théâtre régulier entendent appliquer les préceptes des auteurs dramatiques de l'Antiquité, d'autres préfèrent un théâtre irrégulier porteur d'innovations, tandis que les partisans de solutions moyennes les renvoient dos à dos, en préconisant un système théâtral à la fois inspiré des Anciens et influencé par le présent (voir p. 131).

Les camps en présence

Qu'a donc alors de particulier cette querelle des Anciens et des Modernes ? D'abord, son nom même : il montre que naît une conscience vive de l'existence d'une opposition, de deux voies possibles. Ensuite, son intensité : il s'agit d'une querelle aiguë, à laquelle vont participer la plupart des écrivains de l'époque. Enfin, sa signification : elle indique que le classicisme est ébranlé, que de nouvelles solutions commencent à être cherchées.

C'est une véritable bataille qui s'engage. Les péripéties y sont nombreuses. Chaque camp essaie de marquer des points, tandis que des esprits plus modérés tentent une conciliation difficile. Du côté des Anciens, La Fontaine (voir p. 349), Boileau (voir p. 367) et La Bruyère (voir p. 394) sont parmi les plus ardents à exprimer leurs positions. Du côté des Modernes, Thomas Corneille (voir p. 217) et surtout Charles Perrault (voir p. 419) apparaissent comme les militants les plus actifs. Enfin, dans ce combat, Saint-Évremond (voir p. 310), Fénelon (voir p. 405) et Fontenelle (voir p. 412) se posent en médiateurs.

Le progrès existe-t-il en art ?

Les Anciens et les Modernes s'opposent essentiellement sur la notion de progrès dans le domaine artistique. Pour les premiers, comme La Bruyère, le progrès en art n'existe pas, la perfection a été atteinte une fois pour toutes par les Anciens qui ont tout découvert, tout inventé : « Tout est dit, et l'on vient trop tard depuis plus de sept mille ans qu'il y a des hommes, et qui pensent. Sur ce qui concerne les mœurs, le plus beau et le meilleur est enlevé ; l'on ne fait que glaner après les Anciens et les habiles d'entre les Modernes. » (*Les Caractères*, I, 1). Pour les seconds, comme Perrault, il reste au contraire beaucoup à trouver, beaucoup à améliorer, ce qui donne aux Modernes une supériorité de fait sur leurs prédécesseurs : « [...] tous les arts ont été portés dans notre siècle à un plus haut degré de perfection que celui où ils étaient parmi les Anciens, parce que le temps a découvert plusieurs secrets dans tous les arts, qui, joints à ceux que les Anciens nous ont laissés, les ont rendus plus accomplis [...]. » *(Parallèles des Anciens et des Modernes)*.

Cette opposition centrale entraîne tout naturellement d'autres oppositions : imiter les Anciens, c'est se référer à des modèles immuables ; innover, c'est, au contraire, chercher des solutions meilleures. Suivre les exemples des prédécesseurs, c'est se rallier à des pratiques cautionnées par le temps et donc à l'abri des modes ; s'engager sur une voie nouvelle, c'est tenir compte de l'évolution historique, des leçons des événements.

La crise des genres littéraires
Perrault, Challe, Regnard

Jean-Antoine Watteau (1684-1721), *Arlequin, empereur de la nuit*, Nantes, musée des Beaux-Arts.

L'usure du temps

La littérature n'échappe pas à l'usure du temps. Comme tout ce qui est humain, les courants littéraires, après avoir connu la gloire, doivent subir la décadence, la sclérose. Quel qu'ait été leur rayonnement, ils s'achèvent sur une transition à la fois périlleuse et pleine de promesses. La littérature peut alors se figer, refuser les évolutions nécessaires, se réfugier dans l'académisme pour échapper aux coups des contestataires. Mais c'est aussi le temps des remises en cause, de l'expérimentation, où se prépare ce que sera la littérature de demain. La querelle des Anciens et des Modernes (voir p. 416), qui se développe à la fin du XVIIe siècle et au début du XVIIIe siècle, est significative de ce double mouvement de repliement frileux et d'aspiration au renouvellement qui marque, dans leur ensemble, les genres littéraires de cette période.

La décadence de la poésie

Déjà durant la période classique, la place prépondérante accordée à la raison au détriment de l'inspiration mettait gravement en danger la poésie (voir p. 336). Dans ces années 1685-1715, la décadence ne fait que s'accentuer. La volonté d'instruire, de démontrer l'emporte sur le désir de toucher, d'émouvoir : le lyrisme cède au prosaïsme.

Le réveil se fera longtemps attendre. La timide amorce d'un renouveau commence cependant à se manifester. Dans son *Discours sur la poésie* (1709), Houdart de La Motte (1672-1731) développe une idée alors révolutionnaire : la poésie ne dépend pas seulement de la versification, mais également de l'inspiration et des thèmes abordés.

LA REMISE EN CAUSE DU ROMAN

Le roman, lui aussi, connaît une grave crise d'identité. La conception idéaliste du monde sur laquelle il reposait (voir p. 309) semble dépassée. Son utilisation de l'histoire est remise en cause. La contestation qui se développe contre lui revêt deux aspects. D'un côté, s'affirme une volonté de refuser la caution de la réalité historique, de fuir dans l'imaginaire ou dans le merveilleux : voilà qui explique le succès du conte de fées, dont les *Contes de ma mère l'oie* (1697) de Charles Perrault (1628-1703) constituent un célèbre exemple.

D'un autre côté, se manifeste une tendance à la parodie souvent accompagnée d'une recherche du réalisme. C'est là un prolongement de la tradition burlesque et picaresque (voir p. 84) qui connaîtra un grand développement durant le premier tiers du XVIIIe siècle, avec *Les Illustres Françaises* (1713) de Robert Challe (1658-1720), *Le Diable boiteux* (1704) et *Gil Blas de Santillane* (1715-1735) d'Alain-René Lesage (1668-1747), ou les premiers romans de Marivaux (1688-1763)[1].

LA STAGNATION DU THÉÂTRE

La fin du règne de Louis XIV, marquée par l'austérité des mœurs et par les attaques contre les spectacles (voir p. 408), n'est guère propice au développement du théâtre, qui ne se renouvellera que plus tard, avec Marivaux, Diderot et Beaumarchais[1].

En attendant, la tradition théâtrale précédemment établie se maintient. Les efforts d'innovation ne bouleversent que peu le paysage. La tragédie est en déclin : Crébillon (1674-1762) prolonge l'inspiration romanesque, en marquant sa préférence pour les actions compliquées, en multipliant les rebondissements et les coups de théâtre, en accordant une place importante à l'horreur (*Atrée et Thyeste*, 1707 ; *Électre*, 1708). La comédie triomphe : l'intrigue y joue souvent un rôle prédominant, comme dans *Le Légataire universel* (1708) de Jean-François Regnard (1655-1709) ou *Turcaret* (1709) d'Alain-René Lesage. Son développement est l'occasion d'une peinture des caractères et des mœurs souvent très acérée, comme dans *Le Joueur* (1696) de Regnard. De son côté, Dancourt (1661-1725) s'intéresse surtout aux conditions sociales (*Le Chevalier à la mode*, 1687 ; *Les Agioteurs*, 1710), tandis que Philippe Destouches (1680-1754) pratique une comédie sérieuse, moralisatrice, inspirée des dramaturges anglais (*L'Ingrat*, 1712 ; *Le Médisant*, 1715)[1].

1. Voir, par ailleurs, *Itinéraires Littéraires* XVIIIe siècle.

Charles Perrault
1628-1703

Philippe Lallemand (1636-1716), *Portrait de Charles Perrault*, Versailles, musée national du Château.

Un écrivain inscrit dans la tradition

La plus grande partie de la carrière littéraire de Charles Perrault n'a rien de révolutionnaire. Frère de l'architecte Claude Perrault (voir p. 402) qui construisit notamment la colonnade du Louvre et l'Observatoire de Paris, il se consacre d'abord à la poésie, tout en assurant sa charge de contrôleur général de la surintendance des bâtiments. Il pratique les genres de l'époque : il compose des poèmes burlesques et galants, aborde la poésie de circonstance avec son *Ode sur le mariage du roi* (1660), se laisse guider par l'inspiration religieuse dans son *Saint Paulin* (1686). Charles Perrault est bien vu du pouvoir : protégé de Chapelain, lié à Bossuet, il entre en 1663 au service de Colbert. Bref, il accomplit une carrière « officielle » parfaite, qui le conduit, en 1671, à l'Académie française.

Le chef de file des Modernes

Rien ne semble donc laisser prévoir le rôle qui allait être le sien durant la querelle des Anciens et des Modernes (voir p. 416). Il prend alors résolument parti contre la tradition et pour l'évolution de la littérature. Son rôle est déterminant, il devient le véritable chef de file des Modernes. Le 27 janvier 1687, il donne lecture, devant les membres de l'Académie française, de son poème *Le Siècle de Louis le Grand*. Son propos est clair : il y critique les Anciens, y fait l'éloge des Modernes et y affirme la supériorité de la période de Louis XIV sur celle de l'empereur romain Auguste. Il précise ses conceptions dans les *Parallèles des Anciens et des Modernes* (publiés de 1688 à 1697) et s'oppose violemment à Boileau avec lequel il se réconciliera en 1694 en un compromis qui amènera chacun à accepter de nuancer ses positions.

L'auteur des Contes de ma mère l'oie

Charles Perrault est surtout connu comme l'auteur des *Contes de ma mère l'oie* (1697). Il a su transcrire, pour des générations, la tradition populaire du merveilleux : qui n'a pas eu l'occasion, dans son enfance, de lire ou d'entendre lire ces contes qui sont ainsi profondément ancrés dans la mémoire de chacun ?

Le Siècle de Louis le Grand (lu en 1687), poème.
Parallèles des Anciens et des Modernes (1688-1697).
Contes de ma mère l'oie (1697). → pp. 420 à 422.

Contes de ma mère l'oie
1697

Les *Contes de ma mère l'oie* ont une double signification. En mettant en scène des fées *(Cendrillon)*, des êtres étranges *(Barbe-bleue)*, des ogres *(Le Petit Poucet)* ou des chats doués de parole *(Le Chat botté)*, ils s'adressent aux enfants dont ils satisfont le goût pour le merveilleux.

Mais ils ont une signification beaucoup plus profonde. En fait, les personnages qui y évoluent évoquent les pulsions qui sont au centre de l'être humain, qui sont tapies dans son subconscient : Cendrillon montre ainsi les liens qui s'établissent entre rêve et réalité ; la femme de Barbe-bleue révèle la force de la curiosité et l'attirance morbide qu'exerce la mort ; le petit Poucet, engagé dans un combat contre la pauvreté et contre l'ogre, souligne la nécessité pour le faible d'utiliser la ruse et pour l'enfant de lutter contre la domination des adultes ; les victoires du chat botté indiquent les possibilités du triomphe de la malice populaire sur la violence du pouvoir.

« Le plancher était tout couvert de sang caillé »

Barbe-bleue a bien recommandé à sa femme de ne pas ouvrir la porte du petit cabinet du rez-de-chaussée. Mais poussée par la curiosité, elle profite de l'absence de son mari pour pénétrer dans la pièce interdite et découvre un horrible spectacle.

Elle fut si pressée de sa curiosité, que, sans considérer qu'il était malhonnête[1] de quitter sa compagnie[2], elle y descendit par un petit escalier dérobé, et avec tant de précipitation qu'elle pensa se rompre le cou deux ou trois fois. Étant arrivée à la porte du cabinet, elle s'y arrêta quelque temps, songeant à la défense que son mari lui avait faite, et considérant qu'il pourrait lui arriver malheur 5 d'avoir été désobéissante ; mais la tentation était si forte, qu'elle ne put la surmonter : elle prit donc la petite clef, et ouvrit en tremblant la porte du cabinet.

D'abord elle ne vit rien, parce que les fenêtres étaient fermées. Après quelques moments, elle commença à voir que le plancher était tout couvert de sang caillé, et que, dans ce sang, se miraient les corps de plusieurs femmes mortes, et attachées le long des murs : c'était toutes les femmes que 10 la Barbe-bleue avait épousées, et qu'il avait égorgées l'une après l'autre. Elle pensa mourir de peur, et la clef du cabinet, qu'elle venait de retirer de la serrure, lui tomba de la main.

Après avoir un peu repris ses sens, elle ramassa la clef, referma la porte, et monta à sa chambre pour se remettre un peu ; mais elle n'en pouvait venir à bout, tant elle était émue.

Ayant remarqué que la clef du cabinet était tachée de sang, elle l'essuya deux ou trois fois ; mais 15 le sang ne s'en allait point : elle eut beau la laver, et même la frotter avec du sablon[3] et avec du grès, il demeura toujours du sang, car la clef était fée[4], et il n'y avait pas moyen de la nettoyer tout à fait : quand on ôtait le sang d'un côté, il revenait de l'autre.

La Barbe-bleue revint de son voyage dès le soir même, et dit qu'il avait reçu des lettres, dans le chemin, qui lui avaient appris que l'affaire pour laquelle il était parti venait d'être terminée à son 20 avantage. Sa femme fit tout ce qu'elle put pour lui témoigner qu'elle était ravie de son prompt retour.

1. Qu'il était impoli.
2. Des amies sont venues la voir.
3. Du sable fin.
4. Était enchantée.

Le lendemain, il lui redemanda les clefs ; et elle les lui donna, mais d'une main si tremblante, qu'il devina sans peine tout ce qui s'était passé. « D'où vient, lui dit-il, que la clef du cabinet n'est point avec les autres ? — Il faut, dit-elle, que je l'aie laissée là-haut sur ma table. — Ne manquez pas, dit la Barbe-bleue, de me la donner tantôt. »

25 Après plusieurs remises, il fallut apporter la clef. La Barbe-bleue, l'ayant considérée, dit à sa femme : « Pourquoi y a-t-il du sang sur cette clef ? — Je n'en sais rien, répondit la pauvre femme, plus pâle que la mort. — Vous n'en savez rien ? reprit la Barbe-bleue ; je le sais bien, moi. Vous avez voulu entrer dans le cabinet ? Eh bien, Madame, vous y entrerez et irez prendre votre place auprès des dames que vous y avez vues. »

30 Elle se jeta aux pieds de son mari en pleurant, et en lui demandant pardon, avec toutes les marques d'un vrai repentir, de n'avoir pas été obéissante. Elle aurait attendri un rocher, belle et affligée comme elle était ; mais la Barbe-bleue avait le cœur plus dur qu'un rocher. « Il faut mourir, Madame, lui dit-il, et tout à l'heure. — Puisqu'il faut mourir, répondit-elle en le regardant les yeux baignés de larmes, donnez-moi un peu de temps pour prier Dieu. — Je vous donne une demi-quart
35 d'heure, reprit la Barbe-bleue ; mais pas un moment davantage. »

Contes de ma mère l'oie, Barbe-bleue.

Pour préparer l'étude du texte

1. Vous montrerez que le récit suit des étapes chronologiques nettement soulignées et ménage des effets de suspense.
2. Vous étudierez l'imbrication constante du quotidien et de l'horreur.
3. Comment s'expriment, chez la femme de Barbe-bleue, une curiosité et une émotivité fatales, chez Barbe-bleue, l'assurance et l'autorité ? Que représentent symboliquement ces deux personnages ?

« Il était le plus fin et le plus avisé de tous ses frères »

Le petit Poucet, malgré sa faiblesse, se met à la tête de ses frères pour engager la lutte contre la pauvreté et contre la cruauté des adultes. C'est qu'il dispose de la ruse, cette arme efficace des faibles.

Il était une fois un bûcheron et une bûcheronne qui avaient sept enfants, tous garçons ; l'aîné n'avait que dix ans, et le plus jeune n'en avait que sept. On s'étonnera que le bûcheron ait eu tant d'enfants en si peu de temps : mais c'est que sa femme allait vite en besogne, et n'en faisait pas moins de deux à la fois.

5 Ils étaient fort pauvres, et leurs sept enfants les incommodaient beaucoup[1], parce qu'aucun d'eux ne pouvait encore gagner sa vie. Ce qui les chagrinait encore, c'est que le plus jeune était fort délicat et ne disait mot : prenant pour bêtise ce qui était une marque de la bonté de son esprit. Il était fort petit, et, quand il vint au monde, il n'était guère plus gros que le pouce, ce qui fit qu'on l'appela le petit Poucet.

10 Ce pauvre enfant était le souffre-douleur de la maison, et on lui donnait toujours le tort[2]. Cependant il était le plus fin et le plus avisé de tous ses frères, et, s'il parlait peu, il écoutait beaucoup.

Il vint une année très fâcheuse, et la famine fut si grande que ces pauvres gens résolurent de se défaire de leurs enfants. Un soir que ces enfants étaient couchés, et que le bûcheron était auprès du feu avec sa femme, il lui dit, le cœur serré de douleur : « Tu vois bien que nous ne pouvons plus
15 nourrir nos enfants : je ne saurais les voir mourir de faim devant mes yeux, et je suis résolu de les mener perdre demain au bois, ce qui sera bien aisé, car, tandis qu'ils s'amuseront à fagoter[3], nous n'avons qu'à nous enfuir sans qu'ils nous voient. — Ah ! s'écria la bûcheronne, pourrais-tu toi-même mener perdre tes enfants ! » Son mari avait beau lui représenter leur grande pauvreté, elle ne pouvait y consentir : elle était pauvre, mais elle était leur mère.

1. Leur causaient beaucoup de gêne.
2. On lui donnait toujours tort.
3. A faire des fagots.

Cependant, ayant considéré quelle douleur ce lui serait de les voir mourir de faim, elle y consentit, et alla se coucher en pleurant.

Le petit Poucet ouït[1] tout ce qu'ils dirent, car ayant entendu, de dedans son lit, qu'ils parlaient d'affaires, il s'était levé doucement et s'était glissé sous l'escabelle[2] de son père, pour les écouter sans être vu. Il alla se recoucher et ne dormit point le reste de la nuit, songeant à ce qu'il avait à faire. Il se leva de bon matin, et alla au bord d'un ruisseau, où il emplit ses poches de petits cailloux blancs, et ensuite revint à la maison. On partit, et le petit Poucet ne découvrit rien[3] de tout ce qu'il savait à ses frères.

Ils allèrent dans une forêt fort épaisse, où, à dix pas de distance, on ne se voyait pas l'un l'autre. Le bûcheron se mit à couper du bois, et ses enfants à ramasser des broutilles[4], pour faire des fagots. Le père et la mère, les voyant occupés à travailler, s'éloignèrent d'eux insensiblement, et puis s'enfuirent tout à coup par un petit sentier détourné.

Lorsque ces enfants se virent seuls, ils se mirent à crier et à pleurer de toute leur force. Le petit Poucet les laissait crier, sachant bien par où il reviendrait à la maison, car en marchant il avait laissé tomber, le long du chemin, les petits cailloux blancs qu'il avait dans ses poches. Il leur dit donc : « Ne craignez point, mes frères ; mon père et ma mère nous ont laissés ici, mais je vous remènerai[5] bien au logis : suivez-moi seulement. »

Contes de ma mère l'oie, Le Petit Poucet.

LE PETIT POUCET.

CONTE.

IL eſtoit une fois un Bucheron & une Bucheronne, qui avoient ſept enfans tous Garçons. L'aîné n'avoit que dix ans, &

Le Petit Poucet gravure extraite du recueil *Histoires ou Contes du Temps passé,* Paris 1697. Chantilly, Musée Condé.

Pour préparer le commentaire composé

1. **La conduite du récit.** Vous étudierez la précision et la rapidité avec lesquelles s'enchaînent les étapes du récit. Vous montrerez le caractère réaliste du début de ce conte (évocation de la pauvreté, description du quotidien et de la campagne, portraits).

2. **L'art du portrait.** Vous relèverez et analyserez les passages où sont brossés les portraits du père, de la mère, du petit Poucet et de ses frères. Vous y noterez les effets de contraste.

3. **Les caractéristiques du conte.** Vous dégagerez les caractéristiques du conte, en indiquant ce qui le distingue du roman (structure, réalisme, merveilleux, personnages).

1. Entendit.
2. Sous l'escabeau.
3. Ne révéla rien.
4. Du menu bois.
5. Je vous ramènerai.

Robert Challe
1658-1720

Une vie aventureuse

Après ses études, ce fils d'un garde du corps d'Anne d'Autriche, puis du roi, est attiré par les armes et participe, en 1677, à la bataille de Flandre qui oppose les troupes royales à une coalition formée de l'Espagne, de l'Autriche, de la Hollande et de la Suède. La paix de Nimègue (1678) met fin à cette carrière militaire. Il est clerc d'un avocat durant quelques années et répond, à nouveau, à l'appel de l'aventure. En 1681, il met au point un grandiose projet de pêche au Canada. Il s'y consacre jusqu'en 1687, mais est bientôt ruiné par une attaque sanglante des troupes anglaises contre ses installations. Arrêté, il est conduit à Londres où il fait la connaissance de Saint-Évremond (voir p. 306), puis il rentre en France. En 1689, Robert Challe reprend sa vie aventureuse, en s'embarquant comme « écrivain du roi » sur les navires de la Compagnie des Indes Orientales. En 1692, il participe au combat naval de La Hougue contre les flottes anglaise et hollandaise où s'illustre Tourville. Il semble qu'il ait poursuivi sa carrière de marin jusqu'en 1712. Quant à la dernière partie de sa vie, on en ignore les détails.

Une œuvre mince, mais importante

L'œuvre de Challe est quantitativement bien mince. Mais elle est d'un grand intérêt. Il a laissé un journal de voyage qui relate avec beaucoup d'allant les épisodes de son existence agitée. Mais son importance littéraire vient surtout de son roman, *Les Illustres Françaises*. Publiée anonymement en 1713, cette œuvre marque en effet une étape essentielle dans l'évolution du genre romanesque. Si Challe peut apparaître, à l'instar de Guilleragues, comme un écrivain occasionnel, c'est incontestablement un auteur qui compte dans l'histoire de la littérature française.

Jean I Berain « Le vieux » (1640-1711), *Poupe du vaisseau Le Soleil Royal*, Paris, musée du Louvre, cabinet des dessins. C'est sur de magnifiques vaisseaux très ornementés qu'on embarquait autrefois, comme le fit Robert Challe qui navigua pendant de longues années, répondant ainsi à l'appel de l'aventure.

Les Illustres Françaises (1713), roman. → pp. 424-425.
Journal d'un voyage aux Indes (1721).

Les Illustres Françaises
1713

Dans *Les Illustres Françaises*, Robert Challe reprend une formule déjà souvent utilisée avant lui : il fait raconter et commenter des récits par les personnages romanesques eux-mêmes. Ainsi se succèdent sept histoires d'amour pleines de péripéties dont les seuls liens viennent du fait que les narrateurs se connaissent.

L'originalité n'est donc pas dans la structure adoptée. Mais ce qui est révolutionnaire, c'est la multiplicité des ruptures et des interruptions : elles viennent bouleverser la continuité du récit qui, contrairement aux habitudes de l'époque, ne se déroule pas de façon linéaire. Ce qui est original, c'est l'étroitesse des liens qui s'établissent entre les personnages des histoires racontées et ceux qui en sont présentés comme les narrateurs : ces derniers ont en effet participé directement aux événements qu'ils relatent et sont donc, à la fois, les narrateurs et les acteurs du récit. L'univers romanesque prend ainsi son autonomie par rapport à la réalité, possède ses propres règles de fonctionnement, n'est plus seulement un reflet du monde réel.

Robert Challe n'en délaisse pas pour autant la réalité. Bien au contraire, il pousse jusqu'au bout la logique du roman comique (voir p. 37) et démonte, avec réalisme, les moindres détails de la vie quotidienne. Il le fait, en bafouant conventions sociales et tabous moraux, en montrant le rôle de l'inconscient dans le comportement humain.

« Un cavalier fort bien vêtu [...] se trouva arrêté dans un de ces embarras »

Le roman s'ouvre sur la présentation mouvementée de deux des narrateurs, Monsieur des Frans et Monsieur des Ronais. Voilà qui donne occasion à l'auteur de faire une description pittoresque des embouteillages parisiens.

Pieter Wouwermans (1623-1682), *Paris vu du Pont-Neuf*, Copenhague, musée royal des Beaux-Arts.

Paris n'avait point encore l'obligation à Monsieur Pelletier[1], depuis ministre d'État, d'avoir fait bâtir ce beau quai qui va du pont Notre-Dame à la Grève[2], que sa modestie avait nommé le quai du Nord, et que la reconnaissance publique continue à nommer de son nom, pour rendre immortel celui de cet illustre Prévôt des Marchands[3] ; lorsqu'un cavalier fort bien vêtu, mais dont l'habit, les bottes et le
5 cheval crottés faisaient voir qu'il venait de loin, se trouva arrêté dans un de ces embarras, qui arrivaient tous les jours au bout de la rue de Gesvres[4]. Et malheureusement pour lui, les carrosses venant à la file de tous les côtés, il ne pouvait se tourner d'aucun[5]. Un valet qui le suivait était dans la même peine ; et tous deux en risque d'être écrasés entre les roues des carrosses, s'ils avaient fait le moindre mouvement contraire. La bonne mine de ce cavalier le fit regarder par tous les gens des
10 carrosses dont il était environné. La crainte qu'ils eurent du danger qu'il courait les obligea de lui offrir place. Il acceptait leurs offres et ne délibérait plus que du choix d'une des places qui lui étaient offertes, lorsque l'un de ces Messieurs, vêtu d'une robe du Palais[6], l'appela plus haut que les autres.

1. Il s'agit, en fait, de Claude Le Peletier (1630-1711), qui fut Prévôt des Marchands à partir de 1668.
2. Place située dans le centre de Paris, devant l'Hôtel de Ville.
3. Le Prévôt des Marchands était le chef de l'administration municipale, l'équivalent du maire actuel.
4. Rue parallèle à la Seine qui allait du pont Notre-Dame au Châtelet.
5. Il ne pouvait en éviter aucun.
6. Il est conseiller au Parlement.

Il le regarda et crut le reconnaître. Il vit bien qu'il ne se trompait pas, lorsqu'il recommença à crier, en se jetant presque tout le corps hors de la portière : « Venez ici, Monsieur des Frans ». « Ah,
15 Monsieur », répondit-il en descendant de cheval, « quelle joie de vous voir et de vous embrasser[1] ! » Il alla à lui, monta dans son carrosse et fit monter son valet derrière, aimant mieux risquer ses chevaux[2] que de laisser ce garçon dans le hasard d'être blessé[3].

Les Illustres Françaises, Tome I, Prologue.

Pour préparer le commentaire composé

1. **Le décor.** Vous analyserez les détails qui servent à brosser la toile de fond du récit, en montrant comment se construit le pittoresque.
2. **Les personnages.** Vous étudierez la peinture des personnages, en soulignant la différence de traitement entre les deux personnages principaux et les « figurants ».
3. **Le rôle du hasard.** Vous noterez l'originalité de ce début de roman, en dégageant notamment la part du hasard dans la rencontre entre des Frans et l'avocat des Ronais.

« Cette lettre rendue avec tant de mystère »

Le jeune des Frans, en sortant de la maison de celle qu'il aime, est abordé par un inconnu qui lui remet une lettre anonyme.

Je sortais un soir fort tard de chez elle dans le mois de janvier. Il était près de minuit. Le temps était extrêmement sombre ; on ne voyait ni ciel ni terre. Un flambeau qu'un laquais me portait s'était éteint par le vent et aucune lanterne n'était restée allumée ; je marchais à tâtons. J'entendis quelqu'un auprès de moi, je demandai qui c'était. Un homme me demanda si je n'étais pas Monsieur des Frans. « Oui,
5 c'est moi », répondis-je, « que voulez-vous ? » « Tenez, Monsieur », me dit-il, « on m'a chargé de vous rendre en main propre ce paquet-ci. Ne vous informez point d'où il vient, mais informez-vous des vérités qu'il contient : elles vous sont de conséquence[4]. » En me disant cela, il me donna un paquet cacheté et marcha d'un autre côté. Je ne le perdis point de vue, car je ne l'avais pas vu. Je l'appelai et il ne répondit pas. Je poursuivis mon chemin bien en peine de ce qu'on m'écrivait par une voie
10 si extraordinaire et ce que ce pouvait être[5]. Je décachetai l'enveloppe dans le moment[6], comme si j'avais pu lire dans un lieu où je ne pouvais discerner les rues. Je m'aperçus dans le moment de ma ridicule curiosité. Je mis le tout dans ma poche et revins chez ma mère. La première chose que je fis sitôt que[7] je fus dans ma chambre, ce fut de m'approcher d'une bougie et de jeter les yeux sur cette lettre rendue[8] avec tant de mystère. Les premiers mots qui me frappèrent la vue furent ceux-ci :

15 « Avis à Monsieur des Frans sur son amour pour Sylvie. »

Il y avait trois feuilles de papier bien pleines d'une écriture d'homme fort menue. Comme il me fallait du temps pour la lire, je me couchai et la lus dans mon lit. Je ne vous la répéterai point, elle est trop longue pour m'en souvenir.

On m'y disait que je croyais aimer une Vestale[9] et une fille de bonne famille. Que l'engagement
20 où je me précipitais faisait horreur à des gens qui prenaient intérêt dans moi[10]. Que mon attachement était honteux de toutes manières[11]. Qu'on avait pitié de me voir la dupe d'une fille qui le méritait si peu.

Les Illustres Françaises, Tome II, *Histoire de Monsieur des Frans et de Sylvie*.

Pour préparer l'étude du texte

1. Comment Challe crée-t-il une atmosphère de mystère ?
2. Quelles sont les réactions de des Frans pendant et après la remise de la lettre ?
3. Pourquoi Challe ne transcrit-il pas la totalité de la lettre ? Quel effet cette manière de procéder produit-elle ?

1. De vous serrer dans mes bras.
2. Faire courir à ses chevaux le risque de se perdre ou d'être blessés.
3. Courir le risque d'être blessé.
4. Elles sont importantes pour vous.
5. Rendu soucieux par ce qu'on m'écrivait par une voie si hors de l'ordinaire et m'interrogeant sur ce que ce pouvait être.
6. Aussitôt.
7. Aussitôt que.
8. Donnée, remise.
9. Une fille très chaste, comme les prêtresses de Vesta dans la Rome antique.
10. Qui s'intéressaient à moi.
11. De toutes les manières.

Jean-François Regnard
1655-1709

Portrait de Regnard, gravure XVIIIe siècle, Paris, B.N.

Un grand voyageur

Comme beaucoup d'écrivains de cette fin de période, ce fils d'un riche commerçant en sel, dont il est très tôt orphelin, est attiré par l'aventure et les voyages. Il est d'abord tenté par le Sud et entreprend, en 1671, un long périple qui le conduit en Italie et à Constantinople. Au cours d'une croisière en Méditerranée, en 1678, il est fait prisonnier par des pirates barbaresques qui le vendent comme esclave à Alger : sa captivité durera huit longs mois, au bout desquels il sera libéré au prix d'une lourde rançon. Cette mésaventure ne le détourne pas des voyages, mais c'est alors le nord de l'Europe qu'il choisit. Il va jusqu'en Laponie, ce qui lui donne l'occasion d'écrire un *Voyage de Laponie* (1681) plein de pittoresque.

Le temps du théâtre et des plaisirs

Après cette période d'agitation, Regnard aspire à une vie plus calme. En 1682, il commence à écrire pour le théâtre et achète, en 1683, une charge de trésorier du bureau des Finances de Paris. Mais ces deux activités ne l'empêchent pas de mener une existence consacrée aux plaisirs : il aime le jeu, l'amour, les joies de la table. C'est un épicurien délicat et plein d'esprit qui trouvera, en 1699, le cadre de vie idéal, en achetant le château de Grillon situé sur le bord de l'Orge, dans les environs de Dourdan.

Un auteur de comédies réputé

Auteur de comédies, Regnard connaît un grand succès. Il écrit d'abord de courtes pièces pour les comédiens italiens, puis élabore des œuvres plus achevées. Il poursuit la tradition moliéresque : comme son illustre devancier, il marie une conduite de l'action pleine de vivacité et une peinture nuancée des caractères et des mœurs. Sa conception quelque peu désabusée de l'amour annonce, par ailleurs, Marivaux.

La Foire Saint-Germain (1695), comédie.
Le Joueur (1696), comédie. → pp. 427-428.
Les Folies amoureuses (1704), comédie.
Le Légataire universel (1708), comédie. → p. 429.

Claude Gillot (1673-1722), *Les Deux carrosses*, Paris, musée du Louvre.
Scène de *La Foire Saint-Germain* de Regnard et Dufresny.

Le Joueur

1696

Créé en 1696, *Le Joueur* met en scène la passion du jeu, en développant une double intrigue amoureuse : le joueur Valère aime Angélique et a pour rival son oncle Dorante. De son côté, la sœur d'Angélique, la Comtesse, est éprise de Dorante et aimée d'un marquis. Angélique demande en vain à Valère de renoncer à son vice et se résigne finalement à épouser Dorante, tandis que la Comtesse accepte de se marier avec le Marquis.

« Dans un maudit brelan, ton maître joue et perd »

A la scène 2 de l'acte I, Nérine, la suivante d'Angélique et Hector, le valet de Valère, parlent de leurs maîtresse et maître.

HECTOR.
Mon maître, en ce moment, n'est pas encor rentré.

NÉRINE.
Il n'est pas rentré ?

HECTOR.
Non. Il ne tardera guère :
Nous n'ouvrons pas matin. Il a plus d'une affaire,
Ce garçon-là.

NÉRINE.
J'entends[1]. Autour d'un tapis vert,
5 Dans un maudit brelan[2], ton maître joue et perd,
Ou bien, réduit à sec, d'une âme familière,
Peut-être il parle au ciel d'une étrange manière.

1. Je comprends.

2. Jeu de cartes et, par extension, maison de jeu.

Par ordre très exprès d'Angélique, aujourd'hui
Je viens pour rompre ici tout commerce avec lui[1].
10 Des serments les plus forts appuyant sa tendresse,
Tu sais qu'il a cent fois promis à ma maîtresse
De ne toucher jamais cornet[2], carte, ni dé,
Par quelque espoir de gain dont son cœur fût guidé :
Cependant...

HECTOR.
Je vois bien qu'un rival domestique[3]
15 Consigne entre tes mains[4] pour avoir Angélique.

NÉRINE.
Et quand cela serait, n'aurais-je pas raison ?
Mon cœur ne peut souffrir de lâche trahison.
Angélique, entre nous, serait extravagante
De rejeter l'amour qu'a pour elle Dorante :
20 Lui, c'est un homme d'ordre, et qui vit congrûment[5].

HECTOR.
L'amour se plaît un peu dans le dérèglement.

NÉRINE.
Un amant fait et mûr.

HECTOR.
Les filles, d'ordinaire,
Aiment mieux le fruit vert.

NÉRINE.
D'un fort bon caractère,
Qui ne sut de ses jours ce que c'est que le jeu.

HECTOR.
25 Mais mon maître est aimé.

NÉRINE.
Dont j'enrage[6], morbleu[7] !
Ne verrai-je jamais les femmes détrompées
De ces colifichets, de ces fades poupées,
Qui n'ont, pour imposer, qu'un grand air débraillé,
Un nez de tous côtés de tabac barbouillé,
30 Une lèvre qu'on mord pour rendre plus vermeille,
Un chapeau chiffonné qui tombe sur l'oreille,
Une longue steinkerque[8] à replis tortueux,
Un haut-de-chausses bas[9] prêt à tomber sous eux ;
Qui, faisant le gros dos, la main dans la ceinture,
35 Viennent, pour tout mérite, étaler leur figure ?

HECTOR.
C'est le goût d'à présent ; tes cris sont superflus,
Mon enfant.

NÉRINE.
Je veux, moi, réformer cet abus.
Je ne souffrirai pas qu'on trompe ma maîtresse,
Et qu'on profite ainsi d'une tendre faiblesse ;
40 Qu'elle épouse un joueur, un petit brelandier[10],
Un franc dissipateur, et dont tout le métier
Est d'aller de cent lieux faire la découverte
Où de jeux et d'amour on tient boutique ouverte,
Et qui le conduiront tout droit à l'hôpital.

Le Joueur, acte I, scène 2, vers 28 à 71.

Pour préparer l'étude du texte

1. Vous étudierez la technique de l'exposition (énoncé du sujet, présentation des personnages, annonce implicite du dénouement).

2. Vous analyserez les aspects négatifs et ridicules de Valère et montrerez qu'ils sont aggravés par l'éloge de Dorante.

3. Vous récapitulerez tout ce qui caractérise et définit la passion du jeu.

1. Toute relation avec lui.
2. Un cornet à jouer.
3. Un rival de la même famille : ici, Dorante, l'oncle de Valère.
4. Te donne de l'argent.
5. Comme il convient.
6. C'est ce dont j'enrage.
7. Mort de Dieu (juron).
8. Une longue redingote.
9. Une culotte basse.
10. Un petit joueur de brelan.

Le Légataire universel

1708

Avec *Le Légataire universel*, Regnard montre quels comportements odieux peut produire l'appât d'un héritage. Éraste, qui aime Isabelle, espère hériter de son oncle, Géronte. Mais Géronte songe précisément à épouser la jeune fille. Alors que ce dernier a rapidement renoncé à ce projet, un nouveau danger se présente pour Éraste, qui épie les progrès d'une maladie de son oncle, en grande partie imaginaire, dans l'attente d'en devenir le légataire universel, c'est-à-dire d'hériter de tous ses biens : Géronte a en effet une nièce et un autre neveu qui peuvent être de redoutables concurrents. Le valet Crispin, déguisé, se fait passer successivement pour chacun d'eux et s'ingénie à les rendre antipathiques au vieil oncle. Puis, il prend les habits et l'apparence de Géronte et signe, devant notaire, un testament favorable à son maître, Éraste. Lorsqu'il s'en apercevra, Géronte s'inclinera devant le fait accompli.

« Voilà comme sont faits tous ces neveux avides »

Crispin, le valet d'Éraste, s'est fait passer auprès de Géronte pour un de ses neveux. Il l'a copieusement injurié et menacé, pour que son maître paraisse ainsi, par comparaison, sous un meilleur jour. A la scène 3 de l'acte III, la servante de Géronte, Lisette, qui est au courant de la ruse, commente...

Lisette.
Ah ! quel homme voilà !
Quel neveu vos parents vous ont-ils donné là ?
Géronte.
Ce n'est point mon neveu ; ma sœur était trop sage
Pour élever son fils dans un air si sauvage[1] :
5 C'est un fieffé brutal, un homme des plus fous.
Lisette.
Cependant, à le voir, il a quelque air de vous.
Dans ses yeux, dans ses traits, un je ne sais quoi brille ;
Enfin, on s'aperçoit qu'il tient de la famille.
Géronte.
Par ma foi, s'il en tient, il lui fait peu d'honneur.
10 Ah ! le vilain parent !
Lisette.
Et vous auriez le cœur
De laisser votre bien, une si belle somme,
Vingt mille écus comptant[2], à ce beau gentilhomme ?
Géronte.
Moi ! lui laisser mon bien ! J'aimerais mieux cent fois
L'enterrer pour jamais.
Lisette.
Ma foi, je m'aperçois
15 Que monsieur le neveu, si j'en crois mon présage[3],
N'aura pas trop gagné d'avoir fait son voyage,
Et que le pauvre diable, arrivé d'aujourd'hui,
Aurait aussi bien fait de demeurer chez lui.
Géronte.
Si c'est sur mon bien seul qu'il fonde sa cuisine,
20 Je t'assure déjà qu'il mourra de famine,
Et qu'il n'aura pas lieu de rire à mes dépens.
Lisette.
C'est fort bien fait : il faut apprendre à vivre aux gens.
Voilà comme sont faits tous ces neveux avides,
Qui ne peuvent cacher leurs naturels perfides :
25 Quand ils n'assomment pas un oncle assez âgé,
Ils prétendent encor qu'il leur est obligé[4].

Le Légataire universel, acte III, scène 3, vers 884 à 909.

Pour préparer l'étude du texte

1. Comment Crispin est-il décrit par Lisette et par Géronte ?
2. Comment sont présentés les neveux avides d'hériter ?
3. Quels traits de caractère de Géronte et de Lisette apparaissent ici ? Vous comparerez ces deux personnages à deux personnages du théâtre de Molière : Géronte des *Fourberies de Scapin* et Dorine de *Tartuffe*.

1. En lui donnant un aspect si sauvage.
2. En espèces.
3. Si j'en crois ce que je présage, ce que je prédis.
4. Qu'il doit leur en être reconnaissant.

A L'AUBE DU XVIIIE SIÈCLE : LA FRANCE EN 1715

Les transformations politiques et sociales

La France, au terme de cette période qui, commencée en 1598, date de la signature de l'édit de Nantes, s'achève en 1715, année de la mort de Louis XIV, apparaît profondément changée. Certes, il ne s'agit pas, loin de là, d'un bouleversement total : elle conserve de nombreux traits qui la caractérisaient à la fin du XVIe siècle. Mais, en ces quelque cent dix-sept ans, les transformations sont considérables.

Un territoire sensiblement agrandi

Les modifications intervenues dans la dimension du territoire se révèlent particulièrement spectaculaires. De conquêtes en annexions, la superficie de la France est maintenant à peu près comparable à sa superficie actuelle (voir carte ci-dessous). Il ne manque plus, sur les frontières de l'est, que la Lorraine (qui ne sera annexée qu'en 1766), la région de Montbéliard (dont le rattachement n'interviendra qu'en 1801), la Savoie et le comté de Nice (qui ne deviendront français qu'en 1860). D'autre part, au sud, l'enclave du comtat Venaissin, autour d'Avignon, est encore la propriété des papes et le restera jusqu'en 1791, tandis que la Corse appartiendra à Gênes jusqu'en 1768.

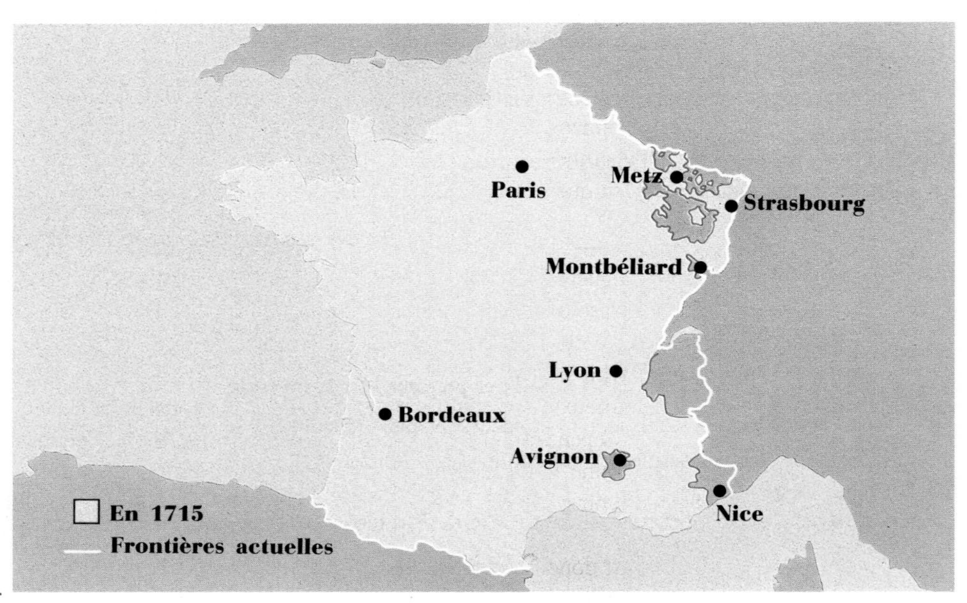

Carte de la France en 1715.

Une lente urbanisation

Sous le poids des guerres et de la crise économique, la population française, bien loin de s'accroître, a diminué : la France ne compte plus que dix-huit millions d'habitants, alors qu'en 1598 ils étaient quelque vingt millions. Une lente urbanisation commence à se produire, mais l'habitat demeure encore essentiellement rural. Si la politique de construction de routes rend les communications plus faciles, les oppositions entre le monde des villes et celui des campagnes se maintiennent : d'un côté, se concentrent la richesse et la culture, de l'autre, persistent la pauvreté et l'analphabétisme. Globalement, la situation économique n'est guère florissante. Les efforts de développement de l'industrie, du commerce et de l'agriculture ont été, en grande partie, compromis par la multiplication des guerres et par le fardeau grandissant des impôts.

Un changement politique important

C'est surtout dans le domaine politique que les changements apparaissent essentiels. 1715 marque en effet l'aboutissement de l'évolution qui est déjà en marche en 1598. La monarchie absolue règne désormais sans partage. L'influence des nobles est considérablement réduite. Le rôle des parlements n'est plus guère important. La bourgeoisie, de plus en plus associée au gouvernement, apparaît comme la classe montante. Elle fait de l'argent une valeur concurrente de la valeur de la naissance. Elle impose sa morale. Elle participe à la construction de cette société normalisée qui a progressivement remplacé la société féodale plus favorable à l'expression des différences. Elle apparaît comme le pilier le plus solide de la monarchie. Lorsqu'elle prendra conscience qu'elle peut exercer le pouvoir pour son propre compte, elle déclenchera la révolution de 1789.

Les évolutions idéologiques, intellectuelles et artistiques

Les idées — L'évolution idéologique est également considérable. La reconnaissance de la pluralité et de la diversité qui, dans le domaine religieux, avait abouti, en 1598, à la signature de l'édit de Nantes, fait place à une conception plus monolithique. Après la révocation de l'édit de Nantes en 1685, seule la religion catholique est officiellement reconnue en France. Parallèlement, la domination des normes et des règles s'impose dans tous les domaines (voir p. 395). Malgré les efforts de ceux qui, comme Bayle ou Fontenelle, soulignent le danger des préjugés et plaident pour la reconnaissance des différences et de la relativité, on assiste à un développement de l'intolérance que Voltaire ou Diderot auront du mal à faire reculer (voir le volume *Itinéraires Littéraires* consacré au XVIIIe siècle).

La science — La réflexion scientifique a fait, avec Descartes (voir p. 108) ou Pascal (voir p. 111), d'immenses progrès. La raison triomphe, tandis que se précisent les méthodes des sciences expérimentales et que s'affirme la volonté de vulgariser les connaissances. Ces trois tendances marqueront profondément le XVIIIe siècle (voir le volume qui lui est consacré).

La culture — La culture subit les conséquences du centralisme politique. Les créateurs, dont le statut n'a guère évolué, dont les droits sont toujours aussi mal reconnus, dépendent de plus en plus de la protection royale dont l'emprise a réduit considérablement le rôle joué par le mécénat particulier. Le classicisme imprègne l'ensemble de la production artistique et, notamment, la littérature (voir p. 369). Il continuera à s'imposer durablement aux écrivains français et, en particulier, à ceux de la période suivante qui, comme Voltaire ou Diderot, s'inspireront de leurs devanciers. Cependant, la contestation de l'imitation des Anciens commence à naître, tandis que se fait jour une volonté de modernité, un désir de tenir davantage compte de l'évolution historique (voir p. 416).

Telle est donc la situation de la France en 1715, à la fois ouverte aux changements, tentée par la stagnation, marquée par les contradictions. Cette ère nouvelle qui commence à la mort de Louis XIV utilisera, à son tour, ces matériaux dont elle hérite, pour opérer de nouvelles transformations.

QUELQUES GRANDS ÉCRIVAINS FRANÇAIS DU XVIIᴱ SIÈCLE

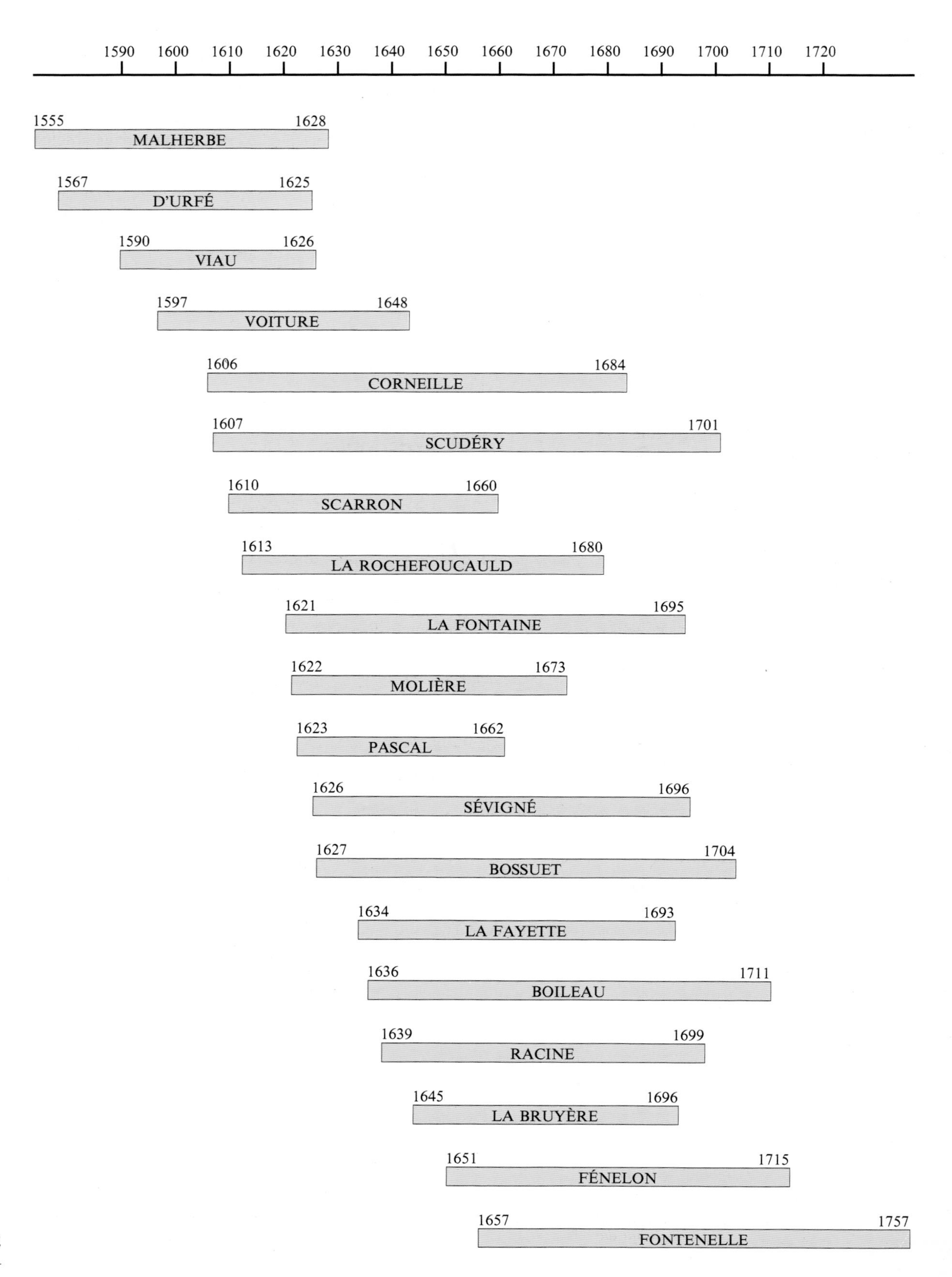

INDEX DES AUTEURS ET DES ŒUVRES[1]

1. Le nom de l'auteur est immédiatement suivi de la référence aux pages où il est traité ; les chiffres inscrits à la suite des titres des œuvres renvoient aux extraits figurant dans l'ouvrage.

Index des genres, des thèmes, des mouvements[1]

1. *Les pages qui suivent immédiatement les rubriques renvoient aux développements qui leur sont consacrés, celles qui figurent à la suite des noms d'auteurs renvoient aux extraits des œuvres, les autres pages aux groupements de textes consacrés au thème.*

Lyrisme

Mort

Nature

Noblesse

Normes

Poésie

Portrait

Pouvoir/roi

Préciosité

Raison

Réalisme

Religion

Rencontre amoureuse

Roman/genres narratifs

Satire

Théâtre (fonctionnement et représentations)

Tragédie

Tragi-comédie

Vie mondaine (cour et salons)

Les grandes dates

Histoire politique et sociale	La littérature d'idées	Le théâtre
	1593 Charron, *Trois vérités*	
1589-1610 *règne d'Henri IV*		
		1596 Montchrestien, *La Carthaginoise* (édition)
	1597 Bacon, *Essais* (Angleterre)	
1598 édit de Nantes		
		1599 Shakespeare, *Jules César* (Angleterre) **1601** Shakespeare, *Hamlet* (Angleterre)
	1602 Campanella, *La Cité du soleil* (Italie) **1608** Sales, *Introduction à la vie dévote*	
1610 assassinat d'Henri IV ***1610-1617*** *régence de Marie de Médicis*		
		1611 Larivey, *Comédies* (édition)
	1614 Camus, *Traité des passions de l'âme* **1616** Sales, *Traité de l'amour de Dieu*	
1617 assassinat de Concini ***1617-1643*** *règne de Louis XIII* **1618-1648** guerre de Trente ans		
		1618 Castro, *Les Enfances du Cid* (Espagne)
	1620 Coeffeteau, *Tableau des passions humaines*	
		1621 Viau, *Pyrame et Thisbé* **1623-1628** Hardy, *Théâtre* (édition)
1624 Richelieu entre au Conseil du roi	**1624** Guez de Balzac, première publication des *Lettres* **1625** Naudé, *Apologie pour les grands personnages soupçonnés de magie*	**1624** Molina, *Le Trompeur de Séville* (Espagne)
		1626 Mairet, *Sylvie*
1628 prise de La Rochelle par les troupes royales		
		1629 Corneille, *Mélite*
1631 révolte de Gaston d'Orléans, frère du roi **1632** exécution du duc de Montmorency	**1630** Faret, *L'Honnête homme* **1631** Le Vayer, *De la divinité*	
		1632 Mairet, *Les Galanteries du duc d'Ossonne* **1632** Corneille, *La Galerie du palais* **1634** Mairet, *Sophonisbe* **1634** Rotrou, *Hercule mourant* **1634** Calderón, *La vie est un songe* (Espagne)
1635 la France s'engage dans la guerre de Trente ans **1635** fondation de l'Académie française		
	1637 Descartes, *Discours de la méthode*	**1636** Corneille, *L'Illusion comique* **1637** Corneille, *Le Cid*
1640 prise d'Arras par les troupes royales **1642** exécution de Cinq-Mars et de ses complices **1642** mort de Richelieu	**1641** Descartes, *Méditations métaphysiques*	**1640** Corneille, *Horace* **1641** Corneille, *Cinna* **1642** Corneille, *Polyeucte*

Sauf indication contraire, les dates indiquées sont celles de la création pour les pièces de théâtre et de la première édition pour les autres œuvres.

Les grandes dates

La poésie	Les genres narratifs	Les arts
1587 Malherbe, *Les Larmes de saint Pierre*		
1590 Malherbe, *Consolation à Cléophon* (rédaction)		
1598-1599 Malherbe, *Consolation à M. du Périer* (rédaction)	**1598** Bouchet, *Les Serées* (tome III)	
	1599-1603 Alemán, *La Vie du picaro Guzmán de Alfarache* (Espagne)	
1600 Malherbe, *Ode à Marie de Médicis* (rédaction)		
1605 Malherbe, *Prière pour le roi allant en Limousin* (rédaction)	**1605-1614** Cervantès, *Don Quichotte* (Espagne)	**1605** Aménagement de la Place des Vosges à Paris
1606 Malherbe, annotations des œuvres de Desportes		**1606** Bosschaert, *Vase de fleurs* (Hollande)
	1607-1627 D'Urfé, *L'Astrée*	**1607** Monteverdi, *Orfeo* (Italie)
1608-1613 Régnier, *Satires*		
	1610 ? Béroalde, *Le Moyen de parvenir*	
1611 Malherbe, *Ode à la reine sur les heureux succès de sa régence*		**1611-1614** Rubens, *Le Jugement dernier* (Belgique)
	1613 Cervantès, *Nouvelles exemplaires* (Espagne)	
1614 Góngora, *Solitudes* (Espagne)		**1614** Goltzius, *Vénus et Adonis* (Hollande)
1616 D'Aubigné, publication des *Tragiques*		
		1619 Le Dominiquin, *Le Martyre de saint Pierre* (Italie)
1621-1624 Viau, *Œuvres poétiques*	**1621** Sorel, *Cléagénor et Doristée*	
	1621 Gomberville, *Carithée*	
1623 Marino, *Adonis* (Italie)	**1623** Sorel, *Francion*	
1623-1661 Saint-Amant, *Œuvres poétiques*		
		1624 Louis XIII fait construire le premier château de Versailles
		1625 Poussin, *Le Massacre des innocents*
	1626 Quevedo, *Vie du Buscon* (Espagne)	**1626** Bernin, Baldaquin de Saint-Pierre de Rome
1627 Góngora, *Sonnets* (Espagne)	**1627** Sorel, *Le Berger extravagant*	
		1630 Callot, *Les Misères de la guerre*
		1630 Rubens, *Paysage au soleil couchant* (Belgique)
		1630 Hals, *Le Joyeux buveur* (Hollande)
		1632 Rembrandt, *La Leçon d'anatomie* (Hollande)
1633 Tristan, *Les plaintes d'Acante*		
		1637 Van Dyck, portrait de Charles Ier (Belgique)
1638 Tristan, *Les Amours de Tristan*		
		1640 La Tour, *Le Tricheur à l'as de carreau*
1641 Tristan, *La Lyre*	**1641** Scudéry, *Ibrahim*	
	1641 Guevara, *Le Diable boiteux* (Espagne)	
		1642 Le Nain, *Famille de paysans*

LES GRANDES DATES

Histoire politique et sociale	La littérature d'idées	Le théâtre
1643 mort de Louis XIII ***1643-1661*** *régence d'Anne d'Autriche secondée par le ministre Mazarin*		
	1644 Descartes, *Principes de la philosophie*	
		1645 Rotrou, *Saint Genest* **1645-1658** Molière, *La Jalousie du Barbouillé, Le Médecin volant, L'Étourdi* **1645** Corneille, *Rodogune*
1646 prise de Dunkerque		
	1647 Gassendi, *De vita et moribus Epicuri*	**1647** Scarron, *Don Japhet d'Arménie*
	1647 Vaugelas, *Remarques sur la langue française* **1647** Gracián, *L'Homme de cour* (Espagne)	
1648 traité de Westphalie qui met fin à la guerre de Trente ans **1648-1652** la Fronde		
	1649 Descartes, *Les Passions de l'âme*	
	1651 Hobbes, *Léviathan* (Angleterre)	**1651** Corneille, *Nicomède*
		1653 Cyrano, *La Mort d'Agrippine*
	1654 Cyrano, *Lettres*	
	1656-1657 Pascal, *Lettres à un provincial*	**1656** Molière, *Le Dépit amoureux* **1656** Thomas Corneille, *Timocrate*
	1657 D'Aubignac, *Pratique du théâtre*	
1659 traité des Pyrénées et fin de la guerre entre la France et l'Espagne	**1659** Bossuet, *Sermon sur l'éminente dignité des pauvres*	**1659** Corneille, *Oedipe* **1659** Molière, *Les Précieuses ridicules*
1660 Louis XIV épouse Marie-Thérèse, infante d'Espagne		
1661 mort de Mazarin et début du règne personnel de Louis XIV ***1661-1715*** *règne de Louis XIV* **1661** Colbert devient ministre		**1661** Molière, *Les Fâcheux*
	1662 Bossuet, *Sermon sur la mort*	**1662** Corneille, *Sertorius* **1662** Molière, *L'École des femmes* **1663** Molière, *L'Impromptu de Versailles*
1664 condamnation de Fouquet à la prison à perpétuité	**1664** Saint-Évremond, *Réflexions sur les divers génies du peuple romain* (rédaction) **1664** La Rochefoucauld, *Maximes*	**1664** Racine, *La Thébaïde* **1664** Molière, *Tartuffe*
	1665 Retz, *Conjuration du comte Jean-Louis de Fiesque*	**1665** Molière, *Dom Juan* **1665** Racine, *Alexandre le Grand* **1666** Molière, *Le Misanthrope*
1667-1668 guerre de Dévolution **1667** rattachement de la Flandre à la France		**1667** Racine, *Andromaque*
1668 paix d'Aix-la-Chapelle	**1668** Méré, *Conversations*	**1668** Racine, *Les Plaideurs* **1668** Molière, *Amphitryon* **1668** Molière, *L'Avare*
	1669 Saint-Évremond, *Conversation du maréchal d'Hocquincourt avec le père Canaye* (rédaction)	**1669** Racine, *Britannicus*
	1670 Bossuet, *Oraison funèbre d'Henriette d'Angleterre* **1670** Pascal, *Pensées* (édition de Port-Royal)	**1670** Racine, *Bérénice* **1670** Corneille, *Tite et Bérénice* **1670** Molière, *Le Bourgeois gentilhomme*
	1671-1677 Méré, *Discours*	**1671** Molière, *Les Fourberies de Scapin*

LES GRANDES DATES

La poésie	Les genres narratifs	Les arts
	1642-1645 La Calprenède, *Cassandre*	
1643-1651 Scarron, *Œuvres burlesques*		
1644 Arnauld d'Andilly, *Œuvres chrétiennes*		**1644** Vélasquez, *Le Nain* (Espagne)
		1645 Mansart et Lemercier, construction du Val-de-Grâce
1646 Mainard, *Œuvres*		
	1647-1658 La Calprenède, *Cléopâtre*	
1648 Tristan, *Vers héroïques* **1648-1652** Scarron, *Virgile travesti* **1649-1658** Voiture, *Poésies*	**1649** Cyrano, *Les États et Empires de la Lune* (rédaction) **1649-1653** Madeleine de Scudéry, *Le Grand Cyrus* **1651-1657** Scarron, *Le Roman comique*	
1652 Racan, *Psaumes*	**1652** Cyrano, *Les États et Empires du Soleil* (rédaction)	**1652** Ribeira, *Le Pied bot* (Espagne)
1653 Saint-Amant, *Moïse sauvé*	**1654-1660** Madeleine de Scudéry, *Clélie*	
		1656 Vélasquez, *Les Ménines* (Espagne)
1658 La Fontaine, *Adonis* (rédaction)		**1659** Berchem, *Chasse aux sangliers* (Hollande)
1660 La Fontaine, *Le Songe de Vaux* (rédaction)		**1660** Steen, *Femme se déshabillant* (Hollande) **1661** début du remaniement du château de Versailles par Le Vau et Le Nôtre
	1662 La Fayette, *La Princesse de Montpensier*	
1663 La Fontaine, *Ode au roi pour M. Fouquet* (rédaction)		**1664** Poussin, *Les Quatre saisons*
	1665 Bussy-Rabutin, *Histoire amoureuse des Gaules* **1665-1674** La Fontaine, *Contes*	**1665** Bernin, buste de Louis XIV (Italie) **1665** Vermeer, *La Dentellière* (Hollande)
1666-1716 Boileau, *Satires*	**1666** Furetière, *Le Roman bourgeois*	**1666** Perrault, construction de la colonnade du Louvre
1667 Milton, *Le Paradis perdu* (Angleterre) **1668-1696** La Fontaine, *Fables*	**1668** Grimmelshausen, *Les Aventures de Simplex Simplicissimus* (Allemagne) **1669** Madeleine de Scudéry, *Célamire* **1669** Guilleragues, *Lettres d'une religieuse portugaise*	**1668-1672** Perrault, construction de l'Observatoire de Paris
1670-1698 Boileau, *Épîtres*	**1670-1671** La Fayette, *Zaïde*	
	1672 Saint-Réal, *Don Carlos*	

Les grandes dates

Histoire politique et sociale	La littérature d'idées	Le théâtre
1672-1678 guerre contre la Hollande	**1674-1675** Malebranche, *Recherche de la vérité* **1675** Retz, *Mémoires* (rédact.)	**1671** Molière, Corneille, Quinault, Lulli, *Psyché* **1672** Racine, *Bajazet* **1672** Molière, *Les Femmes savantes* **1673** Racine, *Mithridate* **1674** Racine, *Iphigénie* **1674** Corneille, *Suréna* **1675** Quinault et Lulli, *Thésée*
1676-1682 construction de la machine de Marly, ensembles hydrauliques destinés à ravitailler en eau le château de Versailles		
	1677 Spinoza, *Éthique* (Hollande)	**1677** Racine, *Phèdre* **1677** Thomas Corneille, *Dom Juan*
1678 Paix de Nimègue ; rattachement de la Franche-Comté à la France	**1678** La Rochefoucauld, *Maximes* (dernière édition du vivant de l'auteur)	
		1679 Thomas Corneille et Visé, *La Devineresse*
1681 début des Dragonnades contre les protestants **1682** installation définitive de Louis XIV à Versailles **1683** mariage secret de Louis XIV et de Madame de Maintenon **1683** mort de Colbert	**1681** Bossuet, *Discours sur l'histoire universelle* **1682** Bayle, *Pensées diverses sur la comète* **1683** Fontenelle, *Nouveaux dialogues des morts*	
	1684 Furetière, *Dictionnaire universel*	
1685 révocation de l'édit de Nantes		**1685** Quinault et Lulli, *Roland*
1688-1697 guerre de la Ligue d'Augsbourg	**1686** Fontenelle, *Entretiens sur la pluralité des mondes* **1686** Fontenelle, *Histoire des oracles* **1687** Bossuet, *Oraison funèbre de Condé* **1688** La Bruyère, *Les Caractères*	**1689** Racine, *Esther*
1693-1694 grande famine	**1690** Locke, *Essai sur l'entendement humain* (Angleterre)	**1691** Racine, *Athalie* **1694** Congreve, *Le Vieux garçon* (Angleterre)
	1694 Saint-Simon, début de la rédaction des *Mémoires* **1694** Bossuet, *Maximes et réflexions sur la comédie* **1694** Dictionnaire de l'Académie française	**1696** Regnard, *Le Joueur*
1697 les Comédiens italiens sont chassés de Paris **1701-1714** guerre de Succession d'Espagne **1702-1704** soulèvement protestant des Camisards dans les Cévennes	**1696-1697** Sévigné, *Lettres* (1re éd.)	
	1703-1706 Bayle, *Réponse aux questions d'un provincial*	
	1708 Leibniz, *Théodicée* (All.) **1714** Leibniz, *Monadologie* (All.)	**1704** Regnard, *Les Folies amoureuses* **1707** Crébillon, *Atrée et Thyeste* **1708** Regnard, *Le Légataire universel* **1709** Lesage, *Turcaret* **1710** Dancourt, *Les Agioteurs*
1715 mort de Louis XIV ; début de la régence de Philippe d'Orléans	**1717** Retz, *Mémoires* **1781** Saint-Simon, *Mémoires*	**1715** Destouches, *Le Médisant*

Les grandes dates

La poésie	Les genres narratifs	Les arts
1674-1683 Boileau, *Le Lutrin* **1674** Boileau, *Art poétique* **1675** Perrault, *Saint Paulin*	**1674** Villedieu, *Mémoires de la vie d'Henriette-Sylvie de Molière* **1675** Villedieu, *Les Désordres de l'amour*	
	1676 Tavernier, *Six voyages de Tavernier* **1676** de Foigny, *La Terre australe connue*	**1676** Bruand, construction de l'Hôtel des Invalides **1676** Girardon, sculptures du château de Versailles
	1678 La Fayette, *La Princesse de Clèves*	**1678** Agrandissement du château de Versailles auquel participent notamment Hardouin-Mansart et Le Brun
	1681 Regnard, *Voyage de Laponie*	**1680** Purcell, *Didon et Énée* (Angleterre)
1686 La Fontaine, *Le Florentin*	**1686** Sandras, *Mémoires du comte de Rochefort*	
1687 La Fontaine, *Épître à Huet* **1687** Perrault, *Le Siècle de Louis le Grand* (lecture)		**1687** Le Brun, *Jésus portant sa croix*
		1688 Le Brun, *L'Adoration des bergers*
1690 Fénelon, *Fables* (rédaction)		
		1692 Le Nain, *La Réunion de famille*
1693 Boileau, *Ode sur la prise de Namur.*		
	1694 La Force, *Histoire secrète de Bourgogne*	
		1698 Le musicien Charpentier est nommé maître de la Sainte-Chapelle
	1700 Sandras, *Mémoires de M. d'Artagnan*	**1700** Corelli, *Sonates* (Italie) **1701** Rigaud, *Portrait de Louis XIV* **1703** Bach, *Chorals pour orgue* (Allemagne)
	1704 Lesage, *Le Diable boiteux* **1704** Swift, *Le Conte du tonneau* (Angleterre)	
1709 La Motte, *Odes* **1709** La Motte, *Discours sur la poésie*		**1709** Largillière, *La Famille de Louis XIV* **1709** Vivaldi, *Sonates* (Italie)
	1712-1713 Marivaux, *Les Effets de la sympathie* **1713** Challe, *Les Illustres Françaises* **1713-1714** Marivaux, *Pharsamon* **1713-1714** Marivaux, *La Voiture embourbée* **1715-1735** Lesage, *Gil Blas de Santillane*	**1715** Watteau, *Les Acteurs de la Comédie-Italienne*
	1724 La Fayette, *La Comtesse de Tende*	

Pour éviter les contresens

Abandonnement *(n. m.)*. Dérèglement, désordre dans les mœurs, la conduite, vie de péché.

Abord *(n. m.)*. Arrivée. Accueil. Attaque.

Abord (d') *(loc. adv.)*. Aussitôt.

Accommodé, e *(adj.)*. Riche, aisé.

Accort, e *(adj.)*. Adroit, habile.

Accostable *(adj.)*. Fréquentable, abordable.

Adonc, adonques *(conj.)*. Donc.

Aimable *(adj.)*. Digne d'être aimé.

Ais *(n. m.)*. Poutre, planche.

Alentir *(v. t.)*. Rendre moins vif, calmer.

Amant, e *(adj.)*. Qui aime et est aimé.

Amender *(v. t.)*. Améliorer, corriger.

Amitié *(n. f.)*. Sens actuel. Mais aussi : affection, amour.

Amoureux, euse *(adj.)*. Qui aime sans être obligatoirement aimé.

Appareil *(n. m.)*. Préparatifs, apprêts, cérémonie.

Appas *(n. m. pl.)*. Attraits, charmes.

Arène *(n. f.)*. Sable.

Artifice *(n. m.)*. Adresse, art. Tromperie.

Avarice *(n. f.)*. Attachement excessif aux richesses. Avidité, cupidité.

Bagatelle *(n. f.)*. Frivolité, chose sans importance.

Barbon *(n. m.)*. Vieillard.

Béatitude *(n. f.)*. Bonheur extrême.

Bouquin *(n. m.)*. Vieux bouc.

Bourru, e *(adj.)*. Être grossier, maladivement impoli.

Cabale *(n. f.)*. Groupe de pression, parti.

Charme *(n. m.)*. Sortilège, pratique magique, envoûtement.

Comédie *(n. f.)*. Lieu où se déroule la représentation théâtrale, théâtre. Pièce comique. Plus généralement : toute pièce, quelle que soit sa tonalité.

Comique *(adj.)*. Plaisant, amusant. Plus généralement : qui concerne le théâtre.

Commerce *(n. m.)*. Relations sociales, fréquentation.

Connaître *(v. t.)*. Comprendre. Reconnaître.

Démon *(n. m.)*. Génie bon ou mauvais. Parfois : mauvais génie.

Dépit *(n. m.)*. Irritation violente, ressentiment profond.

Désert *(n. m.)*. Retraite solitaire.

Élire *(v. t.)*. Choisir.

Émotion *(n. f.)*. Trouble moral. Agitation populaire, émeute.

Émouvoir *(v. t.)*. Mettre en mouvement, ébranler.

En effet *(loc. conj.)*. Effectivement, réellement.

Estomac *(n. m.)*. Poitrine, cœur.

Étonner *(v. t.)*. Ébranler, frapper d'une émotion violente.

Fâcheux, euse *(adj.)*. Importun, désagréable.

Faits *(n. m. pl.)*. Hauts faits, exploits.

Faquin *(n. m.)*. Être méprisable et impertinent.

Fat *(n. m.)*. Être sot et prétentieux.

Flamme *(n. f.)*. Amour.

Formidable *(adj.)*. Qui provoque la peur.

Galant, e *(adj.)*. Raffiné. Attiré par les intrigues amoureuses.

Galanterie *(n. f.)*. Raffinement. Goût pour les intrigues amoureuses.

Gloire *(n. f.)*. Orgueil. Honneur, réputation.

Glorieux, euse *(adj.)*. Orgueilleux, fier.

Gloser *(v. t.)*. Critiquer, railler.

Hasardeux, euse *(adj.)*. Téméraire.

Hymen *(n. m.)*. Mariage.

Libertin, e *(adj.)*. Qui refuse les conventions. Débauché, athée.

Maîtresse *(n. f.)*. Femme aimée. Fiancée.

Malitorne *(adj.)*. Mal fait, laid, malpropre.

Mignard, e *(adj.)*. Gracieux, délicat.

Pâtir *(v. i.)*. Éprouver de la souffrance. Supporter, tolérer.

Pompe *(n. f.)*. Cortège solennel. Éclat, magnificence.

Poudre *(n. f.)*. Poussière.

Poudreux, euse *(adj.)*. Poussiéreux.

Quinteux, euse *(adj.)*. Capricieux, fantasque.

Sans doute *(loc. adv.)*. Assurément, sans aucun doute.

Succès *(n. m.)*. Issue. Résultat bon ou mauvais.

Transport *(n. m.)*. Manifestation violente de la passion.

Vergogne *(n. f.)*. Honte.

Table des illustrations

254 ph. © Giraudon
259 ph. © Giraudon
260 ph. © Hubert Josse
261 ph. © Bibliothèque Nationale, Paris
264-265 ph. © Dagli Orti
266 ph. © Giraudon
267 ph. © E.R.L./Sipa Press
268 ph. © C.F.L.-Giraudon
269 ph. © Bibliothèque Nationale, Paris/Archives Hatier
270 ph. © Giraudon
272 ph. © Hubert Josse
274 ph. © Bulloz
276 ph. © Roger Viollet
278 ph. © Bulloz
282 ph. © Dagli Orti
284 ph. © R. Guillemot/Edimédia
285 ph. © Lauros-Giraudon
286 ph. © Bridgeman-Giraudon
289 ph. © Stichting vrienden van het Mauritshuis, La Haye
290 ph. © Musées de la ville de Paris
© by SPADEM, 1988
292 ph. © C.F.L.-Giraudon
294 ph. © Takase/Artéphot
296 ph. © Telarci-Giraudon
299 ph. © New Orleans Museum of Art
301 ph. Museums foto B.P. Keiser
© Herzog Anton Ulrich Museum, Braunschweig
305 ph. © Photorama, Le Havre
306 ph. © National Portrait Gallery, Londres
308 ph. © Rijksmuseum, Amsterdam
310 ph. © BN, Paris/Archives Hatier
312 ph. © Bulloz
314 ph. © Collection Viollet
315 ph. © Lauros-Giraudon
316 ph. © Bibliothèque Nationale, Paris
317 ph. © Bibliothèque Nationale, Paris
318 ph. © Edimédia
320 ph. © Collection Viollet
322 ph. © National Gallery of Art, Washington
323 ph. © Lauros-Giraudon
326 ph. © Hubert Josse
328 ph. © National Galleries of Scotland
330 ph. © Bibliothèque Nationale, Paris
332-333 ph. © Hubert Josse
334 ph. © Réunion des Musées Nationaux, Paris
335 Copyright © 1987 by the Metropolitan Museum of Art, New York
337 ph. © Lauros-Giraudon
338 ph. © Bibliothèque Nationale, Paris
339 ph. © Lauros-Giraudon
341 ph. © Artéphot/Oronoz
343 ph. © Artéphot/A. Held
345 ph. © Bulloz
347 ph. Museums foto B.P. Keiser
© Herzog Anton Ulrich Museum, Braunschweig
348 ph. Museums foto B.P. Keiser
© Herzog Anton Ulrich Museum, Braunschweig
350 ph. © Studio Berlin, Dijon/Musée des Beaux-Arts, Dijon
352-d et g ph. © Hubert Josse
355 ph. © Lauros-Giraudon
356 ph. © Dagli Orti
358 ph. © Lauros-Giraudon
359 ph. © Bibliothèque Nationale, Paris
362 ph. © Lauros-Giraudon
366 ph. © Hubert Josse
368 ph. © Lauros-Giraudon
370 © Staatliche Kunstsammlungen, Dresde
ph. © Gerhard Reinhold, Leipzig-Mölkau
371 ph. © Bulloz
372 ph. © Bibliothèque Nationale, Paris
373 © Collections de la Société de l'histoire du protestantisme français
374 ph. © Bulloz
376 ph. © C.F.L.-Giraudon
378 ph. © Bibliothèque Nationale, Paris
379 ph. © Musées de la ville de Strasbourg
382 ph. © Bibliothèque Nationale, Paris
385 ph. © Bibliothèque Nationale, Paris
386 ph. © Dagli Orti
388 ph. © Lauros-Giraudon
389 ph. © Lauros-Giraudon
392 ph. © Bulloz
393 ph. © Musée des Beaux-Arts, Lille
395-hg ph. © Jean-Loup Charmet
395-bd ph. © Bulloz
396 ph. © Bulloz
397 ph. © Dagli Orti
399 ph. © Rosine Mazin/Top
401 ph. © Reproduced by permission of the Trustees, The Wallace Collection, London
402 ph. © Hubert Josse
403-bg ph. © Rosine Mazin/Top
403-hd ph. © Rosine Mazin/Top
403-bd ph. © J. Guillot/Top
404 ph. © J. Blauel/Artothek
405 ph. © Jean Bernard
406 ph. © Dagli Orti
408 ph. © Photo Daspet
409-h ph. © Archives Hatier
409-bg ph. © Hubert Josse
410 ph. © Artéphot/Babey
412 ph. © Hubert Josse
413 ph. © Bibliothèque Nationale, Paris
416 ph. © Lauros-Giraudon
417 ph. © Dagli Orti
419 ph. © Hubert Josse
422 ph. © Giraudon
423 ph. © Hubert Josse
424 ph. © Hans Petersen
426 ph. © Archives Hatier
427 ph. © Bulloz

Couverture : *Le Roy Empereur Romain*, Carrousel donné à Paris en 1662, gravure coloriée anonyme. ph. © Bibliothèque Nationale, Paris.

Imprimé en France par Mame Imprimeurs à Tours.
Dépôt légal : Septembre 1992. – Éditeur n° 13127. – Imprimeur n° 28763.